Preromantisch classicisme en reactionaire romantiek
Bilderdijks dramaturgie

S Brouwer
20 XII 13

Preromantisch classicisme en reactionaire romantiek
Bilderdijks dramaturgie

Martien J.G. de Jong

Gent, Koninklijke Academie voor
Nederlandse Taal- en Letterkunde, 2012

Dit boek is gedrukt op zuurvrij en permanent papier dat beantwoordt aan de norm ISO 9706.

Omslagontwerp: Ae Jin Huys
Omslagillustratie: Nicolas Leus
Vormgeving: Edward Vanhoutte
Tekstverzorging: Cindy Holtyzer

Uitgegeven met steun van de Vlaamse Overheid.

ISBN 978-90-72474-86-5
D/2012/0228/1

Publicatie buiten reeks

EERSTE BOEK: PRAKTIJK

TWEEDE BOEK: THEORIE

BIBLIOGRAFIE BIJ BEIDE BOEKEN

Inhoud

LIJST VAN ILLUSTRATIES

Lijst van illustraties in Bijlage bij Eerste boek [cd-rom]

Lijst van illustraties in Bijlage bij Tweede boek [cd-rom]

Ich lerne, wenn ich ihn lese, wenn schon nicht das, was er lehrt

Jacob Grimm

VOORWOORD

Dit tweeledig boek is een jubileumuitgave.ruim vijftig jaar geleden promoveerde ik in Gent op een dissertatie over de onvoltooide toneelteksten van Bilderdijk, getiteld *Willem Bilderdijks verborgen werkzaamheid als dramatisch dichter* (1958). Deze dissertatie werd niet gedrukt. Ik heb ze nadien verwerkt in een tweeledige studie over Bilderdijks dramaturgie in haar geheel die, onder de titel *Tussen klassicisme en romantiek*, in 1965 werd bekroond door de Koninklijke Vlaamse Academie. Ook deze prijsverhandeling bleef ongedrukt. Vakgenoten konden alleen kennis nemen van enkele details in artikelen die ik verspreid heb gepubliceerd in de jaren vijftig en zestig van de vorige eeuw.

Toen eenmaal vaststond dat mijn werk van een halve eeuw geleden alsnog kon verschijnen, heb ik de tekst kritisch bijgewerkt, ondermeer door verwijzingen naar publicaties van na de jaren zestig. Nochtans heb ik er geenszins naar gestreefd recente studies te vermelden in de niet zo zelden voorkomende gevallen dat dezelfde of nagenoeg dezelfde relevante gegevens of inzichten al te vinden waren in de aanvankelijk door mij gebruikte oudere literatuur.

Bij het persklaar maken van mijn teksten heb ik dankbaar mijn voordeel kunnen doen met kanttekeningen van Lotte Jensen, Rik van Gorp en Karel Porteman.Verder verdienen mijn dank François Boulangé, Piet Buijnsters, Joris van Eijnatten, Anna de Haas, Marinus van Hattum, Joost Kloek en George Vis voor de vriendelijke wijze waarop ze mij met publicaties en informaties van dienst zijn geweest.

Een in 1958 en 1965 nog onbekend instrument was de tekstverwerker. Vanuit vaal geworden typoscripten op vergeeld doorslagpapier moesten mijn teksten, voorzien van spelling-en stijlveranderingen en samen met geschreven bijlagen, tenslotte terecht komen in een computer. Bij dit elektronisch monnikenwerk kon ik rekenen op de constante inzet van mijn oud-studenten Christine Canart en Danielle Dethier, wier werk professioneel werd geüniformeerd door Cindy Holtyzer van de Koninklijke Academie. Zonder hun met warme dank aanvaarde hulp had dit boek niet kunnen verschijnen.

Jambes-Namur, 2008-2009

EERSTE BOEK: PRAKTIJK

INLEIDING TOT HET EERSTE BOEK: PRAKTIJK

In het tweede en laatste deel van Worps *Geschiedenis van het drama en van het tooneel in Nederland* (1908) staat Bilderdijk vermeld als de auteur van drie treurspelen, die verschenen in 1808 en waaruit blijkt dat hij zich, meer dan zijn achttiende-eeuwse voorgangers: 'vrij (maakte) van de regelen der Fransch-classieke tragedie.' Ook Ben Hunningher schreef in een anno 1931 verschenen studie over het Nederlandse toneelleven dat Bilderdijks arbeid voor het toneel beperkt bleef tot het jaar 1808. L.Simons was het daarmee eens, blijkens het vierde deel (1932) van zijn *Het drama en het tooneel in hun ontwikkeling*. Hij noemde Bilderdijk, in het voetspoor van de literatuurhistoricus J.Prinsen: 'in de wereldlitteratuur een der eerste groote romantici', maar dan wel met Simons' eigen toevoeging dat Bilderdijk 'zichzelf voor een dooroefende klassicus hield.' In de toneelgeschiedenis van Lode Monteyne (1949) leest men: 'Willem Bilderdijk (1756-1831) bleef de Frans klassieke richting zijn hele leven trouw zoals blijkt uit zijn drie treurspelen *Floris V*, *Willem van Holland* en *Kormak* (alle drie in 1808 ontstaan)'.[1]

Afgezien van het feit dat Monteynes uitspraak een onbegrijpelijke paradox bevat, kunnen we vaststellen dat hij en Hunningher een mening over Bilderdijks dramaturgie hebben geopenbaard die men terug kan vinden in verschillende literatuurgeschiedenissen. Willem Bilderdijk staat doorgaans geboekstaafd als een voorstander van de Franse (en Griekse) klassieke tragedie, die zich in het jaar 1808 heeft gewaagd aan drie treurspelen in de door hem verdedigde trant.[2] Of deze karakteristiek juist mag worden genoemd voor wat betreft de *aard* van Bilderdijks dramaturgie, zal pas kunnen worden uitgemaakt na een nauwkeurig onderzoek; dat ze beslist onjuist is voor haar *omvang* kan gemakkelijker worden aangetoond.

---

[1] Monteyne (1949), p. 264; Worp (1908), dl. II, p. 376, 341, 342; Hunningher (1931), p. 3; Simons (1932), dl. IV, p. 204; vgl. J. Prinsen J.Lzn., *Handboek tot de Nederlandsche letterkundige geschiedenis*[3], 's Gravenhage 1928, p. 530. Prinsen schrijft n.a.v. Bilderdijks drie treurspelen uit 1808 dat Bilderdijk 'niets van eenige beteekenis heeft kunnen voortbrengen voor het tooneel' en dat op theoretisch gebied: 'Het Grieksche en Fransche klassieke drama hem alles was.' (p. 542).

[2] Aldus in de eerste druk van G. Knuvelder, *Handboek tot de geschiedenis der Nederlandse letterkunde* (1950) en in het *Handboek tot de Nederlandsche letterkundige geschiedenis*, 's-Gravenhage 1928[3], van J. Prinsen. In toch al vrij omvangrijke literatuurgeschiedenissen als *Panorama der Nederlandse letteren* (onder redactie van J. Haantjes en W.A.P. Smit, Amsterdam 1948) en *Dichterschap en Werkelijkheid* (redactie W.L.M.E. van Leeuwen, Utrecht 1943[2]) wordt Bilderdijks werkzaamheid als dramaturg niet besproken. Al evenmin gebeurt dat in de opstellenbundel die onder hoofdredactie van M.A. Schenkeveld-van der Dussen verscheen onder de titel *Nederlandse literatuur, een geschiedenis* (Groningen 1993). Walch weet te melden dat Bilderdijk 'na eenige pogingen' in drie dagen zijn *Floris de Vijfde* schreef, kort daarop gevolgd door *Willem van Holland* en *Kormak*. Verder zou Bilderdijk zich niet met toneel hebben beziggehouden (J.L. Walch, *Nieuw Handboek der Nederlandsche letterkundige geschiedenis* [2], 's-Gravenhage 1947, p. 590, 591). In de meerdelige literatuurgeschiedenis van Te Winkel staat dat Bilderdijk vóór 1808 'zoo nu en dan... wel zelf tooneelstukken ontworpen' had, maar dat hij nooit tot de uitwerking kwam 'omdat hij zich te veel lierdichter gevoelde om zich voldoende aanleg voor het drama te kunnen toeschrijven' (J. te Winkel, *De ontwikkelingsgang der Nederlandsche letterkunde*, dl. VI, Haarlem 1925[2], p.330). G. Kalff, *Geschiedenis der Nederlandsche letterkunde*, dl. VI, Groningen 1910, p. 394, vermeldt wel het bestaan van onuitgegeven toneelwerk, maar gaat er niet verder op in. Ook C.G.N. de Vooys, *Geschiedenis van de letterkunde der Nederlanden*, dl. VII, 's-Hertogenbosch-Brussel 1948, p. 46, deelt het bestaan van onuitgegeven fragmenten mee. Hij meent dat het ontstaan ervan te danken is aan Bilderdijks 'eerzucht om, na de roem behaald met balladen, oden, lier- en leerdichten, ook meesterschap te tonen op dramatisch gebied'.

Gerard Knuvelder schreef in 1950 dat Bilderdijk plotseling ook een bevlieging kreeg om toneelstukken te schrijven', welke 'vlaag' echter spoedig was overgewaaid.[3] En dat was zomaar niet een gratuite bewering. Knuvelder kon ze baseren op de voorberichten waarmee Bilderdijk zelf in 1808 de uitgave van zijn drie treurspelen had ingeleid. De eigenaardigheid is echter dat de mededelingen van Bilderdijk, op zijn zachtst gezegd, niet helemaal juist waren. Toen hij in het voorwoord bij zijn *Floris de Vijfde* beweerde dat hij nooit voor het toneel had gewerkt, noch ooit van plan was geweest dat te doen, schreef Bilderdijk gewoon een aperte onwaarheid. Dat hadden zijn tijdgenoten al kunnen vaststellen als ze de moeite hadden genomen de voorrede bij zijn *Mengelpoëzy* van 1799 te herlezen. Want daarin had de auteur de uitgave van enkele 'uitgewerkte treurspelen' zelf aangekondigd! Zo is er ook voldoende reden om te twijfelen aan de door geschiedschrijvers met graagte overgenomen bewering van Bilderdijk, als zou zijn treurspel *Floris de Vijfde* 'in driemaal vier en twintig uren ontworpen en opgesteld' zijn. Er bestaat een onuitgegeven brief van de dichter waaruit blijkt dat hij al vóór zijn verbanning in 1795 aan een treurspel met de titel *Floris de Vijfde* had gewerkt.[4]

Bilderdijk heeft zich ten aanzien van zijn werkzaamheid als toneelschrijver in een web van tegenspraken gesponnen. In 1779 schreef hij aan mr. Daniel van Alphen dat hij de ontwerpen voor enkele treurspelen had voltooid, maar dat weerhield hem er niet van het een jaar later aan Juliana Cornelia de Lannoy te doen voorkomen alsof hij nooit iets aan dramatische poëzie had gedaan. In 1784 deed Bilderdijk pogingen om een oorspronkelijk toneelstuk uit te geven bij Uylenbroek, maar in 1817 wekte hij bij zijn vriend Wiselius de indruk dat zijn toneelwerk beperkt was gebleven tot wat Knuvelder later zijn 'vlaag' van 1808 zou noemen. Uit de tussenliggende jaren hebben we o.a. een brief van 1790 aan Adriaan Loosjes waaruit kan worden opgemaakt dat Bilderdijk zich wel degelijk met toneel bezighield, de gepubliceerde mededeling bij de uitgave van de bundel *Mengelpoëzy* van negen jaar later die op hetzelfde wijst... en enkele brieven aan Jeronimo de Vries van 1806, die de argeloze lezer weer zouden doen vermoeden dat de dichter tot op dat jaar nog nooit iets aan toneelliteratuur had gedaan.[5] Het blijkt bij nadere beschouwing niet zo eenvoudig de ware omvang van Bilderdijks dramatisch werk uit zijn gepubliceerde geschriften te achterhalen.

Maar we beschikken ook over ándere gegevens. Op een van de ongeveer duizend bladzijden die R.A. Kollewijn over het leven en de werken van Bilderdijk schreef, maakte hij gewag van 29 handschriften met onvoltooid dramatisch werk van de dichter, die hij zelf in zijn bezit had. Hij noemde daarbij de vermoedelijke titels van een aantal ontwerpen en

---

[3] G. Knuvelder, *Handboek tot de geschiedenis der Nederlandse letterkunde*, dl. III, 's-Hertogenbosch 1950, p. 156 e.v.; in de herdruk van dit werk (1959, p. 150) heeft Knuvelder zijn formulering gewijzigd op grond van de sedert 1957 verschenen publicaties over en van Bilderdijks tot dan verborgen gebleven toneelwerk. Deze publicaties zijn eveneens verdisconteerd in later verschenen studies van De Leeuwe (1990) en Van Eijnatten (1998).

[4] DW. XV, p. 139; 63. Brief van 6 mei 1797 aan S. Elter, Koninklijke Bibliotheek te 's-Gravenhage, nr. 121 D 4/12, uitgegeven in Bosch (1988), p. 356. Zie hfdst. X, par. 2.

[5] Bosch (1955), p. 74; Br. I, p. 131, Br. III, p. 92; Br. I, p. 234, Br. II, p. 101, 115.

fragmenten, maar onderwierp ze niet aan een onderzoek.[6] Nadien werd het bestaan van die handschriften nog vermeld door enkele literatuurhistorici, zonder dat ze ook bij die gelegenheid werden onderzocht of aan het licht gebracht.[7] De aangehaalde karakteristiek van Bilderdijk als dramaturg bleef praktisch ongewijzigd. Ook in de speciale studies die aan het dramatisch werk van Bilderdijk werden gewijd, bleven de onuitgegeven geschriften nog lange tijd buiten beschouwing. Bij de Bilderdijk-herdenking van 1906 besprak J.H. Rössing, in het voetspoor van Kollewijn, enkele onbelangrijke stukjes uit Bilderdijks prille jeugd, en later herhaalde G. Kamphuis nog Kollewijns mededeling omtrent de 29 onuitgegegeven stukken.[8] Hij meende dit aantal met één treurspel te kunnen uitbreiden, maar zag daarbij over het hoofd dat het betreffende stuk al in Kollewijns boek was genoemd en aan de vader van de dichter toegeschreven. Uiteindelijk blijkt het stuk zomin tot het werk van de oude, als tot dat van de jonge Bilderdijk te behoren.[9]

Het is de Gentse hoogleraar H. Logeman geweest, die het eerst een ongepubliceerd toneelstuk van Bilderdijk tot voorwerp van onderzoek heeft gemaakt. Uit de verzameling van W. Leeflang te Utrecht bezorgde hij in 1925 een uitgave van het blijspel *De Goudmaaker*, dat door de dichter waarschijnlijk op achttienjarige leeftijd werd geschreven. In een uitvoerige inleiding toonde Logeman aan dat Bilderdijks in verzen geschreven tekst een bewerking was naar de Nederlandse prozavertaling van Ludwig Holbergs *Det Arabiske pulver.*[10]

Was Logeman de eerste nauwkeurige onderzoeker van Bilderdijks nagelaten toneelwerk, de eerste uitgever daarvan was hij niet. In 1889 had J.F.M. Sterck al een gedeelte van een waarschijnlijk in 1774 geschreven treurspel *Jephtah* het licht doen zien, maar zijn uitgave wilde niet meer zijn dan de openbaarmaking van een curiositeit: een ongepubliceerd werkstukje van de grote dichter.[11] Als zodanig moet ook de publicatie in 1897 van Bilderdijks jeugdwerkje *Het Orakel* door H. de Jager worden beschouwd, die daarvoor gebruik maakte van een door zijn vader vervaardigd afschrift van een origineel dat het eigendom van Bastiaan Klinkert was.[12] Aangezien *Het Orakel* een bewerking is naar het Frans van Poullain de Sainte-Foy, kreeg het stukje in 1929 een (weliswaar oppervlakkige) bespreking in de dissertatie *Bilderdijk et la France* (1929) van Johan Smit.[13] Uitgegeven werd er van Bilderdijks nagelaten toneelwerk niets meer sedert de verschijning van Logemans uitgave in 1925.[14] De

[6] Kollewijn, dl. I, p. 447.

[7] Vgl. het overzicht in noot 3.

[8] Rössing (1906), p. 333 e.v.; Kamphuis (Denkbeelden, 1947), p. 211 e.v.

[9] Zie hfdst. V, par 3, noot 201. Ook Van Eijnatten (1998), p. 465, noot 93, schrijft het stuk in kwestie (*Ino en Melicertus*) ten onrechte toe aan Willem Bilderdijk zelf.

[10] W. Bilderdijk, *De Goudmaker. Blijspel.* Volgens het enig bekende handschrift voor het eerst uitgegeven door Dr. H. Logeman, Gand-Paris 1925.

[11] J.F.M. Sterck, 'Uit Bilderdijks nalatenschap', *De katholiek* 1889, p. 281 e.v.; vgl. hfdst. III, par. 1.

[12] *De navorscher* 1897, p. 669 e.v.

[13] Smit 1929, p. 108; zie hfdst. XI, par. 3.

[14] Ik houd hierbij, evenals bij de nog volgende 'inventarisatie', geen rekening met het nagelaten toneelwerk dat ik sedert 1957 verspreid heb gepubliceerd in verschillende tijdschriften.

verschillende particuliere handschriftenverzamelingen kregen een plaats in grote bibliotheken en werden geen onderzoek meer waard geacht. Niet zonder moeite slaagde ik erin hun verblijfplaatsen op te sporen. De door Logeman benutte verzameling van W. Leeflang bleek, via het Haagse Gemeente-archief, te zijn terechtgekomen bij het *Nederlands letterkundig museum en documentatiecentrum* in 's-Gravenhage; het door Sterck uitgegeven fragment was eigendom geworden van het *Bilderdijk-museum* in Amsterdam; de volledige collectie-Kollewijn berustte in de bibliotheek van de *Maatschappij der Nederlandse letterkunde* te Leiden; en de *Koninklijke Nederlandse Akademie van Wetenschappen* in Amsterdam bleek eigenaar der handschriften van Bastiaan Klinkert, waarvan destijds een indirect gebruik was gemaakt door H. de Jager. Tenslotte leverde ook een onderzoek in de *Koninklijke Bibliotheek* te 's-Gravenhage een belangrijk dramatisch fragment op.[15]

Na inventarisatie kwam aan het licht dat de handschriften van 33 door Bilderdijk geschreven maar niet door hem gepubliceerde dramatische fragmenten en ontwerpen ononderzocht waren gebleven. Bovendien bleek uit andere gegevens dat het totale aantal toneelstukken waaraan Bilderdijk heeft gewerkt maar die hij nooit heeft uitgegeven, op minstens 38 moet worden gesteld. Volledigheidshalve kan men daar nog wat jeugdwerk bijtellen dat – voorzover mij bekend – bestaat uit drie oorspronkelijke stukjes en één vertaling. Van al dit onuitgegeven toneelwerk heb ik in de jaren 1957-1960 een aantal fragmenten en ontwerpen verspreid gepubliceerd in diverse tijdschriften. Ze werden door H.H.J. de Leeuwe betrokken in zijn 'schets' over *Bilderdijk, het drama en het toneel*, die anno 1990 in beperkte oplage verscheen na zijn emeritaat als hoogleraar in de theaterwetenschap aan de Rijksuniversiteit te Utrecht.[16] Het onuitgegeven toneelwerk in zijn geheel was voorwerp van onderzoek in mijn ongepubliceerd gebleven dissertatie. Een synopsis heb ik verwerkt in de hoofdstukken I-X, die Deel I van dit *Eerste Boek* vormen.

Al in mijn dissertatie van 1958 heb ik me de vraag gesteld in hoeverre Bilderdijks onvoltooide en door hem ook nooit gepubliceerde toneelstukken in aanmerking mogen komen voor het onderzoek dat een door de schrijver zelf aan de openbaarheid prijsgegeven tekst ten deel pleegt te vallen. Voor een onderzoek dus, waarvan een literair werk *om zijns zelfs wil* het voorwerp is. Daarmee raakt men een probleem dat in abstracto aan de orde kan worden gesteld door bijvoorbeeld te verwijzen naar de bij Walter Muschg voorkomende uitspraak 'in der Kunst zählt nur das Vollendete', en naar de empirisch-economische studie *Sociologie de la littérature*, van Robert Escarpit (productie>distributie>consumptie).

[15] J. Bosch noemt als verblijfplaats van de verzameling-Leeflang nog het Gemeente-archief te 's-Gravenhage en verwart de collectie-Kollewijn met die van De Jager (Bosch, 1955, p. XXXIV en p. 98).

[16] Na zijn als 'schets' aangekondigde publicatie *Bilderdijk, het drama en het toneel*, (Pressa Trajectina, Utrecht 1990), publiceerde De Leeuwe nog het artikel 'Bilderdijks Toneelwetten. Theorie en Praktijk', *Het Bilderdijk-Museum* 19 (2002), p. 8-11. Van Eijnatten (1998) bespreekt Bilderdijks toneelwerk in zijn hoofdstuk 'Ridders op de Bühne', p. 446-472. (Mijn verspreid verschenen publicaties van en over Bilderdijk staan vermeld in de *Bibliografie* van het *Tweede Boek* op de bijgeleverde cd-rom)

Tegenover het op deze, of op soortgelijke wijze op te bouwen ontkennend antwoord, zou men met evenveel recht een bevestiging kunnen stellen, die eveneens uitgaat van een dubbele verwijzing. Bijvoorbeeld naar de in 1959 verschenen bundel studies *Das Unvollendete als künstlerische Form*, en ook naar de praktijk van de literatuurgeschiedenis, die zich – ondanks de uitdrukkelijke wil van de auteurs – objecten heeft gekozen als Vergilius' *Aeneïs*, Diderots *Le neveu de Rameau* en Kafka's *Der Prozess*...[17]

Gelukkig bestaat er een meer concreet middel om te bepalen op welke wijze Bilderdijks ongepubliceerde toneelarbeid moet en mag worden onderzocht, en van welke aard de conclusies kunnen zijn die erop mogen worden gebaseerd. We kunnen trachten te achterhalen welke de waarde is die de auteur zelf aan dit werk heeft toegekend. De nagelaten brieven en het voorwoord bij een van zijn dichtbundels, verstrekken hieromtrent enige inlichtingen. Er blijkt bijvoorbeeld uit dat Bilderdijk zelf in 1783 en in 1784 zijn tenslotte toch verborgen gebleven toneelspel *Zelis en Inkle* wel degelijk heeft willen publiceren.[18] En er hebben ook plannen bestaan voor de uitgave van andere verborgen gebleven toneelstukken. Vanuit Duitsland informeerde Bilderdijk in Juni 1798 bij zijn vriend J. Kinker, of het mogelijk zou zijn in Nederland enkele treurspelen uit te geven. Hij heeft daarbij kennelijk het oog op toneelstukken in proza. Zo schrijft hij: 'La Tragedie est dechuë de l'ancienne pompe, le stile en est devenu plus populaire, et la prose se souffre à present sur le Theatre dans la bouche des Rois et des Héros. Au reste, chez vous on ne manque pas de versificateurs qui pourront l'habiller en vers. – S'il y avoit un gain assuré (savoir de reputation aussi bien que d'argent) je pourrois moi-même m'y preter, mais je ne pense plus en vers Tragiques comme autrefois, ce qui double le travail. – Au reste les pièces en vers deviennent de jour en jours plus rare, et l'on en joue plus en Allemagne. En Angleterre c'est le contraire, on y a introduit un ampoulé qui choque le bon sens, et qui ne se soutient que par la versification.[19]

---

[17] Walter Muschg, *Tragische Literaturgeschichte*, Bern 1953², p. 638, vgl. echter ook p. 676 e.v.; Robert Escarpit, *Sociologie de la littérature*, Paris 1958; J.A. Schmoll gen. Eisenwerth e.a., *Das Unvollendete als künstlerische Form*, Bern-München 1950 (interessant is in deze bundel het opstel van Maurice Bémol over Paul Valéry); Vergilius wenste dat het manuscript van de *Aeneïs* werd verbrand 'als hem iets overkomen zou zijn': J. van IJzeren, *Geschiedenis der klassieke Literatuur*, dl. I, Utrecht-Antwerpen 1958, p. 44; voor de ontstaansgeschiedenis van *Le neveu de Rameau*: zie de door Rudolf Schlösser en Bernhard Seuffert verzorgde uitgave *Goethes Werke*, 45. Band, Weimar 1900, p. 221 e.v. en p. 239. Over de interpretatie van deze tekst spreekt Ernst Robert Curtius, *Europäische Literatur und lateinisches Mittelalter*, Bern 1948, p. 556 e.v.; m.b.t. Kafka's *Der Prozess* schrijft Uyttersprot: 'Kafka hat die Vernichtung der Manuscript gefordert, weil er ein unvollendetes Werk, das einfach noch nicht "sasz" der Öffentlichkeit nicht übergeben wollte' (Herman Uyttersprot, 'Zur Struktur von Kafkas "Der Prozess" ', *Langues vivantes* no. 42, p. 42).

[18] De Jong (Robinsonade, 1958), p. 131.

[19] Brief van 18 juni 1798 aan J. Kinker, Portefeuilles Margadant, uitgegeven door Hanou en Vis (1992), dl. I, p.86 en door Marinus van Hattum in Briefwisseling (2007), III, p. 105. (*Portefeuilles Margadant*: een door S.W.F. Margadant (1887-1946) vervaardigde verzameling copieën van Bilderdijks briefwisseling in de collectie van 'Het Bilderdijk-Museum', V.U. te Amsterdam, die door mij in de jaren vijftig van de vorige eeuw werd geraadpleegd. Vgl. hfdst.VI, par. 1, noot 235). Door de diplomatische uitgaven van Bilderdijks briefwisseling over de jaren 1772-1794 (Bosch -1955-), 1795-1797 (Briefwisseling -1988- II) en 1798-1806 (Briefwisseling -2007- III) bestaat thans de mogelijkheid tot collationering. In mijn bespreking van Briefwisseling-1988-II in het tijdschrift *Maatstaf* 37 (1989) 5, p. 27-34, schreef ik dat een saillante passus uit de door Margadant op 7-XII-1796 gedateerde brief van Bilderdijk aan zijn jeugdige geliefde K.W. Schweickhardt ontbrak en dat ik daarover contact had opgenomen met de drie tekstbezorgers van deze uitgave. Namens hen antwoordde prof. dr. J. Bosch mij op 7 oktober 1988 dat '*noch de brief noch de kopij meer aanwezig' was*. En hij vervolgde: *'De brief bevond zich, voor zover wij nu kunnen nagaan, al in de tijd van het*

Bilderdijk schijnt niet alleen de uitgave van treurspelen in proza te overwegen; hij wil eventueel ook optreden als leverancier van treurspelontwerpen, die dan door een ander in verzen zouden kunnen worden uitgewerkt. Daarop wijst ook het voorwoord bij de bundel *Mengelpoëzy*, van 1799. De dichter schrijft daar: 'En, bevinde ik dat het behaagt, zo konde ik wellicht besluiten, om ook iets van mijne Dramatische voorbeelden, waar onder uitgewerkte Treurspelen, doch in Proze, zijn, afzonderlijk uit te geven'.[20] Die 'Dramatische voorbeelden' moeten wel ontwerpen zijn, anders is de aparte vermelding van de 'uitgewerkte Treurspelen' volslagen zinloos. Maar daarmee worden verschillende ontwerpen in de handschriften van Bilderdijk veel meer dan alleen maar schetsen. Ze kunnen worden beschouwd als min of meer afgeronde gehelen, waarvan een verdere uitwerking nooit door de dichter is overwogen.

Stelt het feit dat zulke ontwerpen wellicht een 'eindstadium' te zien geven, benevens de omstandigheid dat Bilderdijk ze heeft willen uitgeven en het de moeite waard heeft geacht de manuscripten steeds te blijven bewaren, stelt dit die ontwerpen nu gelijk aan het door de dichter gepubliceerde werk? Ik meen dat dit niet het geval is en beschouw de door mij onderzochte handschriften principieel niet als 'nagelaten literair werk' van Bilderdijk, maar als genetische studiemateriaal. Zomin als van de overgeleverde fragmenten, weten wij van de ontwerpen of Bilderdijk ze in de ons overgeleverde vorm aan de publiciteit zou hebben prijsgegegeven, dus of hij ze zelf op een bepaald ogenblik als 'voltooid' heeft beschouwd. Bovendien weten wij niet zeker wélke teksten precies voor uitgave in aanmerking zouden zijn gekomen en is het voor bepaalde stukken maar al te duidelijk dat ze in een embryonaal stadium zijn blijven steken. Wanneer men de in portefeuille gebleven ontwerpen en fragmenten bij de beoordeling van Bilderdijks kwaliteiten als toneeldichter ter sprake wenst te brengen, dan zal dit alleen kunnen gebeuren onder voorbehoud van de mogelijkheid dat de auteur er bij een uitgave stilistische of zelfs structurele veranderingen in zou hebben aangebracht: een mogelijkheid die overigens – men vergelijke de herdrukte bundels van dichters als Nijhoff, Achterberg, Gilliams, Hoornik, Claus – ook blijft bestaan nadat een werk eenmaal is uitgegeven.[21]

maken van de diplomatische afschriften voor de onderhavige editie (1964-1966) niet meer in de betreffende collectie van het Museum. Jammer genoeg blijken de copieën-Margadant door ons niet als contrôle op de aanwezigheid van de brieven te zijn gebruikt, en zijn ze, voor zover ze de periode 1795-1797 betreffen, na het verschijnen van het boek door mij niet langer bewaard.' Nadien is – gelukkig – gebleken dat de bedoelde brief wèl in Briefwisseling 1988- II voorkomt, maar door de tekstbezorgers werd gedateerd op 30-XI-1796. In de inleiding op Briefwisseling -2007- III citeert Marinus van Hattum de destijds voor mij – én voor de drie tekstbezorgers, onder wie hij zelf – onvindbaar geworden passus en schrijft vervolgens in een voetnoot dat uit mijn artikel in *Maatstaf* 'zou kunnen worden opgemaakt, maar ten onrechte, dat deze passus niet in het brievendeel voorkomt.' Hij voegt daaraan toe: 'Overigens is geen enkel archiefstuk weggeraakt.' De mededeling van Bosch (en niet van mij!) blijft onvermeld en Van Hattums impliciete tegenspraak tot deze mededeling bij gevolg onverklaard.

20 DW. XV, p. 63.

21 F.W. Heerikhuizen, *In het kielzog van de romantiek. Studies over nieuwe Nederlandse poëzie*, Bussum 1948, p. 167 e.v.; F. Lulofs, *Verkenning door varianten. De redacties van Het Uur U van M. Nijhoff stilistisch onderzocht*, Den Haag 1955; Martien J.G. de Jong, *Een verre vrouw van taal. Over Gerrit Achterberg, zijn dichterschap, zijn leven en zijn interpreten*, Gent 2000, p. 19, 61, 77, 85-87; dez. *Maurice Gilliams. Een essay*, Amsterdam 1984, p. 67 e.v., 322 e.v.; dez., *Een klauwende muze. De tussenwereld van Maurice Gilliams*, Gent 2001, p. 82-89; dez., *Van Bilderdijk tot Lucebert. Tekst en context van Nederlandse gedichten*, Leiden 1967, p. 110 e.v.; dez., *Tussen Everzwijn en Fidel Castro. Het Ik en Nu van Hugo Claus*, Soesterberg 2006, p. 73-77.

Waartoe Bilderdijks handschriften ons onbetwist in staat stellen, is allereerst een bepaling van de ware omvang die zijn toneelarbeid heeft gehad. Ondermeer door extern onderzoek moet het tevens mogelijk zijn vast te stellen over welke jaren zich die toneelarbeid heeft uitgestrekt, tot welke dramatische genres ze zich heeft beperkt en hoe Bilderdijk op een gegeven tijdstip een bepaald genre heeft beoefend. Verder zal vooral het verborgen gebleven toneelwerk dat nog in 'statu nascendi' verkeert gemakkelijker de bronnen verraden waaruit het is opgeweld. Daardoor kan dit werk – in combinatie met Bilderdijks wél voltooide en uitgegeven stukken – enig inzicht verschaffen in zijn werkwijze als toneelschrijver. In een brief van 4 augustus 1803, schreef Goethe aan Karl Friedrich Zelter: 'Natur- und Kunstwerke lernt man nicht kennen wenn sie fertig sind; man muss sie im Entstehen aufhaschen, um sie einigermassen zu begreifen'.[22] Men hoeft nog geen fervent bewonderaar van Goethes genetische methode te zijn, om te kunnen waarderen dat de onvoltooide toneelstukken van Bilderdijk ons bijwijze van spreken binnenvoeren in diens dichterlijke werkplaats. Deze teksten geven gelegenheid om Bilderdijk bij zijn werkzaamheid van toneelschrijver als het ware op heterdaad te betrappen. Afwijkingen van aanvankelijk nagevolgde voorbeelden kunnen zijn bedoelingen als dramatisch dichter duidelijker in het licht stellen en ongeveer aanduiden welk standpunt Bilderdijk heeft ingenomen tegenover de toenmalige en vroegere geplogenheden in de toneelliteratuur. Zijn standpunt kan echter pas volledig worden achterhaald als, naast alle onuitgegeven en vooral uitgegeven toneelstukken, ook Bilderdijks theoretische geschriften over de dramaturgie bij het onderzoek worden betrokken. Daarom zal in het *Tweede Boek* verslag worden gedaan van een – op mijn in het Voorwoord genoemde prijsverhandeling van 1964 steunend – comparatistisch onderzoek naar Bilderdijks toneeltheorie in het algemeen, en naar zijn oordelen over voorgangers en tijdgenoten afzonderlijk.

Voor het onderhavige *Eerste Boek* bleven zodoende gereserveerd de analytische besprekingen van alle onuitgegeven toneelteksten en uiteraard ook van alle toneelstukken (oorspronkelijk of vertaald) die Bilderdijk zelf heeft voltooid en gepubliceerd. Daaruit volgt dat bij de samenstelling van dit *Eerste Boek* moest worden uitgegaan van een hoofdindeling in tweeën. Deel I van dit *Eerste Boek* is gewijd aan *Bilderdijks onuitgegeven toneelwerk*. Het opent met een hoofdstuk over de datering en ordening van het materiaal en de aard van het onderzoek. Daarna krijgen in de hoofdstukken II tot en met IX alle onuitgegeven toneelteksten van Bilderdijk een aparte bespreking. Het tweede deel van dit *Eerste Boek* is gewijd aan *Bilderdijks uitgegeven toneelwerk* en bestaat uit de hoofdstukken X, XI en XII. Hoofdstuk X gaat over de oorspronkelijke stukken, hoofdstuk XI over de vertalingen en hoofdstuk XII over de opvoeringen van Bilderdijks toneelwerken. Dat de door de auteur voltooide en gepubliceerde toneelteksten diepgaander konden worden behandeld dan de ontwerpen en fragmenten in het eerste deel, hangt mede samen met de omstandigheid dat er

[22] Wellek (1955), dl. I, p. 218, 329.

soms een standpunt moest worden ingenomen ten aanzien van interpretaties van vroegere critici en onderzoekers.

De resultaten van het onderzoek in deze twee hoofddelen stelden mij in staat een derde deel toe te voegen, onder de titel *Bilderdijk als navolger en als voorbeeld*. Dit derde deel begint met een volledige Lijst van achterhaalde toneelstukken (hoofdstuk XIII). In de lijst zijn alle voltooide en onvoltooide toneelwerken van Bilderdijk zoveel mogelijk chronologisch geordend en voorzien van bibliografische aantekeningen die het mogelijk maken alle toneelteksten en hun besprekingen in en buiten ons *Eerste Boek* terug te vinden. Een samenvattend hoofdstuk XIV sluit Deel III concluderend af. Het is ondermeer gewijd aan Bilderdijks werkwijze als dramaturg in verband met opvattingen en praktijk van andere toneelschrijvers in binnen- en buitenland. Met name komt daarbij het probleem van de literaire oorspronkelijkheid ter sprake.

Tenslotte hoort bij dit *Eerste Boek* een omvangrijke *Bijlage* waarin ik alle toneelhandschriften van Bilderdijk heb beschreven en 21 tot dusver ongepubliceerd gebleven toneelteksten voor het eerst heb uitgegeven. Deze Bijlage bevat dus het merendeel van de in hoofdstuk II tot en met hoofdstuk IX besproken teksten en vormt daardoor een belangrijk controlemiddel op de negen hoofdstukken in het Deel I van dit *Eerste Boek*. Deze Bijlage wordt op de bijhorende cd-rom gepubliceerd.

DEEL I

WILLEM BILDERDIJKS ONUITGEGEVEN TONEELWERK

HOOFDSTUK I

DATERING, ORDENING EN ONDERZOEK

1. Datering

Ten aanzien van de onverwacht grote hoeveelheid onafgewerkte toneelmanuscripten die Bilderdijk heeft nagelaten, rijst uiteraard de vraag naar de datering. Om te achterhalen wanneer Bilderdijk aan zijn ontwerpen en fragmenten heeft gewerkt, heb ik gebruik gemaakt van verschillende middelen.

1. Dateringen op het handschrift zelf

Helaas heeft Bilderdijk maar enkele handschriften gedateerd, en juist deze zijn van minder belang omdat ze niet meer dan toneelwerk uit zijn vroege jeugd bevatten.

2. Indirecte aanwijzingen van verschillende aard

Van verschillende aard waren de indirecte aanwijzingen die tot een benaderende datering van de onderzochte handschriften konden leiden. Ze moesten op uiterst moeizame wijze worden verzameld. Van duizenden door Bilderdijk geschreven bladzijden, in handschrift of gedrukt, moest worden nagegaan of ze een of andere aanwijzing bevatten. Soms waren ook bibliografische gegevens betreffende andere auteurs van belang. Zo bleken enkele aantekeningen op een bepaald manuscript te berusten op een in Bilderdijks tijd verschenen wetenschappelijke publicatie, waarvan het jaar van uitgave dus weer een aanwijzing vormde. In een ander geval bleek de dichter te hebben ontleend aan het dramatisch werk van een Italiaanse auteur, terwijl uit Bilderdijks briefwisseling en de catalogus van zijn bibliotheek viel op te maken dat hij daartoe een uitgave moest hebben gebruikt die alleen ná een bepaalde datum voor hem bereikbaar was. Ook feiten van geschiedkundige aard waren soms van betekenis voor de datering. Daar namelijk, waar de teksten enigszins politiek zijn gekleurd, of waar Bilderdijk een bepaalde gebeurtenis uit zijn eigen tijd heeft gedramatiseerd.

3. De spelling

Prof. H.W. Tydeman, Bilderdijks trouwe vriend en correspondent, die ook de uitgever is van zijn postuum verschenen *Geschiedenis des Vaderlands*, heeft eens opgemerkt dat de dichter 'waar hij niet voor het publiek schreef, ongestadig (was) in zijne spelling'. Dit is inderdaad het geval, en vooral treft deze eigenaardigheid bij de spelling van eigennamen.[23] Toch ontneemt de door Tydeman opgemerkte 'ongestadigheid' ons niet ieder criterium om handschriften van Bilderdijk op grond van de spelling te dateren. De Leidse hoogleraar heeft

[23] GdV. XIII, p. 49; GdV. I, p. XXIV.

nooit teksten uitgegeven of brieven ontvangen, die door Bilderdijk werden geschreven vóór zijn verbanning in 1795.[24] In deze teksten nu, treft een spellingeigenaardigheid die een approximatieve datering mogelijk maakt. Dat is het al of niet voorkomen van de *g* in plaats van de huidige *ch* en van een dubbele medeklinker waar later een enkele staat. Bilderdijk vestigt op het laatste verschijnsel als volgt de aandacht in zijn *Nederlandsche Spraakleer* van 1826. Onder de 'overheerschende Amsterdammers' ontstond 'een nieuwe ketterij... die ook (en inzonderheid in de achttiende eeuw) algemeen gedreven werd, van namelijk de vokalen noodeloos te verdubbelen, om dus Enkel- en Meervoudig te beter over een te doen stemmen in *straat* en *straaten*, *beet* en *beeten*, *koom* en *koomen*.[25] Een Amsterdams verschijnsel dus. Welnu, Bilderdijk heeft in Amsterdam vertoefd tot 1780, daarna studeerde hij twee jaar te Leiden en vervolgens vestigde hij zich als advocaat te 's-Gravenhage.[26] Zelf schreef Bilderdijk, dat hij zich pas in 1782 heeft kunnen losmaken van de invloed die onder anderen door zijn vader (als vertegenwoordiger van de Amsterdamse 'kunstgenootschappen') werd uitgeoefend op de uiteindelijke vorm van zijn dichterlijke producten: 'Van dien tijd dan ook af dagtekent mijn arbeid in het Dichterlijke, die ik als onvervalscht noemen kan; maar wat voor 1782 geschreven is, is het mijne niet gebleven'.[27] Als voorbeeld van een verknoeid stuk noemde hij zijn gedicht *Jefthaas dochter aan hare moeder*. Ik heb dit stuk elders besproken en merk nu alleen maar op dat het in 1780, tezamen met een vers van Bilderdijks vader, werd gepubliceerd in het derde deel van de *Taal- en Dichtkundige Oefeningen* van het dichtgenootschap 'Kunst wordt door Arbeid verkreegen'. Later heeft Bilderdijk het opgenomen in zijn *Verspreide Gedichten* van 1809. Die herdruk heeft achttien maal een enkele klinker waar vroeger een dubbele stond, en vier maal *ch* waar in 1780 een *g* werd gedrukt.[28]

Betekent dit nu dat Bilderdijk tot 1780 'Amsterdams' is blijven schrijven? Laten we eerst even vaststellen dat hij het in ieder geval niet meer deed in 1783. Dat blijkt uit het handschrift van zijn in dat jaar geschreven toneelstuk *Zelis en Inkle*.[29] Alleen Bilderdijks brieven en zijn uitgegeven werken kunnen ons helpen om de tijd van verandering nader te bepalen. Op 14 juli 1777 richtte de dichter een schrijven aan L. van Santen. Daarin komen de spellingen voor: *kwaame*, *naamen*, *deeze*, *kragtig*, *klagten* en *gebragt*. Op de zesde en twaalfde augustus van 1778 schreef hij berijmde briefjes aan zijn zusje Dorothea. De spelling is ouderwets, maar tot driemaal toe spelt Bilderdijk *deze*, terwijl de oude schrijfwijze van dit woord ontbreekt. Merkwaardig is dat Bilderdijk op 6 augustus nog spelt *slegts* en een week later *slechts*. De eerstgenoemde spelling van dat woord komt niet meer voor in het tweede

24 De briefwisseling van Bilderdijk met H.W. Tydeman en diens vader M. Tydeman begint pas op 15 maart 1807.

25 W. Bilderdijk, *Nederlandsche Spraakleer*, 's-Gravenhage 1826, p. 34.

26 Kollewijn, dl. I, p. 109, 138.

27 MF., p. 87.

28 Zie hfdst. III, vgl. De Jong (Jephtah, 1957), p. 477 e.v.; DW. V, p. 3.

29 Zie hoofdstuk IX, par. 1.

halfjaar van 1779; de spelling *deeze* trof ik geen enkele maal aan na de zesde augustus van het jaar 1778. Een brief van 10 juni 1779 heeft een 'mengspelling': *verwagt, slechts, bericht*. Op 18 november 1779 schrijft Bilderdijk: *slechts, verplicht, gruwen* (tegenover *kragt, verpligt, ruuwe* op 23 maart van dat jaar). Na 18 november 1779 komen praktisch geen ouderwetse spellingen meer voor.[30] Tevoren, maar nog in 1779, verscheen Bilderdijks vertaling *Edipus, koning van Thebe* met veel oude spellingen. Zulke oude spellingen zoekt men tevergeefs in de uitgave van zijn bundel *Mijn verlustigingen*, die in 1781 van de pers kwam.[31] Aan het einde van het jaar 1779 schijnt de spelling van Bilderdijk helemaal 'modern' te zijn geworden. Rekening houdend met de mogelijkheid dat niet iedere tekst afdoende gegevens verstrekt, meen ik dat bovenstaande gegevens een drietal conclusies rechtvaardigen:

a. De totaal 'ouderwetse' spelling wijst op vóór 1778.

b. Een 'mengspelling' bewijst dat een stuk is geschreven na 1776 en vermoedelijk vóór 1781.

c. De 'moderne' spelwijze toont aan dat Bilderdijk heeft geschreven na 1778.

4. Het door Bilderdijk gebruikte papier

In enkele gevallen is het mogelijk een handschrift benaderend te dateren door middel van watermerken. Voor de periode waarin Bilderdijks toneelfragmenten zijn ontstaan is dit extra moeilijk, omdat er toen zeer veel varianten van bepaalde watermerken bestonden. Het aantal verschillende merken in de toneelhandschriften van Bilderdijk is zo groot, dat het uitgesloten moet worden geacht dat een auteur binnen een paar jaar zoveel verschillende papiersoorten zou hebben gekocht. Ik ontleen het laatste gegeven aan een rapport dat mij werd uitgebracht door de heer E.J. Labarre, uitgever van *The Paper Publications Society* te Hilversum, die alleen al op grond daarvan aannam dat de handschriften zijn ontstaan in een periode die zich uitstrekt over enkele tientallen jaren. Ik heb alle manuscripten op hun watermerken onderzocht met gebruikmaking van de 'watermarks'-publicaties van W.A. Churchill en Edward Heawood, terwijl ik daarnaast met dankbaarheid een beroep kon doen op de omvangrijke historische kennis van de heer Labarre, die de schrijver is van de *Dictionary and Encyclopaedia of Paper and Papermaking*.[32] Daarenboven werden mij gegevens verstrekt door de heer H. Voorn, directeur van de *Stichting voor het Onderzoek van de Geschiedenis der Papierindustrie in Nederland*, te Haarlem. Dat aanwijzigingen konden worden verkregen door vergelijking van watermerken als één van de betreffende handschriften al was gedateerd, spreekt vanzelf.

---

[30] Bosch (1955) brieven tussen 1777-1779; *Dichterlijke uitspanning van Mr. W. Bilderdijk*, Nijmegen 1835. Vgl. Bosch (1955), p. 21.

[31] DW. XV, p. 4-29.

[32] W.A. Churchill, *Watermarks in paper in Holland, England, France, etc. in the 17th and 18th Centuries*, Amsterdam 1935. Edward Heawood, *Watermarks, mainly of the 17th and 18th Centuries*, Haarlem 1950. Het genoemde werk van E.J. Labarre verscheen in 1937 en werd herdrukt in 1952 (Amsterdam & Ox. Univ. Press).

2. Ordening

Ondanks de hiervoor vermelde methoden ter datering, is het mij niet gelukt alle toneelhandschriften van Bilderdijk chronologisch te ordenen. Tenslotte heb ik mij bij de ordening van het nagelaten materiaal laten leiden door twee criteria: het toneelgenre en de thematiek. Resultaat is een verdeling in acht groepen, die ik laat corresponderen met even zoveel hoofdstukken.Voorop gaan de blijspelen, waartoe ik ook enkele deels gezongen toneelstukjes reken die Bilderdijk in zijn prille jeugd voor de huiselijke kring schreef (II). Daarna komen de treurspelen, waarvan de bron achtereenvolgens bleek te vinden in de bijbel (III), de oudheid (IV), de vaderlandse historie (V) en de algemene geschiedenis (VI). De treurspelen over vorstelijke personen die niet in deze rubrieken zijn onder te brengen, worden besproken in hoofdstuk VII, onder de titel 'In het rijk der verbeelding'. Twee ontwerpen die hierbij krachtens hun aard zouden thuishoren zijn verenigd in hoofdstuk VIII omdat ze, ingevolge hun literaire herkomst, beter kunnen worden besproken als een apart onderdeel. Tenslotte behandelt hoofdstuk IX het 'burgerlijk toneelwerk' dat ik niet tot de 'blijspelen' reken.

3. Onderzoek

De indeling in 'blijspelen', 'treurspelen' en 'burgerlijk toneelwerk' veronderstelt een interpretatie van Bilderdijks toneelteksten naar dramaturgische soort. Ik zal deze motiveren, wanneer in het Deel I van het *Tweede Boek* de genres van de toenmalige dramaturgie worden behandeld. De aard van het meer synthetisch opgezette *Tweede Boek* bepaalt in zekere zin de manier waarop de onuitgegeven teksten worden besproken in de nu volgende hoofdstukken. Enkele ontwerpen en fragmenten krijgen een betrekkelijk korte behandeling, niet alleen omdat ik ze al in vroegere tijdschriftpublicaties heb ingeleid en bezorgd, maar eventueel ook omdat sommige teksten beter in het *Tweede Boek* ter sprake kunnen komen binnen het kader van een breder betoog. Wat de besprekingen van alle teksten gemeen hebben, is de aandacht voor de structuur en voor de bronnen waaraan de stof werd ontleend.

HOOFDSTUK II

ONDER DE SCHUTSE VAN THALIA

1. Toneelstukjes in de huiselijke kring

In een van zijn onvoltooid gebleven autobiografieën heeft Bilderdijk ook enkele bladzijden aan zijn vader gewijd. We weten daardoor dat dr. Izaak Bilderdijk 'een waarachtigen genie voor de dichtkunst' had en een liefhebber was van het toneel. Hij speelde bij voorkeur 'rollen van statigheid en waardigheid' en muntte uit in het reciteren. Hoe 'sterk' en 'buigzaam' zijn stem wel was, heeft Bilderdijk op amusante wijze aangegeven toen hij schreef: 'ik heb in mijn kindschheid hem meer dan eens porceleinen kommen op een ouderwetschen schoorsteenlijst, onder welke hij zat te *reciteren*, te barsten zien leezen'.[33] Minder gewelddadig zullen waarschijnlijk Izaaks kinderen zijn geweest toen ze zich voor het eerst met toneelspelen gingen bezighouden. Dat deden ze al op jeugdige leeftijd. Met gebruikmaking van gegevens die hem waren verstrekt door Bilderdijks jongste broer Izaak, heeft W. Messchert daarover in 1837 enkele bijzonderheden meegedeeld. Schrijvend over de oude dr. Bilderdijk, vertelt hij: 'Als dichter en Treurspeldichter zag hij gaarne dat zijne kinderen zich vermaakten met het opzeggen van rollen en spelen van kleine toneelstukjes. Reeds in 1768 en 1769 vervaardigde zijn zoon *Willem*, toen 12 of 13 jaar oud, van tijd tot tijd, kleine Comediën, en voerde als Auteur daarvan de naam van *Willem Gracilis*. Hij speelde die, er zelf dikwijls meer dan eene rol in vervullende, met zijnen broeder *Joannes* en zijne zuster *Isabella Dorothea*. Bij alle familieverjaardagen maakte de jeugdige Dichter versjens op bekende zangwijzen, en gaf toneelvertooningen, waarin meestal een Luikenaar voorkwam, die door gebrekkig Hollandsch spreken de toehoorders stof tot lachen gaf. De rollen uit den *Gijsbrecht van Aemstel* speelde de jonge *Willem Bilderdijk* met zijn broeder *Joannes*, in papieren wapenrustingen gedoscht, door hem-zelven vervaardigd. Veel werk maakte *Bilderdijk* in het ouderlijk huis van zijn jongere broeders en zusters. Zijn jongste broeder *Izaak* was zeer aan hem gehecht. Toen deze nauwelijks zes jaar oud was, liet hij hem in den Schouwburg den *Gijsbrecht van Aemstel* zien, en overlaadde het kind dan met lekkernijen'.[34]

Toevallig is één der 'kleine Comediën' van de jonge Bilderdijk bewaard gebleven en van zijn 'tooneelvertooningen' bij 'familieverjaardagen' hebben we er zelfs twee. Ik volsta met een paar opmerkingen over de inhoud.

De slager. Klughtspel door Willem Gracilis. Te Amsterdam Bij den Autheur 1769.

---

[33] GdV. XI, p. 171-174.

[34] Br. III, p. VI en VII.

Op een donkere avond laat een slager de worst in de modder vallen die hij nog bij een van zijn klanten bezorgen moet. De huisvrouw in kwestie voelt dan maar weinig meer voor de besmeurde vleeswaar. Tenslotte raadt haar dienstbode de onfortuinlijke beenhouwer aan om een nieuwe worst te gaan halen en deze dan in een kruiwagen te bezorgen, in plaats van in een mand.[35]

Bilderdijk schreef dit stukje toen hij twaalf of dertien jaar was.

De *Opera ter verjaaringe van juffrouw Debora Pelgrom de Bie, geboore Brest* (1773), maakte Bilderdijk op zestienjarige leeftijd. Het is een gezongen samenspraak tussen 'Een Buurvrouw' (Sare) en 'Een Buurmeisje' (Marye). Na hun gesprek nadert 'Een stoet van Neeven en Nichten' tot de jarige tante:

> MARYE
> Maar wil je met mij mede gaan?
> Mijn Tante zal, van daag, tracteeren,
> Want zij verjaart op Sint Martijn.
>
> SARE
> Jaa, graag! zoo kunnen wij met eeren,
> Eens vreeten of wij Wolven zijn.

De elfde november van het daarop volgende jaar werd opnieuw een *opera* voor de verjaardag van tante Debora opgevoerd. Ook nu moest de tekst worden gezongen op bekende wijsjes, die de jonge auteur had aangegeven. Blijkens de inhoud sluit dit zangspelletje aan op dat van 1773, maar het is wat uitgebreider. Er treden meer personen in op en ondermeer is er een krompratende Waal 'met een Marsje en Marmot', die tevergeefs zijn verschillende koopwaren aanprijst. Hij besluit:

> Veut on rien, de tout mes waaren,
> J'ai tousjours un fraai Marmot!
> Elle dance op flute & snaaren;
> Cruup al in, en uut zijn cot.
> Faictes donc la saluade,
> A ces dames allegaar;
> Sautez bien, ma camarade,
> C'est un saut, pour 't gantsche Jaar!

[35] Het handschrift bevindt zich in de boekerij van de *Koninklijke Nederlandse Akademie van Wetenschappen te Amsterdam*, nr. LXIII. Vgl. Rössing (1906), p. 342.

Hierna volgt als toneelaanwijzing: 'De Marmot springt zich te barsten, en uit deszelfs buik komt te voorschijn het volgend Lied, dat gezongen word van Alle'.[36]

Men zal ermee instemmen dat dit alles niet geniaal is voor een jongen van zeventien jaar. Maar wie zegt ons dat we hier de jonge Bilderdijk in dramatische topvorm hebben? Het stukje lijkt er te kinderlijk voor; waarschijnlijk heeft de vroegrijpe dichter een bepaalde toon willen treffen om zijn 'opera' geschikt te maken voor de kleinere neefjes en nichtjes van de jarige tante. De verschillen met Bilderdijks *Jephtah*-fragmenten van 1774 en met zijn bekroonde lierdicht *De invloed der dichtkunst op het staatsbestuur* van één jaar later, wijzen daar op.[37] Bilderdijks lange brief aan P.J. Uylenbroek van 1772 bewijst bovendien dat de dichter al enkele jaren eerder een zekere 'literaire' volwassenheid had bereikt.[38]

Volledigheidshalve vermeld ik nog dat de nooit door Bilderdijk gepubliceerde 'opera' *Het Orakel* (waarschijnlijk van 1772) aansluit bij het hier besproken jeugdwerk. Aangezien dit zangspelletje een berijmde vertaling is naar een Frans proza-origineel dat verband houdt met een wèl door Bilderdijk gepubliceerde toneeltekst, komt het pas ter sprake in Deel II van dit boek (hoofdstuk XI).

2. Blijspel 'De Goudmaaker' (collectie-Leeflang; uitgegeven)

Het blijspel *De Goudmaaker* is het enige door Bilderdijk in handschrift nagelaten toneelstuk dat in de twintigste eeuw, althans vóór het jaar 1957, in druk is verschenen. In 1925 werd er een uitgave van bezorgd door de Gentse hoogleraar H. Logeman.[39] De spelling van het stukje wijst erop dat we te doen hebben met jeugdwerk. De inhoud en het taalgebruik bevestigen dit. Bilderdijk verhaalt hoe de heer Garenryk, die al jaren lang zijn geld verkwist aan alchemistische experimenten, het slachtoffer wordt van de oplichters Grijpaart en Pakburg. Aan het slot is de man van zijn dwaze liefhebberij genezen en verklaart:

> 'k Zie nu mijn dwaasheid en ik wil
> 't goudmaaken, aan mijn vijand overlaaten
> zeer graag, och! mocht dit voorbeeld zoo veel andere zotten baaten.

---

[36] De beide stukjes komen voor in een bundeltje handschriften met *Zangen ter verjaaringe van juffrouwe Debora Pelgrom de Bie, gebore Brest, verjaard op den 11 van slachtmaand.* Er staan vier 'zangen' in (1768 t/m 1771) en twee 'opera's' (1772 en 1773). Het keurig gebonden boekje is aanwezig in het *Bilderdijk-Museum* te Amsterdam, Hs.J. 57. Niet uitgesloten lijkt me dat Bilderdijks krompratende Waal werd geïnspireerd door Marten Corvers vroegere kompaan 'den Luikerwaal Jan Buhon, die, zoals men vertelde, met een marmot langs 's Heeren straten vroeger dwaalde' (Hilman,1879, p. 139).

[37] Vgl. hfdst. III en DW. VII, p. 3 e.v.

[38] Bosch (1955), p. 1 e.v.

[39] Logeman (1925).

Kollewijn, Bilderdijks biograaf die zich jaren lang met 's dichters handschriften bezighield, dateerde dit blijspel op 1774 of 1775.[40] Het is de verdienste van Logeman geweest voor het Nederlandstalig publiek te hebben aangetoond dat *De Goudmaaker* niet geheel – zoals Kollewijn en Rössing veronderstelden[41] – is ontsproten aan Bilderdijks eigen fantasie. Na een tweetal desbetreffende Deense publicaties van Jan de Vries bewees ook Logeman dat de jonge dichter zich heeft gebaseerd op de Nederlandse prozavertaling (1747) van Ludwig Holbergs *Det Arabiske pulver* (1722). Dat het blijspel nochtans meer is dan een bewerking daarvan in verzen, blijkt uit Logemans inleiding duidelijk. Bilderdijk trachtte niet zijn voorbeeld op de voet te volgen, maar wijzigde dit nu en dan door de toevoeging van individualiserende trekjes.[42]

3. Blijspel over een verkeerde koffer (collectie-Kollewijn, nr. 14)

Het veertiende handschrift uit de collectie-Kollewijn is een kort en slordig blijspelontwerp. Alleen al de namen van de dramatis personae doen weinig origineels verwachten. Wie in de laat-zeventiende- en achttiende eeuwse blijspelliteratuur thuis is, ontmoet oude bekenden: Valerius, Gerontes, Loshoofd, Lichthart, de schout en de notaris. De inhoud komt hierop neer: twee studenten komen door een vergissing in het bezit van een koffer die het eigendom is van Valerius. Uit de inhoud blijkt dat deze 's avonds zal trouwen met de dochter van Gerontes. Een van de studenten, die Gerontes f. 30.000 schuldig is, besluit zich voor te doen als de bruidegom, wat natuurlijk tot allerlei verwikkelingen aanleiding geeft. Uiteindelijk daagt de echte Valerius op en wordt de bedrieger ontmaskerd. Vermoedelijk is hij er op dat moment al in geslaagd van zijn schuld af te komen.

Als men de twee studenten vervangt door twee knechten, van wie er een de toen welbekende toneelnaam *Krispijn* draagt, is met het bovenstaande ongeveer de inhoud weergegeven van een in 1717 verschenen blijspel van J. Koenerding, waarin overigens de verwisselde koffer ontbreekt. Dit stuk heeft de titel *Krispijn, medevrijer van zijn heer* en gaat terug op het tien jaar eerder verschenen blijspel *Crispin rival de son maître*, van Le Sage. Tevoren was een soortgelijke intrige al gebruikt in *L'Ombre de son rival* van Crosnier (1683), waarvan in 1699 een anonieme Nederlandse bewerking verscheen onder de titel *De onbedreven minnaar*. Waarschijnlijk zullen er nog meer blijspelen met een dergelijke inhoud bestaan. De zich bij herhaling vermommende knecht *Krispijn* is immers een terugkerende figuur in het achttiende-eeuwse blijspel. Ruitenbeek vermeldt in haar 'Lijst van opgevoerde toneelstukken (hoofdspelen) 1814-1841' een Nederlands toneelspel in drie bedrijven met de

---

[40] Kollewijn, dl. I, p. 445-447; Logeman (1925), p. IX.

[41] Kollewijn, dl. I, p. 445; Rössing (1906), p. 342. (Op de Deense publicaties van Jan de Vries (1921 en 1922) wees Diederik Grit in *De nieuwe taalgids* 77 (1984) 6, p. 497.)

[42] Logeman (1925), p. IX, X, XIX. Ook Kotzebue, de bekende schrijver van burgerlijke drama's, heeft het Deense stuk bewerkt: *Das arabische Pulver. Eine Posse in zwey Akten nach Holberg frey bearbeitet von August von Kotzebue*, Leipzig 1810.

titel 'De verkeerde reiskoffer'.[43] De inhoud van dit stuk is mij onbekend, maar we kunnen er vrijwel zeker van zijn dat Bilderdijks *Verkeerde koffer* voor een gedeelte berust op herinneringen aan vroeger gelezen toneelstukjes.

Helaas ben ik er niet in geslaagd dit blijspel-ontwerp te dateren. Maar uit de spelling blijkt dat het stuk moet worden geplaatst na 1778.

4. Politiek blijspel over Pasquin (collectie-Kollewijn, nr. 30; uitgegeven)

In 1959 heb ik een blijspelfragment uitgegeven dat ten nauwste samenhangt met de politieke toestanden in de Nederlandse republiek van de tweede helft van de achttiende eeuw en daardoor tevens met belangrijke gebeurtenissen in het leven van Bilderdijk. Waarover nu eerst enkele aantekeningen.

Toen prins Willem de Vijfde in 1766 zijn functie van erfstadhouder aanvaardde, voelde hij zich bekneld tussen enerzijds een oude regentenoligarchie en anderzijds een 'democratische' burgerij. In deze weinig benijdenswaardige positie had de zwakste der Oranjes zich door de zogenaamde 'Acte van Consulentschap' onder voortdurende voogdij gesteld van hertog Louis van Brunswijk-Wolfenbuttel. Deze werd de ergste vijand van de nieuwe, anti-prinselijke partij van de patriotten die haar, volgens Romein 'niet zeer klare ideologische wapenrusting' ontleende aan geschriften van verlichte buitenlandse auteurs als Price, Priestley, Rousseau en Voltaire.[44] Tijdens de Vierde Engelse oorlog (1780-1784) werden er ongeveer 2000 pamfletten tegen Brunswijk en Willem de Vijfde verspreid en al in 1781 spoorde men openlijk aan tot moord op de prins.[45] In verschillende gewesten ontstonden toen 'vrijcorpsen' van patriotten: het ontevreden volk begon zich te bewapenen. Blok schrijft over de periode na de vierde Engelse oorlog: 'Intusschen had de macht van den Prins in Holland weder heel wat stooten moeten verduren. Niet alleen was reeds in den zomer van 1784 de oranje-kleur, het roepen van Oranje Boven, het zingen van het Wilhelmus enz. als teeken van oproer en verzet verboden, terwijl zijn vertoogen, justificatoire memoriën en protesten zowel bij de Staten-Generaal als bij Holland werden ter zijde gelegd, maar ook op zijn recht van gratie was naar aanleiding der hier en daar voorgekomen ongeregeldheden herhaaldelijk inbreuk gemaakt...'[46] In 1785 vertrok de prins, die in feite van het militair commando in Den Haag was beroofd, naar Breda en een jaar later werden de Hollandse troepen zelfs ontheven van hun eed tot gehoorzaamheid aan Oranje.[47]

Bilderdijk, die als advocaat werkzaam was in 's-Gravenhage, heeft zich in deze burgertwisten steeds een verwoed tegenstander van de patriotten getoond. Mede aan zijn

[43] Ruitenbeek (2002), p. 368. Vgl. J.A. Worp, 'Arlekijn's en Krispijn's op ons tooneel', *Noord en Zuid* 1896, p. 35 e.v., aan welk opstel ook de genoemde bibliografische gegevens werden ontleend. Het stuk van Le Sage wordt besproken in Prinsen (1931), p. 397.

[44] Jan en Annie Romein, *De lage landen bij de zee*³, Utrecht 1949, p. 440 e.v.

[45] Romein, a.w., p. 444.

[46] P.J. Blok, *Geschiedenis van het Nederlandsche Volk* ², dl. III, Leiden 1914, p. 593.

[47] Vgl. Kollewijn, dl. I, p. 188, 189 en de daar genoemde bronnen.

prinsgezinde overtuiging is het te wijten dat de hechte vriendschap tussen hem en Rhijnvis Feith werd verbroken.[48] Maar de moeilijkheden bleven niet binnenskamers. Talrijke schotschriften uit die tijd vermelden de naam Bilderdijk meermalen, want met al zijn energie had de jonge advocaat zich in de onverwikkelijke partijstrijd gestort. Geen geringe bekendheid verwierf hij als verdediger van verschillende voor het gerecht gedaagde Oranjeklanten. Niet alleen in Den Haag, maar ook in Delft, Leiden, Amsterdam en Rotterdam bepleitte hij de zaak van de prinsgezinden.[49] Op 11 februari 1784 wist de *Nederlandsche Courant van Nieuwer-Amstel* te berichten dat Bilderdijk, na in Delft te hebben gepleit voor een tegenstander van de patriotten, de nacht had doorgebracht in een luidruchtig, wijn drinkend gezelschap dat de nachtrust van brave burgers had verstoord door het zingen van liederen en het slaken van 'Vivat Oranje'-kreten. Enkele jaren later meldde ook de *Zuid-Hollandsche Courant* het een en ander over de 'berugten Mr. W. Bilderdijk'[50] en op een spotprent die de *Begravenis en Lijkstaatsie van den Hartog, Louis van Bronswijk Wolfenbuttel* voorstelt, treft men een persoon aan die wordt aangeduid als: 'W. van Bilderdyk. J.U. Advocaat te Leiden'.[51]

Zoals al bleek uit het citaat van P.J. Blok, werd herhaaldelijk inbreuk gemaakt op het 'recht van gratie' dat de prins van Oranje eigenlijk bezat. Een bekend voorbeeld is de openbare geseling en het harde vonnis (vijf jaar tuchthuis en daarna verbanning) dat, ondanks de door Willem V geboden opschorting, in 1784 te Leiden werd uitgesproken over de prinsgezinde bakker Trago. Bosch veronderstelt dat Bilderdijk zich nogal wat moeite voor Trago heeft gegeven. Dat is inderdaad zeer waarschijnlijk, want er bestaat een spotprent van de Oranje-bakker, waarop ook Bilderdijk voorkomt.[52]

Zijn grootste bekendheid heeft de 'berugten' Mr. Bilderdijk in die tijd verworven door zijn gratis verdediging van de niet minder beruchte Rotterdamse visvrouw Kaat Mossel, beschuldigd van 'oproerige en rustverstorende misdrijven' van prinsgezinde aard.[53] Herhaaldelijk treft men deze vrouw op patriottische spotprenten aan. Dat de aanhangers van de prins in Bilderdijk en zijn cliënte ware Oranje-helden zagen, blijkt uit de verspreiding van zijn portret dat, voorzien van een lofdicht door J.W. Kumpel en tegelijk met een afbeelding van Catharina Mulder (= Kaat Mossel), in 1786 in de handel werd gebracht.[54] Al in 1783 was het feit dat iemand in Bilderdijks gezelschap werd gesignaleerd voldoende om de betreffende

48 De Jong (Thirsa, 1957), p. 205 e.v.

49 Kollewijn, dl. I, p. 144.

50 Kollewijn, dl. I, p. 142, 187. Vgl. Bosch (1955), p. 268.

51 De plaat komt voor in het exemplaar van het anonieme toneelspel *De hertog van Wolfenbuttel*, dat zich bevindt in de Leidse bibliotheek. De vermelding van Kalff (1910), p. 281, als zou er een persoon met de naam Bilderdijk in dit toneelstukje optreden zal wel op een vergissing berusten.

52 Bosch (1955), p. 189 e.v.; Gedenkboek *Mr. Willem Bilderdijk* (1906), plaat V, p. 128. Vgl. p. 406.

53 Een uitvoerig verslag hierover geeft M.P. Thomassen à Thuessink van der Hoop van Slochteren in *Gedenkboek* (1906), p. 157 e.v.

54 DW. XII, p. 8; *Gedenkboek* (1906), plaat V, p. 128. Vgl. p. 406.

persoon 'verdacht te houden van stadhoudersgezinde beginselen en als zoodanig, alle bescherming en ondersteuning te ontzeggen…'[55]

1. Patriotse spotprenten op de door Bilderdijk pro deo verdedigde oranjeklanten Kaat Mossel en bakker Trago. (Collectie-Leeflang; Gedenkboek 1906, p.128)

Maar niet alleen als advocaat diende Bilderdijk de prinselijke zaak. In een kort gedicht van 1785 stelde hij de getrouwheid van de prinsgezinden op scherpe wijze tegenover de goddeloosheid van de patriotten en twee jaar eerder schreef hij een parodiërend berijmd pamflet naar aanleiding van politieke gebeurtenissen in Rotterdam.[56] Met zulke teksten sloot Bilderdijk aan bij een politiek-literaire mode. Tussen 1781 en 1796 verschenen er in Nederland duizenden politieke brochures. Zijn aan het begin van deze paragraaf vermeld blijspelfragment is een politieke tekst. En dat was destijds niet uitzonderlijk. 'Er is zelfs geen tijd geweest, dat de politiek getracht heeft zich zoozeer van het tooneel meester te maken als in de laatste twintig jaren der 18de eeuw', weet de toneelhistoricus J.A. Worp te melden.[57] A.J.

[55] Aldus Bilderdijk zelf in een brief aan Adriaan Loosjes d.d. 2 november 1783; geciteerd in De Jong (Thirsa, 1957) II, p. 208, noot 2.

[56] DW. XII, p. 446, 442.

[57] Worp (1908), dl. II, p. 179.

Kronenberg heeft eens een veertigtal van die politieke stukken en stukjes onderzocht en besproken. Het merendeel bleek vrij vervelend scheldmateriaal.[58]

Van Bilderdijks blijspelfragment mag dat zeker niet worden gezegd. Zijn komedie over *Pasquin* is een in proza geschreven, boertige satire op de idee van *Vrijheid, Gelijkheid en Broederschap*.[59] De leuze van de Franse revolutie wordt er bij herhaling in gebezigd door de praatjes-makende knecht Pasquin die, als hij met zijn meester in Turkse gevangenschap vertoeft, zich mag voordoen als de belangrijkste van hen beiden. Het fragment laat zien dat deze verandering minder prettige gevolgen voor hem heeft. De praktijk van wat de knecht zo vurig wenst, leidt tot een desillusie. Er zijn ook enkele details die duidelijk aantonen dat de verwezenlijking van de fameuze 'gelijkheid' alleen maar mogelijk is in ongewenste omstandigheden. Zo merkt Pasquins meester op: 'wij zijn hier thands slaven, gelijk, en broeders', en even later zegt zijn medegevangene: '*Vive l'égalité*. Dat mag men met recht zeggen, als men slaaf met malkander is. Want buiten dat heb ik ondervonden dat het met de gelijkheid maar een hersenschim is'.

Zulke uitlatingen zijn volkomen in overeenstemming met Bilderdijks politieke opvattingen. In zijn *Geschiedenis des Vaderlands* acht hij vrijheidsberoving, gevolgd door moord: 'in den Franschen geest' en schrijft hij mede dat de Nederlanders in 1795 *gedwongen* werden rond de vrijheidsboom te dansen.[60] Men weet dat Bilderdijk in de Franse tijd heeft geweigerd onder ede de 'onvervreemdbare Rechten van den Mensch en van den Burger' als advocaat te 'erkennen en te eerbiedigen'. Deze weigering leidde tot zijn uitzetting op 25 maart 1795.[61] Hieruit te concluderen dat zijn blijspel over Pasquin na die datum moet zijn geschreven, is nochtans voorbarig. Veel waarschijnlijker is dat het stuk eerder is ontstaan, al moet worden aangenomen dat Bilderdijk deze stof pas in een blijspel kon verwerken toen de bespotte revolutieleus algemene bekendheid had. Aangezien Pasquin de gelijkheid in het Frans bejubelt ('Vive l'égalité'), zal het fragment zijn geschreven in een tijd dat de werken van de *Franse* revolutionaire schrijvers al door veel Nederlanders werden gelezen. Dat is, meent Goslinga, pas na 1789.[62] Mirabeau was volgens hem degene die hier in 1788 'de rechten van den mensch in de vorm van een volledigen catalogus heeft bekend gemaakt'. Zijn *Déclaration de tout peuple qui veut la liberté* begint met vast te stellen: 'Tous les hommes

---

[58] A. J. Kronenberg, *Politieke tooneel-libellen uit het laatste gedeelte der 18de Eeuw*, Deventer z.j. (Blijkens p. 50 van Kronenbergs studie bevinden zich in het door Kronenberg gebruikte exemplaar van *De hertog van Wolfenbuttel* (zie noot 51) dezelfde prenten als die daarin door mij zijn aangetroffen. Als het hier gaat om twee exemplaren van dezelfde druk, dient te worden opgemerkt dat de strekking van de spotprenten in deze druk tegengesteld is aan die in de tekst van het toneelstukje, maar uiteraard bestaat ook de mogelijkheid dat ik toevallig hetzelfde, misschien uitzonderlijk geïllustreerde exemplaar onder ogen heb gehad als het door Kronenberg en Kalff gebruikte.)

[59] Voorzien van een eerder in het dagblad *De tijd* (3-I-1959) gepubliceerde inleiding door Martien J.G. de Jong, werd deze tekst uitgegeven in de schoolbloemlezing *Van hier en daar*, dl. III, derde volledig omgewerkte druk door M.J.G. de Jong en H.G. de Bont, den Haag (H.J. Dieben), z.j. [1959], p. 65 e.v.

[60] GdV. XII, p. 101, 102.

[61] W.J. Goslinga, De rechten van den mensch en burger, een overzicht der Nederlandsche geschriften en verklaringen, 's-Gravenhage 1936, p. 101, 103; Kollewijn, dl. I, p. 219 e.v.

[62] Goslinga (1936), p. 16, 17.

sont nés libres et égaux'.[63] Dit geschrift ging al spoedig van hand tot hand en in 1790 was de erin behandelde kwestie zo actueel, dat Teylers Genootschap een prijsvraag uitschreef over het gelijkheidsbeginsel. Drie jaar later verscheen de verhandeling 'over de gelijkheid der menschen' van Pieter Paulus, die erop wees dat Christus zelf 'de algemeene broederlijke liefde' had gepredikt.[64] Van dit werk schreef men een jaar later in de *Vaderlandsche Letteroefeningen* dat er niet uit geciteerd werd omdat de 'alombekendheid der Verhandelinge' zulks overbodig maakte.[65]

Uit het bovenstaande mag worden geconcludeerd dat pas na 1789 de door Bilderdijk bespotte Franse leus voldoende bekendheid genoot om met succes in een blijspel te worden gebruikt. Ik neem daarom aan dat het fragment werd geschreven toen de Franse revolutie al een feit was. Aangezien het thema niet meer opportuun was na Bilderdijks terugkeer in Nederland (1806), veronderstel ik ook dat het stuk is ontstaan vóór zijn verbanning in 1795. Het zou dan hebben behoord tot de zogenaamde 'staatkundige toneelstukken' van die tijd. Kalff vermeldt verschillende blijspelen die 'de beginselen der revolutie prediken'. Titels als: *De Fransche Vaderlander of de rechten van den mensch* en: *De rang zonder verdiensten of de afschaffing van de adel* (beide van 1790) spreken voor zichzelf, evenals *De Gelykheid*, de titel van een vijf jaar later gepubliceerd blijspel door A.L. Barbaz.[66] Die schreef in zijn Voorbericht: 'Er kan, mijn waarde medeburgers! gene wezenlyke vryheid zonder gelykheid bestaan; en dus strekt het voortplanten der gelykheid tot bekrachtiging onzer vryheid; het is hierom, dat ik ondernomen heb deze stof ten tooneele te voeren...'[67] Dat er geen 'wezenlyke Vryheid' kan bestaan zonder redelijkheid, deugd en waarachtige echtelijke liefde, was al in 1785 meer bezadigd betoogd dan driftig verbeeld in Rhijnvis Feiths 'tooneelspel' *De Patriotten*. In 1795, het 'eerste jaar der Bataafsche vryheid' verscheen een even bezadigd 'vaderlandsch klughtspel door den burger Gerrit Paape'. Deze patriot noemde zijn stuk: *Vryheid; Gelykheid; Broederschap; of de Zaak tot een uittersten gedreeven*. Zoals Feith een als liefde gecamoufleerde vorm van politieke zakkenvullerij had gehekeld, zo wilde Paape – blijkens zijn ondertitel – waarschuwen tegen blinde overdrijving van het gelijkheidsbeginsel. De moraal van zijn klucht blijkt uit de rechtstreekse aanspraak van de hoofdfiguur tot het

---

[63] Goslinga (1936) p. 26, 171.

[64] Goslinga (1936) p. 35, 47, 48 en 63. De 'égalité' was in 1755 al door Rousseau verdedigd in zijn *Discours sur l'origine et les fondements de l'inégalité parmi les hommes*. O.a. op zijn formulering steunt de Franse declaratie van 1789 (Goslinga, p. 23, 26). Van Rousseau's *Contrat social*, in 1762 gepubliceerd te Amsterdam, verscheen pas in 1788 een Nederlandse vertaling; wat niet wegneemt dat men voor de periode 1780-1787 van een, aan de grote Franse revolutie voorafgaande, 'eerste Nederlandse revolutie' kan spreken (C.H.E. de Wit in *Documentatieblad Werkgroep 18e eeuw* 11/12 (1971), p. 29-51). Zoals ik al schreef in mijn in noot 59 vermeld dagbladartikel uit 1959, werden er zelden meer invectieven op schrift gesteld dan aan het eind van de achttiende eeuw. Over de pennetwisten in verschillende tijdschriften gaan de bijdragen in Van Wissing (2008). Vgl. ook de catalogus P. Knolle, *Comique tafereelen. De achttiende-eeuwse Nederlandse spotprenten*, Amsterdam 1983.

[65] Goslinga (1936), p. 50.

[66] Kalff (1910), dl. VI, p. 497. (Kalff, Worp en Kronenberg gaven met de in deze en in een vorige noot genoemde publicaties bij voorbaat antwoord op de vraag naar 'raakvlakken' tussen toneel en politiek die Hanou pas in 1996 zou stellen: Hanou -1996-, p. 62, 63.)

[67] *De Gelykheid, blyspel door den burger A.L. Barbaz*, Te Amsterdam 1795, Het eerste jaar der Bataafsche vryheid.

publiek: 'Men leere uit myn voorbeeld, dat men door een te verre gedreeven patriottismus, even zo schadelyk voor het Vaderland en zig zelve kan worden, als de ergste Oranje verdeediger immer weezen kan'.[68]

Wat door genoemde schrijvers werd vereerd en gepropageerd wilde Bilderdijk, zelf een der 'ergste Oranje verdeediger(s)', door de brutale domheid van zijn *Pasquin* belachelijk maken. De naam van die toneelfiguur doet ons nog een ander verband met de toenmalige literatuur zien. Bekijken we even de genealogie van de vrijpostige knecht uit Bilderdijks fragment. In het hekeldicht *De wolf in 't Schaepsvel* van 1711 maakt Jacob Zeeus melding van 'Pasquin', die een last van hekelschriften draagt en 'gestadigh schertst en schimpt.[69] Hij bedoelt *Pasquino*, het in 1501 te Rome opgegraven beeld waarvan de naam het al door Kiliaen opgetekende woord *paskwil* heeft geleverd.[70] Dit beeld siert momenteel de gevel van het Palazzo Braschi bij de Piazza Navona en werd in het vroegere Rome gebruikt om er anonieme schimpdichten op te plakken. Ze werden dikwijls beantwoord door pamfletten op het beeld van de stroomgod *Marforio*, dat zich momenteel in het Museo Capitolino bevindt.[71] In dialogische hekeldichten treden *Pasquin* en *Marforio* vaak als gesprekspartners op. Dit is bijvoorbeeld het geval in de *Zaamenspraak* over de 'hedendaagsche Actiënhandel', die Jan van Gyzen opstelde naar aanleiding van de windhandel anno 1720.[72] Tevoren schreef Jan Pook al een samenspraak van de 'verrezen Pasquyn' en had Jacob Zeeus de beide Italianen een hekelend gesprek laten voeren over bankroetiers en rechtsgeleerden.[73]

Het was Jacobus de Vryer die Pasquino op het toneel bracht. In 1721 verscheen van zijn hand het kluchtspel *Het oude koffy-huis, of de Haagsche Mercuur, gehekelt door Pasquin, Juvenalis en Mercurius*.[74] Dat de knecht in Bilderdijks blijspel nu eens niet de naam *Krispijn* kreeg, maar naar de Romeinse *Pasquino* werd genoemd, valt te verklaren uit de hekelende bedoeling die Bilderdijk met zijn stukje had. Dit lijkt mij een reden te meer om als ontstaansdatum de periode aan te nemen waarin de politieke strijd over de ideeën van de Franse revolutie het hevigst was. Dat is na 1789, toen in de al genoemde 'staatkundige toneelstukken' de leus werd gepropageerd die Bilderdijk in zijn blijspel bespot.[75]

---

68 *Vryheid; Gelykheid; Broederschap: of De zaak tot een uittersten gedreeven, Vaderlandsch klugtspel door den burger G. Paape*, Te Amsterdam en 's-Bosch 1795, p. 44. Typerend voor de 'redelijkheid' van Paapes verlichtingspatriottisme zijn de herdrukte uitgaven G. Paape, *Het leven en sterven van een hedendaags aristocraat* (uitg. P.J. Buijnsters), Amsterdam 1985 en *De Bataafsche republiek* (uitg. P. Altena en M. Oostindië), Nijmegen 1998. In breder verband werd Feiths *Patriotten* besproken door Bettina Noak in *Spiegel der letteren* 48 (2007), p. 379-402.

69 Te Winkel² (1924), dl. V, p. 77.

70 N. van Wijk, *Franck's Etymologisch woordenboek der Nederlandsche taal²*, 's-Gravenhage 1949, p. 492, *Paskwil* is wellicht afgeleid van het diminutief *pasquillo*.

71 Vgl. hierover J.J.M. Timmers, *Gids voor Rome en omstreken*, Amsterdam-Brussel 1960, p. 31, 89.

72 Te Winkel², dl. V, p. 112. De windhandel, die in Nederland pas begon in de zomer van 1720, na het échec van John Law, werd door Pieter Langendijk gehekeld in twee toneelstukken: *Quincampoix of de Windhandelaars* en *Arlequin actionist* (Te Winkel, p. 109, 112). De Leidse bibliotheek bewaart het merkwaardige stukje: *Nederland in gekheit. Staat en zinnespel op de windnegotie* door Jacob Kleiburg. Gedrukt voor den Autheur z.j.

73 Te Winkel² (1924), dl. II, p. 27, 77.

74 Te Winkel, p. 78. Het hekelspel *Pasquin* van de Engelsman Fielding verscheen in 1736.

75 In de Leidse bibliotheek bevindt zich een klucht waarvan de titel aanleiding zou kunnen geven tot de veronderstelling dat ze samenhangt met Bilderdijks blijspel. Dit laatste is echter geenszins het geval. Het door mij bedoelde stukje is

5. Parodie op Euripides' treurspel 'Orestes' (collectie-Kollewijn, nr. 9; uitgegeven)

Het negende manuscript uit de collectie-Kollewijn is door een latere bezitter voorzien van de titel *Helena*. Zoals aangetoond bij de uitgave van dit handschrift in 1957, is deze titel onjuist. We hebben in feite te maken met een onvoltooid gebleven parodiërende bewerking van Euripides' treurspel *Orestes*.[76] Het begin van deze tragedie toont de door zijn zuster Electra verpleegde Orestes die, nadat hij zijn moeder Clytaemnestra heeft gedood, door de wraakgodinnen wordt achtervolgd en tot waanzin is gebracht. Het toneel is voor het koningspaleis te Argos; Orestes ligt uitgeput op een rustbed en Electra zet in een proloog hun toestand uiteen. Bilderdijks bedoeling om het gegeven op een lager gelegen niveau te brengen, blijkt al onmiddellijk uit zijn toneelaanwijzingen: het toneel vertoont een *huisjen* en Orestes ligt in een *krib* te slapen. Tot hier zou men nog kunnen spreken van een simpele verburgerlijking. Maar de verklaring voor de oorzaak van Orestes' beklagenswaardige toestand brengt de lezer in de sfeer van de parodie. De rampzalige held van Euripides was niet in staat de moord op zijn moeder geestelijk te verwerken; door Bilderdijk wordt hij voorgesteld als een door delirium tremens gekwelde jongeling, die zijn roes ligt uit te slapen: 'Zijn hersens zijn op hol, dat komt er van den drank!' verduidelijkt zijn zusje. Het lijkt me niet de moeite waard tot in details na te gaan hoe Bilderdijk, de tekst van Euripides op de voet volgend, de uitlatingen omzeilt die betrekking hebben op de moedermoord, of ze degradeert tot op het plan van zijn dronkemanskomedie. Het overgeleverde fragment loopt tot vers 252 bij Euripides: de proloog, parados en het begin van het eerste epeisodion zijn erin verwerkt. In de door Electra 'gapende en rekkende' op haar kousen gedeclameerde proloog zijn de beginverzen herkenbaar van Sofocles'*Antigone*, Vondels *Palamedes* en Euripides' *Orestes*. Pas in de daarop volgende dialoog tussen Electra en Helena gaat Bilderdijk zijn Griekse voorbeeld van nabij volgen. Kleine wijzigingen blijken voldoende voor een komisch effect. Als Electra klaagt:

> Sleepless I sit beside a wretched corpse;
> For, but for faintest breath, a corpse he is [77]

laat Bilderdijk haar zichzelf voorstellen als:

> Mij, wakende aan de sponde eens broeders mij zoo waard
> Hem een verstorven lijk, waarom mijn zuster baart!

Crispyn, mogol, of de gewaande Turk, klugtspel door J.C., Amsterdam 1718. De auteur moet wel Jacob Cleiburg (ook: Kleiburg) zijn geweest.

[76] De Jong (Roeping, 1957), p. 521 e.v.

[77] Ik maak voor de vergelijking gebruik van: Arthur S. War, *Euripides with an English translation* (Loeb Classical Library), London-New York 1925-1929.

Ontsteld roept [tante] Helena:

Hoe dood!

Waarop Electra:

Op d'adem na, dien hij nog staat te geven...

De stychomythieën die hierna bij Euripides volgen, heeft ook Bilderdijks tekst. Helena wil offeren op het graf van haar vermoorde zuster Clytaemnestra en vraagt Electra of zij zich daarmee wil belasten. Bilderdijk omzeilt de ernst, door de tante aan haar nichtje te laten vragen of zij haar halsdoek wil gaan wassen. Zelf blijft Helena, volgens Euripides, voorlopig liever binnenhuis:

I shame to show me the Argive folk

of, zoals Bilderdijk het haar laat zeggen:

Ik durf mijn tronie nog den boeven niet vertoonen.

Om Helena, 'het lichtvaardig garstig wijf' (*De Cykloop*) was immers de Trojaanse oorlog begonnen. Ze voelt zich deswege niet veilig op straat:

I fear the sires of those at Ilium dead,

En Electra stemt daar onmiddellijk mee in:

Well mayst thou fear: all Argos cries on thee.

Ook bij Bilderdijk verklaart Helena haar angst om op straat te komen:

De jongens gooiden mij misschien met paardevijgen.

Electra kan zich dat indenken:

Ja, rondement gezegd, gij kondt wel eens wat krijgen.

Ook in de daarop aansluitende samenspraak met het koor heeft Bilderdijk zijn voorbeeld vrij nauwkeurig gevolgd. Hij schrok daarbij niet terug voor het gebruik van de volkstaal. Bij Euripides waarschuwt het koor op een gegeven ogenblik:

> Look, maid Electra, who art at his side
> Lest this thy brother unawares have died
> So utternervelless, stirless, likes me not.

Bilderdijks rei zegt:

> ô Meisjen zie eens naar uw broêr. Hij ligt op 't gijpen
> En fopt je mooglijk met zijn poepert toe te knijpen.
> Die al te diepe rust bevalt mij maar zo half.

Voor de weergave van de dialoog tussen Electra en Orestes kon Bilderdijk volstaan met een praktisch getrouwe navolging. De tekst van Euripides hoefde hier en daar maar ietsje te worden aangedikt om te passen in de spottende sfeer van Bilderdijks komedie. Electra's mededeling:

> Menelaus, thy sire's brother, home hath come:
> In Naupia his galleys anchored lie

breidde hij uit tot een krantenbericht waardoor de plaats der handeling wordt overgebracht naar Amsterdam. Aardig gevonden tenslotte, is de volkse verlevendiging van Orestes' klacht:

> Raise me once more upright: turn me about.
> Hard are the sick to please, for helplessness.

Bij Bilderdijk steunt de patiënt:

> Nee, help me eens op, ik wou me wat verleggen

waarop de rei concludeert:

> Een zieke is nimmer wel, plach Grietje Meu te zeggen.

Tot zover een vergelijking van Euripides' tekst met die van Bilderdijk. Wat dit stukje interessant maakt, is dat het waarschijnlijk de enige tekst is waarin Bilderdijk het destijds welig bloeiende genre van de dramatische parodie heeft beoefend. Het ligt voor de hand te veronderstellen dat hij bezwaren heeft gehad tegen het oorspronkelijke treurspel van Euripides. Zoals blijken zal in het *Tweede Boek*, meende Bilderdijk inderdaad verschillende tekortkomingen in diens werk te kunnen aanwijzen. Hij laakte met name het gebrek aan verhevenheid, waardoor Euripides in conflict komt met Bilderdijks eigen 'Ideaal-theorie'. Het treurspel *Orestes* bevat zelfs een element dat niet alleen iedere verhevenheid in de richting van het ideale mist, maar dat volgens Bilderdijk zonder meer 'onschoon' is. Dat element is de 'razernij' van de hoofdpersoon: een 'afzichtelijkheid' die Bilderdijk vooral in Engelse treurspelen hinderde.[78] Ik denk dat Bilderdijk, door dit element tot in het karikaturale te chargeren, getracht heeft te bereiken wat hij het zedelijk nut van elke parodie noemt: door versterking het 'beschamende voor den dag doe(n) springen, dat zonder dat niet getroffen had'. Of, om te spreken met Johannes Kinker (die in dit genre uitblonk): door 'het Parodiek ontleedmesjen' worden 'gebreken zichtbaar, die men anders over het hoofd of door de vingers gezien zou hebben'.[79]

Een geestestoestand als die van Orestes kan gemakkelijk het uitgangspunt worden voor de speelse verbeelding van de humorist, die aan alles twee kanten zien kan en er – om met Heine te spreken – vast van overtuigd is dat men maar één stap hoeft te doen *pour arriver du sublime au ridicule*. Een tafereel als dat waarin Electra de zieke Orestes (in het eerste epeisodion) overeind helpt en verzorgt, kan – afhankelijk van de acteurs – zowel lachwekkend overkomen als tragisch. Bilderdijk heeft de betreffende verzen voor zijn parodie zo goed als letterlijk vertaald. Zoals Schröder voor andere gevallen aantoont, is juist deze mogelijkheid het sterkste wapen in de hand van de parodist. Immers: 'De parodie hekelt een tekort aan verhevenheid, doordat zij in haar voorwerp meent het verhevene onzuiver te zien uitgebeeld'.[80]

Overigens doet men er waarschijnlijk goed aan Bilderdijks blijspel niet uitsluitend te zien als vrucht van overwegingen met betrekking tot het bovengenoemde zedelijk nut dat hij in de parodie aanwijst. We kunnen er met evenveel reden niet meer in zien dan het resultaat van wat de parodist Kinker een 'vrolijken luim' noemde. Een dier 'spelingen van een dartel vernuft, dat lust schept beneden de ons voorkomende wareld af te dalen', zoals Bilderdijk het zelf eens uitdrukte toen hij over de parodie schreef.[81] Dat deze burleske *Orestes* niet voltooid werd, wordt daarom wellicht het best verklaard door de woorden waarmee Bilderdijk het

[78] Trsp., p. 233. Bilderdijks 'ideaal-theorie' wordt besproken in het vierde hfdst. van het *Tweede Boek*.

[79] Trsp., p. 197-199; Rispens (1960), p. 117; Vis (1967), p. 35 en (1982), p. 45.

[80] P.H. Schröder, *Parodieën in de Nederlandse letterkunde*, Haarlem 1932, p. 3 e.v. (Het citaat is van J.D. Bierens de Haan, *De zin van het komische*, Leiden z.j. p. 76).

[81] Trsp., p. 198; Vis (1982), p. 45.

voorbericht bij zijn bewerking van de *Batrachomyomachia* besloot: 'hetgeen een bloot grapjen is moet tot geene zaak van inspanning worden, en geen boert moet te lang duren'.[82]

Wanneer Bilderdijks 'dartel vernuft' hem dit onafgewerkt Orestes-grapje heeft gedicteerd, valt niet met zekerheid vast te stellen. Een eerste aanwijzing verstrekt de spelling. Die bewijst dat het stuk moet zijn geschreven na 1778. Verschillende andere aanwijzingen rechtvaardigen de veronderstelling dat de Orestesparodie kan zijn ontstaan in of na 1795, het jaar van Bilderdijks verbanning, of zelfs na 1806, toen hij in Nederland was teruggekeerd. De watermerken die in het handschrift voorkomen, zijn een ruiterstandbeeld van *Willem de Vijfde* en de naam *Kloppenburg*. De papierdeskundige E.J. Labarre wees mij erop dat een soortgelijk merk als het eerstgenoemde is aangetroffen in 1796; de naam *Kloppenburg* werd door de Engelse papierdeskundige W.A. Churchill gesignaleerd voor de jaren 1791-1813, en zelf vond ik die naam als watermerk in het handschrift van het door Bilderdijk anno 1795 te Groningen geschreven gedicht: *Op mijne afbeelding. Bij mijn vertrek in ballingschap door den kunstschilder Hauck geschilderd.*[83] In de collectie-Kollewijn komt het laatstgenoemde merk nog slechts tweemaal voor: in het ontwerp van een treurspel over de Hollandse graaf *Willem de Vijfde* of *Willem Verbeider*, dat Bilderdijk schreef in 1808 en in het overgeleverde fragment van zijn burgerlijk toneelspel over *Gerontes*.[84] Merkwaardig is dat de *Gerontes*-tekst voorkomt op een blad dat zowel dezelfde twee watermerken als dezelfde afmetingen heeft als het papier waarop de *Orestes*-parodie is geschreven.[85] Een zelfde formaat komt verder niet voor in de collectie-Kollewijn. Dit laat ons vermoeden dat deze fragmenten in dezelfde periode zijn ontstaan: daarop wijst misschien ook de minder 'verheven' aard die beide stukken gemeen hebben. Aangezien het waarschijnlijk is, dat Bilderdijk aan de *Gerontes* heeft gewerkt na zijn terugkeer in Nederland, acht ik het niet uitgesloten dat ook de Orestes-parodie pas in – of na 1806 is geschreven.[86]

---

[82] DW. XV, p. 201, 202.

[83] DW. XII, p. 11. Het handschrift van dit gedicht bevindt zich in de collectie-Klinkert (nr. C 111) van de Koninklijke Nederlandse Akademie van Wetenschappen te Amsterdam.

[84] Vgl. hoofdstuk V, par. 6 en hoofdstuk IX, par. 2; de in de collectie-Klinkert van de Koninklijke Akademie te Amsterdam aanwezige handschriften van Bilderdijks uitgegeven Treurspelen (1808) hebben als watermerken de naam KLOPPENBURG en een posthoornmerk.

[85] Vgl. de nummers 9 en 10 in de Beschrijving van alle onvoltooide toneelhandschriften. (Bijlage 1)

[86] Vgl. hoofdstuk IX, par. 2. (Het parodiërend stukje *Helena aan Menelaus*, dat later werd afgedrukt in DW. XIV, p. 434, staat volkomen los van de Orestes-parodie. Het is een schertsend antwoord op een gedicht in de vorm van een heroïde of heldinnenbrief door Hooft, blijkens: W. Bilderdijk, *P.C. Hoofts Gedichten*, dl. III, Leyden 1823, p. 278. (Hoofts gedicht en Bilderdijks reactie worden besproken in Van Marion (2005), p. 139-160; 304, 305.)

HOOFDSTUK III

DE BIJBEL OP HET TONEEL

1. Treurspel 'Jephtah' (collectie-Leeflang en Bilderdijk-Museum; uitgegeven)

In het elfde hoofdstuk van het Boek der Richteren, verhaalt de bijbel de geschiedenis van de veldheer Jefta. Hoewel Jefta aanvankelijk als bastaard door zijn eigen broers was verstoten, werd hij nadien door zijn landgenoten gekozen tot aanvoerder in hun strijd tegen de Ammonieten. Hij behaalde de overwinning, na de gelofte te hebben afgelegd dat hij aan Jaweh wilde offeren wat hem bij zijn zegevierende thuiskomst het eerst tegemoet zou komen. Ongelukkigerwijze bleek dit zijn enige dochter, aan wie Jefta toen een uitstel van twee maanden toestond, alvorens hij zijn gelofte gestand deed en haar inderdaad ter dood bracht.

Al in 1889 veronderstelde Jan F.M. Sterck dat Bilderdijk had gewerkt aan een treurspel op dit bijbelse motief. Als een fragment daarvan beschouwde Sterck een door hem zelf uit het handschrift meegedeelde dialoog; hij meende bovendien dat er elders nog een tweede fragment van Bilderdijks onuitgegeven stuk moest bestaan.[87] In 1957 heb ik kunnen bewijzen dat Sterck gelijk had. Bilderdijk heeft in 1774 (en misschien ook al eerder) gewerkt aan een treurspel in verzen over de bijbelse figuur Jefta, waarvan in totaal drie fragmenten konden worden achterhaald.[88] Deze zijn:

1. De door Sterck uitgegeven *dialoog tussen Jefta's gemalin Merab en haar vertrouwde Jochebed*, die waarschijnlijk was bedoeld als openingstoneel van Bilderdijks treurspel.

2. Het in 1809 door Bilderdijk zelf gepubliceerde gedicht *Jefthaas dochter aan hare moeder*, waarvan het handschrift de datering 1774 vermeldt. Ik meen dat deze tekst kan worden geïnterpreteerd als een op het toneel te lezen afscheidsbrief van Jefta's ten dode gedoemde dochter, hoewel het natuurlijk zeer wel mogelijk is dat de jonge Bilderdijk die brief oorspronkelijk had bedoeld als een afzonderlijk gedicht, en wel als een zogenaamde 'heroïde' of 'heldinnenbrief'. Een dergelijke 'heldinnenbrief' legde hij ook in de mond van Yarico, die omstreeks 1783 als dramatische heldin onder de naam Zelis zou optreden in zijn toneelspel Zelis en Inkle.[89]

3. De pas in 1957 voor het eerst gepubliceerde *Alleenspraak van Jephtaas echtgenoot*, die in Bilderdijks treurspel wellicht moest volgen na de scène waarin – als mijn vermoeden juist is – de zojuist genoemde afscheidsbrief zou worden voorgelezen.

---

[87] J.F.M. Sterck, 'Uit Bilderdijks nalatenschap', *De katholiek* 1889, p. 281 e.v.

[88] De Jong (Jephtah, 1957), p. 447 e.v.

[89] Zie hfdst. IX, par. 1, De Jong (Jephtah, 1957), Van Marion (2005), p. 284-286.

Uit de in 1948 verschenen studie *Jephtah and his daughter* van Wilbur Owen Sypherd blijkt dat hem in totaal 305 literaire bewerkingen van het Jefta-thema bekend waren.[90] Aangezien van een achttienjarige Nederlandse dichter op de eerste plaats een standpunt tegenover het gelijknamige treurspel van Vondel mag worden verwacht, heeft het weinig zin uit te weiden over andere toen al bestaande Jefta-bewerkingen waarmee Bilderdijks fragmenten minder of meer toevallig overeenkomsten zouden kunnen vertonen. Ik beperk mij daarom tot een vergelijking met Vondels *Jeptha of Offerbelofte* (1659).

Blijkens de door Sterck gepubliceerde dialoog tussen Jefta's gemalin en haar vertrouwde zou Bilderdijks treurspel aanvangen op een tijdstip dat de slag tegen de Ammonieten voorbij is, en Jefta dus al de noodlottige gelofte heeft gedaan die hem zal dwingen zijn eigen dochter (bij Bilderdijk, overeenkomstig het Boek der Richteren, *Milka* genaamd) te offeren aan Jaweh. We mogen daaruit concluderen dat Bilderdijk de eenheid van tijd heeft willen handhaven, en wel door toepassing van een kunstgreep die hij had leren kennen uit het bekende treurspel van Vondel. In het *Berecht* bij zijn *Jeptha* spreekt Vondel uitvoerig over de wijze waarop hij een fout tegen de eenheid van tijd en tevens 'tegens d'openbaere waerheit der bybelsche historie' heeft weten te vermijden: een fout die wèl voorkomt in een gelijknamig treurspel van Buchanan. Vondel doelt hier op het Latijnse schooldrama *Jephtes sive votum* (1554) van de Schotse humanist George Buchanan, dat hij met zijn eigen treurspel hoopte te overtreffen. De fout in kwestie bestaat hieruit, dat de noodlottige ontmoeting en de voltrekking van Jefta's offer in het toneelstuk van Buchanan plaatsvinden op een en dezelfde dag, terwijl de bijbel uitdrukkelijk zegt dat er tussen die twee gebeurtenissen een periode van twee maanden uitstel lag. Doordat Buchanan dat tijdsbestek zonder meer verdonkeremaande, maakte hij volgens de door Vondel geëerbiedigde toneeltheorieën van Heinsius en Vossius – ondanks de schijn van het tegendeel – een fout tegen de Aristotelische eenheid van tijd: iedereen *wist* immers dat er een tijdsverschil van twee maanden bestond! Bovendien, zo voegde Vondel eraan toe, kwam Buchanan door deze voorstelling in conflict met 'het heiligdom des bybels'. Vondel zocht nu naar een mogelijkheid om in zijn eigen treurspel de structurele hoofdlijnen van Buchanans stuk te handhaven, maar zijn Latijnse voorbeeld daarbij tevens te overtreffen door diens fout te vermijden. Hij vond die mogelijkheid in een hem gunstige exegese van een gegeven dat voorkomt aan het begin van het twaalfde hoofdstuk uit het Boek der Richteren. Daar wordt verhaald dat Jefta, kort na de veldtocht tegen de Ammonieten, ook de Efraïmieten heeft verslagen. Overeenkomstig de *Annales* van Salianus, nam Vondel nu aan dat Jefta van deze tweede veldtocht (tegen Efraïm dus) terugkeerde op de dag dat het aan zijn dochter verleende uitstel verliep. Met andere woorden: twee maanden na zijn overwinning op Ammon. Zonder in conflict te komen met de exegeten van Aristoteles en van de bijbel, kon Vondel dus de bij

[90] Wilbur Owen Sypherd, *Jephtah and his daughter. A study in comparative literature*, Delaware 1948.

Buchanan voorkomende combinatie bereiken van een dramatische ontmoeting tussen vader en dochter na een gewonnen veldtocht, én de voltrekking van de noodlottige gelofte.[91]

Hoewel de jonge Bilderdijk hierbij Vondel in principe heeft nagevolgd, wijkt hij toch weer enigszins van zijn grote voorganger af. Terwijl Vondels stuk begint met het bericht van Jefta's overwinning in de tweede slag (tegen de Efraïmieten) is dit bij Bilderdijk *niet* het geval. Zijn fragment vangt aan als de slag tegen Efraïm nog niet is beslist. Het eerste tafereel is een (enigzins aan Buchanan herinnerende) dialoog tussen enkele achtergeblevenen: dat zijn bij Bilderdijk Jefta's gemalin Merab en een figuur die Jochebed wordt genoemd en waarschijnlijk haar 'vertrouwde' is. Jochebeds verwachtingen met betrekking tot de uitslag zijn optimistisch; die van Jefta's gemalin niet. Zij geeft daarvoor als reden op:

> Wat baat ons 't rijpst beleid met Heldenmoed gepaard,
> Zoo Hij, die 't Al regeert, Zich tegen ons verklaart?

Dit gebrek aan Godsvertrouwen vindt zijn verklaring in een ander, belangrijker verschil met Vondels treurspel. Bij Vondel verneemt de toeschouwer pas in het tweede bedrijf dat Jefta zijn fatale gelofte heeft afgelegd: het bestaan daarvan blijft voor zijn gemalin zelfs verborgen tot het laatste bedrijf, als de catastrofe onherstelbaar is. Bij Bilderdijk (die hier weer dichter bij Buchanan staat) zou de volledige 'expositie' al plaats hebben in het eerste bedrijf, en wel door toedoen van Jefta's gemalin zelf. Merab verklaart namelijk haar angst dat God zich tegen Jefta en de zijnen zou hebben gekeerd, juist door te wijzen op het bestaan van de gelofte. Dit impliceert dat de jonge Bilderdijk de figuur van de gemalin wilde uitwerken op een wijze die totaal afweek van Vondels interpretatie. Bij Bilderdijk is zij veel meer actief bij de hoofddaad betrokken. In de samenspraak met Jochebed zegt Merab (ik cursiveer):

> Gelukkig, die bekroond met 's Hemels dierb're zegen,
> En van zijn heil bewust in dankerkent'nis blaakt!
> Ik zelf, ik heb weleer zoo zoet een lot gesmaakt,
> Wanneer in 't eenzaam Tob, *Verstooten van zijn maagen*,
> Mijn' Echtgenoot 't bevel van 't Heir werd opgedraagen:
> 'k Was toen gelukkig!.. Ach! wat zegge ik?.. zulks te zijn?..
> Neen..'k Heb zulks dwaas geloofd.. Bedriegelijke schijn!

Zij heeft het verstoten-zijn van Jefta willen opheffen en God gebeden daar een eind aan te maken. Dit gebeurde toen Jefta ''t bevel van 't Heir' werd opgedragen. Aanvankelijk was zij daardoor gelukkig, maar haar geluk bleek slechts 'bedriegelijke schijn'. In feite betekende het

[91] Vgl. C.G.N. de Vooys, *Joost van Vondel's Jephtah of Offerbelofte*, Groningen 1948, p. X, XX, XXI en vooral: Smit (1957), dl. II, p. 244. (Latere Jephta-interpretaties door J.W. Korsten en J.W.H.. Konst in TNTL 115 (1999), p. 315-333 en TNTL 116 (2000), p. 153-167.)

resultaat van haar volhardend gebed immers het begin van de ondergang. Het lijkt iets op de antieke noodlotsidee. Al haar streven om het niet begeerde af te wenden, resulteert in een nog groter onheil. De *Alleenspraak* laat als het ware de 'agnitio' zien: zij komt tot de onvermijdelijke ontdekking van de feitelijke toestand (ik cursiveer):

> Jaa, 'k heb mijn Milka, *'k heb onweetend, in gebeden,*
> *Om uwen dood gesmeekt...*
> ------------------------------
> Maar *staatzucht* dreef mij 't hart, ik wilde mij verheffen,
> ô Heer! *ik heb u vaak gebeên om hooger staat*
> Nu voel ik mij het hoofd door uwen bliksem treffen,
> Waar voor de nedrigheid bevrijd, steeds veilig gaat.
> Het geen, ten onzen best, van God ons word gegeeven,
> (ô IJdle wenschen van den dwaazen sterveling!)
> Dat wil men roekeloos, halsstarrig wederstreeven,
> *Men zoekt een beter stand, men zoekt verandering*!

De fout van Merab is de fout van Vondels *Lucifer*: de staatzucht. En zij wordt daarvoor gestraft in haar eigen kind. Van een innerlijke strijd in Jefta zelf zou in Bilderdijks treurspel waarschijnlijk geen sprake zijn geweest. In geen enkel van de ons overgeleverde fragmenten wordt de uitvoering van zijn gelofte problematisch voorgesteld. Geen regel is er die zou kunnen wijzen op enige twijfel aan de juistheid van zijn optreden. De achttienjarige Bilderdijk – zoals gezegd, dateren zijn teksten van 1774 – week in de karaktertekening van Jefta en zijn gemalin dus sterk van Vondel af. Zijn stuk vertoont in dit opzicht meer overeenkomst met dat van Buchanan. Maar het zojuist aangeduide motief van de 'staatzucht' lijkt me moeilijk van Vondels invloed los te denken.

2. Treurspel over Thirsa (collectie-Kollewijn, nr. 6)

Tot een verrassend resultaat leidde het onderzoek van het zesde handschrift uit Kollewijns verzameling, dat daarin ten onrechte voorkomt onder de naam *Selima*. Uit de wijze waarop dit uitgebreide treurspelontwerp door Bilderdijk werd geredigeerd, blijkt duidelijk dat het werd geschreven ten behoeve van een veronderstelde andere auteur. In de marge zijn opmerkingen aangebracht als: 'Men begrijpt dat deze twee Toonelen omzichtig bewerkt moeten worden' of: 'In dit gesprek, 't welk het treffendste van het gantsche stuk moet zijn, alles bijeen te brengen...' en aan het slot: 'Men gevoelt wat partij uit dit sterven van Selima te trekken is...'

Ik meen in 1957 in een tweetal artikelen te hebben bewezen dat de auteur door wie deze aanwijzingen zijn gebruikt, Bilderdijks toenmalige vriend Rhijnvis Feith is geweest.[92]

[92] De Jong (Thirsa, 1957). Kritiek op deze artikelen leverden Buijnsters (1963), p. 301, 302 en J.C. Streng (1994), p. 82.

Waarbij overigens kan worden opgemerkt dat het niet helemaal uitgesloten moet worden geacht dat Bilderdijk op zijn beurt kan hebben gewerkt naar een eerdere tekst van Feith zelf. Zoals nog zal worden besproken in Deel III, hoofdstuk XIV, heersten er in die tijd andere opvattingen over oorspronkelijkheid en was het bovendien heel gewoon dat auteurs elkaars manuscripten bewerkten. In het voorbericht bij zijn in ons vorig hoofdstuk vermelde toneelspel *De Patriotten* (1785) schreef Rhijnvis Feith – al dan niet bij wijze van bescheidenheidstopos – dat zijn tekst terug ging op een schets die door een literaire vriend was ontworpen.

Hoe dit ook zij, vast staat dat Feiths in 1784 verschenen treurspel *Thirsa, of de zege van den godsdienst* zonder twijfel terug gaat op Bilderdijks ontwerp. Voor de schaarse plaatsen waar Feith van Bilderdijks voorbeeld afweek, inspireerde hij zich op het kloosterdrama *Euphémie ou le Triomphe de la religion* (1768) van François-Thomas de Baculard d'Arnaud en op een Duitse opera van August Hermann Niemeyer, wiens tekst trouwens ook door Bilderdijk was geraadpleegd. De door vroegere literatuurhistorici opgemerkte inconsequenties in de karakters van Feiths hoofdfiguren lijken te verklaren uit het feit dat de auteur enerzijds uitging van het voorbeeld dat Bilderdijk had ontworpen, maar zich anderzijds liet leiden door de hier genoemde buitenlandse voorbeelden. De door deze tweeslachtigheid veroorzaakte zwakte van Feiths treurspel is Bilderdijk natuurlijk niet ontgaan. De omstandigheid dat Feith bij de uitgave van het treurspel zijn verplichtingen aan Bilderdijk (om politieke redenen en wellicht ook uit eerzucht) heeft verzwegen, kan zijn onbevredigheid nog hebben vergroot. Daar kwam nog bij dat er kort daarop een conflict tussen beide dichters ontstond naar aanleiding van Bilderdijks duidelijk prinsgezinde heruitgave van het 'Vaderlandsch Dichtstuk' *De Geuzen*, door Onno Zwier van Haren (1785). De oranjegezinde Bilderdijk droeg het boek op aan de Prins en compromitteerde zijn patriotse vriend door in een Voorrede te verklaren dat de tekst haar 'luisterrijkste verbeteringen' dankte aan 'mijnen vriend' Rhijnvis Feith, die zou hebben aangedrongen op een spoedige uitgave.[93]

Maar beperken wij ons tot het toneelontwerp van Bilderdijk. De eerste bron daarvan is het zevende hoofdstuk van het tweede boek der Makkabeeën geweest. Daarin wordt uitvoerig verhaald hoe, onder de overheersing van Antiochus Epifanes, een Joodse moeder en haar zeven zonen de marteldood stierven, omdat zij weigerden hun geloof te verloochenen. Bilderdijk laat enerzijds bijbelse gegevens achterwege en voegt anderzijds nieuwe elementen toe. Zo is er in zijn ontwerp geen sprake van de door Antiochus Epifanes gestelde eis dat de

[93] De hier verwerkte gegevens zijn ontleend aan mijn in de vorige noot genoemde publicatie. Met betrekking tot de verhouding Bilderdijk-Feith en het treurspel van laatstgenoemde, zijn hier nog de volgende gegevens aan toe te voegen: a. blijkens Tyd. I, p. 398, was Bilderdijks vriend Tydeman precies op de hoogte van het financiële aspect van de uitgave van Feiths treurspel; b. blijkens het voorbericht van Feiths treurspel *Ines de Castro*, Amsterdam 1793, kende Feith het werk van Houdar de la Motte: c. in het voorbericht bij zijn *Oden en gedichten*, dl. IV, Amsterdam 1809, p. VIII, schrijft Feith (de figuur van Bilderdijk volkomen negerend): 'Wij bezitten Dichters, zooals wij ze nimmer bezeten hebben. Waarlijk, ik schrijve het met de innigste vreugde van mijn hart, waar wij op eenen HELMERS, VAN HALL, LOOTS, TOLLENS, en soortgelijken, allen nog in de beste vaag des levens, roemen kunnen...'. Men vergelijke hiermee Bilderdijks uitlatingen die zijn medegedeeld in noot 1, p. 207 van *De nieuwe taalgids* 1957, en ook in de noten en de tekst van p. 205 e.v.

Makkabeese broeders varkensvlees moesten eten, en al evenmin vindt hun moeder Thirsa de dood. De auteur heeft twee belangrijke figuren toegevoegd: de verloofde van Jedidia, de jongste Makkabeeër, en de sympathieke raadsman van de koning die zich aan het slot van het stuk tot het Jodendom bekeert. Niet alle afwijkingen van het bijbelverhaal gaan echter terug op Bilderdijks eigen verbeelding. Zijn belangrijkste bron was het in 1778 te Leipzig verschenen en in 1783 te Karlsruhe herdrukte toneelstuk *Thirza und ihre Söhne. Ein religiöses Drama* van August Hermann Niemeyer.[94] Van dit stuk nam Bilderdijk over:

1. De namen van de dramatis personae.
2. De figuur van 's konings opvoeder *Chrijses*.
3. Jedidia's verloofde *Selima*, die door de vader van de Makkabeeën is opgevoed omdat zij ouderloos was.

De belangrijkste afwijkingen van het stuk van Niemeyer zijn:

1. Thirsa wordt in Bilderdijks ontwerp niet ter dood gebracht.
   (Bij Niemeyer drinkt zij de gifbeker)
2. Selima sterft van verdriet na Jedidia's marteldood.
   (Bij Niemeyer wordt zij aan de zorgen van de bekeerde Chrijses toevertrouwd)
3. Jedidia wordt pas gevangen genomen als zijn broeders al gestorven zijn.
   (Bij Niemeyer sterft hij onmiddellijk na zijn oudere broeder Joel)
4. 's Konings raadsman Chrijses wordt aanvankelijk voorgesteld als godloochenaar.
   (Bij Niemeyer toont hij steeds grote eerbied voor de religie)
5. Bilderdijks ontwerp veronderstelt vijf bedrijven.
   (Het Duitse stuk, dat eigenlijk een opera is, heeft er drie)

Als voornaamste ontlening moet de Selima-figuur worden beschouwd. Door haar optreden wordt het martelaarschap van de jongste Makkabeeër verhevigd: Jedidia wordt immers voor de keuze gesteld tussen de dood en zijn geliefde. In de uitwerking van dit motief wijkt Bilderdijk af van zijn Duitse voorbeeld. Zijn Selima sterft van verdriet na Jedidia's dood; bij Niemeyer weet de martelaar haar nog toevertrouwd aan de zorgen van Chrijses. Een opvallend onderscheid is ook dat Niemeyers zwaarbeproefde Thirsa door de dood uit haar lijden wordt verlost, terwijl aan het einde van Bilderdijks stuk door de Makkabeese moeder moet worden verklaard: 'ik heb geleerd ook het *leven* voor Jehovah te kunnen lijden'.

[94] August Niemeyer, *Thirza und ihre Söhne. Ein religiöses Drama*, Leipzig 1778, ook opgenomen in de uitgave van Niemeyers *Gedichte* van hetzelfde jaar. Een aan Klopstock opgedragen herdruk van laatstgenoemde uitgave verscheen in 1783 te Carlsruhe. Verschillende aspecten van dit drama worden besproken in de in een vorige noot vermelde artikelen over de ontstaansgeschiedenis van Feiths treurspel *Thirsa*.

Misschien heeft Bilderdijk voor dit, zowel van de bijbel als van Niemeyer afwijkende slot, ontleend aan het in 1722 te Parijs verschenen treurspel *Les Machabées* van Houdar de la Motte, waarvan in 1735 een Nederlandse vertaling was verschenen door S. Feitama.[95] In dat geval zou ook de herkomst van het in Bilderdijks stuk voorkomende wierookoffer bij deze auteur zijn te zoeken. Hiermee zijn echter de enige duidelijke overeenkomsten met het stuk van Houdar de la Motte aangeduid. Zijn intrige is totaal anders dan die van Bilderdijk. De geliefde van de Makkabeeër is bij hem een heidense prinses die door koning Antiochus wordt begeerd. Zij bekeert zich tot het Jodendom en wordt, na een geheim huwelijk, gelijk met haar echtgenoot gevangen genomen. Tenslotte sterft zij voor zijn ogen de marteldood als hij het wierookoffer weigert. De bij Bilderdijk zo lijdzame moeder van de Makkabeeën voorspelt in het Franse stuk de ondergang van Antiochus; en dit laatste doet dan weer even denken aan Bilderdijks opmerking over Selima aan het slot van zijn ontwerp.[96]

Wat de *vorm* betreft, kan worden opgemerkt dat Bilderdijks ontwerp een treurspel veronderstelt in vijf bedrijven, met handhaving van de eenheden van tijd, plaats en handeling. Als hoofdpersoon van dit klassiek bijbelse treurspel moet de Makkabeese moeder Thirsa worden beschouwd. Het 'treffendste' gesprek van 'het gantsche stuk' dient volgens Bilderdijks ontwerp haar onderhoud met Jedidia te zijn, waarvan het resultaat is dat hij besluit zijn broeders in de dood te volgen. Volledig in overeenstemming met het bijbelverhaal moedigt Thirsa hem daartoe ook aan in het laatste bedrijf. Zo is zij degene die alles vrijwillig aan Jehovah opoffert. De dood zou voor haar de verlossing uit het lijden en de gelukkige vereniging met haar gemaal en haar kinderen zijn. Maar de dood die, in plaats van haar ondergang, juist haar geluk en triomf zou betekenen, wordt haar niet gegund. Zij moet na het sterven van allen die haar dierbaar zijn, zelf het leven voor Jehovah weten te 'lijden'. Zo wordt Thirsa de tragische figuur bij uitstek. De hemel, als noodzakelijk gevolg van de dood, is voor haar het meest begerenswaardige. Zij doet alles om dit doel te bereiken maar juist daarom vindt zij, als enige, de marteldood niet en bereikt zij het tegengestelde: de veroordeling tot het leven.

De noodzakelijke spanning in het stuk wordt geenszins veroorzaakt door de mogelijkheid dat Thirsa's ouderliefde haar godsdienstige gevoelens zou kunnen overvleugelen. Dit is bij haar, die de idee der al het wereldse verzakende godsdienstzin belichaamt, volkomen uitgesloten. Er is alleen de mogelijkheid dat Jedidia zijn 'standvastigheid' niet behoudt 'tegens' (het) jammeren' van zijn verloofde Selima. De beide gelieven gaan, maar dan slechts van aards standpunt uit bezien, ten onder; enkele ogenblikken na de dood weten zij zich immers verenigd in eeuwigheid. De grote verliezer in dit martelaarsstuk is de tot leven gedoemde Thirsa.

[95] Vgl. Worp (1908), dl. II, p. 312.

[96] Vgl. voor het stuk van Houdar de la Motte: Lancaster (1950), dl. I, p. 70 e.v.; Herr (1988), p. 197 e.v.

De tijd dat Bilderdijk aan zijn Thirsa-ontwerp heeft gewerkt, moet liggen tussen 1778 en 1784. En wel om verschillende redenen:

1. De eerste uitgave van het door Bilderdijk nagevolgde stuk van Niemeyer verscheen pas 1778.
2. De spelling van het ontwerp wijst meestal op na 1778.
3. Feiths treurspel *Thirsa*, waarin Bilderdijks ontwerp werd nagevolgd, was in eerste aanleg al voltooid op 2 maart 1784, datum waarop Bilderdijk aan Feith schreef: 'Ik heb echter uw Treurspel nu in zijn geheel herlezen en met zeer veel genoegen; en ik zal allen spoed maken met het overeenkomstig met uw oogmerk na te zien'.

Ik acht het waarschijnlijk dat Bilderdijks ontwerp vóór of in 1783 is geschreven; wellicht op verzoek van Feith en misschien met het oog op een mogelijke opvoering of als reactie op een al bestaande, hem voorgelegde tekst. Op een datering omstreeks 1783 wijzen ook de watermerken in het door Bilderdijk gebruikte papier. Ik trof ze nog slechts aan in drie andere handschriften, waarvan er twee in het jaar 1783 zijn ontstaan.[97]

3. Geen derde bijbels treurspel

In zijn studie *De romancepoëzie in Noord-Nederland van 1780 tot 1830* (1915) meende A. Zijderveld dat Bilderdijks romance *Assenede* (1805) 'is te rekenen tot de ontwerpen voor een treurspel, zooals er van Bilderdijk verschillende bestaan, en wel in den klassieken stijl, dien de dichter bewonderde en navolgde'.[98] Aangezien de stof van genoemde romance is ontleend aan het Oude Testament (de geschiedenis van Jozef en de vrouw van Potifar, die door Vondel werd benut voor zijn *Joseph in Egypten*), zou de tekst van *Assenede* een derde, onvoltooid gebleven bijbels treurspel van Bilderdijk vertegenwoordigen... indien Zijderveld gelijk had. Maar dat heeft hij in geen geval. Zijderveld schrijft wel: 'hij (= Bilderdijk) noemt zich als dichter van *Assenede* "treurspeldichter"...', maar dat staat er zo niet. Bilderdijk gebruikt in zijn *Aantekeningen* inderdaad de term 'Treurspeldichter': echter geenszins met betrekking tot zijn eigen werkzaamheid als schrijver van de *Assenede*. Hij duidt die tekst uitsluitend aan met termen als *Romance*, *Vertelling* en *Verhaal*. De *Assenede* is zonder meer een geheel voltooid verhalend gedicht. Bilderdijks breedvoerige *Aantekeningen* bij dit gedicht dienen alleen maar om de afwijkingen van het bijbels gegeven en de vorm van deze in een hogere stijl uitgewerkte 'romance' te verklaren en literair te motiveren.[99]

---

97 De watermerken zijn een *vrijheidsmerk* en de letters G.R., waarboven een kroontje (het geheel in een cirkel). Midden op het blad staan bovendien enkele *krulletjes*. Dezelfde merken (of gedeelten ervan) komen voor in de handschriften van het eerste bedrijf van Bilderdijks toneelstuk *Zelis en Inkle* (1783), van een in februari 1783 geschreven *Bruiloftszang* (Kon. Ned. Akademie v. Wetenschappen te Amsterdam: collectie-Klinkert nr. 3) en van het ontwerp voor een treurspel over *Eric XIV, koning van Zweden*: hoofdstuk IX, par. I en hoofdstuk VI, par. 4).

98 Zijderveld (1915), p. 185 e.v.

99 DW. I, p. 487, 488; vgl. hfdst. V, par. 3, noot 204.

HOOFDSTUK IV

DE OUDHEID ALS BRON

1. Treurspel over Medea (collectie-Kollewijn, nr. 25)

Drie handschriften – hier gemakshalve aangeduid met de eerste letters van het alfabet – vormen het bewijs dat Bilderdijk zich heeft beziggehouden met een treurspel in vijf bedrijven over *Medea*. Op één daarvan (Tekst-C) staan vier regels waaruit blijkt dat hij – zoals te verwachten – heeft gedacht aan een treurspel in alexandrijnen. De beide andere handschriften zijn twee verschillende ontwerpen.[100] Er is uit op te maken dat Bilderdijk een zelfstandige bewerking wilde geven van de bekende tragedie door Euripides: De Colchische prinses Medea trekt met Jason mee naar Griekenland, op de vlucht haar eigen broer Absyrtus dodend. Verjaagd uit Jasons vaderstad Jolkos, komt het paar te Corinthe, waar Jason zijn gemalin ontrouw wordt en de dochter van koning Kreon huwt. Euripides' treurspel beeldt de wraak van de gekrenkte Medea uit. Zij veinst een verzoening en laat prinses Kreuse door haar kinderen een betoverd gewaad met bijbehorend diadeem als bruidsgeschenk aanbieden. De bruid komt door verbranding om het leven, evenals haar vader Kreon. Na deze moord uit afgunst, volgt een door wraak ingegeven doodslag. De verstotene zal Jason treffen in zijn eigen kinderen. Het slot der tragedie toont Medea op een door gevleugelde draken getrokken wagen; naast haar liggen de lijken van de kinderen die ze zelf heeft gedood. Vervloekt door Jason, verdwijnt zij in de lucht.

Hoe heeft Bilderdijk zich de dramatische uitwerking van dit gegeven voorgesteld? In het minst uitgewerkte ontwerp (Tekst-B) leeft Medea onbekend aan het hof van koning Kreon als daar de prins verschijnt met wie Kreuse zal huwen. Die prins blijkt Jason te zijn. Samen met hem is ook zijn kind aangekomen, dat door Kreuse 'voor haar dochter' wordt aangenomen. Medea herkent Jason en hun beider kind. De hierop aansluitende aanwijzingen van Bilderdijk zijn onduidelijk. Tegenover Kreuse en Jason doet Medea het voorkomen alsof zij in het nieuwe huwelijk van Jason zal berusten, mits haar het kind wordt afgestaan. Van Kreon eist ze echter: 'gemaal en kind. En bepaalt hem den morgenstond'. Daarna volgt een geheimzinnige nachtelijke samenkomst van Medea en haar dochter, waarbij de laatste zich de wraakgodinnen 'wijdt', de schim van Absyrtus verschijnt, en er wordt geofferd aan de maan. Even later overvalt men hen en wordt Medea gevangen gezet. Als het kind haar later mag bezoeken, doodt Medea haar dochter. Nadien laat zij Kreuse roepen, die haar toestaat samen met haar dochtertje te vertrekken. Ze ontvangt dan van Medea een kroon als bruidsgeschenk. Na deze schijnbare verzoening, vraagt Medea naar Jason, die verschijnt in gezelschap van

[100] Mijn bespreking van deze teksten werd verwerkt in het artikel 'Preromantiek en "Medea"': De Jong (1964), L.T. p. 487-496.

Kreon. Medea toont nu het lijk van hun kind, de kroon vat vlam en doodt Kreuse en Kreon, terwijl Medea in de rookwolk opvaart en Jason vervloekt.

Dit ontwerp van Bilderdijk is te beknopt om er veel uit te kunnen concluderen. Maar opvallend is in ieder geval dat Medea onbekend aan het hof leeft en daardoor al is gescheiden van Jason, die nog in Corinthe moet aankomen om er Kreons dochter te huwen. Merkwaardig is ook het nachtelijk toneel in het vierde bedrijf, waarbij de geest van Medea's vermoorde broer verschijnt en er een offer aan de maan plaatsvindt. Veel minder dan bij Euripides, treedt de prinses op als een 'bovenmenselijke figuur' die van 'goddelijk geslacht' is[101]: eerder schijnt Bilderdijk haar te willen tekenen als tovenares in een spektakelstuk.[102]

Het tweede Medea-ontwerp (Tekst-A) is uitgebreider. Na de vlucht uit Jasons vaderstad, wordt het paar overvallen. Medea weet te ontkomen, doch men neemt Jason gevangen. Met haar vijfjarige zoon Ezion komt Medea aan het hof van koning Kreon, waar zij leeft onder een andere naam. Ezion en Kreons dochter Kreuse worden door Medea opgevoed en later ontstaat er een liefde tussen die twee. Jason is er ondertussen in geslaagd uit zijn gevangenschap te ontvluchten en verbindt zich op een gegeven dag met Kreon, die hem zijn dochter toezegt. Hij aanvaardt dit aanbod in de waan dat Medea gestorven is. Bij deze stand van zaken begint het stuk:
Kreuse komt in de nacht bij haar tweede moeder, Medea dus, om te klagen over een nare droom, waarin Medea haar en Ezion in brand stak en zelf in de vlammen opvoer. Medea stelt haar gerust en dan bekent Kreuse haar liefde voor Ezion. Ondertussen wordt het licht. De dag breekt aan waarop de prins aankomt die Kreuse als gemalin zal nemen. Medea woont de eerste ontmoeting bij en herkent Jason, die haar echter afwijst tijdens een gesprek onder vier ogen. Nu wordt Kreon in de kwestie gemengd, met als enig resultaat dat Medea en haar zoon uit het land worden verbannen. Medea komt tot de overtuiging dat de oorzaak van alle ellende haar vroegere broedermoord is en dat de vertoornde hemel verzoening eist door de dood van Ezion. Deze smeekt haar om de dood als ze hem zijn afkomst heeft verklaard. Medea weigert, maar belooft hem dat ze samen sterven zullen. Kreuse en Ezion verbinden zich nu voor Medea en drinken een gif dat hen zodanig verbindt, dat de dood van de een ook de dood van de ander tot gevolg zal hebben. Als Jason later Kreuse niet wil afstaan, worden de gelieven door Medea doorstoken: 'Zij zwaait de toorts. De lijken ontvlammen en alles staat in vlam waarin zij opvaart'.

Viel in het eerste ontwerp al Bilderdijks neiging op om de handeling van zijn stuk ingewikkelder te maken dan bij Euripides, dan bewijst dit tweede ontwerp een dergelijke bedoeling afdoende. Opnieuw leeft Medea aan het hof van Kreon en speelt een kind van haar en Jason een grote rol. Een totaal nieuwe complicatie is de omstandigheid dat dit kind, hun zoon Ezion, nu gaat optreden als medeminnaar van zijn vader. Daardoor verandert het stuk

---

[101] J.C. Kamerbeek, *Euripides' Medea*², Leiden 1950, p. 13.

[102] Talrijke voorbeelden van dergelijke figuren in Nederlandse stukken bij Worp (1892).

volkomen. De minnenijd en de wraak van Medea, die bij Euripides de tragedie bepalen, schuift Bilderdijk naar de achtergrond. Wat hij ervoor in de plaats brengt, zijn allerlei verwikkelingen. De innerlijke bewogenheid van Euripides' tragedie bij wie alles zich afspeelt in de ziel van Medea, wordt bij Bilderdijk tot uiterlijke beweging. In het kortste ontwerp overheerst de strijd om het bezit van het kind het oorspronkelijke hoofdmotief; in het laatst behandelde overzicht wordt dit hoofdmotief overschaduwd door de rivaliteit tussen vader en zoon ten aanzien van prinses Kreuse. Medea wordt ook minder direct verstoten: Jason dingt aanvankelijk naar de hand van Kreuse in de overtuiging dat zijn gemalin gestorven is. Medea moet dan ook min of meer tot wraak worden aangezet en handelt blijkbaar meer ter verzoening van de aan haar en Jason te wijten dood van Ezion-Absyrtus (wiens schim haar verschijnt) dan uit zuiver persoonlijke wraakgevoelens. Zij treedt ook veel minder inventief op.[103] De droom van Kreuse heeft in het tweede ontwerp alles tevoren bepaald en aanvankelijk weigert Medea zelfs Ezion te doden, ofschoon hij daar zelf om vraagt.

Er moet tenslotte worden vastgesteld dat Bilderdijk de eenheid van Euripides' treurspel niet onaangetast heeft willen laten: hij heeft zijn kracht gezocht in de uitbreiding van de hoofddaad met episoden die het gegeven naar het uiterlijk gecompliceerder maakten. Daarbij offerde hij de 'deftige eenvoudigheid' van het klassieke treurspel op aan allerlei opera-achtige effecten. Het is niet moeilijk vast te stellen door wie hij zich hier heeft laten leiden. Zijn belangrijkste voorgangers in de 'verminking' van de Griekse tragedie zijn Seneca en Pierre Corneille geweest. In de *Medea* van Seneca treffen we de uitgebreide tovertaferelen aan die in Bilderdijks ontwerpen terugkeren en bij Seneca verschijnt ook de schim van Absyrtus om Medea tot wraak aan te sporen. De Romeinse dichter heeft het gegeven van Euripides in de sfeer van het spektakelstuk getrokken en het is ook bij hem dat we de herkomst hebben te zoeken van de voorspellende droom in het grotere ontwerp van Bilderdijk.[104] Later heeft Corneille, daarbij hele verzen uit het Latijn vertalend, de *Medea* van Seneca met nieuwe spektakels uitgebreid. In zijn eerste treurspel *Medée* (1635) plaatste de Fransman de jonge Kreuse tussen twee minnaars: Jason en de Atheense koning Aegeus. Bilderdijk neemt dit motief over en verzuimt niet het effect te verzwaren: Jasons medeminnaar is zijn eigen zoon Ezion. Van het verbitteringsproces dat zich in het innerlijk van Euripides' Medea afspeelt, blijft in de latere bewerkingen niet veel over. De in haar

[103] Bij Euripides is het de komst van de over zijn kinderloosheid klagende koning van Athene, die Medea tot de uitwerking van haar wraakplannen brengt: zij zal Jason treffen in zijn kinderen en daarna asiel vinden in Athene.

[104] Seneca's *Medea*, vs. 963, 964... *cuius umbra dispersis venit / incerta membris? frater est, poenas petit*. Al in het openingstoneel roept Medea 'Hecate triformis' aan. Zie verder vs. 740 e.v. Over de Medea van Euripides in vergelijking met die van Seneca, bestaat een Amerikaans proefschrift: Lee Byrne, *A Comparison of the Medea of Euripides and the Medea of Seneca*, University of Chicago, Diss. 1899. Een vergelijkende analyse van beide stukken in: Frank Justus Miller, *Seneca's Tragedies*, vol. I, London-New York 1927 (The Loeb Classical Library) en, van de hand van L. van Acker, in de *Handelingen der Kon. Zuidnederlandse Maatschappij voor Taal- en Letterkunde en Geschiedenis* 1963, p. 385 e.v.. Over de Medea-figuur in talrijke andere toneelstukken: Léon Mallinger, *Médée. Etude de littérature comparée*, Louvain 1897, p. 217 e.v. en A. Block, *Medea-Dramen der Weltliteratur*, Göttingen 1958. Voor een inleidend overzicht zie de *Stoffe der Weltliteratur* van Elisabeth Frenzel (Stuttgart 1962, p. 420 e.v.) en de *Dizionario letterario Bompiani delle opere*, dl. IV, Milano 1947, p. 600 e.v. Over de droom in onder invloed van Seneca geschreven toneelstukken, zie Worp (1892).

hartstocht beledigde bovenmenselijke Medea-figuur, die bij Euripides tevens een gekrenkte aardse vrouw blijft en daarom bij koning Aegeus een toevluchtsoord zoekt, wordt bij zijn navolgers een 'magicienne d'opéra'[105]: een toverkol uit een spektakelstuk, zoals we al konden opmerken bij de bespreking van Bilderdijks kortste ontwerp.

Een spektakelstuk zou Bilderdijks *Medea* zonder twijfel geworden zijn, zij het dan niet van het kaliber van de *Medea* (1667) van Jan Vos, waarbij zelfs de geduldige Te Winkel aantekende dat men van een 'redelijk mensch' maar moeilijk kon vergen er een inhoudsopgave van te geven.[106] In het *Tweede Boek* van deze studie zal blijken dat Bilderdijk zich niet zonder waardering over het toneelwerk van Jan Vos heeft uitgelaten. Dat hij juist diens *Medea* in het openbaar een vervelend en 'lankwijlig' stuk heeft genoemd, verhinderde hem geenszins om er allerlei gruwelijke passages uit te copiëren in de stilte van zijn studeerkamer.[107] Het kunst- en vliegwerk in de hier besproken toneelontwerpen herinnert rechtstreeks aan het spektakelstuk van de dichterlijke glazenmaker, evenals trouwens het van Seneca, via P.C. Hooft, bij Jan Vos terechtgekomen betoverde hoofddeksel, dat voorkomt in Bilderdijks Tekst-B.

Een interessante bijzonderheid is dat Bilderdijk ons zijn mening over de Medea-figuur in het algemeen heeft nagelaten. Zijn oordeel blijkt niet malser dan dat van Voltaire, die Medea 'une méchante femme' noemde en zich gechoqueerd achtte door de treurspelen van Euripides, Seneca en Corneille.[108] Bilderdijk noemde Medea in een gedicht van 1820 een 'afgrijslijk wangedrocht' en beschouwde de moord op haar kinderen als een verzoening voor ''s broeders gruwbren moord'. Dit gedicht is helemaal in de geest van Seneca en in die van Bilderdijks eigen toneelontwerpen. In een aantekening preciseert Bilderdijk dat Medea ongetwijfeld 'uit beginsel van verzoening' handelde, al ontkent hij niet dat het 'gevoel van het ongelijk, haar aangedaan', ook van belang is geweest. Allereerst ziet Bilderdijk haar als een tweede Althea, de moeder van Meleager die haar zoon liet sterven om de dood van haar broers te verzoenen. In zijn gedicht heet het daarom: 'Absyrtus schrikdood roept om 't offer van Althea'. Bilderdijks 'spectaculaire' afwijkingen van Euripides vormen een passend decor voor zijn interpretatie van Medea's handelwijze.[109]

Een extern citaat op de achterkant van het papiertje met Tekst-B verstrekt ons een inlichting over de datering van dit manuscript. Er staat: *fol. 139. Hoe dichteren dichten selen,*

---

105 Félix Hémon, *Corneille* (Cours de Littérature IV), Paris z.j., p. 27 e.v.

106 Te Winkel² (1924), dl. IV, p. 246. Dit stuk wordt ook behandeld door Worp (1904), dl. I, p. 262 e.v. en in diens proefschrift: J.A. Worp, *Jan Vos*, Groningen 1879, p. 61 e.v.

107 Het afwijzend oordeel van Bilderdijk staat in Bydragen (1823), p. 15; de afschriften uit Vos' *Medea* bevinden zich tussen Bilderdijks aantekeningenblaadjes die worden bewaard in het Letterkundig Museum te 's-Gravenhage, hschr. B 583, adversaria 3.

108 Het oordeel van Voltaire ('Une méchante femme qui se venge d'un malhonnête homme') wordt geciteerd in *Storia critica de' teatri antichi e moderni* (1777) van Pietro Napoli Signorelli, die zich tegen Voltaire's afwijzing van Seneca's treurspel verzet en daarentegen de natuurlijke samenhang en de goed geschilderde harstochten prijst: Bigi (1960), p. 616.

109 DW. XIII, p. 262; 464.

een regel die ik herkende als het opschrift van een bekend fragment uit *Der Leken Spiegel* van Jan van Boendale, dat later door Bilderdijk is uitgegeven.[110] Bij die gelegenheid schreef hij dat de bekendheid met het bestaan van dit middeleeuwse werk te danken is aan 'een uitvoerig verslag' dat mr. Jacob Clignet ervan gaf in de voorrede bij zijn uitgave van de *Theuthonista* door Gherard van der Schueren. Bilderdijk had 'vruchtloos getracht' om 'het eenige handschrift' dat door Clignet werd gebruikt en 'sedert in de nalatenschap van den Heer Steenwinkel gevonden in eigendom voor het Instituut te verkrijgen'.[111] Hoewel hij dit niet uitdrukkelijk vermeldt, is het duidelijk dat zijn uitgave op dit handschrift teruggaat. Aangezien het bedoelde werk van Clignet in 1804 is verschenen[112], ligt het voor de hand dat Bilderdijk het manuscript pas kan hebben gezien na de terugkeer uit zijn ballingschap. Hieruit volgt dat de Medea-schets die ik aanduidde als Tekst-B, pas kan zijn geschreven na 1806.[113] Aangezien er geen redenen zijn om te veronderstellen dat de andere handschriften eerder zijn ontstaan, neem ik aan dat Bilderdijk na het genoemde jaar aan zijn treurspel over Medea heeft gewerkt.

2. Treurspel 'Polydoor' (collectie-Kollewijn, nr. 1)

De eerste bundel handschriften uit de verzameling-Kollewijn, bevat vier ontwerpen voor een treurspel dat Bilderdijk de titel *Polydoor* wilde geven. Het stuk speelt in Thracië, kort na de ondergang van Troje. Hoofdpersoon is Polydoor (Polydorus) de zoon van koning Priamus, die tijdens de oorlog was ondergebracht bij Polymnestor (Polymestor) van Tracië. Dit herinnert ons aan de *Hecabe* van Euripides, waarin wordt verhaald hoe de ontrouwe Polymestor de jonge prins doodt om zich daardoor meester te kunnen maken van het goud van koning Priamus. Op verschrikkelijke wijze wordt Polydorus dan door zijn moeder gewroken: Hecabe doodt de kinderen van Polymestor en maakt daarna de vorst zelf blind.[114] De ontwerpen van Bilderdijk zijn totaal anders: ze wijken zowel af van de bekende treurspelen waarin Euripides het leed der *Trojaanse vrouwen* uitbeeldt, als van de *Troades* door Seneca.[115]

---

110 TDV. I, p. 149.

111 Idem, p. 136.

112 *Theuthonista of Duytschlender van Gherard van der Schueren*, uitgegeven door wijlen Mr. C. Boonzajer, verrijkt met eene voorrede van Mr. J.A. Clignet, Leyden 1804.

113 In 1806 keerde Bilderdijk in Nederland terug: Kollewijn, dl. I, p. 357.

114 Arthur S. War, *Euripides with an English translation*, vol. I, London-New York (The Loeb Classical Library) 1925, p. 249 e.v.

115 Euripides, *Hecabe* en *Trojaanse vrouwen*. Het laatste stuk werd in Nederlandse verzen overgebracht door P. Brommer en voorzien van een inleiding door F.H. Parigger. De vertaling is verschenen zonder vermelding van uitgever, plaats en jaar. Seneca, *Troades* (Frank Justus Miller, *Seneca's tragedies* (The Loeb Classical Library) London-New York 1927; op p. 536 geeft Miller een analytische vergelijking met het gelijknamige treurspel van Euripides. De Nederlandse bewerking van Vondel is door de dichter gedateerd: Oegstmaand 1625. Ik gebruikte: *De Amsterdamsche Hecuba. Treurspel*, t'Amsterdam 1693. Voor het 'volstrekt objectieve standpunt dat Vondel tegenover het werk van Seneca innam', zie: D.C. Nijhoff, *Vondel's Hecuba, Gebroeders en Maria Stuart aesthetisch-critisch beschouwd*, Utrecht 1886, p. 21 e.v.. Vgl. ook: Smit (1956), dl. I, p. 132 e.v. Smits-Veldt (1986), p. 249 e.v., karakteriseert de wijze waarop Samuel Coster de stukken van Euripides en Seneca heeft benut in zijn eigen treurspel *Polyxena* (1619) als 'contaminatio en imitatio', wat leidde tot 'een nieuwe tragedie met een eigen signatuur'.

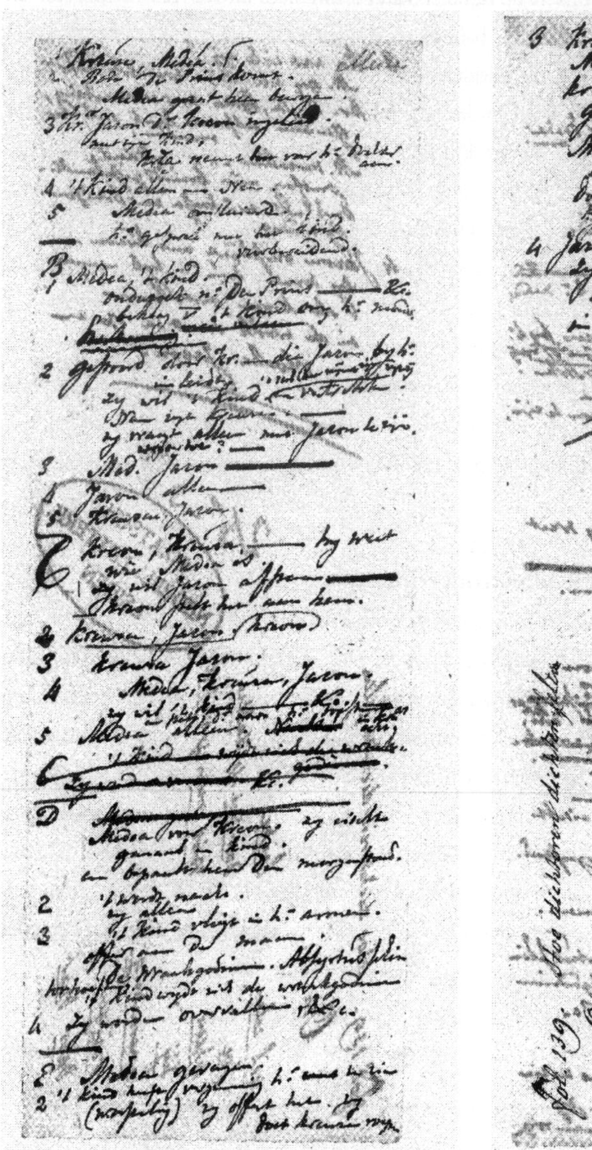

2. Handschrift van Bilderdijks treurspel over Medea Ontwerp voor de eerste vier bedrijven en voor het begin van het vijfde bedrijf: Tekst-B

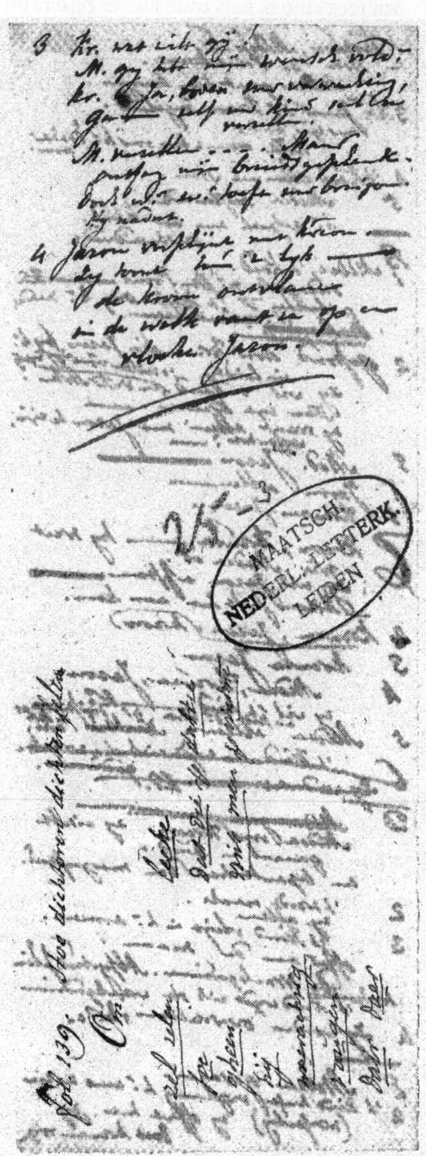

3. Handschrift van Bilderdijks treurspel over Medea Ontwerp voor het slot van het vijfde bedrijf: vervolg Tekst-B

Volgens Bilderdijks treurspel is *Ilione*, de dochter van Priamus, gehuwd met *Polymnestor* en is *Polydoor* samen opgevoed met diens zoon *Deïfobus*. De Grieken komen nu naar Thracië en eisen de uitlevering van de Trojaanse koningszoon. Op advies van anderen geeft Polymnestor opdracht tot het ombrengen van Polydoor, waardoor hij echter zijn eigen zoon treft: later blijkt namelijk dat de namen van beide prinsen al in hun jeugd zijn verwisseld; de 'Deïfobus' die in Bilderdijks ontwerpen optreedt, is in feite de Trojaanse prins 'Polydoor'.

Opmerkelijk bij Bilderdijk is dit verwisselingsmotief. Dat in de *Ilias* de jonge Trojaan 'Polydorus' wordt gedood door Achilles, vormt hier niet het grootste bezwaar. Zowel in de *Aeneis* als in Euripides' *Hecube*, blijkt immers zijn verblijf in Thracië.[116] Merkwaardig is echter het optreden van 'Deïfobus' als zoon van Polymnestor, terwijl Homerus en Vergilius deze figuur uitdrukkelijk als zoon van Priamus en dus als broer van Polydorus doen kennen. Afgezien daarvan, blijft dan nog het omwisselingsmotief in Bilderdijks ontwerpen. Dit motief is, voorzover mij bekend, slechts verklaarbaar uit één bron: de *Fabulae* van Hyginus, die moeten zijn ontstaan in het begin van de eerste eeuw na Christus.[117] Hyginus verhaalt dat Polydorus werd ondergebracht bij koning Polymnestor die gehuwd was met diens zuster Iliona. Hij werd opgevoed met Polymnestors zoon Deïphylus (ook: Deïpylus) tot er, na de val van Troje, Griekse gezanten naar Thracië kwamen en de koning een grote hoeveelheid goud beloofden als hij de zoon van Priamus wilde doden: '*Polymnestor legatorum dicta non repudiavit, Deipylumque filium suum imprudens occidit, arbitrans se Polydorum filium Priami interfecisse*'. Met geen woord gaat Hyginus verder op de verwisseling in. Hij vermeldt nog dat Polydorus nadien naar Delfi ging om zijn afkomst uit te vorsen en na zijn terugkomst Iliona ertoe overhaalde haar man te vermoorden. Rose en enkele andere onderzoekers vóór hem, veronderstellen dat het gegeven van deze fabel is verwerkt in een Griekse tragedie die het voorbeeld is geweest van het Latijnse treurspel *Iliona*, dat Pacuvius moet hebben geschreven.[118] Wij kunnen dit verder buiten beschouwing laten en vaststellen dat Bilderdijks uitgangspunt de zojuist besproken fabel van Hyginus is geweest. Daarop gaat ook het succesrijke treurspel *Polydore* (1705) van abbé Pellegrin terug, maar het stuk van deze Franse auteur wijkt zozeer van Bilderdijks ontwerpen af, dat een ontlening door laatstgenoemde zo goed als uitgesloten mag worden geacht.[119]

---

[116] *Ilias*, Boek XX, vs. 383 e.v.; Aegidius W. Timmerman, *Homerus. Ilias, metrische vertaling*², Amsterdam 1948, p. 303; *Aeneis*, Boek III; G.F. Diercks, *Virgilius. Een keuze uit vertalingen van zijn werk* (Klassieke Bibliotheek), Haarlem 1951, p. 146.

[117] *Ilias*, Boek XXII, vs. 224 e.v.; Timmerman, p. 325. *Aeneis*, Boek VI; Diercks, p. 208; H.I. Rose, *Hygini Fabulae*. Lugduni Batavorum apud A.W. Sijthoff, z.j., p. VII. Hyginus is tevens de schrijver van een verhandeling over de astronomie. Volgens Pichon leefde hij van 64 v. Chr. tot 17 na Chr. (René Pichon, *Histoire de la littérature latine*¹¹, Paris 1928, p. 310).

[118] Hyginus, Fabula CIX, vgl. Fab. CCXL; Rose, a.w., p. 149; 80. Pacuvius leefde van 220-132 v. Chr. (Pichon, a.w., p. 46).

[119] Spire Pitou, 'Pellegrin's tragedy "Polydore"' (1705), *The modern language review*, LIV, Cambridge 1959, p. 229 e.v. Bilderdijks ontwerpen vertonen geen enkele overeenkomst met het treurspel *Polidoor* (1622) door A. van den Bergh, waarvan men een bespreking aantreft in: W. Zuidema, 'Theodore Rodenburgh', TNTL. 1905, p. 270 e.v.; vgl. Worp (1904), dl. I, p. 319.

Het valt ons op dat Bilderdijk de naam Deïphylus heeft verward met *Deïphobus* en het motief van de verwisseling verder heeft uitgewerkt. Beide prinsen zijn opgevoed in een tempel en er bestaat een brief waaruit na Deïfobus' dood zal blijken dat de echte Polydoor nog leeft. Verder behoort ook Hecuba tot de dramatis personae, wat natuurlijk een herkenningstoneel tot gevolg heeft. Bilderdijk heeft blijkbaar niet zeker geweten hoe hij zijn treurspel moest laten eindigen. Volgens Tekst-A wordt Polymnestor gedood door Hecuba die daarop zelf de geest geeft. Even later sterft ook Polydoor. Het slot van Tekst-B gaat als volgt: 'Er koomt tijding dat Deïfobus [Polydoor] sneuvelde. Nu doorstoot zich Ilione, uit vrees voor de Grieksche slavernij. Hecuba grijpt de pook en doorsteekt Polymnestor. Deïfobus wordt stervend op 't tooneel gedragen. Hij sterft in de armen van Hecuba'. Tekst-C laat ons zien hoe Hecuba haar eigen kind doorsteekt, omdat zij meent dat hij de zoon van Polymnestor is. Pas na de moord herkent zij hem en sterft zelf: 'onder verwensching der Grieken'. Ongeveer gelijkluidend is het slot van Tekst-D, dat Bilderdijk nog met één toneel uitbreidde: 'Polymnestor verfoeit in weinig regels zijn zwakheid en dubbelhartigheid, die hem gemalin, zoon, en rijk kosten, en de les is: durf braaf zijn!'

De laatste aanwijzing is een beetje nadrukkelijk voor een ontwerp. Er zijn trouwens meer opvallende formuleringen. In het eerste bedrijf van Tekst-B leest men: 'Deze Deïfobus moet men leren kennen, als vorst...'; onder dit ontwerp schreef Bilderdijk: 'beter is Ilione er uit te laten... of (ze) moet bewaardster van het geheim van de vernoeming der jongelingen zijn. Dit kan door een brief...'. In het tweede bedrijf van Tekst-D treft de aanwijzing: 'Dit gesprek moet met kunst behandeld worden'; in de vierde akte staat tussen haakjes: 'zoo men nog een tooneel wil...'

De conclusie ligt voor de hand. Bilderdijk heeft deze ontwerpen niet gemaakt met de bedoeling ze zelf tot een treurspel uit te werken; de handschriften bevatten wellicht aantekeningen voor een ander. Wie die ander is, valt niet zo moeilijk uit te maken. Het spoor leidt onmiddellijk naar het enige treurspel over de ongelukkige Trojaanse prins dat in Bilderdijks tijd werd gepubliceerd: de *Polydorus* (1813) van mr. Samuel Iperuszoon Wiselius.[120] De schrijver van dit stuk is geen andere dan de Wiselius met wie Bilderdijk – blijkens zijn uitgegeven correspondentie – al sinds 1809 vriendschappelijke betrekkingen onderhield. In 1813 is de vriendschap van beide dichters al zo innig, dat Wiselius degene is die Bilderdijk op de hoogte stelt van het overlijden van zijn zoon Elius uit Bilderdijks eerste huwelijk. In die tijd zullen ook de wekelijkse samenkomsten over de 'dogmatic van het Christendom' ten huize van Bilderdijk hebben plaatsgevonden, waardoor het contact nog werd verstevigd.[121]

---

[120] Worp (1908), dl. II, p. 343, vermeldt dat dit stuk is herdrukt in 1814 en 1819.

[121] Br. III, p. 82 e.v. Ook in MF. bevinden zich brieven van Bilderdijk aan Wiselius, evenals in de Portefeuilles-Margadant, Bilderdijk-Museum; Tyd. I, p. 414; Tyd. II, p. 9, 21; Br. III, p. XI, 153.

Helaas is het juist aan de laatstgenoemde omstandigheid te wijten dat wij niet beschikken over brieven uit deze periode. We weten daardoor niets omtrent de betrekkingen van literaire aard uit de tijd waarin Wiselius zijn *Polydorus* schreef. De correspondentie uit de latere jaren bevat echter wel 'letterkundige' gegevens. Zo lezen we in een onuitgegeven brief (wat Wiselius voor publicatie heeft vrijgegeven, zijn slechts brieffragmenten) dat Bilderdijk zijn vriend op 13 juni 1817 inlichtingen verstrekte met betrekking tot de toen al bestaande treurspelen over *Alcestis*. De eerste augustus van hetzelfde jaar ontving Bilderdijk het manuscript van Wiselius' treurspel met deze titel ter inzage.[122] In 1819 werkte Wiselius aan een treurspel over *Don Carlos* en raadpleegde hij zijn vriend opnieuw. Bilderdijk verzekerde hem: 'Dat UHEGG. op mijne hartelijkheid en dienstvaardigheid rekenen kunt, spreekt van zelfs...'[123]

Wie er nu rekening mee houdt dat de *Polydorus* is ontstaan aan het begin van Wiselius' toneelcarrière en zich tevens herinnert dat dit treurspel waarschijnlijk is geschreven in de tijd van de wekelijkse samenkomsten met Bilderdijk, zal al geneigd zijn onze vier toneelontwerpen uit de collectie-Kollewijn in verband te brengen met de gepubliceerde tragedie van Wiselius. In het voorwoord daarvan schrijft Wiselius dat hij de hiervoor besproken verwisseling van *Polydorus* en de zoon van Polymnestor (nu terecht *Deïfilus* genaamd), heeft ontleend aan Hyginus.[124] Ik geloof dit graag, maar stel vast dat de volgende eigenaardigheden van zijn treurspel *niet* in het werk van de Latijnse schrijver zijn te vinden:

1. Polydorus en Deïfilus zijn opgevoed in een tempel.
2. De schim van de vermoorde prins spoort zijn vriend tot wraak aan.
3. Hecuba treedt op als handelende persoon.
4. Hecuba tracht Polydorus te doorsteken, omdat ze denkt dat hij de zoon van Polymnestor is.
5. De verwisseling van Polydorus en Deïfilus blijkt uit een brief.
6. Polymnestor tracht Hecuba uit te leveren aan de Grieken, maar ze wordt door Polydorus bevrijd.[125]
7. Polydorus wordt op last van Polymnestor gevangen genomen, maar wordt nadien door muiters verlost.

Dat dit alles wel op een of andere wijze voorkomt in de ontwerpen van Bilderdijk, kan moeilijk als een toevalligheid worden beschouwd. De rechtstreekse 'gebruiksaanwijzingen'

[122] Portef. Magadant; vgl. Worp (1908), dl. II, p. 343.

[123] Br. III, p. 130.

[124] Samuel Iperuszoon Wiselius, *Polydorus, Treurspel*, Amsterdam 1814, p. XII. De dichter spreekt uitvoeriger over de Polydorus-figuur in de Griekse-Latijnse letterkunde bij de herdruk van zijn treurspel in 1819: *Mengel- en Tooneel Poëzy*, dl. III, Amsterdam 1819, p. 218 e.v.

[125] In het ontwerp van Bilderdijk wordt *Ilione* door de Grieken als gegijzelde meegevoerd. Hecuba is tevoren overgeleverd als 'ruilobjekt' voor Polydoor.

die we in die ontwerpen aantroffen en de vriendschappelijke betrekkingen tussen Bilderdijk en Wiselius wettigen de conclusie dat Wiselius' treurspel voor een gedeelte steunt op de hier onderzochte handschriften. Het feit dat de *Polydorus* van Wiselius een gelukkige afloop heeft en ook op andere punten van Bilderdijks suggesties afwijkt, bewijst de zelfstandigheid van zijn dichter tegenover de vriend op wiens 'hartelijkheid en dienstvaardigheid' hij 'van zelfs' sprekend rekenen kon.[126]

De vraag naar de ontstaansdatum van Bilderdijks teksten is met het bovenstaande al gedeeltelijk beantwoord. Bilderdijk heeft waarschijnlijk niet lang voor 1813 aan de ontwerpen gewerkt, op verzoek van Wiselius. Het watermerk dat in het door hem gebruikte papier voorkomt is A.L. WASSENBERGH & ZOON & C. De heer H. Voorn deelde mij mede dat de *Stichting voor het Onderzoek van de Geschiedenis der Papierindustrie in Nederland* anno 1958 handschriften in onderzoek had met het watermerk A.L. WASSENBERG, waarvan vaststond dat ze werden geschreven tussen 1790 en 1804. Gezien de toevoeging & ZOON & C mag worden aangenomen dat het papier met Bilderdijks tekst minstens na het jaar 1800 is gefabriceerd. Dit impliceert dat de auteur niet voor zijn terugkeer in Nederland (1806) aan de Polydoor-ontwerpen kan hebben gewerkt en steunt mijn veronderstelling dat ze zijn ontstaan in de tijd dat Wiselius zich met zijn in 1813 gepubliceerde treurspel bezighield.

3. Treurspel over Sfendadaat (collectie-Kollewijn, nr. 21)

Een 'Indiesch treurspel' heeft een der latere bezitters het op een klein papiertje geschreven éénentwintigste ontwerp uit de collectie-Kollewijn genoemd. Wellicht kwam hij tot deze kwalificatie door de vreemde namen in dit korte en onoverzichtelijke ontwerp. Het gaat over een prinses Amyris die door Smerdis wordt bemind, maar zelf Sfendadaat liefheeft. Deze Sfendadaat is 'als 's konings broeder' naar Baktrien (?) vertrokken; Amyris vermoedt blijkbaar dat hij is omgebracht. Zij spant met Aspadates samen en wil Sfendadaat 'wreken'. Laatstgenoemde blijkt in het tweede bedrijf in het land teruggekeerd en vraagt zich af of hij 'het gruwelstuk' openbaar zal maken, de regering moet aanvaarden, de democratie (het 'volk') moet herstellen of het bestuur aan 'een Raad van grooten' dient op te dragen. Tenslotte besluit hij Amyris op de troon te brengen. Hij 'ontdekt' zich en belooft haar het rijk. In het laatste bedrijf wordt hij door de 'saamgezworenen' omgebracht, waarop Amyris zich doorsteekt.

[126] In het treurspel van Wiselius wordt koning Polymnestor voorgesteld als een schurk, die in het laatste bedrijf zijn verdiende dood vindt. De weifeling die Bilderdijk in het Polymnestor-karakter wilde leggen (vgl. tweede bedrijf, Tekst-D) keert heel even bij Wiselius terug, nl. in de alleenspraak waarmee zijn stuk opent. Het slot is bij Wiselius de verheffing van Polydorus tot koning van Thracië en de gelukkige hereniging met Hecuba en Ilione, van wie de laatste blij is dat ze van haar tirannieke echtgenoot is verlost. Dat Wiselius enige passages uit de genoemde stukken van Euripides en Seneca heeft 'overgenomen of vrijelijk gevolgd', deelt hij zelf mee in het voorwoord bij de herdruk van 1819. In deze uitgave is zijn tekst op enkele plaatsen ingekort. De daardoor uitgevallen verzen heeft de dichter als *varianten* achter het treurspel geplaatst (*Mengel- en Tooneel Poëzy*, dl. III, p. 121, 331 e.v.).

De namen *Smerdis*, *Baktrien* en *Otanes* (een mogelijke bijfiguur in het eerste bedrijf) herinneren aan een bekend verhaal uit het derde boek van Herodotus. De Griekse geschiedschrijver vertelt daar dat de Perzische koning Cambyses zijn broer *Smerdis* had laten ombrengen uit vrees dat deze zich meester zou maken van de troon. Tijdens Cambyses' afwezigheid plaatste een magiër een ander op de troon, die toevallig veel op Smerdis leek. Het bedrog werd later ontdekt door *Otanes*, wiens dochter tot de vrouwen van de pseudo-koning behoorde. Met zes anderen maakte Otanes toen op bloedige wijze een einde aan een regering van pseudo-Smerdis. Een van de samenzweerders was Darius, die later koning werd en regeerde van 519 tot 485 v. Chr.[127] Herodotus geeft een uitvoerig verslag van de beraadslagingen die tevoren over de te kiezen regeringsvorm werden gevoerd.[128] Misschien was Bilderdijk van plan zich daarop te baseren voor de overwegingen van Sfendadaat in het tweede bedrijf van zijn ontwerp. Het feit dat Bilderdijk daar spreekt over ''t voorbeeld der Grieken' wekt slechts verwondering zolang men de betreffende passus bij Herodotus niet kent. Moderne commentatoren tekenden erbij aan: 'an impossible Hellenic colouring is given to the deliberations of the conspirators; whatever amount of truth underlies the narrative in Herodotus, it is presented in a thoroughly non-Oriental way'.[129] De zeer waarschijnlijk als *Baktrien* te lezen naam in Bilderdijks aantekeningen voor het eerste bedrijf is wellicht *Bactria*, waar Smerdis satraap zou zijn geweest, maar de door Bilderdijk gebruikte namen *Sfendadaat* en *Amyris* zijn niet bij Herodotus terug te vinden. Misschien gebruikte Bilderdijk die exotische namen om zijn treurspel los te maken van zijn Griekse origine, al blijft het dan vreemd dat hij dit niet deed voor Smerdis, van wie toevallig de Perzische naam is overgeleverd.[130]

Dat Bilderdijk zich niet aan de tekst van Herodotus wilde houden, blijkt uit zijn ontwerp onmiddellijk. Overigens blijft daarin veel onzeker. Misschien is met *Amyris* de dochter van Otanes bedoeld, die bij Herodotus voorkomt als *Phaedyme*. Sfendadaat zou zo wel de echte *Smerdis* kunnen zijn als diens elders als *Gaumata* en *Oropastes* aangeduide 'dubbelganger'.[131] Met deze twee mogelijkheden hangt de interpretatie van de voorgenomen wraak in het eerste bedrijf samen, en ook die van het later genoemde 'gruwelstuk'. Hoe en in welke mate Bilderdijk de gegevens van Herodotus dacht te verwerken, valt niet meer te achterhalen: vast staat alleen dat hij een treurspel wilde ontwerpen dat ergens verband hield met het Smerdis-verhaal uit de Perzische geschiedenis en waarin de vrouwelijke

---

[127] Herodotus, Boek III, 30-78 (Ik gebruik de Duitse vertaling van Fr. Lange, *Die Geschichten des Herodotus*[2], herausgegeben von Otto Güthling, Leipzig z.j.; H. van Gelder, *Leerboek der oude geschiedenis*[14], Groningen-Djakarta 1955, p. 28.

[128] Herodotus, Boek III, 80. Dit fragment is in het Nederlands vertaald door Hub. Cuypers jr., *Griekse geschiedschrijvers* (Klassieke Bibliotheek) Haarlem 1951, p. 72.

[129] W.W. How and J. Wells, *A commentary on Herodotus*, vol I, Oxford University Press 1928, p. 397; 26.

[130] *Smerdis* heette eigenlijk 'Bardiya', How and Wells, p. 264. (Een satraap is een soort onderkoning of stadhouder. Over dit satrapieënstelsel bij de Perzen: p. 401 e.v.)

[131] Herodotus, Boek III, 68; How and Wells, p. 274.

hoofdpersoon zou worden geplaatst tussen twee minnaars. Als de door haar gewenste verbintenis – na een 'herkenning' – nabij schijnt, zou de catastrofe zijn gevolgd: de dood van de minnaar en de daarop volgende zelfmoord van de heldin.

Wellicht heeft Bilderdijk de drie bekende eenheden in dit stuk willen handhaven. Dat hij het ontwerp schreef na 1778 blijkt uit de spelling, maar er is nog een andere aanwijzing voor de datering. Het door Bilderdijk gebruikte papiertje (10 x 15,6 cm) vertoont het gedeeltelijk watermerk: KRANTZ.DE. Zoals in dit hoofdstuk nog zal worden uiteengezet aan het slot van paragraaf 5 (treurspel 'Sofonisba') wijst dat op een ontstaansdatum in of na 1808.

4. Treurspel over Virginia (collectie-Kollewijn, nr. 3)

Een aantekening op het derde handschrift uit de verzameling Kollewijn bewijst dat men dit manuscript heeft beschouwd als het ontwerp van een Romeins treurspel. Dat is het inderdaad. Als zodanig is het echter nauwkeuriger te bepalen. De aandachtige lezer zal het immers niet ontgaan dat Bilderdijk de geschiedenis van *Virginia* heeft willen dramatiseren. De dichter plaatst ons terug in de tijd van de Decemviri te Rome, ongeveer viereneenhalve eeuw voor Christus. De geschiedschrijver Livius heeft uitvoerig verhaald hoe het tweede Decemviraat ten val werd gebracht. In het jaar 449 voor Christus deed Appius Claudius vergeefse moeite om de dochter van de plebejer Lucius Virginius tot zijn maîtresse te maken. Tenslotte nam hij zijn toevlucht tot een list. Marcus Claudius wendde voor dat het betreffende meisje (Virginia) een slavin was waarop hij rechten kon laten gelden. In het openbare rechtsgeding dat daarop volgde, verklaarde Appius uiteraard de aanspraken van zijn handlanger rechtsgeldig, zij het onder protesten van Virgina's verloofde Icilius en talrijke anderen. De wanhopige Virginius zag tenslotte geen andere mogelijkheid om zijn dochter voor ontering te behoeden dan haar eigenhandig te doorsteken. Een opstand was van deze gebeurtenissen het gevolg.[132]

Herhaaldelijk is dit gegeven voor het toneel bewerkt. Van 1618 dateert *Virginias Treur-spel* door A. van Mildert, die in zijn stuk verschillende allegorische personen laat optreden.[133] In 1736 verscheen, althans voorzover mij bekend, het tweede oorspronkelijk-Nederlands Virginia-treurspel: *Virginia of de standvastige Kuyschheid* door Jacob van Veen. Maar de Romeinse maagd was in feite al eerder in de Nederlandse schouwburg teruggekeerd. Daarvoor had in 1700 S. Guldemont gezorgd, door een vertaling van de Franse *Virginie* door Jean-Gilbert de Campistron.[134] In Frankrijk zijn de lotgevallen van de ongelukkige Virginia meermalen op het toneel gebracht. Men kende daar ook treurspelen over haar van Mairet, Lemierre, Le Blanc de Guillet, Chabanon en La Harpe. En Spanje was niet achtergebleven. Daar waren het Juan de la Cueva (1550-1610) en Agustín de Montiano (1750), die het

---

[132] K. Sprey, *Leerboek voor oude geschiedenis*[4], Leiden 1953, p. 92; Titus Livius, Boek III, 45 e.v. (B.O. Foster, *Livy with an English translation*, dl. II (The Loeb Classical Library), London-New York 1922, p. 143 e.v.

[133] Worp (1892), p. 137 en Worp (1904), dl. I, p. 260.

[134] Jacob van Veen, *Tooneel en Mengel-poëzy*, Alkmaar 1736, p. 117 e.v.; *Virginia. Treur-Spel. Uit het Fransch vertaald*, door S. Guldemont, Rotterdam 1700.

Virginia-verhaal voor het toneel bewerkten.[135] Meer dan een halve eeuw later, in 1805, bezorgde J.S. van Esveldt Holtrop een Nederlandse vertaling van de Duitse *Virginia* door Julius Graf von Soden, en in het jaar van de Bataafse Republiek (1795) had F.J. Winter Tromp de Virginia-geschiedenis in een oorspronkelijk politiek stuk verwerkt.[136] Toen in Italië, na Bernardo Accolti, ook Vittorio Alfieri zich aan een tragedie over Virginia waagde (1788), schreef deze laatste zonder meer dat een meer dramatisch onderwerp bijna onbestaanbaar was. Hij lichtte zijn mening toe door de thematiek als volgt samen te vatten: 'Un padre veramente costretto a svenare la propria figlia, per salvarla da una tirannica prepotenza la libertà e l'onestà, riesce cosa tragica in sublimo grado, fragli uomini tutti che vivono in società sotto leggi e costumi, quale ch'ei siano'.[137]

Men ziet onmiddellijk dat Bilderdijk het gegeven totaal anders heeft behandeld. Zijn tienman Appius is juist geen tiran. Hij is een rechtvaardig bestuurder die grote liefde koestert voor Virginia en ook door haar wordt bemind. Appius hoopt zijn geliefde te trouwen als de wet is opgeheven die het huwelijk tussen patriciërs en plebejers verbiedt. Helaas verzetten de overige tienmannen zich daartegen. Het verbod blijft bestaan en Appius ziet daarom geen andere oplossing dan zelf plebejer te worden.[138] Dan nog zal hij echter niet door Virginia's vader worden aanvaard. De oude Virginius is één brok haat en wil zijn dochter Virginia dwingen tot een politiek huwelijk met de plebejer Icillius. Als zijn opzet dreigt te mislukken, doorsteekt hij eerst zijn eigen dochter, en vervolgens de ongelukkige Appius. Bilderdijk heeft het bekende motief zonder meer omgedraaid.

In het stuk van Alfieri klaagt de kuise Virginia: 'Appio, è gran tempo, d'iniquo amore arde per me'. Bij Guldemont bedreigt Appius haar dat ze te kiezen heeft tussen de dood van haar eigen geliefde (Icillius) en een huwelijk met de tirannieke tienman:

> Mevrouw, gij weet mijn wil, gedenk dat ik zijn bloed
> Of uwe hand en trouw deze avond hebben moet.[139]

Jacob van Veen stelt Appius nog misdadiger voor. Aangezien Appius in Veens treurspel getrouwd is, wil hij geen huwelijk met Virginia, maar alleen, eventueel 'met gewelt', zijn 'minne-lust boeten'. Onder andere biedt de patriciër de kuise Virginia kostbare juwelen aan

---

[135] Lancaster (1950), dl. II, p. 465. Agustín del Saz, *La tragedia y la comedia neoclásicas*, Historia general de las literaturas hispánicas, publicado bajo la dirección de D. Guillermo Díaz-Plaja, Barcelona 1956, p. 1363. Vgl. Mario Fubini in *Dizionario letterario Bompiani delle opere*, dl. VII, Milano 1949, p. 759 en de beide Duitse dissertaties die worden genoemd in het Lexikon van Frenzel, p. 655.

[136] *Virginia, treurspel in vijf bedrijven, naar het Hoogduitsch van Julius Graaf von Soden*, door J.S. Van Esveldt Holtrop. Met choormuziek van F.H. Himmel, Amsterdam 1805. Het politiek stuk van F.J. Winter Tromp is *Virginia of de herstelde vrijheid* (1795); vgl. Worp (1908), dl. II, p. 160).

[137] *Tragedie di Vittorio Alfieri da Asti*, vol. V, Parigi 1789, p. 303. Alfieri ging uit van de tekst van Livius: 'l'azione del dramma, salvo pochi mutamenti, è conforme al racconto colorito e appasionato dello storico latino' (Vittorio Alfieri, *La Virginia* commentata dal Prof. Ferruccio Bernini, Città di Castello 1914, hfdst. II, p. 4).

[138] Het *ius connubii* werd pas een feit na de val van het tweede decemviraat in 449 v. Chr. (Sprey, a.w., p. 93).

[139] Guldemont, p. 52.

als zij bereid is zijn 'veege ziel' te 'koest'ren en verwarmen' in haar 'Maagdenschoot', een dienst die zij hem echter weigert. Opvallend is dat Van Veen ook de wet ter sprake brengt die het huwelijk tussen patriciërs en plebejers verbiedt.[140] Dit is trouwens de enige overeenkomst met Bilderdijks ontwerp, dat juist van de overige Virginia-stukken afwijkt doordat Appius er totaal anders in wordt voorgesteld. Daarmee hangt samen dat de tienman bij Bilderdijk niet op de hoogte is van de list die zijn vriend Cecilius te baat heeft genomen om hem in zijn liefdesverdriet te troosten. In de stukken waaruit ik zojuist citeerde, is dat wèl het geval. Toch is er één Virginia-treurspel waarmee Bilderdijks ontwerp in dit opzicht overeenstemt. Dat is de in 1772 voltooide *Emilia Galotti* van Lessing, die de stof losmaakte van zijn historische achtergrond en er een familiedrama in proza van maakte, dat zich afspeelt in een klein vorstendom.[141] Ook Lessings Prinz von Guastalla (= Appius) weet niets van het snode (moord-) plan dat de kamerheer Marinelli (= Claudius of Cecilius) te zijnen gunste heeft gesmeed. Vandaar zijn heftig verwijt aan het slot: 'Geh, dich auf ewig zu verbergen! – Geh! sag'ich. – Gott! Gott! – Ist es zum Unglücke so mancher nicht genug, dasz Fürsten Menschen sind: müssen sich auch noch Teufel in ihren Freund verstellen?'[142] Men vergelijke hiermee de klacht van Bilderdijks Appius, in het bijzijn van Cecilius: 'Wee den braven, wien zijne vrienden door een gruwel dienen willen!'

Toen Lessings stuk anno 1777 werd vertaald in de *Spectatoriaale schouwburg*, voegde Cornelius van Engelen er een lange (en kennelijk door Bilderdijk bestudeerde) 'Aanwijzing van eenige fraaiheden' aan toe. Hij schrijft o.m. dat Lessings prins van het bekende Appius-type afwijkt door zijn beter karakter: 'De meeste beschuldigingen verdient de Prins van Guastalla wegens het onbepaalde vertrouwen, dat hij aan eenen Marinelli schenkt en niet weder intrekt...' Omtrent Marinelli merkt hij op dat deze niet: 'gelijk Claudius in de *Virginiaas* een ledige vertrouweling, maar de drijfveêr van 't gantsche bedrijf' is.[143] Deze citaten kunnen evenzeer worden toegepast op Bilderdijks Appius en op zijn Cecilius. Maar Bilderdijk gaat nog veel verder in zijn afwijkingen van de bekende Virginia-treurspelen. Bij Lessing is er per slot van rekening geen sprake van *wederzijdse* liefde, en spoort Emilia (= Virginia) haar vader tot de doodslag aan: 'seine Tochter von der Schande zu retten'. Zo behoudt het Duitse stuk: 'la cosa tragica in sublimo grado', waarop Alfieri bij de uitgave van zijn eigen treurspel de aandacht vestigde. Bij Bilderdijk is dat geenszins het geval. Zijn Virginia bemint Appius, terwijl Virginius zo mogelijk nog zwarter wordt afgeschilderd dan de Appius-figuur in de vroegere stukken.

---

[140] Van Veen, p. 60, 137.

[141] Een bespreking van dit bekende stuk geeft Prinsen (1931), p. 262.

[142] G.E. Lessing, *Emilia Galotti. Ein Trauerspiel in fünf Aufzügen*, Stuttgart 1957, p. 80. (Het moordplan bij Lessing betreft Graf Appiani = Icilius)

[143] *Spectatoriaale schouwburg*, dl. V, Amsterdam 1777, p. 155; 157. Dat Bilderdijk dit stuk van Van Engelen kende, blijkt uit zijn DW. II, p. 496. Een absolute afwijzing van Lessings stuk op grond van natuur, gezond oordeel en goede smaak ('Galotti keelt zijn dochter') schreef A.L. Barbaz in *Amstels Schouwtoneel* 28 (12/9/1808).

Helaas is het mij niet gelukt Bilderdijks Virginia-ontwerp precies te dateren. De spelling bewijst dat het stuk in ieder geval is ontstaan na 1778. Afgaande op de tekst die Bilderdijk voor het vijfde bedrijf schreef, voelt men zich geneigd te veronderstellen dat het – evenals bij Lessing – een treurspel in proza zou zijn geworden, hoewel uiteraard steeds de mogelijkheid tot een eventuele omwerking in verzen open zou zijn gebleven. Wat de dramatische vormgeving betreft, kan nog worden vastgesteld dat er twee moorden en een volksoploop aan de toeschouwers zouden worden vertoond en dat Bilderdijk in geen geval de eenheid van plaats heeft willen handhaven. De vijf bedrijven zouden zich hebben afgespeeld: 1. in een tempel, 2. in het huis van Virginius (het eerste toneel bij Appius?), 3. in het verblijf van Appius, 4. bij Virginius, 5. op een marktplein. Het beweeglijke karakter van dit stuk is moeilijk te rijmen met de voorschriften die Bilderdijk heeft geformuleerd in zijn verhandeling *Het treurspel* van 1808. Ik acht het zeer wel mogelijk dat de *Virginia* moest behoren tot de 'Dramatische Voorbeelden', of misschien zelfs tot de 'uitgewerkte Treurspelen... in Proze' die Bilderdijk in 1799 wilde uitgeven.[144] Daarop wijst ook het door hem gebruikte papier. Dit heeft (als enig manuscript in de collectie-Kollewijn) dezelfde afmetingen en watermerken als het handschrift van *Floris de Zwarte*, welk stuk ik zou willen plaatsen tussen 1778 en 1795. De redenen daarvoor worden uiteengezet in hoofdstuk V, paragraaf 2. Ze verklaren tevens waarom mij de genoemde tijdsgrenzen ook aannemelijk schijnen voor het treurspel over *Virginia*.

5. Treurspel over Sofonisba (collectie-Kollewijn, nr. 11; uitgegeven)

Het elfde handschrift in de collectie-Kollewijn bevat een prozatekst van drie tonelen uit de eerste akte, gevolgd door zeer summiere aanwijzingen voor de vier volgende bedrijven van een treurspel dat door een mij onbekende hand werd voorzien van de aantekening: 'Na 1800 / Scipio? / fragment van een treurspel / (uit het proza-ontwerp).'

In een artikel dat later werd verwerkt in mijn boek over Bilderdijk en de Italiaanse literatuur (1973) meen ik te hebben aangetoond dat we hier te doen hebben met het plan voor een treurspel op het Sofonisba-motief, waarvan de stof teruggaat op het dertigste boek van Livius: In het jaar 203 voor Christus slaagt Scipio erin om, met behulp van Massinissa, koning van Massyli, een verpletterende nederlaag toe te brengen aan de Numidische koning Syfax. Sofonisba, de gemalin van Syfax, zal nu met andere gevangen in triomf naar Rome worden gevoerd. Massinissa wordt echter zozeer door deze vrouw bekoord, dat hij haar onmiddellijk huwt. Desondanks wenst Scipio dat zij aan de Romeinen zal worden uitgeleverd. Om hiervoor te worden bespaard, drinkt Sofonisba de gifbeker die Massinissa haar gezonden heeft.[145]

[144] DW. XV, p. 63.

[145] De Jong (1959), p. 193-199; De Jong (1973), p. 22-25.

Vermoedelijk kreeg dit verhaal in de renaissance een grotere bekendheid doordat Francesco Petrarca het vermeldde in zijn epos *Africa* en in zijn *Trionfo d'Amore*. Het Sofonisba-motief werd herhaaldelijk bewerkt voor het toneel. Ik nam in totaal vijftien treurspelen over Sofonisba door: Nederlandse, Engelse, Duitse, Franse en Italiaanse; bovendien kreeg ik later nog enkele comparatistische studies onder ogen waaruit bleek dat de geschiedenis minstens veertig maal door dramaturgen werd benut, o.a. in Spanje, Portugal, Denemarken en Rusland. Talrijk zijn ook de opera's, novellen en gedichten waarin de Numidische koningin voorkomt.[146] In vergelijking met de historische bronnen en de ons bekende bewerkingen daarvan, vertoont Bilderdijks tekst een combinatie van enkele eigenaardigheden: Syfax keert na de veldslag vermomd in zijn paleis terug en sterft in het derde bedrijf; in de daarop volgende akte staat Scipio de gemalin van de overwonnen koning aan Massinissa af, maar dit is voor Sofonisba geen voldoende reden om in het laatste bedrijf het drinken van de gifbeker achterwege te laten.

Gaan we ter verklaring van deze 'afwijkingen' eens na of Bilderdijks mening over zijn voorgangers is te achterhalen. In zijn opstel *Over het treurspel in Nederland, tot op Jan de Marre* vertelt de dichter dat in zijn 'kindschheid' herhaaldelijk en met veel succes het treurspel *Sofonisba* van P.V. Haps (1698) werd opgevoerd, maar het zou 'eene beschamende armoede verraden' indien hij er nu nog over sprak. Van meer belang is voor ons een andere uitlating van Bilderdijk. In zijn verhandeling *Het treurspel* (1808) geeft hij zijn mening over de tragedie *Sofonisba* van de Italiaanse humanist Gian Giorgio Trissino, die al verscheen in 1515 en geldt als het eerste klassieke treurspel in de Italiaanse literatuurgeschiedenis. Bilderdijk schrijft over dit stuk: 'De afgrijslijk laffe rol van Syfax die elken rechtschapen' man tegen de borst moest stoten, ware alleen genoeg, om het in eene Eeuw, waar de beschaafde smaak eenigermate vertederd of veredeld was, zelfs bij het plompe gemeen te doen vallen'.[147]

Zoals aangetoond in mijn hiervoor genoemde publicaties van 1959 en 1973, valt dit afwijzend oordeel te verklaren uit het feit dat de Italiaanse dichter – evenals later Pierre Corneille – zijn titelheldin heeft voorgesteld als een van haat tegen Rome vervulde dominante vrouw die haar gemaal volledig overheerst en tot een willoos werktuig maakt. Bilderdijk heeft 'de afgrijslijk laffe rol van Syfax' weten om te buigen doormiddel van de eerste van zijn zojuist genoemde 'afwijkingen'. Hij zou zijn eigen Syfax-personage al in het eerste bedrijf vermomd in zijn paleis laten terugkeren om zich van de trouw of ontrouw van zijn gemalin te overtuigen. Tegelijk was hij dan ongezien getuige van haar gesprek met Romeinse gezanten.

[146] A. Andrae, *Sophonisbe in der französischen Tragödie mit Berücksichtigung der Sophonisbebearbeitungen in andere Litteraturen, Supplementheft VI der Zeitschrift für französische Sprache und Litteratur*, Oppeln und Leipzig 1891; C. Ricci, *Sophonisbe dans la tragédie classique italienne et française*, Grenoble 1904; A. José Axelrad, *Le thème de Sophonisbe dans les principales tragédies de la littérature occidentale* (France, Angleterre, Allemagne), Lille 1956.

[147] Over het trsp. in Nl., p. 12. (Het jaartal 1698 wordt opgegeven door: Worp-Sterck (1920), p. 194). Zelf gebruik ik: P.V. Haps, *Sophonisba, treurspel*[3], Amsterdam 1733. Andrae, p. 85, vermeldt nog een tweede druk van 1714; Bilderdijk, Trsp., p. 178; Giorgio Trissino, *Sofonisba. Tragedia* in: *Parnaso Italiano*, tomo XVII, *Teatro antico, tragico, comico, pastorale, drammatico*, Venezia 1785, p. 71-73.

Daarna zou hij, strijdend tegen Rome, zijn gesneuveld in het derde bedrijf. Uit deze listige en krachtige Syfax-figuur zijn dan weer verschillende karaktertrekken van Bilderdijks Sofonisba te verklaren en ook zijn tweede 'afwijking' van de literaire overlevering, namelijk dat hij als aanwijzing voor het vierde bedrijf optekende: 'Scipio staat h(aar) aan Mass(inissa) af': een voorstelling van zaken die totaal in tegenspraak is met de historische feiten.[148]

Het komt mij voor dat Bilderdijk in Sofonisba een verheven koninklijke figuur zou hebben verbeeld, die echter tevens voor haar gemaal een gehoorzame, onderworpen echtgenote was. Daarmee zou zij hebben beantwoord aan zijn eigen ideaal. Talrijke bewijsplaatsen daarvoor vindt men verspreid in zijn werk. Kenmerkend voor die opvatting is bijvoorbeeld de wijze waarop Bilderdijk in zijn uitgegeven treurspel *Willem van Holland* de gravin Adelheide aan haar dochter laat meedelen dat zij haar voor een bepaalde gemaal heeft bestemd:

> ... Gij weet mijn wil. – Eer morgen 't licht zal dalen! –
> Het uur, zal 's Bruigoms komst (ik wacht hem hier) bepalen.
> Betoon gehoorzaamheid als Dochter! – 't Is voor 't laatst.
> Dan eindigt mijn gezag: – voor 't minste, 't wordt verplaatst.

Ook Sofonisba had Syfax alleen maar gehuwd uit gehoorzaamheid aan haar vader; zo zal zij later Massinissa hebben geweigerd uit gehoorzaamheid aan haar echtgenoot. Bilderdijks (enige) aanwijzing voor het derde bedrijf luidt: 'Syfax sterft en verbindt h(aar) Mass(inissa) niet te huwen'. In het vijfde bedrijf moet Sofonisba hebben gestaan voor dit dilemma: of als gevangene naar Rome te worden gevoerd, of te huwen met Massinissa, die zij bovendien liefhad. Het laatste echter impliceerde ongehoorzaamheid aan haar gemaal en was alleen al daarom verwerpelijk. Het eerste was eveneens onaanvaardbaar, want in strijd met haar eergevoel als koningin, waarop Bilderdijk al in het eerste bedrijf de nadruk gelegd had. Sofonisba wijst daar immers op hooghartige wijze het huwelijksaanzoek af van haar enige verdediger, de trouwe veldheer Bochar, die echter 'uit onbekend geslacht gesproten' was. Dus rest haar slechts de gifbeker...

Het was een rapport van de heer H. Voorn, directeur van de *Stichting voor het Onderzoek van de Geschiedenis der Papier- industrie in Nederland*, dat mij in staat stelde de ontstaansdatum van Bilderdijks Sofonisba bij benadering te bepalen. De bladzijde waarop de tekst voorkomt, is de helft van een vel dat moet zijn gefabriceerd in of na 1808. Dat bewijst het watermerk *KRANZ. DE CHARRO & COMP.*, de naam van de 'Papeterie Royale' te 's-Gravenhage, die heeft bestaan van 1808 tot 1827. Alleen als we aannemen dat Bilderdijk gloednieuw papier

[148] Livius, Boek XXX, 14; Frank Gardner Moore, *Livy with an English translation*, vol. VIII, London-Cambridge-Massachusetts (The Loeb Classical Library) 1949, p. 415 e.v.

heeft gebruikt, mogen we zeggen dat hij zijn *Sofonisba* in 1808 schreef, maar het is heel goed mogelijk dat dit later gebeurde. Het Bilderdijk-Museum te Amsterdam bewaart een minuscule potloodtekening van een mannenkop met het onderschrift 'koning Spyphax' in het Grieks (catalogus, 119). Of deze aan Bilderdijk toegeschreven tekening verband houdt met Bilderdijks toneelontwerp valt niet uit te maken.De tekening is ongedateerd en ongesigneerd.

6. Treurspel over Hannibal (collectie-Kollewijn, nr. 7)

In het zevende handschrift van de collectie-Kollewijn kan men twee delen onderscheiden, die ik aanduid met de eerste letters van het alfabet. Tekst-A bestaat uit een groot ontwerp voor een treurspel in vijf bedrijven met onderverdeling in tonelen; Tekst-B bevat een schets in proza voor de eerste vier tonelen van een eerste bedrijf. Een mij onbekende hand schreef op de eerste bladzijde van Tekst-A: 'Uit den tijd v. Hannibal'. En inderdaad verbeeldt dit ontwerp de dood van Hannibal. Gevlucht voor de Romeinen, had de beroemde Carthaagse veldheer in het jaar 183 voor Christus een onderkomen gevonden bij koning Prusias van Bythinië. Toen deze zich geneigd toonde hem aan Rome uit te leveren, doodde Hannibal zichzelf door vergif.[149]

De geschiedenis van Hannibals dood is in Frankrijk verschillende malen gedramatiseerd. Ondermeer door Thomas Corneille, die op voorbeeld van de *Nicomède* door Pierre Corneille, een 'ambassadeur Romain' ten tonele voerde met de naam Flaminius. Deze Flaminius vraagt van Prusias de uitlevering van Hannibal en belooft hem als tegenprestatie diens dochter Elise.[150] De overeenkomst van Corneilles Flaminius met het bij Bilderdijk voorkomende personage *Medon* is uiterst gering. Maar de Franse toneelliteratuur heeft nog een andere Flaminius opgeleverd, eveneens 'ambassadeur Romain' en van zins Hannibal gevankelijk naar Rome te voeren. Hij is een van de dramatis personae in het treurspel *Annibal* van Marivaux, dat voor het eerst verscheen in 1727 en elf jaar later werd herdrukt te 's-Gravenhage.[151] Evenals Bilderdijks Tekst-B, begint deze tragedie met een expositie door de kroonprinses van Bythinië en haar vertrouwde. De naam van die vertrouwde is bij de Franse en de Nederlandse auteur dezelfde: het meisje in kwestie heet *Egine*. En er is nog een andere overeenkomst. In beide stukken begint het tweede bedrijf met de komst van de Romeinen in het rijk van koning Prusias en wordt hun bemoeizucht in de binnenlandse aangelegenheden op royalistische wijze gelaakt. Bij Marivaux zegt Prusias:

Les Rois, dans le haut rang où le ciel les fait naître,

[149] Van Gelder , a.w., p. 143.

[150] Titus Quinctus Flaminius was de Romeinse veldheer die in 197 v. Chr. Philippus van Macedonië versloeg. Wellicht dacht Corneille aan hem (Van Gelder, p. 142); *La mort d'Annibal, tragédie* III, 6 (*Le Théâtre de T. Corneille*, tome quatrième, à Amsterdam et à Leipzig 1754, p. 40).

[151] *Annibal, tragédie en cinq actes*. Par Mr. De Marivaux (*Le nouveau théâtre françois*, tome quatrième, à la Haye 1738, p. 3).

ont souvent des Vainqueurs, et n'ont jamais de Maître.[152]

Bij Bilderdijk klaagt hij:

O gelukkige dagen, eer een trotsche Republiek koningen
de wetten stelde en zij de vaders huns volks mochten zijn.

Dringen wij echter wat dieper in het Franse stuk door. Bilderdijks *Medon* blijkt dan de schuilnaam van de Franse *Flaminius* en zijn *Olynthia* is het pseudoniem van prinses *Laodice* uit het treurspel van Marivaux. Beide princessen staan tussen twee minnaars: Medon (Flaminius) en Hannibal. De eerste is in dienst van de Romeinen en eist dat zijn toekomstige schoonvader (koning Prusias) zijn rivaal zal overleveren. Zowel bij Bilderdijk als Marivaux eindigt het stuk met de zelfmoord van de niet uitgeleverde Hannibal. Vóór het zover is, blijken er evenwel verschillen. De Laodice van Marivaux aarzelt tussen Flaminius en Hannibal. Zij ziet in dat de Romein haar vader tot woordbreker wil maken. Koning Prusias wijst namelijk het verzoek om de overgave van Hannibal niet duidelijk af, maar tracht aan een beslissing te ontkomen. In feite is hij een lafaard. Laodice daarentegen is slechts bereid haar hand aan Flaminius te schenken als deze zijn aanspraken op Hannibal laat varen. Wanneer de catastrofe een feit is, wijst ze haar minnaar verontwaardigd af:

............................Enfin Rome a vaincu
Il meurt, et vous avez consommé l'injustice,
Barbare, et vous osiez demander Laodice [153]

Allereerst valt in het Nederlandse ontwerp op, dat Prusias verschijnt als een nobele koning. Er is geen sprake van dat hij zijn woord tegenover Hannibal zou breken. Ook Bilderdijks Olynthia is anders dan de Laodice van Marivaux. Zij heeft Hannibal hartstochtelijk lief en verafschuwt zijn rivaal Medon. Bilderdijks treurspel eindigt met de dood van *beide* gelieven. Ook nu heeft Rome gewonnen. De gezant (niet Medon) spreekt tot slot: 'Rome heerscht, ach! waarom moet dat Rome ons meer zijn dan de menschlijkheid?'

H.C. Lancaster tekent bij de tragedie van Marivaux aan: 'it may have been this simplicity [van de intrige namelijk] that caused it to be unsuccesful'.[154] Bilderdijks ontwerp vertoont die 'simplicity' niet. Hij breidde het ontwerp uit met een geheim huwelijk tussen Olynthia en Hannibal, benevens met een overval op het paleis waarbij Prusias gevangen wordt genomen. Bij Marivaux wijst Laodice haar minnaar tenslotte af. Bilderdijks treurspel

[152] La morte d'Annibal, p. 29.
[153] Annibal, p. 72.
[154] Lancaster (1950), dl. I, p. 102.

eindigt in feite met de triomf van de liefde: de pas gehuwden verkiezen de gezamenlijke dood boven een scheiding. Zij sterven op het toneel in een treurspel dat Bilderdijk misschien wilde schrijven in proza (Tekst-B schijnt daarop te wijzen) en waarin hij (alweer volgens Tekst-B) de eenheid van plaats niet streng zou hebben gehandhaafd. Bilderdijk wilde zijn stuk misschien beginnen met een nachtelijke scène in een tempel; het tweede en het vierde bedrijf moesten worden gespeeld in de troonzaal, maar de laatste akte 'in een vertrek van het paleis'.

De correspondentie van Bilderdijk bevat geen aanwijzing voor de datering van dit stuk. Aangezien in het door de dichter gebruikte papier het watermerk *KRANZ. DE CHARRO & COMP.* voorkomt – besproken in de vorige paragraaf – moet dit handschrift in ieder geval zijn ontstaan in of na 1808.

7. Treurspel over Brutus (collectie-Kollewijn, nr. 19)

Het negentiende handschrift in de collectie-Kollewijn is het ontwerp voor een toneelstuk in vijf bedrijven, met telkens duidelijke aanwijzingen voor de afzonderlijke tonelen. Het blijkt te gaan om een treurspel over Brutus, dat echter helemaal los staat van een aantal achttiende-eeuwse stukken die deze naam in hun titel voeren.[155] Wat Bilderdijk wilde dramatiseren, was de ondergang van Brutus en Cassius in het jaar 42 voor Christus. Na de moord op Caesar waren beiden uitgeweken. In Macedonië werden ze echter door Antonius en Caesars aangenomen zoon Octavianus verslagen. De twee overwonnenen pleegden daarop zelfmoord.[156]

Wie van dit historisch gegeven kennisneemt, denkt onmiddellijk aan Shakespeares *Julius Caesar*. Ook Bilderdijk heeft daaraan gedacht. Een nauwkeurige lezing van zijn manuscript levert daarvoor voldoende bewijzen. Zoals nog uiteengezet zal worden in ons hoofdstuk XIV, heeft Shakespeare in zijn beroemde treurspel zowel de moord op Caesar als de zelfmoorden van Cassius en Brutus ten tonele gevoerd. Met de uitwerking van het tweede gegeven begint de Engelse dichter pas in het vierde bedrijf. Het tweede toneel daarvan vertoont Brutus voor zijn tent in het legerkamp bij Sardes. Hij vraagt naar Cassius, die even later aankomt en dan een twistgesprek met hem heeft. Brutus schijnt berouw te tonen over het feit dat hij de grote Julius ('the foremost man of all this world') heeft helpen neerstorten. Het is niet bepaald moeilijk hierin het voorbeeld te herkennen van Bilderdijks openingstoneel. Aan het slot van het vierde bedrijf ziet Brutus in het Engelse stuk de geest van Caesar. Bij Bilderdijk gebeurt hetzelfde aan het begin van het vierde bedrijf. Shakespeares Cassius heeft nooit in voortekens geloofd maar verandert later zijn mening; de Brutus van Bilderdijk volgt zijn voorbeeld. Dat de Nederlandse Cassius de ergste vijand van Antonius is, gaat op Shakespeare terug, evenals de aarzeling van Brutus om zichzelf te doorsteken en de pogingen

[155] De *Brutus* van Voltaire (1731) en de *Bruto primo* van Vittorio Alfieri behandelen een ander onderwerp, evenals de *Lucius Junius Brutus* (1713, 1716, 1756) van Claas Bruin, het stuk met dezelfde titel van Roeland van Leuve (1725) en *Brutus en zijner zoonen treurspel* van P. Merkman de Jonge (1724).

[156] Van Gelder, a.w., p. 169-172.

die hij aanwendt om dit door een ander te laten doen. De waarderende woorden die Bilderdijks Octavius aan het slot over Brutus spreekt, zijn een echo van de lofprijzingen door Antonius en Octavius waarmee het stuk van Shakespeare besluit. Ook Cassius' bestrijding van Brutus' stoïcijnse levensbeschouwing was al door Shakespeare te boek gesteld voor Bilderdijk ze uitwerkte.[157] Toch is hier verschil. En dit verschil lijkt mij belangrijker dan een volledige lijst van de uiterlijke overeenkomsten in Bilderdijks ontwerp met het treurspel van Shakespeare. Niemand immers zal na het voorafgaande nog betwijfelen dat Bilderdijk aan het Engelse stuk heeft ontleend.[158] Interessanter zijn daarom de afwijkingen van zijn voorbeeld.

Op verschillende plaatsen blijkt uit Shakespeares tekst dat Brutus stoïcijn is. Hij bemint en bewondert weliswaar de grote Julius Caesar maar wordt, zoals Dorsch opmerkt, gedreven door 'his sense of duty to the republic'. Dit verklaart zijn bekend geworden klacht:

> We all stand up against *the spirit* of Caesar,
> And *in the spirit* of men there is no blood.
> O, that we then could come by Caesar's spirit
> And not dismember Caesar! *But, alas,*
> *Caesar must bleed for it...*[159]

Terecht kon Brents Stirling zich beroepen op deze uitspraak en het eraan voorafgaande 'Let's be sacrificers, but not butchers', toen hij beweerde dat Brutus de rol van moordenaar blijkbaar alleen accepteert: 'upon condition that the assassins become sacrificers'.[160]

Toch zal het iedere lezer van Bilderdijks tekst opvallen dat de innerlijke strijd van Brutus door Shakespeare niet met dezelfde nadrukkelijkheid wordt behandeld als dat bij Bilderdijk het geval is. In diens ontwerp zijn Brutus' gevoelens voortdurend in discussie met zijn stoïcijnse denkbeelden van plicht en deugd. Het conflict *in* Brutus zelf vormt bij Bilderdijk het hoofdmotief. Zowel Brutus' gedachten over het verleden (de moord op Caesar) als de beslissingen die hij moet nemen in het heden worden er volledig door beheerst. Maar ook hier heeft Bilderdijk een voorganger gehad. Dat was Voltaire, die al in 1731 het stuk van Shakespeare had nagevolgd. De beroemde Fransman wilde van zijn treurspel *La mort de César* een 'lutte psychologique' maken. Om het psychologisch conflict te intensiveren en een

---

157 T.S. Dorsch, *Julius Caesar* (The Arden edition of the Works of William Shakespeare) London 1955, p. 98 (VI, 3); p. 111, 131 e.v. (Evenals verschillende andere motieven, ontleende Shakespeare de scène met de geestverschijning aan de Engelse bewerking van een Franse Plutarchus-vertaling, maar hij determineerde haar zelf als de schim van Caesar. De scène herinnert aan het derde toneel uit de slotakte van *Richard III*: zie Karl Brunner, *William Shakespeare*, Tübingen 1957, p. 136); *Julius Caesar*, p. 116 (V/1; vgl. Max Lüthi, *Shakespeares Dramen*, Berlin 1957, p. 19); *Julius Caesar*, p. 70 en 75 (III/1); p. 126, 127 (V/5); *Julius Caesar*, p. 129 (V/5; vgl. Brents Stirling, *Unity in Shakespearian Tragedy. The Interplay of Theme and Character*, New York 1956, p. 53); *Julius Caesar*, p. 104 (IV/3; Cassius was epicurist: vgl. de aantek. bij Dorsch, p. 116 en Lüthi, p. 19).

158 Het manuscript van Bilderdijk werd vóór mij, maar kennelijk onvoldoende, bestudeerd door Renetta Pennink, die ten onrechte meende dat Bilderdijks concept 'geen invloed van Shakespeare' vertoonde: Pennink (1936), p. 136.

159 Dorsch , a.w., p. XLII; vgl. in de tekst van het toneelstuk p. 34, 42, 43, 57, 79 (II/1, II/2, III/2) (ik cursiveer).

160 Stirling, a.w., p. 46.

hartroerender effect in de schouwburg te sorteren, benutte Voltaire de overlevering dat Brutus een zoon van zijn slachtoffer Caesar zou zijn. Hij schreef daar over: 'Il est assez vraisemblable qu'il [= Brutus] savait que César était son père, et que cette considération ne le retint pas; c'est même cette circonstance terrible et *ce combat singulier* entre la tendresse et la fureur de la Liberté qui, seuls, pouvaient rendre la pièce intéressante'.[161]

In de commentaar bij zijn uitgave van *Julius Caesar* heeft T.S. Dorsch erop gewezen dat Shakespeare deze overlevering verwerpt, en dat gebeurt ook in het (eveneens door Voltaire gelezen) Italiaanse treurspel *Giulio Cesare* (1726) van Antonio Conti.[162] Bilderdijk heeft hetzelfde gedaan als Conti's landgenoot Alfieri, die het door Voltaire gebruikte motief met enige nadruk verwerkte in zijn treurspel *Bruto secondo*.[163] De reden waarom ook Bilderdijk zijn Brutusfiguur tot zoon van Caesar maakt, kan worden aangeduid door dezelfde zin waarmee Lion dit motief bij Voltaire verklaart: 'L'intérêt doit être contenu tout entier, ou à peu près, dans la lutte qui bouleverse Brutus, dont le caractère est sensiblement transformé'.[164] De ontwikkeling die zich voordoet in het karakter van Brutus is bij Bilderdijk het meest interessant. Langzaam maar zeker komt hij tot de ware kennis van zijn eigen innerlijk. In het derde bedrijf belijdt Cassius dat hij bij al zijn daden wordt gedreven door persoonlijke gevoelens:

> Wat is mij Rome als ik mijn drift voldoe...

Terloops zij opgemerkt dat een dergelijke regel Bilderdijks vermogen bewijst om de kern van een bepaalde situatie op bondige wijze te formuleren, een kunst die ook Voltaire verstond, blijkens het bijna equivalente:

> L'amour parle: que m'importe le reste...[165]

Voor Cassius bestaan er geen problemen als hij de laatste oorzaken van zijn daden bepalen wil. Bij Brutus is dat wel het geval. Pas na de geciteerde uitroep van zijn vriend komt hij tot het inzicht dat de stoïcijnse deugd een hersenschim is: 'Drift en neiging, zie daar de drijfveer der menschen', zo stelt hij vast. En even later: '... eerzucht is 't die in mij blaakt, die zich in mij beleedigd voelt. Uit eerzucht nam ik de dochter van Cato in mijn bed... Ach uit eerzucht doodde ik ook mijn Vader! mijn Vader, ô gruwel! Ik beging een vadermoord op dat Rome mij

---

161 Brief van Voltaire aan M. de Lamare, geciteerd bij Lion (1895), p. 61 (ik cursiveer).

162 *Julius Caesar* (Dorsch, a.w.), p. 67; Natale de Sanctis, *G. Cesare e M. Bruto nei poeti tragici*, Palermo 1895, p. 34; E. Bouvy, *Voltaire et l'Italie*, Paris 1898, p. 193, 194; 215.

163 Vittorio Alfieri, *Bruto Secondo*, Commento e saggio critico di Nunzio Vaccalluzzo, Livorno 1936[4], p. 56, 57; Emilio Bertana, *Vittorio Alfieri studiato nella Vita, nel Pensiero e nell' Arte*[2], Torino 1904, p. 435; vgl. ook De Sanctis (noot 162), p. 67 en Bouvy (noot 63), p. 284.

164 Lion (1895), p. 61.

165 *Sémiramis*, IV, 2. Citaat bij Lion (1895), p. 436.

roemen zou! Schriklijke eerzucht!'. Nog is de innerlijke loutering niet voltooid. In het eerste toneel van het vierde bedrijf ziet Brutus pas:'... Liefde, ja liefde is onze roeping, is onze nooddruft, geen eerzucht. Ach, ik bevroed het, ja deugd is een fabel, maar wijsheid een hersenschim'.

Deze omslag in Brutus, of liever: deze rijping tot het juiste inzicht omtrent zichzelf, is de grootste verdienste van Bilderdijks ontwerp. Hier spreekt de dichter zelf en ... over zichzelf. De jonge Bilderdijk had zich sterk aangetrokken gevoeld door de stoïcijnse leer, maar al in de jaren tachtig (de Patriottentijd) begon hij te begrijpen dat de mens gemakkelijk dupe wordt van één bepaalde drift: zijn eerzucht. Hij kwam tot de innige overtuiging dat de 'vervulling aller wet' gelegen is in de liefde, die uiteindelijk alle plichten in zich bevat.[166] Op latere leeftijd heeft Bilderdijk herhaaldelijk getuigenis afgelegd van het door hem verworven inzicht. In zijn anti-stoïcijns gedicht *Deugd en Wijsheid* (1826) staat:

> Hoe! menschen zwakheid neemt, vervoerd door Duivlenwaan,
> Den opgepronkten naam van Deugd en wijsheid aan?
> ....
> Wat kennis schept ze u? Wat's uw wet of zedenleer?
> Waar steunt ze op? – Driftenkrijg en zelfbedwang, niets meer.

Twee jaar later bewerkte de dichter H.L. Spieghels *Hartspiegel*. In de voorreden schrijft hij dat de Epictetische zedenleer berust: 'op eene inwendige afzondering en opsluiting van den mensch in zich-zelven'. Daartegenover staat het Christendom: 'Immers deze is Liefde, Liefde tot God en den naaste, uitvloeiing des harten en mededeeling...'[167]

Op één verschil met Shakespeares *Julius Caesar* dient nog de aandacht te worden gevestigd. In afwijking van Plutarchus, treft men bij de Engelse dichter de voorstelling dat Brutus' gemalin Portia zich eerder het leven beneemt dan de veldheer zelf. Toch bevat Shakespeares tekst twee tegenstrijdige passages met betrekking tot de dood van Portia. Ze zouden kunnen worden gehanteerd als argument voor de stelling dat zijn houding tegenover het historisch gegeven niet precies duidelijk is.[168] Hoe dit ook zij: Bilderdijk geeft hier een andere voorstelling van de gebeurtenissen dan Shakespeare. Portia vertoeft volgens het Nederlandse

166 Bavinck (1906), p. 36, 37, 42; vgl. Br. III, p. 176; De Jong (Thirsa II, 1957), p. 206. Zijderveld (1915), p. 122, 123) ziet in Bilderdijks romance *Berta* (1792) de tegenstelling tussen het stoïcisme waardoor de mens zich zelfstandig en vrijmachtig vormt tot de deugdzaamheid, en daartegenover het christendom dat de mens leert zich afhankelijk te voelen van God, wie de eer van alle goede daden toekomt. Ook Allard Pierson meende dat Bilderdijks 'bekering' van stoïcisme naar christendom rond 1792 heeft plaatsgevonden. (Van Eijnatten, 1998, p. 74-75; 94, 95; 247-249 dateert de omslag of 'bekering' van stoïsch-epicurisme naar christendom en romantiek al in de periode 1782-1788.)

167 DW. XIV, p. 198, 199; DW. XV, p. 238, vgl. aldaar p. 28.

168 *Julius Caesar* (Dorsch, a.w.), p. 106 (IV/3); Lüthi , a.w., p. 416, merkt op dat een van deze twee tegenstrijdige plaatsen vermoedelijk een 'Nachbesserung' van Shakespeare zelf is, terwijl de andere dan bij vergissing toch nog werd gedrukt; vgl. voor Brutus' reactie op het doodsbericht van Portia: Stirling , a.w., p. 163.

ontwerp in het legerkamp te Filippi en zorgt voor extra verwikkelingen, doordat zij bemind wordt door Octavius. Die durft Brutus zelfs te vragen om zijn vrouw, ten gunste van hem, te verstoten: een motief dat even herinnert aan het Italiaanse treurspel *M. Bruto*, van Antonio Conti.[169] De drie zelfmoorden vinden bij Bilderdijk plaats in Brutus' legertent. En dit laatste is dan weer, althans wat betreft Cassius en Brutus, in overeenstemming met het Engelse treurspel, waarin beiden eveneens de dood vinden op het slagveld bij Filippi.

Jammer genoeg ontbreken mij voldoende gegevens om Bilderdijks navolging van Shakespeare te dateren. De spelling wijst op na 1778 en de levensbeschouwelijke inhoud van het stuk (de omslag in het Brutuskarakter!) duidt op een tijdstip na de jaren tachtig of negentig. Het door Bilderdijk gebruikte papier heeft het watermerk *VAN DER LEY*. Dit levert geen jaartal op, omdat het al in het begin van de achttiende eeuw werd gebruikt en voorkomt tot 1837. Alleen mag men eruit concluderen dat Bilderdijk zijn Brutus-ontwerp zeer waarschijnlijk in Nederland heeft geschreven: dit papier is namelijk in Nederland gefabriceerd. Nu trof ik het merk *VAN DER LEY* nog maar in één ander manuscript van Bilderdijk aan. Het staat in een van de octavoblaadjes waarop hij de tekst van zijn treurspel *Willem de Vijfde* schreef. Dit gebeurde in 1808...[170] Het is echter al te gewaagd alleen op grond hiervan het Brutus-ontwerp te dateren. Aangezien verdere aanwijzingen ontbreken, mogen we niet meer doen dan veronderstellen dat Bilderdijk aan zijn *Brutus* heeft gewerkt na zijn terugkeer in Nederland anno 1806. De eenheid van plaats zou hij hebben gehandhaafd, en de tijd waarin de handeling zich moest voltrekken is zeker niet meer dan vierentwintig uur. Het eerste bedrijf begint daags voor de veldslag bij Filippi en het stuk eindigt na deze historische gebeurtenis.

[169] Bij Conti wenst Brutus' moeder dat hij Portia zal verstoten om een huwelijk aan te gaan met Octavia en daarna de macht van Caesar te ontvangen (De Sanctis, a.w., p. 39).

[170] De Jong (Nationale treurspelen, 1960), p. 569-574.

HOOFDSTUK V

VADERLANDSE HISTORIE VOOR HET VOETLICHT

1. Treurspel over de Bredase Denensage (collectie-Kollewijn, nr. 22; uitgegeven)

Nummer 22 in de collectie-Kollewijn is het handschrift van een onvoltooid treurspel in vijf bedrijven over *Engelbrecht van Breda*, dat ik in 1960 heb gepubliceerd.[171] Het handschrift bestaat uit drie delen, die ik aanduid als Tekst-A, Tekst-B en Tekst-C: de eerste twee teksten zijn min of meer volledige treurspelontwerpen en de derde bestaat voornamelijk uit aantekeningen voor het eerste bedrijf van een treurspel op basis van het ontwerp in Tekst-B. Bilderdijks ontwerpen verhalen over betrekkingen tussen Engelbrecht van Breda en een Deense koning, die de steden Duurstede en Utrecht bezit. Hij is uit zijn eigen land verdreven maar zijn gemalin heeft 'nieuwe rechten aan 't Erfgerecht van (z)ijn stam' toegevoegd. Zijn dochter, die niet een kind is van zijn (tweede?) gemalin, blijkt bekeerd tot het christendom. Deze Deense machthebber wordt gedood in een gevecht tegen Brabanders.

Welke historische figuur Bilderdijk met deze Deense vorst heeft bedoeld, is niet uit te maken. Wel kan men bij het lezen worden herinnerd aan de verdreven Denenkoning *Heriold*, over wie Bilderdijk in zijn *Geschiedenis des Vaderlands* meedeelt dat hij zich tot het christendom had bekeerd en van Lodewijk de Vrome als leen Wijk bij Duurstede kreeg. De door Bilderdijk met ijver benutte *Vaderlandsche historie* van J. Wagenaar, geeft vrij veel bijzonderheden over Heriold. Na zijn doop in 826 verwierf hij steeds meer het vertrouwen van de keizer, welk vertrouwen hij later misschien heeft beschaamd. In 847 werd hij door enkele inheemse graven vermoord. Vierendertig jaar later heeft een bende Noormannen (waarschijnlijk mede onder bevel van Heriolds zoon Godefrid) de stad Nijmegen verwoest. Wagenaar deelt verder mee dat ook Godefrid tenslotte om het leven werd gebracht. In verband met Bilderdijks Tekst-B, is het de moeite waard te vermelden dat Godefrid was gehuwd met een dochter van koning Lotharius II van Midden-Francië, die hem de provincie Friesland als bruidsschat aanbracht. Om dezelfde reden wijs ik erop dat Wagenaar een vroegere Deense koning Godefrid vermeldt, die met zijn troepen in de lage landen binnenviel en van wie wel is beweerd dat hij in 810 door zijn eigen zoon is vermoord, omdat hij diens moeder had verstoten om een andere gemalin te kunnen nemen.[172]

---

[171] De Jong (Denensage, 1960).

[172] GdV. I, p. 99 e.v.; J. Wagenaar, *Vaderlandsche Historie*², dl. II, Amsterdam 1770, p. 33 e.v.; 60; 63; 85, 91; 87; 90. (Voor Bilderdijks 'ijver' bij het bestuderen van dit werk: zie het proefschrift van J. Moll, *Bilderdijk's 'Geschiedenis des Vaderlands'*, Assen 1918, p. 51). Over Godfried en 'de grote inval van de Noormannen in 879-889' in het algemeen, schrijft F.L. Ganshof in *Algemene geschiedenis der Nederlanden*, dl. I, Utrecht-Antwerpen 1949, p. 367 e.v., waar ook wordt verwezen naar verdere literatuur.

Wie deze gegevens vergelijkt met de inhoud van Bilderdijks manuscripten, komt tot de conclusie dat de dichter niet voornemens kan zijn geweest een wel bepaalde historische gebeurtenis te dramatiseren. Misschien heeft hij uit het werk van Wagenaar alleen maar een aantal feiten genomen met als gemeenschappelijk kenmerk dat ze verband houden met de invallen van de Noormannen in de negende eeuw. Maar voor een belangrijk deel bestaan zijn ontwerpen uit niet-historische elementen.

Bilderdijk verhaalt in Tekst-A dat de Deense troepen met succes hebben gestreden tegen de Brabanders en daarbij Engelbrecht van Breda gevangen hebben genomen. Hij vertoeft 'bij de Denen op 't slot' en blijkt verliefd op de tot het christendom bekeerde dochter van de Noormannen-koning. Tenslotte wordt hij bevrijd door als Denen vermomde Brabanders onder aanvoering van 'Wezemale', die zelf met enige anderen ten tonele verschijnt als 'gevangen der genen die in deensche wapenrusting zijn'. Pas nadat het lijk van de gesneuvelde Denenkoning is binnengebracht, werpen de binnengedrongen Brabanders hun vermomming af. De gemalin van de Deense koning pleegt daarop zelfmoord.

In Tekst-B en Tekst-C heeft Bilderdijk deze gegevens op enigszins andere wijze uitgewerkt. De Denenkoning blijkt gehuwd met een vrouw uit deze gewesten, wier dochter (Irmengarde) is verloofd met Engelbrecht van Breda. Maar het is de bedoeling van haar ouders dat zij huwen zal met Odolf, de zoon van haar stiefvader. Na allerlei verwikkelingen – waaronder de hierboven al genoemde krijgslist die nu echter wordt uitgevoerd op een andere manier en onder leiding van Engelbrechts broeder – vindt de ontknoping weer plaats als het lijk van de Denenkoning wordt binnengebracht. Volgens Tekst-B pleegt zijn zoon Odolf daarop zelfmoord, evenals de koningin die tevoren nog een vergeefse poging doet om haar eigen dochter te doden.

Het is bijna overbodig erop te wijzen dat men deze gegevens niet aantreft in de *Vaderlandse Historie* van Jan Wagenaar en al evenmin in Bilderdijks eigen *Geschiedenis des Vaderlands*. Maar dit impliceert niet dat dit alles zou teruggaan op de dichterlijke fantasie van Willem Bilderdijk zelf. De hier besproken toneelteksten kunnen worden beschouwd als dramatiseringen van de *Bredase Denensage*, waarvan ik in 1960 een moderne bewerking heb gepubliceerd.[173] Als oudste redactie van de hier bedoelde sage geldt een vijftiende-eeuws handschrift in het archief van de Bredase kathedraal, dat in 1947 nauwkeurig is beschreven door A.J. Stakenburg, en waarvan in 1893 al een (derde) uitgave was bezorgd door L. Wirth.[174] De bekende mediëvist pater Jozef van Mierlo s.j. kwalificeerde dit middelnederlands gedicht als 'vrij onbenullig gerijmel'. De inhoud bestaat uit een primitieve combinatie van een

---

173 Martien J.G. de Jong, *Volksverhalen uit Noord-Brabant*, 's-Gravenhage z.j., p. 16 e.v.

174 A.J. Stakenburg, 'De heilige-kruislegende en de Denensage van Breda', *Handelingen van het provinciaal genootschap van Kunsten en Wetenschappen in Noord-Brabant*, 1944-1947, p. 62 e.v.; L. Wirth, *Het heilige kruis en de Denensage te Breda*, Leiden z.j. (1893). Stakenburg constateerde dat in het na 1457 te dateren Bredase manuscript vertelstof van rond het jaar 1327 wordt behandeld.

tweetal epische motieven.[175] Er is zowel sprake van een *Legende over een Heilig Kruis* als van een *Sage betreffende de vestiging en vernietiging der Noormannen in Breda*. Om verschillende redenen kan de tekst van dit middelnederlands gedicht niet worden beschouwd als bron van Bilderdijks treurspelontwerpen. Allereerst verscheen de eerste uitgave pas tien jaar na Bilderdijks dood en is er geen enkele aanwijzing dat Bilderdijk kennis zou hebben genomen van het Bredase of van een ander manuscript.[176] Ten tweede ontbreekt in Bilderdijks ontwerpen iedere toespeling op de legende van het Heilig Kruis die in het gedicht een grote rol speelt; en tenslotte zijn alle namen in het treurspelontwerp anders, behoudens die van de Brabantse aanvoerder Wesemael.

In mijn inleiding bij de uitgave van Bilderdijks toneelontwerpen, anno 1960, heb ik betoogd dat Bilderdijk de Denensage naar alle waarschijnlijkheid heeft leren kennen uit de in 1744 verschenen *Beschrijving der Stadt en Lande van Breda*, door Th.E. van Goor. In dit boek ontbreekt de *Legende over een Heilig Kruis*, die wel voorkomt in het middelnederlandse gedicht. Van Goor deelt mee dat de verwoesting van het slot der Denen in 1124 heeft plaats gevonden en dat de Noormannen zich in Breda hadden gevestigd 'in den hoogen ouderdom van Keizer Lodewijk den Godvruchtigen, en ten tijde van Elbert, zesden Graaf van Strijen'. Steunend op het werk van Van Goor, concludeerde Wirth daaruit dat de Denen omstreeks 840 naar Brabant moeten zijn gekomen.[177] Men zal geneigd zijn op te merken dat een classicistisch dramaturg met deze gegevens al onmiddellijk voor een schier onoplosbare moeilijkheid kwam te staan: ingevolge het bekende voorschrift dat de 'eenheid van tijd' eiste, zou hij in zijn treurspelontwerp een periode van bijna drie eeuwen moeten overbruggen. Maar dit bezwaar geldt alleen voor een treurspelschrijver die zijn dichterlijke inspiratie gebonden acht door de onwrikbare feiten der historie. Bij Bilderdijk was dit geenszins het geval. Ten eerste bewerkte hij een verhaal dat moeilijk als een onwrikbaar historisch feit kan worden beschouwd en ten tweede heeft hij er herhaaldelijk op gewezen dat de geschiedkundige waarheid niet zo erg belangrijk is in een historisch treurspel. Al in 1780 schreef hij: 'De overeenkomst met de Historische waarheid... bestaat niet op het Tooneel; die is voor den Geschichtsschrijver, voor den Geleerde; maar niet voor den Dichter'. En vijfentwintig jaar later heette het: 'Op mijn klein Dichttoneeltjen ben ik meester, en doe ik steden en sloten innemen wien ik wil en wanneer ik wil !'[178]

---

[175] J. van Mierlo, *Geschiedenis van de letterkunde der Nederlanden*², dl. I, 's-Hertogenbosch-Brussel 1949, p. 400. J.F. Heybroek tekent protest aan tegen het vernietigend oordeel van Van Mierlo in: F.F.X. Cerutti e.a., *Geschiedenis van Breda. De middeleeuwen*, Tilburg 1952, p. 288.

[176] Vóór Wirth (a.w.) had C.R. Hermans al een uitgave van het gedicht bezorgd in 1841. Bilderdijk had grote belangstelling voor middelnederlandse letterkunde en heeft zelf verscheidene tekstuitgaven verzorgd. Uit zijn briefwisseling is mij niet gebleken dat hij een manuscript van het Bredase gedicht onder ogen heeft gehad; ook in zijn vele taal- en letterkundige geschriften blijft het ongenoemd.

[177] Wirth (a.w.) p. 8; Blok vermeldt dat de bekering van Heriold en de zijnen plaatsvond in 826; de tocht van de Denen waarbij Brabant (o.a. Antwerpen) het moest ontgelden, valt in 837 (P.J. Blok, *Geschiedenis van het Nederlandsche volk*², dl. I, Leiden 1912, p. 83; vgl. F.L. Ganshof in *Algemene geschiedenis der Nederlanden*, dl. I, p. 307, 308).

[178] Brief navolger, p. 18; DW. XV, p. 114.

Vooral de laatste uitspraak is interessant in verband met Bilderdijks dramatische bewerking van de Denensage. De held uit zijn ontwerpen is immers 'Engelbrecht van Breda', die in geen enkele andere versie van dit verhaal voorkomt. Bij Van Goor draagt de Heer van Breda onder wie de vernietiging van de Denenburcht plaats vindt de naam Hendrik. Als vader van deze Hendrik ('de II. van dien naam') vermeldt Van Goor een Engelbrecht als 'Heer der Stadt en Lande van Breda'. Aangezien deze vermelding in het boek van Van Goor onmiddellijk wordt gevolgd door de Denensage, zou men kunnen veronderstellen dat Bilderdijks gebruik van de naam Engelbrecht kan worden verklaard als een eenvoudige vergissing. Tegen de achtergrond van zijn zojuist geciteerde uitspraak over de historische waarheid in de toneelpoëzie, acht ik het waarschijnlijker dat hij opzettelijk heeft willen herinneren aan de bij Van Goor meermalen genoemde Engelbrecht I van Nassau.[179] Dat deze in de vijftiende eeuw leefde (hij stierf in 1442) kon voor Bilderdijk in zijn kwaliteit van toneelschrijver geen bezwaar zijn: temeer niet omdat hij een reden had om de naam van graaf Engelbrecht als bijzonder 'Bühnenfähig' te beschouwen. Met Engelbrecht I immers wordt de geschiedenis van Breda voor het eerst gekoppeld aan die van het door Bilderdijk zozeer vereerde Oranjehuis.[180] Tenslotte kan worden opgemerkt dat de historische gegevens met betrekking tot de Heren van Breda uit de dertiende eeuw uitermate schaars zijn en de geschiedkundigen al aanleiding hebben gegeven tot verschillende interpretaties.[181] Waar zoveel historische onzekerheid heerst, ontstaat des te meer bewegingsvrijheid voor de dichterlijke fantasie.

Een interessante afwijking van de overgeleverde Bredase Denensage, is Bilderdijks bewerking van het huwelijksmotief. De dichter spreekt niet langer over een verloving van de Noormannenprinses met de koning van Schotland, maar betrekt de oude liefdeshistorie veel directer op de rest van de handeling: hij laat Engelbrecht van Breda zelf optreden als minnaar van de Deense koningsdochter. Omdat Engelbrecht gevangen wordt gehouden op de Denenburcht en de moeder van de prinses bovendien zijn dood heeft gezworen, schept Bilderdijk door deze ingreep een bij uitstek dramatische situatie. In Tekst-A wordt deze nog versterkt doordat Bilderdijk ook de slavin van de koningsdochter laat optreden als minnares van Engelbrecht. Tegenover deze cumulatie van innerlijke conflicten staat in Tekst-B en Tekst-C een bewerking van het huwelijksmotief die leidt tot meer uiterlijke verwikkelingen: als medeminnaar van Engelbrecht treedt de Deen Odolf op, die eerst gevangene van Engelbrecht is maar daarna de Bredase graaf zelf in de kerker weet te brengen. Een

---

[179] Th.E. van Goor, *Beschrijving der Stadt en Lande van Breda...*, 's-Gravenhage 1744, p. 15, 27, 80, 83, 468 en 469.

[180] Cerutti (a.w.), p. 57, 183. Vgl. Van Goor, a.w., p. 24, 27 en 34.

[181] Vgl. A.G. Kleyn, *Geschiedenis van het land en de Heeren van Breda...*, Breda 1861, p. 55 e.v. en Pl. Pennings, 'Het discours of de Kroniek der Heeren van Breda', *Bijdragen en Mededelingen van het Historisch Genootschap* 1947, p. 343-345. Steunend op oudere bronnen vermeldt Kleyn (wiens eigen werk dertig jaar na Bilderdijks dood verscheen) in dit verband een drietal namen, waarvan men misschien zou mogen zeggen dat ze in Bilderdijks toneelteksten terugkeren, namelijk: Ermengardis (p. 57), Udo (p. 58) en Juetta (p. 58). Bij Van Goor zoekt men deze namen tevergeefs.

ontvluchtingspoging van Engelbrecht mislukt en de ontknoping wordt weer bewerkstelligd door het bekende motief van de Brabantse list.

Wat de uitwerking van dit list-motief betreft, kan worden opgemerkt dat Bilderdijks ontwerpen, in afwijking van de versie bij Van Goor, (uiteraard) niet eindigen met het slopen van de Deense burcht. Ook hier zien we dat Bilderdijk in zijn bewerking naar een typisch dramatische situatie streeft. Hij voert de spanning op door het ogenblik van de ontmaskering uit te stellen tot het lijk van de Deense koning is binnengebracht. In Tekst-A volgt dan de zelfmoord van de koningin en in Tekst-B maakt bovendien Engelbrechts medeminnaar een einde aan zijn leven.

Tot zover Bilderdijks treurspelontwerpen als bewerkingen van de Bredase Denensage. Over de stukken als zodanig kan nog worden opgemerkt dat de structuur en de mise en scène van Tekst-B het minst beantwoorden aan de eenvoud van het ideale, classicistische treurspel. Ik wijs op een geheimzinnige nachtelijke gevangenisscène, waarbij sprake is van een verborgen gang en er wordt gemanipuleerd met een lampje en een toorts. Het decor voor de laatste akte zou volgens dit ontwerp een wapenhal voorstellen, waarin twee zelfmoorden voor de ogen van de toeschouwers moesten plaatsvinden nadat het lijk van de Deense koning zou zijn binnengebracht.

De vraag naar de datering van Bilderdijks toneelontwerpen kan allereerst worden beantwoord met de mededeling dat alle teksten, blijkens hun spelling, moeten zijn ontstaan na 1778. Verder laat Bilderdijks handschrift duidelijk zien dat Tekst-A op een andere tijd (naar ik vermoed: vroeger) werd geschreven dan de beide andere teksten. Het manuscript van Tekst-A heeft het watermerk KORFF & DE VRIES, wat erop wijst dat het papier moet zijn vervaardigd tussen 1785 en 1789.[182] Dit ontwerp kan dus pas na 1785 zijn ontstaan. Aangezien mij is gebleken dat manuscripten van Bilderdijk die in 1809 werden geschreven nog steeds dat zelfde watermerk vertonen, mag de door de dichter gebruikte papiersoort ons niet verleiden tot de conclusie dat hij per se aan Tekst-A moet hebben gewerkt vóór 1795, het jaar waarin hij uit Holland werd 'verbannen'.[183] Onmogelijk is dit laatste overigens geenszins: uit Bilderdijks briefwisseling blijkt immers dat hij voor zijn uitwijzing in 1795 verschillende treurspel- ontwerpen had geschreven.[184]

[182] Dit blijkt uit een mij toegezonden rapport van de Stichting voor het Onderzoek van de Geschiedenis der Papierindustrie in Nederland, te Haarlem.

[183] Kollewijn, dl. I, p. 226. (Bilderdijk keerde in 1806 naar Nederland terug) De manuscripten uit 1809 ('Krijgszangen') met het watermerk 'Korff & de Vries' zijn aanwezig in de collectie-Klinkert van de Koninklijke Akademie van Wetenschappen te Amsterdam, nr. CIII.

[184] In brieven van 6-5-1797, 10-5-1798 en 30-11-1798 verzoekt Bilderdijk aan de familie Elter (zwager en schoonzuster) om de 'plans' van treurspelen die nog in Nederland zijn; zelf woonde hij toen in Londen en Brunswijk (Portefeuilles Margadant, Bilderdijk-Museum, Amsterdam. Briefwisseling, 1988, II, p. 356 en Briefwisseling, 2007, III, p. 87, 232).

2. Treurspel over Floris de Zwarte (collectie-Kollewijn, nr. 2)

Boven de manuscripten die ik als nr. 2 in de verzameling Kollewijn aantrof, staat geen titel. De inhoud bewijst dat Bilderdijk een treurspel heeft willen leveren over *Floris de Zwarte*. Deze was een zoon van de Hollandse gravin Petronella (weduwe van graaf Floris II de Vette) en de broer van graaf Dirk de Zesde, met wie hij enige tijd in onmin leefde. Hij werd door de Westfriezen als Heer gehuldigd en verdedigde hen in 1132 tegen de Hollandse graaf. Enkele jaren later sloten de beide broers een vredesverdrag op aandringen van hun oom, keizer Lotharius. Daarbij werd Floris' bewind over West-Friesland officieel bevestigd. Kort daarop wilde hij huwen met Hadewig, de erfdochter van Richem. Dit werd hem belet door de Heer van Arendsberg, die als voogd over Hadewig was aangesteld. Deze tegenwerking leidde tot oorlog. Floris trachtte zich door geweld in het bezit te stellen van de heerlijkheid Richem en van Hadewig, waarbij hij de stad Utrecht als wijkplaats gebruikte. Bisschop Andries van Kuik (een bloedverwant van Arendsbergs bondgenoot Godefride van Kuik), moest dit met lede ogen aanzien. Het kwam zelfs zo ver, dat de bisschop uit Utrecht werd verjaagd. Tenslotte werd Floris door Arendsberg en Kuik in een hinderlaag gelokt en vermoord.

Dit zijn de historische feiten, zo Bilderdijk ze in ieder geval heeft gekend. Het bovenstaande ontleende ik aan de *Vaderlandsche historie* van J. Wagenaar, een werk dat door Bilderdijk zo aandachtig is gelezen, dat de gevolgen ervan zijn aan te wijzen in zijn eigen *Geschiedenis des Vaderlands*.[185] Het verslag dat Bilderdijk daar van deze gebeurtenissen geeft, voegt geen nieuwe feiten toe aan het relaas van Wagenaar. Wat Bilderdijk wel doet, is het recht van Floris de Zwarte op West-Friesland verdedigen. Ook toont hij openlijk zijn sympathie voor hem. Dit is het laatste deel van zijn verhaal: 'Maar de goede Floris leefde niet lang. Hij werd vermoord door de Heeren Arendsberg en van Kuik, die voogden over de schone Hadewich, de Erfdochter van Richem, hem haar hand weigerden. – Een jongeling van de voortreffelijkste gaven van lichaam en geest, vol van moed en adel, had hij haar hart gewonnen, en tevens de gemoederen harer Leenmannen, die geen anderen Heer dan hem wenschten. De keizer stemde gereedelijk in het huwelijk, maar die twee onverzoenlijke vijanden van het Hollandsche Stamhuis weêrstreefden. Een oorlog van Floris den Zwarte tegen hen was 't gevolg daar van, en, daar de stoel van Utrecht toen door Bisschop Andries van Kuik bezeten werd, hadden zij daar vrije toegang, schoon Floris zoo wel bij de Utrechtsche Burgerschap gezien was, dat hij de stad t'allen tijde voor hem open vond, en als tot zijne wapenburcht hield, waar uit hij zijne krijgs- en plondertochten tegen deze Voogden te werk stelde.[...]. Nu leiden zij hem lagen binnen Utrecht, overvielen en beroofden hem van het leven, en dus eindde de glorierijke loopbaan van dezen jongeling in haar begin. Kuik en Arendsberg werden door Lotharius in den Rijksban gedaan, en vervallen verklaard van hun heerlijkheden. Graaf Diedrijk verdreef hen, en eerst eenige jaren daar na, als de dood van

[185] Wagenaar , a.w., p. 222 e.v.; vgl. Moll, a.w.

Lotharius de zaken een geheel ander aanzien gaf, keerden zij uit hun ballingschap, en wrochten hun zoen uit, met hun voormalig land van Diederik in leen te ontfangen.

En Hadewig? men ziet dat het een geschiedenis en geen Poëzy is; want zij had den Dichter te veel belang ingeboezemd, om haar zoo te vergeten'.[186]

Met de nu te bespreken fragmenten voor ons, kunnen we de laatste uitspraak beamen. We kunnen er nog aan toevoegen dat de gegevens die Bilderdijk over Hadewig ter beschikking stonden wel zo gering waren, dat de 'Dichter' vrij spel had. Bilderdijk heeft zijn fantasie dan ook de vrije teugel gelaten, zonder dat hij daarbij dikwijls met de door hem als historisch erkende gegevens in conflict hoefde te komen. We merken alleen op dat hij de verzoening van de broers laat plaatsvinden tijdens Floris' verblijf in Utrecht. Daartoe moesten uiteraard de vijandelijkheden tot op die tijd voortduren. Vandaar dat de Utrechtse bisschop wordt geschetst als vijand van Dirk en ongeveer als bondgenoot van Floris, een voorstelling die door Wagenaar aannemelijk wordt geacht. Pas toen Floris vanuit Utrecht zijn strooptochten was begonnen, werd de bisschop 'zeer op hem gebeten' schrijft Wagenaar. In Bilderdijks *Geschiedenis* is er alleen maar sprake van ''s Bisschops weifelen', wat ertoe leidde dat Floris hem als tegenstander ging beschouwen en tenslotte verjoeg. Het 'weifelen' wordt in zijn treurspel tot sympathie voor Floris. Diens gewelddaden schuift Bilderdijk een ander in de schoenen: Dirk VI 'verslaat schielijk de stad' op aanstichten van Arendsberg, die in Bilderdijks *Geschiedenis* al onverzoenlijk, maar in zijn treurspel zonder meer als verraderlijk wordt voorgesteld.[187] Zo blijkt Bilderdijk in zijn treurspel te hebben toegegeven aan gevoelens die al bleken in zijn *Geschiedenis*, maar waaraan hij als historicus nu eenmaal niet mocht toegeven. De afwijkingen van zijn bron worden verklaarbaar wanneer men ze beschouwt als de dichterlijke consequentie van zijn subjectiviteit als geschiedschrijver.

En nu de overgeleverde toneelfragmenten. Blijkens Tekst-A zouden er in *Floris de Zwarte* zes hoofdpersonen optreden. Het stuk zou bestaan uit vijf bedrijven, waarin naar alle waarschijnlijkheid de eenheden van tijd en plaats werden geëerbiedigd. De ontwikkeling der gebeurtenissen valt overigens moeilijk vast te stellen, omdat Bilderdijks aantekeningen (Tekst-B) en zijn ontwerp (Tekst-A) niet erg duidelijk zijn. Opvallend is dat de dood van Floris niet het slot van het stuk vormt. Nadat in de eerste drie bedrijven de 'verwarring' ten top was gevoerd, zou het vierde bedrijf de 'bevrediging' der broeders te zien geven. In datzelfde bedrijf moest, volgens Tekst-B, ook de moord op Floris bekend worden met als gevolg: 'Dirks wraakzucht'. De bisschop zou daarop in de laatste akte de heer van Arendsberg uitleveren, waarna opnieuw een 'bevrediging' plaatsvond. Het is moeilijk aan te nemen dat hiermee een vredesverdrag tussen Dirk en Arendsberg wordt bedoeld. Wagenaar (en na hem

[186] GdV. II, p. 41.

[187] Wagenaar a.w., p. 221; 225, 226; GdV. II, p. 41 (Vgl. Tekst-A, onder A. en B.)

Bilderdijk) vermeldt dat de Hollandse graaf de moordenaars van zijn broer heeft verdreven.[188] Omdat dit gegeven volledig past in de sfeer van het toneelstuk, veronderstel ik dat Bilderdijk in dit laatste bedrijf een 'bevrediging' van het rechtsgevoel heeft willen geven door de bestraffing van de moordenaars: een voorbeeld van dichterlijke gerechtigheid of 'justice poétique'. De ontknoping van zijn stuk zou dan tevens de moraal ervan hebben uitgemaakt: uiteindelijk wordt het kwaad steeds gestraft. Omtrent het lot van de ongelukkige Hadewig geeft Bilderdijks ontwerp geen uitsluitsel. Het begin van Tekst-B en het overgeleverde eerste bedrijf (Tekst-C) doen mij vermoeden dat ze in een klooster zou zijn gegaan.

Ik geloof niet dat Bilderdijk zich voor deze fragmenten op een bepaald voorbeeld heeft geïnspireerd. Mij is maar één toneelstuk bekend, dat dezelfde stof verbeeldt. Dat is het in 1740 verschenen treurspel *Hadewig* van J.W. Kerkhoven. De verschillen met *Floris de Zwarte* zijn zeer groot. Mogelijk heeft Bilderdijk het werk van Kerkhoven niet eens gelezen.[189] Een opvallend verschil vertoont de houding van de Utrechtse bisschop in de beide stukken: bij Kerkhoven is ze verachtelijk, bij Bilderdijk sympathiek. Het is tenslotte de moeite waard op te merken dat we in *Floris de Zwarte* een voorbeeld hebben van een toneelstuk dat door Bilderdijk waarschijnlijk in *proza* zou worden geschreven. De overgeleverde tonelen van Tekst-C wijzen daarop.

Wanneer deze manuscripten zijn ontstaan, heb ik niet precies kunnen vaststellen. De spelling bewijst dat dit na 1778 is geweest. Bovendien rechtvaardigen enkele andere aanwijzigingen de veronderstelling dat Bilderdijk aan de nu besproken handschriften heeft gewerkt vóór zijn uitzetting in 1795. Wij stelden al vast dat de auteur zijn *Floris de Zwarte* wellicht in proza wilde schrijven. Nu bestaan er maar twee andere min of meer uitgewerkte treurspelfragmenten die deze vorm hebben: de *Willem van Oranje* die rond 1777, en de *Alice van Engeland* die rond 1798 is ontstaan.[190] Tien jaar later achtte Bilderdijk de *versvorm* voor een waarachtig treurspel noodzakelijk. Dat blijkt uit zijn in 1808 gepubliceerde verhandeling *Het treurspel*. Daarenboven staat vast dat in het begin van de negentiende eeuw het 'onrijm' praktisch niet meer voorkwam in Nederlandse treurspelen.[191] Dit maakt het al enigszins waarschijnlijk dat het stuk over *Floris de Zwarte* werd geschreven vóór 1808. Maar er is meer. Op 18 juni 1798 bleek Bilderdijk geneigd tot de uitgave van proza-treurspelen en een jaar later kondigde hij de mogelijke publicatie daarvan openlijk aan.[192] Bilderdijk vertoefde toen in Duitsland. Ik zou met enige zekerheid maar één treurspel in proza kunnen noemen dat

[188] Wagenaar , a.w., p. 226; GdV. II, p. 41.

[189] Jan Willem Kerkhoven, *Hadewig; treurspel*, Amsterdam 1740. Na zijn aangehaalde opmerking over Hadewig en de poëzie zou Bilderdijk zeker het bestaan van Kerkhovens treurspel hebben vermeld als hem dat bekend was geweest.

[190] Vgl. hfdst. V, par. 7; hfdst. VII, par. 6.

[191] Trsp., p. 147; Worp (1908), dl. II, p. 340.

[192] Brief van 18-6-1798 aan J. Kinker (Portef. Margadant. Briefwisseling -2007- III, p. 105) en Voorrede bij *Mengelpoëzy* (1799), herdrukt in DW. XV, p. 63.

tijdens zijn verblijf in het buitenland (1795-1806) is ontstaan.[193] Maar Bilderdijk had het in 1799 over méér proza-treurspelen. En dat kan worden verklaard uit de omstandigheid dat hij de beschikking had gekregen over onuitgegeven toneelwerk dat hij vóór zijn vertrek uit Nederland had geschreven. In november 1798 vroeg hij zijn schoonzuster, mevr. Elter-Van Woesthoven, voor de derde maal of zij hem de 'plans van Treurspelen' wilde zenden, en we mogen aannemen dat hij die inderdaad heeft ontvangen.[194] Ik vermoed dat daarbij ook het manuscript van *Floris de Zwarte* was. Niet alleen pleit daarvoor de al genoemde publicatie-aankondiging, maar ook de omstandigheid dat het betreffende handschrift bezwaarlijk in Duitsland kan zijn geschreven. Bilderdijk gebruikte er papier voor dat het Nederlandse watermerk *W.&C. PANNEKOEK* vertoont, dat door Churchill werd aangetroffen in 1772.[195] Aangezien de dichter pas in 1806 naar zijn vaderland terugkeerde – de tijd dus dat proza-treurspelen uit de mode waren en hij zelf de dichtvorm verdedigde – zou kunnen worden aangenomen dat de *Floris de Zwarte* is ontstaan vóór Bilderdijks vertrek in 1795.

3. Spektakelstuk 'Willem van Holland' (collectie-Kollewijn, nr. 8; uitgegeven)

Een der merkwaardigste handschriften uit de verzameling Kollewijn is het in 1957 gepubliceerde ontwerp voor een dramatisch werk, dat waarschijnlijk de titel *Willem van Holland* moest dragen, en dezelfde hoofdfiguur zou hebben als Bilderdijks uitgegeven treurspel van die naam.[196] Bilderdijk had blijkbaar een historisch spel op het oog over de avonturen van Willem van Holland als kruisvaarder. Graaf Willem wordt in zijn ontwerp verliefd op de schone Idama, die in het vijandelijke kamp vertoeft. Na allerlei avonturen, waarbij de heks Alvijne optreedt, komt het tot een huwelijk nadat nog is gebleken dat Idama de verdwenen dochter van de kruisvaarder Raymond van Toulouse is.

Dat de held van dit stuk inderdaad Willem van Holland moet zijn, blijkt op verschillende plaatsen. In het eerste toneel van het derde bedrijf noemt hij zich zo met onmiskenbare trots en hij voegt eraan toe dat hij 'van zijn broeder gedwongen (is) te wijken'. Dit komt overeen met hetgeen Bilderdijk in zijn *Geschiedenis des Vaderlands* over graaf Willem mededeelt. Afgezien van het optreden van Godfried van Bouillon is er een duidelijk anachronisme. In zijn *Geschiedenis* vermeldt Bilderdijk dat de twist tussen Willem en zijn broer Diedrijk VII al gaande was in 1195, toen Willem nog maar nauwelijks terug was van zijn eerste tocht naar Palestina. Acht jaar later overleed Diedrijk en pas in 1217 voer Willem

[193] Het stuk in kwestie is *Alice, prinses van Engeland*. Ook 'de eerste *Elfriede*' schreef Bilderdijk in proza, maar dat stuk kan onmogelijk in de aankondiging zijn bedoeld, aangezien de tekst een andere bestemming had en intussen was bewerkt in Engelse verzen. Vgl. hfdst. VI, par. 1 en hfdst. VIII, par. 2.

[194] Vgl. noot 184 over de familie Elter; brief van 30/11/1798 aan mevr. Elter (Portefeuilles Margadant. Briefwisseling - (2007)-III, p. 232). In latere brieven aan de familie Elter herhaalt Bilderdijk zijn vraag niet.

[195] W.A. Churchill, *Watermarks in paper in Holland, England, France etc. in the 17th. and 18th. centuries*, Amsterdam 1935.

[196] De Jong (1957), Roeping; vgl. hfdst. X, par. 3.

opnieuw ter kruistocht. Dat zijn huwelijk met de dochter van Raymond van Toulouse aan het slot van Bilderdijks ontwerp, op pure fantasie berust, spreekt van zelf.[197] Opvallend in dit stuk is de vermenging van historische gegevens met een aantal elementen die overduidelijk in het rijk der fantasie thuishoren. Toch is die vermenging niet nieuw. Het optreden van een tovenares, de liefde van een der christenen voor een schone uit het andere kamp, de onenigheid tussen de kruisvaarders, de geliefde die in de legerplaats van de christenen komt: al deze fantastische wederwaardigheden tijdens de kruistochten gaan terug op een bepaalde bron. Die bron is het zestiende-eeuwse epos *Gerusalemme liberata* van Torquato Tasso.

Daarmee is niet gezegd dat Bilderdijk Tasso nauwkeurig heeft nagevolgd. Het is bijvoorbeeld onmogelijk de rol van *Willem van Holland* zonder meer gelijk te stellen met die van Tasso's *Tancredi*. De wijze waarop de laatste door *Erminia* wordt bemind en waarop de prinses erin slaagt vermomd in het kamp van de christenen door te dringen, vertoont duidelijk overeenkomst met het optreden van Bilderdijks *Idama*. Maar daar staan veel verschillen tegenover. In het Italiaanse heldendicht heeft Tancredi zijn eerste geliefde, Clorinda, in een gevecht gedood; bij Bilderdijk wordt er met geen woord over een vroegere liefde van Graaf Willem gerept. Verder is de voorstelling van Idama als de geschaakte dochter van de kruisvaarder *Reimond* (van Toulouse) een eigen vinding van Bilderdijk. Het optreden van de tweedracht veroorzakende toverkol *Alvijne* gaat weer terug op Tasso's tovenares *Armida*; Bilderdijks Alvijne verzoent zich aan het einde van het stuk echter niet. Zijn het bij de Italiaan tenslotte Raimondo en Tancredi die de vijandelijke bevelhebber *Aladino* doen sterven, in Bilderdijks ontwerp wordt de ondergang van de mohammedaanse legeraanvoerder *Abdull* nog vergruwelijkt doordat Alvijne hem wurgt.[198]

De laatste bijzonderheid verneemt men niet bepaald op kiese wijze. Het is de bedoeling dat de heks met het lijk door de lucht zweeft alvorens zij onder vreselijke geloei 'ter helle (vaart)'. Deze toneelaanwijzing past geheel in de sfeer van Bilderdijks ontwerp. Evenals zijn in hoofdstuk IV besproken toneelstuk over *Medea*, sluit *Willem van Holland* aan bij de traditie van de spektakelstukken, waarvan Jan Vos' *Medea* wel als het bekendste voorbeeld mag worden beschouwd. Vos wilde in dit tot in Bilderdijks tijd toegejuichte stuk blijkbaar alle mogelijkheden van de in 1664 vernieuwde Amsterdamse schouwburg benutten. Zijn spel heeft verrassende toneelveranderingen; er komt rook en vlam bij te pas en men ziet spoken die uit de grond oprijzen of daarin wegzinken. Verder wordt er overvloedig door de lucht gevlogen; er ontvlamt een kroon; de donder rommelt en de bliksem flikkert. Bilderdijk heeft de Hollandse spektakel-traditie willen verbinden met de fantastische wereld van Tasso's helden. Maar ook hier had hij een voorganger. Het is Adriaen Peys, schrijver van een treurspel

[197] GdV. II, p. 61, 67, 76, 11; 112: 'Na de dood zijner Gemalinne Aleid van Gelder, trouwde hij in tweede huwelijk (1220) de keizerin weduwe Maria'. Vgl. voor de twee huwelijken van Willem van Holland: Blok , a.w., dl. I, p. 170 en 173.

[198] In het kader van Bilderdijks waardering voor Tasso heb ik dit toneelontwerp besproken in mijn studie over Bilderdijk en de Italiaanse letterkunde: De Jong (1973), p. 40-42.

'met konst- en vliegwerken' dat in 1695 onder de titel *De toveryen van Armida* werd gepubliceerd en nadien herhaaldelijk met succes is opgevoerd. Peys heeft Tasso's heldendicht op eigenaardige wijze gevulgariseerd en er verschillende komische elementen aan toegevoegd. Zo is er een 'knecht' die de gewoonte heeft zich plat uit te drukken. In het vijfde bedrijf wordt hij door een beer opgehangen, waarna achtereenvolgens zijn ledematen afvallen en terechtkomen in een put, waaruit de grappenmaker dan tenslotte weer gerestaureerd te voorschijn komt.[199]

Het feit dat Adriaen Peys in dit voortbrengsel elementen uit Tasso met kunst- en vliegwerk ten tonele voert, is niet de enige overeenkomst met Bilderdijks ontwerp. Er zijn ook enkele details die erop zouden kunnen wijzen dat Bilderdijk zijn spektakelstuk heeft gekend. De manier waarop Peys' *Armida* zich door de lucht voortbeweegt, een vlammende toorts hanteert, door bezweringen de heldere maan bloedrood doet worden en de lucht kan 'ontroeren', vertoont overeenkomst met de magische vermogens van de tovenares *Alvijne* in het ontwerp van Bilderdijk. Peys' held *Rynout* krijgt in het eerste bedrijf 'het beeld van Armida' in handen en wordt op haar verliefd; Bilderdijks *Willem van Holland* ziet in het eerste bedrijf zijn geliefde in een visioen. Beide stukken eindigen met hun definitieve vereniging in het laatste bedrijf.

Overigens wijkt het stuk van Peys ook op velerlei punten van dat van Bilderdijk af. Van een rechtstreekse invloed kan geen sprake zijn, maar wel is het mogelijk dat Bilderdijk op zijn voorbeeld tot de bewerking van Tasso in de vorm van een spektakelstuk gekomen is. Erg origineel heeft hij zich daarbij niet getoond. Het openingstoneel van zijn stuk, waarin Graaf Willem en Theodoor bij 'allervreeslijkst onweêr in barre woestenij' dwalen en in aanraking komen met de tovenares Alvijne, herinnert aan Shakespeare. In het derde toneel van diens *Macbeth* vindt op de heide bij Fores onder gelijke omstandigheden de ontmoeting van Macbeth en Banquo met de heksen plaats.[200]

Er is nog een andere scène waarvan een vermoedelijke herkomst valt aan te wijzen. In het eerste toneel van het tweede bedrijf vertelt Willem aan zijn gezel Theodoor hoe hij bij 'de laatste storm op Antiochië' op de kasteelmuur was geklommen en, daardoor een blik had kunnen wisselen met een mooie vrouw die binnen vertoefde. Hij koestert vanaf dat ogenblik een grote liefde voor deze vrouw en tracht Theodoor te bewegen met haar in contact te treden.

---

[199] *De Toveryen van Armida, treurspel* door A. Peys. *Met Konst-en Vliegwerken*, Amsterdam 1732. Volgens Te Winkel² (1924), dl. IV, p. 504, werd dit stuk in 1695, 'maar misschien ook reeds veel vroeger' in de Amsterdamse schouwburg vertoond. Rombauts deelt mede dat het stuk in 1695 werd gedrukt, doch 'ongetwijfeld' reeds vroeger werd gespeeld (*Geschiedenis van de letterkunde der Nederlanden*, dl. V, p. 475). Het was een opvoering van dit spektakelstuk, die de zevenentwintigste augustus 1697 door tsaar Peter in Amsterdam werd bijgewoond (Mr. Jacobus Scheltema, *Peter de Groote, keizer van Rusland, in Holland en te Zaandam in 1697 en 1717*, dl. I, Amsterdam 1814, p. 129). Worp dateert het op 1683 en haalt uit de *Tooneel-aantekeningen* van de acteur Marten Corver een merkwaardig bewijs voor het succes van Peys' spektakelstuk aan. Het werd eens zeven keer achter elkaar gespeeld 'omdat het zoontje van een der toneelspelers zoo mooi voor een aapje speelde. De geheele stad was er vol van...'; Worp-Sterck (1920), p. 147 en 198, 199.

[200] Enkele gedeelten van deze heksenscène worden door de meeste Shakespeare-onderzoekers voor onecht gehouden: Max Lüthi, *Shakespeares Dramen*, Berlin 1957, p. 419.

Maar Theodoor heeft andere zaken die zijn aandacht vragen. Een soortgelijke blikwisseling temidden van het krijgsgewoel, gevolgd door een gesprek met een vertrouwde van gelijke inhoud en met hetzelfde resultaat, vindt plaats in het nooit uitgegeven treurspel *Ino en Melicertus*, een waarschijnlijk door zekere Du Sauzet vervaardigde bewerking naar het Frans van La Grange-Chancel, dat door vroegere onderzoekers ten onrechte is toegeschreven aan dr. Izaak Bilderdijk, de vader van Willem.[201]

Torquato Tasso, Adriaen Peys, William Shakespeare, een door Du Sauzet bewerkte La Grange-Chancel en tenslotte nog Willem Bilderdijk zelf: dat zijn de aanwijsbare bestanddelen van dit merkwaardige toneelontwerp. Wilde Bilderdijk een spektakelstuk maken? Er zijn enkele elementen die nog niet ter sprake zijn gekomen: de 'zegezangen, trompetgeklank en pauken' aan het begin van het tweede bedrijf en de twee koren bij de opening van het derde bedrijf, gevolgd door 'een treurige ouverture'. Bilderdijk schijnt te hebben gedacht aan een *opera*. Toen hij op 6 mei 1797 uit Londen aan zijn zwager S. Elter schreef over de schets 'van een opera, *Willem van Holland'* die nog bij Elter moest berusten, had hij zonder twijfel het hier besproken fragment op het oog.[202] Daaruit blijkt dat de *Willem van Holland* moet zijn geschreven voor Bilderdijks uitzetting in 1795 en, blijkens de spelling, na 1778; de watermerken in het door de dichter gebruikte papier doen mij veronderstellen dat dit stuk is ontstaan na het jaar 1784.[203] Volledigheidshalve zij nog opgemerkt dat Bilderdijk in 1805 verschillende elementen uit zijn toneelontwerp heeft verwerkt in zijn episch gedicht *Het slot van Damiate*.[204]

4. Treurspel 'Floris de V' (niet teruggevonden)

In onze inleiding werd er al opgewezen dat Bilderdijk zich meer met de figuur van Floris de Vijfde als treurspelheld heeft beziggehouden dan doorgaans wordt aangenomen. Toen in 1808 zijn *Floris de Vijfde* werd gepubliceerd, verklaarde de dichter dat hij: 'nooit voor het Tooneel

[201] Dit toneelstuk is nooit uitgegeven. Het handschrift was eigendom van Bilderdijk en bevindt zich thans in de verzameling-Klinkert (Koninklijke Akademie van Wetenschappen te Amsterdam, nr. XCVIII). Kamphuis (Denkbeelden, 1947), p. 211, meende ten onrechte dat dit stuk van Willem Bilderdijk zelf was (vgl.Van Eijnatten, 1998, p. 465, noot 93) en G.D.J. Schotel vergiste zich toen hij het op rekening van Bilderdijks vader schreef, met de mededeling: 'naar het Fransch van Du Sauzet' (*Handelingen en mededelingen van de Maatschappij der Nederlandsche letterkunde*, Leiden 1866, p. 121). Ook Albach (1946), p. 189, meende dat Du Sauzet ('du Sauzey') een Fransman was. Du Sauzet was echter een in Indië gestorven Nederlander die, voor zijn vertrek naar den Oost, verschillende vertalingen van Franse treurspelen aan dr. Iz. Bilderdijk had geschonken. Later kwamen die in het bezit van Willem Bilderdijk (vgl. GdV. XI, p. 171 en Bilderdijks brief aan J. Kinker van juni 1799, Port. Margadant en Briefwisseling,2007, III, p. 339). Een Franse *Ino et Mélicerte* werd geschreven door La Grange-Chancel: Lancaster (1950), dl. I, p. 90. Vgl. ook Kollewijn, dl. I, p. 14.

[202] Handschrift Koninklijke Bibliotheek te 's-Gravenhage, nr. 121 DA/12 (Briefwisseling II, p. 356). Hoezeer Tasso's *Armida*-figuur geschikt was voor de opera blijkt uit de talrijke muziekdrama's over haar, te beginnen met het werk van Ph. Quinault en G. Lulli (1686). Zie E. Frenzel, *Stoffe der Weltliteratur*, Stuttgart 1958 i.v. *Armida*.

[203] Zie hfdst. VIII, par. 1, laatste stuk.

[204] DW. II, p. 275 e.v. Dit gedicht heeft volgens Bilderdijk een inleiding in de trant van 'Romances' of 'Vertellingen', maar werd nadien 'doormengd' met 'een hooger stijl' die kenmerkend is voor het genre dat hij aanduidt met de term 'Verhalen'. In een aantekening bij zijn gedicht *Assenede* voegt hij daar nog aan toe dat de Romance een 'eenvoudige, min of meer naïve stijl vordert' maar dat het Verhaal 'nader' komt tot 'dien eigenlijke Dichtstijl' van het 'Heldendicht'. DW. XV, p. 114; DW. I, p. 486-488. Zie hoofdstuk III, paragraaf 3, noot 99 (vgl. Van Eijnatten -1998-, p. 454-455).

(had) gewerkt, noch ooit voor gehad het te doen' en dat zijn stuk 'in driemaal maal vier en twintig uren ontworpen en opgesteld' was.[205] Rechtstreeks in tegenspraak hiermee, is de al in paragraaf 3 genoemde brief die hij op 6 mei 1797 vanuit Engeland aan S. Elter schreef. Bilderdijk meent in dit schrijven dat Elter óók in het bezit moet zijn van 'een schets van een Treurspel Floris de V'. Dit bewijst dat hij al vóór 1795, het jaar waarin hij Nederland verliet, moet hebben gewerkt aan een tragedie over de in 1296 vermoorde graaf van Holland. Of de 'schets' van toen het uitgangspunt is geweest voor het later verschenen treurspel, valt niet met zekerheid te zeggen. Waarschijnlijk lijkt het mij wel: het voor 1795 geschreven ontwerp heb ik niet teruggevonden.

5. Treurspel over Willem de Vijfde (collectie-Kollewijn, nr. 27; uitgegeven)

Als nummer 27 bevindt zich in de collectie-Kollewijn een bundel handschriften die door Bilderdijks biograaf werd beschouwd als de tekst van een treurspel *Jan van Arkel*.[206] In werkelijkheid hebben we te doen met fragmenten van *twee* in alexandrijnen geschreven toneelstukken. Er is een ontwerp en het openingstoneel van een treurspel dat de ondergang van *Willem van Arkel* behandelt en er zijn bijna drie bedrijven en het ontwerp van een nationaal treurspel over graaf *Willem de Vijfde van Holland*. Daarenboven maakte Bilderdijk een aantal aantekeningen van geschiedkundige aard, die aan de eigenlijke ontwerpen voorafgingen. Al deze handschriften – de omvangrijkste groep uit de collectie-Kollewijn en, wat *Willem de Vijfde* betreft, een van de verst uitgewerkte toneelfragmenten die Bilderdijk heeft nagelaten – heb ik met een uitvoerige inleiding gepubliceerd in 1960. Als typerende teksten voor wat Bilderdijks mening over de staatkundige rol van de vrouw aangaat, werden beide stukken besproken in een beschouwing van 1995.[207]

Bilderdijks onvoltooide treurspel *Willem de Vijfde* is de dramatisering van een fase uit de strijd tussen gravin *Margareta van Henegouwen* (†1355) en haar later krankzinnig geworden zoon Willem de Vijfde, die ook wel bekend is onder de naam *Willem Verbeider* (†1389). Uit de zojuist genoemde historische aantekeningen viel bovendien op te maken welke geschiedkundige bron Bilderdijk voor dit treurspel heeft gebruikt. Dat was het levenswerk van een 'onwetend waanwijs gekjen', waaraan Bilderdijk voor zijn eigen *Geschiedenis des Vaderlands* veel ontleende, maar dat hij betitelde als: 'de lasteringen des vervloekten *Wagenaars*, die de geschiedenis der Vorsten even als die van den gezegenden Heiland vervalscht'.[208] Bilderdijks bron was met andere woorden de door hem zeer gesmade

[205] DW. XV, p. 139.

[206] Kollewijn, dl. I, p. 447.

[207] De Jong (Nationale trsp., 1960), p. 551-617; De Jong (Women, 1995), p. 93-100.

[208] Wagenaar, a.w., dl. III, p. 268-291; Tyd. I, p. 208; GdV. IV, p. 184. Voor Bilderdijks ontleningen: Moll , a.w., p. 51. Vgl. ook: M. Siegenbeek, *De eer van Wagenaar, als historie- schrijver, en van Jacoba van Beijeren, tegen mr. W. Bilderdijk, in zijne geschiedenis des vaderlands, verdedigd*, Haarlem 1834. Vgl. voor het verschil tussen de staatsgezinde regenten-geschiedbeschouwing van Wagenaar en de door Bilderdijk geïnspireerde antirevolutionaire of christelijkhistorische visie op de geschiedenis van Groen van Prinsterer: Leo Wessels in Van der Wal en Wessels (2007), p. 390-408.

anti-monarchistische en 'aristocratische' historicus Jan Wagenaar (1709-1773), wiens hier al meer genoemde *Vaderlandsche Historie* hij ook placht te gebruiken als 'leiddraad' bij zijn privaat-colleges in Brunswijk. Dat Bilderdijk in zijn treurspel van die bron afwijkt, zal niemand verwonderen. Zoals ik bij de uitgave van zijn toneelfragmenten al heb opgemerkt, moet men nochtans onderscheid maken tussen de afwijkingen van Wagenaar die Bilderdijk als historicus verdedigde en die, welke hij als dramatisch dichter aanbracht in door hem zelf als historische feiten erkende gebeurtenissen.[209] Het blijkt dan dat de dichter zich in zijn toneelstuk niet zo heel ver heeft verwijderd van wat hij zelf beschouwde als de historische waarheid. Alleen waar de geschiedkundige gegevens tekortschoten, heeft hij de historische onzekerheid op gelukkige wijze aangevuld door zijn verbeelding. Als men zich stelt op het standpunt van Bilderdijk, moet dan ook worden geconcludeerd dat de historische basis voor zijn *Willem de Vijfde* maar in geringe mate door de dramatische bewerking werd ontwricht.

Bilderdijk is niet de eerste geweest die de twisten tussen Margareta en haar zoon voor het toneel bewerkte. Bij de uitgave van zijn onvoltooide stuk over *Willem de Vijfde* meen ik te hebben aangetoond dat Bilderdijk zich mede heeft geïnspireerd op de volgende drie treurspelen:

a. *Hertog Willem de Vijfde* (1774), door Simon Rivier,
b. *Margaretha van Henegouwen, Gravin van Holland en Zeeland* (1775), door J. Fokke,
c. *De Hoekschen en Kabeljauwschen* (1806) door H. Tollens Czn.

Verschillende elementen uit deze dramatische teksten bleken door Bilderdijk te zijn overgenomen, maar wat interessanter lijkt, is het feit dat de latere dichter ze zodanig heeft benut, dat zijn eigen onvoltooide treurspel als het ware een historisch-politieke 'correctie' op het werk van zijn voorgangers is geworden. Bij herhaling kon worden vastgesteld dat Bilderdijk bepaalde motieven uit de drie andere treurspelen in 'omgekeerde richting' heeft gebruikt: zo namelijk, dat ze niet langer ten voordele van gravin Margareta werkten, maar de lezer of toeschouwer juist vervulden met sympathie voor haar zoon en tegenstander Willem Verbeider!

Stellen wij tot slot nog vast dat Bilderdijk in ieder geval het plan had de drie bekende 'eenheden' in zijn stuk te handhaven. Uit het ontwerp valt op te maken dat *Willem de Vijfde* moest eindigen met een gelukkige ontknoping. De datering van dit blijeindend treurspel komt pas aan het slot van de volgende paragraaf ter sprake.

6. Treurspel over Willem van Arkel (collectie-Kollewijn, nr. 27; uitgegeven)

Aan de ommezijde van het blad met het compositie-schema van *Willem de Vijfde*, schreef Bilderdijk enige aantekeningen en het ontwerp voor een ander nationaal spel, dat

[209] Vgl. DW. XV, p. 114; De Jong (Nationale trsp., 1960) en *Tweede Boek*, hfdst. XIX, par. 2.

waarschijnlijk de titel *Willem van Arkel* zou hebben gekregen.[210] Omdat hij daarop tevens enkele data uit het leven van diens vader *Jan van Arkel* plaatste, is Kollewijn waarschijnlijk tot zijn al vermelde foutieve naamgeving gekomen. Van het treurspel in kwestie is verder alleen maar het begin van de openingsscène overgeleverd.

Volgens het door Bilderdijk geraadpleegde werk van Wagenaar moet de handeling plaatsvinden op 1 december 1417. In het conflict tussen Jacoba van Beieren en haar oom Jan zonder Genade, de elect van Luik, hadden de heren van Arkel de partij van de laatstgenoemde gekozen. Ze wilden zich meester maken van de stad Gorkum en het slot Arkel, waardoor Jan van Beieren nagenoeg geheel Zuid-Holland zou beheersen. Inderdaad kreeg Egmond voor hen de stad bij verrassing in handen. Kort daarop deed Jacoba echter vanuit het vroegere slot der Arkels een aanval op de stad die met succes werd bekroond. 'De Arkelschen waren wel vijfendertighonderd gewapenden sterk, en stonden geschaard, in eene straat, thans de *Krijtsteeg* genoemd. Hier viel, op den eersten van Wintermaand, een bloedig gevegt voor, in welk Vrouw Jakoba de overhand behieldt. Meer dan duizend man sneuvelde'er van de Arkelsche zijde, onder welken Jongkheer Willem zelf was. Egmond en veele Geldersche Edelen werden gevangen genomen: van welken 'er, sedert, eenigen onthalsd werden'.[211]

Wat nu in Bilderdijks treurspelontwerp over dit historisch gegeven opvalt, is de liefde van Jacoba van Beieren voor haar vijand Willem van Arkel. Er schijnt maar één geschiedkundige bron te zijn die daarvan melding maakt. Dat is het in 1656 te Gorkum verschenen *Leven der Doorluchtige Heeren van Arkel, ende Beschrijving der stad Gorinchem*, door Abraham Kemp.[212] Dit werk heeft Bilderdijk m.i. niet gekend. Indien dat wel het geval was, zou hij er in zijn *Geschiedenis des Vaderlands* zeker gebruik van hebben gemaakt om de verliefdheid van Jacoba aan de kaak te stellen. Hij deelt immers van deze 'slimme en doortrapte feeks' mee dat zij 'wulps van aart' was en dat Jan van Brabant 'physiek niet gesteld was, om haar te bevredigen'.[213] Nu moest hij er zich mee tevreden stellen zijn *Geschiedenis*, na het verslag over de gebeurtenissen te Gorkum, als volgt voort te zetten: 'Maar Jacoba, die nu sedert dan 4 April weduw was, moest weder een man hebben, en zij was geen wijfjen om den *annus luctus* (het jaar van rouw) verder uit te strekken dan volstrekt behoefde...[214]

Toch is het motief van Jacoba's liefde voor haar vijand geen verzinsel van Bilderdijk. Zoals aangetoond bij de uitgave van zijn toneelfragment, ontleende hij dit motief aan het in

---

[210] Ook deze aantekeningen ontleende Bilderdijk aan de *Vaderlandsche Historie* van J. Wagenaar.

[211] Wagenaar, a.w., dl. III, p. 419, 420 en – ongeveer hetzelfde – Bilderdijks GdV. IV, p. 60, 61.

[212] W.C.E. Peletier, *Jacoba van Beieren in het Nederlandsche treurspel*, Nijmegen 1912, p. 32. Blijkens de *Catalogus librorum Guilelmus Bilderdijk* d.d. 24 juli 1797 bezat Bilderdijk: C. van Zomeren, *Beschrijving der stadt Gorinchem en Landen van Arkel*, Gorinchen, 1755. Een niet door Peletier genoemd toneelstuk is Kornelis Zeventis, *Jacoba van Beyeren*, 1691, waarvan ik de titel aantrof op een kladblaadje van Bilderdijk (Ltk Museum te 's-Gravenhage, hschr. B. 583, adversaria 3), maar waarnaar ik tevergeefs zocht in Nederlandse bibliotheken.

[213] GdV. IV, p. 77, 78. Vgl. DW. XIV, p. 17.

[214] GdV. IV, p. 61. Moll , a.w., p. 24, herinnert eraan dat Tydeman de 'gemeenste' scheldwoorden aan het adres van Jacoba heeft onderdrukt.

1662 verschenen treurspel *Den onder-gang van Ionk-Heer Willem van Arkel*, door J. van Paffenrode, met welk stuk het ontwerp van Bilderdijk ook enkele andere overeenkomsten vertoont.[215] Maar er zijn even goed zwakke punten in aan te wijzen die men bij Bilderdijk verbeterd vindt. Met de eenheid van plaats heeft de zeventiende-eeuwse dichter moeten schipperen. Zijn toneel stelde voor: 'de stad en het slot van Gorinchem', terwijl Bilderdijks stuk alleen in de stad speelt. Bezwaarlijker is bij Paffenrode dat de 'hoofddaad' al in het vierde bedrijf is voltooid. Het vijfde bedrijf is een toevoeging die buiten het eigenlijke onderwerp staat; Jacoba dringt aan op de terechtstelling van de heer van Vernenburg, die bij de inname van Gorkum gevangen was genomen. Blijkens zijn ontwerp zou Bilderdijk deze 'fout' in ieder geval hebben vermeden. Paffenrode heeft ook enkele niet-historische figuren ingevoerd die de rol vervullen van 'vertrouweling'. Ook dit heeft Bilderdijk willen vermijden. Toch heeft ook hij een episode moeten toevoegen om de voorgeschreven vijf bedrijven vol te maken. Dat is de geschiedenis van Arkels verdwenen geliefde, die in het derde bedrijf door Jacoba wordt ontdekt in een klooster. Waarschijnlijk zou Bilderdijk door deze kunstgreep hebben bereikt dat de figuur van Willem van Arkel meer reliëf had gekregen dan bij Paffenrode het geval is. Overigens dient men er rekening mee te houden dat hij in een gunstiger positie verkeerde dan zijn voorganger. Bilderdijk had de 'fouten' in het werk van Paffenrode alleen maar vast te stellen en te trachten ze zelf te vermijden. Desondanks is hij blijkbaar nooit tot de uitwerking van zijn treurspel gekomen. Met betrekking tot Bilderdijks opvattingen als dramaturg kan tenslotte worden vastgesteld, dat een vergelijking van zijn ontwerp met het treurspel van Paffenrode tot de conclusie leidde dat Bilderdijk meer aandacht toonde voor de klassieke eenheden, en in het bijzonder voor de eenheid van handeling.

Bij de uitgave van de in deze en de vorige paragraaf besproken handschriften lijkt me afdoende bewezen dat ze ongeveer gelijktijdig zijn ontstaan, en wel in dezelfde periode als de drie treurspelen die Bilderdijk zelf heeft gepubliceerd. Dat is tussen ongeveer half maart 1808 en begin mei van dat zelfde jaar. Dat de onvoltooid gebleven toneelfragmenten ook qua inhoud aansluiten bij de oudste twee treurspelen uit de door Bilderdijk gepubliceerde trits, zal blijken bij de behandeling daarvan in hoofdstuk X.

7. Treurspel over Willem van Oranje (collectie-Kollewijn, nr. 28; gedeeltelijk uitgegeven)

Toen de bijna zeventigjarige Bilderdijk in 1824 een studie over de versificatie publiceerde, maakte hij daarbij gewag van een 'Treurspel over Willem den Eerste' dat hij in zijn 'eerste jongelingsjaren ontwierp en begon'.[216] Na de bij die gelegenheid door Bilderdijk zelf

[215] *Den onder-gang van Ionk-Heer Willem van Arkel*, treurspel door I.v.P., Tot Gorinchem, 1662 (exemplaar te Leiden). Zie ook Peletier, p. 22-39. en De Jong (Nationale trsp., 1960).

[216] NTDV. II, p. 155.

geciteerde openingsverzen is er nooit meer iets van dit treurspel bekend geworden. In 1891 meende Kollewijn te moeten betwijfelen of het stuk wel uit Bilderdijks 'eerste' jongelingsjaren was, maar hij deed dat zonder opgaaf van redenen. Verder deelde hij mede dat hij het ontwerp en enkele tonelen ervan in zijn bezit had.[217] Ik vond deze manuscripten onder het nr. 28 in Kollewijns collectie terug en kwam toen tot de ontdekking dat ze niets van het gepubliceerde fragment in verzen, maar wel *twee verschillende ontwerpen* en *een prozafragment* bevatten (in het vervolg aangeduid als Tekst-A, Tekst-B en Tekst-C).

Het eerste ontwerp (Tekst-A) opent met een gesprek tussen Balthasar Geraarts (Guion) en een Spaanse gezant. Daarna komt Willem van Oranje, wie door de 'Staatsvergadering' de soevereiniteit wordt aangeboden. De prins vraagt 'een dag beraad'. In het tweede bedrijf treedt onverwachts Parma op. Hij doet Willem een 'bijzonder aanbod van den koning', dat echter verworpen wordt. Parma is vergezeld van Oranjes zoon Filips Willem (Buren), die als gijzelaar wordt gebruikt. Als Oranje de soevereiniteit niet zou aanvaarden en ingaat op de Spaanse vredesvoorstellen, betekent dit de vrijheid voor Buren. De Spaanse gezant zou dit node zien. Liever wil hij dat Oranje wordt vermoord; hij bewerkt Guion door erop te wijzen dat deze zich door de moord tot een 'gewijd werktuig' zal maken. Bovendien laat hij het bericht van Burens terugkomst onder het volk verspreiden en de voorwaarde waarop hij zijn vrijheid zal kunnen terugkrijgen. Om de invloed van Parma te beperken, verwarring te stichten en zichzelf voor verdenking te vrijwaren, laat Guion aan Oranjes gemalin een briefje overhandigen waarin zowel Guion als Parma verdacht worden gemaakt. Louise de Coligny geeft in het derde bedrijf uiting aan haar vrees 'dat er verraad broeit'. Tijdens een gesprek met Buren vraagt ze hem naar Spanje terug te keren, zodat Willem, ongehinderd door zijn vaderlijk geweten, de soevereiniteit zal kunnen aanvaarden. Zoals Buren bereid is het offer van zijn vrijheid te brengen, zo wil Oranje zelf zijn zoon afstaan om te voldoen aan de wens van het volk, dat hem als soeverein wil uitroepen.

Als Louise hem in het vierde bedrijf het door Guion gebrachte briefje overhandigt, besluit Willem om Parma van een en ander in kennis te stellen. Guion, die hij even later ontmoet, wordt zo innemend en openhartig behandeld, dat hij besluit de moord op Willem *niet* uit te voeren. Op het tijdstip dat de vergadering plaatsvindt waarin Oranje zijn besluit mededeelt, krijgt Guion echter de opdracht tot doodslag van Parma zelf. Parma heeft zich voor het door de gezant opgehitste volk in veiligheid moeten stellen en meent nu (op grond van de leugens van de gezant) dat Oranje dubbel spel speelt. Hij denkt zelfs dat zijn eigen leven in gevaar is. Guion wordt er door de gezant van overtuigd dat ook hij verloren is en 'dat hij te besluiten hebbe om als een afvallige te vergaan of de martelkroon te verdienen'. Onmiddellijk nadat Guion zijn besluit genomen heeft, verschijnt de graaf van Hohenlo met troepen om Parma te beveiligen. Dit geschiedt na een speciale opdracht van Oranje. Parma komt daardoor tot de ontdekking dat het niet de prins is die door een volksoploop zijn leven in

[217] Kollewijn, dl. I, p. 50, 51; 448.

gevaar wil brengen. Hij ziet in dat hij ten onrechte aan Willems goede trouw heeft getwijfeld en zendt de gezant heen om tegenbevel aan Guion te geven. Als Hohenlo hem vervolgens mededeelt dat het de gezant is geweest die geruchten onder het volk heeft verspreid, weet Parma niet 'wat hij denken zal van deszelfs trouw of ontrouw'. Het laatste bedrijf toont Parma, die tevergeefs naar de gezant en Guion heeft gezocht, in de vertrekken van Louise de Coligny, 'die in een somber voorgevoel met hare kinderen zit te schreien'. Hij waarschuwt Buren dat zijn vader in gevaar is, maar het is al te laat. Men hoort het noodlottige schot en even later verhaalt Hohenlo de moord en de bekentenissen van Guion en de gezant. 'Willem wordt gekwetst op 't toneel gebracht, vergeeft Parma en den moorder, gelast Buren te rug te gaan, en Parma behouden te laten vertrekken, beveelt zijn kroost aan en sterft vol zucht voor 't Vaderland'.

Opmerkelijk in dit hecht gestructureerde eerste ontwerp is de psychologische parallellie tussen de protagonist en de antagonist, tussen de vermoorde en de moordenaar. Beiden verkeren in een conflictsituatie. De prins moet kiezen tussen de door de Hollandse staten aangeboden soevereiniteit en de door Spanje aangeboden vrijheid van zijn gegijzelde zoon; Guijon staat voor de keuze tussen eervolle trouw aan de kerk tegenover verachtelijke afvalligheid., terwijl tegelijkertijd zijn sympathie voor de prins in strijd is met zijn gegeven woord. Wie de inhoud van dit ontwerp met Bilderdijks *Geschiedenis des Vaderlands* vergelijkt, ziet verschillende afwijkingen. In het treurspel doet Bilderdijk het voorkomen alsof Oranje op 9 juli 1584 nog niet onmiddellijk kon besluiten de soevereiniteit te aanvaarden; in zijn *Geschiedenis* schrijft hij dat de prins daartoe al twee jaar eerder bereid was. Opmerkelijk is ook de aanwezigheid van Filips Willem, van wie (tot verbazing van Prof. Tydeman) in de *Geschiedenis* wordt medegedeeld dat hij 'geen voet in de Vereenigde Gewesten gezet' heeft.[218]

Het motief van de soevereiniteitsaanvaarding in verband met de mogelijke vrijlating van Oranjes zoon Filips Willem komt ook voor in een ander Nederlands treurspel. Onno Zwier van Haren gebruikte het in zijn *Willem de Eerste* van 1773. Zijn treurspel heeft nog enkele andere elementen met Bilderdijks ontwerp gemeen; ze zijn te opvallend om op toeval te berusten. Bilderdijk heeft kennelijk aan Van Harens *Willem de Eerste* ontleend. Hij had op latere leeftijd trouwens nog bewondering voor dat stuk, evenals voor de andere werken van Van Haren, die volgens hem uitblinken in 'de ziel verwarmende Vaderlandsliefde'.[219] Behalve de verbinding van het afwijzen der soevereiniteit aan de vrijlating van Filips Willem en een voor Oranje gunstig aanbod van de Spaanse koning, verschafte Van Harens stuk aan Bilderdijk ondermeer de onrust van Louise de Coligny die het verraad vermoedt en de

[218] GdV. VII, p. 70; 186, 274. Vgl. GdV. VI, p. 243 e.v.

[219] *Willem de Eerste, Prins van Oranje, treurspel in drie bedrijven. In: Proeve van Nederduitsche Treurspellen...*, door jonkheer Onno Zwier van Haren, Zwolle 1773; Bydragen, p. 186.

samenwerking van Rome en Spanje als belagers van Willems leven. Uit het laatste blijkt tevens dat juist dit ontwerp samenhangt met het prozafragment dat van Bilderdijks toneelstuk is bewaard gebleven (Tekst-C). De anti-roomse indruk die het fragment maakt, is bij Van Haren terug te vinden. Het is alsof Bilderdijk de Spaanse gezant d'Assonville en de schurkachtige monnik uit Van Harens stuk in de figuur van zijn gezant (die immers een geestelijke is) heeft verenigd. De mildheid waarmee Bilderdijks gezant in het ontwerp met martelkronen in de hemel strooit en Geraarts promoveert tot goddelijk werktuig, is terug te vinden in het verslag van het nachtelijk gesprek tussen de monnik Gery en Balthasar, in het tweede bedrijf bij Van Haren.[220] De moord op Oranje vindt in diens treurspel niet plaats op het toneel; evenmin bij Bilderdijk. Wel wordt bij laatstgenoemde de stervende prins nog voor het voetlicht gebracht.

Tot zover enkele ontleningen aan het stuk van Onno Zwier van Haren, waarvan Bilderdijks ontwerp overigens op genoeg punten afwijkt.[221] Maar ook die afwijkingen zijn niet allemaal origineel. Enkele gaan terug op weer een ouder Nederlands treurspel, dat ook Van Haren niet geheel onbekend zal zijn geweest. Het is *De dood van Willem den Eersten* door Claas Bruin. Dit treurspel is dikwijls opgevoerd en beleefde nog in 1781 een (derde) herdruk.[222] Bilderdijk noemde het 'gants niet verwerpelijk', maar schatte Van Harens treurspel hoger.[223] Van Claas Bruin stammen in Bilderdijks ontwerp het achterbakse optreden van de gezant die het volk in beweging brengt en de manipulaties met een briefje waarin iemand verdacht wordt gemaakt.[224] Het treurspel opent, evenals dat van Bilderdijk, met een gesprek tussen de Spaanse gezant en Balthasar Geraarts. Daarbij wijst de gezant op de grote beloning die de moordenaar te wachten heeft, terwijl Geraarts zelf enige aarzeling toont als hij de goede eigenschappen en de mildheid van de prins gedenkt. Dit gesprek, vermengd met de anti-roomse elementen uit Van Harens treurspel, herkent men in Bilderdijks prozafragment (Tekst-C).

Bij de uitgave van Tekst-C in 1958 heb ik – mede op grond van externe gegevens – kunnen aantonen dat dit proza-fragment de uitwerking is van het eerste toneel in het zojuist besproken ontwerp.[225] Ook de aan het begin van deze paragraaf genoemde openingsverzen die Bilderdijk zelf op latere leeftijd heeft gepubliceerd, gaan op het eerste toneel van dit ontwerp (Tekst-A dus) terug. Op grond van Bilderdijks eigen mededeling dat hij in zijn 'eerste

---

220 Van Haren, p. 30, 51; 14 e.v.; 17; 5, 23, 24; 23, 24, 25.

221 Bij Van Haren treden noch Filips Willem, noch Guion op als handelend personage.

222 De Dood van Willem den Eersten, prins van Oranje, treurspel, Amsterdam 1721; Worp (1908), dl. II, p. 138.

223 Bydragen, p. 186. Ook elders heeft Bilderdijk zich niet zonder enige lof over het werk van Claas Bruin uitgelaten. Zie: Over het trsp. in Nl., p. 12.

224 Het treurspel van Bruin werd uitvoerig en waarderend besproken door Strengholt (1964). De dramatis personae in het stuk van Bruin zijn: Oranje, Louise de Coligny, Maurits, De Spaanse gezant, Marnix, Oldenbarneveld, graaf van den Berg, stalmeester Malderee en Balthasar Geraarts. Bij Van Haren ziet men dezelfde figuren, met uitzondering van Maurits en Balthasar. Wel behoren in zijn stuk tot de sprekende personen: de minderbroeder Gery en Graaf Lodewijk van Nassau.

225 De Jong (W.v.O., 1958), p. 98 e.v.

jongelingsjaren' een stuk over Willem van Oranje ontwierp en tevens op grond van de in Tekst-A en Tekst-C gebruikte spelling, kon tenslotte worden geconcludeerd dat Bilderdijk na 1776 en voor 1781 moet hebben gewerkt aan het hier besproken ontwerp (Tekst-A), aan het in 1958 uitgegeven prozafragment (Tekst-C), en aan het door hemzelf gepubliceerde fragment in verzen.

Het watermerk, het handschrift en de spelling van Bilderdijks andere treurspelontwerp (Tekst-B) zijn anders dan die van de beide andere manuscripten.[226] Ik ben geneigd een latere datum van ontstaan aan te nemen. Ook de structuur van dit tweede ontwerp wijst in die richting. In de eerste opzet van het treurspel (Tekst-A) zou Bilderdijk nooit de eenheid van plaats stipt hebben kunnen handhaven. Het eerste bedrijf speelt zich af in de vergaderzaal van de Staten en het vierde in de huiskamer van Louise de Coligny. Ook is het onwaarschijnlijk dat de handeling in één dag zou plaatsvinden, aangezien Willem in het eerste bedrijf 'een dag beraad' aan de Statenvergadering vraagt en aan het slot zijn besluit in een tweede vergadering meedeelt. De structuur van het tweede ontwerp (Tekst-B) is strenger. Hetzelfde gegeven schijnt met meer classicistisch vakmanschap te zijn behandeld. De briefjes-intrige is verdwenen en er zijn geen aanwijzingen dat de eenheid van plaats niet zou kunnen worden gehandhaafd; bovendien voltrekt zich de handeling in één dag. De beide vergaderingen zijn namelijk vervallen. In plaats daarvan komen Marnix en Oldenbarneveldt (die ook in de stukken van Claas Bruin en Van Haren optreden) nu in het tweede bedrijf de soevereiniteit aanbieden om het besluit van Oranje aan de Staten te kunnen overbrengen. 'Aan 't hoofd eener Staatskommissie' keert Oldenbarneveldt in het laatste bedrijf terug: 'De deuren worden geopend. Willem komt. Gejuich. – De noodlottige slag wordt gehoord, en alles valt in verslagenheid'.

Vooral de eenheid van handeling valt in dit ontwerp op. En het is mede daarom dat ik het zou willen plaatsen na 1806, het jaar waarin Bilderdijk uit zijn vrijwillige ballingschap naar Nederland terugkeerde. Kort daarop immers schreef hij zijn verhandeling *Het treurspel*, waarin hij de noodzakelijkheid betoogde van: 'de Eenheid van een Dichtstuk, de Eenheid van voorwerp, de Eenheid van daad'.[227] Alles hangt in dit tweede ontwerp aan één ding: het al of niet aanvaarden van de soevereiniteit door Oranje. In het gesprek tussen de Spaanse gezant en Guion, waarmee ook dit treurspel op voorbeeld van Claas Bruin opent, worden geen martelkronen beloofd. De gezant krijgt van Guion de zakelijke belofte dat hij Willem zal vermoorden als deze het gezag aanneemt. Zelf waarschuwt hij Oranje voor de beslissing: 'de stap die gij doen zult, zal u het leven kosten'. Daarmee is de *expositie* voltooid. Een expositie waarin Oranje 'zijn dood (verbindt) aan de aanneming', zoals Bilderdijk boven zijn ontwerp schreef. De ontknoping, die Willem de soevereiniteit doet aanvaarden, betekent daarom

[226] Het watermerk is een m.i. niet dateerbaar vrijheidsmerk.

[227] Trsp., p. 147.

noodzakelijkerwijs zijn sterven. Oranje ziet dat zelf in. Na de waarschuwing van de Spaanse gezant spreekt hij tot Oldenbarneveldt en Marnix: 'Ik weet dat het mij het leven zal kosten. Ja, Spanje gevoelt dat Holland onoverwinnelijk zijn zal met een vorst. Hij vreest dit en dit alleen. En Spanje heeft recht – ô mogen de Nederlanden eens vereenen onder een Vorst, tot één Koninkrijk! Dan zult gij gelukkig, dan groot, dan uw lot gewenscht zijn. En dit betale ik gaarne met mijn bloed'.[228]

Ik zie in deze hulde aan het koningschap een tweede reden om het handschrift te plaatsen na 1806, en wel ten tijde van koning Lodewijk Napoleon.[229] Als een derde aanwijzing voor deze datering beschouw ik de andere verhouding tussen de gezant en Guion, of – met andere woorden – het verdwijnen van de anti-roomse elementen. Kollewijn merkte al op dat Bilderdijks sympathieën voor de moederkerk het sterkst tot uitdrukking komen tijdens de regering van Lodewijk Napoleon en uit enkele onuitgegeven brieven bleek me dat de dichter alles wilde vermijden wat de katholieke Lodewijk zou kunnen ergeren. Het ontbreken van krenkende uitlatingen voor katholieke lezers is te opvallender, omdat uit een brief van Bilderdijk aan Tydeman blijkt dat hij de voorstelling van zaken in zijn eerste ontwerp als historicus helemaal niet zo verwerpelijk vond...[230]

Als de hier weergegeven gedachtengang juist is, heeft Bilderdijk zich driemaal met een treurspel over Willem van Oranje beziggehouden: tweemaal (in proza en poëzie) voor zijn verbanning (tussen 1776 en 1781) en één keer na zijn terugkeer in het vaderland (rond 1808?). De laatste maal bracht hij het niet verder dan een ontwerp. Vast staat dat hij bij al zijn plannen gebruik wilde maken van gegevens die hem door de treurspelen van Claas Bruin en Onno Zwier van Haren waren aangereikt.

---

228 Opvallend is dat Bilderdijk in een brief van 11 sept. 1808 Prof. H.W. Tydeman verbaast met een theorie over de moord op Willem van Oranje, die geheel met de voorstelling van zaken in dit treurspelontwerp overeenkomt. Als Tydeman bijzonderheden vraagt, antwoordt Bilderdijk dat dit 'niet slechts uit (z)ijn hart opgeweld' is, maar hem 'in vreemde landen meer dan eens geopperd door lieden, die meer of min werk van onze geschiedenis maakten' (Tyd. I, p. 83, 107).

229 Een duidelijke hulde aan het koningschap staat eveneens in Bilderdijks aan Lodewijk Napoleon opgedragen treurspel *Floris de Vijfde*, dat verscheen in 1808. (Bilderdijks houding tegenover koning Lodewijk – in 1805 en 1809 verscheen óók zijn anti-Franse bundel *Vaderlandsche Oranjezucht* – komt ter sprake in het *Tweede Boek*.)

230 Kollewijn, dl. II, p. 109. Over Bilderdijk en het katholicisme: De Jong (Maria, 1956), p. 272 e.v., Van Eijnatten (1998), p. 469 e.v. Vgl. verder de in noot 428, vermelde onuitgegeven brieven van Bilderdijk aan Valckenaer van 18 mei en 18 juli 1808. Handschriften te Leiden, copie: Portefeuilles Margadant; Tyd. I, p. 107.

HOOFDSTUK VI

GESCHIEDENIS VAN OVER DE GRENZEN

1. De 'eerste' Elfriede (niet teruggevonden)

Op 18 augustus 1806 schreef Bilderdijk aan Jeronimo de Vries dat zijn tweede vrouw 'reeds voor ons huwelijk' een treurspel had gemaakt waarvan hij vooral het eerste bedrijf 'wat Engelsch, dat is wat flaauw en bedrijveloos' noemde; 'maar de rest is in der daad schoon', zo voegde hij eraan toe. De achtste oktober van dat zelfde jaar schreef Bilderdijk opnieuw aan De Vries : 'A propos! weet gij dat mijne vrouw een zeer schoon Engelsch Treurspel gemaakt heeft?' En hij vervolgde: 'Zij heeft reeds beproefd om het in't Neêrduitsch te brengen, maar ik ben daar zeer tegen. Het Treurspel eischt een zekeren stijl en toon, die oneindig moeilijk zijn te treffen, op dat zij niet te brommend en niet te nederig zijn. En hoe zal zij dit in eene taal, haar eigenlijk vreemd?'[231] Twee jaar later gaf Bilderdijk zijn treurspel *Willem van Holland* uit, gevolgd door de *Elfriede* van zijn 'Egade'. In het voorwoord schreef hij dat Vrouwe Katharina Wilhelmina haar 'lang voorheen... in Engelsche verzen' vervaardigd treurspel had bewerkt en: 'Eene geheel nieuwe en oorspronkelijke Hollandsche *Elfriede* was er de vrucht van'. Bilderdijk wijst er nadrukkelijk op dat *Elfriede* 'geheel oorspronkelijk gedacht en geschreven is'.[232] Ook in een op 23 april 1808 aan M. Tydeman gerichte brief onderstreepte Bilderdijk de oorspronkelijkheid van het door zijn vrouw geschreven treurspel. Bij die gelegenheid onthulde hij ook de historische kern: 'Een koning van Engeland (Edgar: 941-57) getroffen door de schoonheid van een meisjen (Elfrida) zendt zijn gunsteling (Athelword), om haar uit te vorschen en hem ten huwelijk te vragen; en dees trouwt ze zelf; 't ontdekt zich; de koning doodt hem in een lijfgevecht. Dit's de geschiedenis, (Hume I, p. 133-135) daar van heeft de Engelschman Manson [bedoeld is: Mason] een Treurspel met reiën gemaakt (zoo 't heet) in den trant der Ouden: een prul, maar waar de Engelsche geleerden veel meê op hebben. Een Duitscher heeft daaruit een Hoogduitsch Drame onder den naam van *TRAUERSPIEL, gemanufacturieert*; en dit heeft *Kastelein* in Ned. verzen gebracht en is aan den Amsterdm. Schouwburg. – Mijne vrouw kent geene dezer producten, maar volgt de leiding van mijne vroegere lessen, toen ik haar in Engeland, als meer anderen, de Tooneelpoëzy onderwees.[233]

---

[231] Br. II, p. 100, 101; 115; vgl. Kollewijn, dl. I, p. 256 en 453. Vgl. Da Costa (1859), p. 230.

[232] Trsp., dl. I, p. I-IV.

[233] Tyd. I, p. 71. Het Engelse stuk van W. Mason is: *Elfrida, a dramatical poem*. Bilderdijk bezat hiervan een Parijse uitgave van 1805 (Catalogus 1832, p. 68). Met het stuk van 'Een Duitscher' bedoelt Bilderdijk het treurspel *Elfride*, in drie bedrijven, van F.J. Bertuch. Dit verscheen in 1775. Drie jaar later werd te Amsterdam een Nederlandse prozavertaling uitgegeven in het zesde deel van de *Spectatoriaale Schouwburg*. De vertaling van P.J. Kastelein kreeg ik niet onder ogen. Worp (1908), p. 325, deelt mede dat ze werd gedrukt in 1783, 1787 en 1800. Volgens Bilderdijk gaat het stuk van Bertuch terug op dat van Mason (DW. XV, p. 66); voor de Nederlandse vertalingen had hij slechts verachting (Tyd. II, p. 308; Brief aan K.W. Schweickhardt, Portefeuilles Margadant 18-I-1797; Briefwisseling II, p. 282, 283). De verwantschap met het Engelse treurspel van Mason die Schröder zonder bewijsvoering in het stuk van Vrouwe Bilderdijk opmerkt (P.H. Schröder, *Parodieën in de Nederlandsche letterkunde*, Haarlem 1932, p. 202), zou

De laatste zin is momenteel het belangrijkst. Niet zozeer vanwege die waarschijnlijk betwijfelbare 'meer anderen' als wel door de mededeling dat Bilderdijks vrouw in haar treurspel 'de leiding' volgde van zijn 'vroegere lessen'. Waaruit die lessen bestonden, wordt duidelijker als men de schertsende mededeling leest die Bilderdijk in maart 1797 vanuit Londen aan zijn schoonzus deed. Hij schreef: 'Er is hier een jong Meisjen, dat by my in den kraam moet (ja, Z[uster], 't is zoo) van een Engelsche Tragedy, waar van ik de Vader ben; ze is werklyk in arbeid, en nu moet ik zelf *Accoucheur* wezen, dat het ergst is, en de versen corrigeeren...'.[234]

Meer opheldering verschaffen Bilderdijks brieven aan Katharina Wilhelmina.[235] Uit die brieven valt op te maken dat zijn van hem gescheiden geliefde – aan Bilderdijk was omstreeks 10 september 1796 de toegang tot haar ouderlijk huis ontzegd – een Engels treurspel in verzen wilde schrijven dat vóór eind januari 1797 gereed zou moeten zijn. Die deadline had vermoedelijk te maken met de kans op een opvoering en werd later verschoven. Pas in april 1797 was het treurspel gereed, maar het werd bij mijn weten nooit gespeeld of gedrukt. Nochtans had Bilderdijk vurig gehoopt dat het stuk een succesvolle 'enterprize' zou zijn waardoor alles zou veranderen en er een einde zou komen aan de onzekerheid waarin hij en zijn geliefde moesten leven. Dat laatste staat in een brief van 7 maart 1797. Enkele maanden tevoren, op 24 december 1796, was er voor het eerste sprake van het Engelse treurspel. Bilderdijk schreef toen dat hij bereid was Katharina Wilhelmina te helpen bij het maken van een 'tragedy'. Zelf wist ze geen geschikt onderwerp en Bilderdijk raadde toen het Elfriede-motief aan. Op 2 januari 1797 beloofde de dichter: 'I will write the plan, the outlines of the Tr[agedy]'. Kort daarop schreef Bilderdijk ervan overtuigd te zijn dat Katharina Wilhelmina zijn tekst 'perfectly well translated' had, maar hij zou toch een en ander graag nazien. De term 'translated' wijst er al op dat de Engelse 'tragedy' van Bilderdijks geliefde oorspronkelijk in het Nederlands moet zijn geschreven door Bilderdijk zelf. Maar Bilderdijk bemoeide zich ook met de Engelse tekst. Uit zijn brieven blijkt dat hij Katharina Wilhelmina's vertaling in Engelse verzen in het net overschreef en daarbij hier en daar veranderingen aanbracht. Op 6 maart 1797 schreef hij: 'Your tragedy, as far as I am in possession of it, is most done, my dearest, and I want the suit of it. Be so kind as to send it to me; it is the only business I do with pleasure'. Daags daarop vroeg hij opnieuw om het vervolg en op 17 maart schreef hij: 'When you send me the part of the tragedy, I returned you this morning, or a deal of it, be so kind, as to put with it, the Dutch Ms. because my memory is so very bad, that often

eerst eens duidelijk moeten worden aangetoond alvorens ze aannemelijk wordt. Uit Bilderdijks briefwisseling met J.L. Kesteloot blijkt dat het dichtende echtpaar pas in 1809 in het bezit kwam van de Engelse tekst (*Gentsch Kunst- en Letter-Blad*, 2 febr. 1840). De historische bron van de Elfriede-drama's, door Bilderdijk aangeduid als 'Hume', is het eerste deel van: David Hume, *The history of England, from the Invasion of Julius Caesar to the Revolution in 1688*, London 1763.

234 Gedenkboek p. 418. De schoonzus is mevr. M.P. Elter-Woesthoven (Tekst volgens Briefwisseling -1988- II, p. 313).

235 Ik heb gebruik gemaakt van de copieën in de *Portefeuilles Margadant*, die mij in de jaren vijftig van de vorige eeuw ter inzage waren gegeven door prof.dr. J. Wille te Baarn, bij wie ze toen berustten (vgl. De Jong -1989- Maatstaf en de 'Inleiding' bij het onderhavige *Eerste Boek*, noot 19). Zie ook Briefwisseling (1988) II.

4. Slottafereel in het treurspel *Fatal love* en *Elfriede* van Katharina Wilhelmina Schweickhardt. Tekening door Bilderdijk.
(Nederlands Instituut voor Wetenschappelijke Informatiediensten (NIWI), Amsterdam, sign. B CVII; Van Eijnatten,1998, p. 453.)

ELFRIEDE (*Opstaande en zich tot den omstaanden kring wendende*) [...]

Ik sterf, getrouw aan hem !

(*Zy trekt een pook, doorsteekt zich, en valt op het lijk van Edelwold.*)

EDGAR en ROBERT, *te gelijk*.

Help Hemel !

ELFRIEDE (*stervende*)

Dierbre Gade !

I don't more recollect my own ideas'. Een dag nadien heette het: 'When all is done, it is needful, that we read together my copie, because I was obliged to change some particularities in a few number of verses &c. Which alterations (it is sure) must be changed again, not to shock the English reader'. Tenslotte leest men in de al in de Inleiding geciteerde brief van 18 juni 1798 aan J. Kinker: 'Pour la tragédie, je l'aime au dessus de toutes choses; mais j'ai perdû le stile concis et énergique qu'elle demande. En Angleterre j' en ai fait une en prose, qu'on a mise en vers Anglois...'.

Helaas bleken de Nederlandse proza-handschriften van Bilderdijks *Elfriede* uit 1796 niet meer te achterhalen. De Engelse tragedie kreeg de titel *Fatal Love* en werd vanuit Bilderdijks net-handschrift anno 2002 uitgegeven door M. van Hattum, die er de tekst naast plaatste van het in 1808 verschenen treurspel *Elfriede* door vrouwe Katharine Wilhelmine Bilderdijk.[236] Dat Bilderdijk ook in de versificatie van dit Nederlandse treurspel een belangrijk aandeel had, lijkt me aan geen twijfel onderhevig.

Tenslotte: er bestaan geen belangrijke structuurverschillen tussen beide toneelteksten. Zowel in 1797 als in 1808 werden de drie traditionele eenheden gehandhaafd en eindigde het stuk met twee zelfmoorden bij open doek. Na de dood van haar echtgenoot Ethelwold of Edelwold doorsteekt Elfrida of Elfriede zichzelf op zijn lijk. Bilderdijk vond deze 'catastrofe des stuks' zo indrukwekkend, dat hij er een tekening van maakte die hij ook in 1808 nog geschikt achtte als eventueel vignet bij de uitgave van *Elfriede*.[237]

2. Treurspel over Zoë (collectie-Kollewijn, nr. 17)

Het zeventiende handschrift uit de collectie-Kollewijn is een moeilijk te ontcijferen ontwerp dat zich bevindt op de binnenzijde van een over de brede kant gevouwen kwart-vel. Op de buitenkant staan enkele Griekse woorden en een bronvermelding, die kennelijk zijn bedoeld als verkorte aanduiding van een 'motto'. Het gaat om het tweede boek van Plato's *Politeia, 376 E.* In dit gedeelte wordt de vraag gesteld, hoe men de 'wachters'[238] van de staat het best kan opvoeden. Men besluit deze kwestie terdege te bespreken, waarop Socrates vervolgt: 'Come, *then*, just *as if* we were telling stories or fables and had ample leisure, let us educate these men in our discourse'. 'So we must'. XVII. '*What, then*, is our education? Or is it hard to find a better than that which long time has discovered? Which is, I suppose, gymnastics for the body and for the soul music'. 'It is'. 'And shall we not begin education in music earlier than in gymnastics?' 'Of course'. 'And under music you include tales, do you not?' 'I do'. 'And tales are of two species, the one true and the other false?' 'Yes'. 'And education must make use of both, but first of the false?' 'I don't understand your meaning'. 'Don't you

[236] Vrouwe Bilderdijk's drama's *Fatal Love* en *Elfriede*. Een parallel-uitgave (ed. M. van Hattum), Amstelveense Cahiers 2, Amstelveen 2002 [fotocopie].

[237] M. van Hattum, 'Fatal Love meets Elfrida. Twee dramaversies van Vrouwe Bilderdijk', *Het Bilderdijk-Museum* 19 (2002), p. 11-24. Zie illustratie nr. 5.

[238] De uitdrukking 'wachters' slaat op de soldatenstand. Vgl. B.H. Bal, *Plato*, Haarlem (Klassieke Bibliotheek, dl. II) 1953, p. 311.

understand', I said, 'that we begin by telling children fables and the fable is, taken as a whole, false, but there is truth in it also? And we make use of fable with children before gymnastics'. 'That is so'. 'That, then, is what I meant by saying that we must take up music before gymnastics'.[239]

Het zijn de hier gecursiveerde woorden die Bilderdijks motto aanduidden. Het feit dat hij het laatste woord nadien heeft geschrapt, wekt het vermoeden dat hij bij nader inzien alleen de eerste zin wilde citeren. Hoe het 'motto' precies zou hebben geluid, lijkt mij van minder belang. Maar interessant is dat Plato's tekst ons een middel aan de hand doet om de bedoeling vast te stellen die Bilderdijk met zijn stuk had. Die bedoeling was van pedagogische aard. 'By telling stories and fables', wilde Bilderdijk de mensen opvoeden. Dat voor het bereiken van dit doel de waarheid van het verhaalde volkomen irrelevant is, blijkt uit de laatste zinnen van het geciteerde Plato-fragment. We zullen daarmee rekening moeten houden bij de bespreking van Bilderdijks ontwerp.

Dit ontwerp is overigens zeer onduidelijk. Er valt alleen uit op te maken dat een keizer *Otto* is voorbestemd om te trouwen met Lutgaarde, de dochter van *Eggaart van Meissen*, op wie een zekere *Werner* verliefd is. Otto moet zijn liefdesbetrekkingen verbreken met een 'verleidster', die de naam Zoë draagt. Uiteindelijk drinkt hij met haar de gifbeker en beiden worden stervend aangetroffen door Lutgaarde. In Bilderdijks schets staan verder de namen: *Hendrik van Beieren, Bisschop Adelbert, Rome* en *Engelenburg*. Afgaande op deze namen, kwam ik tot de conclusie dat Bilderdijk een toneelstuk heeft willen schrijven over keizer Otto III, die op 23 januari van het jaar 1002 in Italië is gestorven. Tot diens medewerkers behoorden Eckart von Meissen en Heinrich von Baiern, en bovendien zijn voor hem de stad Rome en de daar gelegen Engelenburcht van grote betekenis geweest. Zeer innig waren ook zijn betrekkingen tot bisschop Adelbert van Praag, die in 997 de marteldood stierf. Von Giesebrecht noemt Otto: 'Mönch und Kaiser in einer Person', en in 1928 schreef Menno ter Braak een proefschrift over hem waarin zijn ascetische neigingen worden belicht. De laatstgenoemde karaktertrek maakt deze keizer voor de dichterlijke verbeelding zeker interessant, evenals zijn vroege dood (Otto III stierf ongehuwd op tweeëntwintigjarige leeftijd) en de omstandigheid dat er zeer weinig gegevens over zijn leven bekend geworden zijn.[240]

Bilderdijks voorstelling van Otto als wanhopige minnaar kan slechts tegen de achtergrond van één geschiedkundig feit worden verklaard. In Constantinopel zijn namelijk

---

[239] Ik gebruik de vertaling van: Paul Shorey, *Plato's Republic* (The Loeb Classical Libary), London-New York 1930, dl. I, p. 175, 176. Het begrip 'music' wordt door Plato omschreven in *Politeia*, II, 376 C. Shorey (p. 175) vermeldt de volgende betekenissen: 'playing the lyre, music, poetry, letters, culture, philosophy, according to the context'.

[240] Wilhelm von Giesebrecht, *Geschichte der deutschen Kaiserzeit*, erster Band, Braunschweig 1855, p. 723; 669, 701, 691; 656; Menno ter Braak, *Kaiser Otto III. Ideal und Praxis im fruehen Mitelalter*, Amsterdam 1928. Hierin vooral het vierde hoofdstuk: 'Die asketischen Neigungen Ottos III. in ihren Verhältnis zur Politik und zur seiner Persönlichkeit', p. 231 e.v. Vgl. Von Giesebrecht, p. 642 e.v., 681 e.v., 691, 710, 714.

pogingen ondernomen om voor Otto de hand van een keizersdochter te verwerven.[241] Of Bilderdijk hieraan heeft gedacht toen hij zijn ontwerp opstelde, is lang niet zeker. Eerder neem ik aan dat de dichter een eigen bewerking heeft willen geven van een sage die schijnbaar al kort na Otto's dood is ontstaan. Von Giesebrecht schrijft daarover: 'Das Andenken an einen jungen Kaiser von so wunderbar phantastischer Sinnesart und so unglücklichen Schicksalen konnte der Welt nicht leicht entschwinden; poetische Sagen stiegen aus Ottos frühem Grabe auf und bewahrten sein Gedächtnis unter dem Volke länger, als die nüchterne Kunde der Geschichte. *Schon früh glaubte man, dasz Otto durch Verraht der Liebe seinen Untergang gefunden habe*; man mochte sich dieses glühende Herz, für die Freundschaft so empfänglich, nicht unberührt von dem Zauber der Liebe vorstellen. Stephania, eine schöne, aber stolze und herzlose Römerin, des Crescentius Wittwe – so berichtet die verbreiteste Sage – fesselte mit ihren Reizen das Herz des Jünglings, und als er sich ganz ihr ergab, *tödtete sie ihn*, um den Tod ihres Gemahls zu rächen, durch Gift'.[242]

In afwijking van een aantal ridderdrama's uit de Sturm und Drang-periode, heeft Bilderdijk het wraak-element niet uit de sage overgenomen.[243] Zijn toneelstuk is ingewikkelder, mede omdat hij Werner als de eigenlijke minnaar van Lutgaarde laat optreden: een motief dat herinnert aan een stuk van Theodore Rodenburgh, die daarvoor heeft ontleend aan een Italiaanse novelle van Bandello en wellicht ook aan een toneelstuk van Lope de Vega.[244] Het lijkt me niet onmogelijk dat Bilderdijk in dit opzicht enige verplichting heeft aan de door hem nogal bewonderde Rodenburgh, wiens toneelstuk hij trouwens met de pen in de hand blijkt te hebben doorgewerkt.[245]

---

[241] Von Giesebrecht , a.w., p. 638, 710, 714.

[242] Von Giesebrecht, a.w., p. 725. De cursivering is van mij. (Johannes Crecentius was Otto's grootste tegenstander in Rome. De keizer liet hem onthoofden op 29 april 998; nadien werd zijn lijk op gruwelijke wijze geschonden. Von Giesebrecht, p. 669. Ook: p. 641, 666, 667).

[243] M. Morgenroth, Kaiser Otto III. in der deutschen Dichtung, Breslau 1922.

[244] Het stuk van Rodenburgh bestaat uit drie delen (verschenen in 1616, 1617 en 1618) en heeft de titel *Keyser Otto den derden, en Galdrada*. De inhoud vat de auteur zelf als volgt samenAls Keyser *Ott*' victory / In Romen had getreft, ten tyd van *Paus Gregory*, / Hy keerend' na zijn Rijck, verliefden in *Florens* / Op een Joffrouw *Galdraed*, maer missende zijn wens, / Mits dat Galdradas deughd de Keyser kost afweeren, /Geeft *Otto* heur ten echt een van zijn grootste heeren.

Vgl. W. Zuidema, Theodore Rodenburgh, TNTL 1902, p. 276 en J. Alblas, *Bibliographie der Werken van Theodoor Rodenburgh*, Utrecht 1894, p. 4 en 5. Bandello noemde zijn novelle: *Ottone Terzo imperadore ama Gualdrada senza esser amato e honoramente la marita*. Het bedoelde stuk van Lope de Vega is La major victoria (R.A. Kollewijn, *'Theodore Rodenburgh en Lope de Vega'*, De gids 1891, dl. III, p. 359). Voor de 'fortuna' van Bandello: K.H. Hartley: *Bandello and the Heptaméron; a study in comparative literature*, Melbourne 1960. De invloed van de novellenliteratuur op vroegere toneelstukken mag niet worden onderschat (Worp (1904), dl. I, p. 359). In 1598 verscheen een merkwaardige vertaling *Tragische ofte klaechlycke Historien*, waarin de bron van verscheidene stukken (o.a.van Rodenburgh, Brandt en Starter) is terug te vinden. Een der daarin voorkomende novellen van Matteo Bandello leverde een ander fantastisch stuk over Otto III op, nl. *de Vryage van Aleran van Saxen en Adelasie dochter van Keyser Otto den derden* door J.C. van Schagen, verschenen te Dordrecht in 1632 (Vgl. J. de Witte van Citters, 'Eene Hollandsche vertaling van Italiaansche novellen in den aanvang der zeventiende eeuw', De Nederlandsche Spectator 1873, p. 140 e.v.). Ook de 'Tragi-comedie' *Den Spiegel der Eerbaerheyt* van Jacob Duym († 1624?) gaat op een verhaal uit deze bundel terug (G. Wildeboer, *Over de tooneelspelen van den Leidschen rederijker Jacob Duym*, Groningen 1898, p. 19). Dat Shakespeare aan Italiaanse novellen heeft ontleend, komt ter sprake in hoofdstuk VII, par. 6. (Voor Rodenburgh: W. Abrahamse, *Het toneel van Theodore Rodenburgh (1574-1644)*, Amsterdam 1997.)

Merken wij met betrekking tot Bilderdijks treurspelontwerp ook op dat hij een innerlijke strijd in Otto zou hebben geschilderd, door hem te plaatsen tussen Lutgaarde, die hij als vorst moest –, en Zoë die hij als jonge man verlangde te huwen. Otto volgt aanvankelijk zijn plicht als keizer en onderdrukt zijn liefdegevoelens voor Zoë (derde bedrijf). Maar als hij in het laatste bedrijf Zoë de gifbeker 'der vergetelheid' ziet drinken, blijkt zijn wil toch niet opgewassen tegen zijn gevoel en verenigt hij zich met zijn geliefde in de dood. Hij onttrekt zich aan zijn plicht als keizer en vlucht ook zelf in de 'vergetelheid'. Daarmee is meteen het al besproken 'motto' uit Plato's *Politeia* verklaard; de door Bilderdijk verhaalde geschiedenis was onwaar en berustte op een sage. Wáár echter was de lering die eruit te trekken viel: de vorstelijke treurspelheld moet [evenals bij Corneille] de wil tot plicht kunnen stellen boven zijn gevoel tot liefde. In Corneilliaanse zin is Bilderdijks Otto III een anti-held.

Tenslotte kunnen wij vaststellen dat dit ontwerp vijf bedrijven heeft, dat Bilderdijk de klassieke eenheden wilde eerbiedigen, en dat het laatste bedrijf twee stervende mensen zou hebben vertoond. De datum van ontstaan is niet te bepalen, maar de spelling wijst op na 1778.[246]

3. Treurspel over Pizarro (collectie-Kollewijn, nr. 15)

Het vijftiende handschrift van Kollewijn biedt een voorbeeld van: 'un voyage qu'a fait (la) muse tragique chez les Américains', zoals Voltaire eens bij een van zijn in overzeese gewesten spelende treurspelen opmerkte. In die tragedie (de door N.S. van Winter nagevolgde *Alzire ou les Américains*) is er sprake van een gehuwde vrouw wier minnaar gevangen wordt genomen en van de tegenstelling tussen de Spaanse veroveraars en de oorspronkelijke bevolking van Peru. Hoewel dergelijke elementen aanwijsbaar zijn in Bilderdijks ontwerp, zou zijn stuk totaal anders zijn geworden dan het Franse treurspel van Voltaire. Het zou ook weinig verwantschap hebben vertoond met de vier treurspelen – waaronder één van Nomsz en één onvindbaar van Feith – die geïnspireerd waren door de destijds veel verspreide en bewonderde roman *Les Incas ou la Destruction de l'Empire du Pérou* (1777) van de Franse pamflettist en librettist Jean-François Marmontel. Dit boek werd onmiddellijk in het Nederlands vertaald. Het was een requisitoir tegen de gouddorst van de Spanjaarden en tegelijkertijd een pleidooi voor de ingeboren goedheid van de door hen onderdrukte Inca's in Peru. Een boek dat het in de achttiende eeuw bekende literairhistorisch motief van de 'bon sauvage' vertegenwoordigt en waarin ook een aandoenlijke liefdesgeschiedenis voorkomt.[247]

---

245 Voor Bilderdijks mening over Rodenburgh: zie *Tweede Boek*, hoofdstuk XVII. In map B 583, adversaria 3 van de collectie-Leeflang (Letterkundig Museum te 's-Gravenhage) bevindt zich een blaadje waarop Bilderdijk een aantal plaatsen uit Rodenburghs toneelstuk heeft overgeschreven. (Voor 'Curieuse geomancie'in Rodenburghs stuk over Otto III: P.E.L. Verkuyl in *De zeventiende eeuw* 5 (1989) 2, p. 1-32.)

246 Volledigheidshalve vermeld ik dat Bilderdijks ontwerp geen enkele overeenkomst vertoont met het gelijknamige drama van Mercier, dat in het Nederlands werd vertaald door P.F. Lijnslager, *Zoë, toneelspel naar het Fransche, van den heere Mercier*, Amsterdam 1785.

247 Het citaat uit een brief van Voltaire, d.d. 27 juni 1733, staat bij Lion (1895), p. 98. Over het stuk van Voltaire: Lion, p. 110; voor de navolging van Van Winter: Van Melle (1959), p. 27 e.v. Van het onvindbare en waarschijnlijk ook

Het is juist deze liefdesgeschiedenis over het tot maagdelijke dienst in een heidense zonnetempel gedwongen Indiaanse meisje *Cora*, die Bilderdijks landgenoten heeft geïnspireerd. Terwijl Jan Nomsz zijn treurspel nog *Cora, of de Peruanen* (1784) noemde, kwam Jan Verveer voor de dag met *Cora, of de Zegepraal der Liefde op het Bijgeloof* (1790) en Andries Kraft met *Alonzo of de Zegepraal der liefde* (1798). Zoals de titels al doen vermoeden, hebben de Nederlandse auteurs, in afwijking van Marmontel, hun aandacht minder gericht op het wrede en hebzuchtige kolonialisme van de Spaanse conquistadores dan wel op de fanatieke dwang van het heidense bijgeloof, dat tenslotte door de liefde wordt overwonnen.In hoeverre ze daarbij gecamoufleerde kritiek uitoefenden op het roomse kloosterleven als klooster*dwang*, is een zaak apart. Toen Fontenelle zijn 'romeins' treurspel *Ericie* (1768) over een gedwongen Vestaalse maagd schreef, was dat evenzeer het geval als toen A.L. Barbaz anno 1794 in naam van het 'redenlicht' voor de tweede maal zijn *Ericia*-vertaling in het lezerslicht gaf. De bedoeling kwam indirect of symbolisch over op de lezer, zoals dat ook het geval moet zijn geweest met de honderden fabels die destijds, eveneens in naam van Rede en Deugd, als proeven van praktische zedenleer zijn verschenen. Overigens waren sommige toneelschrijvers beslist niet te verlegen om 'de knellende roede van den kloosterlyken dwang' ook rechtstreeks aan de kaak te stellen.Een bekend voorbeeld is het treurspel *Mélanie* (1768) van La Harpe, dat eveneens werd vertaald door Barbaz. In het Voorbericht van zijn *Ericia* had Barbaz al verklaard dat een toneelstuk 'leerzaam' moet zijn voor het volk en dat 'de beklaaglijke toestand' van het Nederlands toneel hem tot zijn vertaalwerk had gebracht.[248]

Terug naar het Peruaanse treurspelontwerp van Bilderdijk. In zijn tweede bedrijf moest een gezant van de Spaanse legeraanvoerder Pizarro optreden, die de Inca-koning Huescar dwingt de wapens op te nemen tegen zijn broer Ataliba met wie hij in onmin leeft. Ataliba wordt gevangen genomen, maar Huescar tracht hem (zonder resultaat) te bevrijden. Later geeft Pizarro de koning gelegenheid zijn broer vrij te kopen tegen een onmogelijk grote hoeveelheid goud. Aan het slot is er een volledige 'Herleving der broederliefde', maar wordt

onvoltooid gebleven stuk van Feith kennen we alleen een door hemzelf opgestelde inhoudsopgave. Er blijkt uit dat zijn stuk een gelukkige afloop kende (Buijnsters -1966-). Vgl voor sentimentaliteit en exotisme: hfdst. VII, par. 6 en hfdst. IX, par. 1. Op basis van Johann G.B. Pfeils verhaal *Der Wilde* (1757) publiceerde Mercier in 1767 zijn Rousseauïstische *L'homme sauvage, histoire traduite de...* Later kwam hij tot de ontdekking: 'qu'il y a moins de servitude et de misère à Paris qu'à l'état sauvage' en dat het verstandiger was zich bezig te houden met de eigen sociale omstandigheden, aangezien men daarop tenminste werkelijk invloed kan uitoefenen op basis van 'raison' en 'les lumières de son esprit': W. Engler in *Arcadia* 3 -1968-, p. 251-261.(R. Gonnard, *La légende du bon sauvage.Contribution à l'étude des origines du socialisme,* Paris 1946 ; T. Ellingson, *The myth of the noble sauvage*, Berkeley 2001.)

[248] De citaten van Louis Abraham Barbaz komen uit diens Voorbericht bij de tweede uitgave van *Ericia, of de Vestaalsche maagd,* Amsterdam 1794. (Barbaz trad ook op als toneelrecensent in *Amstels schouwtoneel* : zie hfdst. XVI, par. 3 ; zijn vertaling van *Ericie* staat, samen met een recensie en een parodie van Kinker, in *De arke Noachs,* nrs. 35, 39, 43 en 47). In 1760 werkte Diderot al aan zijn roman *La religieuse*, die van 1780 tot 1783 als feuilleton verscheen en pas in 1796 postuum zou worden gepubliceerd in boekvorm (herdrukt in *Contes et romans* -Pléiade-Paris 2004, p. 239-415). Over 'Le théâtre "Monacal" sous la Révolution, ses précédents et ses suites' schreven Estève (1923), p. 139-168 en Van Bellen (1927), p. 90-105. Vgl. Hagen (2002).

Ataliba op bevel van Pizarro doorstoken. Huescars gemalin, die door haar zwager werd bemind, pleegt daarop zelfmoord.

Wie de bron van dit ontwerp wenst te kennen, wordt minder geholpen door het dramatisch werk van Voltaire en de navolgers van Marmontel dan door een geschiedenisboek. Daar leest men dat na de dood van de Peruaanse heerser Huagna Capac († 1525), onenigheid ontstond tussen zijn zonen Huascar en Atahuallpa (= Ataliba), van wie de laatste gevangen werd genomen door Pizarro, die hem alleen maar wilde vrijlaten 'tegen een buitensporig hoog losgeld'. Nadat dit onder protest was bijeengebracht, wachtte de Spaanse veroveraar het moment af waarop Atahuallpa de onvoorzichtigheid beging om vanuit zijn gevangenis een geheim bevel te geven tot moord op zijn broer, die hij verdacht van samenwerking met de Spanjaarden. Toen Huascar was gedood, matigde Pizarro zich de rol aan van wreker der vermoorde onschuld. Na een schijnproces, stierf Atahuallpa de negentwintigste april 1533 als ketter en broedermoorder op de brandstapel.[249]

Bilderdijks afwijkingen van de historische bron zijn gemakkelijk vast te stellen. Het belangrijkst lijkt mij uit dramaturgisch oogpunt, de toevoeging van de liefdesverhouding tussen Ataliba en de gemalin van Huescar. Overigens valt er weinig uit het korte ontwerp van Bilderdijk op te maken. Vast staat in ieder geval dat hij zijn treurspel vrij streng wilde opzetten, onder handhaving van de bekende drie eenheden. Het stuk zou eindigen met een moord en een zelfmoord: de laatste waarschijnlijk zichtbaar voor het publiek. Blijkens de spelling moet dit ontwerp worden gedateerd na 1778. Gezien de zojuist besproken literairhistorische context, ben ik geneigd aan te nemen dat de tekst werd geschreven vóór Bilderdijks vertrek uit Nederland in 1795.

4. Treurspel 'Eric XIV, koning van Zweden' (collectie-Kollewijn, nr. 16)

Het zestiende handschrift uit de collectie-Kollewijn blijkt een overzichtelijk ontwerp voor een historisch treurspel. De gebeurtenissen zijn echter zo fantastisch, dat men al spoedig geneigd is de historiciteit ervan in twijfel te trekken. Bilderdijk plaatste de volgende afkortingen boven het ontwerp: *v.Hub.Hist.P.2 l.2S.1p.292*. We hebben te doen met een bronvermelding en wel naar de in 1703 te Franeker verschenen *Institutionis Historiae Civilis* door de daar werkzame hoogleraar Ulricus Huber.[250] In P(ars) 2, l(iber) 2, S(ectio) 1, vond ik op p(agina) 292 e.v. de

[249] H. Brugmans en G.W. Kernkamp, *Nieuwe Geschiedenis*, Leiden z.j., p. 81-84. Vgl. G.E.J. Wiessing, *Inca's en Conquistadores*, Den Haag-Brussel z.j., p. 28 en 69-86. Dat Bilderdijk belangstelling had voor de geschiedenis van Zuid-Amerika, blijkt o.m. uit de aantekeningen die hij heeft gemaakt n.a.v. D. Antonio de Solis, *Historia de la conquista de Mexico*, Madrid 1776 (aanwezig in de collectie-Leeflang, B. 583, adversaria 3, Letterkundig Museum te 's-Gravenhage). In GdV. V, p. 34 e.v. en p. 180 e.v. weidt hij uit over de Spaanse veroveringen en op p. 181 tekende Prof. Tydeman als 'mondeling bijvoegsel' van Bilderdijk aan: 'Cortes was een man van veel verstand en schreef ook zeer belangrijke brieven, Pizarro was zeer ruw'. (Van 1784 dateert een Spaanse treurspel *Atahualpa,* door Cristóbal María Cortés.)

[250] W.B.S. Boelens, *Frieslands hoogeschool en het rijks athenaeum te Franeker*, dl. II, Leeuwarden 1889, p. 217 e.v. Ulricus Huber leefde van 1636 tot 1694. Zijn boek staat vermeld in de Catalogus 1832.

in het Latijn geschreven geschiedenis van koning Erik XIV van Zweden. Dit is zonder enige twijfel de bron van Bilderdijks treurspel.

Erik werd in 1561 koning van Zweden. Hij dong naar de hand van Elisabeth van Engeland, maar werd afgewezen. Dezelfde ervaring deed hij op bij Maria, koningin van Schotland. Nadien richtte hij zijn belangstelling op de dochter van de hertog van Lotharingen, wier grootvader de hem vijandige koning van Denemarken was. De kansen van Erik stonden bij deze derde poging vrij gunstig, maar hij verspeelde ze door zich opnieuw tot Elisabeth te wenden. Ook nu zonder succes. Een vijfde liefdesavontuur werd zijn aanzoek aan Christina, dochter van de landgraaf van Hessen. Tijdens de onderhandelingen gaf hij zijn pogingen in Engeland niet op. Ongelukkigerwijze viel een van zijn brieven aan Elisabeth in handen van de Deense koning, die niet aarzelde hem aan de landgraaf van Hessen door te zenden. Dit betekende het einde van Eriks Hessische liefdesbetrekkingen. De zesde liefde van Erik was die voor Catharina, dochter van een van zijn hovelingen. Toen de koning al twee kinderen bij haar had, trouwde hij Catharina in de kerk te Stockholm. Dat gebeurde in de maand juni van het jaar 1568. Drie maanden later was hij de gevangene van zijn broer Johannes. De redenen daarvoor waren allerlei daden van Erik die erop schijnen te wijzen dat hij de waanzin nabij was. Johannes was tegen de wil van de koning gehuwd met Catharina, dochter van de Poolse koning. Erik liet hem aanvankelijk ter dood veroordelen, maar zorgde er tenslotte voor dat hij met zijn vrouw in de kerker terechtkwam. Ook vele edelen werden het slachtoffer van de koning. Een van hen stak hij eigenhandig neer op een marktplein. Van de talrijke edellieden die door hem waren uitgenodigd op een verzoeningsbijeenkomst te Uppsala, kwam een gedeelte in de gevangenis terecht terwijl anderen de dood vonden. Na deze laatste gruweldaad zwierf de koning drie dagen door de bossen om tenslotte te worden gekalmeerd door zijn echtgenote. Kort daarop stelde Erik zijn broer Johannes weer in vrijheid, waardoor hij zijn eigen ondergang slechts verhaastte. Met zijn broer Karel en een aantal edelen smeedde Johannes een complot en sloeg (daarbij geholpen door een gedeelte van Eriks eigen leger) het beleg voor Stockholm. Terwijl de koning op de feestdag van Sint Michael in de kerk vertoefde, openden de burgers de stadspoorten. Erik moest zich op een burcht terugtrekken. Zijn oom die hem aanraadde zich over te geven, bekocht deze vermetelheid met de dood. Tenslotte werd Erik gevangen genomen. Negen jaar later, toen de politieke toestand zich gewijzigd had en er kans bestond dat de koning zou worden bevrijd, werd Erik door toedoen van zijn broer Johannes vergiftigd. Ook op Eriks zoon Gustaaf heeft Johannes een moordaanslag laten plegen. Zijn bedoeling was dat het kind zou worden verdronken. Eriks zoon werd evenwel door een edelman bevrijd en is later opgevoed in Rusland.[251]

---

[251] Enkele twintigste-eeuwse historici houden rekening met de mogelijkheid dat koning Erik niet op last van zijn broer is vergiftigd, maar is overleden tengevolge van een maagzweer. Om een onderzoek door deskundigen mogelijk te maken, heeft men op 20 jan. 1958 het graf van Erik (in de kathedraal van Vaesteraans) geopend. Daarbij werd arsenicum aangetroffen in het gebalsemd lijk (ik ontleen het bovenstaande aan berichten in de Nederlandse dagbladen *De tijd* en *Het vaderland* van resp. 21 jan. 1958 en begin juni 1958).

Het is niet moeilijk te constateren dat Bilderdijk in zijn ontwerp niet alle feiten heeft verwerkt. Alles wijst erop dat hij streefde naar een 'momentopname'; het totaal der afwijkingen van de door Huber verstrekte feiten, resulteert dan ook in de voor een treurspel noodzakelijke concentratie. Allereerst een *concentratie van tijd.* Afwijkend van de geschiedenis, spelen in het ontwerp Eriks Hessisch liefdesavontuur, zijn huwelijk met Catharina en zijn dood zich af in het tijdsbestek van vermoedelijk een etmaal. Vervolgens is er de *concentratie van plaats.* Alles gebeurt in het palcis van de koning, behalve de handeling van het vijfde bedrijf, die plaatsvindt in het voorportaal van de hofkapel. Tenslotte is er de *concentratie van handeling.* Ingewikkelde politieke verhoudingen waarbij meer personen betrokken waren, zijn door Bilderdijk teruggebracht tot de vijandschap tussen twee hoofdpersonen: Erik en zijn broer Johannes. Met deze vorm van concentratie hangt ten nauwste samen dat de historische Catharina bij Bilderdijk tot de 'vertrouwde' van de Hessische prinses is geworden en dat Eriks brief aan Elisabeth niet in handen van een derde valt, maar rechtstreeks terecht komt bij zijn vijand Johannes.

Tengevolge van de aangetoonde concentratie is de indruk die de gebeurtenissen maken, veel sterker. Alle schokkende ervaringen worden nu samengebald tot één verwikkeling, die zich in enkele uren voor de ogen van de toeschouwers moet voltrekken. Maar Bilderdijk heeft zich niet beperkt tot concentratie van de historische feiten. Als dramatisch dichter achtte hij het ook nodig dat de feiten als zodanig verhevigd werden voorgesteld. In afwijking van de geschiedkundige waarheid, pleegt Catharina zelfmoord, smijt Johannes het kind van Erik te pletter, en doorsteekt de koning zichzelf met een zwaard.

Een belangrijk gegeven is dat Bilderdijks koning Erik veel sympathieker overkomt dan de Zweedse koning die men uit het relaas van de historicus Huber leert kennen. De dichter stelt hem voor als de melancholische minnaar van Elisabeth van Engeland, die tenslotte zijn trouw toont tegenover zijn vroegere geliefde Catharina. Daarentegen blijkt zijn broer Johannes een tegenstander die tot alle misdaden in staat is als hij daardoor – tegen het recht van de geboorte in – de troon van Erik maar kan bemachtigen. Johannes wordt door Bilderdijk voorgesteld als wrede moordenaar van een onschuldig koningskind. Koning Erik maakt in Bilderdijks ontwerp zelf een einde aan zijn leven, zodra hem vrouw en kind zijn ontrukt en wraak onmogelijk is geworden. Zo'n vernedering is onverdraaglijk voor een waarachtige treurspelheld. Volgens Bilderdijks heroïsche opvatting van het koningschap blijft zelfmoord dan kennelijk de meest verheven, zelf-beslissende daad die er door een vorstelijke titelheld nog gesteld kan worden. Dat past meer in de antiek-heidense treurspeltraditie dan in de ethiek van het gereformeerd christendom, waarvan verschillende woordvoerders in een nabij verleden – zonder veel succes – verzet hadden aangetekend tegen zelfmoord in de ontknoping van een treurspel.[252]

[252] Scherer (z.j.), p. 419 e.v., merkt op dat in het klassieke Franse treurspel van de zeventiende eeuw de zelfmoord, in naam van de 'honneur' en in tegenstelling tot de christelijke moraal, herhaaldelijk voorkomt. In een aantekening bij zijn 'romance' *Assenede* (1805; zie hoofdstuk III, paragraaf 3) schreef Bilderdijk: 'De dood is een heerlijke

Het uitvoerige ontwerp voor *Eric XIV, Koning van Zweden* lijkt me, tegen de achtergrond van zijn geschiedkundige bron, niet zonder belang voor de kennis van Bilderdijk als schrijver van historische toneelstukken. Door de tekst van Huber waren wij in staat de dichter van *Erik van Zweden* op heterdaad te betrappen. Daarbij stelden we vast dat hij van zijn bron afweek om meer concentratie, meer hevigheid van handeling en een eigen karakteristiek van de handelende personen te bereiken, een karakteristiek die voor het personage Eric van Zweden volledig past in Bilderdijks monarchistisch ideaal.

Ondanks zijn hiervoor geconstateerd streven om de handeling te concentreren op dezelfde locatie, heeft Bilderdijk zich niet al te zeer bekommerd om een strikte toepassing van het toneelvoorschrift inzake de eenheid van plaats. Wij vertoeven zowel in 's konings slaapkamer als in 'de kamer der Prinses Christina' en bevinden ons tijdens het vijfde bedrijf 'in 't voorportaal van de Hofkapel'. De handeling kan voltooid zijn in 24 uur, maar de gebeurtenissen in het laatste bedrijf spelen zich naar alle waarschijnlijkheid af daags na die in de vorige akten. Opvallend is het bloedige slot met een gruwelijke kindermoord op het toneel, die onmiddellijk wordt gevolgd door een mislukte moordaanslag en een zelfmoord voor de ogen van de toeschouwers. Het drinken van de gifbeker door Catharina gaat daaraan vooraf in het vierde bedrijf. Tenslotte merken we nog een vermomming op en constateren we dat de toeschouwers allerlei bijzonderheden moeten leren uit gesprekken die door Erik en Johannes worden gevoerd met hun 'vertrouwde'. Hoewel ook Catharina met deze naam wordt aangeduid in haar verhouding tot prinses Christina, is haar rol geenszins als die van een gewone 'vertrouwde' te beschouwen. Naarmate het stuk zich ontwikkelt, keert de verhouding in importantie van beide vrouwenfiguren, totaal om. Christina is zelfs niet meer bij de ontknoping betrokken en men krijgt de indruk dat Bilderdijk haar min of meer vergeten is. Als de dichter haar *niet* ten tonele had gevoerd maar haar aanstaande reis naar Stockholm alleen maar had laten aankondigen door Catharina, zou de eenvoud van het stuk stellig hebben gewonnen. Stellen wij tenslotte even vast dat Bilderdijks ontwerp geen enkele overeenkomst vertoont met een ouder Nederlands treurspel over *Erik, prins van Zweden* (1722) door George Wetstein en dat het chronologisch voorafgaat aan een lange rij Duitse stukken over dezelfde historische stof.[253]

Een toevallige omstandigheid maakt het mogelijk dit ontwerp ongeveer te dateren. Uit een te Londen geschreven brief van Bilderdijk aan zijn zwager S. Elter blijkt dat deze laatste op 6 mei 1797 in het bezit was van een treurspelontwerp over *Erik, koning van Zweden*. Bilderdijk had dus dit stuk al geschreven toen hij in 1795 zijn vaderland als banneling verliet. De

---

ontknoper; hadden wy dien niet, waar bleef de Treurspeldichter?'. De Haas (1998), p. 199 e.v., citeert Huydecoper – anno 1720 – en andere auteurs uit de eerste eeuwhelft die zich als christenen verzetten tegen de zelfmoord op het toneel. Vgl. Tweede Boek, hfdst. V, par. 1, slot.

[253] George Wetstein, *Erik, prins van Zweden*. treurspel, Amsterdam 1722; Elisabeth Frenzel, *Stoffe der Weltliteratur*, Stuttgart 1962, p. 157.

spelling bewijst dat dit gebeurde na 1778. Het watermerk dat in het handschrift voorkomt, zou kunnen doen veronderstellen dat het ontwerp rond 1783 is ontstaan.[254]

5. Treurspel over Don Carlos (niet teruggevonden)

Dat Bilderdijk heeft gewerkt aan een treurspel over Don Carlos, de zoon van Filips II, blijkt uit een van zijn brieven. Ik ben er niet in geslaagd het handschrift te vinden. De brief in kwestie werd door Bilderdijk geschreven aan Mr. S.Iz. Wiselius op 20 juli 1819. De bewijsplaats is deze passus: 'Wat de geschiedenis van D. Carlos betreft, ik heb die altijd zoo poëtisch en Theatraal geacht, dat ik-zelf ondanks de menigte van Hollandsche, Fransche, Duitsche, Italiaansche en Deensche Treurspelen daarvan bestaande (waarvan by my dat van Alfieri 't beste is,) eens een stuk daarover begonnen heb. Maar ik zag er van af, om dat ik over de geschiedenis-zelve zo niet denk als men gewoon is, en dus Filip (die genoeg tot zijn laste heeft) niet nog meer zwart wilde maken; want schoon de omkeering der schuld van Vader op Zoon wel iets treffends zou opleveren, 't is dan het rechte gevoel voor het Tooneel niet, en de aanschouwer, te veel bekend met de historie zoo zy aangenomen is, zou natuurlijker wijze, den indruk te rug stoten en zeggen, *Quodcun[m]que ostendis mihi sic, incredulus odi.* – Het geval-zelf behoort onder de mysterien der geschiedenis; en die er party van wil trekken als dichter, *famam sequatur necesse est.* – Dat UHEGG. op mijne hartelijkheid en dienstvaardigheid rekenen kunt, spreekt van zelfs'.[255]

De laatste zin bewijst dat Bilderdijk bereid is om Wiselius bij het opstellen van zijn treurspel te helpen. Dat hij zulks wel meer deed, blijkt uit enkele andere brieven aan hem.[256] Ik geloof overigens niet dat Bilderdijks bemoeiingen bij het tot stand komen van Wiselius' *De dood van Karel, kroonprins van Spanje* van erg groot belang kunnen zijn geweest; uit zijn brief van 16 augustus 1820, waarin hij uiting geeft aan zijn genoegen over het feit dat Wiselius zich heeft bekend gemaakt als de auteur van het stuk, valt dit in ieder geval niet op te maken. Wel is het enigszins in overeenstemming met Bilderdijks opvatting, dat Wiselius in zijn treurspel niet de volledige schuld van Carlos' dood aan koning Filips de Tweede geeft, die hij in dezen geheel laat handelen onder geestelijke druk van Spinola. Tot een consequente 'omkeering der schuld van Vader op Zoon', waartoe Bilderdijk geneigd schijnt, komt hij echter geenszins.[257]

6. Treurspel over tsaar Peter (collectie-Kollewijn, nr. 26)

---

[254] Het handschrift van deze brief bevindt zich in de Koninklijke Bibliotheek te 's-Gravenhage, nr. 121 D 4/12 (Briefwisseling II, p. 356). Voor het watermerk in het ontwerp: zie hoofdstuk III, par. 2, laatste noot.

[255] Br. III, p. 129, waar foutief staat 'quodcunque': het Latijnse citaat komt uit de *Ars Poetica* van Horatius.

[256] Vgl. hoofdstuk IV, par. 2.

[257] Onuitgegeven brief in de Portefeuilles Margadant, Bilderdijk-Museum. Vgl. Samuel Iperuszoon Wiselius, *De dood van Karel, kroonprins van Spanje*, tweede druk, Amsterdam 1828, p. 66 e.v.

In 1997 was het driehonderd jaar geleden dat tsaar Peter de Grote zijn eerste West-Europese reis maakte: een feit dat in Nederland werd herdacht met een reeks tentoonstellingen en – op heel wat bescheidener niveau! – met de publicatie van een aan de Russische keizer gewijd toneelontwerp van Willem Bilderdijk (collectie-Kollewijn, nr. 26).[258] Van de tentoonstellingen was die in het Museum Boymans-Van Beuningen het meest spectaculair. Ze vestigde, onder de titel 'Schatten van de tsaar', vooral de aandacht op de pracht en praal van de kroonjuwelen in het oude Rusland. Het zijn juist dergelijke kostbare sieraden die een sleutelrol vervullen in het toneelontwerp van Bilderdijk. Het verhaalt hoe tsaar Peter ingesloten is door de Turken en zijn leger tot de ondergang gedoemd schijnt. In deze laatste ogenblikken wil de tsaar gelukkig zijn. Daarom wenst hij te trouwen met Catharina, die echter niet van vorstelijken bloede is. Peters raadsman Mensikof is daartegen, evenals Catharina zelf: 'uit zucht voor den roem van Peter'. Als Catharina er later in geslaagd is bij de Turkse vizier gunstige voorwaarden voor een wapenstilstand te bewerken (door het schenken van haar sieraden), zijn er geen bezwaren meer tegen het huwelijk. Mensikofs echtgenote spreekt de tsaar als volgt toe: 'Gij hebt Rusland het aanzijn gegeven, zij heeft het behouden. thands zijt gij gelijk'. Een 'happy end' dus.

Aangezien in Bilderdijks tekst de naam Karel XII voorkomt, ligt het voor de hand te veronderstellen dat de auteur aan een bepaalde historische gebeurtenis heeft gedacht. Dat heeft hij inderdaad. De historische kern van dit toneelontwerp is de vrede van de Proeth, die werd gesloten op 23 juli 1711. Een jaar daarna huwde tsaar Peter de Grote het volksmeisje dat in 1702 bij de verovering van Marienburg was 'buitgemaakt' en drieëntwintig jaar later keizerin van Rusland zou worden. Gaan wij even na, wat zich in juli 1711 heeft afgespeeld. Na door Peter te zijn verslagen bij Pultawa, was Karel XII van Zweden naar de Turken gevlucht. Hij wist het zover te brengen dat Sultan Achmet III de oorlog verklaarde aan Rusland. Tsaar Peter trok toen (7 juli 1711) de Proeth over en bezette Jassy: 'Daar werd zijn leger door een vijfmaal sterkere Turkenmacht omsingeld. De toestand was kritiek: zonder water, zonder levensmiddelen hadden de Russen slechts de keuze tusschen overgave of hongerdood. Peter scheen verloren. Doch zoover wenschte de Turksche grootvizier niet te gaan: hij wist, dat de Christenen op het Balkan-schierland reeds in beweging kwamen. Daaraan, veeleer dan aan de juweelen, die Keizerin (*sic*) Katharina hem toezond, is het toe te schrijven, dat de grootvizier het Russische leger liet aftrekken, zonder al te zware voorwaarden te bedingen. Den 23 sten Juli 1711 kwam de vrede van de Proeth tot stand...'.[259] Wat voor de geschiedkundige blijkbaar de minste betekenis heeft, werd voor Bilderdijk de ontknoping van zijn toneelstuk. Catharina gaat zelf naar de vizier, bewerkt door het juwelengeschenk de vrede en wordt daardoor, als beschermster der Russen, een waardige gemalin voor de tsaar.

[258] Martien J.G. de Jong, 'Tsaar Peter als veldheer. Een maîtresse met smeergeld?', *Literatuur* 13 (1996) 4, p. 214-219.

[259] Brugmans-Kernkamp, p. 493, 494; 483.

Voorzover mij bekend, valt er in de vele epische en dramatische bewerkingen van episoden uit het leven van tsaar Peter – al in 1872 verscheen daarover een thematologische studie! – geen enkele tekst aan te wijzen die per se moet worden beschouwd als voorbeeld van Bilderdijks ontwerp.[260] Ik kan alleen opmerken dat hij dezelfde stof heeft verwerkt als voorkomt in twee *verschillende* stukken van de Duitse auteur F. Kratter, die bijna onmiddellijk na hun verschijning in het Nederlands werden vertaald. Het eerste stuk (*Das Mädchen von Marienburg*, 1795) brengt het morganatisch huwelijk van Peter de Grote voor het voetlicht, maar zonder dat daarbij sprake is van krijgsverrichtingen en ook zonder poging de tsaar voor te stellen als een verheven, koninklijk karakter. Peter de Grote tracht Catharina eerst als maîtresse te gebruiken, en pas wanneer dat *niet* lukt, besluit hij met het deugdzame meisje te trouwen. Kratters andere stuk heet *Der Friede am Pruth* (1799). Evenals het vijf jaar later verschenen *La pace del Pruth* van de succesvolle Italiaanse toneelschrijver Camillo Federici, geeft dit 'toneelspel' een verbeelding van hetzelfde historisch gebeuren waar omheen Bilderdijk zijn ontwerp heeft gebouwd. Maar de uitwerking is in het drukke Duitse stuk heel anders: zo blijkt Catharina al met de tsaar gehuwd wanneer de handeling begint. Volledigheidshalve stel ik nog even vast dat enkele andere in het Nederlands verschenen toneelstukken over Peter de Grote en zijn omgeving in het geheel niet met Bilderdijks ontwerp in verband kunnen worden gebracht, en dat ik de bron daarvan evenmin kon vinden in daarvoor in aanmerking komende verhalende prozawerken, die destijds waarschijnlijk gretig aftrek hebben gevonden.[261]

Of Bilderdijk ooit de bedoeling heeft gehad zijn schets uit te werken, valt sterk te betwijfelen. Alleen al de wijze waarop zijn tekst begint, wijkt af van de kladontwerpen die hij duidelijk had bedoeld voor eigen gebruik. In zulke kladschetsen wordt het eerste toneel eenvoudig door het cijfer 1 aangegeven. Maar in dit toneelontwerp begint Bilderdijk breedvoerig: 'Omringt van de Turksche overmacht, zonder uitzicht van redding, maar held, opent Czaar Peter de 1e 't tooneel met Mensikof wien hij ontboden heeft. Expositie van zijn positie...'. Ook de aanwijzing voor het slot van het eerste bedrijf doet vermoeden dat Bilderdijk zijn ontwerp niet zelf heeft willen uitwerken. Ze is daar te uitvoerig voor, en te veel

260 R. Minslow, *Pierre le Grand dans la littérature étrangère*, Petersburg 1872.

261 *Het meisje van Marienburg. Een Russisch Familietafereel.* Tooneelspel naar het Hoogduitsch van Kratter (Spectatoriale Schouwburg, dl. 25, Amsterdam 1796); F. Kratter, *De vrede aan den Pruth stroom, tooneelspel in vijf bedrijven*, Amsterdam 1800. *Het treurspel Menzikoff* (1786) door N.S. van Winter gaat, evenals een gelijknamig spel van Adriaan Loosjes, terug op een uit het Duits vertaald prozastuk (zie: *De nieuwe taalgids* 1959, p. 31) en vertoont verder de invloed van *Les Scythes* (1767) door Voltaire (Van Schoonneveldt, 1906, p. 128 e.v.). Het staat geheel los van Bilderdijks stuk, evenals: *Peter Alexowicz, czaar van Rusland, of de Zamenzweering in Moscow, naar het hoogduitsch van J.M. Babo*, door A. Bruggemans, Dordrecht 1800 (het stuk van Babo verscheen in 1790 onder de titel *Die Strelitzen*). Vgl. voor het verhalend proza: Mr. Jacobus Scheltema, *Peter de Groote, keizer van Rusland, in Holland en te Zaandam in 1697 en 1717* (2 dln.), Amsterdam 1814. Dit boek was, blijkens Catalogus 1832, in het bezit van Bilderdijk, die er blijkens zijn in het Letterkundig Museum bewaarde aantekeningen, uitsluitend minachting voor had (B.583 H.3 adversaria collectie Leeflang/a). Een overzicht in het Nederlands van aan tsaar Peter gewijde literaire werken biedt: Léon Stapper e.a., *Van Abélard tot Zoroaster. Literaire en historische figuren vanaf de renaissance in literatuur, muziek, beeldende kunst en theater*, Nijmegen 1994, p. 182-186. Vgl. ook het bekende *Leksikon Stoffe der Weltliteratur*, Kröner 1962, van Elisabeth Frenzel, p. 511-514.

gestileerd. In het derde bedrijf schrijft de auteur in verband met een gesprek tussen Peter en Mensikof: 'Eenig detail van den ontmoeting met den Vizir'. Hij houdt zich dus als het ware buiten de definitieve versie. De aanwijzingen voor het vierde bedrijf vermelden dat de tsaar op een bepaald ogenblik moet zeggen dat hij in Catharina *alles* mist. Onmiddellijk laat Bilderdijk daarop volgen: 'Dit *alles* wel uit te drukken', een opmerking die me vrij overbodig lijkt in het ontwerp van een toneelstuk dat men zelf wil schrijven. In het algemeen maakt de tekst van dit ontwerp trouwens een meer afgewerkte indruk dan de schetsen waarvan Bilderdijk enkele tonelen of bedrijven zelf heeft uitgewerkt.

Hebben we hier misschien een der 'Dramatische voorbeelden' die de dichter in 1799 aankondigde bij de publicatie van zijn *Mengelpoëzy*?[262] Helaas ontbreken de gegevens die nodig zijn voor een datering van het handschrift. Een watermerk komt zelfs niet voor in de door Bilderdijk gebruikte papierstrook maar de spelling bewijst dat de tekst in ieder geval werd geschreven na 1778.

7. Treurspel over een gevangen genomen koning (collectie-Kollewijn, nr. 24, Tekst-A)

Nummer 24 van de collectie Kollewijn bestaat uit twee strookjes papier met handschriften die ik aanduid als Tekst-A en Tekst-B. Volgens mij houden ze geen verband en moet Tekst-B worden beschouwd als behorend bij een ander handschrift uit de collectie-Kollewijn, dat pas ter sprake komt in het volgende hoofdstuk. Ik beperk mij hier tot Tekst-A, die bestaat uit een zeer slordig schetsje voor een treurspel in vijf bedrijven, als zodanig aangeduid met de eerste vijf letters van het alfabet. Het stukje gaat over de ondergang van een koning, die samen met zijn gemalin en familie gevangen wordt genomen. Later wordt hij van hen gescheiden en tenslotte krijgt hij de dood aangezegd, waarna een afscheidsscène volgt. Tevoren is een poging om hem te 'ontzetten' mislukt. In Bilderdijks schets komen namen voor als Grimoald en Arnould maar ook de naam *Loïs,* terwijl er eveneens sprake is van (hoofd)personen die worden aangeduid als koning en koningin. De aanwijzingen voor het slot luiden: *Verschijning. De onderst. der Patriotten Etc. in Holland*. Dit leidde mij tot de veronderstelling dat Bilderdijk een stuk heeft willen schrijven over *Lodewijk de Zestiende*. Het eerste toneel van het derde bedrijf zou een vergadering moeten zijn. Bilderdijk schreef erbij: *II D.p. 189-198*, maar ik ben er niet in geslaagd het boek te achterhalen, waarnaar hij in deze aantekening verwijst. Tevergeefs zocht ik bij de Franse geschiedschrijver Antoine Fantin-Desodoards, wiens werk over de Franse revolutie Bilderdijk in zijn bezit had.[263] Lodewijk de Zestiende

[262] DW. XV, p. 63.

[263] Blijkens Catalogus 1832, p. 96, was Bilderdijk in het bezit van: A. Fantin-Desodoards, *Histoire de la République Française*, Paris an VI, een werk dat bestaat uit twee delen, waarvan het tweede deel op de door Bilderdijk genoemde pagina's geen aanwijzingen over Lodewijk de Zestiende bevat. Hetzelfde geldt voor het door mij eveneens geraadpleegde werk in twee delen: Antoine Fantin-Desodoards, Citoyen Français, *Histoire de la République Française, Depuis la séparation de la Convention Nationale, jusqu'à la Conclusion de la Paix entre la France et l'Empereur*, Paris An VI de la République Française (1797). In de collectie-Sterck (Bilderdijk-Museum, A2 18), vond ik een blaadje met aantekeningen over de terreur uit: *Tableau d'Isoard de la Revol, Franç.*, p. 217. De

werd op op 21 januari 1793 geguillotineerd en al enkele maanden later verscheen een treurspel in twee bedrijven van Jan Nomsz, dat met Bilderdijks ontwerpschets overeenkomsten vertoont.[264] Nomsz' expositie gebeurt door Marie-Antoinette en 's-konings zuster Elise (Bilderdijk A, 1), er is een toneel dat Lodewijks afscheid van zijn nabestaanden uitbeeldt (Bilderdijk E, 2), en het stuk eindigt met een 'bericht van 's konings dood' (Bilderdijk E, 5). Van Jan Nomsz verscheen in 1794 ook een treurspel *Marie Antoinette* [265], waarvan de expositie op dezelfde wijze plaatsvindt; ook komt in dit stuk een rechtszitting voor (vergelijk de aanduiding 'Vergadering. Pleidooi' voor de vierde akte van Bilderdijk).

Nu kan moeilijk worden verondersteld dat Bilderdijk voor Nomsz een ontwerp heeft gemaakt: van een briefwisseling of vriendschappelijk contact tussen beide auteurs is mij niets gebleken. Wel staat vast dat Bilderdijk het toneelwerk van Nomsz positief waardeerde.[266] Ik acht het waarschijnlijk dat dit korte ontwerp is ontstaan nadat Bilderdijk kennis had genomen van de treurspelen die door Nomsz in het licht waren gegeven. Dat is dus na 1793 of 1794. In die periode was Jan Nomsz van strijdbaar patriot tot actieve oranjeklant geworden en in 1794 schreef hij zelfs een 'Verjaarzang' voor de jarige Prins Willem de Vijfde.[267] De toespeling op de Nederlandse patriotten en het feit dat een dergelijk onderwerp minder opportuun was in de Franse tijd (1795-1813) doen mij aannemen dat Bilderdijks schets is ontstaan vóór zijn uitzetting in maart 1795.

Nomsz schrijft in het op februari 1793 gedateerde voorwoord bij zijn *Lodewyk de Zestiende* dat hij 'nutteloozc partijschap' heeft willen vermijden in een treurspel over een actueel onderwerp dat als het ware door 'de natuur [werd] bereid' om te worden gebruikt op het toneel. Dit ter verontschuldiging voor het feit dat hij het gewaagd had om, tegen het advies van de grote Racine in:'een tooneelstuk op te stellen, van eene daad onder onze oogen gebeurd, en waarvan de personaadjen ons te gemeenzaam bekend zijn, om 'er de ongemeenheid van te verdragen die men in de tooneelstukken doorgaans zoekt.' Ik acht het niet uitgesloten dat Bilderdijk een dramatische 'ongemeenheid' heeft willen bereiken in een misschien wel allegorisch bedoeld treurspel, met dramatis personae als Grimoald en Arnould en een Senecaanse 'verschijning' aan het slot. Wellicht heeft hij overeenkomst gezien tussen de lotgevallen van Prins Willem en zijn Pruisische echtgenote Wilhelmina en die van

'catalogus librorum' van 1797 (die niet alleen boeken van Bilderdijk vermeldt!) registreert onder nr 3027: *La vie & le Martyre de Louis XVI* par M. de Limon, Maestr[icht] 1793. Als uitgave van A.J.D. De Braeckenier te Brussel bevindt dit werk zich onder het nummer HIFR 12/02551 in de Bibliothèque Universitaire Morétus Plantin te Namen, samen met enkele andere titels waaronder twee op 1793 gedateerde anonieme Franse tragediën in verzen (vijf bedrijven en drie bedrijven). Ook in deze band vond ik geen teksten die met Bilderdijks treurspelontwerp in noodzakelijk verband kunnen worden gebracht.

264 *Lodewyk de Zestiende, koning van Frankryk, treurspel. In twee bedrijven*, Amsterdam. Bij Willem Holtrop 1793. Het door mij gebruikte exemplaar (U.B. Leiden) vermeldt geen auteur op het titelblad. Worp (1908) dl. II, p. 149, schrijft dat Nomsz de auteur is.

265 J. Nomsz, *Maria Antoinette van Oostenryk, koningin van Vrankryk.* Treurspel, Amsterdam 1794 (Dit stuk heeft 3 bedrijven).

266 Zie *Tweede Boek*, hfdst. XVII, par. 5.

267 Mattheij (1980), p. 131.

Lodewijk XVI met zijn Oostenrijkse gemalin Marie-Antoinette[268] De overgeleverde tekst is te gering van omvang om zich een duidelijk beeld van de inhoud te kunnen vormen. Onwaarschijnlijk lijkt me dat Bilderdijk de eenheid van tijd zou hebben kunnen handhaven. Dat de plaats van de handeling wisselt, is duidelijk. Zelfs middenin het vierde bedrijf zou het decor moeten veranderen: nadrukkelijk geeft de dichter dat aan. De aard van de Seneca-achtige verschijning aan het slot is niet te bepalen; misschien zouden de toeschouwers in dat toneel kennismaken met een voorspellende 'schim' van de overleden koning.

8. Treurspel over Napoleon (collectie-Kollewijn, nr. 20)

Op het kleine strookje papier dat als nummer 20 voorkomt in de collectie-Kollewijn, staan de namen *Cevallos* en *Karel,* evenals de afkorting *Nap.*. Bilderdijk blijkt een schets te hebben gemaakt voor een historisch toneelstuk dat moest uitbeelden hoe Ferdinand van Spanje: 'in Frankrijk gelokt, aldaar door Napoleon gedwongen werd hem de kroon voor Josef Napoleon aftestaan', zoals hij het zelf in zijn *Geschiedenis des Vaderlands* formuleert.[269] De gebeurtenissen die zich in de maand mei van het jaar 1808 te Bayonne hebben afgespeeld zijn ongetwijfeld Bilderdijks uitgangspunt geweest. Karel IV van Spanje had, na onlusten, zijn kroon verloren en was opgevolgd door zijn zoon Ferdinand VII. 'De keizer ontbood nu de twee pretendenten te Bayonne, bewoog beiden – al kijvende – tot afstand (Mei 1808) en liet een vergadering van Notabelen zijn broer Jozef tot koning uitroepen.'[270]

Dit gegeven schijnt weinig perspectieven voor een toneelstuk te bieden. Uit Bilderdijks schets blijkt evenwel dat hij enkele motieven heeft gehanteerd die het zojuist vermelde historisch feit voor het toneel voldoende interessant maken. Ferdinand wordt blijkbaar geweigerd door een prinses om redenen die hij niet doorgronden kan, en diezelfde prinses heeft van Napoleon de opdracht gekregen minder prettige mededelingen aan de Spaanse koning te doen. Verder slaat Ferdinand een 'ruiling' af, wordt in het bijzijn van Napoleon door zijn vader met scheldwoorden overladen, verzoent zich met hem, en wordt tenslotte gelijk met Karel IV door Napoleon gevangen genomen. In het laatste bedrijf sterft Karel en verklaart Ferdinand dat hij is 'wedergekeerd in (z)ijn recht en koning'. Napoleon weigert hem te erkennen, waarop 'De poort wordt ingenomen'. Heel dit laatste bedrijf is fantasie. De overige gebeurtenissen in het ontwerp van Bilderdijk gaan vermoedelijk terug op feiten die worden genoemd in een bepaald boekwerk dat zich in zijn eigen bibliotheek bevond. Ik bedoel: *De verraderlijke listen en feitelijkheden, ter usurpatie van de Spaansche kroon door keizer Napoleon gesmeed en in het werk gesteld.*[271] Dit boek werd geschreven

[268] *Grimoald* is, als 'comte de Bénévent ayant conquis le royaume des Lombards sous Pertharite' een belangrijk personage in het treurspel *Pertharite roi des Lombards* van Corneille, dat geen opvallende overeenkomst vertoont met het stuk van Bilderdijk. Verder is *Ghrimoald* de naam van de 'Dwinglandt van Brittanjen', die optreedt in het onder meer door Corneilles *Rodogune* beïnvloede treurspel *Verloofde Koninksbruid* (1668) van Lodewijk Meijer.

[269] GdV. XII, p. 118.

[270] J.W. Berkelbach van der Sprenkel en C.D.J. Brandt, *De pelgrimstocht der menschheid*[4], Utrecht 1952, p. 514.

[271] Catalogus 1832, p. 100.

door Don Pedro Cevallos, wiens naam men aantreft onder de dramatis personae in Bilderdijks ontwerp. Cevallos verhaalt hoe Napoleon eerst voorwendde dat hij Ferdinand als koning zou erkennen, maar hem nadien gevangen nam (evenals zijn vader die later in Bayonne was ontboden). We zien het zelfde in de schets van Bilderdijk. Ook de *prinses* ontbreekt bij Cevallos niet. In een door de staatsman gepubliceerde brief van Ferdinand aan zijn vader, leest men dat Karel IV aan Napoleon: 'eene Prinses uit hoogstdeszelfs familie verzocht had, om dezelve met mij [= Ferdinand] te verbinden, en op deze wijze de eensgezindheid en naauwe bondgenootschap, die tusschen beide Staten heerschten, des te meer te verzekeren. Geheel en al aan de grondbeginselen en den wil van U.M. [= Karel] overeenkomstig, schreef ik den Keizer eenen brief, om Hoogstdenzelven die Prinses tot gemalin te verzoeken'. Dat deze prinses een belangrijke rol heeft gespeeld bij de politieke beslissingen die te Bayonne moesten worden genomen, blijkt uit een ander stuk bij Cevallos. Daarin staat dat, indien Ferdinand VII o.a. accoord gaat met Napoleons voorstel om Spanje af te staan voor Etrurië (de 'ruiling' in Bilderdijks ontwerp): 'en zich met zijne Nicht wil verloven, deze verloving onmiddellijk bij de teekening van het verdrag geteekend zal worden'. De door Cevallos genoemde 'Staatszucht' herkent men in Napoleons uitroep bij Bilderdijk dat hij 'koning der aard (wil) zijn'; eveneens maakt de vroegere minister er gewag van dat Ferdinand in de middag van 5 mei 'door zijnen vader geroepen werd, om te bijwezen van de koningin en den Keizer, uitdrukkingen en smaadwoorden te hooren, die zoo eerrovend en vernederend waren, dat de hand ze weigert te schrijven'.[272] Dit gegeven is zonder enige twijfel de geschiedkundige achtergrond van Bilderdijks aantekening voor een toneel met Napoleon, Karel en Ferdinand, waarin: 'Karel hem met scheldwoorden (overvalt) Etc.'

Voor de datering van dit ontwerp staan ons verschillende gegevens ter beschikking. Dat het werd geschreven na 1808 is evident, evenals het feit dat Bilderdijk een dergelijk ontwerp alleen kan hebben gemaakt na de tijd van Lodewijk Napoleon. Het jaar waarin de Nederlandse vertaling van het boek van Cevallos verscheen was 1814, maar ook daarmee zijn onze gegevens niet uitgeput. Bij de aanwijzingen voor het vijfde bedrijf van zijn ontwerp schreef Bilderdijk: 'Karel sterft'. Aangezien moeilijk valt aan te nemen dat Bilderdijk nog levende vorstelijke personen op het toneel zou laten sterven, zal dit handschrift wel zijn ontstaan na de dood van Karel IV. Dat is na 1819. Evenals het in de vorige paragraaf besproken treurspelontwerp over een gevangen genomen koning, bewijst dit manuscript dat Bilderdijk er niet voor terug schrok om onderwerpen uit de eigentijdse geschiedenis als dramaturg te (willen) benutten.[273]

---

[272] Don Pedro Cevallos, *De verraderlijke listen en feitelijkheden, ter usurpatie van de Spaansche kroon door keizer Napoleon gesmeed en in het werk gesteld*, Amsterdam 1814, p. 30, 31, 37, 42, 62; 109, 82, 36, 46, 47.

[273] Albach (1946), p. 67, vermeldt als merkwaardigheid dat het treurspel *Thamas Koelikan, of de verovering van het Mogolsche ryk* (1745) van Feitama's leerling Frans van Steenwyk werd gespeeld terwijl de uitgebeelde hoofdpersoon nog leefde (vgl. Voor dit stuk Worp, 1908, dl. II, p. 144 en 418 en, voor de afwijzing van eigentijdse onderwerpen door Pels en anderen: De Haas, 1998- p. 189-192.)

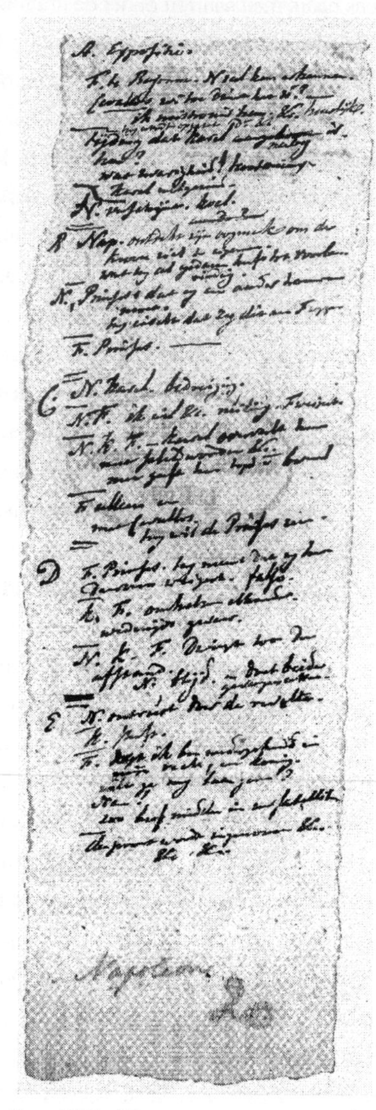

5. Handschrift van Bilderdijks ontwerp van een treurspel over Napoleon

HOOFDSTUK VII

IN HET RIJK DER VERBEELDING

1. Treurspel over Cleomenes (niet teruggevonden)

Toevalligerwijze heeft Bilderdijk er zelf op gewezen dat hij, voor zijn vertrek uit Nederland in 1795, het ontwerp heeft gemaakt van een treurspel dat door hem *Argine*, *Robert* of *Cleomenes* was genoemd. In een op 6 mei 1797 geschreven brief aan Elter veronderstelt de dichter dat de betreffende 'schets' bij zijn zwager berust.[274] De naam Cleomenes wil nog niet zeggen dat Bilderdijk dus een treurspel heeft gemaakt over de Spartaanse koning van die naam. Het tegendeel blijkt uit zijn brief. Na het stuk met de hierboven genoemde namen te hebben aangeduid, vervolgt Bilderdijk: 'want ik weet zelfs niet wat naam ik 't gegeven heb; zelfs onzeker zijnde of ik 't in Griekenland of in den Riddertijd der Middeleeuwen wilde laten spelen'.

Nu heb ik geen der drie vermelde namen aangetroffen in een door Bilderdijk geschreven treurspelontwerp waarvan de handeling zowel in Griekenland als in de middeleeuwse riddertijd zou kunnen plaatsvinden. Ik neem daarom aan dat het bedoelde stuk verloren is gegaan, of aan mijn onderzoekingen is ontsnapt. Volledigheidshalve zij nog vermeld dat in 1729 een, in onbepaalbare tijd en landstreek spelend, treurspel *Cleomenes* werd herdrukt waarvan de auteur, D. Lingelbach (mede-oprichter van Nil Volentibus Arduum), in het voorwoord meedeelt 'dat het eene eigene vinding is'.[275] Gezien het zojuist geciteerde brieffragment, mogen we aannemen dat ook Bilderdijks ontwerp een eigen vinding moet zijn geweest. Het speelde zich af in een koninkrijk dat zomin in de bijbelse-, de antieke-, de vaderlandse- of de algemene geschiedenis valt te situeren. Deze thematische eigenaardigheid deelt het dan met de andere teksten die in dit hoofdstuk ter sprake zullen komen.[276]

2. Treurspel over een onbekende prinses (collectie-Kollewijn, nr. 18 en nr. 24, Tekst-B)

Handschrift nr. 18 in de collectie-Kollewijn is een uitgebreid ontwerp voor een blijeindend treurspel. Koning X heeft ongenoegen met zijn zoon, prins A., wie hij een huwelijk met zijn

[274] Onuitgegeven brief aan S. Elter. Het handschrift berust in de *Koninklijke Bibliotheek* te 's-Gravenhage, nr. 121D4/12. Vgl. hfdst. VI, slot par. 4. (Briefwisseling II, p. 356).

[275] D. Lingelbach, *Cleomenes. Treurspel*, Amsterdam 1729. Blijkens de opdracht verscheen de eerste druk in 1687. Volgens Worp (1904) dl. I, p. 306, werd het stuk bewerkt naar een (door Worp niet genoemde) Franse roman; vgl. Boulangé en Koogje (1985), p. 6.

[276] De naam 'Cleomenes' komt ook voor in een treurspel van L.W. van Merken en in het aan Plutarchus ontleende treurspel van C. Droste, *Agiatis Treur-spel*, 's-Gravenhage 1707, herdrukt in *De Haegse schouwburg gestoffeert door de heer Coenraed Droste. Waer by syn gevoegt eenige Gedigten van de selfden Autheur*, 's-Gravenhage 1710; Worp (1908), dl. II, p. 161, 162.

geliefde C. heeft verboden. Deze C. is nadien verdwenen en wordt tevergeefs door prins A. gezocht. Men meent dat ze gestorven is. Doordat de prins nadien de hand heeft geweigerd van een prinses D. (die aan het hof van Koning X vertoeft) is er oorlog ontstaan met een naburig rijk. Na zijn vaderland op het slagveld voor de ondergang te hebben behoed, wordt prins A. alsnog verenigd met zijn geliefde C., die tevoren onder een andere naam is opgetreden als vertrouwde der verstoten D. Uiteindelijk komt aan het licht dat beide dames de dochters zijn van B., bevelhebber van koning X., maar eigenlijk de verdreven koning van het land dat de oorlog verklaarde omdat de hand van prinses D. was geweigerd.

Het klinkt allemaal ingewikkeld, maar wat in ieder geval duidelijk zal zijn geworden, is het feit dat we hier te doen hebben met een intrigespel vol vermommingen en herkenningen. Het stuk begint 'bij donkeren nacht', terwijl B. de wacht houdt voor ''s konings slaapkamer' en men 'den vijand tegen over' ligt. Wie nu tekst-B van nr. 24 uit de collectie-Kollewijn voor zich neemt, doet een merkwaardige ontdekking. Hij ziet dat Bilderdijk daar schrijft over een 'belegerde vesting' en als plaats voor een eerste bedrijf aangeeft: 'Voorvertrek van 's konings slaapgemak'. Tevens keren in nr. 24-B de letters terug waarmee in handschrift nr. 18 de dramatis personae worden aangeduid. Nu staan er echter nadere gegevens achter, zoals: 'X. De Koning der Hongaren' en: 'B. Onttroonde koning der Polen (onbekend), maar Hoofd van 's konings raad en leger, en den bevelhebber der belegerde vesting'. Op deze wijze kunnen alle letters uit het achttiende handschrift van Kollewijns verzameling worden verklaard. Zonder enige twijfel behoren de aantekeningen van nr. 24-B dan ook bij de tekst waarvan de inhoud zojuist in het kort werd samengevat. De namen *Hongarije* en *Polen* brengen ons overigens geen stap nader tot de eventuele 'bron' van Bilderdijks ontwerp. Een historische kern zal men in dit spel van vermommingen en herkenningen tevergeefs zoeken en al evenmin is mij een toneelstuk bekend dat als voorbeeld van Bilderdijk zou kunnen worden beschouwd. De achttiende-eeuwse toneelliteratuur wemelt van onder vreemde namen levende prinsen en prinsessen die niet mogen trouwen met degene die zij liefhebben. Meestal loopt zoiets uit op moord of zelfmoord, maar ook bestaat de mogelijkheid dat alles nog goed terecht komt. Het laatste is in dit stuk van Bilderdijk het geval. Bij deze constatering en de opmerking dat de gebeurtenissen zich volgens het ontwerp in één paleis en tijdens één etmaal zouden afspelen, moeten we het laten. Gegevens ter datering ontbreken; de spelling bewijst dat de besproken teksten werden geschreven na 1778.

3. Treurspel over Aza (collectie-Kollewijn, nr. 23)

De inhoud van het drieëntwintigste handschrift uit de collectie-Kollewijn is de volgende. Het vaderland van Prinses Aza is veroverd door Koning M., die optreedt als voogd van de prinses. M. heeft een zoon N., die door prinses Aza wordt bemind. Er ontstaat ongenoegen tussen N. en zijn vader; de jonge prins verdwijnt daarop van het toneel. Dan smeedt prinses Aza een samenzwering om haar (dood gewaande) minnaar N. te wreken. Zij belooft daartoe haar hand aan zekere Z. Laatstgenoemde doet pogingen om een 'gezant van de Cingaleezen' in het complot tegen koning M. te betrekken. Deze gezant zorgt echter dat het complot wordt 'opgerold' en ontpopt zich als de verdwenen N. zelf, die zich intussen met zijn vader M. heeft verzoend. De koning stemt vervolgens toe in het huwelijk tussen N. en Aza, maar dan juist gebeurt er iets wat niemand verwachten zou. Prinses Aza is zo van haat tegen M. vervuld, dat ze haar vroegere minnaar N. verstoot, zijn 'plaatsvervanger' Z. tot zelfmoord aanspoort en tenslotte zichzelf van het leven berooft.

Als men het slot van dit merkwaardige stuk even buiten beschouwing laat, treft onmiddellijk de grote overeenkomst met de tekst die in par. 2 is besproken (collectie-Kollewijn nr. 18 en nr. 24, Tekst-B). Dit moge blijken uit de volgende opsomming:

1. Prinses Aza vertoeft aan een vreemd hof, evenals prinses D. uit handschrift nr. 18.
2. Aanvankelijk is de situatie in nr. 23 zodanig dat de bedrogen minnares (Aza) aan het hof leeft en haar doodgewaande geliefde (N.) daarbuiten zwerft; nr. 18 vertoont slechts een variant op deze situatie: de bedrogen minnaar (prins A.) zwerft onbekend buiten het hof en de doodgewaande geliefde (prinses C.) vertoeft onbekend in het koninklijke paleis.
3. Later keert de verdwenen geliefde van prinses Aza (N.) vermomd als gezant in het paleis terug en wordt daar betrokken in een geheime verwikkeling die door zijn toedoen wordt opgelost; zo keert de bedrogen minnaar (prins A.) als onbekende krijger aan het hof terug om een einde te maken aan de oorlog. Zijn verdwenen geliefde (prinses C.) vervult intussen in vermomming de rol van vertrouwde der prinses D.
4. In beide stukken wordt de ontknoping bewerkstelligd door de herkenning der geliefden; in handschrift nr. 18 gaat daar een veldslag aan vooraf; in tekst nr. 23 een samenzwering.
5. Uiteindelijk is nr. 23 zo goed als gelijk aan nr. 18, maar nu is het een prinses, en niet een prins van wie de geliefde schijnt 'vermoord'. Het grote verschil is dat de prinses uit nr. 23 een verzoening weigert en Bilderdijk als het ware een treurige afloop forceert waar ook een happy-end mogelijk zou zijn geweest.
6. De middelen van vermomming zijn in nr. 23 al even weinig origineel als in nr. 18. Onbekende krijgers die zich op het slagveld onderscheiden kende men al volop in de middeleeuwse literatuur; en een vermomde gezant is nu ook bepaald geen wereldschokkende uitvinding.[277]
7. Zoals in de vorige paragraaf werd aangetoond, speelt nr. 18 zich af in Hongarije. Ook in nr. 23 zou de handeling op vreemd grondgebied hebben plaatsgevonden. Prins N. treedt op 'als gezant van de Cingalezen' en is uitgedost 'in vreemd gewaad'. Ik heb

[277] Een dergelijke figuur treedt bijvoorbeeld op in het treurspel *Ada, Gravin van Holland en Zeeland* (1754 en 1765) door F. van Steenwyk (Worp -1908- dl. II, p. 144: dat Bilderdijk deze tekst kende, blijkt uit hoofdstuk X, par. 3).

dan ook geen bezwaar tegen de aanwijzing: *Aza, in[disch] treursp[el]*, die door een latere bezitter van het handschrift onder de tekst werd geplaatst.

Ook voor Bilderdijks *Aza*-ontwerp zullen we ons tevreden moeten stellen met de constatering dat de auteur niet van de bekende eenheden wilde afwijken en zijn ontwerp (blijkens de spelling) heeft opgesteld na 1778.

4. Treurspel over mammelukken (collectie-Kollewijn, nr. 12)

Het twaalfde handschrift van de collectie-Kollewijn is een onooglijk papiertje waarop aan beide zijden maar een paar zinnetjes staan. Bilderdijk heeft ze bedoeld als aantekeningen voor een toneelstuk dat blijkbaar moet beginnen met de belegering van een kasteel. Onwillekeurig dacht ik daarbij aan het beleg van Rijssel in het eerste bedrijf van Voltaires *Adelaïde du Guesclin* (1734), door Jan de Marre nagevolgd in het treurspel *Jacoba van Beieren* (1735) en door Jan Nomsz in zijn *Maria van Lalain* (1781).[278] Ook de 'Christen-gevangen' en de 'Sultan' die in Bilderdijks aantekeningen optreden, herinneren aan Voltaire. Met name aan diens *Zaïre* (1732), de als mohammedaanse opgevoede christin die zal huwen met sultan Orosmane, maar later door deze zelf uit minnenijd wordt gedood. Het was de sultan namelijk onbekend dat zijn vermeende 'mede-minnaar' Nérestan de broer van Zaïre is, en dat beiden kinderen zijn van de door hem gevangen gehouden koning Lusignan.[279]

De vrouwenfiguur die Bilderdijk met de letter Z. aanduidt zou Zaïre kunnen zijn; de met L. aangeduide aanvoerder van de gevangen genomen christenen ware als Lusignan te beschouwen. We merken dan op dat bij Bilderdijk niet de sultan 'Zaïre', maar Zaïre juist de sultan doodt, nadat er een opstand heeft plaats gehad van de mammelukken. 'Zaïre' begeert nu de christen-koning 'Lusignan' (bij Voltaire: haar vader!) tot echtgenoot, terwijl de mammelukken hem als hun vorst willen uitroepen. Ook deze situatie herinnert aan Voltaire. In diens treurspelen *Eriphyle* (1732) en *Sémiramis* (1748) heeft de heldin eveneens haar echtgenoot vermoord. Zij wil later een jongeling die optreedt als haar beschermer, tot gemaal. Maar deze jongeling ontpopt zich als haar verloren gewaande zoon.[280] Bilderdijks 'Lusignan' schijnt niets voor zulk soort aanbiedingen te voelen en vestigt de aandacht van 'Zaïre' op het godsdienstverschil tussen hen beiden (een motief dat ook bij Voltaire belangrijk is en dat men terugvindt in een romance van Bilderdijk.)[281] Intussen worden er intriges tegen 'Lusignan' gesponnen door een Turk, die zowel aanspraken op de troon als op 'Zaïre' maakt (vgl. de

---

[278] Van Schooneveldt (1906), p. 119 e.v.

[279] Door zijn kritiek op Voltaires tragedie verwierf de Nederlandse toneelschrijver F. Duim – vader van de bekende acteur Izaak Duim – een bespreking in de *Hamburgische Dramaturgie* : Sechzehntes Stück-Den 23. Junius 1767 ; Lessing (1958), p. 67. (Robertson -1939-, p. 211, citeert naar aanleiding hiervan een kritiek in de *Deutsche Bibliothek* van 1769: 'Wozu gab sich der Verfasser mit dem einfältigen Holländer ab, der die Zaire hat verbessern wollen? Gewiss entweder um zu zeigen, dass er auch Holländisch versteht, oder um einige niedrige Spöttereyen anzubringen, die so sehr nach seinem Geschmack sind.' Vgl. Van Schoonneveldt (1906), p. 111 e.v. en: Prinsen (1931), p. 66-70.)

[280] Lion (1895), p. 67 en 196.

[281] Zie in DW. I, p. 226 e.v. de romance *De Marokkane* van 1805, waarin een gevangen christenridder wordt vrijgekocht door een zich bekerende mohammedaanse die de naam *Zaïde* draagt.

minnenijd in het stuk van Voltaire). 'Zaïre' wordt tenslotte in een gevecht tegen samenzweerders gewond en sterft op het toneel.

Bilderdijks aantekeningen maken de indruk te zijn bedoeld als ontwerp voor een vrij gecompliceerd toneelstuk met grove effecten. Zoals gezegd, neem ik aan dat ze gedeeltelijk zijn te verklaren uit de lectuur van Voltaire. Dateren kon ik deze notities niet; de spelling is die van na 1778.

5. Treurspel over een verdreven koning (collectie-Kollewijn, nr. 13)

Zeer onduidelijk is het dertiende handschrift in de verzameling van Kollewijn. Met de drie in de voorafgaande paragrafen besproken stukken heeft het gemeen, dat Bilderdijk de handeling weer in een vreemd land wilde plaatsen. *'Byzantijnsch Tr[eurspel]'* schreef een mij onbekende hand later onder de tekst. Ik zie geen enkel bezwaar tegen deze kwalificatie en stel vast dat Bilderdijks eerste aantekening luidt: *Byzantium wordt bestormd.* We verkeren dus in een situatie die al in paragraaf 4 werd besproken. Ook de grove effecten ontbreken niet. Uit Bilderdijks aanwijzingen valt op te maken dat de koning van Byzantium op een of andere wijze verdwenen is. Waarschijnlijk werd de regering waargenomen door zijn broer, maar die schijnt van de troon te zijn gestoten door de zoon van de oorspronkelijke koning. Die zoon geeft het rijk over aan de vijand. De vijandelijke vorst wenst nu een huwelijk met de koningin (de gemalin van de verdwenen koning en de moeder van hem die capituleerde). In het ontwerp wordt de koningin aangeduid als *End.* Deze End. krijgt nog een ander verzoek: de zoon van de vijand wil namelijk haar dochter tot gemalin. Zelf meent ze dat haar kind gestorven is, maar spoedig blijkt dat het doodgewaande meisje niemand anders is dan haar eigen vertrouwde. De ontknoping van het stuk is als volgt: End. staat op het punt te huwen met de vijand. Voor deze plechtigheid wordt de hulp ingeroepen van een priester en deze geestelijke 'ontdekt zich' als de verdwenen koning; de vijand pleegt daarop zelfmoord.

Ik merk bij dit merkwaardige ontwerp nog slechts op dat het huwelijk van een vorstin met de vijandelijke overwinnaar niet onbekend is in de toneelliteratuur, en dat een priesteres die bij een huwelijksplechtigheid haar eigen dochter herkent, valt aan te wijzen in Voltaires toneelstuk *Olympie.*[282] Uitzonderlijk is veeleer dat Bilderdijks ontwerp, in plaats van de traditionele vijf, maar drie bedrijven voorziet. Wanneer hij zich met deze tekst heeft beziggehouden is niet precies vast te stellen. De enige aanwijzing is weer de spelling, waaruit mag worden geconcludeerd dat het handschrift is ontstaan na het jaar 1778.

6. Treurspel over Alice, prinses van Engeland (collectie-Kollewijn, nr. 29)

Het negenentwintigste handschrift van Kollewijns verzameling bestaat uit een treurspelontwerp (Tekst-A) en een fragment in proza (Tekst-B). Een Engelse prinses heeft

[282] Vgl. het in hoofdstuk V besproken treurspel over *Sofonisba* en G.E. Lessing, *Hamburgische Dramaturgie* (uitg. Otto Mann, Stuttgart 1958), p. 159 (St. 40); voor Voltaires *Olympie*: zie Lion (1895), p. 295, 296.

vroeger een geheim huwelijk gesloten, is door haar echtgenoot onmiddellijk na de eerste huwelijksnacht (waarin alles zeer geheimzinning toeging) in de steek gelaten en heeft zich vervolgens enige tijd teruggetrokken in een klooster. Aangezien zij de hand weigert van de Schotse koning, ontstaat er een oorlog. De ongelukkige koningsdochter maakt een depressie door maar vindt enige troost in de aanwezigheid van 'een Edelvrouw', genaamd Rosaura, die na een schipbreuk bij haar is terecht gekomen.

Zo is de voorstelling van zaken die wordt gegeven door het *fragment in proza* van Tekst-B. Volgens het *ontwerp* van dit stuk (Tekst-A) komt zekere graaf Henrik aan 's konings hof. Hij heeft zijn gemalin verloren en zal nu de prinses huwen. Spoedig blijkt dat hij de echtgenoot is van Rosaura en tevens de man met wie de prinses al getrouwd denkt te zijn. Na allerlei verwikkelingen wordt duidelijk dat een ander in de geheimzinnige huwelijksnacht zijn plaats bij de prinses heeft ingenomen. Deze andere man wordt gevangen genomen na een veldslag tegen de Schotten, die juist op de dag van de handeling plaatsvindt. Er volgt een tweegevecht (het schijnt dat zelfs een der vrouwen duelleert) en uiteindelijk bekent dan de snoodaard dat hij de prinses in de bewuste nacht heeft misleid. De ongelukkige sterft van droefheid, maar graaf Henrik en Rosaura zijn gelukkig herenigd.

De vage aanduidingen 'koning van Engeland' en 'koning van Schotland' (Tekst-A), benevens enkele naamsveranderingen [283] en de inhoud van het stuk zelf, kunnen al doen vermoeden dat Bilderdijk geen strikt historisch treurspel heeft willen schrijven. Aangezien in Tekst-B evenwel sprake is van de Schotse koning Duncan, heb ik de moeite genomen Humes geschiedenis van Engeland op dit punt te controleren. Het is bekend dat Bilderdijk dit boek heeft gebruikt. Welnu, daar waar de beide Duncans van Schotland ter sprake komen, is het in verband met Engelse koningen die kinderloos zijn gestorven.[284] Alleen al daarom is het onwaarschijnlijk dat Bilderdijk zijn verhaal op een historisch gegeven heeft gebaseerd, al blijft het mogelijk dat zijn uitgangspunt een mij onbekend gebleven legende over een vorstelijke persoon is geweest.

Natuurlijk zijn er talrijke conflicten geweest tussen Engelse en Schotse koningen. Enkele Engelse prinsessen zijn gestorven in een klooster en Hume weet te melden dat Editha, de gemalin van William the Confessor: 'never could acquire the confidence and affection of her husband. It is even pretended, that, during the whole course of her life, he abstained from all commerce of love with her'.[285] Verder vond ik allerlei 'love-affairs' van Schotse koningen in Langs *A history of Scotland*, waar tevens is te lezen dat Duncan II in 1072 door William the Conqueror als gijzelaar mee naar Engeland werd genomen.[286] Dit alles brengt ons geen stap

[283] De prinses heet zowel *Dyonisia* als *Alice*; de gemalin van Henrik wordt *Rosaura* maar ook *Adine* en *Aline* genoemd.

[284] David Hume, *The history of England, from The Invasion of Julius Caesar to The Revolution in 1688*, vol. I, Londen 1763, p. 181, 185, 312, 330. Duncan I is vermoord door Macbeth in 1040. (Vgl. Shakespeares treurspel *Macbeth* en M. Lüthi, *Shakespeares Dramen*, Berlin 1957, p. 419). Duncan II vond de dood in 1094.

[285] Hume , a.w., dl. I, p. 175. Vgl. p. 159 en 304 voor de prinsessen die in een klooster zijn overleden.

[286] Andrew Lang, *A history of Scotland from the Roman occupation*, Vol. I, Edingburgh and London 1900, p. 91 en 98; 295; 352; 360; 438 e.v.

nader tot de misdadige verwisseling van bedgenoot, die in Bilderdijks treurspel wordt aangetroffen. We kunnen zonder bezwaar de mogeljkheid van een historische bron uitschakelen, om na te gaan of er literaire parallellen bestaan. De naam *Rosaura* deed me even denken aan de zich vermommende Rosaura-figuur in Calderóns *La vida es sueño*, die vroeger werd verleid en nu, eveneens als gevolg van een ongeluk, in het gezelschap van de overige dramatis personae is beland. Het is mogelijk dat ook Bilderdijk daaraan heeft gedacht toen hij die naam gebruikte, maar het is nu eenmaal een feit dat het verwisselingsmotief bij Calderón ontbreekt. Daarentegen wist Robert Stanley Fortsythe alleen al in de Elisabethaanse toneelliteratuur een twintigtal stukken aan te wijzen waarin een dergelijke verwisseling voorkomt.[287] Bij Shakespeare treft men ze aan in *All's well that ends well* en in *Measure for Measure*. In het eerstgenoemde blijspel blijkt de verwisseling een middel waardoor een verstoten vrouw bereikt dat een verlaten geliefde weer door haar minnaar wordt aanvaard en een gevangene zijn vrijheid krijgt. E.K. Chambers en Mary Lascelles merken in hun Shakespeare-studies op dat dit motief 'a common and approved trick of folk-tale and romance' was en G.K. Hunter meent bovendien te kunnen waar maken dat de houding die men er tegenover aannam in de werkelijkheid van het hofleven 'only moral admiration for the trick' laat zien.[288] Na er even aan te hebben herinnerd dat de zg. 'bedtrick' (tot verdriet van Boileau!) zelfs voorkomt in het grote epische gedicht *Orlando Furioso* van Lodovico Ariosto, kunnen we vaststellen dat het motief vooral bekend is uit de vroegere novellenliteratuur.[289] We zien het in de *Decameron* van Boccaccio, in de *Heptaméron* van Marguerite de Navarre en later ook in het ondeugende boek *Monsieur Nicolas ou le Coeur Humain Dévoilé* (1797) van Restif de la Bretonne. Terwijl de avontuurlijke Monsieur Nicolas uiteraard zelf de initiatiefnemer bij dergelijke ondernemingen is, valt in de genoemde verzamelingen van Boccaccio en de koningin van Navarre op dat de verwisseling doorgaans plaatsvindt als gevolg van vrouwenlist. Deze 'afwijking' van Bilderdijks opvatting treft men ook aan bij Shakespeare. Diens blijspel *All's well that ends well* behandelt trouwens hetzelfde gegeven als Boccaccio's negende vertelling van de derde dag over Giletta di Narbona, waarvan Gustav Gröber het hoofdmotief heeft teruggevonden in een oude Indische novelle.[290] Een mannelijk initiatiefnemer bij de verwisseling treft men ook wel aan in de *Decameron* maar als een verhaal dat meer direct overeenkomst met Bilderdijks toneelontwerp vertoont, mag toch

[287] Robert Stanley Fortsythe, The relations of Shirley's plays to the Elizabethan drama, New York 1914, p. 330.

[288] E.K. Chambers, *William Shakespeare. A study of facts and problems*, dl. I, Oxford 1930, p. 452; Mary Lascelles, *Shakespeare's Measure for Measure*, London 1953, p. 119.; *All's well that ends well*, edited by G.K. Hunter (The Arden edition of the Works of William Shakespeare) London 1959, p. XLIV.

[289] Vgl. S. Keyser, *Contribution à l'étude de la fortune littéraire de l'Arioste en France*, Leiden 1933, p. 117; 244. Lascelles, a.w., p. 9 e.v.; voor de invloed van novellen op vroegere toneelstukken in het algemeen vgl. hfdst. VI, par. 2, noot 244 (In 2000 verscheen de bijna zeshonderd pagina's tellende studie *The bedtrick. Tales of sex and masquerade* door Wendy Doniger, University of Chicago Press).

[290] Sedert een in 1951 verschenen studie van H.G. Wright neemt men aan dat Shakespeare het verhaal van Boccaccio zowel uit een Engelse als Franse vertaling kan hebben leren kennen. Voor de 'bron' van Boccaccio: Gustav Gröber, *Ueber die Quellen von Boccacio's Dekameron*, Straszburg 1913, p. 22; Hunter (noot 15), p. XXV en 145. Vgl. Karl Brunner, *William Shakespeare*, Tübingen 1957, p. 167.

eerder de achtenveertigste geschiedenis uit de *Heptaméron* genoemd worden, waarin twee monniken in de eerste huwelijksnacht van een meisje te Périgord na elkaar de plaats van de nog nafeestende bruidegom innemen, zonder dat het vermoeide bruidje dit merkt.[291] Bij Marguerite de Navarre vindt dit alles nog plaats in de sfeer van de grappige vertelling. Ook in Shakespeares *All's well that ends well* kan men van een 'komische' verwisseling spreken en hetzelfde geldt voor de wijze waarop dit gegeven werd gehanteerd in het beroemde blijspel *Le mariage de Figaro (1784)* van Beaumarchais.[292]

Bilderdijk geeft het oude motief een heel andere uitwerking. Evenals in het Engelse toneelstuk *The Orphan* (1680) van Thomas Otway (en ook wel in Shakespeares *Measure for Measure)*, wordt de verwisseling bij hem voorgesteld als een laaghartigheid, waarvan zijn treurspel over de Engelse prinses de gevolgen in al hun verschrikking zou hebben uitgebeeld. Maar dat niet alleen. Bilderdijk situeert de *bedtrick* in de preromantische sfeer van een *Gothic novel* of een griezelig kerkhofverhaal van Baculard d'Arnaud. Zijn prozafragment (Tekst-B) wemelt van overspannen 'gevoelige' uitroepen; en de omgeving waarin de door prinses Alice verhaalde gebeurtenissen plaatsvinden is die waarin de tranen plengende helden en heldinnen in de sentimentele romans van Rhijnvis Feith bij voorkeur vertoeven. De ontmoeting met haar minnaar: 'Een zomeravond doolde ik eenzaam en vermoeid van de woeling mijner gedachten, in de fonteinhof achter mijns vaders paleis; ik zette mij neêr aan den vliet, tranen stroomden langs mijn boezem. Ik zag op, en zie daar hem die geheel mijne zinnen meester was, voor mij. Een schrik die mij den adem benam, deed mij eensklaps oprijzen, doch de kracht begaf mij op 't oogenblik, mijne knien trilden, en ik zeeg neêr in de armen die hij uitstrekte om mij te omvangen…' 's Nachts nadien volgt het geheime huwelijk in een decor dat schijnt overgeplaatst uit een Engelse griezelroman of een kloosterdrama van Baculard d'Arnaud: 'Daar is een oude ridderkapel midden in de onderaardsche kluizen, die beneden 't Paleis onder den Hofmuur doorloopen. Een oud bijgeloof zet ontzachlijkheid bij aan de somberheid van die heilige plaats. Het was daar, dat ik hem tegen den zelfden middernacht bescheidde, om voor het Altaar mijne trouw te ontfangen. In vermomd gewaad, en 't gelaat in zijn mantel verhuld, moest eene volstrekte zwijgzaamheid hem aan een ijder onkenbaar maken. Hij verscheen, en een geestelijke aan het Hof onbekend, en langs een geheimen buitengang ingeleid, leide onze handen in een. Op het oogenblik volgde hij mij naar mijn kamer. Een enkel toortslicht wees ons van verre den toegang…'

De aard van het teruggevonden fragment (Tekst-B) maakt het zeer waarschijnlijk dat Bilderdijk een treurspel in proza heeft willen schrijven; het ontwerp voor dit stuk (Tekst-A),

[291] Giovanni Boccaccio, *Decameron* III/2 en III/6 (*La letteratura italiana. Storia e testi*, vol. 8) Milano-Napoli 1952, p. 195, 220; zie ook: *Decameron di Giovanni Boccaccio*, a cura di Natalino Sapegno, dl. I, Torino 1956, p. 277, 280 (Idem a cura di Vittorio Branca, dl. I, Firenze 1951, p. 328). (Gröber , a.w., p. 18 en p. 20, weet geen zekere bronnen voor deze verhalen aan te wijzen). *L'Heptaméron. Contes de la reine de Navarre*, nouvelle édition revue avec soin, Paris s.d., p. 340.

[292] Prinsen (1931), p. 417. Dit stuk was al voltooid in 1778, zie: Beaumarchais, *Théâtre. Lettres relatives à son théâtre* (Pléiade), Paris 1949, p. 657.

laat geen inbreuken op de voorschriften betreffende de drie bekende eenheden vermoeden. Met betrekking tot de datering moet worden opgemerkt, dat een latere bezitter van het handschrift ten onrechte boven de tekst heeft geschreven: *Voor 1795. Inleiding van een toneelspel, in duitschen trant*. Het door Bilderdijk gebruikte papier bewijst dat dit stuk pas kan zijn ontstaan ná 1795. Andere gegevens maken het waarschijnlijk dat de dichter eraan heeft gewerkt in 1797 of niet lang daarna. Aangezien de tot deze resultaten leidende bewijsvoering ook gedeeltelijk geldt voor Bilderdijks treurspelontwerp *Cleonice*, zal ze bij de behandeling van dit handschrift in het volgende hoofdstuk worden uiteengezet.[293]

[293] Het papier heeft een Britannia-watermerk met het jaartal 1795. Dit komt ook voor in het treurspelontwerp *Cleonice*. Vgl. hfdst. VIII, par. 2.

HOOFDSTUK VIII

IN HET VOETSPOOR VAN METASTASIO

1. Treurspel 'Reimond, koning van Trebisonde' (collectie-Kollewijn, nr. 4; uitgegeven).

Het vierde handschrift uit de collectie-Kollewijn is het ontwerp van een toneelstuk met de titel *Reimond, koning van Trebisonde*. De handeling verloopt als volgt: Koning Reimond heeft een worstelspel uitgeschreven waarvan de overwinnaar 's konings dochter, Cyane, tot bruid zal krijgen. De man die de wedstrijd wint, heet Ruggiero en is toevalligerwijze de minnaar van de prinses. Alles zou dus zonder moeilijkheden verlopen zijn, ware het niet dat Ruggiero krachtens een gelofte (en zonder dat hij aanvankelijk de inzet van het spel kende) had gestreden op naam van zijn vriend en weldoener Olinthes, die nu natuurlijk de buit – in casu de koningsdochter – komt opeisen. De dappere kampvechter zelf verdwijnt na een hartroerend afscheid van het toneel, maar ook de prinses maakt aanstalten om samen met haar vriendin – tevens 'vertrouwde' – te ontvluchten. Zover komt het echter niet. De aanstaande bruidegom Olinthes (de man dus die zelf niet gevochten heeft en voor wie de prinses alleen maar minachting toont) dringt de vertrekken van de koningsdochter binnen om haar te schaken, maar wordt daarbij verrast door de koning zelf. Hij verwondt deze in gevecht. Later blijkt nu dat de geweldenaar en bedrieger – Olinthes dus – dezelfde is als de doodgewaande zoon van de koning, tevens tweelingbroer van de prinses die hij wilde schaken! Onder indruk van een voorspelling had de koning hem kort na zijn geboorte willen laten ombrengen, maar dat blijkt niet te zijn gebeurd. Wanneer dit uit de doeken is gedaan, komt de kampvechter en minnaar Ruggiero weer ten tonele, maar nu samen met een groep ridders die zijn huwelijk met de prinses eisen. Dit wordt toegestaan. De weergevonden koningszoon Olinthes krijgt tenslotte vergiffenis en wordt in genade door zijn vader aangenomen, nadat een raadsman er de koning op gewezen heeft dat het orakel nu is vervuld. Hij zegt: 'het orakel is vervuld. Uw zoon moest u naar het leven staan, gij zoudt hem ter dood veroordelen. Beide is geschied. Stel 't volk en uw eigen hart te vreden'.

Het valt bij lezing van dit handschrift op, dat Bilderdijk verschillende tonelen niet heeft uitgewerkt, maar ervoor verwijst naar een scène uit een ander stuk. Enkele keren staat er: 'als bij Metastasio'. En inderdaad: Bilderdijks ontwerp blijkt bij nader onderzoek een bewerking van Metastasio's opera *Olimpiade*. In 1960 heb ik een uitgave van de tekst bezorgd en het stuk besproken in het kader van Metastasio's weerklank in de toenmalige Nederlandse literatuur.[294] Een belangrijk verschil tussen Bilderdijk en Metastasio is dat de

[294] Martien J.G. de Jong, 'Sulla fortuna di Pietro Metastasio nella letteratura olandese', *Convivium* 28 (Bologna 1960), p. 348 e.v.; 'Willem Bilderdijk en Pietro Metastasio', TNTL 77 (1960) 4, p. 241 e.v. Uiteraard komt een en ander ook ter sprake in De Jong (Taal van, 1973). Metastasio's *Olimpiade* werd voor het eerst gespeeld op 28 augustus 1733,

Italiaanse opera drie bedrijven telt, terwijl Bilderdijks treurspelontwerp er vijf heeft. Bilderdijk heeft de handeling – waarvan ik zojuist alleen maar de allerbelangrijkste elementen heb aangeduid – dan ook met nieuwe tonelen moeten uitbreiden: de mislukte schaking door Olinthes, de vluchtpoging van de prinses en haar vertrouwde, enkele alleenspraken, en de inval van Ruggiero aan het slot, waarbij door de ridders zijn huwelijk met de koningsdochter wordt geëist.[295]

Ook bij Metastasio komt de aanslag op de koning voor. Maar dan alleen als een daad van vertwijfeling van Licida (Olinthes), wiens bedrog bij het worstelspel wordt ontdekt en die bovendien verneemt dat zijn trouwe vriend Megacles (Ruggiero) zelfmoord heeft gepleegd uit wanhoop om de verborgen liefde die hij terwille van hem blijkt te hebben verloochend.[296] Bij Bilderdijk kan de aanslag alleen maar worden verklaard uit het feit dat de koning ingreep toen Olinthes zijn schakingsplan wilde uitvoeren. Een bij Metastasio psychologisch verantwoorde handeling reduceert Bilderdijk dus tot een toevalligheid, die voortvloeit uit de door hem toegevoegde schakingsepisode. Er is maar één toevoeging van Bilderdijk die een bepaalde noodzaak aan de gebeurtenissen geeft. Dat is de wijze waarop hij het orakel-motief hanteert. Bij Metastasio komt dit motief slechts ter sprake als de koning zijn zoon vertelt waarom hij niet aan het hof is opgegroeid. In Bilderdijks stuk is deze antieke idee van veel meer belang. Het feit dat het orakel volledig is vervuld, betekent het einde van zijn stuk: men is tot het inzicht gekomen, dat dit alles noodzakelijkerwijze zo moest geschieden. Door de voorspelling ('uw zoon moest u naar het leven staan') uit te breiden met een tweede lid ('gij zoudt hem ter dood veroordelen'), kon Bilderdijk zijn stuk onder de ban van het orakel houden en toch de gelukkige afloop van Metastasio overnemen.

Enerzijds heeft Bilderdijk dus getracht de verwikkelingen van Metastasio's spel onder de dwang van een klassieke hoofddaad te brengen, anderzijds heeft hij die verwikkelingen met enkele episoden moeten uitbreiden om aan een andere klassieke eis, die van de vijf bedrijven, te kunnen voldoen. Ook de eenheid van plaats baarde moeilijkheden. De toegevoegde episode met de vluchtpoging van de prinses noodzaakte hem tot een afwijkende toneelaanwijzing voor het vierde bedrijf: 'hofgallerij, uitzicht naar de haven. 't Is nacht. Maneschijn'. In hetzelfde bedrijf wordt het 'intusschen dag', maar men kan aannemen dat de hele handeling binnen de vierentwintig uur haar beslag krijgt. Dit is trouwens ook bij Metastasio het geval. Wil diens driedelig stuk niet meer zijn dan een liefdesdrama in een arcadisch landschap, Bilderdijk heeft getracht zijn spel een klassiek uiterlijk te geven door een

---

met muziek van Caldara. De tekst vindt men in: *Drammi di Pietro Metastasio. Opere scelte*, vol. II, Milano 1820, en in het eerste deel van de moderne uitgave *Tutte le opere*, a cura di Bruno Brunelli, Verona 1947.

295 De vluchtpoging is meer een verandering dan een uitbreiding. Het door Bilderdijk voorgeschreven decor herinnert aan een ander stuk van Metastasio, nl. *Demetrio*, I, 8.

296 Een onvermeld gebleven bijzonderheid is dat de vertrouwde van de prinses de verstoten minnares van Licida (= Olinthes) blijkt. Bij Metastasio dreigt zij haar vroegere minnaar bij de koning te verraden: 'e tutto/ saprá da me Clistene / Per tua vergogna'. Kort daarop wordt Licida de verbanning aangezegd.

aantal over vijf bedrijven verdeelde verwikkelingen te binden in de knoop van het antieke orakelmotief.

Een opvallend vormverschil levert tenslotte het feit dat Bilderdijk de koren van het Italiaanse zangspel niet heeft overgenomen, al voorzag hij kennelijk wel, 'musijk' in de tweede akte. Bilderdijks stuk is over het algemeen statiger en heftiger, wat bijvoorbeeld blijkt uit de gevoelsontladingen van de vrouwelijke personages in het melodramatisch vierde toneel van het eerste bedrijf en ook uit het rumoerige slot van zijn ontwerp, waarin geen enkele overeenkomst met zijn Italiaanse voorbeeld meer valt aan te wijzen.

Enkele externe gegevens stellen ons in staat de datum te benaderen waarop Bilderdijks bewerking is ontstaan. Allereerst staat vast welke Metastasio-uitgave hij heeft gebruikt. De catalogus van zijn bibliotheek vermeldt de Londense van 1784, met als bijzonderheid dat het negende deel ontbreekt. Dat klopt met een op 1 oktober 1795 te Hamburg geschreven brief aan zijn vrouw, waarin Bilderdijk de ontvangst der 'kleine Editie' van Metastasio bevestigt en tevens opmerkt dat hij het negende deel mist. De derde juli had hij haar verzocht om deze 'kleine Italiaansche boekjens met goud', een beschrijving die zonder twijfel beantwoordt aan het uiterlijk van de betreffende editie.[297] Aangezien in het negende deel de *Olimpiade* niet voorkomt, is uit de vermissing geen conclusie te trekken voor de datering van Bilderdijks handschrift. Wel is het duidelijk, dat dit pas kan zijn ontstaan na het jaar 1784. Verder is het waarschijnlijk dat *Reimond* in Nederland is geschreven. Daarop wijzen de watermerken: *pro patria*, en de initialen *B.P.S.*, staande in een cirkel. Deze beide watermerken komen eveneens voor in het vel dat door Bilderdijk werd gebruikt voor het ontwerp van zijn 'opera'-treurspel *Willem van Holland*, waarvan weer kan worden aangetoond dat het is ontstaan vóór 1795. De omstandigheid dat ik het monogram *B.P.S.* maar één keer meer aantrof, en wel in het manuscript van het derde bedrijf van de dramatische robinsonade *Zelis en Inkle* (1783-1785), is een argument te meer om als ontstaanstijd van het *Reimond*-ontwerp de periode tussen 1784 en 1795 aan te nemen.[298]

2. Treurspel 'Cleonice' (collectie-Kollewijn, nr. 5; uitgegeven)

Handschrift nr. 4 uit de collectie-Kollewijn is door veel doorhalingen en veranderingen bijna onleesbaar geworden. Het is een treurspelontwerp dat Bilderdijk de titel *Cleonice* heeft gegeven. Cleonice is een kroonprinses die gedwongen wordt een gemaal te kiezen. Ze is verliefd op Nicander, van wie wordt verondersteld dat hij niet van koninklijken bloede is. Na allerlei verwikkelingen blijkt evenwel dat Nicander de vroeger verdwenen Demetrius is, de eigenlijke troonopvolger. Nicanders rivaal Olinthes veroorzaakt nu een burgeroorlog, die

297 *Opere del signor abate Pietro Metastasio*, 12 tomi, Londra 1784. Vgl. Catalogus (1832), p. 64; EH., p. 239, 219. Van de Londense uitgave berust een exemplaar in de bibliotheek van de Amsterdamse Universiteit. De boekjes zijn goud op snee en hebben de inderdaad geringe afmeting van 12 bij 7 cm.

298 Voor het treurspel *Willem van Holland*, zie hfdst. V, par. 3; voor *Zelis en Inkle*, zie hfdst. IX, par. 1

ertoe leidt dat Cleonice gevangen wordt genomen, naar zij meent op last van Nicander. In het laatste bedrijf wordt zij weer bevrijd. Uit vrees te moeten huwen met Olinthes, die tijdelijk de macht in handen heeft gekregen, neemt zij vergif in. Tenslotte slaagt Nicander erin aan het bewind van Olinthes een einde te maken. Eigenhandig doorsteekt hij de opstandeling. Zijn geliefde is dan niet meer te redden en de overwinnaar pleegt zelfmoord op haar lijk.

Drie keer verwijst Bilderdijk voor een bepaald toneel naar een scène uit een ander stuk, waarvan hij echter titel noch auteur noemt. Dit stuk is zonder enige twijfel de opera *Demetrio* van Pietro Metastasio.[299] Nicander-Demetrius heet bij hem Alceste-Demetrio, Cleonice heeft dezelfde naam en Olinthes is Olinto. Zijn opera telt drie bedrijven en eindigt anders. De rivaal Olinto spreekt tenslotte tot Alceste:

> ...In te, Signor, conosco
> Il mio Monarca, e dell' ardir mi pente

Zijn vader voegt daaraan toe:

> ... E 'l monde impari
> Dalla vostra virtù come in un core
> Si possano accoppiar gloria ed amore...

waarop als laatste toneelaanwijzing volgt: 'Alceste e Cleonice vanno sul trono'.

Een gelukkige afloop dus. Heel anders is het bewogen treurspel van Bilderdijk. Wat hij van Metastasio heeft overgenomen, is onder meer het motief van de onbekende vorstenzoon die door een prinses wordt uitverkoren. Tevens had hij het voornemen de expositie en een tweetal andere tonelen van de Italiaan in zijn treurspel te verwerken: het afscheid van Alceste (Nicander) die zijn geliefde verlaat om haar de kroon te doen aanvaarden, en het toneel waarin Cleonice besluit haar rechten op die troon prijs te geven om daardoor haar minnaar te kunnen volgen in zijn eenvoudig herdersleven. In zijn *Saggio sul Metastasio* van 1950 ziet Claudio Varese al in het eerstbedoelde toneel: 'una elevata altezza patetica',[300] maar zonder twijfel wordt het toppunt van pathos pas bereikt in het andere tafereel dat Bilderdijk uit *Demetrio* overnam. Metastasio heeft zelf aanwijzingen gegeven voor de regie van de afscheidsscène tussen prinses Cleonice en haar minnaar. Het is bekend dat het achttiende-eeuwse publiek bij dit toneel overvloedig placht te wenen. Dat Metastasio de toeschouwers opzettelijk tot tranen toe wilde ontroeren, blijkt duidelijk uit de tekst zelf. De

[299] Eerste opvoering in 1733 met muziek van Caldara.

[300] Claudio Varese, *Saggio sul Metastasio*, Firenze 1950, p. 74.

auteur gaat zover, dat hij de bedroefde gelieven hun eigen tragische omstandigheden als geschikt object laat aanprijzen voor de latere dramatische kunst![301]

Wat de structuur betreft, bestaat er een groot verschil tussen de Italiaanse tekst en de onvoltooid gebleven Nederlandse navolging. Bij Metastasio is het spel voltooid als de 'herkenning' van Demetrio heeft plaatsgevonden. Bilderdijk plaatst die herkenning in het derde bedrijf, maar ze wordt bij hem het uitgangspunt voor nieuwe verwikkelingen, die er niet noodzakelijk mee verbonden zijn. Om de vijf bedrijven te kunnen vullen, heeft hij het gegeven van Metastasio moeten uitbreiden met gebeurtenissen als de gevangenneming van Cleonice en de burgertwist door toedoen van Olinthes. Deze toevoegingen gebruikte hij tevens om het blij-eindend stuk van Metastasio te veranderen in een treurspel dat moest eindigen met een doodslag en twee zelfmoorden bij open doek. Van de eenheid van handeling zou geen sprake zijn. Ook de eenheid van plaats heeft Bilderdijk niet gehandhaafd. In zijn derde bedrijf geeft hij voor het laatste toneel een decorverandering aan en het vierde bedrijf schijnt zich te moeten afspelen in de gevangenis van de kroonprinses.

Dat Bilderdijks tweede Metastasio-navolging niet alleen na 1784, maar zelfs na 1795 moet worden geplaatst, blijkt uit het door Bilderdijk gebruikte papier. Behalve een Britannia-watermerk (wat wijst op Engels fabrikaat) vertoont het een jaartal: 1795. Ik neem daarom aan dat Bilderdijk zijn *Cleonice* pas kan hebben geschreven na zijn aankomst in Engeland, die tegen het einde van het jaar 1795 valt.[302] In de tijd die daarop volgde hield hij zich veel met Italiaans bezig. Aan Katharina Wilhelmina Schweickhardt en haar zus gaf hij les in die taal en, nadat hem in september 1796 de toegang tot haar huis was ontzegd, correspondeerde hij zo goed als dagelijks met zijn minnares in het Italiaans tot op 20 november, waarna hij in het Engels begint te schrijven.[303] Dat Bilderdijk in die tijd ook Italiaanse werken las, is zeer waarschijnlijk. Toch neem ik niet aan dat hij toen al de op Metastasio geïnspireerde *Cleonice* heeft geschreven. Op 24 december 1796 schrijft hij Katharina Wilhelmina dat hij haar graag wil helpen bij het schrijven van een treurspel, maar geen geschikt onderwerp weet. Verderop in zijn brief vestigt hij dan toch nog haar aandacht op het Elfriede-motief. In januari van het volgend jaar werkt hij al aan een ontwerp voor de *Elfriede* en de daarop volgende maanden houden de twee gelieven zich samen met dit stuk bezig.[304] Over ander dramatisch werk wordt in hun brieven niet gerept. In juni 1797 vertrok Bilderdijk naar Duitsland, niet lang daarna gevolgd door Katharina Wilhelmina. Een jaar later, op 18 juni 1798, dateerde hij zijn al eerder geciteerde brief aan J. Kinker waarin hij informeert naar de mogelijkheid om in Nederland

[301] *Tutte le opere*, dl. I, p. 456, 1476. Bilderdijk gebruikte deze scène – bij Metastasio: II/12 als derde toneel in zijn tweede bedrijf.

[302] Kollewijn, dl. I, p. 255. Een rapport over het watermerk van dit handschrift werd mij uitgebracht door E.J. Labarre, auteur van de *Dictionary & Encyclopedia of Paper and Paper Making*², Amsterdam 1952.

[303] Ik verwijs naar mijn essay 'Toegang langs een achterdeur', *De gids* 127 (1964) 8, p. 171-190 herdrukt in *Van Bilderdijk tot Lucebert. Tekst en context van Nederlandse gedichten*, Leiden 1967. Zie ook Briefwisseling II.

[304] Zie hfdst. VI, par. 1.

treurspelen uit te geven. Hij schreef onder meer: 'Pour la tragédie, je l'aime au dessus de toutes choses [...] et si l'on en vouloit, *je pourrois bien faire d'autres encore*...'. De brief vervolgt met een uiteenzetting waaruit blijken moet dat het proza de laatste tijd geoorloofd is in de tragedie, '(qui) est déchüe de l'ancienne pompe...'.[305] Als men er rekening mee houdt dat Bilderdijk bij de uitgave van zijn *Mengelpoëzy* (1799) de publicatie van 'Dramatische Voorbeelden' en 'Treurspelen... in Proze' heeft aangekondigd, mag uit de door mij gecursiveerde zin in de brief aan Kinker wellicht worden geconcludeerd dat Bilderdijk in juni 1798 al met ander dramatisch werk was begonnen.

Hoe dit ook zij: we kunnen na het voorafgaande vaststellen dat *Cleonice* in ieder geval is geschreven na de eerste maanden van het jaar 1797. Het is een brief aan Jeronimo de Vries die ons in staat stelt de datum te benaderen waar vóór het nu behandelde ontwerp moet zijn ontstaan. Bilderdijk schrijft dat hij 'te oud en koelbloedig' is geworden om een treurspel te schrijven en verzekert: 'ik zal er dus nooit een maken'.[306] Dit schrijven is gedagtekend: 18 augustus 1806. Op die datum zal dus de dramatische inspiratie, evenals het plan tot uitgave, al geruime tijd tot het verleden hebben behoord. Er zijn redenen om aan te nemen dat Bilderdijks praktische toneelwerkzaamheid in Duitsland heeft plaatsgehad rond 1798. Behalve de al besproken aanwijzingen, maakt het onuitgegeven brievenmateriaal dit waarschijnlijk. Er blijkt uit dat Bilderdijk zijn in Nederland achtergebleven onvoltooid toneelwerk heeft opgevraagd en waarschijnlijk in de zomer van het jaar 1799 heeft ontvangen.[307] Verdere aanwijzingen voor toneelarbeid in Duitsland ontbreken, hoewel er uit die tijd veel brieven aanwezig zijn, zelfs nog aan Katharina Wilhelmina Schweickhardt, met wie de dichter tot voorjaar 1802 nog niet samenwoonde.[308] Twee van de door mij teruggevonden toneelhandschriften zijn geschreven op in het buitenland vervaardigd papier: *Cleonice* en *Alice, prinses van Engeland*.[309] Ik neem aan dat ze zijn ontstaan rond 1798, in een periode die mag worden begrensd door de jaartallen 1797 en 1801.

---

305 Portefeuilles Margadant; Briefwisseling III, p. 105 ; vgl.de Inleiding en hfdst. VI, par. 1.

306 Br. II, p. 101.

307 Zie hfdst. V, par. 2, noot 194.

308 Bilderdijk woonde in Braunschweig, Katharina Wilhelmina in Hildesheim (40 km) en later in het meer nabij gelegen Peine (25 km). Dit blijkt uit hun briefwisseling. Zie ook de door Marinus van Hattum bezorgde uitgave: Willem Bilderdijk, *Het nachtspook & Nachtwandeling*, Amstelveen 2007.

309 Vgl. hfdst. VII, par. 6.

HOOFDSTUK IX

DE BURGER ALS TONEELHELD

1. Dramatische robinsonade 'Zelis en Inkle' (Collectie-Leeflang en Koninklijke Bibliotheek; uitgegeven)

In 1784 had Willem Bilderdijk het plan bij P.J. Uylenbroek een toneelstukje uit te geven waarvan op 9 augustus van dat jaar één bedrijf was voltooid. Dat ene bedrijf bestond al langer. Bilderdijk had er zijn vriend Rhijnvis Feith in de zomer van 1783 uit voorgelezen. Op 2 maart 1784 schreef hij hem dat het werkje vanwege zijn drukke bezigheden 'reeds geheel uit (z)ijn hoofd' was, maar dat bleek de negende augustus alweer veranderd. Op die datum verzocht hij Uylenbroek de uitgave van zijn naar Poullain de Sainte-Foy bewerkte blijspel *Deucalion en Pyrrha* even aan te houden, opdat dit dan tegelijk met zijn oorspronkelijke toneelstuk zou kunnen worden gepubliceerd. Een jaar tevoren had hij zijn werk al bij de uitgever aangekondigd. Op 20 augustus 1783 schreef hij Uylenbroek: 'Onder anderen moet ik U een bedrijf van een Toneelstukjen toonen, waar in, in 't geheel, drie personaadjen zijn, van welken de derde eerst in 't tweede bedrijf verschijnt, en waar in geen gebeurtenis is. – De inhoud? vraagt gij. – Liefde, rampzalige, jammerlijke liefde, ellende, wanhoop, noodlottige min. – Maar was het eerst dezer woorden niet genoeg! Voor mij, ja, maar voor u zeker niet, voor geen ander. – Twee personaadjen komen er in om, en de derde blijft over, al waar 't maar:

> ... om de maar naar huis te dragen,
> Dat al de Grieken door de Trojers zijn verslagen'.[310]

Bosch bracht in 1955 deze inhoudsopgave in verband met de niet beantwoorde liefde van de dichter voor zijn nicht Michilda Maria Pelgrom de Bie en kwam daardoor tot een merkwaardige voorstelling van het toneelstukje. Hij meende dat er een tweede minnaar in optreedt die de eerste verdringt maar zelf omkomt in een duel, waarna ook de geliefde sterft. 'Aan de verdere uitwerking is B. naar het schijnt, nimmer toegekomen. Maar zijn fantasie projecteert hier in de ellende van den eersten minnaar eigen toestand', aldus Bosch. Evenals Kollewijn meende hij dat het stuk niet nader bekend was.[311] Dit is echter onjuist. Het hier bedoelde toneelspel is geen ander dan het voor Kollewijn onvindbare stuk met de titel *Inkle en Zelis*. Het ontwerp en de eerste bedrijven bleken aanwezig in verschillende Nederlandse

[310] Br. I, p. 131; Kalff (1905) I, p. 131. Van de vertaling naar De Sainte-Foy was al een andere uitgave verschenen in 1779. Vgl. Kollewijn, dl. I, p. 68. De uitgave van Uylenbroek verscheen in 1785: Br. I, p. 122. De versregels komen uit Huydecopers treurspel *Achilles*.

[311] Bosch (1955), p. 149, 21 ; Kollewijn, dl. I, p. 147.

bibliotheken en werden door mij, samen met twee zg.'heroïdes' of 'heldinnenbrieven', al in 1958 gepubliceerd.[312]

De inhoud van dit stuk is de volgende. De Engelsman *Inkle* werd verstoten door zijn geliefde Zulima en is uit Engeland vertrokken. Hij lijdt schipbreuk en komt terecht op een onbekend eiland waar hij wordt verzorgd door de inlandse Zelis, die zijn minnares wordt. Na verloop van tijd blijkt dat hij Zulima nog steeds liefheeft. Dan landt zijn jeugdvriend Macbride op het eiland. Hij blijkt door Zulima te zijn uitgezonden om Inkle bij haar terug te brengen. Er ontstaat een tweestrijd in Inkle. Macbride wil hem overhalen Zelis te verlaten, maar hij besluit haar mee te nemen naar Europa. Van Macbride verneemt Zelis tenslotte de ware gesteldheid van Inkles hart. De trouwe inlandse neemt dan vergif in en sterft. Macbride en Inkle verlaten daarop het eiland. Deze geschiedenis klopt met hetgeen Bilderdijk mededeelt in zijn brief van 20 augustus 1783 aan Uylenbroek. De inhoud is inderdaad rampzalige liefde en er treden maar drie handelende personen op, van wie de derde (Macbride) pas verschijnt in het tweede bedrijf. Het slot wijkt evenwel af: in het toneelstuk zijn er immers twee overlevenden: Inkle, die oorspronkelijk ook had moeten sterven, verlaat met Macbride het eiland. Alleen Zelis gaat ten onder.

Bilderdijk heeft zijn opvatting dus tijdens het schrijven gewijzigd. Daarom zal hij ook de titel van het stuk hebben veranderd. Oorspronkelijk stond er boven het handschrift *Inkle en Zelis*; nadien werd de volgorde van die namen omgekeerd. Tegelijk met de toneelfragmenten heb ik in 1958 uit Bilderdijks handschrift een zogenaamde 'heroïde' of 'heldinnenbrief' gepubliceerd met de titel *Yarico aan Inkle*.[313] Deze Yarico is niemand anders dan Zelis. Zij is met haar kind door haar echtgenoot achtergelaten en schrijft hem nu een brief om hulp. Daarin wordt Inkle herinnerd aan:

> Dien dag, waar op ik u aanschouwde de eerstemaal,
> Toen gij, door 't woên des winds werd op ons strand geslagen
> Ten prooie aan hongersnood en 't alvernielend staal.

Yarico heeft toen zijn leven gered, maar nadien heeft hij haar en het kind verlaten, want:

[312] De Jong –Robinsonade, 1958 –.(Een eigenaardig verschijnsel in de praktijk van de Nederlandstalige literatuurbeschouwing in heden en verleden is dat er met sommige publicaties stelselmatig geen rekening wordt gehouden. Zo herhaalde Bosch in *De nieuwe taalgids* 1965 zijn foutieve interpretatie van tien jaar tevoren (NT. 60 (1967), p. 98), nam Streng die klakkeloos over in 1994 (Streng, 1994) en publiceerde J.P. Guépin in hetzelfde jaar een artikel over de 'heldinnenbrief' en het Inkle-motief dat eveneens de 36 jaar eerder gepubliceerde en uitvoerig ingeleide tekst van Bilderdijk buiten beschouwing laat (*Extra muros* (1994), p. 20-31). Ook in de aan het genre 'heldinnenbrief' gewijde dissertatie van Olga van Marion (2005) ontbreken de twee in 1958 gepubliceerde specimen van Bilderdijk: Van Marion (2005); zie ook de volgende noot.)

[313] De 'heroïde' – zo genoemd naar de *Heroïdes* van Ovidius – was destijds een geliefd literair genre. Een historische, bijbelse of mythische heldin of held schrijft een brief aan haar of zijn afwezige geliefde. (H. Dörrie, *Der heroïsche Brief. Bestandsaufnahme. Geschichte, Kritik einer humanistisch-barocken Literaturgattung*, Berlin 1968; Van Marion (2005). Zie ook hfdst. III, par. 1.

Een enk'le hand vol gouds is meer aan Inkle waard,
Dan zij die in zijn druk grootmoedig durfde deelen,
Wier medelijden hem het daglicht heeft gespaard.

De brief besluit met de uitroep:

Hoe dikwerf smaakten wij de tederste Echt-vermaaken!
ô Hemel! was dit al slegts laffe veinzerij?

Blijkens de spelling moet dit gedicht geschreven zijn vóór het jaar 1778. Hetzelfde geldt voor een eveneens in 1958 gepubliceerd prozafragment over Yarico en Inkle. Dit proza volgt het gedicht op de voet. Ook nu weer is Inkles gouddorst er de oorzaak van dat hij zijn minnares in de steeks heeft gelaten. Dat is niet het geval in het toneelstuk. Wel in overeenstemming daarmee is dat Inkle zeker bij Yarico (= Zelis) zou zijn gebleven, indien niet een andere Europeaan hun rust in de wildernis had verstoord. Waar het gedicht met de hierboven weergegeven wanhopige vraag van Yarico eindigt, vervolgt immers het proza-fragment: 'Neen, zij waaren ongeveinst. Mijn minnaar had niet voorgenoomen zijne wederhelft der vrekke goudzucht op te offeren, wanneer aan onzen oever het vreeselijk gevaarte verscheen, gereed mij mijn vaderland, minnaar, geluk en vrijheid tevens te ontrooven. Gij ontdekte hetzelve, vlood daar heen, kwaamt te rug, en bood mij aan, mij naar uwe geboorteplaats te begeleiden.' Yarico geeft uitdrukking aan haar heimwee naar de streek waar zij geboren is, en waar ze kon genieten van de heerlijke natuur, 'onbesmet van 't bedrog der Européers'. Uit het vervolg blijkt dat Inkle zijn 'zwangere Echtgenoote' op Jamaica heeft achtergelaten als slavin. Het kind wordt haar later afgenomen en zij werd gedwongen 'een vreemd schepsel' te zogen. De inlandse is daarop met haar eigen zuigeling gevlucht. Na een uitputtende tocht door de bossen, is ze neergevallen. Later werd ze gevonden door een behulpzame grijsaard, die haar heeft aangeraden deze brief aan Inkle te schrijven om hem zijn misdaad te doen inzien. Misschien dat hij dan tot inkeer komt. Als dat zo is, kan hij ervan verzekerd zijn dat Yarico hem vergiffenis heeft geschonken.

Zowel het gedicht als het prozafragment tonen ons Yarico als de trouwe inlandse, die slachtoffer is geworden van een hartcloze Europeaan wiens daden worden bepaald door geldzucht. De Inkle-figuur in Bilderdijks toneelstuk is milder getekend. Van geldzucht is in de toneeltekst geen sprake. Het is zijn vroegere liefde die Inkle ertoe brengt het eiland te verlaten waar hij met Zelis gelukkig is geweest. Zelis heeft geen kind van hem; en de bedoeling is dat zij samen met hem vertrekt. Zodra zij echter beseft dat inkles liefde naar een ander uitgaat, pleegt ze zelfmoord.

Het door Bilderdijk verwerkte motief is heel populair geweest in de achttiende eeuw maar werd ook al eerder aangetroffen. Zo vindt men het al in de *Voyages en Afrique, Asie,*

Indes Orientales et Occidentales van Jean Moquet die in 1616 verschenen te Parijs en nadien verschillende malen werden herdrukt.[314] Het is de geschiedenis van een Engelse stuurman die door schipbreuk terechtkomt op de kust van Brazilië. Hij wordt gered door een inlandse met wie hij samenleeft en door onherbergzame streken trekt, tot ze tenslotte een Engels schip vinden. De stuurman gaat dan aan boord, maar laat zijn vroegere geliefde met hun beider kind achter: 'Mais elle, se voyant ainsi délaissé de celuy qu'elle avoit tant aimé, et pour qui elle avoit abandonné son pays et les siens et l'avoit si bien guidé et accompagné par les lieux où il fust mille fois mort sans elle, pleine de rage, après avoir fait quelques regrets, elle prit son enfant et le mettant en deux pièces, elle en jetta une moitié vers luy en la mer, comme voulant dire que c'estoit sa part; et l'autre, elle l'emporta avec soy, s'en retournant à la mercy de la fortune et pleine de deuil et desconfort... Comme les matelots lui demandoient qu'elle estoit ceste femme, il respondit que c'estoit une sauvage et qu'il n'en falloit faire aucun compte...'.

Dit gegeven werd in 1657 opnieuw bewerkt door de Engelsman Richard Lingon. In diens *A true and Exact History of the Island of Barbadoes* treft een kleine verandering die voor ons van belang is. De Engelsman laat zijn inlandse niet zonder meer achter, maar verkoopt haar als slavin. Lingon deelt ook de naam van de verstotene mee. Ze heet... *Yarico*. Het was Steele die in 1711 een nieuwe versie van het verhaal gaf in de *Spectator*. Bij hem wordt Yarico eveneens verkocht maar – om een betere prijs te krijgen – vermeldt haar Engelse 'minnaar' bij de verkoop dat ze een kind verwacht. De Engelsman wordt met name genoemd. Hij heette: Thomas *Inkle* en was afkomstig uit Londen.[315]

Uit het bovenstaande mag niet worden geconcludeerd dat Bilderdijk voor zijn Yarico-fragmenten gebruik heeft gemaakt van de *Spectator*. Steeles versie viel namelijk op het vasteland in handen van verschillende lezers die zich niet konden weerhouden de stof op hun beurt te bewerken. Bij de uitgave van Bilderdijks toneelstuk in 1958 heb ik een aantal van die Yarico-teksten besproken, maar ik ben er niet in geslaagd een bewerking op te sporen die zonder enige twijfel als bron van *Zelis en Inkle* kan worden beschouwd. De ontzaglijke hoeveelheid werken die Bilderdijk al in 1783 gelezen moet hebben, is immers voor een goed deel onbekend. Bovendien was een verlaten eiland wel zo'n geliefd oord in de achttiende-eeuwse literatuur, dat het bijna onmogelijk moet worden geacht juist het ene literaire eilandje terug te vinden waarop Bilderdijks Zelis en Inkle vertoefden.[316] Een eilandje dat daar op lijkt, is echter zonder twijfel *L'Isola disabitata* (1752) van de Italiaanse operaschrijver Pietro

[314] Zie Paul Hazard, *La pensée européenne au XVIIème siècle de Montesquieu à Lessing*, dl. II, Paris 1949, p. 127, 128, die verwijst naar: L.M. Price, *Inkle and Yarico Album*, Berkeley 1937; Gilbert Chinard, *L'Amérique et le rêve exotique dans la littérature française au XVIIe et au XVIIIe siècle*, Paris 1913, p. 24 e.v.

[315] Chinard, p. 27, 400, 401, 421.

[316] Instructief zijn in dit verband de lotgevallen van Gessners gedicht *Der erste Schiffer* (1762), waarin verhaald wordt hoe een zeeman zijn geluk vindt op een zo goed als onbewoond eiland. Daar ontdekt hij zijn *Melida*, die de liefde nog niet kent en met haar moeder in eenzaamheid leeft. Dit gedicht werd naverteld in bijna alle talen van Europa. P. Leemann-van Elck, *Salomon Gessner. Sein Lebensbild mit beschreibenden Verzeichnissen seiner literarischen und künstlerischen Werke*, Zürich und Leipzig 1930, p. 191, somt bewerkingen op in het Frans, Engels, Italiaans, Siciliaans, Pools, Zweeds, Deens, Noors, Nederlands, Servisch, Hongaars, Portugees, Spaans, Grieks, Roemeens en Kroatisch. Het werkje van Gessner verscheen anoniem en telt slechts 6 bladzijden.

Metastasio.[317] In 1760 werd dit zangspel bewerkt in het Engels door Arthur Murphy onder de titel *The desert Island*. Twee jaar later gaf Lucas Pater dit Engelse stuk weer in het Nederlands uit als: *Het onbewoonde eiland*. Van die vertaling verscheen een herdruk in 1783, het jaar waarin Bilderdijk aan zijn *Zelis en Inkle* begon.[318] In het *Voorbericht* van zijn bewerking schrijft Pater: 'Toen ik kennis kreeg aan dit Toneelstukje van de Heere Arthur Murphy, was ik verwonderd dat niet meer dan vier Persoonaadjen, waaruit het zelve bestaat, de aandacht geduurende drie Bedryven zo levendig konden houden als ik waarlyk bevond dat zy deden: ik wierd, even gelyk de Engelsche Dichter, 'er op verliefd om deszelfs tederheid, en besloot het in Nederduitsche vaerzen over te brengen'.[319]

Het lijkt me niet uitgesloten dat Bilderdijk Murphy heeft willen overtreffen. Pater heeft bewondering voor het feit dat vier personen gedurende drie bedrijven de aandacht kunnen blijven boeien. Bilderdijks onderneming is nog gewaagder: slechts *drie* personen zullen er in zijn toneelspel optreden, zo schrijft hij aan Uylenbroek en de derde komt pas op in het tweede bedrijf. Overeenkomstig Bilderdijks brief aan Uylenbroek is er ook geen opzienbarende 'gebeurtenis' in Bilderdijks stuk; en tegenover de drie bedrijven van Murphy stelt hij er niet minder dan vijf! De inhoud van Paters vertaling wijkt overigens belangrijk af van *Zelis en Inkle*. Zoals bij de uitgave werd aangetoond, heeft Bilderdijks toneelstukje er desondanks overeenkomsten mee en men mag dan ook wel aannemen dat Murphy's (eigenlijk: Metastasio's) toneelmotief van een treurende geliefde op een onbewoond eiland en de toneeltechnische eigenaardigheid van het geringe aantal 'personaadjen' mede van invloed zijn geweest op het ontstaan van Bilderdijks *Zelis en Inkle*.

Het valt inmiddels niet te ontkennen dat het hoofdmotief van Bilderdijks toneelstuk totaal anders is dan dat in het door Pater vertaalde werkje. Is de Europeaan die van zijn vroegere geliefde gescheiden is en op een eenzaam eiland samenleeft met een andere vrouw als de vinding van Bilderdijk te beschouwen? Zeer zeker niet. Iets dergelijks treffen we al vóór 1783 aan. Precies vijftig jaar eerder was hier de roman *De Sweedsche Robinson, of 't wonderlijk Leven van Gustaph Landkroon* vertaald, welk verhaal in 1771 werd herdrukt. Er treedt een man in op die op een eiland vertoeft in het gezelschap van een vrouw die niet zijn eigenlijke geliefde is. Vóór hij op het eiland terechtkomt heeft hij zijn woord aan een ander gegeven. Daardoor ontstaat iets als een tweestrijd in hem. De geschiedenis eindigt met de terugkeer

---

317 Pietro Metastasio, *Azioni e feste teatrali*, Milano 1820, p. 365, 387. Het stuk van Metastasio werd hier in 1791 rechtstreeks uit het Italiaans vertaald onder de titel: *Het onbewoonde eiland. Een zangspel (Kabinet van Mode en Smaak* nr. I Haarlem z.j. p. 170 e.v.). De vertaler is mij onbekend.

318 In een exemplaar van Paters stuk dat zich bevindt in de Leidse bibliotheek, trof ik enkele berichten uit de *Leydse Courant* van 27 en 28 augustus 1783, die betrekking hebben op de in dat jaar verschenen herdruk (Voor Bilderdijks betrekkingen met Lucas Pater zie Bosch (1955), p. 107 en daarbij ook: Geerten Gossaert, *Essays*, Helmond z.j., p. 99.)

319 *Het onbewoonde eiland*, toneelspel. Gevolgd naar 't Engelsch van den Heere Arthur Murphy. Door Lucas Pater. Het stuk werd afgedrukt in het derde deel van: Tooneel-poezy van het kunstgenootschap Oefening beschaaft de kunsten, Amsterdam 1784.

naar de bewoonde wereld, waar de eerste geliefde sterft. Zij geeft hem de raad te huwen met de ander. In een soortgelijke, oorspronkelijk-Nederlandse geschiedenis, die in 1743 verscheen, trouwt de held met een 'wildinne' en keert na haar dood naar Holland terug.[320] Nieuw is Bilderdijks hoofdmotief dus geenszins, maar of de oorsprong ervan juist is te zoeken in de genoemde avonturenromans, valt te betwijfelen. We zullen moeten nagaan of het motief ook voorkomt op meer duidelijke wijze, los van een door allerlei nevenavonturen gevormde entourage. Wenden we daartoe de blik naar Frankrijk. Sedert Rousseau was daar, volgens Gaiffe, tot een der belangrijkste thema's van de dramatische literatuur geworden: 'La bonté native de l'homme et la corruption de la société'. Zo was er te Parijs een stuk van Mageur de St. Paul verschenen met de kenmerkende titel '*L'Elève de la nature*'. In dit spel treedt een even deugdzame als schone eilandbewoonster op die luistert naar de naam *Zélie*.[321] Wellicht is zij geparenteerd aan Bilderdijks *Zelis*. Dit is des te waarschijnlijker omdat er ook een toneelstuk *Zélie dans le désert* van Mme Daubenton bestaat: een 'bestseller', die eenentwintigmaal werd gedrukt en pas in 1861 voor het laatst.[322] Maar niet alleen de door Bilderdijk gebruikte namen zijn met kleine afwijkingen in de Franse toneelliteratuur terug te vinden; ook soortgelijke avonturen als die van Zelis waren in Frankrijk bekend. Het drama dat op een of andere wijze in verband stond met de deugdzame bewoners van een afgelegen eiland kwam veelvuldig voor: 'Aussi nous allons voir défiler une interminable procession de nègres, d'Indiens, d'insulaires de toutes nuances, mais parlant tous le même langage conventionnel qui était alors une nouveauté et offrant tous le modèle de la vertu la plus pure et la plus inaltérable', zegt Gaiffe.[323] De tegenstelling die hij in een viertal van dergelijke stukken opmerkt tussen de trouwe inlandse minnaressen 'et les lâches séducteurs qui les abandonnent pour retourner en Europe', brengt ons meer onmiddellijk het stuk van Bilderdijk in herinnering, evenals trouwens het 'procédé de satire facile', volgens welk de inlandse reageert op allerlei Europese toestanden.[324] Een van deze eilandstukken was het onder meer door de Nederlandse toneelspeler Martin Corver vertaalde *La jeune Indienne* van Chamfort. Het komt mij voor dat dit door Corver vertaalde stuk niet zonder invloed op Bilderdijks toneelspel is gebleven.[325] Het hoofdmotief van Zelis en Inkle vinden we erin terug. Een jonge Engelsman, Belton, is na een schipbreuk op het strand van een eiland gesmeten en werd daar verzorgd door een inlandse, die hij de naam Betti gaf. Later ontstaat er een liefde tussen hen.

[320] *De Hollandsche Robinson, of Wonderlyke Gevallen van den Heer... 1743*. Zie: Staverman (noot 12), p. 93-97.

[321] W.H. Staverman, *Robinson Crusoe in Nederland. Een bijdrage tot de geschiedenis van den roman in de XVIIIe eeuw*. Groningen, (1907), p. 72-75. Gaiffe, (1910), p. 253-255.

[322] Chinard, a.w., p. 418.

[323] Gaiffe, (1910), p. 253-255. Vgl. Horst Brunner, *Die poetische Insel. Inseln und Inselvorstellungen in der deutschen Literatur*, Stuttgart 1967 en J. Fohrmann, *Abenteuer und Bürgertum. Zur Geschichte der deutschen Robinsonaden im 18. Jahrhundert*, Stuttgart 1981.

[324] Gaiffe (1910), P. 255, 256. Opmerkelijk is in dit opzicht het stukje *Arlequin sauvage* van Delisle de Drevetière (1721), besproken door Chinard, a.w., p. 226.

[325] S.R.N. Chamfort, *La jeune Indienne*. Paris 1764. Zie Gaiffe (1910), p. 251, 252, 270, 271 en Worp, (1908), dl. II, p. 303. De tweede Nederlandse vertaling was van 1785; blijkens een mededeling in het *Kabinet van* Mode *en Smaak*, nr. I, werd dit stuk o.a. in 1791 te Amsterdam opgevoerd.

Dan worden ze gevonden en naar Europa gebracht. De Engelsman was voor zijn vertrek verliefd op een zekere Arabel, die na zijn terugkeer met hem trouwen wil. Na een zware tweestrijd die hij voor zijn inlandse minnares Betti verborgen houdt, besluit hij tot dit huwelijk. Dit vindt echter geen doorgang. Uiteindelijk ontstaat er een echtverbintenis met de inlandse, waardoor het 'blijspel' een gelukkig einde krijgt.

Behalve dit hoofdmotief zijn er ook een aantal (bij mijn uitgave van Bilderdijks stuk al aangeduide) details van Chamfort in de Nederlandse *Zelis en Inkle* terug te vinden. Dit impliceert geenszins dat Bilderdijks tekst alleen maar een bewerking zou zijn naar het Frans. Er zijn, zoals gezegd, meer dan toevallige overeenkomsten in met een toneelspel van Metastasio dat, via de Engelsman Murphy, door Lucas Pater in het Nederlands was vertaald. Maar er is meer: Bilderdijk wilde een spel met een catastrofaal slot geven en geen blijeindend stuk zoals Metastasio en Chamfort. Zijn ontknoping zou totaal anders zijn geweest. Bilderdijks Inkle heeft Zelis in feite niet lief. Hij bemint alleen de Europese Zulima. De liefde van Zelis is daarom een wanhopige liefde en haar rest, nadat zij de ware gevoelens van Inkle heeft leren kennen, dan ook slechts de wanhoopsdaad waarmee Bilderdijk zijn stuk heeft willen besluiten.

Ik wees er al op dat het slot van Bilderdijks ontwerp enigszins afwijkt van hetgeen hij daarover meedeelt in zijn brief aan Uylenbroek van 20 augustus 1783. Alleen Zelis gaat tenonder; Inkle schijnt te moeten terugkeren naar Europa, waar hij de arme inlandse wellicht spoedig vergeet. Zo wordt Zelis de tragische heldin van het stuk. En in overeenstemming daarmee heeft Bilderdijk nadien de titel van zijn toneelspel veranderd door de volgorde van de namen om te keren. Zijn stuk zou de uitbeelding zijn geworden van de ondergang van een deugdzame inlandse; een ondergang die louter en alleen was te wijten aan het feit dat zij in aanraking was gekomen met de wrede beschaving van het westen. Ik herinner aan de hiervoor besproken fragmenten *Yarico aan Inkle*. De gouddorst die daarin de oorzaak van Inkles wreedheid is, wordt in het stuk van Chamfort uitvoerig aan de kaak gesteld.[326] Bilderdijks toneelstuk sluit duidelijk aan bij de dramatische mode die ten doel had de voortreffelijkheid van de primitieve natuur uit te beelden. Die mode was niet alleen een Frans verschijnsel. Dat blijkt al uit de titels van succesvolle toneelstukken als *Die Indianen in England* en *Die Negersklaven* door de populaire Duitse auteur A. Von Kotzebue. Ook hij plaatst 'der unverdorbene Naturmensch' tegenover de beschaafde Europeaan.[327] Dat die vergelijking

[326] *De jonge Indiaane, blijspel in een bedrijf, gevolgt naar het Fransche van den Heer De Chamfort*, Gravenhage, z.j. door M. Corver; p. 18-22. (Van 1781 is Bilderdijks gedicht *Beklag*, waarin het 'Noodlottig goud' als 'vuig metaal' wordt veroordeeld: DW. IX, p. 419.)

[327] Voor het succes van Kotzebue in Nederland : Spoelstra (1937). In *De Dichtwerken van Vrouwe Wilhelmina Katharina Bilderdijk*, dl. II, Haarlem 1859, staat op p. 111 een romance met de titel *De indiaansche maagd*. Daarin verzekert een inlandse dat ze ' eindloos teerder' mint dan de 'Europeesche schoonen'. Het stukje zal waarschijnlijk geheel los van Bilderdijks toneelspel zijn ontstaan. Volgens een mededeling van de schrijfster gaat het terug op een Engelse bron. Zijderveld (1915), p. 215, 216, is er niet in geslaagd die te achterhalen. Hij merkt op dat de romance 'moet dienen als de illustratie van de 18e eeuwsche opvatting, dat de teerste aandoeningen wonen in het hart van de zoogenaamde wilden' en meent dat het gedicht is bedoeld 'als protest tegen een maatschappij waarin men zijn gevoel moet verbergen.'

steeds uitvalt in het voordeel van het ongerepte natuurkind, hoeft na Rousseau geen betoog. 'Abandons les sauvages d'Europe; les tigres d'Asie nous serons peut-être moins cruels', zegt een der helden van Baculard d'Arnaud. Behalve de aanvankelijke wreedheid van de Europese Zulima die wel scherp afsteekt bij de natuurlijke goedheid van Zelis, heeft Bilderdijks toneelstuk enkele andere trekjes die herinneren aan d'Arnaud.[328] Zo verraadt zijn woordkeus in *Zelis en Inkle* hier en daar zijn bekendheid met de werken van de Fransman en de wijze waarop die werden benut door zijn Zwolse vriend Rhijnvis Feith. Zoals blijkt uit stijl en inhoud van zijn roman *Ferdinand en Constantia* was Feith niet alleen een groot bewonderaar van Baculard d'Arnaud, maar ook van Goethes sentimentele roman *Die Leiden des jungen Werthers.* Alleen al de titel van Feiths eigen roman wijst erop dat hij daarenboven een bewonderaar moet zijn geweest van *Het onbewoonde eiland* door Lucas Pater, dat kort tevoren (1783) was herdrukt: Feiths titelhelden dragen dezelfde namen als Paters toneelhelden.[329]

Met betrekking tot de vorm en de datering van Bilderdijks toneelstuk kan tenslotte worden opgemerkt, dat hij voornemens was de drie klassieke eenheden te handhaven in een toneelstuk dat zou bestaan uit vijf in verzen geschreven bedrijven. Zoals daarin de statige alexanderijen worden afgewisseld door verzen in jambische drie- of viervoeters, zo zou ook de ernstige toon een enkele maal plaats maken voor een komisch tafereeltje. Het uiterlijk van de handschriften en de correspondentie van Bilderdijk bewijzen dat de dichter in 1783 en 1784 herhaaldelijk aan deze teksten heeft gewerkt.

2. Toneelspel over Gerontes (collectie-Kollewijn, nr. 10)

Evenals *Zelis en Inkle* bewijst het toneelspel over *Gerontes* dat het dramatisch werk van Bilderdijk niet beperkt is gebleven tot de traditie van de klassieke Griekse of Franse tragedie en een paar blijspelen. In beide stukken treden gewone burgers op als dramatis personae en treft een als preromantisch te karakteriseren 'gevoeligheid'. Bovendien onderscheiden zowel *Zelis en Inkle* als *Gerontes* zich door een opvallende vormvrijheid; het eerste stuk vertoont grote variëteit in de versvorm en het tweede fragment schreef Bilderdijk in proza. Vooral *Gerontes* speelt in een typisch burgerlijke omgeving. Het ontwerp heb ik niet gevonden, maar de inleiding en het uitgebreide openingstoneel stellen ons voldoende van de situatie op de hoogte. De baron van Breedenhoef is overleden en zijn dochter *Belise* leeft onbekend in Amsterdam, tezamen met *Amine*, eveneens een meisje dat het contact met haar familie verloren heeft. Amine is verliefd op *Eerrijk*, de zoon van Gerontes die om harentwil het ouderlijk huis is ontvlucht. Menend dat Amine, die 'met naaien en borduren de kost won' moest worden beschouwd als een 'doortrapt vrouwmensch', had de gefortuneerde Gerontes zich met kracht tegen de verbintenis verzet. Ook Belise heeft intussen ervaring opgedaan in

[328] Inklaar (1925), p. 112-115.Vgl. hfdst. VI, par. 3 en hfdst. VII, par. 6.

[329] Ten Bruggencate (1911), p. 22, Kloek (1985), dl. 2., p. 36; De Jong (1958), p. 140-143.

de materie der liefde. Op haar is verliefd geworden de zoon van zekere heer *Van Ootten*. Wanneer nu *Gerontes*, na het vertrek van zijn zoon, een landgoed in 'het Stichtsche' heeft gekocht, blijkt hij de buurman te zijn geworden van de oude *Van Ootten*. Bilderdijks eerste bedrijf laat zien hoe de beide heren kennismaken en Gerontes 'schreiend' verteld dat hij zo onbarmhartig is opgetreden tegen zijn zoon, over wiens lot hij zich ten zeerste bezorgd maakt. De afloop van het stuk laat zich niet moeilijk raden. Borduursters en naaistertjes zijn, evenmin als de zonen van brave burgers, geschikte figuren om zich als tragische held of heldin met een 'pook' het leven te benemen. Na het *larmoyante* begin, zou Bilderdijks stuk zich hebben ontwikkeld tot een *comédie*, maar dan van de soort die met een combinatie van de hier gebruikte Franse woorden pleegt te worden aangeduid. De opmerking 'Eerste tooneel van een blijspel' die door een latere bezitter op het handschrift is aangebracht, karakteriseert dit stuk op onvoldoende wijze.

Vooral vanwege de gemengde aard van dit toneelstuk – waarover meer in het Deel I van het *Tweede Boek* – interesseert het ons te weten wanneer Bilderdijk aan zijn tekst heeft gewerkt. Ik meen dat dit kan zijn gebeurd na zijn terugkeer in Nederland, dus na 1806. Dat de auteur het stuk in zijn eigen vaderland schreef, wordt aannemelijk doordat hij er Nederlands papier voor gebruikte[330]; dat hij er waarschijnlijk aan werkte na 1806, volgt uit de inhoud van het stuk zelf. De gebeurtenissen spelen zich af na de slag bij Meenen, waarin de baron van Breedenhoef sneuvelt en na de 'inrukking' der Franse troepen in het 'Overmaasche'. Dit wijst op de zomer van 1794.[331] Nadien wordt Belise van Breedenhoef op een landgoed 'opgevoed' door een vriendin en pas als deze gestorven is, (evenals trouwens een oude vriend van de baron die haar goederen beheerde) trekt het meisje naar Amsterdam. Dan moet de Franse bezetting dus al enkele jaren een feit zijn, wat inhoudt dat Bilderdijk zijn vaderland heeft verlaten.[332] Hierop wijzen ook de lotgevallen van *Amine*. Zij had na de intocht der Fransen 'hier en daar gezworven' en was tenslotte in Amsterdam terechtgekomen. Uit het verhaal van Gerontes blijkt nu dat zijn zoon Eerrijk 'sints een paar jaren een verbintenis' met haar heeft. Dat betekent tegelijkertijd: een paar jaar na de komst van de Fransen. En dit bewijst dan opnieuw dat Bilderdijk zijn fragment niet kan hebben geschreven vóór zijn uitzetting in 1795.

[330] Dit blijkt uit de watermerken. Zie hfdst. II, par. 5, noot 84.

[331] De slag bij Meenen vond plaats op 13 september 1793 en eindigde in een nederlaag voor het Nederlandse leger, dat werd aangevoerd door zoons van prins Willem de Vijfde. In de zomer van 1794 werd het gebied ten zuiden van de Maas door de Fransen bezet (P.J. Blok, *Geschiedenis van het Nederlandsche Volk*, dl. III, Leiden 1914, p. 666 e.v.).

[332] Kollewijn, dl. I, p. 222 e.v., deelt mede dat de dichter in maart 1795 uit Den Haag vertrok en vervolgens, via Amsterdam en Groningen, naar Duitsland uitweek.

DEEL II

BILDERDIJKS ONUITGEGEVEN TONEELWERK

HOOFDSTUK X

DE OORSPONKELIJKE TREURSPELEN

1. De 'elektrike schok' van 1808

In het voorwoord *Aan den lezer* bij de uitgave van zijn toneelstuk *Floris de Vijfde* (1808) deelt Bilderdijk mee dat zijn tragedie wellicht door 'meer andere' gevolgd zal worden; en in het eerste deel van zijn bundel *Treurspelen* die nog hetzelfde jaar verscheen, verklaart hij dat de 'elektrike schok' die 'als met eenen tooverslag' de *Floris de Vijfde* in het aanzijn riep, ook oorzaak was geweest van het ontstaan van twee andere treurspelen. Deze spelen zijn *Willem van Holland* en *Kormak*, volgens de dichter: 'vruchten eener wreede slaaploosheid, die zy zalfden en veellicht tevens aanzetteden, en medegedenkteekenen van de jammerlijkste maand mijns levens, op en voor mijn krankbed in Katwijks afzondering onder woedende folteringen doorgebracht'.[333] Na de uitgave van deze drie stukken publiceerde Bilderdijk geen oorspronkelijk dramatisch werk meer en, zoals al werd opgemerkt in de inleiding, had dit tot gevolg dat hij in de geschiedenis van de Nederlandse dramaturgie staat geboekstaafd als de dichter die in het voorjaar van 1808 volkomen onverwacht en in zeer korte tijd een drietal treurspelen schreef. Terwijl elders in deze studie vooral de aandacht wordt gericht op Bilderdijks werkzaamheid als toneeldichter buiten de zojuist genoemde periode, zal in de nu volgende bladzijden onze aandacht juist moeten uitgaan naar de ten onrechte als Bilderdijks enige dramatische 'vlaag' beschouwde toneelwerkzaamheid in 1808. Daarvan kan dan in de eerste plaats worden medegedeeld dat ze méér toneelwerk heeft opgeleverd dan de drie treurspelen die de dichter zelf heeft gepubliceerd. Dat blijkt uit een brief van Bilderdijk aan zijn vriend Wiselius, waarin men leest: 'Mijn eene (dramatisch) koortsjen, dat 3 ½ stukken achter een leverde, was een soort van voorbijgaande besmettingskoorts.'[334] Daarenboven bestaat er een in dit verband belangrijk stuk aan Charles François Lebrun, duc de Plaisance, die na de inlijving bij het Franse keizerrijk (1810) gouverneur van Holland was geworden. Bilderdijk schreef hem in 1812: 'La faiblesse de tête, dont j'ai eu a me plaindre depuis quelques années, s'empirant toujours, j'ai cru devoir abandonner la Poésie, pour me retrancher dans l'étude des langues et des belles lettres, et laissant là, mon poème Epique commencé, avec *une Tragédie que j'abandonne*, j'ai consenti à en donner au public ce que j'avois prêt de Mélanges pour l'impression.'[335]

---

[333] DW. XV, p. 139, 140. *Floris de Vijfde* verscheen apart in 1808, *Willem van Holland* verscheen samen met *Elfriede* van Bilderdijks tweede vrouw in *Treurspelen*, dl. I (1808) en *Kormak* vormt met Bilderdijks verhandeling *Het treurspel* de bundel *Treurspelen*, dl. II (1808).

[334] Br. III, p. 92.

[335] Portefeuilles Margadant, Bilderdijk-Museum, Amsterdam, 1811-1812. Het handschrift bevindt zich in de U.B. te Leiden, nr. 873. Vgl. Smit (1929), p. 272.

Er moet dus een half treurspel bestaan dat steeds onbekend is gebleven. Ik neem aan dat dit halve treurspel de in hoofdstuk V (paragraaf 5) besproken tragedie over *Willem de Vijfde* of *Willem Verbeider* is, en heb daarvoor verschillende redenen. Allereerst vond ik in Bilderdijks nagelaten toneelwerk maar twee stukken met een omvang van enkele bedrijven. Eén daarvan kan niet met Bilderdijks uitlatingen 'treurspel' en 'tragedie' in verband worden gebracht omdat het geen treurspel is, maar een dramatische robinsonade, waarvan ik bovendien met zekerheid kon vaststellen dat ze gedeeltelijk werd geschreven in 1783.[336] Het andere stuk is *Willem de Vijfde*. Dit bewijst op zich niets, omdat de mogelijkheid bestaat dat ik niet alle onuitgegeven toneelwerk heb teruggevonden. Twee feiten maken mijn veronderstelling echter waarschijnlijk. Ten eerste constateerde ik dat in het handschrift van het stuk over Willem Verbeider dezelfde watermerken voorkomen als in de handschriften van de treurspelen die in 1808 werden geschreven en uitgegeven;[337] bovendien staat het tweede toneel van het derde bedrijf uit het stuk over Willem Verbeider op een octavoblaadje waarin een fragment voorkomt van het watermerk KRANZ. DE CHARRO. & COMP., wat erop wijst dat het papier niet vóór het jaar 1808 kan zijn vervaardigd.[338] Ten tweede vormt de inhoud van dit onvoltooid gebleven stuk een aanwijzing. Evenals in *Floris de Vijfde* en *Willem van Holland*, behandelt Bilderdijk in zijn *Willem de Vijfde* enkele problemen uit onze nationale middeleeuwse geschiedenis. Daarmee hield hij zich juist in 1808 intensief bezig en met name interesseerde hem allerlei kwesties met betrekking tot het staatsbestuur en het opvolgingsrecht. Dat blijkt uit zijn correspondentie met prof. H.W. Tydeman en diens vader. Op 27 januari worden de Hollandse graven het eerst genoemd en de gedachtewisseling erover duurt voort tot in 1810. Bilderdijks opvattingen blijken in die brieven volledig in overeenstemming met de voorstelling die hij geeft in zijn treurspelen.[339] Niet toevallig is het, dat er juist in 1810 plannen werden gemaakt voor de uitgave van een door Bilderdijk te schrijven *Oorspronkelijke geschiedenis van Holland* en dat de dichter het jaar daarvoor aan Valckenaar schreef: 'ik leef en heb altijd geleefd in de 10^e^, 11^e^ en 12^e^ Eeuw, en kan daar niet uit'.[340] Bilderdijk had toen zijn opvattingen over de geschiedenis van de Hollandse graven al gevormd. In 1808 was de *Verhandeling over de Hoeksche en Kabeljaauwsche partijschappen* van H.W. Tydeman bekroond. Alvorens het opstel te laten drukken, vroeg de schrijver allerlei inlichtingen aan Bilderdijk. Dat was in de eerste maanden van het jaar

---

336 Dit toneelstuk, voorzover mij bekend de enige oorspronkelijke dramatische robinsonade in de Nederlandse literatuur, is besproken in hfdst. IX, par. 1.

337 De handschriften van de uitgegeven treurspelen bevinden zich in de collectie-Klinkert (Kon. Akademie van Wetenschappen, te Amsterdam). De watermerken zijn: *Kloppenburg* met een *posthoornmerk*.

338 Vgl. hfst. IV, par. 5, slot.

339 Tyd I, p. 40 e.v., 80 e.v., 186 e.v., 207 e.v.

340 Tyd I, p. 241. Onuitgegeven brief van 21 mei 1809 (Portef. Margadant). In de universiteitsbibliotheek te Amsterdam bevindt zich Jeronimo de Vries' exemplaar van Bilderdijks *Treurspelen*, dl. III, Amsterdam 1809. In deze band is tevens opgenomen het *Berigt van Inteekening op eene nieuwe, oorspronkelijke Geschiedenis van Holland, in vijf deelen. Door een voornaam geleerde* (tekst van H.W. Tydeman, 1811).

1808.[341] Bilderdijk ontving het handschrift van de verhandeling op 29 februari ter inzage.[342] Ongeveer een maand later vatte hij zijn opvattingen erover samen in een lange brief aan M. Tydeman. Daarin komen de oorzaken van de moord in 1296 ter sprake (vgl. *Floris de Vijfde*), ontzegt hij Ada van Holland het recht tot opvolging van graaf Diedrijk VII (vgl. *Willem van Holland*), en spreekt hij over 'de weerzin tegen het vrouwelijk bestuur van Margaretha' (vgl. *Willem de Vijfde*). Het is van belang vast te stellen dat in dit schrijven zowel de 'problemen' van de uitgegeven treurspelen, als die van de in portefeuille gebleven *Willem de Vijfde* worden behandeld. Bilderdijk schreef deze brief namelijk op 24 maart 1808.[343] Dat is een datum waarop het dramatisch 'koortsjen dat 3 ½ stukken achter een leverde' of reeds aan het woeden was, of ieder ogenblik kon beginnen!

We komen daarmee tot de datering van het drietal treurspelen dat Bilderdijk zelf heeft uitgegeven. Belangrijk daarvoor is zijn aan Jeronimo de Vries opgedragen gedicht *Het tooneel*, dat de zevende maart 1808 nog slechts 'weinige dagen' bestond.[344] In dit gedicht schrijft Bilderdijk immers dat hij 'aan 't Schouwtoneel geen enkle hulde deed' en ook niet van plan is te doen, mede omdat de tijd dat hij nog 'moedig, warm van hart en van verbeelding vlug' was, nu voorgoed voorbij is.[345] Aangezien Bilderdijks *Floris de Vijfde* op 18 april 1808 langer dan drie weken bestond en een brief van 12 april bewijst dat de op die datum al voltooide *Willem van Holland* acht dagen na de *Floris* was afgewerkt, mag worden geconcludeerd dat Bilderdijk aan deze treurspelen heeft gewerkt in de tweede helft van maart en het begin van april 1808.[346] Terwijl Bilderdijk nu in brieven van 12 april en 23 april 1808 wel mededeelt dat hij treurspelen over *Floris de Vijfde* en *Willem van Holland* heeft geschreven, rept hij daarin met geen woord over zijn treurspel *Kormak*.[347] Op 7 mei biedt hij nochtans ook dit laatste stuk ter uitgave aan, zodat we mogen aannemen dat Bilderdijks derde tragedie toen al helemaal of bijna was voltooid.[348] De *Kormak* is dus los van de beide andere treurspelen ontstaan, en wel ongeveer een maand later.

2. Floris de Vijfde

Bilderdijk heeft in een van zijn brieven meegedeeld dat de onmiddellijke aanleiding tot het schrijven van zijn *Floris de Vijfde* de bedroevende kwaliteit van het treurspel *De dood van Albrecht Beiling* (1808) door Pieter Vreede is geweest. Dit stuk confronteerde hem

---

[341] Tyd I, p. 40. De verhandeling verscheen pas in 1815, bij D. Du Saar, te Leiden.

[342] Tyd I, p. 48.

[343] Hschr. K.B. te 's-Gravenhage, nr. 72B16. Het handschrift heeft het posthoornmerk dat in het voor de treurspelen gebruikt papier voorkomt.

[344] Br. II, p. 176.

[345] DW. VII, p. 21

[346] Br. II, p. 178, 179. Zie tevens J. Bosch in *De ondergang*, p. 11. Vgl. voor de datering i.v.m. het copiëren van de teksten door Bilderdijks vrouw: Tyd I, p. 57, 63 en Br. II, p. 178.

[347] Br. II, p. 178; Tyd I, p. 71.

[348] Onuitgegeven brief van Bilderdijk aan J. Immerzeel in Portef. Margadant (7-V-1808).

opnieuw met de 'vervloekte prullenkraam' die de Nederlandse dramaturgie van zijn tijd te zien gaf, en waarover hij nog kort tevoren had geschreven in zijn leerdicht *Het tooneel*. Aangezien Bilderdijk juist in die dagen veel huiselijk leed had door te maken vanwege het huwelijk van zijn enige dochter met 'een verleider', voelde hij behoefte aan 'een nieuwe bezigheid'. Vandaar dat hij na de lezing van Vreedes toneelstuk de pen greep en in driemaal vierentwintig uur zijn *Floris de Vijfde* heeft 'neergesmeten'.[349] Men hoeft nog niet aan de waarheid van deze mededelingen te twijfelen, om te kunnen beseffen dat ze onvolledig zijn. Zo bewijzen de inhoud van *Floris de Vijfde* en het voorwoord *Aan den lezer* dat Bilderdijk zijn treurspel mede heeft geschreven als een lofzang op koning Lodewijk Napoleon, een hulde die in de Amsterdamse schouwburg ten gehore moest worden gebracht bij gelegenheid van diens intrede op 18 april 1808.

Door het schrijven van zijn treurspel *Floris de Vijfde* gaf Bilderdijk dramatische gestalte aan een thema dat hem als historicus en als literator al jaren lang had geïnteresseerd. In een der 'theses juridicae' waarop Bilderdijk de negentiende oktober 1782 werd bevorderd tot meester in de rechten, verklaarde hij al dat graaf Floris de Vijfde tegen alle rechten in werd gedood, en nog in 1825 schreef hij in zijn aantekeningen bij Huygens' *Korenbloemen*, dat de middeleeuwse geschiedenis verkeerd is opgevat en vooral de levensloop van Floris de Vijfde 'even listig als onverstandig vervalscht'.[350] Wie Bilderdijks *Geschiedenis des Vaderlands* raadpleegt, ontdekt al gauw waaruit die 'vervalsing' bestaat. Bilderdijk wenst Floris de Vijfde, in strijd met de destijds bestaande opvattingen, in ieder geval voor te stellen als de rechtschapen, onschuldige Hollandse graaf die in 1296 door een lafhartige moord het slachtoffer werd van de adel. Ook als dichter heeft Bilderdijk zich beijverd om de figuur van Floris de Vijfde te idealiseren. In 1788 schreef hij het gedicht *Floris de Vijfde*, waarin hij de Hollandse graaf prijst om zijn onpartijdigheid, zijn weldaden en zijn 'heldendapperheid', die hem zowel het geweld deed trotseren als het gevaar 'verachtelozen'.[351] Een dichterlijke brief *Graaf Floris de Vijfde aan Agnes van der Sluis* publiceerde Bilderdijk in 1824, samen met een historische toelichting waarin hij zegt dat de bekende ridder Witte van Haemstede geenszins een bastaard van Floris was maar de vrucht van een wettig huwelijk dat later door de paus werd ontbonden.[352] Van 1808 tenslotte is het gedicht *Gerard aan Machteld van Velzen*, dat de grote tegenstander van Floris (die in Bilderdijks treurspel werd verfoeid als 'wraakzuchtigen moorder'), wil doen

[349] Br. II, p. 179; gedicht in de collectie-Klinkert, CIV, p. 67, Koninklijke Akademie van Wetenschappen te Amsterdam; vgl. Bosch in *De ondergang*, p. 10; Kollewijn, dl. I, p. 406, 407.

[350] Kollewijn I, p. 135; J. Bosch (1955), p. 144 ; *C. Huygens Koren-Bloemen. Nederlandsche gedichten*. Met ophelderende aantekeningen van Mr. W. Bilderdijk, dl. V, Leyden 1825, p. 363. Vgl. de heftige polemische aantekeningen bij Huygens' gedicht ''t Spoock te Muijden: daer ick sliep in Graef Floris des V. gevangh-kamer'.

[351] DW. VIII, p. 400.

[352] DW. IV, p. 355, en 455; vgl. Hiervoor Tyd. I, p. 154, 155, 168 en, in tegenspraak daarmee: p. 32. Verder Br. III, p. 14 e.v. GdV. II, p. 183 e.v. Dw. IX, p. 500; *Huygens Koren-Bloemen*, dl. VI, p. 363.

kennen als een jaloerse echtgenoot en een 'peinzenden en diepgevoeligen wrokker'.[353] Is dus de idee van Floris de Vijfde als literaire held voor Bilderdijk geenszins exceptioneel, ook de gedachte om aan de Hollandse graaf een treurspel te wijden, is niet plotseling bij hem opgekomen. Zoals vermeld in de vierde paragraaf van hoofdstuk V, had hij al vóór 1795 'een schets van een Treurspel Floris de V' vervaardigd. Ik acht het niet uitgesloten dat hij dit ontwerp mede heeft gebruikt voor zijn uitgegeven toneelstuk van 1808.[354]

Welke historische gegevens heeft Bilderdijk nu in zijn treurspel willen verwerken, en in hoeverre week hij daarbij af van wat hij zelf aanvaardde als de geschiedkundige waarheid? In zijn *Geschiedenis des Vaderlands* vertelt Bilderdijk dat Floris de Vijfde op 23 juni 1296 te Utrecht een bijeenkomst van edelen had belegd, waarbij een verzoening tot stand kwam tussen de heren van Zuilen en van Amstel en dat de graaf zelf voor Amstel de helft van het zoengeld betaalde. Na een door Floris aangeboden feestmaaltijd, vond een jachtpartij plaats, waarbij de edelen hun vorst gevangen namen. Ze brachten hem over naar het slot te Muiden. Toen de samenzweerders daar werden belegerd, trachtten zij op 27 juni met de gevangen graaf in hun midden te ontkomen. Aanhangers van Floris verhinderden de vlucht, en onder aanvoering van Gerard van Velzen werd de ongelukkige graaf in een sloot vermoord.[355] De belangrijkste veranderingen die Bilderdijk ten opzichte van deze hoofdfeiten in zijn treurspel heeft aangebracht, zijn de overplaatsing van het gebeuren naar Utrecht en de voorstelling dat alles zou hebben plaatsgehad op één en dezelfde dag. Het is duidelijk dat deze veranderingen voortvloeien uit het bekende dramaturgische voorschrift dat de eenheid van tijd en plaats eist. Uit de voortreffelijk geannoteerde uitgave van *Floris de Vijfde* door Chr. Stapelkamp (1912), blijkt dat de dichter zich op tal van andere punten vrij nauwkeurig aan zijn eigen mededelingen als historicus heeft gehouden, zolang de bouw van zijn treurspel zulks toeliet.[356] We zullen in het vervolg meermalen de gelegenheid hebben daarop te wijzen. Nu vestig ik eerst de aandacht op een niet-historisch aspect van *Floris de Vijfde*, waaruit blijken kan dat dit treurspel niet alleen Bilderdijks ideeën als historicus illustreert, maar ook zijn opvattingen over de politiek van zijn eigen tijd.

Als Bilderdijk in zijn *Geschiedenis des Vaderlands* de Engelse inval in Zeeland van 1809 vermeldt, verwijst hij naar zijn fel anti-Engels gedicht *Wapenkreet* en schrijft hij niet verzuimd te hebben koning Lodewijk tegen de Engelsgezinden te waarschuwen. Onmiddellijk daarna noteert hij de titel van zijn toneelstuk *Floris de Vijfde*. Kennelijk placht de dichter in zijn privaat-colleges (waarvan zijn *Geschiedenis* eigenlijk alleen de

353 DW. IV, p. 295, 453.

354 Zie hfdst. V, par. 4.

355 GdV. II, p. 249 e.v. Een 'reconstructie' van de moord op graaf Floris V op grond van skeletonderzoek (21 verwondingen waaronder zes zwaardslagen) in B.K.S. Dijkstra, *Graven en gravinnen van het Hollandse Huis onderzoek van de stoffelijke resten, opgegraven op het terrein van de voormalige abdijkerk te Rijnsburg in 1949 en 1951*, Zutphen 1979.

356 Willem Bilderdijk, *Floris de Vijfde. Treurspel*, met inleiding en aantekeningen door Chr. Stapelkamp, Zutphen z.j.

aantekeningen bevatten die mondeling werden toegelicht) in dit verband een uiteenzetting te geven over zijn eigen treurspel, die jammer genoeg niet is overgeleverd. Als uitgever van de postume *Geschiedenis des Vaderlands* weet Prof. Tydeman slechts op te merken dat *Floris de Vijfde* al een jaar voor de Engelse inval werd uitgegeven, maar dat het wel juist is, dat Bilderdijk in zijn Franse opdracht koning Lodewijk waarschuwt tegen nijd en trots van de aristocraten.[357] Een externe aanwijzing vormt hier een brief van 9 maart 1810, waarin Bilderdijk een aantal vragen van Tydeman over zijn treurspel beantwoordt. Hij schrijft dan dat 'buiten Velzen en Machteld, alles vol allusien is' en dat hij als dichter 'alles aangreep wat (hij) mocht, van conformiteiten, om een niets ergdenkend Vorst, te waarschuwen tegen degenen wien't belang (van wat aart ook) aan Engeland verknocht hield, en tevens tegen nog meer dat Floris historie meldt'.[358] Hoewel het waar is, dat de inval van de Engelsen pas heeft plaatsgevonden in de tijd tussen de uitgave van Bilderdijks treurspel en de datering van deze brief, kan inderdaad worden geconstateerd dat in de *Floris de Vijfde* de samenzwering der edelen wordt voorgesteld als te zijn geïnspireerd door koning Eduard van Engeland. De Hollandse graaf wordt zelfs in diens naam door zijn voornaamste onderdanen gevangen genomen. Een dichterlijke kunstgreep is deze voorstelling echter niet, want ze komt overeen met Bilderdijks *Geschiedenis des Vaderlands*, waar ook duidelijk een afkeer blijkt van 'de heerschzucht, listige aart, en zoo lage als kwaadaardige wraakzucht van Koning Eduard', die zich met de ontevreden edelen verbond tegenover het wettig Hollands gezag.[359] Een dergelijke verbintenis nu heeft Bilderdijk gevreesd ten tijde van koning Lodewijk. In zijn *Wapenkreet* van 1809 beschuldigt hij Engeland ervan 'Een aangebeden Vorst op Hollands grond te (willen) ontzetelen', en in de Franse opdracht *Au roi* van zijn treurspel *Floris de Vijfde* waarschuwt hij tegen 'la puissance aristocratique des Grands', waardoor het heil van een sterke monarchie wordt bedreigd. Uit de tekst van deze opdracht blijkt dat Bilderdijk in de tegenstelling tussen Floris de Vijfde ('un Prince aimable ... un maître adoré') en de door Engeland gesteunde ontevreden edelen ('ces petits tyrans de moyen-âge') een overeenkomst ziet met het aristocratische gevaar van de regenten, waardoor volgens hem het vorstengezag (dat hij alleen-zaligmakend acht) in het nieuwe koninkrijk Holland werd bedreigd.[360]

Bilderdijks *Floris de Vijfde* is inderdaad 'vol allusien' van politieke aard. Men kan in dit treurspel allereerst een verdediging van het absolute vorstengezag tegenover de invloed van de aristocratie in het algemeen zien (een van Bilderdijks 'theses juridicae' uit 1782 luidde al dat het 'Eminente Hoofd' de beste bescherming van de burgerlijke vrijheid

[357] GdV. XII, p. 119 en p. 346. Vgl. voor het door de overheid verboden gedicht *Wapenkreet*: Tyd. I, p. 153.

[358] Tyd I, p. 212.

[359] GdV. II, p. 230.

[360] DW. IX, p. 83 ; dl. XV, p. 138.

betekende)[361] en in de tweede plaats mag de *Floris de Vijfde* worden beschouwd als een lofzang voor Lodewijk Napoleon, onder wiens regering de dichter hoopte dat zijn ideaal van het absolute koningschap zou worden verwerkelijkt. Zodra Floris de Vijfde zelf in Bilderdijks treurspel aan het woord is, benut hij die gelegenheid om een toespraak tot zijn leenmannen te houden waarin hij een overzicht van 's lands toestand en zijn bedoelingen als vorst geeft die de dichter, bijwijze van spreken, ook *rechtstreeks* in de mond van de koning Lodewijk had kunnen leggen. De graaf noemt zich een vijand van Engeland en een beschermeling van Frankrijk. Hij spreekt de hoop uit dat de binnenlandse twisten na 'Willems val' (voor Floris: graaf Willem II; voor Lodewijk: stadhouder Willem V) zullen plaatsmaken voor vrede en welvaart onder zijn door allen geëerbiedigd gezag, waarvan het doel niet zijn eigen glorie, maar alleen het geluk van al zijn Hollandse onderdanen is.[362] Als even later Gijsbrecht van Amstel de Hollandse graaf gaat prijzen als beschermer van de kunsten, horen we wellicht in mindere mate Bilderdijks mening over Floris de Vijfde, dan wel zijn dankbaarheid tegenover koning Lodewijk.[363] Twee jaar voor de uitgave van zijn treurspel had Bilderdijk de koning in de opdracht van zijn bundel *Nieuwe mengelingen* immers verzekerd dat zijn regering het land had gered door aan de binnenlandse twisten een einde te maken en de mogelijkheid te scheppen van een nieuwe bloei der kunsten. De vruchten daarvan werden door de Hollandse Muze gekweekt 'à l'abri d'un trône qui fera le bonheur du peuple'.[364] Maar nog duidelijker blijken de politieke bedoelingen in de alleenspraak van de gevangen genomen Floris de Vijfde, aan het begin van Bilderdijks vijfde bedrijf. Wanneer de graaf heeft gezegd dat Holland 'woestaardy en oproer' zal kennen als straf voor het vergrijp jegens hem, spreekt hij de hoop uit, dat, na het uitsterven van het Hollandse Huis, een koning in deze landen zal komen die schitterend regeren zal. Tenslotte beleeft hij een visioen:

> Mijn ziel is los van de aard – ik kan gemoedigd sterven!
> Mocht Holland door mijn dood gewenschter lot verwerven! –
> Ja, 'k zie, ik zie van verr' dien blijden dageraad!
> Wat eedle Majesteit verkondt dit fier gelaat!
> Leef, Koning, leef en bloei! Mijn boezem juicht u tegen!
> Uw' scepter! – heel uw' stam! – De Hemel regent zegen!
> Bloei welig, dierbaar Volk! Word machtig, groeiend Rijk,
> En voer tot 's warelds kim den naam van LODEWIJK![365]

[361] Bosch (1955), p. 144.
[362] DW. III, p. 372 e.v.
[363] GdV. II, p. 258 bewijst dat Bilderdijk ook de middeleeuwse graaf als een beschermer der kunsten beschouwde.
[364] DW. III, p. 381 ; DW. XV, p. 124, 125.
[365] DW. III, p. 426, 427.

Bilderdijks *Floris de Vijfde* kon een dichterlijke idealisering van zijn monarchisme worden, doordat het historische gegeven door hem werd verwerkt in overeenstemming met zijn door dat monarchisme zeer subjectief gekleurde en destijds volkomen tegendraadse geschiedbeschouwing. In het eigenaardige gedicht *Napraten* van 1823, zegt Bilderdijk dan ook terecht dat hij door middel van het treurspel 'der Vorsten roem gewroken' heeft op de latere geschiedschrijvers en daarbij niet vergat de hulde te brengen die hij aan 'den Koningsstaf verplicht' was.[366] Ook in het gedicht op *Floris de Vijfde* van 1788, maakte Bilderdijk gewag van latere 'schrijvren' die de nagedachtenis van de Hollandse graaf hadden bezoedeld. Uit zijn aantekeningen bij Huygens' *Korenbloemen* bleek eveneens zijn overtuiging dat graaf Floris door de Nederlandse historici was belasterd. Blijkens die zelfde aantekeningen rekende Bilderdijk tot de historische lasteraars ook de zeventiende-eeuwse dichter P.C. Hooft, wiens treurspel *Geeraerdt van Velsen* volgens hem 'in de geschiedenis van Amsterdam voor Historisch getuigenis geldt'.[367]

Het 'politieke' aspect van Bilderdijks *Floris de Vijfde* wordt slechts ten dele belicht als men in het werk de allusies op 's dichters eigen tijd aanwijst en het beschouwt als illustratie van zijn monarchistische interpretatie van de geschiedkundige feiten. De *Floris de Vijfde* is tegelijkertijd een royalistische reactie op het genoemde treurspel van Hooft, dat ongeveer twee eeuwen tevoren was verschenen en waarvan men een meer bekende weerklank vindt in Vondels *Gijsbrecht van Aemstel*. Voor de 'regent' Hooft stond het vast dat het heil des lands slechts te bereiken was door een regering der Staten en, in overeenstemming met deze aristocratisch-republikeinse idee, nam Hooft zelfs aan dat de Hollandse edelen [zo ongeveer als voorgangers van de latere regenten] in de middeleeuwen het feitelijke bestuur hadden uitgeoefend.[368] Samen met de door hem benutte historische en literaire bronnen, bepaalde deze overtuiging Hoofts visie op de figuur van Floris de Vijfde. Als *vorst* had deze gefaald op soortgelijke wijze als de in Hoofts geboortejaar afgezworen Spaanse koning Filips II. Namelijk door het eenzijdig verbreken van de samenwerking met de Staten, wat de laatstgenoemden het recht gaf zich ontslagen te achten van hun eed en wat de vorst zelf zijn rechten deed verliezen. Ten aanzien van Floris de Vijfde kwam daar volgens Hoofts opvatting nog bij dat deze vorst ook als *mens* had misdaan, en wel door zich te vergrijpen aan de vrouw van Gerard van Velzen en door een onrechtvaardig vonnis over diens broer.[369] Nochtans zijn ook de edelen bij Hooft niet geheel onschuldig en blijkt

[366] DW. VII, p. 234. Vgl. de aantekeningen bij dit vers in: J. Wille, *Dichterlijke zelfbeschrijving van Bilderdijk*, Amsterdam 1943, p. 10, 11.

[367] Huygens Koren-Bloemen, dl. VI, p. 363.

[368] A. Zijderveld en J. de Rek, *Het epos van den prins*, Amsterdam 1951, p. XI; zie vooral ook P.C. Hooft, *Baeto*. Ingeleid en met aantekeningen voorzien door F. Veenstra, Zwolle 1954, p. 74 en de aanvullingen daarbij in Knuvelder^2, dl. II, p. 181. (De volslagen negatieve visie op Hoofs Floris-personage in F. Veenstra, *Ethiek en moraal bij P.C. Hooft. Twee studies in renaissancistische levensidealen,* Zwolle 1968, p. 76-92 wordt gerelativeerd door L. Rens in *Spiegel der letteren,* 12 (1969-1970) 1, p. 38, 39.)

[369] Knuvelder^2, dl. II, p. 182. Ook Bilderdijk spreekt over de *broer* van Gerard van Velzen. Blijkens *Lodewijk van Velthem's voortzetting van den Spiegel Historiael*, opnieuw uitgegeven door Herman van der Linden e.a., Bruxelles

uit een van de reien liefde en eerbied voor de Hollandse graaf. De tegenspraak tussen dit ontzag voor Floris en diens eigen laffe houding als dramatische figuur in het stuk zelf, werd terecht opgemerkt door G. Kalff. Als literatuurhistoricus opperde Kalff de mogelijkheid dat Hooft de vernederende voorstelling van Floris kan hebben ontleend aan het middeleeuwse lied dat een van zijn bronnen was. 'Doch', zo voegt hij eraan toe: 'waar blijft dan de souvereiniteit van den dichter, die zijn materiaal ook toen ter tijd wist te verscheppen naar welgevallen?'[370]

Lang voor Kalff was de innerlijke tegenspraak in Hoofts treurspel al opgemerkt door Bilderdijk. Hij beschouwde de *Geeraerdt van Velsen* als het 'meesterstuk' van de Muiderdrost, dat 'wellicht een volmaakter stuk ware, dan de leeftijd van Hooft konde aanwijzen': indien althans het belang dat 'zijn hart zelf voor een 'vorst, de liefde zijns volks, uitdrukte en overstortte' niet op ongelukkige wijze was tegengewerkt door 's mans aangenomen [politiek-historisch] systema', dat hem de partij van de moordenaars deed kiezen.[371] Bilderdijk zelf is in dit opzicht consequenter. Voor deze royalist à tort et à travers bleef de moord op Floris de Vijfde ''t gruwzaamst verraad'. Een beschouwing van zijn toneelstuk leert dan ook, dat de bij Hooft genoemde misdaden van de Hollandse graaf voor Bilderdijk helemaal niet bestáán. Of liever (en dit bewijst juist de samenhang met Hoofts treurspel): Bilderdijk brengt deze beschuldigingen wel ter sprake, maar hij toont tevens dat hij ze volkomen vals acht.

Wanneer bij Hooft de samenzweerders de Hollandse graaf zijn fouten als vorst tegen de adel in het algemeen en zijn fouten als individu tegenover Gerard van Velzen in het bijzonder, voor de voeten hebben geworpen, zegt Floris:

> Indien ghy my ghebiedt te spreecken ick beken
> Dat ick ghevallen, en niet sonder schuldt en ben.[372]

Het vierde bedrijf van Hooft begint met de verschijning van de schim van Velzens gedode broer aan de gevangen graaf, die even later onder indruk daarvan opnieuw zijn misdaden tegenover zijn vijand bekent. Onmiddellijk daarop volgt dan de door Seneca's *Troades* geïnspireerde monoloog ('Wat is de myne' een val? Hoe ver ben ick versmeten!'), waarin de tot glorie bestemde vorst zichzelf doet kennen als het berouwvolle en rampzalige slachtoffer van een minderwaardig vrouwspersoon, die hem tot zijn misdrijf tegenover Velzen had aangezet.[373] Een rechtstreekse tegenhanger van dit bekende fragment is de

1931, p. 201, betrof het vonnis echter: 'Geraerds *neve* van Velsen'.

370 Kalff, dl. IV, p. 217.

371 Over het trsp. in Nl., uitgegeven door H.W. Tydeman, p. 3 (dit werkje is een overdruk uit de *Muzen-Album*, dl. I, Amsterdam 1849: aanwezig in de Koninklijke Bibliotheek te 's-Gravenhage en in de U.B. te Amsterdam).

372 P.C. Hooft, *Geeraerdt van Velsen*, toegelicht door F.A. Stoett, Zutphen z.j., p. 36 (vs. 475, 476).

373 Hooft, p. 81 (v.s. 1143 e.v.)

alleenspraak van de gevangen genomen Floris, waarmee het vijfde bedrijf van Bilderdijks treurspel opent. Ook hier onderzoekt de Hollandse graaf zijn geweten, maar het enige resultaat daarvan is de zekerheid dat zijn hart zuiver is en:

> Van deugd, van eer vervuld, van 't reedlijkst plichtgevoelen.
> Doordrongen voor mijn Volk van Vaderlijke zucht.[374]

Floris de Vijfde komt in Bilderdijks stuk dan ook tot de conclusie dat hij het slachtoffer is geworden van het 'laf verraad' der edelen, aan wier machtsmisbruik hij als vorst een einde heeft moeten maken om het welzijn van zijn volk veilig te stellen. Bij Hooft wordt Floris verweten dat hij adel en burgerij gehoond, de waardigheid der ridderschap gekrenkt, en zijn eed tegenover edelen als 'staeten deses Lands' geschonden heeft. De enige vreedzame oplossing zou daarom zijn:

> Den Graef, en Graeflijckheydt haer wiecken wel te fnuycken.[375]

Bilderdijks Floris 'antwoordt' hierop als het ware in zijn monoloog:

> De steden danken my heur opkomst, bloei en rust:
> De landman, zeekre schuts, genot, en arbeidslust.
> De trotsche moedwil slechts eens Adels dien ik fnuikte,
> Wijt my 't bedwang eens rechts, dat hun geweld misbruikte.
> En mooglijk was ik hier, als Hollands Heer en Graaf,
> Meer Vader van mijn volk, dan van mijne eeden slaaf.[376]

Lang tevoren is er in het treurspel van Bilderdijk dan al 'afgerekend' met de misdaden waarvan de Hollandse graaf als mens bij Hooft werd beticht. Aan het begin van Bilderdijks eerste bedrijf immers verklaart Amstel dat Floris onschuldig is tegenover de gemalin van Velzen en eveneens tegenover diens broer, die 'naar 't recht veroordeeld' werd.[377] Tenslotte bevat de monoloog van Bilderdijks Floris de Vijfde een antwoord op de voorspelling door de stroomgod van de Vecht, waarmee Hoofts *Geraerdt van Velsen* eindigt. J. Koopmans heeft er indertijd op gewezen dat deze voorspelling van Hollands grootheid onder het 'aensien en gesach' van het patriciaat, door Bilderdijk als het ware in monarchistische zin wordt gecorrigeerd in het hiervoor al besproken toekomstvisioen van

[374] DW. III, p. 42.
[375] Hooft, p. 29, 34, 56 (v.s. 363 e.v., v.s. 450 e.v., v.s. 778 e.v.).
[376] DW. III, p. 425.
[377] DW. III, p. 363, 364.

de gevangen graaf, die daarbij de regering van koning Lodewijk profeteert.[378] Een correctie die overeenkomt met Bilderdijks geschiedkundige overtuiging dat er in de middeleeuwen geen 'standen' of 'staten' hebben bestaan en die eveneens beantwoordt aan zijn gevoelens tegenover Lodewijk Napoleon.[379]

Door de voorafgaande opmerkingen is eigenlijk al een begin gemaakt met de beantwoording van de vraag of er literaire bronnen voor Bilderdijks treurspel *Floris de Vijfde* zijn aan te wijzen. Het is duidelijk dat deze vraag allereerst bevestigend moet worden beantwoord, met een verwijzing naar Hoofts *Geeraerdt van Velsen*. Maar er is ook gebleken dat er geen sprake is van slaafse navolging. Bilderdijks *Floris de Vijfde* zet op geheel eigen wijze een nationaal-historische toneeltraditie voort. Een traditie die begint met het treurspel van de Muiderdrost uit 1613, maar die haar bekendheid vooral ontleent aan Vondels *Gijsbrecht van Aemstel*, waarvan de première in januari 1638 plaatsvond. Vondel heeft welbewust aansluiting gezocht bij het treurspel van Hooft: zelfs de keuze van zijn hoofdpersoon (die tegen de historische waarheid en de door hem benutte *Aeneïs* van Vergilius indruist) moet uit dit streven worden verklaard.[380] Zowel Hooft als Vondel besluiten hun treurspel met een voorspelling van de grootheid van Amsterdam in de zeventiende eeuw. We hebben gezien dat een dergelijke voorspelling geenszins ontbreekt bij Bilderdijk. Maar de latere dichter schreef nu eenmaal geen treurspel waarmee de nieuwe schouwburg van de hoofdstad der goudeneeuwse republiek moest worden geopend. Zijn stuk was bedoeld als welkomstgroet voor de eerste koning van Holland die, na de binnenlandse twisten van de Franse tijd, hier vrede en welvaart zou moeten brengen. Daarom werden de vroegere voorspellingen in het jaar 1808 tot een royalistisch visoen van de grootheid des vaderlands, onder de bestuursvorm die Bilderdijk ideaal achtte. De aansluiting bij de hier aangeduide traditie is door Bilderdijk overduidelijk aangegeven. In het voorwoord *Aan den lezer* bij de uitgave van zijn *Floris de Vijfde* verwijst hij naar zijn elders te publiceren *Aanspraak aan den koning*, die bij de opvoering van zijn treurspel het zogenaamde 'Voorspel' uit Vondels tijd had moeten vervangen. Men weet dat het 'Voorspel' van de *Gijsbrecht* begint met de verzen :

> De trotse Schouwburgh heft zijn spitse kap
> Nu op, en gaet de starren naderen,
> En wellekomt met dertel hantgeklap
> Al 't Raethuis, en ons wijze Vaderen.[381]

---

[378] Koopmans (1904) dl. III, p. 352.

[379] GdV. II, p. 260.

[380] Smit, (Van Pascha ...), dl. I, p. 197

[381] Joost van Vondel's *Gijsbrecht van Aemstel*, uitgegeven door T. Terwey, zestiende uitgave door C.G.N. de Vooys, Groningen 1950, p. 5.

Bilderdijks *Aanspraak* opent zo :

> De Schouwburg durft zijn trotschen kap verheffen,
> En steigeren den starren in 't gemoet,
> Mag slechts zijn toon het hart des Konings treffen,
> Wien Melpomeen van zijn tooneel begroet.[382]

Evenals een aantal andere plaatsen uit de *Aanspraak*, bewijzen deze regels een bewust streven naar aansluiting bij de traditie en eveneens een streven om die traditie in staatkundige zin te wijzigen. Maar Bilderdijks 'afwijkingen' zijn niet alleen van politieke aard; ze strekken zich uit tot de intrige en de karaktertekening van zijn treurspel. Zo treft in de *Floris de Vijfde* een bijna radicale omkering van het door Vondel aan de Muiderdrost ontleende motief dat Velzens gemalin het slachtoffer zou zijn van graaf Floris' wellust.[383] Bij Bilderdijk immers wordt de edele graaf als het ware belaagd door de gemalin van Velzen zelf! De meest positieve aansluiting bij de traditie in de karaktertekening, is bij Bilderdijk te zoeken in de figuur die ook bij Vondel de sterkste schakel met het werk van zijn voorganger vormt : de Amsterdamse treurspelheld *Gijsbrecht van Aemstel*. In zijn kritiek op *Floris de Vijfde* heeft Multatuli de beschuldiging geuit dat Bilderdijk uit 'laaghartigheid' *zijn* Gijsbrecht niet laat deelnemen aan de moord op de Hollandse graaf. Om bij het Amsterdamse publiek in het gevlij te komen zou de dichter getracht hebben diens misdaad zodanig 'toetesuikeren', dat de Amsterdammers de schande van hun 'edelen voorzaat' zouden kunnen 'slikken'.[384] Multatuli doet het voorkomen alsof deze bewering een imponerende ontdekking van zijn originele geest zou zijn en tevens een overdonderend bewijs voor Bilderdijks verachtelijkheid. Maar in feite bewijst Multatuli hier alleen maar zijn eigen tekort aan literairhistorische kennis. De voorstelling dat Amstel niet direct schuldig zou zijn aan de moord op Floris de Vijfde is immers geenszins een uitvinding van Bilderdijk, maar een bewuste (en kritische!) aansluiting bij een eeuwenoude toneeltraditie. In het treurspel van Hooft is Gysbreght van Aemstel al onschuldig aan de moord op Floris de Vijfde en wordt hij voorgesteld als de ideale ridder die alles voor het algemeen belang over heeft. Zoals J. Koopmans en W.A.P. Smit hebben opgemerkt, werd deze verheerlijking van Aemstel door Vondel voortgezet : diens Gijsbrechtfiguur is ten aanzien van de gebeurtenissen in 1296 'op een haar' die van Hooft, en op politiek terrein propageert hij daarenboven diens republikeins-aristocratisch ideaal.[385] En ondanks Multatuli, getuigt het nu juist voor Bilderdijks durf tegenover het door een bijna twee

[382] DW. IX, p. 59.

[383] Smit, (Van Pascha...), dl. I, p. 191, noot.

[384] *Verzamelde werken van Multatuli*, 'Elsevier', dl. VII, Amsterdam 1907, p. 139 (Idee 1056).

[385] Koopmans (1904), p. 347, Smit, (Van Pascha...), p. 181, Gijsbrecht, p. 17 (vs. 40-42).

eeuwen oude traditie gevormde Amsterdamse schouwburgpubliek, dat hij de nationale toneelheld niet alleen andere staatkundige denkbeelden heeft gegeven, maar hem óók nog tot een laffe twijfelaar heeft gemaakt, die heen en weer wordt geslingerd tussen zijn trouw aan Floris en zijn verbondenheid met de andere ridders.[386]

Hunningher was half op het goede spoor toen hij schreef: 'Bilderdijk doet niet de minste poging om hem (= Amstel) voor te stellen als de sympathieke held; dat hij hem door zijn weifelen eenigszins zoekt vrij te pleiten, is waarschijnlijk om niet in conflict te komen met Vondel's Gysbrecht'.[387] De opmerking is niet helemaal juist, omdat Gijsbrecht bij Vondel en Hooft nu eenmaal wél wordt voorgesteld als de sympathieke held en omdat hij bij hen bovendien totaal andere staatkundige ideeën verkondigt. Bilderdijk komt wel degelijk op verscheidene punten met zijn voorgangers in conflict. Dat Bilderdijk van Gijsbrecht tegen de traditie in geen sympathieke held heeft willen maken, is echter volkomen waar. Wanneer Te Winkel schrijft dat Bilderdijk aan Hooft min of meer de Gijsbrechtfiguur heeft ontleend '*maar*' dat deze bij hem een 'zwakkeling' is geworden en wanneer Kollewijn beweert dat de karaktertekening niet uitmunt, ondermeer *omdat* Amstel onverdraaglijk zwak en onmannelijk blijkt, – dan wordt door deze oordelen gesuggereerd dat Bilderdijk eigenlijk heeft gefaald.[388] Wat de critici in kwestie echter over het hoofd zien, is de simpele mogelijkheid dat Bilderdijk het zo en niet anders bedoeld heeft. En zo hééft hij het ook bedoeld. Bilderdijk legt Amstel wel (volgens zijn opvatting) verstandige staatkundige opvattingen in de mond, maar hij laat tevens blijken dat deze man als ridder een laffe twijfelaar is en daardoor indirect medeplichtig aan de vorstenmoord. Wie het bewijs hiervoor niet uit Bilderdijks toneeltekst weet te putten, kan het vinden in een brief die de dichter kort na de uitgave van zijn treurspel aan H.W. Tydeman schreef. Laatstgenoemde had de dichter een vraag gesteld in verband met het feit dat zijn hoofdpersoon Floris de Vijfde weigert te vluchten, als hem daarvoor een gelegenheid geboden wordt. In zijn antwoord wijst Bilderdijk ondermeer op de praktische onmogelijkheid van een vlucht, omdat Floris voldoende hulp ontbrak, en hij vervolgt dan: 'Of kon hij op Amstel afgaan; nu die de verraders weer verraden wilde, maar met dezelfde zwakheid, waardoor hij hem nu weer verraden zou, zoo er iets gebeurde. Kon hij op hem staat maken, daar die niet cordaat zich voor hem verklaren, en bij hem voegen dorst?'.[389] Mij dunkt dat de dichter hier een duidelijk en geenszins vleiend oordeel over zijn eigen versie van de edele 'voorzaat' van het Amsterdamse publiek heeft uitgesproken. Dat deze literaire interpretatie bovendien klopt met zijn visie als historicus, blijkt uit de kwalificaties 'onvast', 'veranderlijk' en 'lafaart', die men aantreft in Bilderdijks *Geschiedenis des*

---

386 Koopmans (1904), p. 334, 335. Vgl. De Vooys (1948), p. 46.

387 Hunningher, (1931), p. 7.

388 Te Winkel, dl. IV, p. 317 ; Kollewijn, dl. I, p. 456.

389 Tyd. I, p. 213.

Vaderlands.[390]

Een aanduiding van de wijze waarop Bilderdijk in zuiver literaire zin van de door hem voortgezette toneeltraditie wilde afwijken, is in zijn hier al besproken *Aanspraak* de mededeling dat hij in tegenstelling tot Vondel zijn stof niet heeft ontleend aan de Oudheid, maar aan de nationale geschiedenis.[391] En zoals verschillende eigenaardigheden van Vondels *Gijsbrecht* pas verklaarbaar worden indien men rekening houdt met diens inspiratie door het tweede boek van Vergilius' *Aeneïs*, zo verkrijgt men ook meer begrip voor bepaalde elementen in Bilderdijks treurspel, zodra men de door hem benutte historische bron in zijn beschouwingen betrekt. De moeilijkheid daarbij is alleen dat de latere dichter, in tegenstelling tot Vondel, deze bron niet uitdrukkelijk heeft genoemd. Ze verraadt zich echter ondermeer door een nader onderzoek van een schijnbaar aan het treurspel van P.C. Hooft ontleende passage. Wanneer de Hollandse graaf in het stuk van de Muiderdrost gevangen is genomen, zegt Harman van Woerden:

> Uw hooghe spronghen zijn, Heer meester, nu ghedaen.
> Ghy sult nae desen tijdt, der voeren niet meer dryven :
> In onser hand'ist, u te spaeren of t'ontlyven.[392]

In dezelfde situatie dreigt Velzen in het stuk van Bilderdijk:

> Gy zult na dezen dag dien hoogen toon niet voeren,
> Heer Meester –! 't Werd eens tijd den overmoed te snoeren.
> Gy zijt Gevangen van uw Eedlen.– Wees gedwee !
> Of – 'k klove u met dit zwaard den trotschen kop in twee.[393]

We hebben hier geenszins te doen met een versterkte navolging door de latere dichter om de wreedheid van de moordenaars te vergroten. Zowel Hooft als Bilderdijk ontlenen deze uitspraak aan de middeleeuwse *Rymkroniek* van Melis Stoke, waar men leest:

> 'Uwe hoghe spronghe sijn ghedaen,
> Ghine sult niet meer der voeren driven,'
> Sprac hi, 'heer meester; ghi moet bliven
> Onse ghevanghen, wien lief en leet'
> [...]

[390] GdV. II, p. 234, 252.
[391] DW. IX, p. 61.
[392] Hooft, p. 30, 31 (vs. 388 e.v.).
[393] DW. III, p. 419. Bilderdijk citeert deze woorden ook in zijn GdV. II, p. 251, waar hij Stoke a.h.w. op de voet volgt.

'Ghi moghet; dat ghemaken ode:
Ic sla u tsweert tote inden tanden'.[394]

In de *Rymkronyk* van Stoke vond Bilderdijk ook het door hem in het tweede bedrijf verwerkte motief van de Hollandse graaf die bemiddelt in de twist tussen de edelen en zich daarbij bereid toont een gedeelte van het zoengeld te betalen.[395] De feestmaaltijd waarvan bij Bilderdijk sprake is, gaat eveneens terug op Melis Stoke, die meedeelt dat de graaf allen uitnodigde en 'men at ende dranc blidelijke / Over al daer in den hove'.[396]

Zulke ontleningen geven Bilderdijks stuk geenszins eigenschappen die om een speciale verklaring vragen. Vreemd is mij echter altijd voorgekomen de totaal niet in de sfeer van Bilderdijks treurspel passende spottende uitroep van Floris, als hij verneemt dat de Heer van Kuik hem de oorlog heeft verklaard :

Licht wenscht hy morgen vroeg mijn landen te overvallen,
En voert me, eer 't zonlicht daalt, gebonden uit dees wallen.
Wat weet men 't! – Ja, mijn vriend, te reeknen naar den schijn,
Die Heer van 't Land van Kuik moet zeer ontzachlijk zijn!
En daarom! dat we ons thands de vreugde niet verderven.
Dees middag houde ik Feest, ik mocht dees avond sterven![397]

De verklaring vindt men in de *Rymkroniek*, waar Stoke ondermeer schrijft:

De Grave wordt lachende twaren
Ende seide: Nu, wat sal ic eten?
De heer van Kuuc ontseghet mi
Sal hi mi uten lande driven,
So salre cume iement in bliven.[398]

Eigenaardiger nog is dat Floris de Vijfde in Bilderdijks treurspel op klaarlichte dag naar bed gaat (ondanks het aangekondigde feest en de oorlogsverklaring van Kuik!) terwijl Amstel 'op en neer wandelt voor den ingang van des Graven slaapsalet'. Ook hier ligt de

---

394 *Rymkroniek van Melis Stoke*, dl. II, uitg. Balthazar Huydecoper, Leiden 1772, p. 288, 289 ; Boek IV, vs. 1472 e.v. (de leestekens zijn door mij geplaatst). Het betreffende fragment werd uiteraard eveneens uitgegeven in: *Rymkroniek van Melis Stoke*, uitg. W.G. Brill, Utrecht 1885, alsmede in: Eelco Verwijs, *Bloemlezing uit middelnederlandsche dichters*³, dl. II, Zutphen z.j., p. 137 e.v. en A.C. Bouman, *Middelnederlandsche bloemlezing met grammatica*², Zutphen 1948, p. 167 e.v.

395 *Rymkroniek* (Huydecoper), Boek IV, vs. 1323 e.v. Vgl. voor deze en de andere plaatsen ook *Van Velthem* (zie noot 369), dl. II, Boek III.

396 *Rymkroniek* (Huydecoper), Boek IV, vs. 1366, 1367; DW. III, p. 388, 389, 393 ; GdV. II, p. 249.

397 DW. III, p. 389.

398 *Rymkroniek* (Huydecoper), Boek IV, vs. 1264 e.v. Ook deze uitspraak citeert Bilderdijk in GdV. II, p. 248.

verklaring bij Stoke, die vertelt dat de Graaf na het eten ging slapen, en later door 'de here Amestelle' gewekt werd om naar de jachtpartij te gaan die hem noodlottig zou worden.

Hij vervolgt:

> Als de Grave hoerde tgone,
> Sprac hi: 'Ic hebbe te langhe gheslapen :
> Roept mi enich van minen cnapen'.[399]

Nadat de bediende wijn heeft gehaald, wil Floris met Amstel 'Sint-Geertenminne' drinken, maar die weet de heildronk te vermijden. In het treurspel van Bilderdijk gaat Amstel 'naar het slaapsalet, waaruit Floris, als ontwakende, hem tegemoet treedt' en zegt :

> Ja, Amstel, 'k ben ontwaakt – Ik heb te lang geslapen,
> Maar lieflijker dan ooit ! – Ga, roep mijne edelknapen.
> Men breng me een' frisschen dronk ...

En even later tot Amstel :

> Aanvaard dees beker, kom, en laat dees eedle wijn
> U tolk zijn van mijn hart, my tolk van 't uwe zijn.

Maar Amstel 'zet den beker neer, terwijl de Graaf omziet'.[400] Tenslotte kan nog worden opgemerkt dat ook de edelknaap die aan het einde van het treurspel een poging doet om zijn meester te redden (en die door Bilderdijk in een van zijn brieven 'historieel' wordt genoemd), eveneens is ontleend aan de oude *Rymkronyk.*[401]

Met het voorafgaande zijn nog niet alle 'bronnen' van Bilderdijks treurspel aangeduid. Bij de door Hooft behandelde historische stof hadden vroeger, behalve Vondel, ook enkele andere auteurs aansluiting gezocht. In de zeventiende eeuw waren dat Suffridus Sixtinus (1628) en J.J. Colevelt (1628), aan wie Bilderdijk geen verplichtingen heeft.[402] Anders ligt dit voor het treurspel *Floris de Vyfde Van die Naem, Graef van Hollandt* door Coenraed Droste, een stuk dat verscheen in 1710. Ook hier vindt men het aan Melis Stoke ontleende

[399] *Rymkroniek* (Huydecoper), Boek IV, vs. 1414 e.v.

[400] DW. III, p. 411, 414. Vgl. GdV. II, p. 249.

[401] DW. III, p. 438 ; *Rymkroniek* (Huydecoper), Boek IV, vs. 1498 e.v.; Tyd. I, p. 212.

[402] Suffridus Sixtinus, *Geraert van Velsen lyende. Treurspel*, Amstelredam 1628; J.J. Colevelt, *Droef-Eyndend'-Spel, Tusschen Graef Floris, en Gerrit van Velsen*, Amsterdam 1628. Men vindt deze stukken besproken in Worp (1892), p. 164 e.v. ; Worp (1904), dl. I, p. 291 en 320 ; in Te Winkel, dl. I, p. 375.

motief van de graaf als bemiddelaar tussen de twistende edelen en de uitnodiging tot een feestmaaltijd. Maar opvallender is dat Droste de plaats van de handeling naar Utrecht heeft verlegd en dat het plan van de samenzwering wordt uiteengezet in de eerste tonelen, waar Amstel, onder de indruk van Floris' schijngenegenheid, zich slechts na aarzeling tot medestander van Woerden en Velzen verklaart.[403] Men kan wel aannemen dat Bilderdijk zich op deze punten door het werk van Droste heeft laten beïnvloeden.

Wellicht heeft Bilderdijk ook enkele herinneringen aan de buitenlandse literatuur in zijn treurspel verwerkt. Zo is het merkwaardig dat Floris de Vijfde op het moment dat Amstel hem bij zijn gevangenneming in de armen valt, de wanhopige woorden spreekt :

> [...] Hoe ! gy, gy ook, mijn Zoon!-
> o Hemel ! dan is 't uit – [404] [...]

Dit herinnert aan de legendarische woorden van Julius Caesar, zo die werden benut in *La mort de César* van Voltaire en in *Bruto Secondo* van Vittorio Alfieri. Daar zegt Caesar tot Brutus :

> Figlio,... e tu pure? ... Io moro.[405]

Het hier al meer genoemde monarchistische visioen van de gevangen graaf over de toekomstige grootheid van Holland onder koning Lodewijk, vertoont overeenkomst met *Athalie* van Jean Racine, waar de Heilige Geest zich meester maakt van Joad:

> C'est lui-même. Il m'échauffe. Il parle. Mes yeux s'ouvrent,
> Et les siècles obscurs devant moi se découvrent.[406]

Nadien zegt Joad:

---

403 C. Droste, *Floris de Vyfde Van die Naem, Graef van Hollandt, &c*. Treur-spel. Opgenomen in het tweede deel van: *De Haegse Schouburg gestoffeert door de heer Coenraed Droste. Waer by syn gevoegt eenige Gedigten van de selfden Autheur*, 's- Gravenhage 1710. Droste schrijft in zijn voorrede dat hij, i.t.t. Hooft, niet als 'grondslag' heeft genomen dat Velsens vrouw door Floris was verkracht: 'Derhalve ben ick niet verder gegaen, als tot de liefde van graef Floris, op Vrouw Magtild, die hy daerom belette met Heer Gerrit van Velzen te Trouwen: naer hy hem hadt aengeboden het Huwelijck met de Dogter van Heer Jan van Heusden [Ermgard], daer de Graef een Soon, in onecht, by hadt verweckt: dat met groote onwaerdigheyt van Heer Gerrit geweygert wierdt.' Als Velsen in het treurspel van Drost om toestemming vraagt voor een huwelijk met Magtild, antwoordt Floris dat hij redenen heeft om dit weigeren en stelt hem voor Ermgard van Heusden, die toch een mooie partij is. Hij raadt Velsen aan van de gelegenheid gebruik te maken: 'Nu de fortuyn aen u wil openen haer schoot'. Waarop Velsen gevat repliceert: 'Als Ermgard doet aen u'...

404 DW. III, p. 419.

405 Vittorio Alfieri, *Bruto Secondo*, Commento e saggio critico di Nunzio Vaccalluzzo[4], Livorno 1936, p. 57 (V, 2). Vgl. hfdst. IV, par. 7.

406 Racine, *Oeuvres choisies*[7], Paris 1917, p. 788 (*Athalie*, III, 7)

Comment en un plomb vil l'or pur s'est-il changé ?

Johan Smit hoorde de echo van deze regel in de klacht waarmee Bilderdijk Floris onmiddellijk na diens visioen zijn monoloog vervolgt :

Zie daar dan 't Graaflijk goud verkeerd in ijzeren schalmen![407]

De oerbron van deze regel is overigens de bijbel, waarvan men ook elders in Bilderdijks treurspel de invloed kan bespeuren.[408] Terecht heeft Smit verder gewezen op de overeenkomst tussen de alleenspraak van Amstel in Bilderdijks eerste bedrijf en de beroemde stances van Don Rodrigue, waarmee Corneille de eerste akte van de *Cid* besluit. Men ziet in beide stukken een gelijksoortige strijd tussen 'plicht' en 'hart' in een zelfde verheven sfeer, waarbij Bilderdijks tekst dan het voordeel heeft dat de problematiek voor de hedendaagse lezer gemakkelijker aanvaardbaar is.[409] Een bewijs van de innerlijke tweestrijd die Amstel te voeren heeft, vormen ook Bilderdijks regels :

Maar Woerden-! 't doet my aan, het argloos lam te kelen,
Det hupp'lende om my speelt, en 's moorders handen lekt.[410]

Het feit dat Bilderdijk kort tevoren zijn bewerking van *Essay on man* had gepubliceerd, rechtvaardigt de veronderstelling dat dit beeld is ontleend aan Alexander Pope, die schreef:

The lamb thy riot dooms to bleed to-day,
Had he thy Reason, would he scep and play?
Pleas'd to the last, he crops the flowry food,
And licks the hand just rais'd to shed his blood.

Met deze laatste 'bronvermelding' zijn we gekomen tot de contemporaine kritiek op Bilderdijks treurspel. De overeenkomst met Pope werd namelijk aangewezen in een bespreking van het tijdschrift *Hedendaagsche Vaderlandse Bibliotheek*, van 1809. Deze kritiek is een gedegen stuk werk in vergelijking met de recensies in de *Vaderlandsche Letteroefeningen* en *De Schouwburg*, van respectievelijk 1809 en 1808. De Letteroefenaar kwam niet veel verder dan de constatering dat we met een 'meesterwerk' te doen hebben en wenste 'bij zoo vele en echte kunst, geen geringe feilen (tc) noemen'; de recensent van

[407] DW. III, p. 427 ; Smit (1929), p. 242.

[408] Jeremia, klaagliederen IV, 1. Vgl. DW. III, p. 413 en Psalmen XLI, vs. 10.

[409] DW. III, p. 365 ; P. Corneille, *Théâtre complet*, dl. I, Paris 1950, p. 769; zie Smit, (1929), p. 32.

[410] DW. III, p. 380.

De Schouwburg was vrijpostiger en wees naast schoonheden ook 'feilen' aan, die volgens hem te wijten waren aan de overhaasting waarmee het treurspel tot stand was gekomen. In het algemeen sprak deze recensent vermoedelijk naar het hart van Bilderdijk, toen hij opmerkte: 'De karakters zijn wel volgehouden. De opene, regtschapene, geen kwaad vermoedende, dappere Floris, de trotsche en wrokkende Van Woerden, de dolle, ijverzuchtige Van Velzen, de laffe en weifelende Van Amstel, de zwakke Machteld van Velzen, de fiere Van Kuik en de edelmoedige Edelknaap zijn wel geschetst'.[411]

De criticus van de *Hedendaagsche Vaderlandsche Bibliotheek* heeft bewondering voor een aantal goede verzen in Bilderdijks treurspel, maar om pedagogische redenen tekent hij verzet aan tegen het feit dat de dichter zich niet strikt heeft gehouden aan de historische gegevens. En dat niet alleen. Voor hem is de *Floris de Vijfde* niet slechts leugenachtig tegenover de historie, maar het stuk is bovendien een 'logen' als kunstwerk, hetgeen blijkt uit de vele onmogelijkheden die erin voorkomen. Daartoe rekent de criticus het hier al besproken karakter van Amstel en ook dat van de heer van Kuik, die zich edelmoedig en openhartig voordoet en desondanks van het verraad van de anderen gebruik maakt. Wat hier weer moet worden opgemerkt, is dat Bilderdijk het nu eenmaal niet anders bedoeld heeft. Zelf schreef hij over de laatstgenoemde figuur: 'Kuyk is rond bij mij, maar hij heeft Floris voor Eduard verlaten. Eerlijk meende ik hem niet te maken, veelmin prijslijk of achting inboezemend'.[412]

Belangrijk is een opmerking van deze criticus over het onlogische optreden van Machteld van Velzen, welk optreden Kollewijn tot de conclusie leidde dat Machteld 'in plaats van (*sic*) een engel van goedheid en deugd een huichelaarster' is geworden: een afwijzend oordeel dat met instemming wordt vermeld in de uitgave van Bilderdijks treurspel door Chr. Stapelkamp.[413] Toch is hiermee niet alles gezegd, zomin trouwens als door de opmerking van Koopmans dat Machteld het enige karakter is dat in dit treurspel verandert.[414] Het komt mij voor dat Bilderdijk nooit het plan heeft gehad in Machteld 'een engel van goedheid en deugd' te schilderen, zoals Kollewijn en Stapelkamp menen. Haar vreemde optreden en de wijze waarop zij zichzelf tegenspreekt, lijken mij verklaarbaar indien men rekening houdt met de abnormale levensomstandigheden die Bilderdijk haar toedicht. Multatuli trachtte zichzelf en zijn lezers vrolijk te maken door op het eind van zijn ellenlange kritiek op de *Floris de Vijfde* te 'onthullen' wat Bilderdijk zelf in zijn treurspel en in een apart gedicht al had medegedeeld: dat Machteld namelijk was gekluisterd door een huwelijk dat nooit daadwerkelijk was voltrokken.[415] In een brief aan Tydeman schreef Bilderdijk trouwens: 'Van betrekking van Floris tot Machteld weet ik

[411] *De schouwburg*, 1808, p. 591 ; Vgl. Bilderdijk over deze plaats bij Pope in : DW. VII, p. 432.

[412] Tyd. I, p. 213.

[413] Kollewijn, dl. I, p. 456 ; Stapelkamp, *Floris de Vijfde*, p. 33.

[414] Koopmans (1908) dl. III, p. 32.

[415] Multatuli, dl. VII, p. 159 ; DW. IV, p. 296-298.

niets dan de fabeltjens die algemeen zijn. Echter weet ik dit dat Velzen zeer minnenijdig was, en uit minnenijd zou hij haar zelfs (die zijn tweede vrouw was) nooit beslapen hebben'.[416] Wanneer men er nu rekening mee houdt dat in het treurspel van Bilderdijk Velzens gemalin dodelijk verliefd is op Floris de Vijfde en anderzijds bekommerd om diens eer als vorst en edelman, wordt het wel duidelijk dat de psychische spanningen in deze vrouw tot allerlei leugenachtige tegenspraken konden leiden.[417] 'Maar zonder Machteld ware er geen Treurspel', zo vervolgt de dichter na de zojuist geciteerde passus in zijn brief aan Tydeman.En dat is, althans voor de wijze waarop Bilderdijk zijn historische stof heeft bewerkt, inderdaad waar. Terecht heeft Hunningher opgemerkt dat een belangrijk gedeelte van Bilderdijks treurspel de tweestrijd behandelt van Vrouwe Machteld 'die geslingerd wordt tusschen haar heimelijke liefde voor Floris en haar plicht als echtgenoote'. Waarbij mag worden opgemerkt dat – niet zo zeer ingevolge het zojuist geciteerde brieffragment maar duidelijk wél blijkens het tweede toneel van het laatste bedrijf – Machteld van Velzen zich geenszins als 'vrouw' van Van Velzen beschouwde, aangezien haar huwelijk nooit werkelijk was voltrokken. En dat laatste was voor Bilderdijk primordiaal. Zijn eigen tweede huwelijk werd nooit geregistreerd bij de Burgerlijke Stand, maar was wel metterdaad voltrokken toen hij op 18 mei het bekende 'uxorem accepi' in zijn bijbel schreef en nadien Katharina Wilhelmina Schweickhardt noemde:'my lawful wife like you are for God and my conscience'[418] Evenals de nog te bespreken *Willem van Holland* is *Floris de Vijfde* niet alleen een nationaal-historisch spel, maar tevens tot op bepaalde hoogte een liefdestragedie.

De criticus van de *Hedendaagsche Vaderlandsche Bibliotheek* heeft ook als eerste gewezen op de zwakheid in Bilderdijks karakterisering van de Hollandse graaf. Floris de Vijfde wordt in zijn treurspel voorgesteld als een goede vorst die zijn volk bemint, maar desondanks doet hij geen moeite om dat volk voor een dreigende ramp te behoeden, zo merkt Bilderdijks tijdgenoot op: alle waarschuwingen en mogelijkheden om zich te redden, slaat Floris in de wind.[419] Deze opmerking vindt men bij latere critici in uitvoerige vorm terug, zonder dat daarbij een poging tot verklaring wordt gedaan.[420] Toen Da Costa anno 1859 in Bilderdijks karakterisering bovenal 'het edele, groothartige en argelooze van den ongelukkigen Floris' roemde, duidde hij daarmee nochtans de bedoelingen van de dichter duidelijk aan.[421] Al in zijn gedicht *Floris de Vijfde* van 1788 had Bilderdijk de 'heldendapperheid' van de graaf geprezen, waardoor de vorst het geweld kon trotseren en

[416] Tyd. I, p. 212.

[417] Terecht wijst Heyting (1931), p. 189 op de overeenkomst tussen de figuur van Blanka in Bilderdijks ballade *Graaf Floris de Vierde* (DW. I, p. 196) en Machteld van Velzen.

[418] Hunningher (1931), p. 6. De Jong (Van Bilderdijk tot Lucebert, 1967), p. 18-45.

[419] Hedendaagsche Vaderlandsche bibliotheek 1809, p. 596.

[420] Zie de hier al genoemde beschouwingen van Multatuli, Kollewijn en Stapelkamp.

[421] Da Costa (1859), p. 226.

het gevaar 'verachtelozen'. De uiterste consequentie daarvan treft men aan in Bilderdijks treurspel, waar Floris als het ware opzettelijk iedere gelegenheid voorbij laat gaan om de samenzwering te ontdekken. Onlogisch is het ook dat de gevangen genomen graaf weigert te vluchten als hem daartoe schijnbaar de kans wordt geboden. Al eerder werd Bilderdijks toelichting op dit motief besproken in verband met de lafheid van Amstel. Men moet niet vergeten dat Floris niet alleen weigert in te gaan op Amstels ontvluchtingsvoorstel, maar ook zelf een tegenvoorstel doet. Ik citeer uit het gesprek tussen de gevangen graaf en Amstel:

FLORIS
Wel aan! zoo geef me uw zwaard, en stel u aan mijn zijde,
En slaan we, als 't Riddren voegt, door 't moordgebroedsel heen!
Maar – vluchten, in 't geheim – ? Lafhartige Amstel, neen!

AMSTEL
Neen, Graaf ! het waar vergeefsch, hier Oorlogsmoed te toonen.
Wat zoude ons-beider arm-?

FLORIS
Een eerlijk leven kronen! –
Ontbreekt u moed daar toe; verlaat my, 'k wacht de dood.
Een Held verlaagt zich niet, maar 't onheil maakt hem groot.[422]

Floris de Vijfde wordt door Bilderdijk geenszins voorgesteld als een passief slachtoffer, zoals Jonckbloet en Stapelkamp menen.[423] De classicus K.E.H. de Jong wees op een overeenkomst met de helden van Sofocles, die eveneens met de beste bedoelingen voor hun volk zijn bezield maar daarbij zondigen door te grote ijver en onvoorzichtigheid. 'Oidipus, in zijn staatsfanatisme, vergrijpt zich aan het goddelijke. Floris V, de beschermer van het onderdrukte volk, vermoedt niet welk een haat hij bij den adel opwekt en wordt daardoor het slachtoffer', aldus De Jong.[424] Wij kunnen daarenboven opmerken dat Floris de Vijfde in Bilderdijks treurspel tot op het laatste moment zelf voor de keus blijft staan: of zich oneervol door de samenzweerders als gijzelaar laten meevoeren, of de dood. En hij kiest welbewust het laatste.[425] Evenals de weigering tot vluchten, is dit een 'point d'honneur' dat volgens Bilderdijks eigen verklaring overdreven werd voorgesteld. Hij

---

422 DW. III, p. 433, 434.

423 Stapelkamp, *Floris de Vijfde*, p. 28.

424 K.H.E. de Jong, 'Bilderdijk en Sophocles', *Verslag Provinciaal Utrechts Genootschap voor Kunsten & Wetenschappen*, 1938.

425 Tot driemaal toe wordt hem de keus door de samenzweerders voorgelegd : DW. III, p. 436, 438, 439.

schreef daarover in een brief aan Tydeman: 'Wat het punt van eer van niet te willen vluchten, betreft. In genere behoort het tot de Ethica des tooneels, dat die volstrekt overdreven moet zijn, even als in 't Blijdspel de gebreken. Alles moet sterker geteekend en gekleurd zijn dan in de Natuur plaats heeft of plaats kan of moet hebben ...'[426]

Ondanks de hier gedane pogingen om voor verschillende eigenaardigheden van Bilderdijks stuk een verklaring te geven, is nog geenszins aangetoond dat de *Floris de Vijfde* een voortreffelijk treurspel zou zijn. Maar dat valt ook niet aan te tonen. Want het treurspel van Bilderdijk telt teveel voor ons totaal onaanvaardbare situaties en het verraadt in zijn woordkeus al te zeer de haastige hand van een man die de toenmalige retorische toneelstijl als het ware gedachteloos hanteren kon. De door een overdreven treurspel-eer slechts half gemotiveerde argeloosheid van de dappere Floris blijft voor de moderne lezer een onbegrijpelijke onnozelheid; en de woordkeus van de op het lijk van Floris bezwijkende Machteld in de slotscène kittelt hem eerder de milt dan het hart. De zwakke plekken van Bilderdijks treurspel vindt men behandeld in de beschouwingen van de hier genoemde crititici en dit gebeurt zelfs 'en détail' in het lange artikel van Multatuli. Omdat deze laatste kritiek een vrij grote bekendheid geniet, wil ik er even bij opmerken dat ze niet alleen een aantal zwakheden van de *Floris de Vijfde* openbaart, maar evenzeer een groot gebrek aan kennis van het door Bilderdijk beoefende genre en de door hem gebruikte archaïserende taalvormen.[427]

Zoals al werd medegedeeld, was Bilderdijks treurspel bedoeld om te worden opgevoerd bij de huldiging van koning Lodewijk te Amsterdam. Evenals Vondels *Gysbrecht*, is de *Floris de Vijfde* een gelegenheidsstuk. Terwijl in de zeventiende eeuw het domineesverzet tegen de *Gijsbrecht* slechts kon bereiken dat de première werd uitgesteld, hebben de tegenstanders van Bilderdijks stuk de opvoering geheel en al weten te verhinderen. Hoewel men ook onder de tekst van *Floris de Vijfde* een religieuze 'adder' heeft menen te ontwaren, kwam de tegenstand in dit geval niet voort uit godsdienstige, maar uit politieke tegenstellingen en wellicht ook uit afkeer van de persoon Willem Bilderdijk als teruggekeerde orangist en patriottenbestrijder, die nu zijn rok had omgedraaid en probeerde bij de nieuwe Franse koning in het gevlij te komen.[428] Toen Bilderdijk in zijn voorwoord *Aan den lezer* zijn verwondering uitte over het feit 'dat een stuk in driemaal vier en twintig

[426] Tyd. I, p. 213.

[427] Een aantal (nog met andere voorbeelden te vermeerderen) uitschuivers van Multatuli, vindt men opgesomd bij Stapelkamp. Vgl. ook J. van Vloten, *Onkruid onder de tarwe. Letterkundige karakterstudie* en Willem Kloos, *Bilderdijk. Bloemlezing*, Amsterdam 1906, p. 58 e.v.

[428] Smit, (1929), p. 241, meent in het vierde toneel van het tweede bedrijf van *Floris de Vijfde* (Dw. III, p. 381) een 'brutale sortie contre l'église catholique' te kunnen opmerken. Bilderdijks onuitgegeven brieven aan Valckenaer van 18 mei en 18 juni 1808 bewijzen nochtans dat de dichter iedere belediging van het katholieke geloof heeft willen vermijden (Portef. Margadant, Bilderdijk-Museum).

uren ontworpen en opgesteld, in drie weken (want zoo veel tusschentijd bleef den Tooneelisten) niet zou kunnen geleerd worden' liet hij al merken dat hij zelf niet geloofde in het motief dat door het Amsterdamse schouwburgbestuur werd gehanteerd om zijn treurspel af te wimpelen.[429] Rössing en Koopmans hebben er al opgewezen, dat de anti-republikeinse en duidelijk monarchale strekking van Bilderdijks treurspel de ware oorzaak van de afwijzing moeten zijn geweest.[430] En zo is het inderdaad. In de drie hier al besproken kritieken uit Bilderdijks tijd wordt ofwel opgemerkt dat het thema van zijn stuk niet geschikt was voor de huldiging van een vorst, ofwel worden er aanmerkingen gemaakt op de voorspelling over koning Lodewijk, die men in strijd achtte met de vereiste waarschijnlijkheid. Nog duidelijker echter blijkt ons de toenmalige weerstand tegen Bilderdijks verheerlijking van Lodewijk Napoleon uit een brief van zijn vriend H.W. Tydeman. Zelfs deze fervente Bilderdijkiaan verklaarde dat hij enigszins deelde in den spijt van veelen dat het schoon Treurspel van Floris V geheel tot gelegenheidsstuk gemaakt wordt door één naam op blz. 97'. Dat is met andere woorden de naam Lodewijk Napoleon.[431]

Het lijkt me niet uitgesloten dat ook Bilderdijk zelf later een meer kritische houding tegenover deze passus in zijn treurspel heeft aangenomen. Tydeman vertelt dat de dichter naar aanleiding van aanmerkingen op zijn vleiende toneelbuiging, placht te zeggen dat ook de prins van Oranje de naam Lodewijk droeg ![432] Behalve dit wel erg goedkope smoesje, bestaat er een onuitgegeven brief aan Valckenaer van 20 mei 1808, waaruit eveneens valt op te maken dat Bilderdijk zich al vrij spoedig enigszins van zijn eigen treurspel begon te distantiëren. Hij schreef namelijk: 'Nu ja, het mag wel zijn, dat ik hier en daar een sottise in mijn Floris gezet heb maar ik ben aan mij-zelv overgelaten, en diep vervallen.'[433] Deze indruk wordt nog versterkt door enkele andere brieffragmenten. Zo schreef Bilderdijk op 5 oktober aan Tydeman dat de *Floris de Vijfde* noodzakelijkerwijs een 'gelegenheidsstuk' is geworden; en in maart 1810 antwoordde hij naar aanleiding van enkele opmerkingen van zijn vriend: 'Verders, 't zij goed of kwaad, ik heb 't zoo gedacht, en geef het voor 't geen het is. 't Is geschreven en gedrukt, ik ben er af'.[434] Een soortgelijke uitspraak treft ons in een brief van 18 mei 1808 aan Valckenaer: 'de verrassing waar 't om te doen was, is over; en dus zou ik thands zeer ongaarne zien dat het gespeeld wierd'.[435] Vooral de laatste uitlating verraadt Bilderdijks teleurstelling over het feit dat zijn stuk niet is opgevoerd.

[429] DW. XV, p. 139.
[430] Rössing (1906), p. 350 ; Koopmans (1908), dl. I, p. 63.
[431] Tyd. I, p. 92.
[432] GdV. XII, p. 346.
[433] Portef. Margadant, 20 mei 1808.
[434] Tyd. I, p. 115, 213.
[435] Portef. Margadant., 18 mei 1808.

6. Voorlaatste tafereel in Bilderdijks treurspel *Floris de Vijfde*. Gravure van Reinier Vinkeles.

DE EDELKNAAP (*stervende*) :

Ik was dit bloed mijn' Vorst verschuldigd. 'k Sterf te vreden.

FLORIS

Rampzaalge ! –

DE EDELKNAAP

Graaf, vaarwel ! gedenk my met gebeden ! (*Hy sterft.*)

VELZEN (*'t zwaard uitrukkende, en met de andere hand Floris by den kluister aangrijpende)*

Gy, volgt ge ? (*Floris ziet hem met verachting aan.*)

Volg dan hem !

(Hy doorstoot Floris, die, vallende, door een' der Wapenknechten ondervangen wordt.)

Wat tenslotte de structuur en de mise en scène van de *Floris de Vijfde* betreft, kunnen we vaststellen dat de reien, de allegorische personen en de door Seneca geïnspireerde verschijningen en tovenarijen die in het stuk van Hooft worden aangetroffen, bij Bilderdijk geheel ontbreken. Zijn stuk is opgezet naar Frans model, en in overeenstemming daarmee wordt de voorspelling over de toekomstige grootheid van het land niet uitgesproken door een allegorische figuur maar verwerkt in de monoloog van de gekerkerde graaf. Opmerkelijk in vergelijking met de teksten van klassieke Franse treurspeldichters zijn Bilderdijks talrijke regie-aanwijzingen. Zo heeft graaf Floris tijdens zijn lange monoloog 'de handen en de voeten geboeid' en valt hij na het uitspreken van zijn voorspelling 'in een soort van verbijstering, met het hoofd op de armen gebogen, tegen een stijl of tafel.' Nadat hij in dezelfde laatste acte door Velzen is doorstoken, noteert Bilderdijk: 'Hij wordt nedergelegd; een der Wapenknechten, nedergeknield, blijft hem 't hoofd steunen.' Bij de vergelijking van Bilderdijks tekst met zijn eigen *Geschiedenis des Vaderlands* is al gebleken dat de dichter bewust heeft gestreefd naar de handhaving van de bekende dramatische eenheden. Het verdient echter onze aandacht dat hij de hele handeling weliswaar verplaatst naar het 'bisschoplijk burgslot' te Utrecht, maar dat elk bedrijf afzonderlijk zich op een andere plaats in dit slot afspeelt. Vermeldenswaard is ook de vermomming 'in mannengewaad' van Machteld van Velzen die de graaf in zijn kerker komt opzoeken en haar optreden als gewapende aanvoerdster van de Naardinglanders die Floris willen bevrijden. En toch had Bilderdijk in het kapittel XV van Aristoteles' *Poetica* gelezen dat het voor een vrouw geen pas gaf al te manmoedig (en intelligent) te zijn! Als het doek valt, liggen er drie doden op het toneel : twee daarvan (Floris en zijn schildknaap) werden voor de ogen van de toeschouwers vermoord, en de derde (Machteld van Velzen) bezwijkt van droefheid en 'stort neder op 't lijk van Floris'.

3. Willem van Holland

Ook zijn tweede treurspel uit 1808 noemde Bilderdijk naar een held wiens lotgevallen hij al voor zijn verbanning van 1795 in een toneelstuk had willen verwerken. Deze held is *Willem van Holland*, over wie zijn *Geschiedenis des Vaderlands* meedeelt dat hij als jongeling met zijn vader ter kruistocht voer en, in 1194 of 1195, met 'oorlogsroem overladen' naar het vaderland terugkeerde. Daar kreeg hij het bewind over Friesland na een conflict met zijn broer Diederijk VII, destijds graaf van Holland. Toen Diederijk in 1203 stierf, ontstond er een strijd tussen graaf Willem en Diederijks weduwe Adelheide, die voorwendde dat ze de belangen van haar dochter Ada wenste te verdedigen. De inzet was het graafschap Holland en Willem werd overwinnaar. In 1217 voer Willem opnieuw ter Kruistocht en een jaar later veroverde hij de sterke vesting Damiate.[436]

[436] GdV. II, p. 61, 67, 77, 111, 236.

Het verblijf van graaf Willem in het oosten had Bilderdijk al vroeger geïnspireerd tot zijn 'opera' *Willem van Holland*, die al werd besproken in de derde paragraaf van hoofdstuk V. In 1808 ging Bilderdijks aandacht uit naar de aanvang van Willems regering in Holland en de historisch-staatsrechterlijke problemen die daarmee samenhingen. Het door hem in zijn tweede treurspel verbeelde historische feit heeft zich voorgedaan in 1203, na de dood van graaf Diederijk VII van Holland. In zijn *Geschiedenis des Vaderlands* deelt Bilderdijk mede dat de keizer als opvolger van de graaf diens broer Willem van Friesland kon benoemen, maar dat 's graven weduwe Adelheide die 'louter roem en staatzucht' was geworden, een geweldige haat tegen haar zwager koesterde en hem daarom tegenwerkte. Wetende dat de keizer gewoon was de zoon van een gestorven leenman de voorkeur bij de opvolging te geven, zocht Adelheide een dociele bruidegom voor haar dochter Ada, zodat zij in feite zelf over Holland zou kunnen regeren. Deze bruidegom, graaf Lodewijk van Loon, 'vliegt op haar wenk naar Dordrecht, waar men 't lijk van den vader schielijk in een doodkist stopt, en zonder 't (als naar stijle) ten praal te stellen, de twee gelieven vastkoppelt, en terwijl het rouwmisbaar en de lijkendienst pas aanving, die stoort, om een dartele bruiloft te vieren, waarbij de Gravin moeder vrolijker dan de Bruid of de Bruidegom was, en zich hartlijk verheugde haar schoonbroer zo verschalkt te hebben. Men pakt den doode in, en zend hem naar Egmond, daar de monniken er meê omspringen mogen zoo zij goedvinden en ten hunnen koste; en het is louter feest en gala aan 't sterfhuis'...[437]. Graaf Willem was van dat alles onkundig gelaten; hem werd zelfs verhinderd de lijkdienst van zijn broer bij te wonen. Vermomd kwam hij in Holland, waar kort daarop de toestand zodanig was gewijzigd, dat Willem als graaf werd gehuldigd en dat Van Loon en zijn bruid met een scheepje naar Utrecht moesten vluchten. De door de heerszucht van haar moeder ongelukkig gemaakte Ada, werd via Texel naar Engeland gebracht. Van Loon haalde haar pas in 1207 terug. Hij bracht ze naar ''t Luiksche', en daar 'volhardde dit beklaaglijk slachtoffer, na de dood van haar man (1218) ... in godvruchtige oefeningen; zij voleindde haar leven daar in'.[438]

Voorbijgaand aan een aantal andere door Bilderdijk vermelde feiten, vestig ik er in verband met het treurspel de aandacht op, dat in Bilderdijks *Geschiedenis* wordt beweerd dat Ada's huwelijk volgens de 'rechten' en 'grondbeginselen' van latere tijden als ongeldig zou moeten worden beschouwd. Verder onderwees Bilderdijk dat Ada nooit gravin van Holland is geweest, maar dat ze als zodanig toch wordt vermeld als voorgangster van graaf Willem I, en wel door het na de Spaanse beroerten opgestaan 'geboefte' van staatsgezinde geleerden, wier doel het was afkeer van vorsten in te boezemen en zwakke vrouwenregeringen aan te prijzen, die in feite een vermomd bewind van de aristocratie zijn. Tenslotte is in verband met het treurspel nog van belang, dat volgens Bilderdijks

---

[437] GdV. II, p. 82.

[438] GdV. II, p. 106, 112.

Geschiedenis bij het vredesverdrag van 1204 Adelheides 'vertrouweling' graaf Hendrik de Krane 'in zijn goed hersteld werd, zoo de Egmonder Annalist te boek heeft gezet, *maar hetgeen ik in het vredeverdrag niet kan vinden*'.[439]

Kollewijn heeft opgemerkt dat in Bilderdijks treurspel *Willem van Holland* de geschiedenis 'keer op keer in het gezicht geslagen wordt'. Als voorbeeld noemde hij het motief dat Ada niet huwt met graaf Van Loon, maar na de partij van haar oom Willem te hebben gekozen, volgens Bilderdijks toneelstuk naar een buitenlands klooster gaat.[440] Gerard Brom ging nog een stapje verder door zonder meer te schrijven, dat Bilderdijk Ada in het klooster liet stoppen 'om fatsoenlijk van haar af te zijn'.[441] Uit wat zojuist is medegedeeld uit de *Geschiedenis des Vaderlands*, blijkt duidelijk dat Bilderdijks dichterlijke fantasie hier alleen maar heeft voortgebouwd op zijn overtuigingen als historicus: Ada zelf verzette zich niet tegen graaf Willem, maar dat deed haar heerszuchtige moeder; haar huwelijk was een twijfelachtige zaak; haar later leven bracht zij door met 'godvruchtige oefeningen'.

Heel wat vrijpostiger is Bilderdijk tegenover zijn eigen *Geschiedenis* als hij graaf Hendrik de Krane aan het slot van zijn treurspel zelfmoord laat plegen. Een gevolg van dramaturgische concentratie is de voorstelling dat de vlucht van Lodewijk en Ada, de overwinning van Willem en zijn huldiging als graaf in één en hetzelfde etmaal plaatsvinden te Dordrecht, waar het lijk van Diederijk VII staat opgebaard in het Merweklooster. Er valt daarbij op te merken dat zowel de vlucht van Ada en Van Loon per schip als de aankomst in Holland van de vermomde graaf Willem, in gewijzigde vorm, vanuit Bilderdijks *Geschiedenis* naar zijn treurspel zijn overgebracht. Tenslotte blijkt zelfs de opmerking uit de *Geschiedenis* over het ten onrechte vermelden van Ada als gravin door Bilderdijk in het treurspel te zijn verwerkt. Wanneer Ada in het laatste toneel verlof heeft gevraagd om zich in een buitenlands klooster terug te trekken, antwoordt Willem:

> Mijn volk! – erken een deugd, zoo edel, zoo verheven!
> Zij Ada in den rol der Vorsten aangeschreven!
> Haar grootheid eischt die hulde; – Ik, wien haar deugd beschaamt,
> Zij Hollands Graaf na haar, in 's Lands Kronyk genaamd![442]

Ook *Willem van Holland* is een dichterlijke verbeelding van Bilderdijks anti-aristocratische geschiedbeschouwing en een bestrijding van de 'republikeinse' historici. Terecht schreef de dichter op 23 april 1808 aan M. Tydeman dat hij een treurspel over Willem van Holland

---

439 GdV. II, p. 88; 113, 114; 97. (Ik cursiveer)

440 Kollewijn, dl. I, p. 458.

441 Gerard Brom, *Romantiek en Katholicisme in Nederland*, dl. I, Groningen-Den Haag 1926, p. 44.

442 DW. IV, p. 73.

had geschreven: 'In mijn systema, dat is Willem geregtigd'.[443] Maar zomin als in de *Floris de Vijfde*, is ook in dit tweede treurspel van Bilderdijk de staatkundige achtergrond zuiver historisch gebleven; de *Willem van Holland* bevat tegelijkertijd een hulde aan koning Lodewijk. In een brief van 20 juli 1809 aan de Franse plantkundige Charles François Brisseau-Mirbel, heeft Bilderdijk daar zelf op gewezen: 'dans [*Willem van Holland*] il y a des couplets qui s'approprient également au Roi et à celui qui fut le sujet de la pièce, et naissent naturellement du sujet même'.[444] De coupletten in kwestie vormen de triomfzang bij de huldiging van graaf Willem, waarmee Bilderdijks treurspel besluit. Hoe zeer de dichter deze strofen polyinterpretabel achtte, blijkt uit het feit dat hij ze later heeft gebruikt in zijn *Vreugdezang* bij de geboorte van het zoontje van Lodewijk Napoleon op 25 april 1808 en in zijn cantate *'s Konings komst tot den throon* van 1809. De bezongen held (Willem van Holland of Lodewijk Napoleon) wordt erin voorgesteld als de sterke vorst die, met oorlogsroem uit het oosten teruggekeerd (Willem was kruisvaarder geweest en Lodewijk had de Egyptische veldtocht meegemaakt), een einde maakt aan de binnenlandse twisten en de fierheid van de Hollandse leeuw verbindt met de macht van de (Duitse of Franse) adelaar.[445]

Evenals *Floris de Vijfde*, is *Willem van Holland* zowel een actueel-politiek als een nationaal-historisch toneelstuk. En dat niet alleen. Met een variant op zijn notitie over de Machteld-figuur in de *Floris de Vijfde* zou de dichter hebben kunnen opmerken: 'Maar zonder Ada geen treurspel'. Want de *Willem van Holland* is ook een liefdestragedie. En hoewel dat aspect nog duidelijker blijkt dan in de *Floris de Vijfde*, heeft men het in de beoordelingen van Bilderdijks tweede treurspel steeds verwaarloosd. Dat verklaart waarom Kollewijn meende dat Ada van Holland in haar gevoelens jegens haar verloofde 'onbegrijpelijk' is en waarom Brom zijn misplaatste opmerking over haar vertrek naar het klooster kon schrijven.[446] Ook J. Koopmans heeft Bilderdijks treurspel niet helemaal begrepen. Hij meende dat Ada alleen maar mokt tegen haar moeder die haar een 'ongepast en onrechtmatig' huwelijk wil laten aangaan en dat zij door de (buiten haar om tot stand gekomen) oplossing eigenlijk uit de moeilijkheden wordt verlost[447]. De problematiek ligt echter anders. Wat in de vorige paragraaf is opgemerkt over Machteld van Velzen, geldt mutatis mutandis voor Ada van Holland. Machteld had Floris de Vijfde hartstochtelijk lief, maar werd weerhouden door haar 'onzalige Echt' en haar plicht als edelvrouw tegenover de eer van de vorst. Wanneer deze laatste gevangen is genomen, spreekt Machteld over haar 'zuchtend hart':

[443] Tyd. I, p. 72. (Vgl.voor de tegenstelling tussen 'aristocratische' en 'democratische' geschiedbeschouwing i.v.m. de strijd tussen 'patriotten' en 'orangisten' de polemiek tussen Helmers en Wiselius, zoals besproken in De Wit -1965-, p. 300, 301.)

[444] Br. III, p. 77.

[445] DW. II, p. 74; DW. IX, p. 55 e.v., p. 66 e.v., p. 492; Da Costa (1859), p. 202, 203, 440, 441; Smit (1929), p. 240, 245.

[446] Kollewijn, dl. I, p. 458; Brom (zie noot 109), p. 44.

[447] Koopmans (1908), dl. II, p. 36.

> Dat heimlijk voor U blaakte en wegsmolt in dien gloed,
> Dat, offer van de plicht, zich-zelve moest verzaken[448]

Pas als de catastrofe voltrokken is, triomfeert bij Machteld de liefde over de plicht. In *Willem van Holland* wordt de catastrofe juist voorkomen door een triomf in omgekeerde richting. Ada's plicht ten aanzien van haar edel grafelijk 'bloed' blijkt uiteindelijk sterker dan haar 'hart' voor Graaf van Loon, die haar bovendien teleurstelt. Al in het eerste toneel van Bilderdijks treurspel formuleert Ada haar eigen problematiek, wanneer zij zegt:

> Maar wee de teedre maagd, wier hart een plicht gevoelt,
> Waar 't heimelijk weggesleept, zijns ondanks tegenwoelt!
> --
> Ik voel, een sterker dwang dan mooglijk wordt bevroed,
> Sleept me in den arm van hem dien ik verachten moet.[449]

Indien Ada aan haar liefde voor Graaf van Loon toegeeft, zou daarvan het gevolg zijn dat hij graaf van Holland werd. En Ada's plicht tegenover haar gestorven vader en het gehele land is juist te vermijden dat dit gebeurt. Zij dient te bevorderen dat het graafschap in handen komt van haar oom Willem, die aartsvijand is van haar moeder en van haar aanstaande bruidegom. Deze innerlijke strijd van Ada is het gehele stuk door te volgen. Haar besluit in het vierde bedrijf om met Van Loon uit te wijken naar Utrecht, wordt alleen gerechtvaardigd door haar verwachting dat op deze wijze de tegenspraak tussen liefde en plicht zal kunnen worden opgeheven. Zij hoopt, na de inhuldiging van haar oom Willem, diens toestemming te krijgen voor een huwelijk met Van Loon, die op zijn beurt afstand doet van al zijn aanspraken.[450] In het vijfde bedrijf echter blijkt Ada:

> Misleid zelfs in haar vlucht; mishandeld, en vertrapt:
> Maar (dank zij 't gunstig lot!) haars Roovers klaauw ontsnapt.[451]

Zij wenst dan aan de gelofte te voldoen die zij heeft afgelegd 'wanneer Van Loon (haar) blijde hoop bedroog' en zij hulpeloos in een 'kleene hulk' op de golven dreef. Als een

---

448 DW. III, p. 429. Het woord 'hart' komt 62 x voor in *Willem van Holland* (ter vergelijking: het woord 'bloed' 50 x en het woord 'hoofd' 12 x mèt en 12 x zonder hoofdletter.)

449 DW. IV, p. 5, 6.

450 DW. IV, p. 15, 21, 59.

451 DW. IV, p. 72; vgl. p. 60 en 70.

teleurgestelde minnares trekt zij zich uit de wereld terug in de 'gebedscel', waar zij ook al eerder haar troost placht te zoeken.[452]

De tragische figuur in dit treurspel is zeer duidelijk de in haar liefde bedrogen vorstendochter Ada. Dat Bilderdijk zijn stuk niet naar haar heeft genoemd, wordt maar gedeeltelijk verklaard door de politieke strekking die hij zijn *Willem van Holland* wilde meegeven. Van belang lijkt me eveneens dat er al sinds 1754 een treurspel bestond met de titel *Ada, gravin van Holland en Zeeland.*[453] De auteur was Frans van Steenwijk, wiens postuum uitgegeven *Gedichten en andere geschriften* Bilderdijk in 1790 zodanig hadden 'verrukt' dat hij ze 'gelezen, herlezen en gesavoureerd' had.[454] Van Steenwijks treurspel behandelt hetzelfde onderwerp als dat van Bilderdijk en de expositie in de eerste tonelen heeft met het begin van de *Willem van Holland* dan ook enige overeenkomst. Het einde brengt bij Van Steenwijk een algehele verzoening; zelfs de staatzuchtige Adelheide neemt daaraan deel. Graaf Willem is de grote overwinnaar, en Van Loon en Ada smeken hem rouwmoedig om vergiffenis. In Van Steenwijks treurspel valt de volle nadruk op de strijd tussen plicht en liefde in de ziel van Ada. Zij trouwt pas met Lodewijk van Loon nadat de schurkachtige bisschop van Utrecht (ook een der dramatis personae bij Bilderdijk) gedreigd heeft haar minnaar van het leven te laten beroven, indien Ada het huwelijk blijft weigeren. Het uiteindelijk resultaat is dus bij Van Steenwijk anders, maar de problematiek is dezelfde. Zoals de schrijver zelf in zijn Voorrede zegt, wordt Ada voorgesteld als een 'ongelukkige' die een 'teder medelyden' verdient: en als zodanig wordt zij ook geschetst in Bilderdijks *Willem van Holland.* De aanstaande bruidegom van Ada toont zich bij Van Steenwijk sympathieker dan bij Bilderdijk. Maar de laatste heeft dan ook nadien over hem in zijn *Geschiedenis des Vaderlands* moeten schrijven dat Van Loon 'niet volkomen zoo onbeteekenend' was als hij hem in zijn treurspel had afgeschilderd.[455]

Belangrijk zijn ook enkele andere aspecten van de karaktertekening in de beide treurspelen. Van Steenwijk zegt dat Adelheide staatzuchtig is, en Bilderdijk heeft zijn voorganger in dit opzicht beslist niet tegengesproken. Maar Van Steenwijk doet nog iets anders. Hij deelt mee dat hij de hatelijkheid in de plannen van Adelheid niet in de eerste plaats uit haar eigen handelwijze wilde laten blijken, maar 'inzonderheid in het gedrag des bisschops van Utrecht aan wien den aanschouwer minder is gelegen dan aan de moeder van Ada'. Hoewel Bilderdijk als fervente tegenstander van heerszuchtige vrouwen en hun regeringen beslist minder medelijden met Adelheide had, valt het op dat ook hij een kwade genius naast de staatzuchtige weduwe heeft geplaatst. Maar dat is niet de bisschop van Utrecht. Het religieuze of liever anti-papistische 'addertje' dat sommigen in zijn *Floris de*

452 DW. IV, p. 73; vgl. p. 56, 57, 65.

453 F. van Steenwijk, *Ada, Gravin van Holland en Zeeland*; Treurspel, Amsterdam 1754.

454 Br. I, p. 176, 177; vgl. Bosch (1955), p. 234.

455 GdV. II, p. 81.

Vijfde dachten te ontdekken, heeft Bilderdijk zelf nooit bedoeld. De dichter probeerde alle hatelijke voorstellingen van het door koning Lodewijk beleden katholicisme te vermijden. Dat geldt ook voor *Willem van Holland*, waarmee Lodewijk al kennismaakte uit het manuscript en waarvan hij later een speciaal exemplaar in rood marokijn kreeg.[456] Het is daarom betekenisvol dat de rol van de gewetenloze kerkvoogd uit Van Steenwijks treurspel in *Willem van Holland* voor een goed deel wordt overgenomen door Adelheides verraderlijke raadgever Hendrik de Krane, wiens naam bij Van Steenwijk ontbreekt.

Dat Graaf Willem in het Bilderdijks treurspel vermomd opkomt en zich bekend maakt tegenover Ada, is een overeenkomst met het oudere stuk die meer van ondergeschikt belang lijkt. Dat is echter niet het geval voor een ander personage van Bilderdijk, namelijk Willems trouwe edelman Stavo, die een belangrijke en sympathieke rol speelt en desondanks in dit nationale spel geen historische naam kreeg toebedeeld. Op de lijst van dramatis personae staat Stavo (welke naam ook voorkomt in het epos *Friso* (1741) van Willem van Haren) eenvoudig vermeld als 'Friesch Edelman'. Wie het spel van Frans van Steenwijk leest, zal tot de conclusie komen dat deze Stavo ongeveer dezelfde rol vervult als 'Gysbrecht van Aemstel, de eersten van dien naam' in *Ada, gravin van Holland en Zeeland*. Het antwoord op de vraag waarom Bilderdijk deze naam niet heeft overgenomen, lijkt mij tweeledig. Ten eerste wilde hij vermijden dat de aandacht zou worden gevestigd op het treurspel van Frans van Steenwijk waarmee hij kennelijk voor enkele motieven zijn voordeel heeft gedaan [zonder dat hij nochtans dit zwakke stuk als geheel heeft nagevolgd]. Ten tweede wilde Bilderdijk de naam van de bekende treurspelheld vermijden, omdat de lezer of toeschouwer daardoor te gemakkelijk zou worden herinnerd aan Vondels *Gijsbrecht van Aemstel* of aan zijn eigen *Floris de Vijfde*.

En daarmee komen wij aan een tweede bron van Bilderdijks treurspel. Bepaalde regels uit de *Willem van Holland* zijn als het ware 'variaties' op verzen uit Vondels *Gijsbrecht*. Het duidelijkst blijkt de navolging in het zesde toneel van Bilderdijks vierde bedrijf en in het eerste toneel van het vijfde bedrijf.[457] Ze mogen een bewerking worden

[456] De antipapistische uitlatingen in *Floris de Vijfde* en *Willem van Holland* die De Leeuwe (1990), p. 3 en p. 7, meende te kunnen aanwijzen, zijn van veel minder belang dan hij zijn lezers suggereert. Allereerst moet worden opgemerkt dat Bilderdijk ze in de mond legt van dramatis personae met wie zijn lezer of toeschouwer zich zeker niet wenst te identificeren. In *Floris de Vijfde* gaat het om de lafhartig weifelende Gijsbrecht van Amstel en in *Willem van Holland* om de verraderlijke figuren Adelheide en haar handlanger Hendrik de Krane. En ten tweede is er de context, die uiteindelijk de betekenis bepaalt. Als Amstel in het openingstoneel van *Floris de Vijfde* bijvoorbeeld spreekt over de door de Hollandse graaf gebroken macht van het bisschoppelijke Utrecht ('t nijdig Sticht) heet het: 'Dank Hemel! Hollands Graaf beveelt aan 't nijdig Sticht. / De Papery heeft uit, en kwaads genoeg verricht...' Bilderdijk was van mening dat hier met 'Papery' niets anders dan heerschappij kan zijn bedoeld (in Utrecht toevallig niet uitgeoefend door een concurrerende graaf maar door een paapse bisschop). In een brief aan Valckenaar van 18 mei 1808 schreef Bilderdijk :'Men moet wel alle begrip van de N. duitsche taal verloren hebben om [deze] regel inconvenient te vinden voor iemand die R.Catholijk is'. En: 'hoe 't woord anders expliceeren, daar er immers geen onderscheid van R.K. en Protestantsch bestaat in mijn stuk.' De moeite die Bilderdijk deed om bij koning Lodewijk in het gevlij te komen (en te blijven) sluit ostentatief antipapisme in deze periode van zijn leven a priori uit. Bilderdijk wekte graag de indruk dat hij weinig of geen verstand van geldzaken had, maar hij wist wel degelijk dat hij een jaargeld van koning Lodewijk genoot (Portefeuilles Margadant, 18 mei, 11 juni en 12 oktober 1808).

[457] Vgl. De Vooys (Gijsbrecht), p. 98 en DW., p. 54. Een ander voorbeeld:

Vondel:

genoemd van de eerste scènes uit de tweede akte van de *Gijsbrecht van Aemstel*: de wijze waarop De Krane en zijn mannen bij Bilderdijk bezit nemen van het Dordtse Merweklooster, herinnert met andere woorden aan de bezetting van Vondels Kartuizerklooster door de troepen van Diederick van Haerlem.[458] Alhoewel de verzen van Bilderdijk hier meermalen duidelijk herinneren aan die van Vondel, wordt de waarde van deze navolging vooral bepaald door het dramatisch effect van een gewapende overval op de godvrezende bewoners van een convent, 'palende aan den Stadsmuur'.

De mise en scène is wellicht ook van belang geweest bij Bilderdijks navolging van Frans Steenwijk. Te Winkel wijst erop dat diens treurspel opende 'met een rouwtoneel, waar alle personages in den rouw verschijnen': een omstandigheid die Bilderdijk wel niet onbekend zal zijn geweest.[459] Het eerste bedrijf van zijn eigen *Willem van Holland* speelt zich af 'in een met rouwteekenen behangen vertrek van het Graaflijk Hofverblijf binnen Dordrecht' Maar het tweede bedrijf heeft nog een indrukwekkender decor: 'Het Praalgraf van Graaf Diederick vertoont zich, bedekt met vorstelijke rouwkleederen en eereteekenen, en van brandende waschkaarsen omzet, binnen een afschutsel. 't Is omtrent middernacht', zo luidt Bilderdijks aanwijzing.[460] Deze 'pompe funéraire' herinnert aan Voltaire's *Olympie* waarvan de vrouwelijke hoofdfiguur, evenals de Hollandse Ada, door haar moeder tot een huwelijk wordt aangezet dat zij niet voltrekken wil en die daarom overweegt zich in een klooster terug te trekken maar uiteindelijk een gruwelijke zelfmoord pleegt voor de ogen van de verbaasde toeschouwers.[461] De beklemmende geheimzinnigheid van het graf in combinatie met een gefrustreerde liefde, is overigens een motief dat Bilderdijk evenzeer kan hebben leren kennen uit het kloosterdrama *Le comte de Comminge*

VOOREN
Daer niet gewonnen wordt is 't ijdel dat men strijt.

GIJSBRECHT
Een krijgsman wint genoegh, al wint hy niet dan tijt. (De Vooys, p. 97)
Bilderdijk:
VOORNE
Een krijgsman waagt zich niet in onbewaarbre wallen;
Niet, zonder benden; niet, dan wel en sterk voorzien.
Gy, vecht indien't u lust; wy Krygsliên durven vliên. (DW. IV, p. 35)

DE KRANE
Maar gaan wy! Tijd-Mevrouw, is meer dan bloed-verkwisten. (DW. IV, p. 45)
- – -
Denk immer: 't tijdverlies is 't wichtigst der verliezen. (DW. IV, p. 51)

458 De Vooys, *Gijsbrecht*, p. 40-43; DW IV, p. 42-45.

459 Te Winkel, dl. III, p. 441.

460 DW., IV, p. 16.

461 Lion (1895), p. 296, 297. De mededeling van Smit (1929), p. 32, volgens welke Bilderdijk zelf schreef dat hij hiervoor heeft ontleend aan Voltaire, is onjuist. Ze berust op een verkeerde interpretatie van de in onze nog volgende noot aangeduide passus van Bilderdijk over het gebruik van de rei als 'divertissement' in zijn treurspel *Willem van Holland*.

van Baculard d'Arnaud, aan wiens werk ook een van zijn onvoltooid gebleven toneelstukken duidelijk herinnert.[462] Hoe dit precies zij: de lugubere mise en scène bij Baculard d'Arnaud en Voltaire wordt in het vierde bedrijf van Bilderdijk verbonden met het al besproken motief van de overweldigde kloosterlingen uit Vondels *Gijsbrecht*. Terwijl soldaten toeschieten 'nemen eenige der Kloosterlingen het Lijk op en vervoeren 't, van de Soldaten omringd. Anderen nemen de waschlichten en kerkgeraden weg'. Juist op dat moment verschijnt Ada van Holland:

> Het Lijk mijns Vaders! Ach! Waar wijkt gy heen verraders!
> Houdt stand; en moordt my eerst op 't dierbaar lijk mijns Vaders![463]

Aan effectbejag ontbreekt het niet in de *Willem van Holland*. Wat me voor de ontwikkeling van Bilderdijks mise en scène belangrijker voorkomt, is het feit dat de kloosterlingen, alvorens het lijk van graaf Willem te vervoeren, nog een gezang aanheffen, dat op brute wijze door Hendrik de Krane wordt onderbroken. Met een dergelijke 'Choorzang' opent ook het tweede bedrijf van Bilderdijk. En zijn toneelaanwijzingen voor de opening van het vijfde bedrijf luiden: 'Willem, in wapenuitrusting, doch blootshoofds; door een stoet van Edelen, Geestelijken, en andere personen, onder *krijgsmuzyk* opgeleid. Gevolg van Gewapenden. (Onder de Edelen, Wassenaar; en aan 't hoofd der Geestelijken, de Kloosterabt. – Willem beklimt eene verhevenheid, met een tapijt overspreid; van waar hy, na 't vertrekken der menigte, weêr aftreedt naar den voorgrond des Tooneels.)[464] Nadat in deze akte de vermomde Hendrik de Krane is ontmaskerd en voor de ogen der toeschouwers op onverwachte wijze zelfmoord heeft gepleegd, volgt dan de slotscène: 'Het volk buigt zich. *Muzyk*. Men brengt den Graaflijken wrong op een kussen. Willem legt zijn zwaard af en knielt neder. Wassenaar en de Kloosterabt binden hem de diadeem om 't hoofd. Hy rijst op, en men gordt hem het Graaflijk zwaard aan, en heft hem op 't plechtige schild. Edelen en Leenmannen vallen op de knie'. Nadat een 'Hollandsche heraut' enkele hoogdravende verzen heeft voorgedragen, heft '*het Muzyk*' andermaal aan, 'en men *zingt*, ondersteund of tusschen de kopletten verpoosd, *met pauken, trompetten, en bekkengeklank*. Volgen de drie strofen die de dichter later zou benutten in een cantate voor de komst 'ten throon' van Lodewijk Napoleon.[465] Bilderdijk heeft in een beschouwing over het gebruik van koren in het treurspel meedegedeeld dat hij in zijn *Willem van Holland* de rei had toegepast 'als een

---

[462] Het stuk van Arnaud is *Les amants malheureux ou le comte de Comminge* van 1764. Men vindt het besproken bij Inklaar (1925), p. 63 e.v. en bij Prinsen (1931), p. 316 e.v. Het onuitgegeven toneelfragment van Bilderdijk dat in zijn woordkeus de invloed van Arnaud verraadt, is zijn *Zelis en Inkle* (besproken in hfdst. IX, par 1). Vgl. voor de overeenkomst met Arnaud: De Jong (robinsonade, 1958) p. 210 (noot).

[463] DW. IV, p. 47.

[464] DW. IV, p. 61 (Ik cursiveer).

[465] DW. IV, p. 73, 74 (Ik cursiveer).

los *divertissement*, zoo men 't noemt, op het eind van het stuk'.[466] Uit het voorafgaande is gebleken dat deze mededeling niet helemaal volledig is. Er wordt in drie bedrijven van de *Willem van Holland* gezongen, er wordt 'muzyk' gemaakt, en er is tenslotte een combinatie van deze toonkunst met een mise en scène die eveneens aan de opera herinnert.

Toen Bilderdijk zijn tweede treurspel nog maar nauwelijks had voltooid, schreef hij aan Jeronimo de Vries dat het stuk 'min huiselijk' was dan de *Floris de Vijfde* en 'meer grootsch in zijn aart'.[467] De hier besproken mise en scène (en vooral die van het slottoneel) verklaart zowel Bilderdijks uitspraak tegenover De Vries, als een briefpassage aan zijn uitgever, waarin hij schrijft dat de *Willem van Holland* 'vooral niet minder op 't toneel voldoen moet' dan de *Floris de* Vijfde.[468] Zoals blijken zal uit de spaarzame gegevens over de latere opvoering van Bilderdijks treurspelen, is deze verwachting alleen door de slotscène van de *Willem van Holland* niet volledig beschaamd.

4. Kormak

In tegenstelling tot de beide andere treurspelen, heeft Bilderdijks derde tragedie van 1808 (getiteld *Kormak*), geen nationaal-historisch thema. De handeling vindt plaats aan het hof van koningin *Moïne*, wier gemaal *Kormak* is verdwenen sinds een veldtocht die vijftien jaar tevoren plaatsvond. Moïne staat aan de vooravond van de dag waarop zij, krachtens een oud verdrag, een nieuwe gemaal moet kiezen die heersen zal over de helft van het rijk. Door haar huwelijk met Kormak werden namelijk twee landen verenigd. Nu echter zal haar zoon *Makdulf* het rijksdeel gaan besturen dat oorspronkelijk van zijn vader Kormak was, terwijl Moïnes nieuwe gemaal de scepter over haar eigen 'vaderlijk gewest' zal voeren. Moïne, die evenals haar zoon blijft hopen op de terugkeer van Kormak, wordt al lange tijd belegerd door hebzuchtige huwelijkspretendenten. De gevaarlijkste en brutaalse onder hen is koning *Tunibald*, die met zijn troepen het land is binnen getrokken; de meest sympathieke is *Irdan* die als vertrouwde aan het hof vertoeft, maar wiens afkomst hemzelf en zijn omgeving onbekend is. Moïne gruwt van de gedachte aan een tweede huwelijk en besluit zelf geen keuze te maken. Zij zal die ridder tot gemaal nemen, wiens arm voldoende kracht heeft om de boog van Kormak te spannen.

De volgende dag komen twee vreemdelingen in het land, van wie de een wordt gedood en de andere als gevangene naar het hof wordt gebracht. Aan Makdulf vertelt de gevangen vreemdeling dat zijn overleden vader Kormak wraak eist op Tunibald, die een zoon uit Kormaks eerste (geheime) huwelijk heeft gedood en zich bovendien diens erflanden heeft toegeëigend. En deze zelfde Tunibald tracht nu zelfs Kormaks tweede gemalin, en met haar, Kormaks rijk te winnen! Later openbaart de vreemdeling zich (maar

[466] TDV. I, p. 186.

[467] Br. II, p. 178

[468] Brief aan Immerzeel van 9 augustus 1808 (Portef. Margadant)

alleen tegenover Makdulf) als de vergrijsde Kormak zelf. Intussen zijn de troonpretendenten onrustig geworden omdat het gerucht gaat dat Moïne het verdrag wil schenden door de keuze van een gemaal uit te stellen, onder voorwendsel dat de bij zijn aankomst gedode vreemdeling Kormak zou zijn. Zij eisen gewapenderhand een gijzelaar, totdat Moïne haar keus zal hebben bepaald. Ondanks de protesten van Makdulf, stelt Irdan zich als zodanig ter beschikking en overhandigt zijn zwaard aan Tunibald en de andere pretendenten.

Bij de daarop volgende proef met de boog is Kormak vermomd aanwezig. Niemand slaagt erin de pees te spannen. Aan Kormak alleen gelukt dit; zijn pijlen treffen achtereenvolgens Tunibald en een andere pretendent. In de strijd die daarop ontbrandt, grijpt de ongewapende Irdan de boog die op de grond is gevallen. Hij verzoekt Kormak in het paleis te blijven, omdat zijn eigen volk hem niet meer kent en hij dus licht als vijand zou kunnen worden beschouwd. Makdulf, Irdan en de hunnen bevechten de zege. Maar ook Kormak is niet werkeloos in het paleis achter gebleven. Hij heeft de bepluimde helm van een der gevallen vijanden opgezet en is naar het strijdtoneel gegaan, waar hij de door Tunibalds soldaten ontvoerde Moïne uit het krijgsgewoel redt. Later wordt hij met zijn eigen boog neergeschoten door Irdan, die meent dat hij een vijandelijke ontvoerder van de koningin voor zich heeft. Het feit dat Irdan de boog hanteren kan, bewijst dat hij niet alleen zijn koning, maar tevens zijn eigen vader heeft getroffen. Want slechts wie 'uit Kormaks heup' is voortgesproten, bezit voldoende kracht om de boog te spannen. In zijn laatste ogenblik verklaart Kormak dat Irdan de doodgewaande zoon uit zijn geheime eerste huwelijk is. Makdulf zal opvolger worden in het rijk van zijn moeder en Irdan in dat van Kormak. Maar de wanhopige Irdan verafschuwt zijn ongelukkige daad zozeer, dat hij zich voor het lijk van zijn vader doodsteekt.

Bilderdijk zelf heeft bij de uitgave van dit knap gestructureerde treurspel meegedeeld dat het thema 'uit Homerus genomen, doch in eene andere eeuw en luchtstreek verplaatst' was.[469] Beide aspecten van deze aanduiding heeft hij enigszins gepreciseerd in zijn briefwisseling. Aan de door hem vertaalde Franse plantkundige Charles François Brisseau-Mirbel schreef hij dat hetgeen hij heeft ontleend aan Homerus 'le retour d'Ulysse' was, (doch: 'transporté dans d'autres temps et lieux'); en tegenover zijn uitgever Immerzeel bepaalde hij de 'andere eeuw en luchtstreek' nader, door de *Kormak* een 'Oud Schotsch stuk' te noemen.[470] Wie de laatste boeken van de Odyssee herleest, herkent in Bilderdijks treurspel de boog die niemand kon spannen en ziet onmiddellijk de parallellie in de personages: Odysseus = Kormak; Penelope = Moïne; Telemachus = Makdulf; Antinoös = Tunibald. De kwalificatie 'oud Schotsch stuk' herinnert er ons aan dat Bilderdijk *Ossian* had vertaald. En het is in diens zangen dat men de namen van

[469] DW. XV, p. 141.

[470] Br. III, p. 77; onuitgegeven brief aan J. Immerzeel van 7 mei 1808 (Portef. Margadant).

verschillende dramatis personae uit zijn treurspel terugvindt: zo de naam *Kormak*, die bij Ossian de 'Opperkoning van Ierland' aanduidt.[471] In zijn uitgave van Bilderdijks onvoltooide epos (1959) meende dr. Jan Bosch zelfs dat Ossians zang *Karthon* als een bron van Bilderdijks treurspel moet worden beschouwd. Hij schreef: 'Wordt Karthon, de zoon van Moïne, door zijn vader gedood, Kormak, de echtgenoot van Moïne, valt door het zwaard van zijn zoon; en in beide gevallen weet de dader niet wien hij treft'.[472] Dat is ongeveer zo, al zijn de omstandigheden waaronder de doodslag plaatsvindt bij Ossian totaal anders dan in Bilderdijks *Kormak*.[473] Terecht schreef de comparatist Paul van Tieghem naar aanleiding van *Karthon*: 'Le thème du combat entre un père et son fils est un des plus universels qui soient.' We hebben in feite te doen met een mogelijk aspect van het literairhistorisch motief van de 'Vatersuche'.[474] De 'tragische ironie' waarmee Bilderdijk dit motief heeft uitgewerkt, herinnert mij niet zozeer aan Ossian, dan wel aan twee andere bronnen.

Het detail dat Kormak bij vergissing wordt gedood omdat hij onherkenbaar is, kan bijvoorbeeld terug gaan op Schillers 'republikanisches Trauerspiel *Die Verschwörung des Fiesco zu Genua*, waar Fiesco zijn gemalin Leonore neersteekt omdat hij denkt dat zij zijn vijand Gianettino is, wiens mantel en vederhoed zij draagt.[475] Zo schiet Bilderdijks Irdan op Kormak, die de bepluimde helm van zijn tegenstander Wicholf heeft opgezet.[476] En toevallig weten we dat Bilderdijk zich met Schillers *Fiesco* heeft beziggehouden in maart 1808: dat is hooguit twee maanden voor zijn eigen treurspel werd voltooid...[477] Desondanks vermoed ik dat de herkomst van het in *Kormak* gebruikte motief ergens anders is te zoeken. Bilderdijk heeft zelf meegedeeld, dat hij de terugkeer van Odysseus slechts wilde verplaatsen in een ander temporeel en lokaal perspectief. Het motief zelf bleef Grieks, zij het dan niet louter en alleen ontleend aan Homerus. In de zojuist gegeven parallel tussen de hoofdfiguren van de *Odyssee* en van de *Kormak* is een belangrijk figuur in het treurspel onvermeld gebleven: *Irdan*, de onbekende zoon uit een ander (geheim) huwelijk, die zijn eigen vader doodt zonder dat hij dit zelf weet. Deze *Irdan* lijkt me Bilderdijks versie van de niet door Homerus, maar wel door andere Griekse auteurs vermelde *Telegonus* die, als zoon van Odysseus en Circe, onwetend zijn vader doodt nadat zijn halfbroer Telemachus is

---

[471] DW. IV, p. 464.

[472] Bosch, De ondergang (1959) , p. 15.

[473] In *Karthon* vindt een langdurig gevecht plaats tussen de jongeling en de grijsaard 'uit wiens heup' deze'sproot' (de woordkeus is dezelfde als in *Kormak*!), nadat beiden hebben geweigerd hun naam te noemen; bovendien is er daar geen sprake van een terugkeer na lange afwezigheid en weet de vader zelfs niet dat hij een zoon heeft, terwijl de zoon daarentegen niet uit volle macht strijdt, omdat hij vreest dat de tegenstander zijn onbekende vader zou kunnen zijn over wie zijn moeder hem verteld heeft (DW., II, p. 69 e.v.).

[474] P. van Tieghem, *Ossian en France*, dl. I, Paris 1917, p. 148; A. van der Lee, *Zum literarischen Motiv der Vatersuche*, K.N.A. 1957, p. 216.

[475] *Schillers Werke*, herausgegeben von Reinhard Buchwald, dl. I, Leipzig 1940, p. 257, 262 e.v.

[476] DW. IV, p. 135, 139.

[477] DW. VII, p. 20, 411.

verbannen, omdat een orakel had voorspeld dat Odysseus zou vallen door de hand van zijn eigen zoon.[478]

Het is wellicht mogelijk in Bilderdijks treurspel nog andere motieven aan te wijzen die hij aan voorgangers kan hebben ontleend.[479] Zo lijkt me niet uitgesloten dat de dichter aan de spookscène uit Shakespeares *Hamlet* heeft gedacht, toen hij het toneel schreef waarin Makdulf door de 'vreemdeling' (zijn vermomde vader) wordt meegedeeld dat 'Kormaks schim' wraak eist op Tunibald. Over deze heerszuchtige vorst die zich (als een tweede Claudius) op oneerlijke wijze van de gemalin en het rijk van Kormak wil meester maken, verneemt Makdulf dan dat hij de moordenaar is van Kormaks oudste zoon. Evenals Hamlet ontvangt Makdulf zijn wraak-opdracht, waarvan hij echter, eveneens zoals Hamlet, 'eerst het naar geheim ... tot in het hart' doorgronden wil.[480]
Wat opvalt in de manier waarop Bilderdijk de bekende motieven heeft verwerkt, is de concentratie die ontstaat doordat hij de boog waardoor het geslacht van Kormak kenbaar wordt, tevens het werktuig laat zijn waarmee de vadermoord plaatsvindt. Zo ligt in de ongelukkige dood van Kormak onherroepelijk de herkenning van Irdan besloten. Bovendien wordt duidelijk waarom Moïne – bij alle sympathie voor hem – steeds gruwde van het denkbeeld met Irdan te trouwen en waarom Irdan zelf eigenlijk liever 'de kroon' der koningin wilde dienen dan te dingen naar haar hand. Dat hij zich aanvankelijk opwerpt als pretendent, gebeurt eigenlijk alleen om Kormaks eer tegenover de boze opzet van Tunibald te verdedigen. Bij de wedstrijd zelf trekt hij zich tenslotte terug, omdat hij uit eerbied voor Kormak zijn krachten niet wenst te meten met die van de grote koning zelf. Deze en andere details bewijzen de knappe techniek van Bilderdijks treurspel. Er gebeurt niets in deze tragedie, of tevoren zijn de kiemen ervan al gelegd: alles werkt samen naar het catastrofale einde. En, zoals Koopmans in een te weinig bekend opstel heeft opgemerkt: 'Sober en streng houdt het boogschot al de lijnen te zamen'.[481] De kracht om de boog te spannen die alleen eigen is aan Kormak en de zijnen, keert zich op tragische wijze tegen de dragers van deze kracht zelf. Het vermogen dat Kormak in staat stelt Moïne en zijn koninkrijk te veroveren en dat Irdans verdriet over zijn onbekende geboorte opheft en tot de wederzijdse herkenning van vader en zoon voert, datzelfde vermogen is tevens oorzaak van hun beider ondergang.

Opmerkelijk is dat, behalve Koopmans (en later De Leeuwe), niemand onder de vroegere commentatoren de strenge structuur van de *Kormak* heeft doorzien. Vermoedelijk

---

[478] Robert Graves, *The Greek Myths*[4], dl. II, Middlesex 1960, p. 373.

[479] Smit (1929), p. 33, noemt de namen van Shakespeare, Voltaire en Racine, maar alleen t.a.v. de laatstgenoemde wijst hij een bepaalde plaats aan. Dat is *Britannicus* IV/2, waaraan *Kormak* I/2 zou herinneren. Deze 'ontlening' heeft mij echter niet overtuigd: de enige overeenkomst tussen beide tonelen is, dat ze bestaan uit een gesprek tussen een moeder en een zoon.

[480] DW. IV, p. 101, 102, 111, 114. Vgl. William Shakespeare, *Hamlet, Prince of Denmark*, with an introduction and notes by H. de Groot[5], Groningen 1945, p. 47 e.v., 82 (I/5; II/2).

[481] Koopmans (1908) dl. II, p. 71.

uitgaande van het feit dat de thuiskomst van Odysseus bij Homerus nu eenmaal niet diens dood impliceert, verklaarden ze eenstemmig (of misschien: op elkaars voorbeeld) dat de dood van Kormak in Bilderdijks treurspel een overbodig toevoegsel is. Niet voldoende beseffend wat Bilderdijk en zijn tijdgenoten onder een 'treurspel' verstonden, noemde Kollewijn (1891) de dood van Kormak 'ongemotiveerd'; hij meende dat die dood alleen diende 'om het stuk tot treurspel [met een exitus infelix] te maken'. Voor Te Winkel (1908) was de doodslag van Irdan een 'geheel toevallige daad', waarin men zeker niet 'een waarlijk tragisch lot zien (kan) van een stuk, dat, evenals bij Homerus het geval is, met den triomf van den heroïschen boogspanner had moeten (sic) eindigen'. Hunningher (1931) merkte op dat Kormaks dood 'allerminst' noodzakelijk is, wat verklaarbaar is uit zijn vergissing dat de kunstige techniek van dit treurspel om 'het onthullend schot van Kormak' zou zijn geconcentreerd (en dus niet om dat van Irdan!). Tenslotte herhaalde Kamphuis (1947) veronderstellenderwijs de mening van Te Winkel. Pas De Leeuwe noemde het anno 1990 een schitterende inval van 'Bilderdijks dramatisch instinct' om het boogmotief te verbinden met het Telegonusmotief.[482]

Er valt bij dit alles nog op te merken dat Bilderdijk de zin van zijn treurspel ten overvloede heeft aangeduid door het symbolisch vignet op de titelpagina. Aan zijn uitgever schreef hij daarover 'dat in den Kormak alles hangt aan een noodlottigen BOOG, die van de *kroon* en het huwelijk der koningin (vermeende weduw) beschikken moet doch een *doodlijk uiteinde* voor de hoofdpersonaadjen te weeg brengt... [In het vignet] *hangt* de kroon aan de boog; de *huwelijks fakkel* blaakt nog en staat opgerecht; maar de *wilg* (in Engeland het teeken van rouw, als in 't oosten de Cypres) is er meê verbonden.'[483]

Bilderdijk heeft van zijn Kormak slechts een 'oud Schots stuk' gemaakt, in zoverre hij de namen van de dramatis personae en van landstreken ontleende aan de zangen van Ossian. De geest en ook de structuur van zijn stuk zijn typerend voor het op de klassieke traditie gegrondveste treurspel, dat hij zelf ideaal achtte. Koopmans dacht dat deze geest zo zeer antiek was, dat hij de 'zin' van het treurspel die Bilderdijk aan het slot Moïne in de mond legt, zo goed als gelijk stelde aan die van de Griekse noodlotstragedie.[484] Deze interpretatie is echter onjuist, omdat ze geen rekening houdt met Bilderdijks opvatting van het Griekse fatum en de wijze waarop hij als christelijk dichter daarvan wenste af te wijken. Volgens Bilderdijk hadden de Ouden de mens tot een speelbal gemaakt van het noodlot (als besluit van de 'ondenkbare' Godheid) waaraan zelfs 'den nijdigen willekeur' van hun geconcretiseerde goden onderworpen was. De Christenmens echter beschouwt zich geenszins als slachtoffer van het blinde fatum, maar weet zich afhankelijk van zijn Schepper. En niets is er troostrijker, aldus Bilderdijk, dan 'het Leerstuk der

[482] Kollewijn, dl. I, p. 459; Te Winkel, dl. IV, p. 321; Hunningher (1931), p. 10; Kamphuis (1947), p. 222; De Leeuwe (1990), p. 9.

[483] Onuitgegeven brief aan Immerzeel van 11 juni 1808 (Portef. Margadant)

[484] Koopmans (1908), dl. I, p. 70.

allesbestemmende Voorzienigheid, van wier raadsbesluyt wy geheel en voor eeuwig afhangen!' Onmiddellijk na deze uitspraak citeert de dichter (in zijn verhandeling *Het treurspel*) de door Moïne gezegde slotverzen van zijn treurspel *Kormak*:

> Zoo is dan 't menschlijk lot geregeld in den Hoogen!
> Ja, Vorsten, Volken, ja, daar heerscht een Alvermogen.
> Men vliede, of wachte 't af, of poog te wederstaan,
> De Hemel maakt ons lot, daar is geen keeren aan.[485]

Hunningher heeft hierin niet zonder reden een soort combinatie van het Griekse fatum en het door Vondel gewraakte calvinistische *Decretum horribile* gezien. Toch gaat Hunningher te ver, als hij schrijft dat er geen 'geloovig vertrouwen' aanwezig is, maar slechts 'dode navolging van de Helleensche noodlotscultus'.[486] Kort na het voltooien van zijn drie treurspelen schreef Bilderdijk aan zijn uitgever Immerzeel dat *Kormak* wordt gekenmerkt door 'den geest van 't Griekse treurspel' en derhalve leert dat er geen heil op aarde mogelijk is; of, zoals hij het in zijn verhandeling *Het treurspel* formuleert: 'Ons leven is lijden en tot lijden bestemd'.[487] En tegenover deze onontkoombare waarheid, heeft de Christen nu de troost dat 'de onverbiddelijkheid van het lot' der onschuldigen geenszins de macht van een alles overheersend, blind Fatum veronderstelt, maar een goddelijk raadsbesluit dat alles heeft geregeld 'in den Hoogen', waar 's mensen bestemming ligt.[488]

Sprekend over Bilderdijks dramaturgie in de *Kormak*, heeft Koopmans opgemerkt dat 'de personaadjes in dit stuk bewerktuigde raderen zijn, die wentelend in elkaar grijpen. En dat het stuk een mechanisme is, met de grote verdienste, dat 't drijfwerk geregeld gaat. Want de raderen en spillen zijn van onbuigzaam metaal. Noch Tunibald of Kormak, noch Makdulf of Irdan zullen zich wijzigen'.[489] Dit is inderdaad juist, maar daaruit volgt niet dat Bilderdijks treurspel alleen maar wordt gekenmerkt door de soberheid van een strenge constructie en dat de handeling geheel ondergeschikt zou zijn aan het 'Dichtstuk'.[490] Bij alle kunstige structuur-techniek dient men niet de voor een classicistisch treurspel gedurfde mise en scène te vergeten. De handeling speelt zich af op twee achtereenvolgende dagen en in verschillende vertrekken van Moïnes paleis. Bovendien vindt *in* het vierde bedrijf een decorverandering plaats. De wijze waarop Bilderdijk die aangeeft, is typerend voor de

[485] DW. IV, p. 140; Trsp., p. 225 e.v. (Meer Grieks dan christelijk klinkt de uitspraak van Kormak in de slotscène: ô Noodlots ijzeren wet. / Wat stervling heeft op aard uw schikking ooit ontvloden!)

[486] Hunningher (1931), p. 10. Vgl. in dit verband De Jong (Fatum und ..., 1990). Dit probleem komt nog ter sprake in het *Tweede Boek*. (Een juister inzicht dan Hunningher toont De Leeuwe (1990), p. 11, die opmerkt dat het 'Noodlot' of 'Lot', herhaaldelijk met name genoemd in de drie gepubliceerde treurspelen van 1808, zijn demonische zin verliest omdat dit 'Lot' uiteindelijk van God komt.)

[487] Brief aan Immerzeel van 12 augustus 1808 (Portef. Margadant); Trsp. p. 224.

[488] Trsp. p. 224 e.v. Zie het *Tweede Boek*, hfdst. VIII, par. 3, hfdst. X, par. 2.

[489] Koopmans (1908), dl. I, p. 81. Zie het *Tweede Boek*, hfdst. VIII, par. 3, hfdst. X, par. 2 en par. 6.

[490] Koopmans (1908), dl. 2, p. 38.

‘regie’ die hij zich voor zijn treurspel had verbeeld: ‘De achtergrond van het Toneel opent zich en men ziet een ruimen Voorhof, waarin een Altaar van zoden gebouwd. De Vorsten worden verzeld van een aantal Barden, in ’t wit gekleed, die met Harpen onder den arm optreden; doch zich in den Voorhof houden, en daar, in ’t rond scharen’. Even later verschijnt Moïne ‘*onder den klank der Harpen*... Zy plaatst zich voor ’t Altaar, ontsteekt het, en plengt vervolgens eenige droppen wijns uit den Beker, dien men haar, op haar vordering aanbiedt’.[491] Een muzikaal effect heeft Bilderdijk ook voorzien in het vijfde bedrijf, als, na de overwinning op de verraderlijke huwelijks- en kroonpretendenten ‘Krygsmuziek’ weerklinkt ‘met gejuich doormengd’. Vergezeld van ‘Gewapenden’, *zingen* ‘Barden’ daarop een triomfzang.[492] Vergeleken met deze opera-effecten, is het optreden van Kormak als vermomde gevangene bepaald geen gedurfde afwijking van de door Bilderdijk zo zeer geprezen eenvoud van de oude Griekse tragedie. En dat zelfde geldt voor de gevechten die in Bilderdijks treurspel door Kormak en Irdan als bodeverhalen worden voorgedragen. Daaraan vooraf gaat echter een tafereel waarin Kormak twee vijanden voor de ogen van de toeschouwers neerschiet. En dat is nog niet alles. Want in het laatste toneel ziet men Kormak na een hartroerend tafereel de noodlottige pijl uit zijn lichaam trekken en sterven, waarna Irdan zich met een zwaard voor het lijk van zijn vader doorsteekt. Dat Moïne (die van dit alles getuige is) daarna nog de hiervoor geciteerde moraliserende slotverzen kan uitspreken, is voor de hedendaagse lezer of toeschouwer een raadsel waarvan hij de oplossing slechts vinden kan in Bilderdijks interpretatie van de toenmalige treurspelcode.

[491] DW. IV, p. 123, 125.

[492] DW. p. 133: De aanhef van deze triomfzang kon destijds door de competente lezer of toeschouwer worden herkend als een allusie op bekende versregels uit Huydecopers treurspel *Achilles:* ‘Triumf! De zege is ons. De Vijand ligt verslagen! / Niet een, die overbleef, die tijding meê te dragen!’ Vgl. Br. I, p. 122, waar Bilderdijk schrijft dat niemand overbleef:’... om de maar naar huis te dragen, / Dat al de Grieken door de Trojers zijn verslagen’.

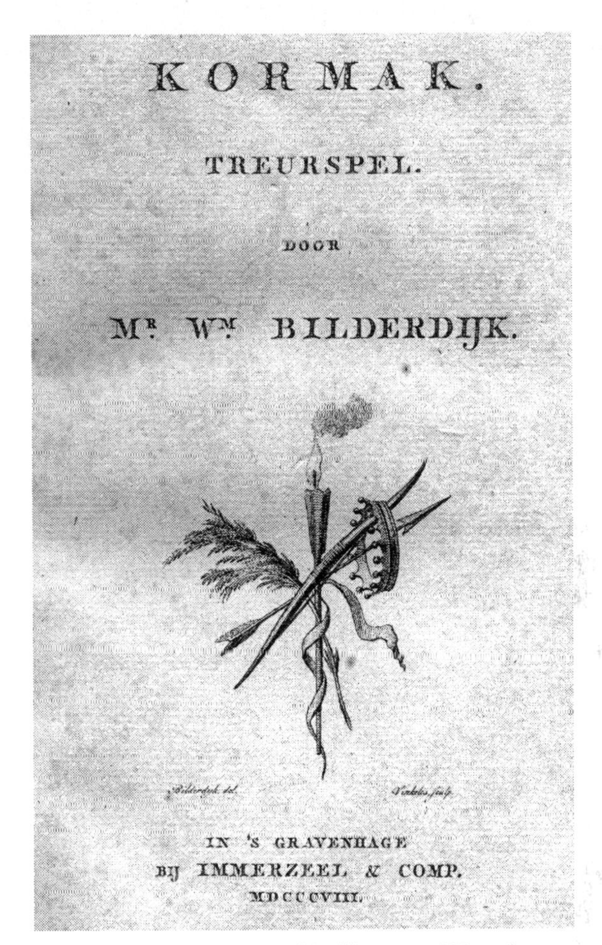

7. Titelblad van Bilderdijks treurspel Kormak

Op 11 juni 1808 schreef Bilderdijk over het door hem getekende vignet aan zijn uitgever J. Immerzeel: 'dat in den Kormak alles hangt aan een noodlottigen BOOG, die van de kroon en het huwelijk der koningin (vermeend weduw) beschikken moet doch een *doodlijk uiteinde* voor de hoofdpersonaadjen te weeg brengt...[in het vignet] *hangt* de kroon aan de boog; de *huwlijks fakkel* blaakt nog en staat opgerecht; maar de *wilg* (in Engeland het teeken van rouw, als in 't oosten de Cypres) is er meê verbonden.'

HOOFDSTUK XI

DE VERTALINGEN

1. Aard van het onderzoek

Bilderdijk heeft ontzaglijk veel teksten uit velerlei talen in het Nederlands bewerkt. Daaronder bevinden zich zowel dramatische fragmenten als volledige toneelstukken. Alleen de volledige teksten worden in dit hoofdstuk behandeld. De vertaalde fragmenten zijn voor ons slechts van belang inzoverre ze een voorkeur laten zien voor een bepaalde auteur, of voor een gedeelte van diens werk. Daarom komen ze pas ter sprake in het *Tweede Boek,* en wel in het derde deel: *Bilderdijk over voorgangers en tijdgenoten.*

De in het dertiende hoofdstuk van het onderhavige *Eerste Boek* geplaatste *Lijst van achterhaalde toneelstukken* bewijst dat Bilderdijk in totaal zes volledige toneelteksten in het Nederlands heeft vertaald. Aangezien hij uitsluitend Griekse en Franse originelen bewerkte, lijkt het gewenst bij de bespreking van deze vertalingen niet in de eerste plaats uit te gaan van de bibliografische chronologie maar de gegevens te ordenen op basis van de twee brontalen. Daardoor ontstaat ook een betere aansluiting op het zojuist genoemde derde deel van het *Tweede Boek,* waarin Bilderdijks oordeel over oudere en moderne Europese toneelschrijvers in breder verband zal worden behandeld.

We zullen nu trachten te achterhalen om welke reden Bilderdijk een bepaald toneelstuk in het Nederlands heeft bewerkt en of de wijze waarop hij dat heeft gedaan ons iets zegt over zijn opvattingen aangaande de dramaturgie in het algemeen, of aangaande die van de betreffende auteurs in het bijzonder. Het gaat daarbij vooral om gegevens met betrekking tot het oordeel van Bilderdijk over de structurele kwaliteiten van de door hem vertaalde toneelstukken: een oordeel dat het duidelijkst kan blijken uit eventuele afwijkingen in zijn vertalingen aangaande de schikking van onderdelen in de opbouw van het geheel.

2. De vertalingen uit het Grieks

De drie toneelstukken die Bilderdijk heeft bewerkt uit het Grieks, zijn de *Oedipus Rex* (1779) en de *Oedipus te Colonus* (1789) van Sofocles (1779) en de *Cyklops* van Euripides (1828). In een brief van 1829 aan H.W. Tydeman beweerde Bilderdijk dat zijn vijftig jaar tevoren verschenen eerste Sofocles-vertaling alleen maar moest worden beschouwd als een 'taalexercitie' zonder verdere bedoelingen.[493] Desondanks was Willem de Clercq in een

[493] Tyd. II, p. 261.

zeven jaar tevoren verschenen verhandeling al tot de conclusie gekomen dat Bilderdijks *Edipus* een strijdmiddel was tegen de drama's van Mercier en Diderot, die destijds erg populair waren.[494] En inderdaad schijnt De Clercq het zich beter te herinneren dan Bilderdijk zelf. Als we immers de *Voorafspraak* lezen die de dichter in 1779 aan zijn vertaling liet voorafgaan, vernemen we dat deze uitgebreide voorrede zelf was bedoeld als een bijdrage tot ondersteuning van 'den vervallenden goeden smaak', terwijl de vertaling als zodanig tegenover de menigte van 'onvolmaakte (en) gebrekkige stukken' [waartoe Bilderdijk kennelijk de zg. 'drama's' rekent] een treurspel wenst te stellen, dat 'van geheel de Oudheid als 't volmaakste in zijne soort erkend' werd.[495] Nog onomwondener spreekt Bilderdijk dit uit in een brief van 25 augustus 1779 aan mr Daniël van Alphen, waarin men leest: 'Mijn voorname oogmerk is geweest den landgenoot aanleiding te geven om het gebrekkige van schikking, van ontwerp, 't gebrekkig geheel in den Hedendaagschen toneeltrant te leren kennen, door hun een voorbeeld te tonen, 't welk in schikking een waar kunst-, en meesterstuk is: zodanig een voorbeeld vond ik in den Koningklijken *Edipus*, en 't is de schikking, 't algemeen beloop, de leiding, waarvan zich de dichter bediend heeft om op den geest der aanschouwers te werken, waar op ik als Hoofdzaak aandrong'.[496]

Bilderdijk blijkt Sofocles' *Oedipus* dus ter vertaling te hebben uitgekozen, omdat hij grote bewondering had voor de structuur van dit treurspel en het bij uitstek geschikt achtte om te dienen als voorbeeld van volmaakte 'schikking'. Nochtans komt het mij voor dat er nog een andere reden is. Voorzover zijn lezers zulks nog niet mochten weten, maakt de jonge Bilderdijk hen er in zijn *Voorafspraak* uitvoerig op attent dat ditzelfde stuk van Sofocles ook door Vondel is vertaald, en dat diens bewerking geenszins gelukkig mag worden genoemd.[497] Terwijl B.H. Molkenboer weinig hartelijk veronderstelt dat Bilderdijk bij de publicatie van zijn Oedipus-vertaling werd gedreven door jaloezie op de roem van Vondel, vermijdt A.G. van der Horst in zijn studie *Bilderdijks mening over Vondel* zeer zorgvuldig de gedachte aan rivaliteit bij de jonge dichter. Zonder volledig in te stemmen met Molkenboer, geloof ik inderdaad dat de drieëntwintigjarige Bilderdijk wel degelijk aan een krachtmeting met de 'Prins onzer dichters' heeft gedacht. Bilderdijk meende dat Vondels bewerking uit filologisch oogpunt zwak moest worden genoemd en dat zij niet berustte op de oorspronkelijke tekst van Sofocles maar op een Latijnse vertaling: een veronderstelling waarvan latere onderzoekingen de juistheid hebben bewezen.[498] Maar Bilderdijk zag nog een andere zwakte in Vondels Oedipus-vertaling, en ook deze is de latere onderzoeker niet ontgaan. In het tweede deel van zijn studie *Van Pascha tot Noach* (1959) deelt W.A.P. Smit mee dat Vondels treurspel *Jeptha* en zijn vertaling van Sofocles'

494 Vgl. hierover Kollewijn, dl. I, p. 87.
495 DW. XV, p. 23; 3-5.
496 Br. I, p. 3, 4.
497 DW. XV, p. 18.
498 Molkenboer (1934), p. 148 e.v.; Van der Horst (1952), p. 215; Smit (1959) dl. II, p. 386 e.v.

Oedipus bij uitzondering niet zijn geschreven in alexandrijnen, maar in jambische vijfvoeters. En Smit heeft de indruk dat deze prosodische 'afwijking' geen gelukkige invloed heeft gehad op Vondels vers.[499] Ik ben ervan overtuigd dat ook de jonge Bilderdijk deze indruk heeft gehad. Onder zijn nagelaten toneelwerk bevindt zich maar één stuk waarvan het onderwerp al door Vondel was behandeld, en dat is zijn in ons derde hoofdstuk besproken onvoltooid gebleven treurspel over Jefta... dat Bilderdijk in *alexandrijnen* wilde schrijven.[500] En er is nog iets anders. Evenals zijn vertaling van Pope, bewijzen Bilderdijks toelichtingen bij zijn bewerking van Ossians *Fingal* en zijn in 1824 gepubliceerde verhandeling *Van de Versificatie,* dat hij als dichter grote bewondering had voor de alexandrijnse versvorm.[501] Dat hij hiervan ook als jongeman overtuigd was, blijkt uit een brief aan Rhijnvis Feith van 1782, waarin Bilderdijk schrijft dat de Nederlandse alexandrijn het minst eentonige van alle verzen is, en zich vatbaar toont voor vijf verscheidenheden van rust, voor ontelbare verscheidenheden van maat en voor 'nog meerder van toon'.[502]

Welnu, deze prachtige versvorm was niet door Vondel gebruikt, en diens vertaling bleek bovendien niet te voldoen aan de eisen van de filologie. Dit wetende, heeft Bilderdijk een nieuwe vertaling van Sofocles (in alexandrijnen!) aangedurfd: niet alleen om de voortreffelijkheid van de Griekse treurspelschrijver aan te tonen, maar ook om tegenover Vondels roem zijn eigen superioriteit in deze materie te bewijzen. Wij moeten bij ons oordeel hierover niet alleen rekening houden met de overdreven wijze waarop Bilderdijk door middel van een apart uitgegeven *Brief van den navolger van Sofokles Edipus* de aandacht op zichzelf en zijn werk vestigde[503], maar vooral ook met zijn schriftelijke 'bekentenis' aan mr Daniël van Alphen, die de juistheid van de bovenstaande gedachtengang zo goed als bewijst. Op Van Alphens voorstel om na de *Oedipus*, nu ook Sofocles *Electra* te vertalen, antwoordde Bilderdijk namelijk in december 1779: 'Uw Hoog Ed. Gestr. heeft mij de verheven *Electra* voorgesteld. Dan, daar wij van dit Treurspel een vertaling van Vondel hebben, in Alexandrijnsche, of zesvoetige Jambische vaersen; waar boven ik op verr' na dat voordeel niet hebben kan, 't geen ik op de vijfvoetige vaersmaat van 's Dichters *Edipus* had; zo is het misschien niet ondienstig, der vergelijking 'zo terstond geenen voet te geven'.[504] Wanneer ik nu nog vermeld dat Bilderdijk de *Electra* wat structuur betreft onmiddellijk na de *Oedipus Rex* plaatste en dit stuk 'voor het overige den prijs voor alle de zeven treurspelen' wilde geven[505], wordt meteen duidelijk dat de keuze

499 Smit (1959), dl. II, p. 257 e.v., 371 e.v., 381, 382.

500 Zie hfdst. III, par. 1 en De Jong (Levende talen, 1957).

501 Wesseling (1949), p. 95, 137; Dez., Bilderdijk en Ossian, N.T. 1951, p. 312; NTDV. II, p. 89 e.v.

502 Kalff (1905), p. 92

503 Vgl hierover Kollewijn, dl. I, p. 88, 89.

504 Br. I, p. 14.

505 Br. I., p. 5.

van zijn eerste Sofocles-vertaling niet alleen werd bepaald door de structurele kwaliteiten van de *Oedipus Rex* of door zijn geschiktheid als object tot 'taalexercitie', maar eveneens door het 'voordeel' dat dit treurspel de jonge dichter kon verschaffen bij de 'vergelijking' met Vondel. Bilderdijks tweede (en laatste) vertaling van Sofocles is dan ook niet de zozeer bewonderde *Electra* geweest maar de *Oedipus te Colonus*.

Er bestaan enkele uitspraken van Bilderdijk die erop zouden kunnen wijzen dat hij geenszins tevreden was over zijn eerste Oedipus-vertaling, omdat de vorm waarin deze werd gedrukt niet geheel strookte met zijn eigen literaire overtuigingen. In de aantekeningen bij zijn bundel *Krekelzangen* van 1822 vaart hij uit tegen de verderfelijke bemoeizucht van dichtgenootschappen, waaraan het te wijten zou zijn dat al zijn jeugdwerk in verminkte toestand werd uitgegeven. Zo schrijft hij: 'Ook mijn Edipus heeft zich mede onder het drukken door mijne jongenlingsbeschroomdheid van hardnekkig of eigenwijs te schijnen, vrij wat verkeerdheden laten opdringen, waarvan sommige mij altijd zeer gesmart hebben'.[506] Dat we hier niet te doen hebben met een 'losse uitval' van de oude dichter volgt uit een niet voor publicatie bestemde aantekening die hij tussen 1782 en 1809 aan het papier moet hebben toevertrouwd. Uit dit stuk blijkt dat hij de geest der dichtgenootschappers als het ware geïncarneerd zag in de persoon van dr. Isaac Bilderdijk, zijn eigen vader, die altijd in zijn papieren 'wroette'. Door hem werd de jonge Bilderdijk 'met de onlijdlijkste kwellingen' gedwongen zijn *Edipus* te laten verknoeien en het stuk te publiceren in een vorm waar hij zich zozeer voor schaamde, dat hij de vertaling nog liever onderdrukt had.[507] Ofschoon ik met Kollewijn geneigd ben deze laatste uitspraak *cum salis grano* te nemen, acht ik het waarschijnlijk dat de ons bekende versie van Bilderdijks Oedipus-vertaling inderdaad hier en daar afwijkt van diens oorspronkelijke bedoeling. Het is nochtans duidelijk dat de later geformuleerde bezwaren voor Bilderdijk in het jaar van de uitgave niet zo zwaar wogen, dat zij afbreuk konden doen aan de nauwelijks verholen trots op zijn eerste publicatie van dramatische aard.[508]

Over de houding die de jonge vertaler tegenover de Griekse tekst heeft aangenomen, verstrekt hij ons zelf verschillende inlichtingen. Daaruit blijkt dat zijn werkwijze die van de filoloog is geweest. Hij raadpleegde andere vertalingen en commentaren (o.m. van Dacier, Brumoy en Mendelssohn) en vergeleek deze met zijn eigen opvattingen.[509] In de *Voorafspraak* bij de uitgave deelt hij mee dat zijn vertaling niet woordelijk is, maar dat hij getracht heeft de denkbeelden van Sofocles op zijn lezers over te dragen en daarbij niet is teruggeschrokken voor inkorting, uitbreiding, of wijzigingen in de zinsbouw. Omdat hij daarenboven meende bij zijn lezers geen bekendheid met de

[506] DW. XI, p. 497.

[507] MF., p. 86.

[508] Vgl. hierover Kollewijn, dl. I, p. 85, 86.

[509] DW. III, p. 469, 471, 475, 479, 480. Een artikel over 'De "wijsgerige" achtergrond van Bilderdijks Oedipus-vertaling' schreef Joris van Eijnatten: Eijnatten (1995).

gebruiken der Grieken te mogen veronderstellen, hebben hem ook 'de zeden en tijden... tot eenige meerdere of mindere afwijking' genoodzaakt.[510] Aan mr Daniël van Alphen schrijft Bilderdijk op 25 augustus 1779 dat hij in de *Oedipus* soms moeilijkheden heeft aangetroffen die hij door een 'kunstgreep mocht redden' en in de *Aantekeningen* bij de uitgave vestigt hij daarop zelfs de aandacht van zijn lezers.[511] Het begint al met de eerste de beste regel van Sofocles' treurspel, waarvan de letterlijke vertaling luidt: 'O kinderen, jonge kroost van de oude Kadmos'.
Bilderdijk vertaalt:

> Gij, Kadmus nageslacht, mijn waardige Onderdanen,

Hij motiveert deze afwijking door erop te wijzen dat Oedipus weliswaar spreekt als vader van zijn volk, maar dat het woord 'kinderen' dubbelzinnig is en bovendien niet strookt met de opvattingen van de moderne tijd. De tederheid van het oorspronkelijke meent Bilderdijk intussen te hebben gered door de toevoeging van het adjectief 'waardige'. Bovendien merkt hij in deze aantekeningen op, dat de door hem elders gebruikte aanspreekvorm 'mijn Heer' niet voorkwam bij de Grieken: 'doch door de Franschen zodanig in Grieksche stukken (is) ingedrongen, dat men zonder gemaaktheid daar niet geheel schijnt buiten te kunnen'.[512] Ik teken hierbij aan dat Scipione Maffei een halve eeuw tevoren heel wat minder verdraagzaam tegenover deze Franse gewoonte was. In zijn *Teatro italiano* van 1723 slooft hij zich uit om Racines 'Monsieur Ulysse' en 'Madame Andromaque' zo belachelijk mogelijk te maken.[513]

Een tweede verandering waar Bilderdijk in zijn *Aantekeningen* over spreekt, is van soortgelijke aard als de vorige. Het betreft hier een plaats uit het tweede epeisodion, waar de rei zegt: 'Neen, bij de God die de voorvechter is van alle Goden, Helios'.
In de vertaling van Bilderdijk:

> Gewijde Zon, wier nimmer sluimerende oogen
> De gantsche wareld gadeslaan![514]

In de *Aantekeningen* schrijft de jeugdige vertaler: ''t Oorspronkelijk noemt hier de Zon, den voorvechter der Goden: waarschijnlijk als den eersten der Goden; wiens wezen naamlijk het meest nabij en tegenwoordig is. Ik ben van deze uitdrukking afgeweken uit

510 DW. XV, p. 19.
511 Br. I, p. 7. Vgl de volgende voetnoten.
512 DW. III, p. 179, 470.
513 Zie hiervoor: Robertson (1923), p. 157.
514 DW. III, p. 209; Sophokles, *König Oedipus*, ed. F.W. Schneidewin, A. Nauchkind, E. Bruhn, Berlin 1910, vs. 660, 661.

vreze van onverstaanbaar te worden'.[515] Belangrijker dan deze en soortgelijke details zijn voor ons enkele andere afwijkingen die in Bilderdijks *Aantekeningen* worden toegelicht. Het gaat om het slot van Oedipus' openingstoespraak tot het volk in de proloog en om een passus uit zijn daarop volgend antwoord aan de priester. Volgens de Griekse tekst zouden deze plaatsen ongeveer als volgt moeten worden weergegeven: 'Gevoelloos immers zou ik zijn, als ik geen medelijden had met een dergelijk smekend terneer zitten'; en: 'Want, in strijd met mijn verwachting, blijft hij langer weg dan de normale tijd; wanneer hij echter komt, dan zou ik wel gemeen zijn indien ik niet alles deed wat de God verkondigt'.[516]
Maar bij Bilderdijk leest men:

> Wat sterveling zou ook meêdoogloos konnen zien
> Den toestand dezer stad, zo moedloos en verslagen,
> En niet met recht den naam van een' ontmenschten dragen?

en:

> De tijd is reeds voorbij, dien ik hem had gesteld.
> Goôn! wen hij wederkeert, en mij 't Orakel meldt;
> Zo ik uw hogen wil mogt weigren op te volgen,
> Dat uw getergde wraak, op 't allerfelst verbolgen,
> Op mijne borst alleen heure ongenade wett',
> En met één bliksemslag dit heilloos hooft verplett' [517]

In de *Aantekeningen* schrijft Bilderdijk ter verklaring: 'Ik heb geacht, diergelijke uitdrukkingen, welke in onze tale koel zouden zijn een weinig te moeten aanzetten. 't Zijn alzulke kleinigheden, die de vertaling der oude schrijveren voornamelijk moeielijk maken'.[518] Het zijn eveneens 'alzulke kleinigheden' in het 'aanzetten' van bepaalde voorstellingen en uitdrukkingen, die ons Bilderdijks werkwijze als vertaler leren kennen. Het verslag van de bode die in de exodus de wanhoopsdaad van de koning vertelt, zou letterlijk moeten luiden: 'Dergelijke weeklachten uitend, dikwijls en niet eenmaal, stak hij in de ogen die hij geopend hield en meteen verfden de bloedige oogappels zijn wangen en zij lieten geen bloeddruppels stromen, maar ineens kwam een donkere bui van bloedige hagel neer'.[519] Maar Bilderdijk schrijft:

> Dit boezemde hij uit niet eens, maar menigwerven:
> Hij slaat de wenkbraauw op, gereed het licht te derven,

[515] Idem, p. 474.
[516] Sophocles, vs. 11-12; vs. 74-77.
[517] DW. III, p. 180, 181.
[518] Idem, p. 472.
[519] Sophokles, vs. 1275-1279 (vs. 1279 volgens de codices).

En rijt zijne ogen uit. – Een blanke tranenvloed
Vermengt zich met een' stroom van zwart en purpren bloed,
Vliet neêr, en verwt op eens de bleekbestorven wangen,
Waar langs de ontwrongen bol aan pees en zeen blijft hangen,
Bedruipend, half vernield, den stijfgeronnen baard.[520]

Ik koos met opzet dit voorbeeld, omdat de adellijke dichteres Johanna Cornelia de Lannoy blijkens Bilderdijks briefwisseling aanmerkingen had gemaakt op de 'te verr'gedreven aakligheid' in deze beschrijving, hetgeen voor de jonge vertaler weer aanleiding werd tot een verklaring die mij in dit verband bijzonder interessant lijkt. Bilderdijk begint met toe te geven dat zijn vertaling strijdt met de 'kieschheid' van Sofocles en alleen te verklaren is uit de gevoelens van zijn eigen 'aandoenlijk hart, dat van de ijzing voor zo veel jammers vervuld was'. Hij bekent in de gewraakte passus te hebben uitgedrukt: 'mijne eigen gedachten, mijne eigen verbeelding, mijn eigen gevoel; zonder te merken dat ik verder ging...'. Tegenover de 'juistheid van smaak' en 'de kieschheid' van Sofocles, verraadt hij zelfs onomwonden zijn eigen '*ruwen smaak'* door te bekennen 'dat (z)ijn hart zich heimelijk toejuichte, zo dikwijls (hij) bevond, dat zij [– de overmaat van die aakligheid] den toehoorder als met eene siddering aangreep....[521] Wie herinnert zich hier niet Bilderdijks *Voorafspraak,* die volgens hem zelf de vervallende goede smaak moest ondersteunen... Men zou daar tegenover kunnen opmerken dat de vertaling van het treurspel zelf uiteindelijk niet was gericht op de 'smaak' maar was bedoeld om zijn landgenoten een voortreffelijk voorbeeld van treurspel-*structuur* te doen kennen. Inderdaad. Maar deze opmerking doet weinig af aan de gesignaleerde tegenspraak tussen theorie en praktijk, omdat wij nog niet alle afwijkingen van Bilderdijks Sofocles-vertaling hebben besproken.

In de laatste van zijn *Aantekeningen* vestigt Bilderdijk zelf de aandacht op het feit dat hij in het treurspel van Sofocles een bekorting heeft aangebracht. Het betreft hier de dialoog tussen Creon en Oedipus, die in de exodus onmiddellijk moet volgen na 's konings afscheid van zijn beide kinderen. In tegenstelling tot Vondel heeft Bilderdijk deze tweespraak achterwege gelaten, omdat hij de indruk van de eraan voorafgaande hartstochtelijke scène niet wilde schaden, en ook omdat hij de dialoog in kwestie eigenlijk een onbelangrijke herhaling achtte van hetgeen al eerder tussen Oedipus en Creon was verhandeld.[522] De aantekening bewijst dat de jonge Bilderdijk in de door hem zozeer geroemde 'schikking' van Sofocles' treurspel een onvolkomenheid meende te kunnen aanwijzen. Hij schrok er ook niet voor terug deze onvolkomenheid te 'corrigeren' door zijn

520 DW. III, p. 241.
521 Br. I, p. 58 (ik cursiveer).
522 DW. III, p. 484.

vertaling aan te passen aan zijn eigen inzichten. Zijn Nederlandse *Edipus* verraadt in de 'schikking' nog een andere poging tot aanpassing. Zoals bekend, bestaat een Grieks treurspel uit proloog, parodos, epeisodia, stasima en exodus, terwijl er geen sprake is van de indeling in vijf bedrijven en vier 'reien' die men later kenmerkend achtte voor de klassieke tragedie. Bilderdijk blijkt zijn Oedipus-vertaling in overeenstemming te hebben gebracht met de bestaande usance, al acht hij het onnodig om, zoals eveneens de gewoonte was, de vijf bedrijven weer onder te verdelen in afzonderlijke scènes of 'tonelen'. In zijn *Aantekeningen* schrijft hij dat 'de bedrijven... zekerlijk mede niet noodzakelijk aangetoond behoeven te worden, maar echter den mingeoefenden Lezer in 't verstaan eens Toneelstuks behulpzaam zijn'.[523] Nu doet zich in Bilderdijks aanwijzing van de bedrijven een eigenaardigheid voor waarop ik de aandacht wil vestigen, omdat ze me kenmerkend lijkt voor zijn mentaliteit als dramatisch vertaler.

Hoewel Euripides vaak in de exodus de zg. 'Deus ex machina' laat optreden om een bevredigende oplossing te brengen en in andere Griekse treurspelen de catastrofe gewoonlijk in dit laatste deel valt, geldt deze opbouw toevalligerwijze niet voor de *Oedipus Rex* van Sofocles. In dit stuk vindt de catastrofe plaats in het vierde epeisodion, waarna in het vierde stasimon een klacht over de wisselvalligheid van het menselijk lot volgt, en de exodus tenslotte het droevige verslag van de Thebaanse bode en het afscheid van de ongelukkige koning brengt.[524] In overeenstemming met de exodus van het Griekse origineel (en met de Latijnse *Oedipus* van Seneca) begint in de door Bilderdijk geraadpleegde Franse vertaling van Brumoy's *Théâtre des Grecs* (1732) het vijfde bedrijf na het vierde stasimon, dus met het verslag van de Thebaanse bode. Dit klopt echter niet met de door Bilderdijk gehuldigde theorie dat de ontknoping in de slotakte moet plaatsvinden! Vandaar dat hij in zijn eigen vertaling de indeling in bedrijven als volgt liet corresponderen met de structuur van het Griekse origineel:

Eerste Bedrijf	: proloog
(Eerste rei	: parodos)
Tweede bedrijf	: eerste epeisodion
(Tweede rei	: eerste stasimon)
Derde bedrijf	: tweede epeisodion
(Derde rei	: tweede stasimon)
Vierde bedrijf	: derde epeisodion
(Vierde rei	: derde stasimon)
Vijfde bedrijf	: vierde epeisodion

523 Idem, p. 473.

524 Vgl. F.G. Rotteveel Mansveld, *Encheiridion tragoidikon*, Leiden 1951, p. 7; 41, 42; G.F. Diercks, *Het Griekse treurspel*, Klassieke Bibliotheek, Haarlem 1952, p. 38; 202-205.

(vierde stasimon)

exodus.

Men ziet dat bij Bilderdijk het vijfde bedrijf begint na het derde stasimon (bij hem: de vierde rei), zodat dit laatste bedrijf achtereenvolgens omvat: het vierde epeisodion, het vierde stasimon en de exodus. Op deze wijze hield hij in de slotakte één stasimon of 'rei' over: een moeilijkheid overigens die Brumoy al had moeten overwinnen in zijn vierde bedrijf. De 'oplossing' van de Franse vertaler interesseert ons minder. Wat mij belangrijk voorkomt, is het feit dat Bilderdijk de door Sofocles duidelijk bedoelde 'schikking' zonder meer verwaarloost. Bilderdijk ontkent de cesuur of pauze in de handeling, die de Griekse auteur zelf heeft aangegeven door middel van het vierde stasimon. Hij beweert in zijn *Aantekeningen* dat dit stasimon geen echte tussenzang is maar alleen 'eene doorgaande alleenspraak'. Ik merk hierbij op dat het foutieve van Bilderdijks opvatting al blijkt uit het simpele feit dat het koor alleen aan het begin van het vierde epeisodion een ogenblik handelend optreedt in een gedachtenwisseling met Oedipus; daarna zijn de handelende personen Oedipus, de Korintische bode en de slaaf die het geheim van 's konings geboorte openbaart. Pas nadat de catastrofe een feit is en de wanhopige koning het toneel heeft verlaten, treedt 'plotseling' het koor op met de lierzang van 36 verzen die wij aanduiden als het vierde stasimon, en die wordt gevolgd door de opkomst van de onheilberichtende Thebaanse bode waarmee de exodus opent. De interpretatie van Bilderdijk is daarom zo verbazingwekkend, omdat hij van de juistheid daarvan de zozeer geprezen volmaakte 'schikking' van het hele treurspel afhankelijk maakt. Na te hebben vastgesteld dat het vierde stasimon 'eeniglijk eene doorgaande alleenspraak is, welke midden in het Bedrijf plaatsvindt', vervolgt hij zijn *Aantekeningen* immers: 'op dat ik de *wanschikkelijkheid* voorbij ga, welk zo eene verdeeling het *gantsche stuk geven zou*'.

Het eerste 'argument' waarop deze uitspraak steunt laat Bilderdijk onmiddellijk volgen in de retorische vraag: 'Wie toch weet niet dat het Vierde Bedrijf niet tot de Ontknoping geschikt is, maar alleen de zaak tot dezelve voorbereidt?' Nader ingaande op deze kwestie, redeneert hij dat een apart staande slotakte over de gevolgen der ontknoping (zoals die nota bene inderdaad bij Sofocles voorkomt!) volslagen overbodig zou zijn, nadat Oedipus zichzelf heeft leren kennen als zoon van Laius en Jokaste. Bilderdijk schrijft letterlijk: 'Immers na die herkenning is er geen overgang meer van geluk tot ongeluk in den staat van Edipus, in welken overgang de oplossing van dit Toneelstuk gelegen is. Hoe schoon daar tegen, hoe regelmatig loopt dit alles af, *indien wij de herkenning tot het laatste Bedrijf brengen:* en hoe treffend is de tegenstrijdigheid van het heuchlijk feestgebaar, dat zich de Rei in het Vierde bedrijf [dit is het derde stasimon] uit de ontdekking' van Edipus afkomst' beloofde, met dien jammerstaat, die daar 't gevolg van is!' Deze aantekening mogen wij tevens beschouwen als een nadere toelichting bij

Bilderdijks *Voorafspraak*, waarin hij de voortreffelijkheid van Sofocles' treurspel bespreekt en daarbij stilzwijgend voorbij gaat aan het vierde stasimon.[525] Tussen de ontknoping en haar gevolgen erkent hij niet de zelfstandige waarde van de prachtige bespiegelingen over de broosheid van het menselijk lot, waardoor Sofocles zijn vierde epeisodion heeft gescheiden van de exodus of 'slotakte'. Bovendien ontgaat het hem dat de slotakte een apart geheel vormt, doordat de toeschouwer pas dáár het lot van de hoofdpersonen leert kennen en de wijze waarop hun omgeving hierop reageert. In zijn studie *El Edipo Rey de Sófocles* maakt Eilhart Schlesinger zelfs aannemelijk dat de handeling van dit treurspel op een bovenaards niveau (waartoe de menselijke handeling onbewust als middel dient) zich in vijf etappen ontwikkelt tot aan de ontknoping, waarna de 'exodus', eveneens in vijf fasen, de handeling op menselijk plan voortzet tot aan het slot: 'En el éxodo, en cambio, puesto que Apolo ya ha conseguido el fin propuesto, es decir, la caída de Edipo, continúa sólo la acción humana, sin intervención sensible de la divinidad, descendiendo a traves de igual número de etapas hasta el cuadro final'.[526]

Belangrijk is voor ons overigens dat Bilderdijk, blijkens een brief van december 1779, heel goed begreep dat de Grieken geen indeling in vijf bedrijven kenden 'en dat men derhalve geen recht hebbe, dezelve in een stuk van Sofocles te eischen, indien het slechts de algemene verdeeling van voorstelling, verwarring en ontknooping in acht neemt'. In tegenspraak daarmee is zijn al besproken aantekening bij de vertaling van *Oedipus Rex*, waarin Bilderdijk het doet voorkomen dat iedere geoefende lezer zonder moeite '*de* (vijf?!) Bedrijven' ontdekken kan. Hetzelfde geldt trouwens voor de inleiding bij zijn nog te bespreken vertaling van *Oedipus te Colonus* (1789), waar het heet dat ingewijden *'de vijf* deelen van een Treurspel' moeiteloos kunnen onderkennen.[527] Volkomen zekerheid schijnt Bilderdijk in deze materie pas te hebben verworven, wanneer hij in 1808 zijn verhandeling *Het treurspel* publiceert. Daar verklaart hij de indeling in precies vijf bedrijven als een erfstuk van het 'algemeen begrip' bij de Romeinen. Het oude Griekse treurspel staat daar volkomen los van, maar men zou het ermee in overeenstemming kunnen brengen door uit te gaan van het feit dat Aristoteles aan alles een *begin,* een *midden* en een *einde* onderscheidt. Wanneer men vervolgens de expositie als een voorafgaande 'inleiding' tot het eigenlijke stuk beschouwt, zijn er al vier bedrijven. Tot slot zegt Bilderdijk dat de Grieken 'het Vijfde Bedrijf' niet zo zeer gebruikten 'tot de werking, dan wel als een *aanhangsel* ter beschouwing van den staat waar in de afgeloopen ontknoping de hoofdpersonaadje gebracht had...'.[528] Deze redenering van 1808 verbaast ons minder dan het gegeven, dat men een dergelijke opvatting over de Griekse slotakte al aantreft in de

---

[525] DW. III, p. 482 (ik cursiveer); DW. XV, p. 22.

[526] Eilhard Schlesinger, *El Edipo Rey de Sófocles*, La Plata 1950, p. 109 e.v.

[527] Br. I, p. 11, DW. XV, p. 45. (ik cursiveer)

[528] Trsp. p. 125, 184 (ik cursiveer)

Voorafspraak van 1779. Bilderdijk schrijft daar, dat de Ouden graag op moraliserende wijze de toestand overwogen, waarin de hoofdpersonen door de ontknoping waren gebracht. Daarentegen eindigt het latere Franse treurspel volgens hem onmiddellijk met de ontknoping: *'gelijk men niet ontkennen kan dat het [dan] voltooid is'* [529]

In de door mij gecursiveerde zinsnede heeft Bilderdijk zowel een veroordeling uitgesproken over het Griekse structuur-schema, als over zijn eigen indeling van de *Oedipus Rex.* Deze indeling is onhistorisch en filologisch niet verantwoord. We kunnen ze slechts verklaren door aan te nemen dat de jonge dichter die in 1779 de voortreffelijke structuur van het Griekse treurspel wilde aantonen en propageren, daarbij zelf ten aanzien der 'schikking' niet op Grieks, maar op *Frans* standpunt stond. In het eerste *Discours* (1660) van Pierre Corneille leest men immers dat voor de vijfde akte gereserveerd moet blijven: 'toute la catastrophe, et (qu'on doit) même la reculer vers la fin, autant qu'il est possible'. Een les die later ijverig werd nagevolgd in de theorie en de praktijk van het Franse treurspel, en waarvan het grote belang ondermeer wordt benadrukt in een Nederlandse verhandeling van Bilderdijks vriend Rhijnvis Feith. Merken wij nochtans op dat deze laatste bij zijn bespreking van de *Oedipus Rex* dezelfde verdeling in bedrijven aanneemt als de door Bilderdijk bestreden Franse vertaling van Brumoy.[530]

Wanneer we nu de resultaten van ons korte onderzoek naar Bilderdijks handelwijze als vertaler van Sofocles' *Oedipus Rex* samenvatten, mag worden vastgesteld dat hij om verschillende redenen van het Griekse origineel is afgeweken:

Ten eerste heeft hij bepaalde uitdrukkingen op verduidelijkende wijze in overeenstemming willen brengen met de zeden van zijn eigen tijdgenoten;

Ten tweede heeft hij, meegesleept door zijn eigen gevoel en verbeelding, bepaalde passages 'aangezet' om daardoor een sterkere indruk te kunnen maken op het gemoed van zijn lezers;

Ten derde blijkt Bilderdijk de indeling van Sofocles' treurspel te hebben aangepast aan de bestaande gewoonte, en aan hetgeen hem (onder invloed van de *Franse* tragedie!) voorstond als het ideale voorbeeld van toneelstructuur.[531]

Met betrekking tot het oordeel der tijdgenoten over Bilderdijks eerste Sofocles-vertaling kan nog worden meegedeeld dat dit over het algemeen zeer gunstig was.[532] Opmerkelijk is daarom dat zijn trouwe leerling Da Costa later in het openbaar als zijn

---

529 DW. XV, p. 16.

530 Scherer (z.j.), p. 133 e.v.; Bilderdijk zag zelf in 1808 het verschil, blijkens Trsp., p. 169; Feith (1825), p. 18, 37.

531 Over de vertaling van bepaalde uitdrukkingen in het Griekse origineel correspondeerde Bilderdijk met zijn vriend Rhijnvis Feith: Kalff (1905), p. 65 e.v. Vgl. Bosch (1955), p. 65 e.v.

532 Zie Kollewijn, dl. I, p. 88-92.

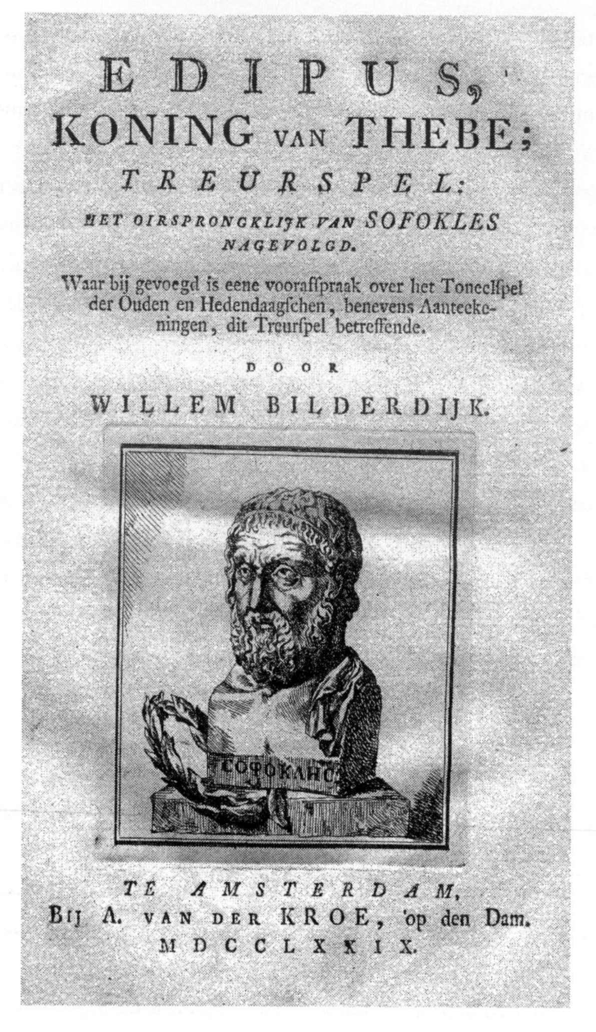

EDIPUS,
KONING VAN THEBE;
TREURSPEL:
HET OIRSPRONGKLIJK VAN SOFOKLES
NAGEVOLGD.

Waar bij gevoegd is eene voorafspraak over het Tooneelspel der Ouden en Hedendaagschen, benevens Aanteekeningen, dit Treurspel betreffende.

DOOR
WILLEM BILDERDIJK.

TE AMSTERDAM,
BIJ A. VAN DER KROE, op den Dam.
MDCCLXXXIX.

8. Titelblad van Bilderdijks eerste Sofocles-vertaling (*Oedipus Rex*).

mening heeft uitgesproken dat Bilderdijk 'verre, soms zelfs zeer verre ten achter gebleven is' bij het Griekse origineel.[533] Zijn afwijzing verwondert ons meer dan de door R.A. Kollewijn beaamde opmerking van Huet, volgens wie de 'kleur' van Bilderdijks *Edipus* zeker niet Grieks was.[534] Opmerkelijk in verband met het voorafgaande, is de mening van Jacob van Lennep. Die schreef dat Bilderdijks *Edipus* meer verheven is dan die van Vondel: 'doch het is de verhevenheid der Franschen, die altijd iets stijfs en konventioneels heeft'.[535] Tenslotte maak ik nog graag melding van het in 1938 door de eminente classicus

[533] DW. XV, p. 566; vgl. Da Costa (1859), p. 22.

[534] Zie Kollewijn, dl. I, p. 88.

[535] Geciteerd bij Molkenboer (1934), p. 167.

K.H.E. de Jong geformuleerde oordeel, dat luidt als volgt: 'De vertolking zelf geeft over 't algemeen genomen den zin van het oorspronkelijk getrouw weer; voorts is ze vlot en rijk aan dichterlijke wendingen'.[536]

In 1789 publiceerde Bilderdijk een bewerking in Nederlandse alexandrijnen van Sofocles' *Oedipus te Colonus,* onder de titel *De dood van Edipus.* We mogen aannemen dat hij al ettelijke jaren tevoren aan deze vertaling had gewerkt, want in het begin van augustus 1787 was ze praktisch voltooid. Het plan voor een Nederlandse bewerking van de *Oedipus te Colonus* dateerde al uit 1779. Kort na de publicatie van Bilderdijks eerste Sofoclesvertaling schreef hij daarover aan mr. Daniel van Alphen, die hem een vertaling van de *Electra* had voorgesteld. Zoals opgemerkt, stond de jonge Bilderdijk daar huiverig tegenover, omdat Vondel dit treurspel al had bewerkt in alexandrijnen en daardoor moeilijk te overtreffen zou zijn. Even speelde Bilderdijk toen met de gedachte aan een vertaling van *Antigone* (hem aangeraden door ds. Fontein), maar zijn eigen voorkeur scheen toch wel uit te gaan naar *Oedipus te Colonus.* Desondanks heeft het nog enkele jaren geduurd voor hij aan dit werk begon. Blijkens het voorwoord bij de uitgave is de bewerking ontstaan in de vrije tijd die hem overbleef na zijn werkzaamheden als advocaat. In combinatie met de datum waarop het manuscript was voltooid, schijnt dat erop te wijzen dat de vertaling in 1786 of in de eerste helft van 1787 ontstond.[537] Het feit dat Bilderdijk geen enkele aantekening aan zijn bewerking heeft toegevoegd, geeft al te vermoeden dat dit werkstuk een minder filologisch karakter en doel had dan de eraan voorafgaande Sofoclesvertaling. Bilderdijks briefwisseling met de uitgever P.J. Uylenbrock bevestigt deze veronderstelling, en doet bovendien minder zelfverzekerdheid vermoeden bij de inmiddels ouder geworden vertaler. Op 4 augustus 1787 vroeg hij Uylenbroek (die toen het manuscript in zijn bezit had) of die zo vriendelijk wilde zijn hem eventuele aanmerkingen bij de tekst mede te delen. De uitgave stelde Bilderdijk in deze brief afhankelijk van zijn vrouw: 'op wier verzoek ik het werk begonnen heb, en die is meesteresse van het uit te geven of niet; waar ik juist niet geloof dat zij tegenwoordig toe overhelt'. Al te letterlijk zullen we het laatste wel niet moeten opvatten, al was het alleen maar omdat aan het begin van dezelfde brief de uitlating voorkomt: 'zoo ik (sic) het uitgeef 'Bilderdijk was in dat geval van plan de vertaling te voorzien van een verhandeling over de bouw van dit treurspel 'bij vorme van voorrede'. Verder schreef hij dat hij 'misschien nog deze of gene aanteekening 'zou toevoegen, maar de daarop volgende verzekering dat hij er geen geleerd boek van wilde maken, lijkt de aard van de latere uitgave al aan te kondigen. Pas op 9 mei 1788 kwam de vertaling weer ter sprake. Bilderdijk (die kennelijk veel werk had in zijn advocatenpraktijk) schreef toen dat hij geen kans zag een voorrede te maken, omdat deze

[536] K.H.E. de Jong. 'Bilderdijk en Sophocles', *Verslag Provinciaal Utrechts Genootschap voor K. & W.*, 1938.

[537] Br. I, p. 14, 15, 157; DW. XV, p. 43.

volgens hem een 'doorwerkte verhandeling over het stuk-zelve en dus ook over 't treurspel *in genere* zou moeten zijn'. Hij stelde daarom voor er een 'luchtigen vriendenbrief' over te schrijven die aan de vertaling zou kunnen voorafgaan. Blijkens een schrijven van 2 juni 1788 heeft Bilderdijk deze 'brief' inderdaad opgesteld, en hij gaf zijn uitgever op dezelfde datum carte blanche met betrekking tot het manuscript.[538] Uylenbroek heeft kennelijk niets voor Bilderdijks plan gevoeld, want bij de uitgave werd de vertaling niet voorafgegaan door een 'luchtigen brief', maar door een (volgens Kollewijn) 'merkwaardige voorrede'.[539] Ik geloof dat die 'merkwaardigheid' samenhangt met de zojuist verhaalde voorgeschiedenis. Het komt mij voor dat het tweede deel van de ons bekende *Voorrede* grotendeels correspondeert met de oorspronkelijke 'brief' aan de uitgever, terwijl het eerste deel voornamelijk een latere toevoeging zal zijn, die het 'luchthartige' mist dat me typerend lijkt voor de stijl van het tweede deel.[540] Er is trouwens nog een andere eigenaardigheid in deze *Voorrede*, en die brengt ons in aanraking met het 'waarom' van Bilderdijks` vertaling.

In het tweede gedeelte van zijn *Voorrede* schrijft Bilderdijk: 'In deze vertolking van den dood van Edipus, heb ik zeker geen ander oogmerk dan mijn eigen genoegen gehad'. Hij verzekert dat hij niet de moeite genomen heeft andere vertalingen te raadplegen of te vergelijken: 'omdat ik hier geen letterkundig stuk van maken wilde, maar alleen een dichterlijke uitspanning'. Hij vervolgt: 'En zo ik er u tegenwoordig deelgenoot van make, het het is gelijk men een' vriend tot de tafel vraagt, die men voor zich-zelve gedekt heeft'. Bilderdijk hoopt weliswaar dat zijn 'disch ook den zieke gezond (mag) zijn', maar indien laatstgenoemde de door velerlei ingrediënten onkenbare 'Franschen ragout' [lees: het Franse toneel] zou preferen boven Bilderdijks eenvoudige Griekse gerecht, dan is het hem toegestaan van tafel op te staan: de gastheer zelf zal zich 'zonder hartzeer daar over, bij de Atheensche soberheid blijven geneeren'.[541] We herkennen hier de vertaler die op 4 augustus 1787 aan Uylenbroek schreef dat hij van de uitgave geen 'werk van geleerdheid maar liever van smaak wil(de) maken'. In dezelfde brief overwoog Bilderdijk desondanks een aantal aantekeningen en een gedegen verhandeling over de eigenschappen die hij het meest in dit treurspel bewonderde: 'de simpelheid naamlijk en de vrijheid van alle toneelkunstenarijtjens, de verrassing b.v., de herkenning, en wat dies meer is'.[542] We hebben al geconstateerd dat Bilderdijk dit plan later heeft laten varen, maar in het eerste deel van zijn *Voorrede* kunnen we er toch nog een herinnering aan ontdekken. En die lijkt het 'eigen genoegen' van het tweede deel zowel tegen te spreken als aan te vullen. Bilderdijk schijnt zijn lezer niet alleen een mooi gedenkschrift der 'aaloude dichtkunst' aan

[538] Br. I, p. 157 e.v.; 170 e.v.; 173, 174.
[539] DW. XV, p. 39 e.v.; Kollewijn, dl. I, p. 208.
[540] De 'scheiding' ligt op p. 43 van DW. XV.
[541] DW. XV, p. 43.
[542] Br. I, p. 158.

te willen bieden: 'doch bij deze uitgave strekt mijn oogmerk nog tot een bepaalder einde en ik wensch het als een voorbeeld aan onze Inlandsche vernuften voor te stellen, waar uit zich de ware Theorie van 't Toneelstuk laat toelichten ...' Verderop wijst hij dan op de voortreffelijke eigenschappen van de *Oedipus te Colonus* die ons al bekend zijn uit de zojuist geciteerde brief aan Uylenbroek. Hij spreekt tevens over de mogelijkheid van een gedegen verhandeling waartoe hem thans echter de tijd en de gelegenheid ontbreken.[543]

Voorbijgaand aan details in Bilderdijks tweede Sofocles-vertaling, vermeld ik nog dat de dichter zelf ze hoger waardeerde dan zijn *Oedipus Rex*: een oordeel dat Isaac da Costa met hem deelde, maar dat niet wordt gedeeld door K.H.E. de Jong.[544] Wat ons de voorgeschiedenis van deze vertaling intussen heeft geleerd, is de dubbele motivering voor Bilderdijks keuze, die wordt weerspiegeld in de 'merkwaardige' voorrede bij de uitgave. Bilderdijks meeste objectieve motief ter bewerking van Sofocles bleek opnieuw: *het verschaffen van een voorbeeld van juiste toneelschikking aan zijn landgenoten*. Wanneer wij nu nagaan hoe hij in de praktijk ten aanzien van deze 'schikking' te werk is gegaan, merken we ogenschijnlijk een eigenaardig verschil met zijn vroegere *Oedipus Rex*-vertaling. Bilderdijk heeft in zijn bewerking van de *Oedipus te Colonus* geen onderscheid in bedrijven aangegeven. Dit feit schijnt op het eerste gezicht opmerkelijk, maar het verliest veel van zijn belang doordat Bilderdijk in zijn *Voorrede* desondanks uitgaat van een verdeling in vijf akten. Sofocles' *Oedipus te Colonus* bestaat uit vier epeisodia en vier stasima, en Bilderdijks vijfde bedrijf begint volgens zijn eigen voorrede met de kommos (naar aanleiding van het onweer dat Oedipus' dood voorspelt) in het vierde epeisodion. Dit laatste bedrijf omvat dus een gedeelte van het vierde epeisodion, het vierde stasimon en de exodus. Verklarende aantekeningen ontbreken, maar als Bilderdijk in zijn voorrede de structuur van het stuk bespreekt, zien we dat hij ook nu zonder meer de rei (het vierde stasimon) verzwijgt die voorkomt in het midden van zijn vijfde 'bedrijf'. Gezien de ons bekende redenering ten aanzien van het vierde stasimon in de *Oedipus Rex*, mag worden aangenomen dat Bilderdijk dit stasimon heeft geïnterpreteerd als een monoloog. Ik merk hierbij op, dat een dergelijke interpretatie voor de *Oedipus te Colonus* mij veel natuurlijker voorkomt dan voor de *Oedipus Rex*. Het vierde stasimon van de *Oedipus te Colonus* onderbreekt de voortgang van het spel niet: het kort tevoren nog bij de handeling betrokken koor van grijsaards smeekt de goden der onderwereld om een vreedzame afdaling in de Hades, waaraan Oedipus zo juist begonnen is en waarvan het verslag door de bode onmiddellijk volgt na het vierde stasimon. Vermeldenswaard is nog dat de indeling in Bilderdijks *Voorrede* ongeveer overeenkomt met die van Brumoy (1732) in het derde deel van zijn bekende verzameling *Théâtre des Grecs*.[545]

[543] DW. XV, p. 41, 42.

[544] DW. XV, p. 44; De Jong , a.w., p. 5, acht de tweede Sofoclesvertaling 'mogelijk minder getrouw'; DW. XVI., p. 22.

[545] P. Brumoy, *Le théâtre des Grecs*, dl. III, Amsterdam 1732, p. 398. Vgl. voor de opbouw van Sofocles' treurspel Rotteveel Mansveld, *a.w.*, p. 54, Diercks, a.w., p. 226.

Een bijzonderheid van Bilderdijks vertaling is tenslotte de titel. Bilderdijk noemde zijn Nederlandse versie *De dood van Edipus* en hij verklaarde de verandering door erop te wijzen dat de letterlijke vertaling van de Griekse titel 'Edipus op den heuvel' zou leveren, wat voor zijn tijdgenoten volslagen onduidelijk zou zijn. In het vroegere Athene was het lot van koning Oedipus zo bekend, dat men bij 'de heuvel' onmiddellijk dacht aan de laatste ogenblikken van de ongelukkige koning. Welnu, zo redeneerde Bilderdijk, door de benaming *De dood van Edipus* doet men ten onzent het zelfde, en derhalve geeft de nieuwe titel in feite een gelijkaardig denkbeeld weer als de oorspronkelijke. Ik herinner hierbij aan de al naar aanleiding van Bilderdijks eerste Sofocles-vertaling opgemerkte afwijkingen, die voortkwamen uit zijn verlangen om de tekst in overeenstemming te brengen met de denkwereld van zijn eigen tijdgenoten. Het is in dit verband van belang dat Bilderdijk in 1799 de hoogste volkomenheid van een vertaling noemt: 'Den schrijver te doen spreken, alsof hij-zelf in onze Taal had gedacht en geschreven'. Dit is een opvatting die al eerder was verkondigd door Brumoy. Hij meende dat men de Griekse dichters zodanig moet vertalen: 'comme ils parleraient eux-mêmes, s'ils faisaient passer leur pensées en notre langue'.[546]

Pas in 1828 verscheen Bilderdijks volgende en tevens laatste toneelbewerking naar het Grieks: een vertaling van het enige 'saterspel' dat ons is overgeleverd, de *Cyklops* van Euridipes. Ook in dit stuk (dat slechts bestaat uit proloog, parodos, twee epeisodia, twee stasima en exodus) heeft Bilderdijk een verdeling aangebracht in vijf bedrijven. Daartoe moest hij een scheiding plaatsen in het eerste epeisodion en in de exodus, wat tot gevolg had dat zijn eerste bedrijf niet kon eindigen met een 'rei', en dat de 'rei' na het vierde bedrijf wel erg kort moest uitvallen. Deze indeling van Bilderdijk blijkt volledig overeen te komen met de verdeling die men aantreft in het zesde deel van Brumoy's *Théâtre des Grecs.*[547] Maar de Franse vertaling wijkt van Bilderdijks versie af, door de wijze waarop Brumoy de ruwe uitdrukkingen en de ondeugende passages van Euripides heeft onderdrukt of veranderd. Ik geef een paar voorbeelden.
Vs. 624 e.v. in de vertaling van Brumoy:

> Taisés vous, par les Dieux, amis Satyres. Gardés-vous de tousser, de respirer même.
> Pas le moindre geste. Craignons que son reveil ne prévienne notre projet.

De moderne Budé heeft:

[546] DW. XV, p. 59; Brumoy, dl. I, p. 26.
[547] DW. IV, p. 215, 231; Brumoy, dl. VI, p. 282; e.v. Vgl. Rotteveel Mansveld , a.w., p. 110.

Silence, par les dieux, *brutes!* [i.v.m. 'la nature a demi bestiale des satyres']! Tenez-vous cois, lèvres closes. Défense à quiconque de souffler, de cligner de l'oeil, de cracher! Gardons-nous d'éveiller le fléau, que l'oeil du Cyclope n'ait été exterminé par le feu.

En Bilderdijk vertaalt:

Zwijgt, domme beesten, houdt uw mond. -Houdt d'adem in,
verroert geen ooglid. Niest noch zevert op uw kin;
Dat dit gedrocht toch niet ontwake, eer onze handen
Den stakkel roeren, die hem 't oog nu uit moet branden.[548]

Men ziet dat de Nederlander niet voor de krachttaal van Euripides onderdeed. Ik citeer vs. 168-173 in twee moderne vertalingen:

Oui, bien fou qui ne se s'éjouit pas de boire! *(Avec un geste obscène;)*. C'est alors, celui-là, qu'on peut le lever droit, manier un sein, et tâter à deux mains d'autres appas tout prêts; là, c'est à la fois la danse et l'oubli des maux. *(Budé)*.

The man that isn 't jolly after drinking
Is just a driveling idiot, to my thinking.
Jolly's no word for it! – I see a vision
Of snowy bosoms, of delights Elysian;
Of fingers fondling silken hair, of dancing,
Oblivion of all care!
(*Loeb Classical*).

Bilderdijk heeft:

Want bij het dronken zijn hoort vrolijk wezen meê.
Een zot is 't die dan niet recht uitgelaten dartelt,
Naar vrouwenborstjes tast, en door de weiden spartelt,
En alle leed vergeet.

Maar bij Brumoy leest men:

Insensé quiconque ne met pas joïe dans Bacchus...lui seul fait oublier les maux.[549]

[548] Brumoy, dl. VI, p. 316. Louis Meridier, *Euripide* (Budé), dl I, Paris 1947 ; DW. IV, p. 231.

De toename in 'netheid' van de geciteerde vertalingen, zal niemand ontgaan. Bij een soortgelijke passus (vs. 179 e.v.) verzwijgt Brumoy opnieuw de tekst van Euripides. Afgezien van het feit dat Bilderdijk daar foutief vertaalt, mag worden vastgesteld dat de Nederlander in het algemeen niet wordt weerhouden door 'de goede smaak' of 'de goede zeden', die Brumoys bewerking tot een slap aftreksel van het Griekse origineel hebben gemaakt. Terwijl de Franse jezuïet herhaaldelijk laat merken dat hij de *Cyclops* beneden de waardigheid van de door hem bewonderde Euripides acht, maakt Bilderdijk zich kennelijk geen zorgen over diens goede reputatie.[550] Overigens ontbreekt ons zowel een verantwoording voor Bilderdijks vertaling als voor zijn indeling van het saterspel. We danken de publicatie uitsluitend aan de gebroeders Abraham en Jeronimo de Vries, aan wie de ruim zeventigjarige dichter de uitgave zonder enige toelichting of restrictie had toevertrouwd. Zoals ondermeer blijkt uit een onuitgegeven brief van Abraham de Vries, heeft Bilderdijk alleen maar bezwaar gemaakt tegen de lof die de tekstbezorgers hem in hun voorrede hadden toegezwaaid. Een vergelijking van de door Bilderdijk in het manuscript gelaakte passages met de ons bekende tekst, leert dat de gebroeders geen gebruik hebben gemaakt van zijn temperende correcties en de volle maat van hun bewondering in de gedrukte voorrede hebben gehandhaafd.[551] Bilderdijks briefwisseling leert ons dat zijn Euripidesvertaling in ieder geval op 13 november 1827 was voltooid, en uit de op 9 april gedateerde *Voorrede* van de uitgevers blijkt bovendien dat we hier te doen hebben met recent werk. Ze schrijven dat Bilderdijk juist het *saterspel* van Euripides in Nederlandse verzen heeft overgebracht, omdat hij de ernst van zijn ouderdom wilde ontspannen door zich te verdiepen in een toneelstuk in 'losser trant'. Over de wijze waarop de vertaling tot stand kwam, deelt de *Voorrede* nog mee: 'Binnen weinige dagen, of liever uren, vervaardigde hij deze overzetting, enkel tot eigen uitspanning en met het stellig voornemen, om ze nimmer het licht te doen zien'. Doch 'in weerwil van de geringe waarde die hij in zijn werk stelde' heeft Bilderdijk op aandringen van de uitgevers 'eindelijk' goed gevonden dat het zou worden gepubliceerd.[552] Gezien deze voorrede en de wijze waarop de uitgave tot stand is gekomen, mogen we aannemen dat de oude Bilderdijk met deze vertaling geen literair-pedagogische bedoelingen had. Alleen al daarom staat ze los van zijn in 1779 gepubliceerde eerste Sofocles-vertaling, waarmee hij als jong dichter invloed had willen uitoefenen op de zich wijzigende literaire smaak van zijn dagen. Zoals we gezien hebben, geldt het zelfde in iets geringere mate voor de vertaling van *Oedipus te Colonus*, die Bilderdijk tien jaar later publiceerde. We merken in beide gevallen op dat

549 Meridier, *Euripide*, dl. I, vs. 168; e.v.; Arthur S. Way, *Euripides* (The Loeb Classical Library), dl. II, London-New-York 1929, vs. 168 e.v.; DW. IV, p. 213; Brumoy, dl. VI, p. 290.

550 DW. IV, p. 214. Vgl. Meridier en Way, vs. 179; e.v.; *Brumoy*, dl. III, p. 180, dl. VI, p. 169, 239, 262, 292.

551 Br. II, p. 252, 253; 316, 319; onuitgegeven brief van Abraham aan Jeronimo de Vries d.d. 17-IV-1828, hschr. in de Koninklijke Bibliotheek te 's-Gravenhage, nr. 121 B 1-12; vgl. Br. II, p. 316; DW. XV, p. 234, e.v.

552 DW. XV, p. 337.

Bilderdijk ook door zijn vertaalwijze en zijn indeling van de *Griekse* stukken, in feite tegemoet kwam aan de voorschriften van de *Frans* -klassicistische dramaturgie.

3. De vertalingen uit het Frans

Bilderdijk heeft in totaal drie toneelstukken uit het Frans vertaald: twee daarvan zijn berijmde bewerkingen van onbelangrijke stukjes in proza door G.F. Poullain de Sainte-Foy, en het derde is de beroemde tragedie *Cinna* van Pierre Corneille. Met betrekking tot de bewerkingen naar Sainte-Foy dient allereerst te worden opgemerkt dat er daarvan maar één door Bilderdijk is uitgegeven, wat inhoudt dat men alleen deze tekst kan terugvinden in de later verzamelde *Dichtwerken.* Het stuk in kwestie (een eenakter van enkele honderen verzen) heet *Deukalion en Pyrrha.* Da Costa vermoedde dat het al in 1775 was gereedgekomen en ook Bastiaan Klinkert en J. Immerzeel waren die mening toegedaan, evenals Kollewijn die erop wijst dat in de eerste druk van 1779 het jaartal 1775 onder de tekst is aangegeven.[553] Vermoedelijk heeft Bilderdijk zowel in 1775 als in 1779 aan deze vertaling in verzen gewerkt. In een brief van 8 november 1779 aan Feith vertelt hij een 'onlangs bij eenen geestigen Franschman' gelezen aardigheidje, dat ik herkende als de vertaling van een passus uit de *Prologue* van de Franse *Deucalion et Pyrrha*, die Bilderdijk in zijn gepubliceerde bewerking overigens geheel achterwege heeft gelaten.[554] Dit wijst er op dat de dichter zich in 1779 (opnieuw?) met de Franse tekst heeft beziggehouden. Vijf jaar na het verschijnen van Bilderdijks vertaling heeft de uitgever P.J. Uylenbroek het initiatief genomen tot een herdruk. Deze verscheen in 1785 en vertoont ten opzichte van de eerste uitgave wat wijzigingen in de spelling, en hier en daar een kleine verandering van de tekst.[555]

Een vergelijking van Bilderdijks bewerking met het origineel bewijst dat de jonge vertaler de zin van het Franse stukje niet heeft gewijzigd; hier en daar zijn de Nederlandse alleenspraken wat langer uitgevallen. De *Deukalion en Pirrha* heeft als grondgedachte dat de liefde tussen man en vrouw onontkoombaar is en een weldaad voor de mensheid. Dezelfde idee vindt men terug in het andere stukje dat Bilderdijk naar Sainte-Foy heeft bewerkt en waarop ik hier wat nader moet ingaan, omdat de tekst enerzijds niet is opgenomen in de grote Bilderdijk-uitgave (de dichter heeft zijn bewerking zelf niet gepubliceerd), en ook omdat ze op onbevredigende wijze werd behandeld in het anno 1929 verdedigde proefschrift *Bilderdijk et la France* van Johan Smit. Het gaat om Bilderdijks

---

[553] DW. III, p. 251 e.v. Voor het Franse origineel: zie noot 556. In het daar genoemde exemplaar van B. Klinkert staat de aantekening: 'door Bilderdijk vertaald 1775/85'. Vgl. Da Costa (1859), p. 72. Immerzeel (zie eveneens noot 556) deelt mede: '*Deukalion en Pyrrha* kwam in 1775 als blijspel in het licht. In 1785 verscheen het als tooneelstuk'. Het eerste jaartal moet blijkbaar 1779 zijn: Kollewijn dl. I, p. 68.

[554] 'Een gelukkig en wel te pas gebracht Episode…is in een Tooneelstuk hetgeen het blanketsel, de mouches en de kleinodien bij de Fransche Jufferschap zijn': Kalff (1905), p. 59. J. Bosch vond een blaadje met aantekeningen die bij de betreffende brief behoren. Daarin komt ook de Franse uitspraak van Sainte-Foy voor, waarvan het bovenstaande een vertaling is. Als zodanig werd ze echter niet door hem herkend: Bosch (1955), p. 257.

[555] Br. I, p. 131: Bosch (1955), p. 124.

vertaling van Poullain de Sainte-Foy's *L'oracle*: 'comédie en un acte et en prose'. Dit jeugdwerkje van Bilderdijk is in 1897 uitgegeven door H. de Jager, onder de titel: *Het Orakel, in zangmaat: Gevolgd naar het Fransche in Prose.* Volgens een mededeling van Immerzeel (gedaan in 1833) , maakte de jonge Bilderdijk zijn bewerking in 1772, dus op zestienjarige leeftijd.[556] Maar hij was niet de eerste Nederlandse vertaler. Dat was, anno 1747, N.W. Op den Hooff, die zijn werk in 1767 herdrukt zag en van wie drie jaar later ook een vertaling van *Deucalion et Pirrha* verscheen. De Jager bezat een in 1759 te Amsterdam gedrukte (Franse) uitgave van *L'Oracle*, waarvan de titelpagina bewijst dat het op 4 december 1759 in de hoofdstad is gespeeld: 'par les enfants de Mr. Fréderic'. Het optreden van deze beide kinderen (meisjes van zeven en negen jaar) zal het stuk wel groot succes hebben bezorgd. Een door de toneelspeler Jan Punt vervaardigde gravure wijst op de populariteit van de jeugdige actrices.[557] Het toneelspel van Sainte-Foy was trouwens ook elders populair. Dat bewijst zowel de *Lettre sur les spectacles* van Rousseau, als de *Hamburgische Dramaturgie* van Lessing.[558]

Bilderdijks bewerking van *L'oracle* lijkt een soort 'opera': de meeste verzen moeten worden gezongen op 44 bekende wijsjes, die bij de tekst staan aangegeven. De inhoud komt hierop neer. Een tovergodin, Thaumasta, leeft met haar zoon Alcindor op een afgelegen eiland. In het eerste toneel vertelt ze wat het orakel heeft voorspeld:

Een zwaare Orkaan van droevige ongelukken
Dreigt u beminden zoon te storten over 't hoofd;
Doch kunt gij hem 't gevaar ontrukken,
Zoo word hem 't heilrijkst lot beloofd.
Indien hij een Prinses in liefde kan doen blaeken,

---

556 *De Navorscher* 1897, p. 669; e.v. De Jager heeft gebruikgemaakt van een door zijn vader gemaakt afschrift van het origineel, dat eigendom was van B. Klinkert. Bilderdijks manuscript bevindt zich in de boekerij van de *Koninklijke Nederl. Akademie van Wetenschappen* te Amsterdam, hschr. LXV. Het is samengebonden met het Franse origineel: *L'Oracle, Comédie en un acte et en prose*, Paris, 1740. De uitgever is Prault. In dit bandje is tevens opgenomen het later door Bilderdijk bewerkte spel *Deucalion et Pirrha, comédie en un acte*, Paris, 1741, verschenen bij dezelfde uitgever en eveneens in proza. In een lijst van toneelstukken die voorkomt in de Franse uitgave van *L'Oracle* staat als auteur van dit stukje vermeld: M. de Sainte-Foy. Dat deze ook de schrijver is van *Deucalion et Pirrha*, wordt medegedeeld in de *Vaderlandsche Letteroefeningen* 1849, p. 633, door J. Pan (DW. XV, p. 423), door Is. da Costa in *De Mensch en de dichter Willem Bilderdijk,* Haarlem , 1859, (DW. XVI, p. 72), en door alle onderzoekers na hem. Vgl. ook *Worp* (1908), p. 319, en *Smit* (1929), p. 108. De mededeling van Immerzeel staat in het handschrift van een *Levensbericht van Mr. W. Bilderdijk,* aanwezig in de Koninklijke Bibliotheek te 's–Gravenhage, nr. 131 C 43 en gedrukt in de *Nederlandsche Muzenalmanak* 1833, p. 245; e.v. In dezelfde map bevindt zich de door Immerzeel vervaardigde gedeeltelijke copie van *Het Orakel.* Misschien heeft de afschrijver (die zelf uitgever was) het plan gehad om Bilderdijks bewerking te publiceren. Op de titelpagina schreef hij: 'Te Amsterdam bij J. Immerzeel, Junior'. Onder het door De Jager gebruikte afschrift staat in het handschrift van Bilderdijk dat *L'oracle* ook is nagevolgd in de *Lustspiele* van Gellert (Carlsruhe 1774). Hiervan was weer een Nederlandse vertaling verschenen te Amsterdam, in 1778.

557 De opvoeringen van de familie Fréderic vonden volgens Te Winkel (dl. V, p. 307) plaats in de Franse schouwburg aan de Overtoomse weg. De teksten werden in 1763 te Amsterdam uitgegeven als: *Théâtre francais d'Amsterdam ou Recueil des pièces représentées par les Enfants du Sr. Fréderic*; zie ook: J. Fransen (1925), p. 358. en M. Koole in *Mens en melodie* 7 (1952), p. 79-82. Over opvoeringen van *Het Orakel* door de kinderen Buhon in 1766, spreekt Johs. Hilman, *Ons tooneel...* (1879), p. 118.

558 Rousseau (Brunel, 1896) , p. 184; Lessing (Otto Mann, 1958), p. 286 (St. 73).

Die hem voor doof, voor stom en voor gevoelloos houd,
Zoo ziet hij zijn geluk volmaaken.
Gij, o Thaumasta, zorg voor 't kroost, u toebetrouwd.

Het komisch element wordt nu veroorzaakt door de komst van prinses Lucinde, tegenover wie Alcindor moet optreden alsof hij een wassen beeld is. Zij speelt met hem als was hij een pop, wat Alcindor, die op de prinses verliefd wordt, vaak moeilijke momenten bezorgt. Terzijde zegt hij dan ook:

'k kan mij langer niet weerhou'en:
Dat 's een Minnaar te veel pijn!

Desondanks slaagt hij erin zijn rol te blijven spelen: tot Lucinde haar liefde voor het roerloze maar schone 'beeld' waarmee zij zich bezighoudt, zeer duidelijk heeft laten blijken. Vanaf dat ogenblik is het orakel vervuld.

Johan Smit heeft dit stukje nogal gewaagd in verband gebracht met biografische omstandigheden. Na erop te hebben gewezen dat Bilderdijk erg 'précoce' was, stelt hij de vraag: 'Doit-on s'étonner de voir que le jeune poète traduira plus tard des comédies sensuelles de Saint-Foix...?' Over *Het Orakel* schrijft hij: 'Le sujet correspond bien a sa vie isolée'. Het slot van dit zangspel wordt als volgt becommentarieerd: 'Le jeune homme [Alcindor] essaie donc d'être immobile et impassible, mais quand la princesse [Lucinde] commence à parler d'amour, il ne peut se contenir: la nature est plus forte que la convention. Et c'est là une leçon morale allant à merveille au jeune poète qui ne cessera de la répéter pendant toute sa vie.[559] Ik zou eerder concluderen dat Alcindor zijn passieve rol weet vol te houden tot het moment dat Lucinde zelf haar liefde heeft geopenbaard en hij weer vrij man is, omdat dan immers aan de door het orakel gestelde voorwaarde is voldaan. Zijn verzuchting 'Jaa, 'k min! 'k aanbid u! 'k kan niet meer' is uiteindelijk het antwoord op haar uitroep: 'Och! Hoor. Ik min u teêr'. In Bilderdijks stuk is juist de 'nature' *niet* 'plus forte que la convention', en aan het slot wordt dan ook vastgesteld dat het orakel vervuld is. De moraal wordt uitgedrukt in het 'air' waarmee het spel besluit. Daarin wordt de minnaars aangeraden:

Wenscht gij dat gij haar hart behaagt,
Gij moet u, voor een poos, doof, stom, gevoelloos toonen.

En:

't Orakel wil alleen dat gij

---

[559] Smit (1929), p. 3, 107, 108.

U altoos teder en bescheiden zult betoonen.

De meisjes dienen geen acht te slaan op beloften van (trouweloze) minnaars. Alleen als de liefde oprecht is, mogen ze 'hun tederheên niet weeren'. Het spel eindigt met het advies:

Beproeft hen, maar veracht hen niet:
Dit wil aan u de stem van dit Orakel leeren.

Met Bilderdijks vertaling van Corneilles *Cinna* komen we op een heel ander terrein en in een totaal andere periode van zijn leven. Het treurspel van Corneille werd door Bilderdijk vertaald in opdracht van koning Lodewijk Napoleon. De dichter ontving deze opdracht op 13 november 1808 en had ze voltooid in januari 1809; nog hetzelfde jaar werd de tekst gepubliceerd in het derde deel van zijn *Treurspelen*. Uit het gedicht *Aan den koning* dat Bilderdijk aan zijn vertaling liet voorafgaan blijkt dat hij door middel van Corneilles werk hoopte 'den woesten wansmaak' van zijn landgenoten te beschamen. Ook in de toelichting in proza bij zijn vertaling sprak Bilderdijk over 'Het beklaaglijk verval van het Tooneel en den algemeenen smaak in dit vak van Dichtkunst', waartegen zijn Nederlandse versie van de *Cinna* een remedie zou moeten zijn.[560] Over de aard van zijn vertaling deelde hij mee dat hij niet heeft getracht het Franse origineel in elke uitdrukking op de voet te volgen, maar dat het er hem veeleer om te doen was 'den waren geest van Corneille' te behouden.

Dat Bilderdijk in het Franse treurspel ook tekortkomingen meende te kunnen aanwijzen, blijkt duidelijk uit het vervolg van zijn betoog. Allereerst merkt hij op dat Corneille zich nog niet helemaal heeft kunnen verheffen boven het toenmalige lage peil van de Franse poëzie, waardoor zijn stijl nu en dan het gebrek aan verhevenheid vertoont dat eigen is aan 'de Oratorie van zijn tijd'. Als voorbeeld noemt Bilderdijk de beginregels van het treurspel, waar Emilie zegt:

Impatients désirs d`une illustre vengeance
Dont la mort de mon pére a formé la naissance,
Enfants impétueux de mon ressentiment,
Que ma douleur séduite embrasse aveuglement...

Bilderdijk merkt op dat Emilie hier zichzelf als het ware kinderen toeschrijft en daardoor in conflict komt met de kiesheid die verwacht mag worden in de uitdrukkingswijze van een jonge maagd. Zelf vertaalt hij daarom (zeer ongelukkig en lelijk):

560 Onuitgegeven brieven aan J. Immerzeel van 19-11-1808 en 10-1-1809 (Portefeuilles Margadant, Bilderdijk-Museum, Amsterdam); *Tyd.* II, p. 306; Br. III, p. 78; DW. XV, p. 143. Bilderdijks vertaling van Cinna werd herdrukt in 1824, 1836, 1852 en 1857. De eerste en waarschijnlijk enige volledige opvoering ervan vond plaats op 3 september 1814 (dus na de tijd van koning Lodewijk); enkele fragmenten werden in het begin van de twintigste eeuw met succes voorgedragen door Louis Bouwmeester: zie hoofdstuk XII.

ô Snerpend ongeduld der wraakzucht die my blaakt,
My door mijns Vaders dood tot kinderplicht gemaakt!
Gy, prikkel van de smart die dees mijn boezem koestert,
Zoo blindelings omhelst, met zoo veel wellust voedstert![561]

Het feit dat in Corneilles tijd nog niet 'die fijnheid, die tederheid van gevoelens, die kiesche beschaafdheid van uitdrukking, die keurlijkheid' bestond waardoor de Franse poëzie later zou worden gekenmerkt, heeft volgens Bilderdijk zelfs tot gevolg dat men in *Cinna* uitdrukkingen vindt die eigenlijk in het blijspel thuishoren. Hij wijst op deze passage uit het eerste toneel van het derde bedrijf:

C'est ce qu' à dire vrai je vois fort difficile:
L'artifice pourtant vous y peut être utile;
Il en faut trouver un qui la puisse abuser;
Et du reste le temps en pourra disposer.

In de vroegere *Cinna* – vertaling door het kunstgenootschap Nil Volentibus Arduum (1683) vond Bilderdijk de vertaling:

Dit is het geen my, rechtuit gezeid doet vreezen.
Maar hier in zal 't bedrog u noodig kunnen wezen.
Zie dat haar iemand dan misleide in dat geval,
En wacht voor 't ovrig wat de tijd beschikken zal.

Zelf blijkt de latere dichter hier Corneille volkomen in de steek te laten. Hij komt voor de dag met de volgende, beslist niet slechte treurspelverzen, die ons het door hem bedoelde verschil tussen de verheven treurspelstijl en de meer alledaagse denkwijze in het blijspel meteen duidelijk maken:

De ware min, mijn Heer, vindt nergens zwarigheên.
Wat liefde mocht misdoen, haar misdaân zijn er geen.
Ook de uwe heeft haar recht. Een hart dat kan beminnen,
Vergeeft het middel licht, waardoor het was te winnen.[562]

Na de stijl brengt Bilderdijk ook de structuur van Corneilles treurspel ter sprake. Hij begint met zich te verzetten tegen Voltaire, die de alleenspraak waarmee het treurspel opent 'ce long et inutile monologue d'Emilie' had genoemd. Voltaire vergiste zich volgens Bilderdijk, omdat het treurspel niet alleen de uiterlijke daad moet laten zien, maar ook de wording

561 DW. IV, p. 141.
562 DW. IV, p. 167.

daarvan in het hart der dramatis personae. En die wording leren we het best kennen wanneer een personage, buiten tegenwoordigheid van anderen en dus zonder reserve, zijn eigen gevoelens en motieven onderzoekt. Een verdediging van de oorspronkelijke tekst levert Bilderdijk ook als hij de (bij de uitvoering veelal onderdrukte) voorspelling van Augustus' gemalin Livia aan het slot van de tragedie bespreekt. Deze voorspelling acht Bilderdijk onmisbaar omdat ze de lezers en toeschouwers leert dat de edelmoedige Augustus, na de verijdelde aanslag op zijn leven, nu voortaan een 'geruste en bloeiende heerschappy over een hem aanbiddend volk' tegemoet gaat:

> En 't ongetemdste hart stelt al zijn roem voortaan
> In 't sterven voor uw dienst, als waardig onderdaan.
> [...]
> Heel 't Volk, door 't diepst gevoel van dankbre zucht gedreven,
> Ziet, juichende, in uw hand het staatsroer overgeven.

Toch ontdekt Bilderdijk ook hier een ongaafheid. De oorspronkelijke tekst laat volgens hem niet duidelijk genoeg Augustus' dankbaarheid jegens Livia blijken, aan wier raad de keizer deze schone toekomst te danken heeft. Vandaar dat Bilderdijk vier verzen heeft toegevoegd waarin Augustus zijn gemalin uitdrukkelijk dank zegt.[563]

In 1810 kreeg Bilderdijks vertaling een vrij gunstige bespreking in het tijdschrift *Vaderlandsche Letteroefeningen*, dat zich geheel eens verklaart met zijn bovenvermelde opmerkingen bij Corneilles tekst. Alleen de voorspelling aan het slot acht ook de recensent overbodig, omdat met de verijdeling van de aanslag en de daarop gevolgde edelmoedigheid van Augustus de handeling voltooid is. Aangezien het hele treurspel daarom draait, noemt de recensent het een gelukkige gedachte van Bilderdijk, dat hij Corneilles ondertitel *ou la clémence d'Auguste* onvertaald heeft gelaten: de vergeving en verzoening van Augustus wordt daardoor niet onmiddellijk bekend uit de titel, en de spanning-wekkende illusie blijft gehandhaafd. Over de bewerking zelf wordt opgemerkt dat deze typerend is voor Bilderdijk: hetgeen wil zeggen dat men beter van een 'navolging' dan van een eigenlijke 'vertaling' kan spreken. Tenslotte beoordeelt de recensent enkele vertaalde passages waarin hij tekortkomingen van Bilderdijk aanwijst.[564]

Een grondig onderzoek van Bilderdijks *Cinna*-vertaling treft men aan bij Johan Smit, wiens oordeel vernietigend is en luidt: 'Cette traduction est la plus mauvaise que la plume

563 Augustus zegt bij Bilderdijk expliciet: 'U danke ik, by mijn rust, mijne onverganckelijkste eer'. (DW. IV, p. 205).

564 *Vaderlandsche Letteroefeningen* 1810, p. 596. Overdrukken zijn aanwezig in de collectie-Klinkert van de Koninklijke Akademie van Wetenschappen te Amsterdam, nr. 447; 19 en nr. 445; 1522 (rood).

du poète ait produite'. Voor ons hebben Smits' beschouwingen de verdienste dat ze mij in staat stellen een aantal eigenaardigheden van Bilderdijks vertaling te rubriceren.

Ten eerste blijkt dat Bilderdijk zich heeft aangesloten bij de in Nederland bestaande gewoonte om in bewerkingen van Franse treurspelen met sterkere effecten te werken. Een voorbeeld is de vertaling van de regel:

> Je veux joindre à sa main ma main ensanglantée.

die Bilderdijk wordt:

> Dan zal mijn rechterhand, den moorddolk opgeheven,
> En druipend van zijn bloed, zich in de hare kleven.

Ten tweede blijkt dat Bilderdijks vertaling de invloed vertoont van de kritiek die Voltaire op het treurspel van Corneille heeft geleverd. Verschillende door Voltaire gelaakte uitdrukkingen zijn door Bilderdijk onvertaald gelaten of veranderd. Daartoe behoort de hiervoor al besproken weergave van de vier regels die door het kunstgenootschap Nil Volentibus Arduum wél getrouw waren weergegeven. Voltaire meende er de taal van een 'valet de comédie' in te herkennen. En, zoals al opgemerkt, schreef Bilderdijk ongeveer het zelfde.

Ten derde blijken bepaalde eigenaardigheden van Bilderdijks vertaling verklaarbaar uit zijn politieke overtuiging. Deze speelt bij zijn bewerking van Cinna zo'n belangrijke rol, dat hij enkele monarchistische passages (waaronder de hierboven al besproken voorspelling aan het slot) tegen de mening van Voltaire in, met nadruk heeft vertaald. Daartegenover onderdrukt of wijzigt hij enkele regels die hem al te republikeins leken. Smit veronderstelt dat de opdracht tot een bewerking van de Cinna door Lodewijk Napoleon met politieke bijbedoelingen werd gegeven. Indien dat het geval is, kan worden vastgesteld dat Bilderdijk die bedoelingen bijzonder goed begrepen heeft. Als voorstander van het absolute vorstengezag schreef Bilderdijk een Nederlandse *Cinna* die een indirecte lofzang op het koningschap van Lodewijk Napoleon is geworden. Daarin ontbreekt geenszins zijn afkeer voor de volksregering die hem in 1795 had gedwongen zijn vaderland te verlaten.[565]

[565] Smit (1929), p. 122, 124, 128, 247. Op p. 127 wijst Smit er op dat Bilderdijk het volgende citaat uit *Cinna* II, 1, onvertaald heeft gelaten: '[...] et le nom de l'empereur, / Cachant celui du roi, ne fait pas moins d'horreur.'

HOOFDSTUK XII

OPVOERINGEN VAN BILDERDIJKS TONEELWERK

De vraag hoe Bilderdijk in het algemeen dacht over de opvoering van treurspelen, wordt beantwoord in het Tweede Boek. Een heel andere kwestie is wanneer en hoe de opvoeringen van zijn eigen toneelteksten in werkelijkheid hebben plaatsgehad. In hoofdstuk X is al besproken dat Bilderdijks treurspel *Floris de Vijfde* door de Amsterdamse Schouwburg werd geweigerd om redenen die meer te maken hadden met politieke dan met artistieke kritiek. Bilderdijks eigen kritiek op de toenmalige schouwburgregenten en acteurs heeft er niet toe bijgedragen dat de toenmalige culturele machthebbers zich inspanden om zijn stukken ten tonele te brengen. Men kan zich trouwens afvragen of hij daar, als buitenstaander en querulant, na enkele jaren nog zo veel prijs op stelde. Een exhaustief onderzoek naar het repertoire van alle Nederlandse schouwburgen heeft nog niet plaats gehad. Maar in het Departementaal Dagblad van de Zuiderzee en Amsterdamsche Courant van 21 januari 1814 komt het volgende verslag voor:

> AMSTERDAM, *den 19den January*. Heden werd alhier voor de eerste maal ten TOONEELE gevoerd, het oorspronkelyk Hollands treurspel WILLEM VAN HOLLAND genaamd, vervaardigd door den verdienstelijken Dichter *Willem Bilderdijk*. Het is de eerste maal dat het Amsterdamsche tooneel vereerd werd met een Stuk van dezen Hoofd-Dichter des Vaderlands, reeds sints vele jaren in zoo vele andere vakken van geleerdheid en Dichtsoorten beroemd. De uitvoering werd door de tooneelisten, met uitzondering van de Heer *Evers* en vooral van Mejufvrouw *Kamphuyzen*, niet zoodanig ondersteund, als de voortreffelykheid der Verzen wel verdiende. Door eene al te radde, en tegen den aard der Hollandsche Taal strydende snelheid van uitspraak, gingen de zuivere en welluidende klank der Verzen veelal verloren. Treffend en overeenkomstig met den aard der zake, was by het einde de verheffing van Willem tot Graaf. Mogt het Publiek door eenen ruimen byval by volgende Representatiën toonen, hoe zeer hetzelve de handhaving van echt Vaderlandsche Kunstgewrochten ter harte gaat:
> Verwacht op Zaturdag, den 22sten January, eene derde en laatste representatie van WILLEM VAN HOLLAND, Treurspel, door den Heer Mr. *Wm. Bilderdijk*. Nooit op eenig Tooneel vertoond. Acteurs: de Heeren *A. Snoek, Evers, Westerman, Van Hulst, Rombach, Jelgerhuis, R.Z. Struik, Pinkes, Neyts, Van Well, Majofski, Wytman, Oberg, Beynink, Vreedenberg, Dirksen* enz.

> Actrices: Mejufvrouwen *Kamphuyzen* geb. *Snoek, Grevelink* geb. *Hilverdink*, enz. En na hetzelve SOPHIA VAN BRABANT, Historisch ballet pantomime, op nieuw gemonteerd en onderscheidene Muzykstukken gecomponeerd door den balletmeester *P. Greive*...

Naar aanleiding van dit verslag noteerde de boekhandelaar-literator Pieter Witsen Geysbeek nog hetzelfde jaar:

> Dat een letterkundig voortbrengsel somtijds op de eene of andere wijze verongelukt, is juist nog geen bewijs dat het niet deugen zou: Bilderdijks *Willem van Holland* is op het Amsteldamsch tooneel totaal verongelukt, en heeft nogthans de Amsterdamsche Courant van den 21 January, 1814, ten kosten van de bekwaamheden der Acteurs en Actrices, de eer van dit Treurspel niet krachtig gehandhaafd?[566]

Andere commentaren op de uitvoeringen van 1814 zijn mij niet bekend. We mogen wel aannemen dat de opvoering van Bilderdijks *Willem van Holland* verband houdt met het streven om, na de Napoleontische periode en de verwelkoming van Willem I als 'souverein vorst' (1813), ook met literaire middelen een nationaal Oranjegevoel aan te kweken of te versterken. Al in en voor de Franse tijd zijn er talrijke vaderlandse of 'nationale' treurspelen verschenen, evenals trouwens de eerste schoolboeken op het gebied van de vaderlandse letterkunde.[567] En in 1817 werd de van patriot tot Oranjemonarchist geëvolueerde dichter Hendrik Tollens bekroond voor zijn 'Volkslied' *Wien Neêrlands bloed.* J.A. Worp scheef in zijn *Geschiedenis van den Amsterdamschen schouwburg* (1920) dat zowel Bilderdijks *Willem van Holland* als *Kormak* al 'vrij spoedig' in Amsterdam zijn gespeeld, maar in het tweede deel van zijn *Geschiedenis van het drama en van het tooneel in Nederland* (1908) vermeldde Worp wèl een opvoering van *Floris de Vijfde* maar niet van de beide andere treurspelen. Een onderzoek in het Amsterdams Toneelmuseum stelde mij in staat te preciseren dat *Floris de Vijfde* in 1844 werd gespeeld in de Italiaansche Schouwburg en in 1845 drie keer in de Amsterdamsche Schouwburg. Voor deze opvoeringen had men de tekst hier en daar bekort. Verder was er een opportunistische verandering in de visionaire voorspelling van graaf Floris, die in 1808 had moeten zeggen:

> Bloei welig, dierbaar Volk! Word machtig, groeiend Rijk,

[566] Witsen Geysbeek (1814), p. 222, noot. Op de lijst van tussen 1814 en 1841 in de Amsterdamse Schouwburg opgevoerde stukken van Ruitenbeek (2002), p. 367 e.v., ontbreekt de naam Bilderdijk. Wél worden opvoeringen vermeld van de treurspelen *Dargo* en *Elfriede* door K.W. Bilderdijk-Schweickhardt.

[567] Jensen (Ned. Ltk., 2006)., p. 102, 103; De Leeuwe (1990), p. 57; G.J. Johannes, *Dit moet u niet onverschillig wezen! De vaderlandse literatuur in het Noord-Nederlands voortgezet onderwijs 1800-1900*, Nijmegen 2007.

En voer tot 's warelds kim den naam van Lodewijk!

In 1844 werd dat, op suggestie van Jacob van Lennep:

Bloei welig, dierbaar Volk! Word machtig, groeiend Rijk,
Zoo lang in Nassaus hand de gouden scepter prijk.

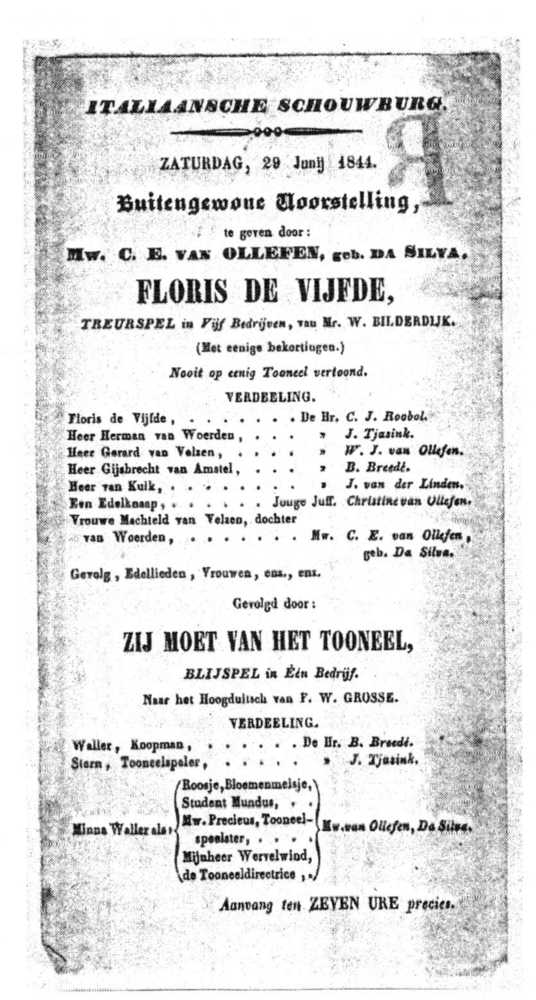

ITALIAANSCHE SCHOUWBURG.

ZATURDAG, 29 Junij 1844.

Buitengewone Voorstelling,

te geven door:

Mw. C. E. VAN OLLEFEN, geb. DA SILVA.

FLORIS DE VIJFDE,

TREURSPEL in Vijf Bedrijven, van Mr. W. BILDERDIJK.

(Met eenige bekortingen.)

Nooit op eenig Tooneel vertoond.

VERDEELING.

Floris de Vijfde, ... De Hr. *C. J. Roobol.*
Heer Herman van Woerden, . . . » *J. Tjasink.*
Heer Gerard van Velzen, ... » *W. J. van Ollefen.*
Heer Gijsbrecht van Amstel, . . . » *B. Breedé.*
Heer van Kuik, ... » *J. van der Linden.*
Een Edelknaap, ... Jonge Juff. *Christine van Ollefen.*
Vrouwe Machteld van Velzen, dochter
van Woerden, ... Mw. *C. E. van Ollefen*,
geb. *Da Silva.*

Gevolg, Edellieden, Vrouwen, enz., enz.

Gevolgd door:

ZIJ MOET VAN HET TOONEEL,

BLIJSPEL in Één Bedrijf.

Naar het Hoogduitsch van F. W. GROSSE.

VERDEELING.

Waller, Koopman, ... De Hr. *B. Breedé.*
Stern, Tooneelspeler, ... » *J. Tjasink.*

Minna Waller als: Roosje, Bloemenmeisje, Student Mundus, . . Mw. Precieus, Tooneelspeelster, ... Mijnheer Wervelwind, de Tooneeldirectrice, . . Mw. van *Ollefen, Da Silva.*

Aanvang ten ZEVEN URE *precies.*

9. Aankondiging van de opvoering van Bilderdijk treurspel *Floris de Vijfde* op 29 juni 1844 in de Italiaanse Schouwburg te Amsterdam.

De recensent van het toneeltijdschrift *De Spektator* was het niet met deze tekstverandering eens. Maar dat deed niets af aan zijn lof voor Bilderdijks personage Machteld van Velzen en de wijze waarop deze rol was vertolkt door de actrice mevrouw Van Ollefen-da Silva. Van enkele mannelijke acteurs vond hij daarentegen dat ze de verzen van Bilderdijk te 'theatraal' of 'te sterk aangezet' hadden gereciteerd. Optimistischer was de *Amsterdamsche Courant*, die schreef: 'De geheele voorstelling heeft bewezen, dat er aan den luister van het Nederlandsch Tooneel niet behoeft gewanhoopt te worden, en dat het ontbreekt noch aan oorspronkelijke meesterstukken, noch aan tooneel-kunstenaren, om zoodanige werken naar waarde voor te dragen.'[568] Blijkens een terloopse vermelding in de studie van Simon Koster, heeft het Amsterdams gezelschap de *Floris de Vijfde* in die periode ook gespeeld in Haarlem. Volgens François Boulangé, specialist ter zake, werden er geen stukken van Bilderdijk opgevoerd in de Koninklijke Schouwburg in den Haag.[569]

Er zijn wel andere opvoeringen van Bilderdijks treurspelen bekend, maar dan niet door beroepsacteurs maar door negentiende-eeuwse rederijkers. En die waren er veel. In alle steden en dorpen van het jonge Verenigd Koninkrijk verenigden zich tientallen brave burgers om gezamenlijk de voordrachtskunst en de welsprekendheid te beoefenen.[570] Deze reciterende letterminnaaars hielden van galmende verzen en dus van Bilderdijk. In Amsterdam bestonden in de jaren veertig twee kamers en ze hebben allebei stukken van Bilderdijk gespeeld. In 1846 en daarna werd herhaaldelijk *Floris de Vijfde* opgevoerd en in 1847 *Kormak*. Over de voorstellingen van *Floris de Vijfde* meldde de toneelschrijver H.J. Schimmel, die zelf lid was van de naar het destijds beroemde treurspel van Huydecoper genoemde Amsterdamse rederijkerskamer *Achilles* :

> Van al de dramatische werken van Bilderdijk, is dit stuk nog het meest bekend, dank zij de twee of driemaal herhaalde vertooning in den schouwburg en de veelvuldige voorstellingen in onze Rederijkerskamers. Wie een der vertooningen of voorstellingen bijwoonde, zal ons niet bestrijden indien we beweren, dat de grote naam des dichters het stuk voor geheele onverschilligheid behoeden moest, dat het hart koud bleef en het verstand des hoorders, niet door de inwerking van aandoening en gewaarwording belemmerd, bij het einde vrij rustig hulde kon brengen aan de schoone vaerzen,

568 Worp (1920), p. 30; Worp (1908) II, p. 341 e.v. Het Toneelmuseum bewaart een exemplaar van *Floris de Vijfde* onder het nummer 3E12, waarin twee brieven van Jacob van Lennep aan de actrice mevr. Van Ollefen-da Silva en aankondigingen met recensies van de opvoering op 29 juni 1844. (Vgl. De Leeuwe, 1990, p. 59.)

569 S. Koster, *Van schavot tot schouwburg.Vijfhonderd jaar toneel in Haarlem*, Haarlem 1970, p. 219. François Boulangé publiceerde in eigen beheer onder meer zes delen *Chronologische lijsten* van Nederlandse en negen delen van Franse programma's in de Haagse Schouwburg. Deze lijsten zijn te raadplegen in een achttal Nederlandse bibliotheken, waar onder de K.B. in Den Haag en het Instituut voor Mediastudies en Theaterwetenschap van de U.B. te Amsterdam.

570 Zie de sociologische studie van Oscar Westers, *Welsprekende burgers. Rederijkers in de negentiende eeuw*, Nijmegen 2003.

> welke dan ook voortreffelijk zijn. Een dergelijke koelheid dunkt ons in geenen deele onverklaarbaar, want de dichter zelf is bij zijn schepping geen oogenblik bewogen geweest. (*De gids, 1855)*

Dat de 'veelvuldige voorstellingen' niet altijd onverdeeld succes oogstten, zou men ook kunnen concluderen op grond van een citaat uit Johs. Hilmans werk *Ons Tooneel* (1879):

> Op Donderdag den 23 October 1855 werd: *Floris de Vijfde* van Bilderdijk ten tooneele opgevoerd. Een paar daarin voorkomende rollen, vervuld door Van Driessen en Van Kuik, deden aan de uitvoering geen goed.

Hoe de rederijkers in die tijd speelden, blijkt uit het al geciteerde Gids-opstel van Schimmel, waar hij spreekt over de opvoering van de eerste stukken van Hofdijk door de 'Rederijkers in ons midden'. Ze werden 'in zwarte rokken en witte vesten en dito glacé handschoenen met het vereischte pathos en het gewone succes voorgedragen.'[571]

Hoewel in de tweede eeuwhelft meer stukken van eigentijdse auteurs als Schimmel en vooal Tollens werden gespeeld dan van klassieke dichters als Vondel en Bilderdijk, werd het honderdste geboortejaar van Bilderdijk in 1856 uitvoerig gevierd door de met het protestantse Réveil verwante Amsterdamse 'Kamer van 1844'. Niet alleen met een opvoering van *Floris de Vijfde,* maar ook met een lofrede van Bilderdijks trouwe leerling en bekeerling Isaac da Costa. Waarbij nog mag worden opgemerkt dat er in Alkmaar een rederijkerskamer bestond die de naam *Bilderdijk* droeg. Hoewel de vereniging al sinds 1850 een neergang kende, sleepte ze haar bestaan voort tot 1919.[572]

Van Bilderdijks vertalingen werd in 1904, bij het eeuwfeest van de Koninklijke Schouwburg in Den Haag, het jeugdwerkje *Deukalion en Pyrrha* naar Poullain de Saint-Foy opgevoerd. Het maakte volgens de toneelcriticus J.H. Rössing 'een rustigen, aangenamen indruk' en een verslaggever in het Haagse dagblad *Het Vaderland* prees op 1 mei het spel en de dictie van Ko van Dijk, senior.[573] Van groter belang was negentig jaar tevoren de première van Bilderdijks *Cinna*-vertaling geweest. In het al genoemde *Dagblad van de Zuiderzee en Amsterdamsche Courant* van 3 september 1814 werd de opvoering aangekondigd als volgt:

[571] Schimmel (1855), p. 370, 617; Hilman (1879), p. 223.

[572] Westers (2003), p. 330, 252, 254, 447.

[573] Rössing (1906), p. 351; De Leeuwe (1990), p. 64 ; F. Boulangé, *Zij zongen in de Koninklijke Schouwburg. Uit de geschiedenis van de Koninklijke Franse Schouwburg (Théâtre Royal Français de la Haye)* 1863-1919, z. pl. en jrt., p. 212.

> HEDEN, den 3den September 1814, *tot opening van het Tooneel,* CINNA, Treurspel, naar het Fransch van Corneille, door den Heer Mr. *W. Bilderdijk.* Nooit vertoond, en na hetzelve, HABAL EN CONIA of DE EILANDEN DER ZUIDZEE, groot Ballet Pantomime, door den Balletmeester P. Greive; tusschen beide zal door den Heer Westerman, een door hem zelven vervaardigd Vers geciteerd worden.

Van deze première is mij verder niets bekend. Daarentegen weten we wat meer over opvoeringen van de *Cinna*-vertaling die in de jaren 1825 en 1827 in de Amsterdamse Schouwburg hebben plaatsgevonden. Een commissaris van de schouwburg, de koopman C. W. Thöne, noteerde in zijn *Aanteekeningen betreffende de voorstellingen* over de opvoering van 17 maart 1827 dat Andries Snoek in zijn rol van keizer Augustus niet erg rolvast was en dat mevrouw Geertruide Grevelink, in tegenstelling tot de heren Reinier Engelman en Cornelius Evers, zwak had gespeeld. Geen groot succes dus. Dit in tegenstelling tot de voordracht van een *Cinna*-fragment door Louis Bouwmeester, bij de Bilderdijkherdenking van oktober 1906 in het Amsterdamse Concertgebouw. Rössing schreef in het Gedenkboek:

> Louis Bouwmeester, de grootste tooneelkunstenaar van geheel Nederland, geniaal als geen in de wereld, heeft eens een gedeelte voorgedragen, of juister zingend-zeggend uitgebeeld van Bilderdijk's vertaling van Corneille's *Cinna*. En wie hem hoorde, en wie hem zag, geraakte ontvoerd aan zich-zelven. Toen kon men begrijpen Bilderdijk's eisch: Een treurspel zij in de eerste plaats 'dichtstuk'. Toen begreep men ook Jelgerhuis' aanteekeningen dat het treurspel voor een goed deel ten onder is gegaan door het ontbreken van treurspelspelers.[574]

[574] De Leeuwe (1990), p. 58; Rössing (1906), p. 352.

DEEL III

BILDERIJK ALS NAVOLGER EN ALS VOORBEELD

HOOFDSTUK XIII

LIJST VAN ACHTERHAALDE TONEELTEKSTEN

De volgorde van de titels is – afhankelijk van de beschikbare gegevens – zoveel mogelijk chronologisch. Met uitzondering van de door Bilderdijk zelf uitgegeven teksten (de nrs. 7, 11, 18, 31, 32, 33, 36) en van de nrs. 1 t/m 5 en nr. 43, zijn al deze toneelstukken onvoltooid gebleven.

Bij ieder nummer wordt verwezen naar het hoofdstuk en de paragraaf waar de betreffende tekst is besproken. Teksten die voor het eerst worden uitgegeven in de *Bijlage* bij dit *Eerste Boek*, hebben de aanduiding *K*, gevolgd door een cijfer. Dit cijfer heeft betrekking op de rangschikking van de handschriften in de collectie-Kollewijn, die ook is gevolgd bij de uitgave in de *Bijlage*. Vanaf nr. 6 werden de aanduidingen van het genre ('treurspel', 'blijspel' enz.) bij onuitgegeven stukken door mij toegevoegd. Dit gebeurde op basis van de drie hoofdstukken over *De toneelgenres in Bilderdijks tijd* waarmee het *Tweede Boek* opent.

1. *De slager. Klughtspel door Willem Gracilis. Te Amsterdam Bij den autheur 1769.*
   1769; onuitgegeven; hfdst. II, par. 1

2. *Opera ter verjaaringe van juffrouwe Debora Pelgrom de Bie, geboore Brest.*
   1772; onuitgegeven; hfdst. II, par. 1.

3. *Het Orakel, in zangmaat, Gevolgd naar het Fransche in Prose*, De Navorscher 1897, p. 669 e.v.
   1772 ?; uitgegeven door H. de Jager in 1897; hfdst. XI, par. 3.
   Bewerking naar het Frans.

4. *Opera ter verjaaringe van juffrouwe Debora Pelgrom de Bie, geboore Brest.*
   1773; onuitgegeven; hfdst. II, par. 1.

5. *De Goudmaker. Blijspel*, Gand-Paris 1925.
   1774?; uitgegeven door H. Logeman in 1925; hfdst. II par. 2.
   Bewerking naar een Nederlandse vertaling uit het Deens.

6. *Treurspel 'Jephtah'*, Levende talen 191 (1957), p. 447 e.v.
   1774; gedeelten zijn uitgegeven door de auteur in 1780 en 1809, door J.F.M. Sterck in 1889 en door Martien J.G. de Jong in 1957; hfdst. III, par. 1.

7. *Deukalion en Pyrrha*, Toneelstuk, DW. III, 1856, p. 251 e.v.
1775; uitgegeven door de auteur in 1779 en 1785 ; hfdst. XI, par. 3.
Bewerking naar het Frans.

8. *Treurspel over Willem van Oranje*, K. 28 en Spiegel der Letteren 2 (1958), p. 98 e.v.
1776-1781 en omstreeks 1808?; gedeeltelijk uitgegeven door Martien J.G. de Jong in 1958; hfdst. V, par. 7.

9. *Treurspel over Floris de Zwarte*, K. 2.
1778-1795?; hfdst. V, par. 2

10. *Treurspel over Virginia*, K. 3.
1778-1795?; hfdst. IV, par. 4.

11. *Edipus, koning van Thebe: Treurspel*, DW. III, 1856, p. 179 e.v.
1779; uitgegeven door de auteur in 1779; hfdst. XI, par. 2.
Vertaling uit het Grieks.

12. *Dramatische robinsonade 'Zelis en Inkle'*, Verslagen en mededelingen Koninklijke Vlaamse Academie voor taal-en letterkunde 1958, nr. 1-2, p. 131 e.v.
1783-1784 ; uitgegeven door Martien J.G. de Jong in 1958; hfdst. IX, par. 1.

13. *Treurspel over Thirsa*, K. 6 en De nieuwe taalgids 50 (1957), p. 129 e.v. en p. 205 e.v.
1783; gedeeltelijk uitgegeven door Martien J.G. de Jong in 1957; hfdst. III, par. 2.

14. *Treurspel 'Eric XIV, koning van Zweden'*, K. 16.
1778-1795 (omstreeks 1783?); hfdst.VI, par. 4.

15. *Treurspel 'Reimond, koning van Trebisonde'*, Tijdschrift voor Nederlandse taal- en letterkunde 77 (1960) , p. 241 e.v.
1784-1795?; uitgegeven door Martien J.G. de Jong in 1960; hfdst. VIII, par. 1.

16. *Spektakelstuk ('opera') 'Willem van Holland'*, Roeping 33 (1957) 3-4, p. 185 e.v.
1784?-1795; uitgegeven door Martien J.G. de Jong in 1957; hfdst.V, par. 3.

17. *Treurspel over de Bredase Denensage*, Jaarboek van de Geschied- en oudheidkundige kring 'De Oranjeboom', Breda 1960, p.138 e.v.

1785-1795?; uitgegegeven door Martien J.G. de Jong in 1960; hfdst. V, par. 1.

18. *De dood van Edipus: Treurspel*, DW. III, 1856, p. 276 e.v.
1787; uitgegeven door de auteur in 1789; hfdst. XI, par. 2.
Vertaling uit het Grieks.

19. *Blijspel over Pasquin*, M.J.G. de Jong en H.G. de Bont, Van hier en daar, dl. III, Den Haag z.j., p. 65 e.v.
1789-1795; uitgegeven door Martien J.G. de Jong in 1959; hfdst. II, par. 4.

20. *Treurspel over een gevangen genomen koning*, K. 24.
1794-1795; hfdst. VI, par. 7.

21. *Treurspel over Cleomenes*, niet teruggevonden.
Voor 1795; hfdst. VII, par. 1.

22. *Treurspel 'Floris de V.'*, niet teruggevonden.
Voor 1795; hfdst. V, par. 4.

23. *Treurspel over tsaar Peter*, Literatuur 13 (1996), 4, p. 214 e.v.
Na 1778 en wellicht voor 1799; uitgegeven door Martien J.G. de Jong in 1996; hfdst. VI, par. 6.

24. *Treurspel 'Elfriede'*, niet teruggevonden.
1796-1797; hfdst. VI, par. 1.

25. *Treurspel 'Cleonice'*, Tijdschrift voor Nederlandse taal- en letterkunde 77 (1960) 4, p. 241 e.v.
1797-1801?; uitgegeven door Martien J.G. de Jong in 1960; hfdst. VIII, par. 2.

26. *Treurspel over Alice, prinses van Engeland*, K. 29.
1797-1801?; hfdst. VII, par. 6.

27. *Toneelspel over Герontes*, K. 10.
Na 1795 of wellicht na 1806; hfdst. IX, par. 2.

28. *Parodie op de 'Orestes' van Euripides*, Roeping 32 (1957) 10-11, p. 521 e.v.

Omstreeks 1795? of misschien na 1806?; uitgegeven door Martien J.G. de Jong in 1957; hfdst. II, par. 5.

29. *Treurspel over Medea*, Levende talen 226 (1964), p. 487 e.v.
Na 1806; uitgegeven door Martien J.G. de Jong in 1964; hfdst. IV, par. 1.

30. *Treurspel over Brutus*, K. 19.
Na 1778 (en na 1806 ?); hfdst. IV, par. 7.

31. *Floris de Vijfde. Treurspel*, DW. III, 1856, p. 355 e.v.
1808; uitgegeven door de auteur in 1808; hfdst. X, par. 2.

32. *Willem van Holland. Treurspel*, DW. IV, 1857, p. 3 e.v.
1808; uitgegeven door de auteur in 1808; hfdst. X, par. 3.

33. *Kormak. Treurspel*, DW. IV, 1857, p. 75 e.v.
1808; uitgegeven door de auteur in 1808; hfdst. X, par. 4.

34. *Treurspel over Willem de Vijfde*, Verslagen en mededelingen Koninklijke Vlaamse Academie 1960, 4, p. 551 e.v.
1808; uitgegeven door Martien J.G. de Jong in 1960; hfdst. V, par. 5.

35. *Treurspel over Willem van Arkel*, Verslagen en mededelingen Koninklijke Vlaamse Academie 1960, 4, p. 551 e.v.
1808; uitgegeven door Martien J.G. de Jong in 1960; hfdst. V, par. 6.

36. *Cinna, Treurspel*, DW. IV, 1857, p. 141 e.v.
1809; uitgegeven door de auteur in 1809; hfdst. XI, par. 3.
Vertaling uit het Frans.

37. *Treurspel over Hannibal*, K. 7.
Na 1808; hfdst. IV, par. 6.

38. *Treurspel over Sofonisba*, De nieuwe taalgids 52 (1959) 4, p. 193 e.v.
Na 1808; uitgegeven door Martien J.G. de Jong in 1959; hfdst. IV, par. 5.

39. *Treurspel over Sfendadaat*, K. 21.

Na 1808; hfdst. IV, par. 3.

40. *Treurspel 'Polydoor'*, K. 1.
Na 1806 (omstreeks 1813 ?); hfdst. IV, par. 2.

41. *Treurspel over Don Carlos*, niet teruggevonden.
Voor 1819; hfdst. VI, par. 5.

42. *Treurspel over Napoleon*, K. 20.
Na 1819; hfdst. VI, par. 8.

43. *De cykloop. Saterspel*, DW. IV, 1857, p. 206 e.v.
1827; uitgegeven voor de auteur door A. en J. de Vries in 1828; hfdst. XI, par. 2.
Vertaling uit het Grieks.

44. *Treurspel over mammelukken*, K. 12.
Na 1778; hfdst. VII, par. 4.

45. *Treurspel over een verdreven koning*, K. 13.
Na 1778; hfdst. VII, par. 5.

46. *Blijspel over een verkeerde koffer*, K. 14.
Na 1778; hfdst. II, par. 3.

47. *Treurspel over Pizarro*, K. 15.
Na 1778; hfdst. VI, par. 3.

48. *Treurspel over Zoë*, K. 17.
Na 1778; hfdst. VI, par. 2.

49 *Treurspel over een onbekende prinses*, K. 18 en K. 24.
Na 1778; hfdst. VII, par. 2.

50 *Treurspel over Aza*, K. 23.
Na 1778; hfdst. VII, par. 3.

HOOFDSTUK XIV

AFWIJKING ALS OORSPRONKELIJKHEID

1. Recapitulatie

Bilderdijk blijkt gedurende een drietal perioden herhaaldelijk aan toneelstukken te hebben gewerkt. Deze perioden zouden ongeveer kunnen worden begrensd door de jaartallen 1774-1787; 1795-1801; 1808-1813. Bovendien staat vast dat Bilderdijk na 1819 nog een (zeer korte) schets voor een treurspel over Napoleon heeft gemaakt en dat hij omstreeks 1828 een saterspel van Euripides heeft vertaald. Aangezien een aantal handschriften niet te dateren bleek, is het mogelijk dat Bilderdijk ook na 1819 aan andere toneelstukken heeft gewerkt.

De in ons vorige hoofdstuk voor het eerst opgestelde *Lijst van achterhaalde toneelstukken* vermeldt vijftig titels. Vier nummers daarvan moeten we beschouwen als jeugdwerk, waaruit alleen valt te concluderen dat Bilderdijk al voor zijn achttiende jaar komische stukjes in de huiselijke kring heeft geschreven. Tot de zesenveertig andere teksten behoren drie uitgegeven oorspronkelijke toneelstukken en vijf uitgegeven vertaalde toneelstukken die teruggaan op Griekse en Franse originelen.

Van de achtendertig resterende titels heb ik vierendertig handschriften kunnen terugvinden. Slechts één daarvan bevat een afgewerkte tekst (het blijspel *De Goudmaaker*, nr. 5); de drieëndertig andere bestaan uit ontwerpen en fragmenten. Enkele van deze ontwerpen duiden als zodanig een eindfase aan: Bilderdijk heeft ze geschreven met de bedoeling dat ze door een ander zouden worden uitgewerkt, of om ze als 'Dramatische voorbeelden' te publiceren. Dit laatste plan bestond in 1799. De omvang en aard van de overige handschriften zijn zeer verschillend. Er zijn vluchtige schetsen bij, maar eveneens herhaalde pogingen om voor een en hetzelfde motief een geschikt compositieplan te vinden; daarenboven blijkt Bilderdijk soms te zijn begonnen aan de uitwerking van bepaalde 'tonelen'(scènes). Een aantal van de meest uitgewerkte manuscripten werd sedert 1957 gepubliceerd in verschillende tijdschriften. Daartoe behoren er twee die, zowel door hun grotere omvang als de graad van afwerking, een eigen plaats tegenover de andere handschriften innemen. Ze hebben de titels *Zelis en Inkle* (nr. 12) en *Willem de Vijfde* (nr. 34). Het eerste is een omstreeks 1783 geschreven toneelspel of drama, waarvan Bilderdijk het ontwerp en bijna drie bedrijven (1004 versregels) heeft voltooid. Het tweede is een treurspel uit het jaar 1808: behalve het ontwerp voltooide Bilderdijk er bijna drie bedrijven van (632 versregels).

Het zojuist gebruikte onderscheid in benaming (het klassieke, ouderwetse 'treurspel' en het nieuwerwetse 'toneelspel', 'zedenspel' of 'drama'), zal worden gemotiveerd in het *Tweede Boek*, waarvan de eerste drie hoofdstukken zijn gewijd aan de toenmalige toneelgenres. Aan de hand van onze *Lijst van achterhaalde toneelstukken* (hoofdstuk XIII) is het niet moeilijk vast te stellen dat Bilderdijk het nieuwe genre 'toneelspel' ten minste twee maal heeft beoefend. Rond 1783 werkte hij aan zijn *Zelis en Inkle* (nr. 12), een stuk dat zonder twijfel tot de 'toneelspelen' of 'drama's' behoort. Zelf noemde Bilderdijk het een 'toneelstukjen', zich aldus op de vlakte houdend die het tussengebied vormt waarop het drama of toneelspel kon ontstaan. Om literairhistorische redenen heb ik het stuk aangeduid als: 'dramatische robinsonade'. Een zeer duidelijk voorbeeld van een burgerlijk toneelspel hebben we nog in het fragment over Gerontes (nr. 27), dat waarschijnlijk is geschreven na 1806. Ook de in 1957 uitgegeven *Willem van Holland* (nr. 16) vertegenwoordigt een bijzonder genre. Het stuk is misschien ontstaan in dezelfde periode als *Zelis en Inkle*. Bilderdijk noemde *Willem van Holland*: 'een schets van een opera'. In aansluiting op de literairhistorische traditie aangaande het toneel met 'kunst- en vliegwerk', heb ik de aanduiding 'spektakelstuk' gebruikt.

De comedie *De Goudmaaker* van omstreeks 1774 schijnt aan te sluiten op de vier nummers jeugdwerk, waarmee onze *Lijst* in hoofdstuk XIII opent. Toch is het niet zo, dat Bilderdijk zich op latere leeftijd niet meer zou hebben geïnteresseerd voor het blijspel. Tussen 1789 en 1795 moet hij het fragment van de politieke comedie over *Pasquin* (nr. 19) hebben geschreven en de onvoltooid gebleven parodie op Euripides' *Orestes* (nr. 28) ontstond misschien na 1806. Van Bilderdijks vierde blijspel (nr. 46) is alleen het ontwerp overgeleverd. Het moet zijn opgesteld na 1778. Zomin als de drama's, zijn de blijspelen dus ontstaan in een bepaalde periode.

Het zelfde geldt voor de treurspelen, die voor Bilderdijk blijkbaar van heel wat groter belang zijn geweest. Onder de achtendertig onuitgegeven toneelteksten van onze *Lijst,* bevinden zich eenendertig ontwerpen of fragmenten die de dichter zelf naar alle waarschijnlijkheid met de naam 'treurspel' zou hebben aangeduid. Dit genre markeert ook min of meer de tijdgrenzen van Bilderdijks werkzaamheid voor het toneel. In 1774 ontstonden de *Jephtah*-fragmenten (nr. 6), en na 1819 moet het ontwerp voor een treurspel over *Napoleon* zijn geschreven (nr. 42). Uit beide titels blijkt al enigszins de thematische verscheidenheid, die ik als basis heb gebruikt bij de ordening van Bilderdijks onuitgegeven treurspelen.

Met het grote *Thirsa*-ontwerp (nr. 13), vertegenwoordigt de *Jephtah* zijn pogingen om *bijbelse verhalen* te dramatiseren. *Napoleon* vormt met zeven andere ontwerpen het bewijs dat Bilderdijk verschillende feiten uit de *algemene geschiedenis* op het toneel wilde brengen. De *vaderlandse historie* blijkt de dichter zeven maal als bron te hebben gebruikt; een keer was ze het uitgangspunt voor een 'opera' of 'spektakelstuk' (nr. 16). Dat ook de geschiedenis en de literatuur van Grieken en Romeinen door Bilderdijk werden benut, zal niemand verwonderen. Tot zeven maal toe, is hij begonnen aan een treurspel op een intertextueel motief uit de *klassieke Oudheid.* In één geval (*Medea,* nr. 25) naderde hij daarbij eveneens de traditie van het spektakelstuk. Tenslotte zijn er nog acht ontwerpen of fragmenten van treurspelen waarin vorstelijke personen optreden die niet aan de geschiedenis zijn ontleend maar aan de verbeelding van Bilderdijk zelf, of aan die van andere dichters vóór hem.

Met behulp van deze gegevens is het niet mogelijk een zuiver dramaturgisch onderscheid aan te duiden tussen de drie bibliografische 'perioden' die ik hiervoor in Bilderdijks werkzaamheid als toneeldichter heb onderscheiden.

We zien in de eerste periode (1774-1787) aan gepubliceerd werk twee vertalingen van Griekse treurspelen (nr. 11 en nr. 18) en een bewerking van een Frans blijspelletje (nr. 7). Aan onuitgegeven werk hebben we twee bijbelse treurspelen (nr. 6 en nr. 13), één toneelspel of 'dramatische robinsonade' (nr. 12), waarschijnlijk enkele historische tragediën (nr. 8 en nr. 14) en een historisch-vaderlands spektakelstuk of 'opera' (nr. 16).

Tot de tweede periode (1795-1801) behoren alleen onvoltooide stukken. Van omstreeks 1795 zijn het politiek blijspel over *Pasquin* (nr. 19) en het treurspel over een *gevangen genomen koning* (nr. 20), die beide betrekking hebben op toenmalige politieke tegenstellingen. Tijdens Bilderdijks verblijf in het buitenland is het treurspel *Elfriede* ontstaan (nr. 24), dat door Katharina Wilhelmina Schweickhardt in Engelse verzen is overgebracht. Bilderdijk zelf schreef dit stuk in proza en deze vorm gebruikte hij ook voor het treurspel over *Alice, prinses van Engeland* (nr. 26). Andere gegevens bewijzen dat Bilderdijk in die tijd het gebruik van proza in de tragedie toelaatbaar achtte. Dit mag worden beschouwd als een eigenaardigheid van deze periode, waarin Bilderdijk zowel de uitgave van ontwerpen voor treurspelen, als die van uitgewerkte tragediën in proza overwoog. Aangezien hij voor dit doel ook handschriften opvroeg die hij al voor zijn vertrek uit Nederland had vervaardigd, mogen we aannemen dat het onderscheid met de voorafgaande periode niet van ingrijpende aard is geweest.

De derde periode (1808-1813) heeft als uitgegeven werken een vertaling van Corneille (nr. 36) en drie oorspronkelijke treurspelen (nrs. 31-33), waarvan er twee de middeleeuwse vaderlandse geschiedenis betreffen en één een omgewerkt literairhistorisch motief is uit de Griekse Oudheid. Aan onuitgegeven werk sluiten daar minstens twee onvoltooide treurspelen van vaderlands-middeleeuwse aard op aan (nr. 34 en nr. 35). Bovendien is het waarschijnlijk, dat uit deze periode een nieuwe schets voor een treurspel over *Willem van Oranje* stamt (nr. 8) die, in tegenstelling tot vroegere pogingen, een strengere eenheid in opbouw vertoont. Tegenover dit alles staat het gegeven, dat tot deze zelfde periode waarschijnlijk ook een burgerlijk-vaderlands toneelspel moet worden gerekend en een parodiërende oud-Griekse comedie. (nr. 27 en nr. 28).

Hiermee lijkt me duidelijk dat er in Bilderdijks totale werkzaamheid als toneeldichter geen perioden zijn te onderscheiden dan op grond van (gedeeltelijk onzekere) bibliografische frequentie. Wanneer we echter alleen letten op het uitgegeven toneelwerk, verandert het beeld onmiddellijk. De 'eerste periode' schijnt dan que vormgeving overwegend *Grieks* georiënteerd en de 'derde periode' meer *Frans,* terwijl de voorkeur voor onderwerpen uit de vaderlandse geschiedenis meer geprononceerd lijkt. Maar belangrijker is iets anders: de 'tweede (proza-) periode blijkt voor het uitgegeven toneelwerk geheel en al te ontbreken en de door Bilderdijk geschreven blijspelen en toneelspelen of drama`s zien we eenvoudig niet meer. Er blijkt dus een belangrijk onderscheid te bestaan tussen Bilderdijks verborgen werkzaamheid als toneeldichter en zijn optreden als dramaturg in het openbaar. Een interessant aspect van Bilderdijks verborgen toneelwerkzaamheid is het gegeven dat hij tot driemaal toe heeft gewerkt aan toneelstukken die van andere auteurs hun definitieve vorm ontvingen en uiteindelijk ook op hun naam werden gepubliceerd. In 1783 stelde Bilderdijk een zeer uitgebreid ontwerp op schrift voor een bijbelse tragedie, die een jaar later met weinig veranderingen werd uitgegeven als *Thirsa, of de zege van den godsdienst, treurspel* door mr. Rhijnvis Feith (nr. 13). En van 1796 en 1797 dateert een in proza geschreven treurspel dat door Katharina Wilhelmina Schweickhardt in Engelse verzen werd overgebracht en toen de titel *Fatal love* kreeg. Pas in 1808 verscheen dit zelfde stuk in Nederlandse verzen als: *Elfriede, treurspel* door vr. Katharine Wilhelmine Bilderdijk (nr. 24). Tenslotte werkte Bilderdijk, na 1806 en vermoedelijk omstreeks 1813 aan verschillende ontwerpen voor een treurspel waarvan motieven herkenbaar zijn in de in 1813 verschenen uitgave: *Polydorus, treurspel, in vijf bedrijven,* door mr. Samuel Iperus zoon Wiselius (nr. 40).

Terwijl in het laatste geval sprake is van een literaire vriendendienst waartegenover de officieel erkende dichter een grote mate van kritische zelfstandigheid aan de dag heeft gelegd, blijkt Bilderdijks aandeel in de beide eerstgenoemde treurspelen van zodanige aard, dat we hem mogen beschouwen als een in de literatuurgeschiedenis onbekend gebleven mede-auteur van deze werken. Dit gegeven moge dienen als middel tot juister begrip en tevens als 'tegenwicht', bij de nu volgende opsomming van Bilderdijks eigen ontleningen aan het werk van voorgangers.

Uit de Griekse literatuur heeft Bilderdijk twee beroemde treurspelen van Sofocles (nr. 11 en nr. 18) en een burlesk saterspel van Euripides vertaald (nr. 43). Deze drie stukken heeft hij een verdeling in vijf bedrijven gegeven, overeenkomstig het model van de Franse tragedie; in twee gevallen werkte hij daarbij naar het voorbeeld van Pierre Brumoy. Tegenover het origineel van Sofocles verraadt Bilderdijks woordkeus een neiging om bij bepaalde passages het pathetisch effect te vergroten. Ten aanzien van het origineel van Euripides vertoont Bilderdijks vertaling (in tegenstelling tot die van Brumoy) een grotere getrouwheid, omdat hij niet heeft getracht de 'onkiesche' gedeelten te onderdrukken of aanmerkelijk te verzachten. Tot het onuitgegeven Grieks toneelwerk van Bilderdijk behoren ook een parodie op Euripides' *Orestes* (nr. 28) en twee treurspelen op door de Griekse auteur gebruikte intertextuele motieven (nr. 29 en nr. 40). Dezelfde motieven komen ook voor bij Seneca, en in één geval vertoont Bilderdijks bewerking duidelijk gelijkenis met diens op uiterlijke effecten berekende dramaturgie. Ook in andere stukken valt een dergelijke overeenkomst op te merken (nr. 16 en nr. 20).

Toen Bilderdijk het aloude Sofonisba-motief bewerkte, leverde hij als het ware een correctie op een bekend treurspel van de Italiaan Trissino, wiens heldin hij gedweeër en wiens held hij moediger en koninklijker voorstelde (nr. 38). Een motief uit een ander treurspel vertoont opvallende overeenkomst met een werk van Conti (nr. 30). Enige invloed van Metastasio is herkenbaar in Bilderdijks dramatische robinsonade (nr. 12) en zeer duidelijke navolging van deze auteur verraden de handschriften van twee treurspelontwerpen (nr. 15 en nr. 25). In afwijking van de Italiaanse voorbeelden, ontbreken bij Bilderdijk de reien en ziet men een indeling in vijf bedrijven. De Nederlander blijkt een voorkeur te hebben voor het statige, het heftige en het pathetische. Vandaar dat hij de arcadische achtergrond van Metastasio niet overnam en in één geval diens gelukkige ontknoping door een droevig einde heeft vervangen.

Bilderdijks treurspel over *Brutus* (nr. 30) is een bewerking naar de Engelse *Julius Caesar* van Shakespeare, wiens voorbeeld men ook zou kunnen herkennen in een enkel motief van de onvoltooide 'opera' *Willem van Holland* (nr. 16) en van het uitgegeven treurspel *Kormak* (nr. 33). Bij zijn toepassing van de zogenaamde bedtrick in een ander treurspel, werd Bilderdijk wellicht eerder beïnvloed door Thomas Otway dan door Shakespeare (nr. 26).

Zeer duidelijk is de navolging van de inmiddels vergeten Duitse auteur A.H. Niemeyer in Bilderdijks uitgebreide ontwerp voor het bijbelse treurspel *Thirsa* (nr. 13). Bij zijn onvoltooide bewerking van het bekende *Virginia*-motief heeft Bilderdijk waarschijnlijk invloed van Lessing ondergaan (nr. 10); voor zijn uitgegeven treurspel *Kormak* ontleende hij misschien aan Schiller (nr. 33).

Van de Franse dramaturgen kan wellicht Racine worden genoemd in verband met een tafereel uit het gepubliceerde treurspel *Floris de Vijfde* (nr. 31). Een ander motief uit dit treurspel herinnert duidelijker aan Corneille, wiens Sofonisba-opvatting afwijkt van die van Bilderdijk maar wiens spektakelachige interpretatie van Euripides *Medea* bij de Nederlander navolging heeft gevonden (nr. 38 en nr. 29). Van Corneille heeft Bilderdijk het treurspel *Cinna* (nr. 36) vertaald. Daarbij toonde hij zich enerzijds bezorgd voor de 'kieschheid der beschaving', terwijl hij anderzijds pathetische effecten nastreefde. Zijn vertaling vertoont op sommige punten de invloed van de Corneille-kritiek die door Voltaire is geleverd. Herinneringen aan Voltaire ziet men in enkele 'exotische' treurspelontwerpen (nr. 44, nr. 45 en nr. 47), in de bewerking van het op Shakespeare geïnspireerde treurspel over *Brutus* (nr. 30), en in de gepubliceerde tragedie *Willem van Holland* (nr. 32). Met betrekking tot het laatstgenoemde treurspel en tot de dramatische robinsonade (nr. 12), mag de naam van Baculard d`Arnaud met dezelfde gepaste aarzeling worden genoemd, als die van Houdar de la Motte in verband met het *Thirsa*-ontwerp (nr. 13). Boven alle twijfel verheven is Bilderdijks navolging van Marivaux in zijn onvoltooide treurspel over *Hannibal* (nr. 37). Bilderdijk heeft echter gemeend het eenvoudige compositieschema van zijn voorganger met uiterlijke verwikkelingen te moeten uitbreiden. Mindere, maar toch ook aanzienlijke dank, is Bilderdijk voor zijn dramatische robinsonade verschuldigd aan S.R.N. Chamfort (nr. 12). Hij heeft diens compositieschema echter een katastrofale wending gegeven. G.F. Poullain de Sainte-Foy is een Franse auteur van wie Bilderdijk in zijn jeugd twee toneelstukjes heeft vertaald, met als hoofdthema de verheerlijking van de liefde als het hoogste menselijk goed (nr. 3 en nr. 7). In diezelfde periode bewerkte Bilderdijk de Nederlandse prozavertaling van een blijspel door de Deen Ludvig Holberg (nr. 5).

Bilderdijks vertaling van Sofocles` *Oedipus-Rex* (nr. 11) bewijst rivaliteit van de jonge dichter met de roem van zijn landgenoot Vondel. In zijn onvoltooide treurspel over *Jephtah* (nr. 6) heeft Bilderdijk aan Vondel de oplossing ontleend voor een moeilijkheid met de eenheid van tijd, maar zijn opvatting van het treurspel als geheel bewijst grote zelfstandigheid tegenover zijn beroemde voorganger. Onmiskenbaar is dat Bilderdijk zich voor een der beweeglijkste taferelen in zijn uitgegeven treurspel *Willem van Holland* heeft geinspireerd op de *Gijsbrecht* van Vondel (nr. 32). De invloed van dit stuk (en van Hoofts *Geeraerdt van Velsen* is ook merkbaar in Bilderdijks *Floris de Vijfde* (nr. 31), maar zowel tegenover Vondel als tegenover Hooft toont Bilderdijk een opzettelijke zelfstandigheid in de uitwerking van motieven waardoor hij zijn eigen staatkundige overtuiging tot uitdrukking kon brengen.

Ook aan het werk van enkele minder bekende Nederlandse dramaturgen heeft Bilderdijk ontleend. Aan zijn afkeer van vrouwelijke soevereiniteit beantwoordde een motief van J. Van Paffenrode, dat Bilderdijk verwerkte in een historisch treurspel (nr. 35). Zijn voorkeur voor verwikkelingen deed hem in een stuk over Otto III een voorbeeld van Th. Rodenburgh benutten (nr. 48). Dat deze voorkeur bij Bilderdijk kon leiden tot spektakelstukken met kunst- en vliegwerk in de trant van Adriaen Peys en Jan Vos bewijzen zijn *Medea*-bewerking en 'een schets voor een opera' (nr. 29 en nr. 16). De treurspelen over *Willem van Oranje* van Claas Bruin en Onno Zwier van Haren hebben Bilderdijk bij verscheidene onderdelen als voorbeeld gediend toen hij zelf aan een stuk over de Vader des Vaderlands werkte (nr. 8). Simon Rivier, J. Fokke en Hendrik Tollens vervulden een soortgelijke functie bij de compositie van de bijna voltooide *Willem de Vijfde* (nr. 34), maar het verdient onze aandacht dat Bilderdijk bepaalde motieven heeft 'omgekeerd', in overeenstemming met zijn eigen politieke denkbeelden. Tenslotte kan ook in zijn uitgegeven historische treurspelen enige navolging van al lang vergeten Nederlandse dramaturgen worden aangewezen. De expositie en de plaats van de handeling in de *Floris de Vijfde* (nr. 31) gaan terug op een voorbeeld van Coenraed Droste; en de mate waarin het historisch-staatkundige treurspel *Willem van Holland* tevens een liefdestragedie is, wordt mede bepaald door invloed van Frans van Steenwyk (nr. 32).

2. Van imitatie tot emulatie

De lezer van Bilderdijks toneelteksten wordt herhaaldelijk geconfronteerd met motieven en situaties die herinneren aan vroegere lectuur. Wie enigszins thuis is in de Griekse, Latijnse, Duitse, Engelse, Franse, Italiaanse, Spaanse, Deense of Nederlandse literatuur, kan in de nagelaten teksten van Bilderdijk 'oude bekenden' ontmoeten. Laten ze enige (of soms zelfs: vele) veranderingen hebben ondergaan, verschillende taferelen, motieven en personages in Bilderdijks toneelwerk blijken te zijn ontleend aan allerlei auteurs, van Sofocles tot Hendrik Tollens en van Seneca tot Adriaen Peys. Het verwondert dan ook niet dat Bilderdijk op een gegeven ogenblik schrijft dat hij moeilijk aan een treurspel kan beginnen... 'omdat hij geen *boeken* bij de hand heeft'. De brief waarin deze uitlating voorkomt, is nog om een andere reden interessant: hij bewijst dat de dramaturg Bilderdijk niet alleen is opgetreden als navolger, maar al evenzeer als voorbeeld. Het bedoelde schrijven dateert van 24 december 1796 en werd gericht aan Katharina Wilhelmina Schweickhardt, die de dichter om hulp had verzocht bij het opstellen van een treurspel. Dat die 'hulp' in feite tot een tekst van Bilderdijk zelf leidde die door haar alleen maar werd vertaald in Engelse verzen kwam al in de vorige paragraaf en in hoofdstuk VI ter sprake, evenals de mogelijkheid van Bilderdijks hulp aan de treurspelen die Katharina Wilhelmina later heeft gepubliceerd.[575] Terloops merk ik nog op dat Bilderdijk in ieder geval Katharina's vertaling van Racines *Ifigenia in Aulis* heeft 'gecorrigeerd'.[576] Maar Bilderdijk heeft zich ook met het toneelwerk van anderen bemoeid. Toen de Amsterdamse uitgever A. Van der Kroe was begonnen met zijn uitgave *Het Zedelijk Tooneel, bevattende eenige der beste Zedelijke Tooneelspelen, uit verscheidene Taalen bijeengebragt* (1778-1792), heeft hij meermalen het advies ingewonnen van de jonge Bilderdijk. Daaraan is het te danken dat J. Van Panders' toneelstuk *Bousard of de menschlievende Lootsman* (1779) uiteindelijk werd gepubliceerd met veranderingen van de oorspronkelijke opzet; ze werden door de auteur aangebracht op aanwijzing van Bilderdijk. Dat het toneelspel *De Vrijgeest* (1779) van dezelfde schrijver niet werd uitgegeven en pas in 1805 in omgewerkte vorm is gepubliceerd als *De Snoodaard naar Beginzels*, valt eveneens uit Bilderdijks kritische

[575] Vgl. Hoofdstuk VI, par. 1.

[576] Onuitgegeven brief van Bilderdijk aan J. Immerzeel, Portefeuilles Margadant, Bilderdijk-Museum, Amsterdam. De brief is vermoedelijk van april 1809. Vgl. *De dichtwerken van vrouwe Katharina Wilhelmina Bilderdijk*, dl. I, Haarlem 1858, p. 90 e.v.

activiteiten te verklaren.[577] Ook andere toneelteksten zijn met zijn hulp tot stand gekomen. In de vorige paragraaf werd al herinnerd aan zijn medewerking aan het bijbelse treurspel *Thirsa* (1784) van Rhijnvis Feith en aan de treurspelontwerpen waarmee Samuel Wiselius zijn voordeel kan hebben gedaan voor zijn succesvolle treurspel *Polydorus* (1813). OokWiselius' treurspelen *Alcestis* (1817) en *Don Carlos* (1819) hebben wellicht het een en ander aan Bilderdijk te danken.[578]

Minder onmiddellijk zal de invloed zijn geweest die Bilderdijk heeft gehad op het dramatisch werk van A. Van Halmael jr., die zich bij herhaling zijn 'leerling' noemt en wiens treurspel *Gerard van Velzen* (1817) min of meer aansluit op Bilderdijk *Floris de Vijfde*.[579] Daarentegen lijkt het me niet uitgesloten dat de toneelspeler en auteur Jan van Walre meer direct zijn voordeel heeft gedaan met kritische opmerkingen van Bilderdijk. Geheel in overeenstemming met zijn gewoonte om de dichter aan te spreken als 'meester', zond hij hem nog in 1818 de schets van een treurspel (vermoedelijk zijn *Diederijk en Willem van Holland*) ter inzage. Dat Bilderdijk op zijn ouden dag wel meer tragediën in handschrift ter verbetering ontving, blijkt duidelijk uit een brief aan Da Costa van 20 februari 1823. De bijna zeventigjarige heeft op die datum bovendien het manuscript van een verhandeling door Willem de Clercq voor zich liggen en schrijft nu zijn Joodse vriend dat hij heel vroeger eens een opstel van Jeronimo de Bosch van aanmerkingen heeft voorzien, die door de schrijver destijds dankbaar waren benut.[580] Dat gebeurde in 1781; het jaar daarvoor had Bilderdijk een aantal wijzingen voorgesteld bij de tekst van Feiths *Ode aan God*, waarvan de Overijselse dichter er verscheidene heeft benut voor de later gedrukte versie.[581]

Een toneelschrijver van wie, met teksten op tafel, kan worden aangetoond dat hij Corneille, Racine, Shakespeare, Maffei, Mairet, Tristan, Bernard, Longepierre, Crébillon, Rotrou, Dryden, Barbier, Lillo, Piron, La Noue, Sauvigny, en Tronchin op duidelijke wijze heeft geplunderd, zou op de dag van vandaag waarschijnlijk worden beschuldigd van plagiaat. In Bilderdijks tijd dacht men daar anders over. De zoëven gegeven lijst is de kerfstok van niemand minder dan Voltaire. Bédier en Hazard tekenen bij zijn omvangrijke toneelarbeid zonder aarzelen aan: 'Toute situation chez Voltaire reprend une situation déjà exploitée dans le théâtre de XVIIe siècle, et chaque fois des coïncidences d'expression dénoncent l'emprunt'.[582] Voltaire beperkte zich niet tot het ontlenen aan voorgangers; ook de

[577] De veranderingen op voorstel van Bilderdijk zijn aangegeven in Bosch (1955), p. 23 e.v.; 44 e.v.

[578] Vgl. Hoofdstuk IV, par. 2.

[579] Hunningher (1931), p. 22

[580] Onuitgegeven brief aan Wiselius van 26 nov. 1820, Portef. Margadant. Vgl. Br. III, p. 308; Br. IV, p. 76. Voor het genoemde treurspel zie Worp (1908), dl. II, p. 345.

[581] Bosch (1955), p. 83.

[582] Lancaster (1950), dl. II, p. 609; Joseph Bédier et Paul Hazard, *Littérature française*, dl. II, Paris 1924, p. 75.

definitieve vorm waarin zijn navolgingen verschenen werd soms, maar dan op legitieme manier, door anderen beïnvloed. Als hij een tragedie had voltooid, betekende dit: 'qu'elle est prête a être envoyée aux amis, pour etre ensuite corrigée d'apres leurs conseils'.[583] Het feit dat Bilderdijk nu en dan treurspelschetsen ter correctie ontving, is zeker geen bijzonderheid in die tijd. Sommige auteurs hielden hun lezers dan ook niet verborgen dat zij van andermans hulp hadden geprofiteerd. Zo verklaarde J. Fokke in het voorbericht van zijn *Margaretha van Henegouwen* (1775) dat hij zich 'de gegronde aanmerkingen van eenige (z)ijner Kunstvrienden, die (z)ijn ontwerp geleezen hebben ten nutte gemaakt' had.[584] Al eerder zagen we dat Rhijnvis Feith dank bracht aan een ongenoemde literaire 'vriend', die hem had (of zou hebben?) geholpen bij het ontwerpen van zijn politiek toneelspel *De Patriotten* (1785). Wat Feith anderzijds niet verhinderde te zwijgen over de hulp van zijn 'vriend' Bilderdijk bij het tot stand komen van zijn bijbels treurspel *Thirsa* (1784). Er bestonden velerlei mogelijkheden en praktijken. Er waren zelfs auteurs – en nu wordt het weer illegitiem – die verzwegen dat ze een toneelstuk zonder bronvermelding letterlijk hadden vertaald of met kleine wijzigingen van een ander hadden overgenomen. Alleen als een auteur extra succes boekte, kwamen afgunstige collega's soms met beschuldigingen van ontlening voor de dag. Worp heeft interessante bijzonderheden over dergelijke 'Schrijversmanieren' meegedeeld en daarbij verschillende manipulaties met handschriften van nog ongedrukte maar al gespeelde stukken aan het licht gebracht.[585]

In zijn *Aenleidinge ter Nederduitsche dichtkunste* (1650) raadde Vondel zijn jongere kunstbroeders aan behendig te stelen uit het werk van anderen: zodanig dat de boeren het niet merken en de geleerden erdoor verrast worden. Bij al zijn artistiek zelfbewustzijn was Vondel als renaissancistische kunstenaar er zich ook van bewust dat het er in de kunst op aan komt van zijn voorgangers te leren, ze vervolgens te evenaren en ze ten slotte te overtreffen: het renaissancistische *Translatio-imitatio-aemulatio*.[586] Pas later ontstonden de typisch romantische kunstopvattingen over artistieke originaliteit, waarbij het kunstenaargenie werd voorgesteld als priesterlijk bemiddelaar tussen goden en gewone stervelingen: dat gaat van Hölderlin tot en met Kloos en Adriaan Roland Holst. De veranderende artistieke mentaliteit kwam onder meer tot uitdrukking in de *Conjectures on original composition* van Edward Young. In dit essay van 1759 werd de notie van artistieke waarde uitdrukkelijk verbonden met het begrip originaliteit. De idee dat waarachtige kunst oorspronkelijkheid veronderstelt, vond vooral weerklank bij de vroege Duitse romantici. Auteurs als Gottsched in Duitsland en Pope in Engeland waren daarentegen van nature gekant tegen de door Youngs geschrift versterkte cultus van het

583 Lion (1895), p. 98.

584 J. Fokke, Margaretha van Henegouwen, Gravin van Holland en Zeeland, Amsterdam 1775.

585 Worp (1908), dl. II, p. 220 e.v.

586 Zie het aldus getitelde artikel van Warners (1957). Over de invloed van Vondels *Aenleidinge*: Wille (1935), p. 84, 105.

'Originalgenie'. En ze waren dat in naam van dezelfde eerbied voor de literaire overlevering als die blijkt uit het *Encyclopédie*-artikel over 'Imitation' door de Franse nieuwlichter Diderot, waarin men leest dat de grootheid van de veel nagevolgde Vergilius berust op het feit dat hij zelf veel en velen had nagevolgd. Zonder ooit kennis te hebben genomen van Vondels kleptomaan geïnspireerde goede raad, maakte Jonathan Swift in zijn *The battle of the books* (1704) de vergelijking tussen een spin die zijn draden uit zichzelf haalt en een ijverige bij die zijn honing uit de bloemen zuigt. Swift gaf de voorkeur aan de bij en dat deed ook Diderot toen hij anoniem in zijn encyclopedie-artkel schreef: 'Il faut comme une abeille diligente, voler de tous côtés, et s'enrichir du suc de toutes les fleurs'. Bilderdijk had dezelfde mening. Hij schreef in zijn lyrisch leerdicht *De kunst der poezy* (1809) dat zijn dichtkunst uitsluitend een kwestie van 'gevoel' was, maar hij voegde daar in een ander gedicht aan toe dat het voor hem geen verschil maakte of dit gevoel voortkwam uit eigen bron of door 'een andere borst (z)ijn boezem (werd) ingegoten.' Bilderdijk raadde zijn mededichters aan vrijmoedig en hoogmoedig 'te plonderen als met aadlaarsklauw' uit de illustere voorbeelden 'van Romeren en Grieken'. Op 16 december 1828 bekende Goethe tegenover Eckermann: 'Ich verdanke den Griechen und Franzosen viel, ich bin Shakespeare, Sterne und Goldsmith unendliches schuldig geworden...' En hij voegde daaraan toe: '...es haben seit Jahrtausenden so viele bedeutende menschen gelebt und gedacht, dasz wenig Neues mehr zu finden und zu sagen ist'.[587]

Wat wij 'originaliteit' noemen, was een zeldzaamheid in de achttiende-eeuwse toneelliteratuur. Van Schoonneveldt onderzocht zeventig 'oorspronkelijk-Nederlandse' stukken en kwam tot de ontdekking dat ze wemelden van motieven en personages die in de Franse literatuur zijn terug te vinden. Uit andere studies blijkt weer dat de Fransen op hun beurt verschillende buitenlanders en elkaar bestalen.[588] Het laatste deden de Nederlanders ook wel, maar over het algemeen vonden ze hun bronnen in het buitenland. Worp somt ongeveer duizend stukken op die in de achttiende eeuw in het Nederlands werden vertaald en ook als vertaling bekend zijn. Men mag aannemen dat zijn lijsten belangrijk zouden kunnen worden uitgebreid als iemand de moed opbracht om al de 'oorspronkelijke' stukken uit die periode op hun originaliteit te toetsen. Terloops zij in dit verband nog opgemerkt dat tegen 1776 ook Duitse toneelstukken in het Nederlands werden vertaald; na 1789 werd hun aantal zelfs groter dan dat van de treurspelen die uit het Frans werden overgenomen.[589]

[587] Deze alinea heb ik bekort overgenomen in mijn essay *Schrijven op het puin van Dresden. Oorlog en verwoesting als verhaal*, Westervoort 2005, p. 65, waar, op p. 69 en 122, het begrip 'oorspronkelijkheid' ook aan de orde komt n.a.v. Goethe en Valéry. (Een standaardwerk m.b.t. de overgang van mimetisch-classicistische, naar expressieve romantische literatuur is Abrams, 1953). Het 'ander gedicht' is de 'Voorzang' bij Bilderdijks vertaling van Popes *Essay on man*: zie *Tweede Boek*: hfdst. XIX, slot par. 2.

[588] Van Schoonneveldt (1906); Lancaster (1950).

[589] Spoelstra (1931).

Bilderdijks activiteiten als navolger en als voorbeeld blijken minder onthutsend zodra men zich verdiept in het letterkundig leven van zijn tijd. Vondel had in zijn hier al genoemde *Aenleidinge* (1650) geschreven dat de Natuur de dichter baart en de kunst hem opvoedt. In de achttiende eeuw meende men hem te moeten corrigeren met het adagium: 'De konst is niemandt aangeboren, / Maar wordt door Oeffening bejaagt en arrebeidt'. De classicistische toneelvoorschriften werden niet langer beschouwd als een uit de praktijk gegroeid middel om tot een grotere dramatische concentratie te komen, maar dreigden de toneelliteratuur te degraderen tot een gezelschapsspel voor 'letterminnaars'. Het is de periode van de dichtgenootschappen; het creëren in groepsverband zat de literatoren zo in het bloed, dat de enkeling die zich door de muze geroepen waande meermalen geen gehoor durfde geven aan de stem van zijn eigen inspiratie zonder voorafgaand overleg met zijn vakbroeders. Maar roeping door de muze was niet eens nodig, althans niet voor de dramatische dichter. De tot in den treure geformuleerde kunstregels hadden de tragedie verlaagd tot een invuloefening. In Frankrijk volgde een legertje treurspelfabrikanten de door Corneille, Racine en Boileau opgestelde voorschriften. Men werkte naar een vast patroon en de dramatis personae die daarin werden ondergebracht, waren steeds mythologische of minstens vorstelijke gestalten. De klassieke oudheid, de bijbel, de vaderlandse en de Europese geschiedenis leverden aanvankelijk voldoende stof, maar op den duur raakten zelfs deze leveranciers uitgeput. In het door de treurspeldichters aangenomen conventionele geschiedenisbeeld waren figuren als een Achilles of Orestes tot vaste karakters geworden en op een gegeven ogenblik kon worden vastgesteld dat alleen al 'de familie van Agamemnon' een dertigtal stukken aan het Parijse toneel had geleverd. Koningen en veldheren wier ondergang nog niet in een treurspel was verwerkt, waren er bijna niet meer te vinden en daarom nam men zijn toevlucht tot exotisme. Voltaire maakte in zijn tragediën een ware 'tour du monde', maar moest in 1761 toegeven dat hem, 'après avoir ete en Amerique et en Chine', niets meer overschoot 'que d'aller dans la lune'![590] De uitspraak is een beetje overdreven in de mond van de handige Voltaire, die immers al lang een ander middel had ontdekt om aan nieuwe onderwerpen te komen. Lion constateerde terecht dat zijn treurspelen *Sémiramis* en *Les Lois de Minos* niets anders zijn dan contrafacten van de tevoren gepubliceerde *Eriphyle* en *Les Guèbres*. Op dezelfde wijze oogstte Boursault na het echec van zijn *Germanicus* nog grote successen met hetzelfde stuk, door de namen van de dramatis personae te veranderen en het treurspel voortaan *La princesse de Clèves* te noemen.[591]

Als men zich nu herinnert dat vooral Frankrijk het grote voorbeeld van onze toneeldichters was, zijn er geen redenen meer om veel originaliteit in de Nederlandse treurspelen te verwachten. Wat ze vooral te zien geven, zijn prinsessen of vorstinnen die op

[590] Lion (1895), p. 121, 272. Vgl. De Clercq (1826), p. 212 e.v.

[591] Lion (1895), p. 68, 352, 357; Worp (1908), dl. II, p. 163.

een andere wijze in hun liefde worden gedwarsboomd. Ze mogen niet huwen met degene die ze liefhebben, hun minnaar komt in conflict met de koning of ze worden gedwongen te trouwen met iemand die ze in geen geval willen en die soms zelfs de moordenaar van hun minnaar of gemaal is. Verder kan zo'n prinses het voorwerp der verlangens zijn van een verwaten hoveling die haar vader van de troon wil stoten; ook is het mogelijk dat twee jongelingen tegelijk op haar verliefd worden (bij voorkeur zijn die twee jongemannen dan broers of vrienden). Herkenningen zijn aan de orde van de dag. Prinsen die eigenlijk al lang dood moesten zijn, duiken op de meest onverwachte ogenblikken aan het hof op en worden verliefd op een prinses. Een ring, een brief of een ander kenteken bewijst wie ze zijn. Dikwijls gaat de herkenning weer gepaard met een revolutie die een einde maakt aan het bewind van een tiran die de wettige koning heeft verjaagd. Maar genoeg hierover: in het proefschrift van Van Schoonneveldt vindt men nog enige andere mogelijkheden, benevens een vrij volledige beschrijving van de toenmalige treurspel-stijl.[592] Wie trouwens de in de *Bijlage* van dit *Eerste Boek* opgenomen teksten van Bilderdijk doorleest, komt ongeveer met alle variëteiten en personages op de hoogte. Hij zal tevens ontdekken dat ook de Nederlandse dichter het vermelde compositie-trucje van Voltaire heeft toegepast. Bilderdijks treurspel over een *onbekende* [Poolse] *prinses* is immers niet veel meer dan een contrafact van zijn oosterse tragedie over *Aza,* of omgekeerd. Hoe handig Bilderdijk 'originele' ontwerpen in elkaar draaide met gebruikmaking van situaties uit het werk van Metastasio, meen ik eveneens te hebben aangetoond.[593] Ook in Nederland dreigde een 'impasse' doordat de bronnen van de treurspeldichters waren uitgeput![594]

In 1776 verklaarde de adellijke toneelschrijfster Juliana Cornelia de Lannoy ronduit dat het onmogelijk was iets nieuws te brengen. Bijna tien jaar eerder verzuchtte Jan Nomsz naar aanleiding van zijn eersteling *Amosis* (die nog door talrijke andere stukken zou worden gevolgd!): 'De onderwerpen zijn geheel uitgeput; er zijn geen Treurspelen meer te maken, zonder dat men in het eene of andere toneelstuk valt, dewijl er geene caracters of onderhandelingen meer zijn, die niet reeds geschikt en ten tooneele gevoerd zijn'. Waar een literair genre zich op zo'n wijze heeft ontwikkeld, krijgt de vraag naar de oorspronkelijkheid een heel andere inhoud dan ze doorgaans heeft. Het woord 'originaliteit' betekent dan niet dat een schrijver het vermogen heeft om iets geheel nieuws te maken, maar het duidt aan dat hij op oorspronkelijke wijze van een aangenomen model weet af te wijken. 'Alle roem, dien men hedendaags door het maken van tooneelstukken

[592] Van Schoonneveldt, p. 55 e.v. (Vgl. de opmerkingen van Truchet -1972-, dl. I, p. XXVI e.v. over structuur en stijl van het Franse treurspel.)

[593] Hfdst. VII, par. 2 en 3; VIII.

[594] De Haas (1997), p. 138, noemt als een van de oorzaken voor de dalende productie van oorspronkelijke Nederlandse treurspelen tussen 1725 en de jaren zestig dat 'de voor een treurspel geschikt geachte onderwerpen uitgeput waren.' Zij citeert in dit verband de later, in 1775, verschenen *Verhandeling over den schouwburg* van Cornelis van Engelen, die meende 'dat er noodwendig eene *Monotonie* in de Tooneelstukken moet koomen, dat zy bykans allen over eenen kam geschooren zijn, en dat men een douzyn geleezen hebbende, steeds in het zelfde valt, en hen bykans allen geleezen of gezien heeft.'

kan behalen is gelegen in de behandeling der caracters; wie de ingrediënten om zoo te zeggen behaaglijkst weet te verkneden heeft de meeste verdiensten', meende de vergeten treurspeldichter Nomsz toen hij in 1768 aan het begin van zijn schrijversloopbaan stond.[595] Vittorio Alfieri, zijn beroemde Italiaanse 'collega', heeft eveneens opmerkingen over de achttiende eeuwse oorspronkelijkheid gemaakt. Hij deed dat pas in 1789, bij de Parijse verzamel-uitgave van zijn (19) tragediën en begon met de bekentenis: 'Se la parola invenzione in tragedia si restringe al trattare soltanto soggetti non prima trattati, nessuno autore ha inventato meno di me.' Interessant is het vervolg: 'Se poi la parola invenzione si estende fino al far cosa nuova di cosa già fatta, io son constretto a credere che nessuno autore abbia inventato più di me; poichè nei soggetti appunto i più trattati e ritrattati, io credo di avere in ogni cosa tenuto metodo, e adoperato mezzi, e ideate caratteri, in tutto diversi dagli altri. Forse men buoni, forse men propri, e forse men tutto; ma miei certamente'.[596]

Het is dit door Alfieri geformuleerde standpunt dat blijkbaar door traditioneel ingestelde treurspelschrijvers werd ingenomen. Dit verklaart waarom een dichter als Voltaire met opzet aan treurspelen is begonnen waarvan de stof al door beroemde voorgangers was gebruikt.[597] Maar er was ook een ander standpunt mogelijk. En dat vindt men bij nieuwlichters als Diderot en Mercier. De eerste schreef in het bij zijn burgerlijk drama *Le père de famille* gevoegde *Discours sur la poésie dramatique* (1758) dat bij uitputtingsverschijnselen van een oud genre het tijd wordt een nieuw uit te vinden. De tweede schreef in zijn *Essai sur l'art dramatique* (1773) een apart hoofdstuk over 'De

[595] Citaten bij Van Schoonneveldt, p. 42 en p. 45; *Vaderlandsche Letteroefeningen* 1877, dl. II, p. 496. Het is merkwaardig dat juist de man die deze eerlijke bekentenis deed, tenslotte zelf werd beschuldigd van plagiaat en naar aanleiding van zijn eerste treurspelen (het tweede was *Zoroaster*, van 1768) een pamflettenstrijd zag ontbranden die een der hoogtepunten vormt van de toneelruzies waaraan de achttiende eeuw, blijkens de voorwoorden van vele treurspelen, zo bijzonder rijk was. Vgl. Worp (1908), dl. II, p. 147. Een halve eeuw tevoren had de toneeldichter Coenraed Droste zich in de voorrede bij zijn treurspel *Vrouw Jacoba van Beyeren* (1710) al verdedigd tegen 'muggezifters' die hem op ontleningen hadden betrapt. Hij verwees naar de *Saturnalia* van Macropedius, waar wordt goedgekeurd dat Vergilius verscheidene oudere schrijvers heeft nagevolgd. En bij de uitgave van zijn treurspel *Mariamne* rijmde Droste dat 'D'eer van d'uytvinding' er op neer kwam dat men zelf 'schicking' had gegeven aan een bekend onderwerp. Wat volgens hem weer niet wegnam dat de hoogste vorm van oorspronkelijkheid wordt bereikt door een geschiedenis die 'noyt verhandelt is, of anders is vertoont'. (Droste, 1710). Met een beroep op Aristoteles en Horatius, die hij als het ware tegen elkaar uitspeelt, wijst Huydecoper erop dat het onderwerp van zijn treurspel *Arzazes, of het edelmoedig verraad* (1722) ontsproten is aan zijn eigen verbeelding. (De Haas -1998-, p. 54, citeert de mening van Nil Volentibus Arduum (1670) dat 'het meerder kunst was een quaalijk gestelt Spel in het overzetten te verbeeteren, als een geheel Spel van nieuws op te slaan.')

[596] Van Schoonneveldt, p. 42. *Tragedie di Vittorio Alfieri da Asti*, volume quinto, Parigi 1789, p. 386, 387. Men mene niet dat Alfieri het zichzelf gemakkelijk maakte als dichter. Zijn Don Carlos-treurspel *Filippo* bijvoorbeeld had een Frans stuk van Campistron als uitgangspunt, werd in 1775 in Frans proza geschreven en herschreven, vervolgens in het Italiaans vertaald en verwerkt en daarna herhaaldelijk bewerkt en herwerkt in Italiaanse verzen, die nadien weer werden bijgeschaafd. Het verscheen tenslotte in 1783 (Emilio Bertana, *Vittorio Alfieri studiato nelle Vita, nel Pensiero en nell' Arte*, Torino 1904, p. 404; Nuncio Vaccalluzzo, uitgave van *Bruto secondo*, Livorno 1936; Carmine Jannaco, *Tragedie, edizione critica*, dl. I, Asti 1952).

[597] Over de rivaliteit tussen Voltaire en Crébillon die blijkt uit de *Sémiramis*, *Oreste* en *Rome sauvée* van eerstgenoemde, zie: Lion, p. 193 e.v. Tevens wordt aldaar (p. 377 e.v.) gesproken over Voltaires *Sophonisbe* en *Les Pélopides* waarvan het eerste een stof behandelt die al door Mairet en Corneille was bewerkt, terwijl het tweede een 'Dernière passe avec Crébillon' betekende.

nouveaux sujets dramatiques que l'on pourroit traiter' en hij nam vervolgens Voltaire onderhanden, die beweerd had dat de toneelkarakters uitgeput waren.[598]

Waar Bilderdijk als toneeldichter aan de kant staat van Alfieri en Voltaire (en dat is meestal het geval) kunnen de afwijkingen van de door hem gebruikte 'bronteksten' worden onderscheiden in twee soorten. Er zijn veranderingen die moeten worden verklaard uit Bilderdijks interpretatie van een bekend intertextueel literairhistorisch motief en er zijn afwijkingen van toneeltechnische aard, meer in samenhang dus met zijn opvattingen van het treurspel als literair genre.

Van de eerste soort is een geschikt voorbeeld het helaas weinig uitgewerkte ontwerp voor een treurspel over Sofonisba, dat de verdienste heeft op enkele belangrijke punten van een veertigtal andere tragediën over dit onderwerp af te wijken. Deze afwijkingen hebben tot gevolg dat het karakter van de twee hoofdfiguren totaal anders wordt dan in eerdere Sofonisba-treurspelen. In de vroegere bewerkingen van het motief ziet men Sofonisba als heroische vrouw tegenover haar zwakke, zelfs lafhartige gemaal Syfax. Dit is rechtstreeks in tegenspraak met Bilderdijks oud-testamentische opvatting van het huwelijk en zijn heftige bestrijding van de gelijkheidsleer die het onderscheid tussen man en vrouw opheft. Toen Bilderdijk het eeuwenoude motief voor het toneel ging bewerken, bracht hij het in overeenstemming met zijn eigen ideeën over de verhouding tussen de beide kunnen. Syfax werd een dapper krijgsman, Sofonisba een onderworpen echtgenote.[599] Zeer oorspronkelijk zijn Bilderdijks interpretaties zodra hij een historisch onderwerp te bewerken krijgt dat al door andere auteurs is benut. Men vergelijke slechts zijn in 1808 uitgegeven treurspel *Floris de Vijfde* met de *Geraerdt van Velsen* door P.C. Hooft, waarin hetzelfde gegeven is behandeld. De tirannieke graaf van de Muiderdrost wordt bij Bilderdijk een onschuldig martelaar. Dat Bilderdijks treurspel over *Willem de Vijfde* een doorlopende correctie is op de treurspelen van een drietal voorgangers, is zonder veel moeite vast te stellen.[600] De afwijkingen in zijn vaderlandse treurspelen zijn vooral te verklaren uit Bilderdijks politieke denkbeelden als historicus. Soms worden zijn radicaal-monarchistische ideeën op staatkundig gebied er de oorzaak van dat hij een door anderen bewerkt literairhistorisch motief zonder meer omkeert. Een sprekend voorbeeld daarvan is zijn ontwerp voor een treurspel over *Virginia,* waarin de Romeinse tienman Appius, die zowel uit de geschiedenis als de dramatische literatuur bekend is als een schurkachtig tiran, plotseling te voorschijn komt als een voortreffelijk mens. Al de slechte eigenschappen die deze bestuurder steeds werden toegeschreven, draagt Bilderdijk over op zijn tegenstanders.[601] Dit voornamelijk uit staatkundige denkbeelden te verklaren middel tot

[598] Folkierski (1925), p. 460; Mercier (1773), p. 110 e.v. ; 168, 169.

[599] Hfdst. IV, par. 5.

[600] Hfdst. X, par. 2, 3.

[601] Hfdst. IV, par. 4.

originaliteit heeft Bilderdijk ook willen toepassen in een treurspel over *Don Carlos*. Hij meende dat 'de omkeering' der schuld van Vader op Zoon wel 'iets treffends zou opleveren' en zag daartegen geen enkel bezwaar omdat 'het geval-zelf behoort onder de mysteriën der geschiedenis'.[602]

Van verschillende aard zijn de resultaten als Bilderdijk een bekend literairhistorisch motief praktisch intact laat, maar in de structuur van zijn treurspel van voorgangers wenst af te wijken. Dergelijke veranderingen steunen op zuiver dramaturgische overwegingen. Twee mooie voorbeelden leveren zijn navolgingen van Metastasio. Het treurspel *Reimond, koning van Trebisonde* gaat terug op de *Olimpiade* van de Italiaan. Bilderdijk, vasthoudend aan de eis van vijf bedrijven, stond voor de moeilijkheid dat hij het stuk van Metastasio met twee akten moest uitbreiden. Hij slaagde erin een ontwerp te maken waarin alle gebeurtenissen onder de ban van een klassieke idee (het 'orakel') werden gehouden en zonder bezwaar offerde hij daar de psychologische motivering van de handeling aan op.[603] Dit stuk schreef hij waarschijnlijk rond 1784. Vijftien jaar later ontwierp hij een nieuwe bewerking naar Metastasio en nam daarvoor de *Demetrio* tot voorbeeld. Ook nu breidde hij het stuk uit tot vijf bedrijven: een Frans-classicistisch uitgangspunt dus. Maar de overdreven aandacht voor de vijfdelige structuur noodzaakte Bilderdijk tot de toevoeging van enkele woelige episoden die rechtstreeks indruisen tegen een veel belangrijker kenmerk van het klassieke treurspel: de eenheid van handeling namelijk, waarvan in zijn ontwerp weinig of niets overblijft.[604]

De bewerkingen naar Metastasio illustreren door hun afwijkingen een ontwikkeling in Bilderdijks dramaturgie. Het ontwerp van zijn treurspel over *Cleonice* (Metastasio's *Demetrio*) ontstond rond 1798, toen Bilderdijk een volledige vertaling van Shakespeare overwoog. Dat hij zich ook later met Shakespeare heeft beziggehouden, bewijst zijn ontwerp voor een treurspel over *Brutus*, dat zeer duidelijk teruggaat op de *Julius Caesar*. Het laatstgenoemde stuk munt niet uit door 'eenheid van handeling'. In de eerste drie bedrijven gaat het om de ondergang van Caesar; in de laatste akten worden de lotgevallen van Brutus ten tonele gevoerd. Men heeft daarom wel beweerd dat dit treurspel eigenlijk *Brutus* zou moeten heten en zelfs is verondersteld dat de tragedie van Shakespeare een samenvoeging zou zijn van een tweetal vroegere stukken.[605] Nu is het interessant na te gaan wat er met het Engelse stuk is gebeurd toen het in handen viel van Voltaire. De Fransman zag in Shakespeare: 'un génie plein de force et de fécondité, de naturel et de sublime', maar hij vond hem eveneens 'un grand fou... sans la moindre étincelle de bon goût et sans la moindre connaissance des règles'. Bij de *Julius Caesar* merkt hij op dat het stuk vol

---

[602] Br. III, p. 130. Vgl. hfdst. VI, par. 5.

[603] Hfdst. VIII, par. 1.

[604] Hfdst. VIII, par. 2.

[605] F. de Backer en G.A. Dudok, De complete werken van William Shakespeare in de vertaling van Dr. L.A.J. Burgersdijk, vijfde druk, dl. II, Leiden 1944, p. 623.

staat met 'irrégularités barbares' en 'fautes grossieres'. Maar wat wil men ook van een werk 'composé dans un siècle d'ignorance, par un homme qui ne savait pas le latin et qui n'eut de maître que son génie'?! De verlichte Voltaire, die blijkbaar wel Latijn kende en wiens 'génie' de eigengereide regels van de achttiende-eeuwse poëtica tot 'maître' had, verbaast er zich over dat Shakespeares stuk niet eindigt na het derde bedrijf, waarin Caesar de dood vindt en de hoofddaad dus is voltooid. De eenheid van handeling eist volgens hem dat het treurspel op dit punt wordt afgesloten.

Voltaire heeft zich niet tot kritiek beperkt. Zijn *La mort de César* (geschreven in 1731) is een 'verbetering' van Shakespeare en eindigt dus na de moord op Ceasar die (natuurlijk vanwege de 'bon goût') niet op het toneel wordt vertoond. Het feit dat het lijk van de veldheer later onder een 'robe sanglante' voor het voetlicht wordt gebracht en dat het stuk van Voltaire maar drie bedrijven heeft, bewijst evenwel dat hij zelf nogal een ruim standpunt tegenover de kunstregels heeft ingenomen. Zijn stuk was dan ook bedoeld als iets nieuws. Al wilde hij geen vertaling geven van het 'monstrueuze stuk' dat de Engelse dichter geschreven had, zijn treurspel moest iets worden 'dans le goût anglais' Tegelijkertijd zou het gegeven ervan worden teruggebracht tot een enkele hoofddaad die – met opzettelijke uitschakeling van de gebruikelijke liefdestonelen – moest zijn verdiept tot een 'lutte psychologique' in de trant van Corneille. Lion constateert: 'Ainsi Voltaire n'a pas voulu faire, comme Shakespeare, un tableau d'histoire, mais une tragédie psychologique digne de Corneille... plus mouvementée et plus pathétique, tout en restant dans les règles.' Het resultaat vat hij niet onaardig samen in de uitspraak: 'C'était corriger a la fois Shakespeare par Corneille et Corneille par Shakespeare...'[606]

Na Voltaire komt Bilderdijk. In 1783 spreekt de Nederlander over de 'winderigheid' en de 'veelvuldige laagheden' van Shakespeare; in 1808 noemt hij hem een 'ruwen doch menschkundigen auteur'. Hij prijst zijn karaktertekening en raadt de Nederlandse toneelschrijvers aan:

> ...zie aan Shakespear af, wat by hem is te vinden:
> Karakterschets; gesprek; het menschlijk hart te ontwinden;
> Der driften schildring in haar vorming, aanwas, kracht!
> Zie daar zijn lof, zijn deugd! De rest is waard belacht.[607]

[606] Lion, p. 41, 43; 56; 59; 60, 61; 62. Fournier schrijft in zijn inleiding tot Voltaires *Théâtre complet* (1874), p. XV: 'Bref, il le [= Shakespeare] sapa, le démolit pièce à pièce, faisant un peu comme ces voleurs qui brûlent la maison pour qu'on ne voie pas ce qu'ils ont pris.'

[607] Willem Bilderdijk, *Verhandeling over het verband van de dichtkunst en welsprekendheid met de wijsbegeerte*, Amsterdam 1836, p. 208 (de eerste druk van dit werk verscheen in 1783. Vgl. voor de datering Bosch -1955-, p. 208); Trsp., p. 120. 'Het tooneel', DW. VII, p. 20. De eerste regel van dit citaat is typerend voor het eclectisch karakter van de aanmoediging tot ontlening. Een eclectisme dat Folkierski (1925), p. 328, ook aantrof bij Diderot, die schreef dat men van de Engelsen alleen moet ontlenen wat 'juste' is.

Bilderdijks bezwaren tegen Shakespeare zijn van dezelfde, classicistische aard als die van Voltaire. Hij erkende in de Engelse dichter het genie, maar moest tevens opmerken dat hem de goede smaak, evenals een juist besef van het deftige treurspel te enenmale ontbrak.[608] Zoals we al zagen in het vierde hoofdstuk, heeft ook Bilderdijk de *Julius Ceasar* van Shakespeare bewerkt. De 'eenheidsopvatting' van het classicisme bracht hem daarbij tot een gelijksoortige 'verbetering' als zijn Franse voorganger. Ook hij meende blijkbaar dat de Engelsman teveel in zijn bekende tragedie had behandeld: of de dood van Caesar (Shakespeares eerste drie bedrijven), of de ondergang van Brutus (de laatste akten van het Engelse stuk). Koos Voltaire het eerste motief voor zijn al besproken treurspel: Bilderdijk nam zich voor een tragedie te schrijven die alleen de lotgevallen van Brutus zou uitbeelden. Hij wilde zijn stuk dan ook openen met een toneel dat verdacht veel lijkt op het begin van Shakespeares vierde bedrijf. Overigens is Bilderdijk erin geslaagd om het gegeven van de vierde en vijfde akte van het Engelse stuk zodanig te schikken, dat een interessant ontwerp is ontstaan voor een treurspel in vijf bedrijven.[609] Wat de uiterlijke vorm betreft, wijkt zijn ontwerp dus af van Voltaires tragedie, die immers maar drie bedrijven telt. Afwijkend van Voltaire is ook het gegeven dat de liefde wel degelijk een rol speelt in het stuk van Bilderdijk. Wat hij daarentegen wèl aan Voltaire heeft ontleend, schijnt de 'lutte psychologique' in de figuur van Brutus te zijn. Nergens blijkt dat Bilderdijk de speciale bedoeling had een dramaturgisch nieuwtje te brengen. Toch vertoont ook zijn stuk enkele eigenaardigheden die wijzen op een niet zeer strenge toepassing van de regels, waarvan de voortreffelijkheid juist door de 'verbetering' van Shakespeare moest worden aangetoond. Streng classicistische helden plegen nu eenmaal niet met drieën tegelijk zelfmoord op het toneel; zij zien zelden schimmen en ze dragen ook geen geheimzinnige offers op aan de 'Goden der duisternis'.[610]

Terwijl de stukken van Voltaire en Bilderdijk enerzijds de voortreffelijkheid van het classicisme tegenover Shakespeares 'monstrueuze laagheden' en zijn gebrek aan eenheid trachten te bewijzen, verraden ze anderzijds dat hun auteurs zich niet aan de invloed van de geniale Engelsman hebben kunnen onttrekken. Daarom zijn ze ook zo interessant als voorbeelden van de achttiende-eeuwse oorspronkelijkheid. Ze tonen aan dat de originaliteit van de toenmalige treurspeldichters slechts bestond uit kleine afwijkingen van het door de kunstregels gedecreteerde schema, of uit de toepassing van diezelfde regels op een literairhistorisch motief dat eerder was behandeld door iemand die geen andere

608 Trsp., p. 120, 121.

609 Zie hfdst. IV, par. 7.

610 De tekst van Bilderdijk is opgenomen in de Bijlage. Vgl. hfdst. IV, par. 7. Uiteraard wijkt Bilderdijks ontwerp ook op politiek niveau af van Voltaire, over wiens *La mort de César* Fournier (1874, p. XVI) schrijft: 'tout empreinte de sentiments anglais c'est à dire républicains'.

voorschriften kende dan de 'volle kragt en luister' van wat Van Alphen in zijn *Theorie der schoone Kunsten* 'de genie' noemde.[611] Waarover meer in het *Tweede Boek*.

[611] Van Alphen (1778), dl. I, p. XXXVI. (In 1982 verscheen een studie van Roland Mortier over het begrip 'originaliteit' als nieuwe esthetische categorie ten tijde van de Verlichting, waarin echter ook aandacht wordt gevestigd op tegenstand ten aanzien van de cultus van het genie en de oorspronkelijkheid bij talrijke auteurs, onder wie vooral Gottsched, Pope en later ook Goethe en Schiller: Mortier 1982.)

BIJLAGE

BILDERDIJKS ONVOLTOOID TONEELWERK: TEKSTEN

[op bijgevoegde cd-rom]

TWEEDE BOEK:
THEORIE

Verklaring

DER

TITELPLAAT.

De ONSTERFLIJKHEID bekroont het *lijk*
Van Hollands wonder, BILDERDIJK,
Wien 't *licht*, uit hooger sfeer gedaald,
Met onuitdoofbren *glans* bestraalt.
Der Helden ZANGGODIN betreurt
Den Dichter, aan haar liefde ontscheurd.
Wien, eerst bij 't scheiden van de ziel,
Alceus forsche *luit* ontviel.
Haar ZUSTREN grifflen op den muur
Zijn' *naam*, die eeuwen tart in duur;
Terwijl de lijkhulde in 't gewelf
Gesproken wordt door PALLAS zelv'.
't Gevleugeld ROS, dat, dag en nacht,
Naar Pindus top den Zanger bragt,
Ziet vruchtloos naar een' ruiter om.
De TIJD ontsluit het heiligdom:
En heinde en verr' galmt overluid
De FAAM des Dichters glorie uit.

J. VAN LENNEP.

10. Verklaring der titelplaat door J. van Lennep.

11. Titelplaat van *Gedenkzuil voor W. Bilderdijk*, uitg. M. Westerman & Zoon, Amsterdam 1833

Inleiding tot het tweede boek: Theorie

Toen de drieëntwintigjarige Bilderdijk in 1779 zijn eerste Sofoclesvertaling publiceerde, schreef hij in de *Voorafspraak* dat hij al geruime tijd verlangde naar een 'volledige handleiding tot de regelmatige Toneelpoëzy' door een auteur die kundig en ervaren zou zijn in alles wat de dichtkunst betreft. Het jaar daarop herhaalde hij deze wens in zijn *Brief van den navolger van Sofokles Edipus*.[612]

Men mag hieruit niet concluderen dat er volgens Bilderdijk door zijn landgenoten te weinig aan toneeltheorie werd gedaan. Het tegendeel blijkt uit de *Voorrede* bij zijn tweede Sofoclesvertaling van 1789. Daarin schreef Bilderdijk dat, sinds Hiëronymus van Alphen het gros der natie met de term *theorie* bekend had gemaakt, er 'tegen de klippen aan' allerlei onzin, paralogismen en belachelijke regels en lessen werden uitgekraamd en gedrukt. Bilderdijk hoopte daarom zelf nogeens een theoretisch werk te schrijven met een bestrijding van alle 'wanbegrippen, die men thands voor orakelen uitvent'.[613]

De theorie, en met name de toneeltheorie, werd door de jonge Bilderdijk erg belangrijk geacht. Dat wordt, behalve door de hier genoemde geschriften, ook bewezen door zijn briefwisseling met Rhijnvis Feith, door enkele kritieken voor de uitgever A. van der Kroe en door zijn bekroonde *Verhandeling over het verband van de dichtkunst en welsprekendheid met de wijsbegeerte*. Al deze geschriften zijn ontstaan tussen 1777 en 1783, met uitzondering van de 'merkwaardige Voorrede' (Kollewijn) bij de tweede Sofoclesvertaling, die vijf jaar later met enige haast en tegenzin werd geschreven.[614] De eerste periode waarin Bilderdijk zich diepgaand met de theorie van het toneel wilde bezighouden, was toen eigenlijk al voorbij.

Bilderdijk begon dit onderwerp opnieuw te bestuderen tijdens zijn verblijf in Engeland en Duitsland (1795-1806), waar hij volgens zijn eigen mededeling 'lessen over 't Treurspel en de Dramaturgie' heeft gegeven.[615] Al in 1798 informeerde hij naar de mogelijkheid om opstellen over de dramaturgie in Nederland te publiceren en na zijn terugkeer, in 1806, deed hij dat enkele malen opnieuw. Hij overwoog toen zelfs de uitgave van een maandblad over het toneel, dat 'Theoretisch, Systematisch, Practicaal, en Kritisch' zou moeten zijn.[616]

---

612 DW. XV, p. 5; Brief navolger, p. 23.

613 DW. XV, p. 42; de *Theorie der schoone kunsten en wetenschappen* die Van Alphen had bewerkt naar het Duits van F.J. Riedel, verscheen in twee delen in 1778 en 1780. Zie voor Bilderdijks kritiek op dit werk onder meer Bosch (1955), p. 54 en De Koe, (1910), p. 161 e.v.

614 Zie de nummers 1 tot en met 7 in de *Lijst van theoretische geschriften over het toneel*, (hfdst. XVIII), alsmede (voor de Voorrede uit 1789) het *Eerste Boek*, hfdst. XI, par. 2.

615 Br. II, p. 178; vgl. Tyd. I, p. 71 en Kollewijn, dl. I, p. 302 e.v.

616 In een brief aan J. Kinker schrijft Bilderdijk op 18 juni 1798 dat hij beschouwingen over het treurspel zou kunnen leveren ... 'et on pourroit un jour les imprimer sous le titre d' *Essays sur l'art Dramatique*. Qu'en pensez-vous? Ferai-je bien de m'y expliquer encore, ou croiez-vous cela hors saison? Peut-être que vos *Agens de l'Education* y trouveroient de quoi enrichir le Théâtre National' (Portefeuilles Margadant, Bilderdijk-Museum, Amsterdam, Briefwisseling III, p. 105); zie verder Br. II, p. 100, 110, 114.

Van dit alles is niets terecht gekomen, maar in 1808 kreeg Bilderdijk toch de gelegenheid zijn inzichten in een verhandeling over *Het treurspel* openbaar te maken. Deze verhandeling verscheen, samen met oorspronkelijk en vertaald toneelwerk van hemzelf en zijn vrouw, in de middelste van de drie bundels *Treurspelen.*[617] Ongeveer tezelfder tijd begonnen Bilderdijks bemoeiingen met het toneel in de Tweede Klasse van het Koninklijk Instituut, waar hij deel uitmaakte van de commissies voor de dramaturgie.[618] In deze periode, die het belangrijkst is in de jaren 1808-1810 maar zich misschien wel uitstrekt tot ongeveer 1816, ontstonden verschillende verhandelingen. Enkele hebben ook de uitvoering van het treurspel, het toneelrepertoire en de bestuurswijze van de schouwburg tot voorwerp.[619] Nog weer later, in 1821 en 1823, publiceerde Bilderdijk verhandelingen over de dramatische kunst die gedeeltelijk recent waren en gedeeltelijk afkomstig uit de periode van zijn werkzaamheden voor het Koninklijk Instituut.[620]

Ofschoon er, blijkens de door mij opgestelde *Lijst van theoretische geschriften over het toneel* (hoofdstuk XVIII), enkele hoogtepunten zijn te signaleren rond 1780 en rond 1808, bewijst dit vluchtig overzicht dat Bilderdijks belangstelling voor de dramaturgie zich, met enkele onderbrekingen, heeft uitgestrekt over zijn hele loopbaan als letterkundige. Bilderdijk geloofde niet dat de theorie de dichter maakt – verre van dat – maar hij heeft zich wel steeds in staat geacht toekomstige toneeldichters nuttig en zelfs noodzakelijk 'onderwijs' te geven. In 1808 heeft hij trouwens tot tweemaal toe getracht een in de dramaturgie gespecialiseerd professoraat voor de schone letteren te bemachtigen.[621]

Bilderdijk achtte de theoretische bezinning op de dramaturgie niet alleen noodzakelijk vanwege de zijns inziens erbarmelijke producten van de toenmalige Nederlandse toneeldichters. Hij was er bovendien van overtuigd dat bekende theoretische

---

[617] *Treurspelen*, dl. I (W. Bilderdijk, *Willem van Holland*; K.W. Bilderdijk, *Elfriede*), 's-Gravenhage 1808.

Treurspelen, dl. II (W. Bilderdijk, *Kormak* en *Het treurspel. Verhandeling*), 's-Gravenhage 1808.

Treurspelen, dl. III (W. Bilderdijk, vertaling van Corneilles *Cinna,* K.W. Bilderdijk, vertaling van Racines *Ifigenia*), 's-Gravenhage 1809. Op 7 mei 1808 bood Bilderdijk oorspronkelijk toneelwerk van hemzelf en zijn vrouw bij J. Immerzeel ter uitgave aan. Hij wilde erbij voegen: 'een tractaat (niet te groot) over den waren aart des Treurspels en de wanbegrippen daar omtrent'. Zelf dacht hij aan de titel 'Vluchtig overzicht van het Treurspel'. De titel die in de uitgave voorkomt, is van de uitgever. Op 22 oktober 1808 schreef Bilderdijk hem: 'Indien UE verkiest *Verhandeling over het Treurspel*, het is my ook wel. My docht, verhandeling beloofde meer uitvoerigheid dan ik in de weinig bladen van dat (tweede) deel er aan geven kan, maar het is my wel'. Uit een brief van 8 november blijkt dat de verhandeling in de eerste week van die maand is opgesteld. Volgens mij heeft Bilderdijk er ook vroegere aantekeningen in verwerkt: zie hfdst. VI, par. 1, noot 285. Op 19 november 1808 schreef Bilderdijk: 'N.B. Uw Ed. herinnert zich by het letteren van den tytel, dat mijne verhandeling nu heet: *Het Treurspel / Verhandeling'*. Uit de onuitgegeven brieven aan Immerzeel (Portef. Margadant, 1808), blijkt dat Bilderdijk het titelvignet met de portretten van Sofocles, Shakespeare en Racine, zelf heeft ontworpen en getekend, zoals trouwens ook blijkt uit de ondertekening op de titelpagina van zijn verhandeling. Vgl. hfdst. XIV, par. 3 en illustratie nr. 6.

[618] Zie hfdst. XVII, par. 5 en hfdst. XX, par. 2, noot 1325.

[619] Zie in de *Lijst van theoretische geschriften* ... (hfdst. XVIII) de nummers 9 tot en met 17.

[620] Zie de nummers 16 en 19 op de *Lijst van theoretische geschriften* ... (hfdst. XVIII).

[621] Zie hfdst. XVII (over het Nederlands toneel) en Br. II, p. 100, 114, 234. Hoezeer Bilderdijk het aangeboren dichterschap van het gevoel boven de theorie stelt, wordt al bewezen door de regels die in hfdst. VII, par. 3, worden geciteerd uit zijn gedicht *De kunst der poëzy* (1809); zie ook de citaten in De Jong - Zaal (1960), p. 32 e.v. (In 1995 bezorgden W. van de Berg en J.J. Kloek een van een gedegen inleiding en aantekeningen voorziene uitgave van *De kunst der Poëzy.*)

geschriften verkeerd werden begrepen, of dat op deze zelf toch nog wel het een en ander viel af te dingen. We zullen dit constateren als we zijn oordelen over theoretici als Aristoteles, Voltaire en Lessing bespreken.[622] Er valt daarbij in eerste instantie op te merken dat er juist in Bilderdijks tijd belangrijke veranderingen in de dramaturgie plaatsvonden die ertoe zouden leiden dat het sedert enkele eeuwen belangrijkste genre, namelijk het klassieke treurspel of de tragedie, geleidelijk maar letterlijk van het toneel ging verdwijnen. Daarvoor in de plaats ontstonden nieuwe genres waarvan – zoals dat wel meer het geval is in de literatuurgeschiedenis – al voorboden zijn aan te wijzen in een soms ver verleden. Een vluchtig overzicht van deze ontwikkeling en de gevolgen daarvan voor *De toneelgenres in Bilderdijks tijd* heb ik proberen te geven in Deel I van dit *Tweede Boek.* Dit eerste eeel bestaat uit drie hoofdstukken over wat men de voedingsbodem kan noemen van Bilderdijks dramaturgie. Ze vormen de noodzakelijke achtergrond voor de bespreking van zijn ideeën over de veranderde en veranderende toneelgenres in het algemeen en over binnen-en buitenlandse theoretici en toneelschrijvers in het bijzonder. Waarbij in tweede instantie dient te worden opgemerkt dat Bilderdijks meningen dienaangaande zich niet steeds voordoen als een constante overtuiging. Dit hangt samen met de context van zijn oordelen en ook met het aspect waarop Bilderdijk in bepaalde omstandigheden de aandacht wilde vestigen. Daarenboven is het menselijk en dus begrijpelijk dat zijn mening zich in de lange loop der jaren kon wijzigen. Wie Bilderdijks eerste theoretische geschriften doorbladert, zal bijvoorbeeld merken dat hij zich herhaaldelijk beroept op het gezag van de Franse theoreticus Nicolas Boileau, die ten onzent al in 1753 door Sybrand Feitama was uitgeroepen tot 'den grooten Meester in de Dichtkunde'[623] Maar in 1802 is Bilderdijk er kennelijk anders over gaan denken. In zijn toen verschenen Nederlandse bewerking van Abbé Delilles *L'homme des champs* rijmde hij:

> Boileau heeft lang voorheen zijne opgeworpen wetten
> Der Dichtkunst, vrij van band, ten regel durven zetten.

En in een aantekening bij deze plaats heet het: 'Hoe men ook denke over Boileau en zijne schoone *Art Poétique*, 't is zeker, dat hy niet gevormd was om wetgever op den Parnas te zijn.

Ook is de natuurlijke bekrompenheid van zijnen geest, die zich door eene naarstige beoefening der Ouden wel uitgezet, beschaafd, verschoond, en verrijkt had, maar niet geleerd eene recht Dichterlijke vlucht te nemen, in vele zijner lessen, doorstekend'.[624] Ruim twintig jaar later schreef Bilderdijk in een korte verhandeling *Over de zogenaamde*

[622] Voor Aristoteles: hfdst. X, par. 2; voor Voltaire: hfdst. XVI, par. 3; voor Lessing. hfdst. XV, par. 3. e.v.

[623] Zie de plaatsen die worden genoemd in Smit (1929), p. 50, 51, benevens Bilderdijks Verhandeling...² (1836), p. 212 (1783) en DW. XV, p. 43 (1789). Voor Feitama: Stein (1929), p. 86.

[624] DW. VI, p. 460.

stopwoorden in verzen, dat Boileau te verstandelijk was aangelegd om werkelijk 'in ziel en geest dichter te zijn' en dat 'zijn lessen en oordeelvellingen in de Poëzy uit dien hoofde ruim zoo veel kwaad dan goed deden...'[625]

De laatste twee oordelen over Boileau staan in geschriften die weinig met de esthetica en helemaal niets met de dramaturgie van doen hebben. Deze eigenaardigheid geldt voor veel vindplaatsen van Bilderdijks meningen over de toneelkunst. Wie bijvoorbeeld meer wil weten over zijn denkbeelden inzake de opvoering van treurspelen kan terecht in zijn taalkundige verhandeling *Van het letterschrift*, in de aantekeningen bij zijn vertaling van *Perzius hekeldichten* en nog in een paar andere geschriften waar men niets over dit onderwerp zou verwachten. Daaruit volgde een belangrijke methodologische aanwijzing voor het onderzoek naar Bilderdijks werkzaamheid als toneeltheoreticus. Dit onderzoek mocht zich niet beperken tot publicaties die Bilderdijk zelf heeft gekwalificeerd als verhandelingen over de dramaturgie. Evenals dat in het *Eerste Boek* bij de bespreking van zijn praktijk als toneeldichter het geval was, moesten er ook nu andere bronnen bij het onderzoek worden betrokken.

Bij de ordening van het omvangrijke materiaal heb ik, zoals hiervoor al aangeduid, een onderscheid gemaakt tussen enerzijds Bilderdijks toneeltheorie (genres, doel, structuur etc.) en anderzijds zijn oordelen over de hem bekende dramaturgen afzonderlijk. Daarom wordt het inleidend eerste deel over de vroegere en latere *toneelgenres* (de eerste drie hoofdstukken) gevolgd door een tweede deel betreffende Bilderdijks denkbeelden over *de dramatische kunst in het algemeen* en door een derde deel aangaande zijn oordeel over *voorgangers en tijdgenoten.* Deel II begint met een hoofdstuk over de idealistische grondslag van Bilderdijks theorie (IV). Het wordt gevolgd door vier hoofdstukken over zijn ideeën betreffende de structuur, de inhoud, de karaktertekening, de stijl, het doel en de toekomstmogelijkheden van het treurspel (V tot en met VIII). Daarna wordt in hoofdstuk IX aandacht gevraagd voor Bilderdijks meningen over het blijspel en de andere toneelsoorten die werden besproken in de hoofdstukken I tot en met III van Deel I. In het derde deel onderzoek ik Bilderdijks opvattingen over de dramatische kunst in verschillende Europese landen en tracht ik zijn oordeel over de afzonderlijke dramaturgen en hun werk te achterhalen. Zo komen achtereenvolgens in de hoofdstukken X tot en met XVII ter sprake: het Griekse, het Romeinse, het Italiaanse, het Spaanse en Portugese, het Engelse, het Duitse, het Franse, en het Nederlandse toneel. Voor het Nederlandse toneel werden bovendien Bilderdijks oordelen en bemoeiingen met betrekking tot de schouwburg en de toneelspelers besproken. In een Bijlage bij dit *Tweede Boek* (op de bijgevoegde cd-rom) publiceer ik een tot dusver onuitgegeven theoretisch geschrift dat Bilderdijk, met het oog op de praktijk van het Nederlands toneel, heeft opgesteld ten tijde van koning Lodewijk Napoleon.

---

[625] NTDV, I, p. 202.

Intussen heeft de hier gekozen werkwijze tot gevolg dat Bilderdijks afzonderlijke geschriften over de dramaturgie als zodanig onbesproken blijven. Daarom begin ik het vierde deel van dit *Tweede Boek* met een *Lijst van theoretische geschriften over het toneel* (hoofdstuk XVIII), waarbij onder iedere titel een korte toelichting wordt gegeven over de aard en omvang van de betreffende tekst. Daarna volgt in hoofdstuk XIX een confrontatie van Bilderdijks toneeltheorie met zijn eigen praktijk als toneeldichter. Tenslotte probeer ik in hoofdstuk XX de bijeengebrachte literairhistorische gegevens in verband te brengen met de plaats van Bilderdijk in de Nederlandse cultuurgeschiedenis.

DEEL I

DE TONEELGENRES IN BILDERDIJKS TIJD

HOOFDSTUK I

DE GRENZEN VAN HET TREURSPEL

1. Treurspel en treurnis

Verschillende onderzoekers hebben er zich over verwonderd dat Bilderdijk zijn in 1808 verschenen historisch toneelstuk *Willem van Holland* een 'treurspel' heeft genoemd. In 1943 duidde J. Wille zonder opgave van redenen Bilderdijks *Floris de Vijfde* aan als 'treurspel', maar *Willem van Holland* noemde hij een 'toneelspel'.[626] G. Kamphuis (1947) was het kennelijk met hem en met J. Koopmans (1908) eens toen hij zonder commentaar constateerde dat *Willem van Holland* 'blij-eindend' is.[627] Maar al in 1891 durfde Kollewijn een stapje verder te gaan. Hij schreef zonder meer: 'de *Willem van Holland* is niet een treurspel (zooals de auteur het noemde), maar een toneelspel of blij-eindend drama'.[628] Kollewijn staat daarbij op hetzelfde standpunt als H.G. ten Bruggencate (1911), die Rhijnvis Feith, bij wijze van spreken, het recht ontzegde zijn blij-eindend toneelstuk *Mucius Cordus, of De verlossing van Rome* (1795) als een 'treurspel' aan te kondigen.[629] Zo schreef de Amsterdamse toneelspecialist Ben Hunningher anno 1931 dat Bilderdijks *Willem van Holland* 'blij-eindend' is en 'geheel ten onrechte aanspraak maakt op de naam van *treurspel*'.[630] Evenals die van Kollewijn, geeft Hunninghers uitspraak ons de gelegenheid de foutieve gedachtegang op heterdaad te betrappen. Waarop baseren genoemde literatuurhistorici zich immers als ze zich verzetten tegen Bilderdijks gebruik van de term 'treurspel'?

Op niets anders dan op een ontoereikende maar daarom niet minder verspreide opvatting van het begrip 'treurspel'of 'tragedie'; die opvatting is er de oorzaak van dat men in verschillende Europese woordenboeken een definitie van de tragedie kan vinden die in grote lijnen overeenkomt met het lemma in Van Dales *Groot woordenboek van hedendaags Nederlands*, namelijk: '*treurspel*, tragedie, toneelstuk met droevige afloop, waarin een held door het noodlot ten ondergang gevoerd wordt'.[631] Het klinkt logisch. In een treurspel moet er reden zijn tot treurnis. Maar wie deze definitie gaat toepassen op de drie grote Attische treurspeldichters komt tot een merkwaardige ontdekking. De *Eumeniden* van Aeschylus, de *Philoctetes* van Sofocles en de *Iphigenia in Taurië* van Euripides zouden – tegen een eeuwenlange terminologische traditie in – niet langer tragediën mogen worden genoemd om

[626] Wille (1943), p. 10.

[627] Kamphuis (denkbeelden, 1947), p. 222; Koopmans (1908), Bew. dl. III, p. 36, handhaaft echter de term treurspel: 'Een blijeindend treurspel is 't'.

[628] Kollewijn (1891), dl. I, p. 458.

[629] Ten Bruggencate (1911), p. 81.

[630] Hunningher (1931), p. 8.

[631] Gerhardt (1956), p. 276, 277.

de eenvoudige reden dat de lotgevallen van de held tot geluk en niet tot ondergang leiden.[632] De moeilijkheid van een literairhistorisch verantwoorde definitie voor het genre 'treurspel' of 'tragedie' kan echter rustig worden vermeden, als moet worden uitgemaakt of Bilderdijk zijn *Willem van Holland* al dan niet ten onrechte een *treurspel* heeft genoemd. Het gaat er dan om dat wordt vastgesteld wat hij zelf en zijn tijdgenoten onder een tragedie of treurspel hebben verstaan. En wie dit nagaat moet wel tot de slotsom komen dat de bezwaren van Hunningher c.s. ongegrond zijn. Er verschenen in Bilderdijks tijd volop als 'treurspel' of 'tragedie' aangekondigde toneelstukken waarvan het einde geenszins 'treurig' of 'tragisch' kan worden genoemd.[633]

Het probleem of een treurspel al dan niet moet eindigen met het ongeluk van de hoofdpersoon, is een oud zeer. Aristoteles vond een droevig einde het meest tragisch en Dante, als dichter van de '*Divina Commedia*', was geneigd de term 'tragedie' te reserveren voor een slechte afloop, terwijl 'commedia' voor hem op een gelukkig einde wees.[634] In de zestiende eeuw volgt dan een reeks gezaghebbende theoretici die de ongeluk brengende ontknoping kenmerkend voor het treurspel achtten: Daniello, Scaliger, Castelvetro, Pelletier, Laudun d'Aigaliers.[635] Na Daniello, maar nog vóór Scaliger, had ten onzent de 'renaissancistische rederijker' Cornelis van Ghistele uit Antwerpen al in 1555 'een droeven ende cattivighen eynde' als eigenschap van het treurspel genoemd, terwijl hij voor de komedie 'eenen bliden ende heughelijcken eynde' kenmerkend achtte.[636] Voor een andere Zuidnederlander, de eveneens door de nieuwe kunstopvattingen beïnvloede rederijker Jacob Duym, die bij ons de *tragi-comedie* introduceerde, betekende dit toneelgenre – waarover later – een spel, waarvan de handeling 'eerst droevich, *doch de uytcoemste blijde is*'.[637] Tien jaar tevoren al was de gelukkige afloop van zijn beroemd geworden *Il pastor fido* (1589) voor Guarini aanleiding geweest dit herdersspel te betitelen als een 'tragi-*commedia*', waarvan hij het bestaansrecht in 1601 verdedigde in zijn *Compendio della poesia tragicomica*.[638]

Evenals Hooft, was Vondel (althans aan het begin van zijn loopbaan als dramaturg) er nog van overtuigd dat een *exitus infelix* noodzakelijk was voor het waarachtige treurspel en hij volgde hierin de gangbare interpretatie van Julius Caesar Scaligers *Poëtica* van 1561. Zoals W.A.P. Smit in zijn belangrijke studie over Vondels dramaturgie heeft aangetoond, veranderde Vondels mening later onder invloed van de voorrede die Hugo de Groot in 1635 liet voorafgaan aan zijn *Sofompaneas*. Daarin stelde Grotius dat de Oudheid wel degelijk treurspelen met een gunstige afloop heeft gekend; op min of meer uitdagende wijze betitelde

---

632 Diercks (1952), p. 110, 190, 321; Van Groningen (1949), p. 27, 33.

633 Worp, dl. II (1908), p. 159.

634 Bray (1927), p. 324; E.R. Curtius (1948), p. 361.

635 Van Hamel (1918), p. 84; Bray (1927), p. 324.

636 Van Hamel (1918), p. 85, 88; Rombauts (1944), p. 113; Knuvelder, dl. I (1957), p. 386 e.v.

637 Smit, dl. I (1956), p. 33.

638 Sapegno, dl. II (1961), p. 203; Fubini (1951), p. 52. Vgl. P.E.L. Verkuyl, *Battista Guarini's* Il pastor fido *in de Nederlandse literatuur*, Assen 1971, p. 82 e.v.

hij zijn eigen toneelstuk (dat volgens de opvatting van Duym en Guarini een 'tragi-comedie' zou moeten zijn) met de term *tragoedia*. Sedertdien bekommerde Vondel zich niet meer om de afloop van zijn als treurspelen aangekondigde teksten, tot na de verschijning van Vossius' *Institutiones poëticae* van 1647. Dit geschrift achtte de *exitus infelix* normaal voor het treurspel, maar erkende tevens de *exitus felix* als uitzondering, waarmee dus in feite het gezichtspunt van Hugo de Groot zijn geldigheid behield.[639] Volgens René Bray meende Vossius dat toeschouwers meer ontvankelijk waren voor een gelukkig einde dan voor een *exitus infelix*. Een gelukkige ontknoping voor de tragedie was trouwens al in de zestiende eeuw verdedigd door Vauquelin de la Fresnaye, en na hem door La Mesnardière, door Sarassin (1639), en door D'Aubignac (1657), zodat we mogen concluderen dat zomin De Groot als Vossius revolutionaire nieuwlichterij hebben verkondigd.[640]

Leerzaam zijn de ondertitels die Corneille aan zijn dramatische werken heeft gegeven. Voor zijn *Don Sanche d'Aragon* en *Tite et Bérénice* werkte hij met de term 'comédie héroïque'; zijn bekende toneelstuk *Le Cid* heette bij de eerste druk van 1637 een 'tragi-comédie': ondermeer vanwege de gelukkige afloop. Dat het laatstgenoemde stuk aanleiding is geworden tot een polemiek die door Hubert Gillot wordt beschouwd als een der voorpostgevechten tot de beruchte 'Querelle des anciens et des modernes' is een zaak apart en kan in dit verband buiten beschouwing blijven.[641] Maar belangrijk is voor ons dat Corneille de *Cid* een 'tragédie' is gaan noemen 'sobald er', om met Lessing te spreken, 'das Vorurteil abgelegt hatte, dasz eine Tragödie notwendig eine unglückliche Katastrophe haben müsse'[642] Later gebruikte Corneille de naam 'tragédie' dan ook voor al zijn stukken die hij niet tot de 'comédie' rekende. En daarmee heeft hij zijn terminologie aangepast aan de veranderde mode, volgens welke de *exitus infelix* geenszins een conditio sine qua non voor de benaming 'treurspel' betekende.[643]

Wat voor de oudere Vondel en Corneille gold, is eveneens van toepassing op Bilderdijk en zijn tijdgenoten. Men dient er ten aanzien van hen bovendien rekening mee te houden dat op het laat-achttiende-eeuwse toneel de handeling zeer dikwijls goed afliep voor de deugdzame held, terwijl zijn misdadige antagonist zijn gerechte straf zelden ontging. De zogenaamde 'dichterlijke gerechtigheid' had men al in vroegere poëtica's gepropageerd en in Nederland was dat vooral gebeurd in naam van het Amsterdamse dichtgenootschap Nil Volentibus Arduum, waar een belangrijke rol werd gespeeld door de toneelschrijver en classicistische theoreticus Andries Pels. In zijn berijmde verhandeling *Gebruik én Misbruik des Tooneels* (1681), eiste hij uitdrukkelijk de bestraffing van de ondeugd en de beloning van de deugd: dus, met andere woorden, een *exitus felix* voor de deugdzamen.[644] Veel latere dichtgenootschappers waren het met hem eens. Nog een eeuw nadien werd Pels als lofzanger

639 Smit, dl. I (1956), p. 11-14, 165, 166, vgl. Veenstra (1954), p. 15.

640 Bray (1927), p. 324, 325.

641 Gillot (1914), p. 212 e.v.

642 Lessing (1958), p. 220 (St. 55).

643 Gerhardt (1956), p. 288; vgl. voor deze kwestie: Varese (1950), p. 30, 31; Bray (1927), p. 305.

van de deugd geprezen door C. van Hoogeveen junior, ijverig lid van het Leidse toneelgezelschap *Veniam pro laude* en schrijver van een *Lof der tooneeldichtkunde* waarin het heet dat deze kunst:

> ...Ondeugd, die der Deugd steeds nadeel poogt te brouwen,
> Voor ijders oogen straft, en doet ten gronde gaen,
> Terwijl zij blanke Deugd bekranst met lauwerblaen![645]

In hetzelfde jaar (1780) als Van Hoogeveens *Lof der tooneeldichtkunde* verscheen een Nederlandse vertaling van Aristoteles' *Poetica*, gevolgd door enkele verhandelingen van de door Lessing geprezen theoreticus M.C. Curtius, die – spijts al zijn kennis van de traditionele theorieën – een belangrijke rol heeft gespeeld bij de aanvaarding van nieuwe toneelvormen in Duitsland. Curtius breidde de idee van dichterlijke gerechtigheid uit tot en met de mogelijkheid van een *exitus infelix* voor deugdzame helden: 'en al ware 't ook dat de deugd leedt en onderdrukt wierdt, haare gedaante is egter, ook zelfs in haaren val, eerwaardig en verwerft zich hoogagting'.[646]

In zijn *Réflexions sur la poétique* noemde Bernard le Boyier de Fontenelle de schoonste zedenles van de tragedie, dat ze de deugd voorstelt als overwinnaar.[647] En ondanks de bezwaren tegen deze voorstellingswijze van onder meer Lessing, Voltaire en Mercier, en in Nederland van Pieter Bernagie, Hiëronymus van Alphen, Juliana Cornelia de Lannoy, Onno Zwier van Haren, Jan Nomsz, Cornelius van Engelen, Fokke Simonsz, de latere Bilderdijk, en Rhijnvis Feith, achtte de laatstgenoemde het in 1793 nodig zich breedvoerig te verontschuldigen voor het feit dat in zijn treurspel *Ines de Castro* de deugd ten onder gaat en het misdrijf triomfeert.[648] Al spreken verschillende treurspelen de bewering van Van

---

644 Gilbert (1940), p. 425; Van Hamel (1918), p. 100, 52 e.v. (Gegevens over *Nil volentibus arduum* verzamelde Dongelmans (1982); een uitgave van Pels' verhandeling werd bezorgd door Schenkeveld (1978), waar men de passus in kwestie vindt op p. 48, vs. 1138 e.v. Zie voor de zg. 'poëtische gerechtigheid' de studie van Zach (1986) en verder o.m. Joh. Smit (1929), p. 28, Nivelle (1955), p. 206, De Haas (1998), p. 253 e.v.; 264 e.v., Konst (2003), p. 286 e.v. Gallaway (1940) begint zijn hfdst. 'Poetic justice and ideal nature 'met de contatering: 'In the best of all worlds virtue must somehow receive its reward' (p. 141). (Corneilles variërende standpunten t.a.v. de 'justice poétique' zijn besproken door Sweetser, 1962, en geïnterpreteerd door Gethner, 1983.)

645 Velerlei gegevens over de dichtgenootschappen vindt men bij C.B.F. Singeling (1991) en Marleen de Vries (2001). Documenten over *Veniam pro laude* berusten in de Leidse universiteitsbibliotheek (o.m. onder nr. 1095 B2); zie ook R.P.L. Arpots (1990). C. van Hoogeveen jr. dateerde zijn *Lof der tooneel- dichtkunde* op 1771, maar de tekst verscheen pas anno 1780 in de *Taal en Dichtlievende Oefeningen* van het dichtgenootschap 'Kunst wordt door arbeid verkreegen' te Leiden. De volledige titel luidt: *Lof der Tooneeldichtkunde, Verval in 't Nederduitsch Tooneel, deszelfs Oorzaeken en Middelen tot Herstelling.* Een inventaris van *Het taal- en dichtlievend genootschap 'Kunst wordt door arbeid verkreegen' 1766-1800* werd in 1983 bezorgd door B. Thobokholt in de serie 'Ruygh-Bewerp' van het Instituut De Vooys aan de R.U. te Utrecht.

646 De vertalingen van Aristoteles en Curtius verschenen in één band bij Fokke Simonsz te Amsterdam in 1780. De Koninklijke Academie te Amsterdam bezit een exemplaar met een brief van H.J. Koenen d.d. 1833, waarin staat dat de vertaling tot stand kwam 'op aanraden, aanwijzing en onder toezicht van Bilderdijk' (nr. 475).Over de betekenis van M.C. Curtius voor de aanvaarding van het nieuwe burgerlijk treurspel in proza sinds de jaren vijftig van het achttiende-eeuwse Duitsland: Daunicht^2 (1965), p. 232-237.

647 Johan Smit (1929), p. 28.

648 Feith, *Ines de Castro* (1793), Voorbericht; Van Alphen, dl. I (1778), p. 376, deelt mee dat de door hem nagevolgde Duitse theoreticus F.J. Riedel de kwestie of een treurspel al dan niet gelukkig moet eindigen, 'bezwaarlijk oplossen' kan. Zelf meent hij dat een gelukkig einde een veel grotere indruk op de toeschouwers maakt. Voor Bernagie: Van Hamel (1918), p.

Schoonneveldt tegen, dat het in die tijd bijna een 'waagstuk' zou zijn geweest om 'een treurspel te laten eindigen met het ongeluk der onschuldige helden en heldinnen': uiteindelijk moeten we vaststellen dat zijn opmerking van meer historische zin getuigt dan de hiervoor genoemde protesten tegen Bilderdijks benaming van zijn *Willem van Holland*.[649] Die protesten waren immers ten onrechte gebaseerd op de *exitus infelix* als wezenskenmerk van het toenmalige treurspel.

2. Treurspel en blijspel

Als de ondergang van de held niet het criterium is voor het onderscheid tussen de toneelstukken die men *treurspelen* of *tragedies* noemde en die (zoals Bilderdijks *Willem van Holland*) waarvoor Kollewijn de naam *toneelspel* of *drama* prefereerde: waarop berust dat onderscheid dan wel? Kalff constateerde dat 'verreweg *het meeste* van hetgeen onder den... naam *Tooneelspel* tusschen 1770 en 1813 het licht zag', in *proza* is geschreven. Toch ligt hier het verschil niet. De door mij gecursiveerde beperking waarmee Kalffs uitspraak begint, bewijst dit al. En in Worps *Geschiedenis van het drama en van het tooneel in Nederland* vindt men enkele tientallen toneelstukken in proza vermeld die in dezelfde periode ontstonden en desondanks door hun auteurs als 'treurspel' werden betiteld.[650]

Hiermee is nog niet gezegd dat het gebruik van proza of poëzie volkomen irrelevant zou zijn geweest voor de benaming *treurspel* of *tragedie*. Want de dichtvorm is wel degelijk door een aantal letterkundigen beschouwd als *forma essentialis* voor het treurspel. Maar dat komt omdat ze meenden dat alleen de poëzie beantwoorden kon aan de eisen die op grond van een ánder principe moesten worden gesteld aan het taalgebruik in de tragedie. Dat blijkt onder meer uit een beschouwing van de toneelschrijver Jan Nomsz, die de vraag trachtte te beantwoorden of stukken in 'onrijm' voor de Amsterdamse schouwburg toelaatbaar waren. Zijn antwoord is dat *blijspelen* in ondicht zijn geoorloofd; maar treurspelen, 'gedichten van de deftigste soort', hadden volgens hem het rijm nodig.[651] Nog duidelijker is Rhijnvis Feith in zijn treurspelverhandeling van 1793. Hij schrijft dat men in het *blij-en kluchtspel* proza dient te gebruiken, omdat daarin slechts het dagelijks leven wordt nagebootst: 'maar in het treurspel, daar alles enigszins boven de natuur, of, om juist te spreken, ideaal is, moet men de taal, wil men natuurlijk blijven, immers ook wel boven de natuurlijke taal verheffen'. Het 'vorstelijk treurspel' wordt nu eenmaal vervaardigd naar een ideaal en heeft derhalve 'de toverkracht der verzen' als ideale taal van node.[652]

101; voor De Lannoy: Te Winkel, dl. III (1910), p. 580; De Haas (1998), p. 264-265; Van Oostrum (1999), p. 108. Voor Bilderdijk: DW. III (1856), p. 477; voor het zg. 'drama' schijnt Bilderdijk anno 1779 de dichterlijke gerechtigheid noodzakelijk te achten: Bosch (1955), p. 51.

[649] Van Schoonneveldt (1906), p. 52.

[650] Kalff, dl. IV (1910), p. 466; Worp, dl. II (1908), p. 159 e.v.

[651] Citaat bij Kalff (1910), p. 466.

[652] Feith (herdruk, 1825), p. 107 (Feith bestrijdt hier de mening van Van Engelen, die meende dat men in het blijspel juist verzen moest gebruiken).

We zijn hiermee op de goede weg gekomen. Het *ideale*, de *verheffing* boven het alledaagse, is een criterium om het treurspel of de tragedie af te grenzen ten opzichte van andere toneelgenres. Tegenover het verheven, ideale *treurspel* of de *tragedie* staat dan in de eerste plaats het *blijspel* of de *comedie* als weergave van het dagelijks leven. Dante al, sprak in zijn *De vulgari eloquentia* van de tragische stijl als de verheven stijl, waarnaast bij de komische stijl kende die op een heel wat lager niveau was gesitueerd.[653] Ook Dantes landgenoot Giangiorgio Trissino plaatste in zijn *Poetica* van 1563 de op een lager peil gesitueerde komedie tegenover de verhevenheid van de tragedie. En in de *Poetica di Aristoteles vulgarizzata e sposta* (1571) van Ludovico Castelvetro staat uitdrukkelijk dat de *verheffing* niet alleen de *stijl* van het treurspel betreft maar, bij gevolg, ook het *karakter van de personages*. Castelvetro stelde de koninklijke grootheid van de treurspelkarakters tegenover de armelijke alledaagsheid van de personages in het blijspel.

De aard van de personages hangt op zijn beurt samen met de aard der gedramatiseerde gebeurtenissen. Zo sprak de Engelsman Thomas Heywood in zijn *An apology for actors* van 1612 over de 'civil and domestic things'en het daarmee corresponderende niveau van de hoofdpersonen in het blijspel, waarbij hij zich beriep op het gezag van Griekse en Latijnse commentatoren.[654] De grootheid der gebeurtenissen ('action illustre', zei Corneille) en het daarbij passende formaat van de dramatis personae in het treurspel ontbreken praktisch bij geen enkele theoreticus. Deze grootheid staat tegenover de alledaagsheid van handeling en van hoofdpersonen in het blijspel. René Bray noemt Scaliger, Castelvetro, Laudun d'Aigaliers, Vossius, Corneille; en Van Hamel concludeert in zijn *Zeventiende-eeuwsche opvattingen en theorieën over litteratuur in Nederland* dat het onderscheid tussen treurspel en blijspel vooral was gebaseerd op het verschil 'tusschen het koninklijke en machtige eenerzijds en het burgerlijke en eenvoudige anderzijds'. Ook in Italië gold 'het uitsluitend optreden van lieden uit den burgerstand als voornaamste kenmerk van het blijspel', schrijft Van Hamel.[655]

Maar keren we terug tot de achttiende-eeuwse 'Tooneel-Digters', aan wie de door het nageslacht al lang vergeten Nederlandse poëet Coenraed Droste in 1710 een leerdicht opdroeg met allerlei goede raadgevingen voor hun praktijk als dramaturg. Met betrekking tot het treurspel meende hij dat deze verheven dichtsoort de lotgevallen van koninklijke personages behandelt en derhalve van de schrijver een gedegen kennis van vorstelijke omgangsvormen veronderstelt. Voor de komedie ligt dat veel eenvoudiger:

> Het aerdigh Bly-Spel, vry van die nauwkeurigheden,
> Verhandelt minder stof, en Burgerlijcke zeden.[656]

---

[653] E.R. Curtius (1948), p. 361. Een interessante passus van Dante werd vertaald door Gilbert (1940), p. 203.

[654] Gilbert (1940), p. 224, 225; 329, 330.

[655] Bray (1927), p. 307, 308. Van Hamel (1918), p. 84, 86. Op een afwijkende uitspraak van Corneille ter rechtvaardiging van zijn *Don Sanche d'Aragon* (1650), wijst Bray, p. 308.

[656] Drostes gedicht *Aen de Tooneel-Digters* verscheen tegelijk met zijn bijbels treurspel *Mariamne* en werd samen met ander werk opgenomen in Droste (1710).

Zeventig jaar later werden bij ons, tegelijk met Aristoteles' *Poetica*, enkele verhandelingen van de Duitse theoreticus M.C. Curtius vertaald. Hij schrijft over de tragedie: 'Een Treurspel is de navolging van eene groote aandoenlyke handeling, welke door zaamenspreekende personen wordt voorgesteld. Hierin heerscht voornamentlyk de taal van den schrik, van het meêdoogen, van de woede, van de liefde, en in 't algemeen die van alle hartstogten. De persoonen, welke 'er voorgesteld worden, zyn aanzienelyke ongelukkigen'. We merken terloops op dat Curtius, blijkens het laatste woord, vasthoudt aan de *exitus infelix* en nemen vervolgens kennis van zijn definitie van de comedie: 'Een Blyspel is volgens Aristoteles eene navolging van ondeugden en laakbare daaden, voor zo verre zy belaggelyk zyn. Anderen geeven er dit begrip van op, dat het *eene navolging des gemeenen levens* is'.[657] Opnieuw zien we dus verband tussen de status van de dramatis personae en de beoogde verhevenheid in het treurspel. Zo is het ook elders in de achttiende-eeuwse theorie, onder meer in de verhandeling *Della ragion poetica* (1708) van Gravina en in *Versuch einer kritischen Dichtkunst vor die Deutschen* (1730) van Gottsched. Het 'wundersame Ungemeine' en 'Seltsame' van de tragedie wordt mogelijk geacht op grond van bewondering wekkende (sociale) verheffing, die in het blijspel ontbreekt.[658]

Ook voor Bilderdijk bestond er tussen blijspel en treurspel een niveauverschil, waaruit de wezenlijke aard van de tragedie als toneelgenre duidelijk wordt. Typerend is zijn kritiek op Diderot en Lessing, die vonden dat de helden in een treurspel moesten spreken als gewone mensen. Volledig in overeenstemming met het ideale karakter van het treurspel volgens Rhijnvis Feith, noemt Bilderdijk als enige oorzaak (en hij formuleert zijn mening in het Latijn!): 'dat het geen gewone mensen zijn, maar dat zij daarboven zijn gesteld; ze zijn namelijk halfgoden of helden, terwijl daarentegen in het blijspel gewone mensen ten tonele worden gevoerd'.[659] Tegenover de dichterlijk-verheven wereld van het treurspel, stelt Bilderdijk de alledaagsheid van het blijspel. Hetzelfde gebeurt in het voorwoord bij zijn vertaling van Corneille's *Cinna* van 1809, evenals trouwens in zijn *Taal-en dichtkundige verscheidenheden*, die pas werden gedrukt in 1820.[660] En als Bilderdijk in zijn verhandeling *Het treurspel* van 1808 spreekt over de '*verheffing*... die het wezen des Treurspels uitmaakt', geeft hij eigenlijk meteen de oplossing voor het probleem dat ons bezighoudt. Het al dan niet aanwezig zijn van de verhevenheid in een ideale wereld die weliswaar gelijkenis vertoont met de onze maar in feite daarboven is geplaatst, – dàt is in die tijd het criterium voor de benaming 'treurspel'.[661]

---

657 Aristoteles, Verhandeling (1780), p. 79, 80. Ik cursiveer.

658 Bate (1946), p. 15; Robertson (1923), p. 42; Krueger (1961), p. 184.

659 'Hanc solam et unicam causam quod non communes sunt homines sed supra communem hominum naturam positi scilicet semidei seu heroes, si communes homines introduci comoediae est.' Bilderdijk schreef het bovenstaande bij Stück LIX in zijn handexemplaar van de *Hamburgische Dramaturgie*, aanwezig in het Bilderdijk-Museum te Amsterdam. Vgl. E.F. Kossmann (1901), p. 36.

660 DW. XV, p. 144, 145; TDV. I, p. 75, 76; Lanson (1887), p. 72.

Bilderdijk wijst er bij herhaling op dat de wereld van de tragedie verheven is boven de gewone aardse dingen. Wat verheffing en waardigheid mist, is volgens hem niet 'Tragic'. Verschillende eigenschappen van de dramatis personae en de aard van de handeling vloeien uit dit hoofdkenmerk voort. Het treurspel zal: 'Vorsten, 't zal Wareldgrooten, 't zal alle Personaadjen van ware of verdichte overlevering kunnen bevatten, wier stand en hoedanigheden in die Dichterwareld behooren, die, op de onze gevormd, en haar na gelijkende, echter zoo verre boven haar is als het Dichterlijke Enthusiasmus, zonder 't welke geen Poëzy is of bestaan kan, vereischt, om zich staande te houden, om al wat het aangrijpt te veredelen, te vergoden, en ons in zijne wellustige zielsbetoovering meê te sleepen [...] Groot en belangwekkend zal de daad zijn, zoo dra zy eene zoodanige personaadje tot voorwerp heeft, aan wien elke aanschouwer zijn heil, zijn hart, zijn bestaan, in de aanhanklijkheid waar in hy tot hem gebracht is, verknocht'.[662]

De lyrische uitspraken van Bilderdijk sluiten duidelijk aan bij de hiervoor al vermelde meningen van andere theoretici; ze herinneren vooral aan de bewoordingen van Rhijnvis Feith en onder meer aan een passage uit *An essay of dramatic poesy* (1668 en 1684) van John Dryden, waar men leest: 'comedy [...] is the imitation of common persons and ordinary speaking [...] serious play [= tragedy] is indeed the representation of nature, but *'tis nature wrought up to a higher pitch.* The plot, the characters, the wit, the passions, the descriptions are all exalted *above the level of common converse*, as high as the imagination of the poet can carry them with proportion to verisimility. Tragedy, we know, is wont to image to us the minds and fortunes of *noble persons*, and to portray these exactly; heroic rhyme is nearest nature, as being *the noblest kind of modern verse*'.[663]

De verheffing of idealisering als wezenskenmerk van het treurspel impliceert het verheven taalgebruik van de poëzie en veronderstelt, zoals men ook lezen kan in de Aristoteles-vertaling van 1780, dat 'de verhevene en volledige handeling' van de tragedie een navolging is 'der handelingen van *grote Lieden*'.[664] Een niet door Bilderdijk uitdrukkelijk vermelde consequentie van de sociale status der dramatis personae, is de bijzonderheid dat het treurspel onderwerpen behandelt uit de mythologie of de geschiedenis, en wel van zodanige aard dat het lot van een geheel rijk daarbij op het spel staat. Het in 1660 gepubliceerde *Discours de la tragédie* van Pierre Corneille zegt over de in het blijspel en treurspel

---

661 Nergens vindt men in de theoretische verhandelingen van Bilderdijk de exitus infelix genoemd als wezenskenmerk van het treurspel. De tragedie is voor hem in de eerste plaats een 'deftig' en 'verheven' dichtstuk en dat was ook zo bij de Grieken: Trsp., p. 212, 'Lang niet alle [Griekse] tragedies eindigen katastrophaal, meer dan eens hebben ze een blijden en gelukkigen afloop', schrijft G.F. Diercks die, evenals J.D. Meerwaldt, het 'hooggestemde' karakter als hoofdkenmerk van de Griekse tragedie beschouwt: Diercks (1952), p. 21, 321.

662 Trsp., p. 146-148, vgl. ook Trsp., p. 199.

663 Citaat bij Gilbert (1940), p. 653. Ik cursiveer.

664 Aristoteles, Verhandeling (1780) p. 13, 14. Ik cursiveer.
Vgl. in de Italiaanse vertaling van Augusta Mattioli, cap. XV, 1454 b: '.. la tragedia è imitazione dei fatti riguardandi personaggi superiori a quel che siamo noi...': Aristoteles, *La poetica* (1956), p. 75; in de Nederlandse vertaling van Van der Ben en Bremer (1986), cap. XV, 54b8, p. 56: '... dat de tragedie een uitbeelding is van mensen die juist beter zijn dan wij nu eenmaal zijn.'

behandelde onderwerpen: 'Celles de la comédie partent de personnes communes, et ne consistent qu'en intrigues d'amour et en fourberies... mais dans la tragédie *les affaires publiques* sont mêlées d'ordinaire avec les intérêts particuliers des personnes illustres qu'on y fait paraître; il y entre des batailles, des prises de villes, de grands périls, des révolutions d'état...'[665] En in de *Commentaires* die Voltaire een eeuw later bij zijn uitgave van Corneilles *Théâtre* schreef, stelt ook de verlichte filosoof vast dat de hoofdpersonen in het treurspel moeten zijn 'élevés *au-dessus du commun*', ondermeer 'parce que *le destin des Etats* dépend du sort de ces personnages importants'.[666] Daarmee is meteen duidelijk waarom M.C. Curtius (1753, vertaling 1780) meent dat de handeling van vorsten pas werkelijk tot het peil van de tragedie 'verhoogd' wordt, wanneer 'het welzyn des geheelen staats daarvan af hangt'.[667]

Deze voorwaarde roept de vraag op, of de stof van de tragedie moet teruggaan op een alom bekend gegeven uit de geschiedenis. De Italiaan Giovambattista Giraldi Cinthio beriep zich in zijn *Discorsi* van 1543 op het gezag van Aristoteles om te bewijzen dat dit niet noodzakelijk het geval is, maar twintig jaar later huldigde zijn landgenoot Trissino een ander standpunt, en in de *Poetica di Aristotele...* van Castelvetro (1571) staat zelfs uitdrukkelijk dat de intrige van de tragedie, ondanks het soepeler standpunt van Aristoteles, in ieder geval moet teruggaan op gebeurtenissen die 'historisch' genoemd kunnen worden.[668] Een gelijksoortige mening treft men in de zeventiende eeuw aan bij Chapelain, Baro, Mairet, La Mesnardière en andere Franse theoretici.[669] De wijze waarop Castelvetro en Laudun d'Aigaliers deze eis al eerder hadden gemotiveerd, vertoont opvallende overeenkomsten met de redenering van de Franse jezuïet P. Brumoy, die in de geschiedenis van de klassieke filologie bekend is gebleven als propagandist van de Griekse tragedie in de achttiende eeuw.[670] Brumoy ging in het eerste deel van zijn in 1732 verschenen verzameling *Le théâtre des Grecs* vrij uitvoerig in op het gegeven dat de onderwerpen van de antieke tragedie in grote lijnen bekend waren uit de geschiedenis of de mythologie. Hij meende dat verschijnsel als volgt te kunnen verklaren: 'Je crois en trouver une raison dans la nature humaine. Il n'y a que la vraisemblance dont il puisse être touché. Or il n'est pas vraisemblable, que des faits aussi grands que ceux de la tragédie, des faits qui n'arrivent que dans la maison des Rois, ou dans le sein des Empires, soient absolument inconnus. Si donc le Poëte invente tout son sujet jusqu'aux noms, l'esprit du spectateur se révolte: tout lui paraît incroyable, et la pièce manque son effet faute de vraisemblance'.[671]

Zo'n zienswijze verklaart meteen waarom Hiëronymus van Alphen het in zijn naar T.J. Riedel bewerkte *Theorie der schoone kunsten en wetenschappen* (1778) een

---

665 Corneille (Pléiade, dl.I, 1950), p. 117. Ik cursiveer Vgl. *Oeuvres complètes*, dl. III, p. 124 e.v. (Pléiade, 1987).

666 Lion (1895), p. 276. Ik cursiveer.

667 Aristoteles, Verhandeling (1780), p. 83.

668 Gilbert (1940), p. 252, 253; 225; 319, 320.

669 Bray (1927), p. 309, 334.

670 Wille (1937), p. 207.

671 Brumoy, dl. I (1732), p. 186.

bijzonderheid acht, dat er 'zelfs' treurspelen bestaan waarvan de stof is verzonnen. Een intrige die louter en alleen is te danken aan de inventie van de auteur werd namelijk beschouwd als een typerende eigenschap van het blijspel. Zo staat het bij Trissino, Castelvetro, Scaliger, Laudun, Mairet en anderen.[672] Zo begreep het ook Diderot. En op grond van het feit dat de 'comédie' verzonnen alledaagse onderwerpen behandelt, concludeerde Brumoy dat de toeschouwer van een blijspel zich gemakkelijker kan overgeven aan de toneelillusie, omdat zijn verwachtingspatroon totaal anders is dan bij een treurspel, waarvan de stof hem al vooraf in grote lijnen bekend is. De toeschouwer of lezer van een blijspel neemt daarentegen kennis van een hem nog onbekend amusant voorval uit het dagelijkse leven, dat meer ruimte laat aan zijn eigen verbeelding.[673] Dat het gespeelde voorval zo amusant dient te zijn dat je ermee lachen kunt, is algemeen bekend en staat trouwens al bij Aristoteles. De schrijver van de *Tractatus Coislinianus* geeft een definitie van het blijspel waarin 'de lach' wordt gekwalificeerd als 'de moeder' van de komedie.[674]

3. Treurspel en zedenspel

Zoals opgemerkt aan het begin van de vorige paragraaf, kan het 'vorstelijke' of 'deftige' treurspel in de achttiende eeuw niet alleen worden afgegrensd ten overstaan van het blijspel, maar al evenzeer ten opzichte van het zg. *tooneelspel*, *zedenspel* of *drama*. De meeste werken die destijds op een van die namen aanspraak konden maken, werden in Nederland sinds de jaren zestig en zeventig vertaald uit het Frans. Zo publiceerde Betje Wolff in 1774 een vertaling van Diderots toneeltekst *Le fils naturel*, die in de literatuurgeschiedenis bekend staat als 'burgerlijk drama'. Acht jaar later zou de 'burgerlijke roman' *Sara Burgerhart* van Wolff en Deken verschijnen, met de trotse vermelding 'Niet vertaalt' op het titelblad. De wil of wens oorspronkelijk te zijn, bestond niet alleen bij romanschrijvers, maar ook bij toneelschrijvers. In 1785 verscheen een tekst die door zijn auteur – overigens ten onrechte – werd gepresenteerd als het eerste oorspronkelijk Nederlandse 'tooneelspel'.[675] De schrijver was Izaak Schmidt en de titel *Agatha*. Het stuk is geschreven in de voor het klassieke treurspel traditionele alexandrijnse versvorm die echter – en dat was volgens de auteur een innovatie – werd afgewisseld door anderssoortige versregels. De handeling of inhoud verbeeldt de lotgevallen van de zeer deugdzame maagd Agatha. Ze is als wees gouvernante geweest bij Ernestus, die 'bij gebrek aan Zoons', twee neven 'tot zich heeft genomen'. De oudste, Everhart, is een schurk die tevergeefs de eer van Agatha belaagt. De jongste heet Carel; hij heeft de deugd in pacht en bemint Agatha oprecht. Door allerlei kuiperijen slaagt Everhart erin zijn oom dusdanig te bedriegen, dat deze zijn toestemming weigert voor het huwelijk

[672] Van Alphen, dl. I (1778), p. 367; Bray (1927), p. 334.

[673] Denis Diderot (Oeuvres IV, 1821), p. 477; Brumoy, dl. I (1732), p. 186.

[674] Cooper (1922), hfdst. XII. Het feit dat de blijspeldichter zijn stof en zijn intrige zelf bedenkt, was voor de Griekse blijspeldichter Antifanes (vierde eeuw v.Chr.) reden om de stelling te verdedigen dat zijn vak moeilijker was dan dat van de treurspeldichter: W.E.J. Kuiper, *Griekse varia* (Klassieke Bibliotheek, dl. VI), Haarlem 1956, p. 143.

[675] Inderdaad ten onrechte: zie Kalff, dl. IV (1910), p. 466 e.v. en Worp, dl. II (1908), p. 167 e.v.

tussen Carel en Agatha. Hij wordt hierbij geholpen door zijn vriend Balthasar, die daarom door Carel tot een tweegevecht wordt uitgedaagd. Carel 'stiet zijn partij ter neder' en vlucht met zijn geliefde. Nu wonen ze met hun kind in een afgelegen dorp, waar Carel werkt als landarbeider (om een onwettige samenleving te voorkomen, heeft de auteur hen tevoren een geheim huwelijk in Engeland laten sluiten). Op de dag dat Carel een oude reiziger op moedige wijze tegen rovers heeft beschermd, is Everhart juist in het dorp en herkent hem. Hij klaagt hem aan vanwege de moord op Balthasar en het gevolg is dat de brave huisvader door de schout uit zijn huis wordt gesleurd, na op hartroerende wijze afscheid te hebben genomen van vrouw en kind. Kort daarop wordt Agatha natuurlijk lastig gevallen door Everhart, maar haar bekende deugdzaamheid maakt diens pogingen bij voorbaat nutteloos. Na een komische scène met zijn knecht Joost, verlaat de verleider Agatha's woning. Zijn wraak heeft tot gevolg dat ook Agatha wordt gearresteerd: op beschuldiging van oneerbare samenwoning met Carel. Als het zover gekomen is, duikt Balthasar op, die tot verrassing van de anderen nog in leven blijkt te zijn en zich zeer berouwvol toont. Bovendien ontpopt zich de door Carel geredde reiziger als zijn oom Ernestus. De bedriegerijen van Everhart komen nu aan het licht en Agatha en Carel worden in ere hersteld.

Izaak Schmidt gaf zijn stuk een programmatische *Voorrede* mee. Daarin verklaart hij dat het waarlijk '*grootsch* is treurspelen te schrijven en daar in *Helden* ten Tooneele te voeren, welkers daaden ons door een *verheven* stijl in verwondering houden opgetoogen'. Maar de 'neiging' die de treurspeldichter dwingt om '*Koninglijken* gebeurtenissen uit den boezem der vergetelheid te delven', is volgens hem niet in overeenstemming te brengen met '*laagere* gevallen'. Schmidts eigen 'neiging' is dat wèl: ze blijft beperkt tot het '*Gemeene* leeven', tot het 'afbeelden van characters en gevallen die ons *dagelijks* voor de oogen komen', tot mensen 'die met ons bijna *in zelven rang* zijn'. Door aan deze dichterlijke neiging te hebben toegegeven, meent Schmidt als eerste Nederlandse dramaturg een nieuw genre te hebben beoefend, dat hij op het titelblad aanduidt als 'tooneelspel' en waarmee hij een ander, eerder verschenen oorspronkelijk Nederlands stuk wel enigszins verwant acht. Dat vroegere stuk werd geschreven door Martinus van der Winden en verscheen al in 1760 onder de titel *De vriendschap*. Het is geschreven in verzen, telt vijf bedrijven en werd door zijn auteur gepresenteerd als 'zedenspel'.[676]

Schmidts 'laagere gevallen' en zijn karakters uit het 'Gemeene leven' – tegenover de 'Helden' uit de verheven tragedie – bleken ook voor andere theoretici uit die tijd van doorslaggevende betekenis bij het bepalen van het onderscheid tussen enerzijds *treurspel* en anderzijds *toneelspel*, *zedenspel* of *drama*. Op dit door de maatschappelijke stand gefundeerde verschil wijst onder anderen Simon Styl, maar dan in een filippica tegen de toneelspelen of 'dramen', waarvan hij meent dat ze met hun 'platter taal en huishoudelijker uitdrukking' nooit de

676 Schmidt (1785), p. VII e.v.. Ik cursiveer. Vgl. Kalff, dl. VI (1910), p. 466, 467 en Worp, dl. II (1908), p. 167; De Haas (1998), p. 270.

waarde van het 'heldhaftige treurspel' zullen bereiken.[677] Maar laten wij Bilderdijk nogeens aan het woord. Sprekend over de toneelspelen of 'drames' van Mercier, zegt hij in 1779: 'een volmaakt Drama zou nauwelijks iets anders zijn dan dit Treurspel [der Oudheid namelijk], de *grootschheid en verhevenheid der onderwerpen ter zijde gesteld*'. En in 1808 herhaalt hij dat het gewone toneelspel de grootsheid van het treurspel mist. Kinker was in de voorrede bij zijn filosofisch zinnespel *Het Eeuwfeest bij den aanvang der 19e eeuw* (1801) van mening dat het drama 'eene handeling uit het gemeene leven en het verheven Treurspel een daad uit het Heldendicht, of tenminste daartoe berekend, voorstelt.'[678] Rhijnvis Feith schreef in 1793 dat de 'moderne drames... een eenvoudig, naar de natuur stipt geteekend, schilderij onzer zeden opleveren'. Dat was voor hem een reden om in deze toneelsoort het gebruik goed te keuren van proza: een taalvorm die hij volstrekt ongeschikt achtte voor het 'vorstelijke treurspel'. Ten aanzien van de inhoud van beide genres, merkte Feith ondermeer op dat het treurspel bevorderlijk is voor de kennis der historie, terwijl het drama slechts de oplossing brengt van een tevoren nog onbekende intrige.[679]

Deze laatste mededeling herinnert ons aan de wellicht door Castelvetro geïnspireerde uitspraak van pater Brumoy, die de bekendheid van het treurspelonderwerp juist plaatste tegenover de illusie van de onbekende intrige uit het dagelijks leven, waarvan men in de 'comédie' getuige is. Behalve dit en de sociale status van de dramatis personae, is er in het 'tooneelspel' of 'zedenspel' trouwens nog een eigenschap die aan het blijspel herinnert. Zoals Schmidt al opmerkte, wordt het onderwerp niet 'uit den boezem der vergetelheid' opgedolven en daarmee hangt samen dat ook het voor de tragedie kenmerkende 'welzyn des geheelen staats' van de handeling is uitgesloten. Toen Lessing in zijn als burgerlijk treurspel bedoelde *Samuel Henzi* de privésfeer te buiten ging en landsbelangen op het toneel wilde brengen, verbrak hij dan ook de toenmalige begrenzing van het genre en kwam daardoor terecht op het terrein van de eigenlijke (heroïsche) tragedie. In het besef van deze tegenstrijdigheid door de dichter zelf, moet wellicht de verklaring worden gezocht voor het feit dat Lessings *Samuel Henzi* een onvoltooid fragment is gebleven.[680]

Het voorafgaande maakt weliswaar duidelijk dat zowel het zedenspel als het blijspel op grond van het verschillend sociaal niveau kunnen worden afgegrensd tegenover het treurspel, maar het verschil tussen drama en komedie onderling wordt er geenszins door toegelicht. Toch heeft het toneelspel of zedenspel kennelijk andere eigenschappen dan het blijspel. Het is, zoals men in een afwijzende kritiek van de *Vaderlandsche Letteroefeningen* (1773) kon lezen: 'Een gemengd Toneelstuk, dat noch onder de deftige Treurspelen, noch onder de bevallige Blyspelen gebragt kan worden; en dus niet zeer geschikt is, om de ernstige aandoeningen of

677 Te Winkel², dl. V (1924), p. 459.

678 DW. XV, p. 24 (ik cursiveer) en Trsp., p. 212; Rispens (Kinker, 1960), p. 115, 122.

679 Feith (Bijdragen, 1825), p. 99, 108.

680 Krueger (1961), p. 187; vgl. hfdst. II, par. 4, noot 114.

vervrolykende gemoedsbewegingen der verstandige Aenschouweren recht gaende te maken'.[681] We laten de conclusie voor rekening van de *Letteroefeningen* en bedenken dat ook Bilderdijk in de 'zoogenaamde Drames' een 'bastaard'-soort zag: een 'middelding tusschen Blijspel en Treurspel'.[682] De herkomst van deze indringer is van tweeërlei aard: sociaal en artistiek.Het gaat om grotere belangstelling en waardering voor de zeden van de eigentijdse burgerlijke bevolking – in tegenstelling tot hof en adel – en het gaat om een verandering van artistieke oriëntering, die zal leiden tot een bevrijding uit het keurslijf van de classicistische toneelwetten. Als ieder onecht kind, was ook het *zedenspel*, *drama* of *tooneelspel* een natuurlijk kind: het heeft zijn ontstaan te danken aan de paring van de beide hoofdgenres blijspel en treurspel. Een paring die al lang tevoren was aangekondigd.

[681] Hartog (1877), p. 495.

[682] Trsp., p. 136. In een brief aan Voltaire schreef Frederik de Grote op 11 januari 1750 over de zg. 'comédie larmoyante' van Nivelle de la Chaussée: 'Mon zèle pour la bonne comédie va si loin que j'aimerais mieux y être joué, que de donner mes suffrages à ce monstre bâtard et flasque, que le mauvais goût du siècle a mis au monde' (Uthoff, 1883, p. 57).

HOOFDSTUK II

LUISTEREN EN KIJKEN

1. Tragikomedie

Omstreeks het begin van onze jaartelling schreef Horatius in zijn *Ars poetica* de later veel geciteerde regel:

> Versibus exponi tragicis res comica non vult.

En in 1674 herhaalde de *Art poétique* van Boileau:

> Le comique, ennemi des soupirs et des pleurs,
> N'admet point dans ses vers les tragiques douleurs.

De strenge scheiding van treurspel en blijspel die dit voorschrift impliceert, bleef geenszins gehandhaafd gedurende de vele eeuwen die deze beide citaten van elkaar scheiden. Al ruim een eeuw vóór Horatius' *Ars poetica* had Plautus de term *tragicocomoedia* gelanceerd in de proloog van zijn toneelstuk *Amphitryo*, waarin goddelijke personages optreden in typisch burgerlijk-komische omstandigheden. Maar afgezien daarvan en afgezien van het middeleeuws toneel, kan worden vastgesteld dat de grens tussen het tragische en het komische al begon te vervagen vrij kort nadat renaissancistische theoretici hun douanevoorschriften omtrent de strenge afgrenzing hadden uitgevaardigd. In de toneelpraktijk brak toen het tijdperk aan waarvan Boileaus geschrift als de theoretische consequentie kan worden beschouwd. Al in de zestiende eeuw waren toneelsoorten als *tragi-comédie*, *pastorale* en *comédie héroïque* ontstaan, waarin allerlei auteurs de verworvenheden van het zich in de renaissance ontwikkelende Aristotelische en Horatiaanse treurspel trachtten te verbinden met de traditie van het vrije, middeleeuws toneel.[683] Aansluitend bij een uit de Italiaanse *commedia dell'arte* bekend procédé liet de latere librettoschrijver Philippe Quinault midden in de Gouden Eeuw een stuk opvoeren dat kan worden beschouwd als een toppunt van toneel-mélange: zijn *La comédie sans comédie*, van 1655. De rijmende proloog van dit merkwaardige stuk vermeldt dat de toeschouwers achtereenvolgens zullen worden geconfronteerd met een 'pastorale..., une pièce burlesque..., une pièce tragique..., un sujet de tragi-comédie':

[683] Carrington Lancaster (1907), p. 16 e.v.; Bray (1927), p. 304; Smit (1964); voor de passus bij Plautus zie het eerste hoofdstuk bij Herrick (1962), die achtereenvolgens de tragicomedie in Italië, Frankrijk en Engeland behandelt. Voor Nederland: Rens (1975)

Où nous pourrons encor mêler pour ornements
Des machines en l'air et des concerts charmants![684]

Dat soortgelijke en ook minder baldadige 'overtredingen' geenszins ontsnapten aan de aandacht van de theoretici, wordt ondermeer in het zeventiende-eeuwse Frankrijk bewezen door de polemieken rondom Corneilles *Le Cid* (1637) en in het achttiende eeuwse Duitsland door de *Critische Dichtkunst* (1730) van Gottsched, die meende dat iemand die (zoals Shakespeare) het tragische en het komische 'vermischt', ipso facto zijn 'Unwissenheit' bewijst.[685] Al in de tweede helft van de zeventiende eeuw schijnt het pleit te zijn beslist ten gunste van de verdedigers der voorschriften, die zich heftig tegen de vermenging van de toneelgenres verzetten. De bastaardsoorten verdwenen meer en meer van het toneel, en volgens René Bray evolueerden de zg. *tragi-comédies* in Frankrijk tot traditionele treurspelen met een gelukkige ontknoping (en dus dichterlijke gerechtigheid): een oplossing die de Italiaanse Senecaan Giraldi Cinthio al in de zestiende eeuw had geïntroduceerd met zijn genre-aanduiding *tragedia di lieto fin*. In zijn studie over het Nederlandse renaissance-toneel constateert W.A.P. Smit nagenoeg het zelfde als Bray: de zeventiende-eeuwse tragikomedie was een 'Bly-eindigh *Treurspel*', en derhalve geen apart genre maar slechts 'een formele variant van de tragedie'. De term *tragicomedie* komt in de achttiende eeuw niet meer op titelpagina's voor en veel theoretici toonden zich niet bepaald gelukkig met de 'variant' die er vroeger door werd aangeduid.
Critici als Alison, Lord Kames, Gottsched en zelfs Diderot, Beaumarchais en Mercier hebben zich op verschillende wijzen afkeurend over de tragikomedie uitgelaten. Wat nog niet betekent, dat er onder achttiende-eeuwse theoretici klassieke stabiliteit en eenstemmigheid ten aanzien van dit genre of deze 'variant' heeft bestaan. Een belangrijke auteur als Voltaire had bijvoorbeeld een meer welwillende houding en dr. Johnson schreef zelfs (evenals vroeger Guarini!) dat hij de tragikomedie als hoogste vorm van de dramatische kunst beschouwde. Daar staat weer tegenover dat Abbé d'Aubignac al anno 1657 in zijn *Pratique du théâtre* had geproclameerd dat zelfs de genre-aanduiding 'tragi-comédie' voldoende was om te verhinderen dat toeschouwers een echte tragische spanning konden beleven: ze wisten immers tevoren dat alles goed voor hun held ging aflopen! Terecht heeft Karl S. Guthke er in zijn studie over het tragikomische op gewezen dat Duitse theoretici van de Aufklärung in de tragikomedie niet meer konden zien dan een (ongeoorloofde) afwisseling of opeenvolging van het tragische en het komische. Ondanks de in 1755 en 1761 verschenen *Briefe über die Empfindungen* en *Rhapsodie über die Empfindungen* van Mozes Mendelssohn, slaagden ze er niet in tot een meer complexe, synthetische waardering te komen, waarbij het tragische en het

---

684 Gaiffe (Le rire, 1931), p. 170 e.v.

685 Searles (1914), p. 331 e.v.; Hémon (s.d.), p. 47-53; Guthke (1961), p. 123, 124; Herrick (1962), p. 211-213; Kremer (2008) p. 32-36.

komische elkaar kunnen aanvullen en versterken.[686] In de aanvullende en versterkende vermenging van verschillende esthetische ervaringen ligt de kracht van de dramatische kunst. Het toneel streelt het oog en het oor. De schouwburgbezoeker luistert en kijkt, hoort en ziet.

2. Van spektakelstuk tot melodrama

Toen Andries Pels, als importeur van het Frans classicisme, anno 1677 de *Ars poetica* van Horatius ging aanpassen aan de tijden en zeden van zijn laat-zeventiende-eeuwse landgenoten, vertaalde hij de verzen 179 tot en met 183 als volgt:

> Men voert vertoonende, óf vertéllende de zaaken
> Ten schouwtoonele, maar ons zal veel minder raaken
> Het geen men zéggen hoort, als 't geen men zéllef ziet,
> En in ons byzijn, als óf 't waarheid was, geschiedt.[687]

Het was vooral in deze passus dat men toen en nadien steun zocht voor de overtuiging dat het treurspel óók een *kijkspel* mocht zijn. De door Horatius gemaakte restrictie dat dit kijkspel geen kindermoorden, tovenarijen of mythologische gedaanteverwisselingen zou bevatten en al evenmin mocht ontaarden in een kannibalenkeuken, valt echter moeilijk te rijmen met de praktijk van onze zogenaamde 'spektakelstukken' of 'toverstukken'. Voor de bloei van dit merkwaardige genre zijn verschillende oorzaken aan te wijzen. Bijvoorbeeld de eenzijdig gerichte navolging van Seneca, wiens tovenarijen, spookverschijningen en andere spectaculaire effecten onder meer via het werk van P.C. Hooft op het Nederlandse toneel bekend werden. Andere impulsen bewijzen dat het toneel 'à grand spectacle' niet alleen een Nederlandse aangelegenheid was. Vooral in Engeland, Spanje en Frankrijk had men de vrije, 'tragi-komische' vormen van dramaturgie gekend, waardoor in de zestiende eeuw de traditie van het middeleeuwse toneel met klassieke invloeden werd verbonden. Men denke aan auteurs als Shakespeare, Lope de Vega en Louis le Jars. In die traditie passen ook de later als 'barok', 'romantisch' of 'romanesk' getypeerde toneelspelen van Bredero.[688]

---

[686] Bray (1927), p. 305; Herrick (1962), p. 93; Smit (1964), p. 16-18; Wellek, dl. I (1955), p. 40, 53, 59, 89, 112, 119, 177; Mornet (1914), p. 614; Gaiffe (1910), p. 553; Scherpe (1968), p. 220 e.v.; Guthke (1961), p. 119-121; De Haas (1998), p. 25-27. (Mercier -1773-, p. 97, noemt Corneille een studeerkamerauteur die zich niet interesseerde voor de wereld en de zeden van zijn tijdgenoten, zoals Calderón, Lope de Vega, Goldoni en Shakespeare wél deden. Hij vergelijkt de strenge Frans-classicistische tragedie en tuinachitectuur met het vrije toneel van Shakespeare en de losse Engels-romantische tuinaanleg: 'Nos tragédies ressemblent assez à nos jardins; ils sont beaux, mais symmétriques, peu variés, magnifiquement tristes. Les Anglois vous dessinent un jardin où la manière de la nature est plus imitée & où la promenade est plus touchante; on y retrouve tous ses caprices, ses sites, son désordre: on ne peut sortir de ces lieux.' De trieste en koude monotonie van het Franse treurspel wordt opnieuw aan de kaak gesteld in Mercier -1778-, p. 32, 33, 115.)

[687] Pels, Horatius (1973), p. 74. Schrijvers (1980), p. 36, 37 vertaalt: 'Een handeling wordt of gespeeld of naverteld / Een luisterspel sleept het publiek veel minder mee / dan wat de trouwe ogen wordt getoond en wat/ de kijker zelf zich meedeelt...'

[688] Van Hamel (1918), p. 107; Van Mourik (1968), p. 91; Worp (1892), p. 116, 292; Worp (1904), dl. I, p. 342; Smit (1964); Grootes (1999). In zijn hoofdstuk 'Das Manieristische Theater' legt Gustav René Hocke verband tussen de 'Deus ex machina' van Euripides – via Seneca – en de 'machines' in de zestiende-eeuwse 'tragikomedie', met verwijzing naar Guarini, Lope en Shakespeare: G.R. Hocke, *Manierismus in der Literatur. Sprach-Alchimie und esoterische Kombinationskunst. Beiträge zur vergleichenden europäische Literaturgeschichte*, Reinbek bei Hamburg 1959

De smaak van het kijkend publiek werd bij ons in de zeventiende eeuw tevreden gesteld en beïnvloed door reizende Engelse acteurs, door het Spaanse toneel en door de zogenaamde 'joden-theaters'.[689] Dat Nederlandse toneelschrijvers zonder artistieke gewetensbezwaren 'spektakelstukken' durfden schrijven, is verder te danken aan het inspirerende voorbeeld van Corneille. Zich aanpassend bij de door kardinaal Mazarin uit Italië geïmporteerde spectaculaire opera-scènes, waarvoor het Théâtre Bourbon zelfs was verbouwd en uitgerust met 'machines', schreef Corneille in 1650 zijn 'tragédie' *Andromède*. Het voorwoord maakt de lezer attent op de talrijke decorveranderingen, het kunst- en vliegwerk, de muziek en de zang, en besluit met de bekentenis: 'mon principal but ici a été de satisfaire la vue par l'éclat et la diversité du spectacle'. Corneilles *La conquête de la toison d'or* van 1661 is geschreven in soortgelijke trant; en wie zich verdiept in zijn treurspel *Medée* van een kwarteeuw tevoren, komt tot de ontdekking dat de grote vertegenwoordiger van de Franse tragedie zich eigenlijk altijd al thuis had gevoeld in de op theatrale effecten gerichte traditie van Seneca. Het zijn juist deze en soortgelijke teksten van Corneille waaraan de bekendste Nederlandse spektakelstukken schatplichtig zijn.[690] Nadat de Amsterdamse schouwburg in 1664 was verbouwd en toegerust met 'Perspectiven of Insichten en veelderley vliegende Werken, die men Machines noemt', schreef Jan Vos zijn tot ver in de achttiende eeuw bewonderde spektakelstuk *Medea*, dat al zijn vorige prestaties op dit terrein overtrof: hij inspireerde zich daarbij niet alleen op Seneca, maar ook op de *Cid* van Corneille. En toen Lodewijk Meyer ongeveer tezelfder tijd 'alle de zeenuwen van zijn herszenen' inspande teneinde uit de al bestaande Franse spektakelstukken al de 'konst-en vliegwerken' bijeen te brengen en deze 'in één schouwspel te vlyen', ontstond zijn *Ghulde Vlies*, naar het voorbeeld van Corneille's *Toison d'or*.[691]

Van Hamel deelt mee dat de Nederlandse theoretici uit de gouden eeuw de tegenspraak tussen de classicistische theorie en de spectaculaire praktijk oplosten door het toneelstuk met kunst-en vliegwerk tot een apart genre te verklaren waarop de kunstwetten in sommige opzichten niet van toepassing waren. Dat, omgekeerd, bepaalde vormen van kunst- en vliegwerken wél werden toegepast in naar klassieke voorschriften gebouwde tragediën, bewijst ondermeer de vliegende draak van de tovenares Penta in het treurspel *Baeto* van P.C. Hooft, wiens dramatisch werk trouwens meermalen duidelijk aansluit bij de vrijere 'tragi-komische' toneelvormen uit de zestiende eeuw. Maar ook Vondel heeft zg. 'vertooningen' in enkele van zijn treurspelen voorzien, en tot twee maal toe werd hem daarvoor zelfs de helpende hand van Jan Vos geboden. Later heeft Govert Bidloo zich nog berucht gemaakt

(Rohwohlt), p. 214-217.

[689] Van Praag (1923), p. 15 e.v.; Kossmann (1915), p. 136 e.v. (vgl. Carrington Lancaster, 1907).

[690] Van Hamel (1918), p. 157, 158; Corneille, Oeuvres, dl. II, 1950, p. 237, 238, 1269; Worp dl. I (1904), p. 349; Bauwens (1921), p. 199 e.v.

[691] Bauwens (1921), p. 208, 199; Te Winkel, dl. II (1908), p. 465, dl. III (1910), p. 21; Worp, dl. I (1904), p. 352; Van Mourik (1968), p. 92, 93.

door treurspelen van Vondel om te werken tot regelrechte spektakelstukken met muziek en dans.[692]

Waarschijnlijk heeft het achttiende-eeuwse publiek Vondels tragediën voornamelijk gekend in bewerkingen die ze voor een belangrijk deel tot kijkspelen maakten. De bekende toneelspeler Jan Punt schijnt rond 1750 tevergeefs te hebben gedroomd van 'ongerepte' Vondelcreaties. Nog in 1808 klaagde Bilderdijk over de vechtpartijen en andere spektakels in de jaarlijks 'onlijdlijk mishandelden' *Gijsbrecht van Aemstel*, die zelfs de spot van Duitse critici hadden opgewekt. Ook de Italiaanse acteur en essayist Luigi Riccoboni toonde zich in zijn *Réflexions sur les différents théâtres de l'Europe* van 1740 ten zeerste verbaasd over de rumoerige en soms bloederige *mise en scène* op het Nederlandse toneel.[693] Het is tegen deze achtergrond volstrekt niet verwonderlijk dat het succes van Jan Vos' spektakelstuk *Medea* tot in Bilderdijks tijd kon voortduren.

In zijn studie over de schouwburgen in de Franse provinciesteden maakt Fuchs aannemelijk dat de 'machinerie' daar pas belangrijk werd omstreeks 1780. De 'machinist' ging toen deel uitmaken van het schouwburgpersoneel en aan de vooravond van de grote revolutie leerde men in de Franse provincie de echte spektakelstukken kennen. Ook in het Parijse *Théâtre français* kon er in de eerste helft van de achttiende eeuw maar moeilijk sprake zijn van een overvloedig gebruik van de machinerie, om de eenvoudige reden dat van ongeveer 1636 tot 1759 de Bühne voor een belangrijk gedeelte bezet was door etende, drinkende en pratende toeschouwers: een toestand die ook in Engeland niet geheel onbekend was. Dat het Franse publiek desondanks al sedert 1645 gewoon was aan de wonderlijke, soms zelfs met vuurwerk gepaard gaande effecten van machinerieën, komt vooral op rekening van de opera.[694] Ook uit de Nederlandse toneelpraktijk blijkt dat men in de achttiende eeuw heeft geprobeerd de vrijheden en mogelijkheden van de opera te verzoenen met de traditie van het klassieke treurspel. Enerzijds bestond er bewondering voor de zang- en kijkspelen, maar anderzijds wist de classicistisch gevormde artistieke *upper ten* de rust van zijn dramaturgisch geweten slechts gewaarborgd als kon worden aangetoond dat er op een of andere manier voldaan was aan de oude kunstvoorschriften.[695] Voor de verbinding van het klassieke treurspel met de opera is de Italiaan Pietro Metastasio (1698-1782) van bijzondere betekenis geweest. In de literatuurgeschiedenis staat hij geboekstaafd als de dichter die het operalibretto heeft verheven tot een waarachtig literair genre, maar het is kenmerkend voor die tijd dat hij zijn

[692] Van Hamel (1918), p. 157; Veenstra (Baeto, 1954); Smit, dl. II (1959), p. 31, 322 e.v.; Te Winkel, dl. II (1908), p. 402, 403, 461; Van Hamel (1918), p. 199; Dat Rembrandts *Nachtwacht* werd geïnspireerd door een 'vertoning' in Vondels *Gijsbrecht van Aemstel*, werd overtuigend aangetoond in de originele studie *Rembrandt fecit 1642* (Amsterdam 1956), door W.Gs. Hellinga. Ook de latere classicistische schilderkunst onderhield betrekkingen met de schouwburg: L. de Vries, *Gerard de Lairesse. An artist between stage and studio*, Amsterdam 1998.

[693] Albach (1946), p. 67, 74; Bilderdijk (Trsp., 1808), p. 190, 191; vgl. Schokker (1933), p. 13; Riccoboni (1740), p. 148; vgl. Corver (1786).

[694] Fuchs (1933), p. 84 e.v.; Moreau (1932), p. 335-337. Aghion (1926), p. 416, 420, 426, 427; Lion, p. 243 e.v., 426, 427; vgl. ook Monteyne (1949), p. 174, 305 e.v. en Lessing (1958), p. 45 (st. X).

[695] Van Tieghem, dl. I (1947), p. 104, merkt iets soortgelijks op m.b.t. de waardering van Ossian en de oude skandinavische volkspoëzie.

eigen werken beschouwde als rechtstreekse voortzetting van de traditie der oude Griekse tragedie.[696]

De combinatie van muziek en literatuur was voor de achttiende-eeuwse Italiaanse theoretici een twistpunt. In zijn *Della perfetta poesia italiana* (1706 en 1724) beschouwde Ludovico Antonio Muratori de muziek als een bedreiging voor de toneelliteratuur en Scipione Maffei deelde dit standpunt in zijn *Teatro italiano* van 1723. Daartegenover vindt men een warme verdediging van de muziek voor de dramatische kunst in *L'impostore* (1715) van Pier Jacopo Martelli.[697] Ook in Frankrijk had dit probleem de aandacht. Het vak van treurspelschrijver ging daar voor verschillende auteurs samen met dat van librettist en, door de overgang van 'opéra comique' naar 'drame lyrique', vertoont het muzikaal toneel er een soortgelijke – nog te bespreken – ontwikkeling als het oude blijspel.[698]

Diderot stond een soort 'Gesamtkunstwerk' voor ogen toen hij als ideaal van het 'genre lyrique' de verbinding van poëzie, schilderkunst, muziek en ballet noemde. Al in zijn derde *Entretien* van 1757 schreef hij over de waarde van de zogenaamde 'tableaux' en hij achtte met name de oude (helden-)tragedie het meest geschikt om een muzikaal-poëtisch genre te worden.[699] Diderot deelde dit ideaal met de als operadichter totaal mislukte Voltaire, die in de praktijk van zijn treurspel *Olympie* (1764) veel meer de sfeer van het zeventiende-eeuwse spektakelstuk naderde. Voltaire werkte met hartroerende herkenningen, een trouwpartij en een vechtpartij; hij liet vrouwen hun bewustzijn verliezen en ontwierp als *coup de théâtre* een slotscène waarin de heldin zich in de vlammen werpt die eigenlijk bestemd waren voor de crematie van haar gestorven moeder.[700]

Voltaire had Shakespeare gelezen. En de invloed van het Engelse genie heeft op het continent niet alleen bijgedragen tot een grotere vrijheid in de *mise en scène* van de oude tragedie. Die invloed was al evenzeer van belang voor het ontstaan van het *drame mixte* of *toneelspel*, waarover hierna in paragraaf 4 zal worden gesproken.[701] Tot verbazing van verschillende bewonderaars op het continent had George Lillo in zijn *The London merchant* (1731) een moord laten gebeuren voor de ogen van de toeschouwers. Bovendien vergastte hij hen in zijn laatste bedrijf op de aanblik van een startklaar schavot waar de moordenaar zijn straf moest ondergaan: effecten overigens waar men in Nederland al aan gewoon was en waar Voltaire de Franse toneelliefhebbers zo spoedig mogelijk aan gewoon zou proberen te

[696] De Jong (1960, TNTL), p. 243. In de Florentijnse 'camerata', waar aan het einde van de zestiende eeuw in besloten kring de opera ontstond, had men eveneens de overtuiging te werken aan de heropleving van de oude Griekse tragedie (Het eerste openbare operagebouw werd in 1637 geopend in Venetië): Guido Turchi in S. D'Amico, vol. 7, p. 1338 e.v.; Rudolf Kloiber, *Handbuch der Oper*, Band 2, DTV 1973, p. 784; G. Barblan e A. Basso, *Storia dell'opera*, Tomo primo, Torino 1977, p. 39 e.v.; p. 55 e.v.

[697] Robertson (1923), p. 85, 137, 157.

[698] La Harpe, dl. XIII (1813), p. 230 e.v.; Lintilhac, dl. IV (1909), p. 346 e.v.; vgl. Aghion, p. 60 e.v. (De hier bedoelde verandering van het blijspel wordt besproken in de volgende paragrafen.)

[699] Diderot (Oeuvres IV, 1821), p. 218, 219; Gillet (1937), p. 225, 226; Berger (1989), p. 131-147.

[700] Lion (1895), p. 297, 307, 308. Voor Voltaire als librettist: Aghion (1926), p. 78.

[701] Van Tieghem, dl. III (1947), p. 399.

maken.[702] Zoals we nog zien zullen, ontstonden er nieuwe toneelsoorten die worden gekenmerkt door toenemende overdrijving van inhoudelijke aspecten: de ophemeling van engelachtige deugd tegenover verfoeilijke boosheid en een tot onbeheerste gevoelsscènes leidende sentimentaliteit.

Zo kon, na de Duitse *Sturm und Drang* en het wereldsucces van de Duitse burgerlijk-sentimentele drama's van Kotzebue en Iffland, in Frankrijk het zogenaamde 'mélodrame' ontstaan, in aansluiting tevens op dramatische experimenten van Jean-Jacques Rousseau (*Pygmalion*, 1754) en op de traditie van de Italiaanse commedia dell'arte, de opera, de pantomine en het reizend volkstheater.[703] In het *melodrama* wordt het mysterieuze gepaard aan het schrikwekkende, de pathetiek aan de deugd, en de gezwollen stijl aan muziek en zang. Zoals in hedendaagse films, hoorde men soms bij ontroerende taferelen een passende melodie en ook de stemming van de dramatis personae vond een op effect berekende muzikale begeleiding. Verder werd er – zoals eveneens in sommige films – gevochten en gedanst, gehuild en gelachen. Het melodrama moest kortom: 'abenteuerlich sein und verblüffend, es musz einfache Gemüter, das Vorstadtpublikum, in atemloser Spannung erhalten, viel vom Zirkus und etwas von der Oper an sich haben'.[704]

Als 'vader' van het melodrama wordt René-Charles Guilbert de Pixérécourt (1773-1844) beschouwd: 'le Shakespeare et le Corneille des Boulevards', wiens dramatische producten nochtans een gematigd karakter vertonen in vergelijking met de vrijheden die zich zijn navolgers veroorloofden.[705] Uit zijn 'school' stammen stukken als *Les deux Orphelins* (1874) van Adolphe D'Enery en *Le Juif errant* (1845) van Eugène Sue, die als *De twee wezen* en *De wandelende Jood* hebben bijgedragen tot het cultureel vermaak van vele onzer grootouders.[706] Hun kinderen en kleinkinderen bezoeken hedendaagse 'musicals'.

3. Sentimenteel blijspel

Volgens Paul Hazard begint met het blijspel *Love's last shift* (1696) van Colley Cibber het tijdperk van de 'comédie hybride', en Prinsen noemt Richard Steeles *The lying lover* van 1704 'het eerste voorbeeld van een sentimental comedy'.[707] Op het Europees continent vinden er later veranderingen plaats, maar toch al in 1722 en 1724 schreef Fontenelle 'comédies sérieuses' die gesitueerd moeten worden op het grensgebied tussen treurspel en blijspel. Waarschijnlijk juist daarom hield Fontenelle ze voorlopig in portefeuille. Maar ook bij andere

[702] Prinsen (1931), p. 232, 240.

[703] Ginisty (1910); Aghion (1926), p. 47; Van Bellen (1827). Vgl. Monteyne (1949), p. 361.

[704] Klemperer, dl. I (1956), p. 23.

[705] Estève (1923), p. 139-168; p. 201 e.v.; Van de Panne (1927), p. 105 e.v. (Gregor -1933-, p. 555, vertelt dat de opvoering van Pixérécourts *Le chien de Montargis ou la forêt de Bondy* – met een trouwe poedel in de hoofdrol – aanleiding werd tot het einde van Goethes bemoeiingen met het hoftheater te Weimar; vgl. Klemperer -1956-, p. 24 en Ruitenbeek -1997-, p. 207, n.a.v. de opvoering van Pixérécourts stuk in de Amsterdamse schouwburg anno 1814.)

[706] In 1962 werd *De twee wezen* met groot succes uitgezonden op de Nederlandse t.v. onder regie van Willy van Hemert. Naar aanleiding van deze voorstelling schreef Cor van der Lugt Melsert in *Elseviers weekblad* van 16 juni 1962 over geregelde uitvoeringen op zondagavond die anno 1910 plaatsvonden in Rotterdam.

[707] Hazard (1949), p. 397; Prinsen (1931), p. 198-201.

auteurs drong de ernst vanuit het treurspel door in het blijspel. Een stuk als Pirons *Fils ingrats* van 1728 kan terecht een 'comédie attendrissante' worden genoemd.[708]

Het is Nivelle de la Chaussée (1691-1754), wiens naam verbonden blijft met het genre dat van deze evolutie de consequentie was: *La comédie larmoyante*. Volgens Lanson: 'un genre intermédiaire entre la comédie et la tragédie, qui introduit des personnages de condition privée, vertueux ou tout près de l'être, dans une action sérieuse, grave, parfois pathétique, et qui nous excite à la vertu en nous attendrissant sur ses infortunes et en nous faisant applaudir à son triomphe'.[709] Toen de Italiaanse Ossian-vertaler Melchiorre Cesarotti in 1762 een verhandeling schreef met de veelzeggende titel *Ragionamento sopra l'origine e i progressi dell' arte poetica*, vermeldde hij het door La Chaussée geponeerde nieuwe genre als een verrijking van de schouwburg en een gelukkige verbetering van de komedie, die eeuwenlang op een erbarmelijk peil was gebleven.[710]

Intussen moest door de hier zeer vluchtig geschetste ontwikkeling van de blijspelpraktijk de opvatting van een aantal theoretici wel ergens op de helling komen. Aristoteles had in het vijfde hoofdstuk van zijn *Poetica* het belachelijke uitdrukkelijk als kenmerk van de komedie genoemd en deze eigenschap was dan ook, zoals we gezien hebben, verdisconteerd in de vroegere meningen over het blijspel als tegenhanger van het treurspel.[711] Om te spreken met Fontenelle (die tegelijkertijd heel goed zag dat er 'espèces mixtes' ontstonden of al bestonden): 'la tragédie aura dans son partage le terrible et le grand, la comédie, le plaisant et le ridicule'.[712] René Wellek constateert in zijn *History of modern criticism* dat Voltaire tolerant was tegenover de 'comédie larmoyante' en er zelf een paar schreef.[713] Inderdaad zou men Voltaires *Enfant prodigue* (1738) en *Nanine ou le préjugé vaincu* (1749) 'comédies larmoyantes' kunnen noemen, maar daar staat tegenover dat die term volgens Voltaire's eigen theorie een onaanvaardbare contradictie bleef. Want voor Voltaire veronderstelt het begrip 'comédie' nu eenmaal in de eerste plaats het lachwekkende. En dat lachwekkende moet in de komedie steeds blijven overheersen en mag alleen incidenteel door een pathetisch element worden afgewisseld. Zo staat het uitdrukkelijk in de 'Préface' bij *Nanine*, waar Voltaire reageert op de (afwijzende) *Réflexions sur le comique larmoyant* (1749) van Pierre-Mathieu Martin de Chassiron.[714] Terecht kon Voltaires 'aartsvijand' Lessing dan ook in 1767 aan zijn lezers van de *Hamburgische Dramaturgie* meedelen: 'Eine ganz ernsthafte Komödie, wo man niemals lacht, auch nicht einmal lächelt,

---

[708] Gaiffe (1910), p. 30, 31.

[709] Lanson (1887), p. 81.

[710] Bigi (1960), p. 69.

[711] Aristoteles, Verhandeling (1780), p. 12. Vgl. Bray (1927), p. 333 e.v. en de Aristoteles-vertalingen van Mattioli (1956), p. 33 en Gilbert (1940), p. 74. (Voor Aristoteles en de komedie: zie Cooper (1922 en 1927) en de moderne Poetica-vertaling van Van der Ben en Bremer (1986), p. 35, 104, 105, 201-212).

[712] Citaat bij Folkierski (1925), p. 339.

[713] Wellek, dl. I (1955), p. 40.

[714] Voltaire schrijft: 'La comédie, encore une fois peut donc se passionner, s'emporter, attendrir, pourvu qu'ensuite elle fasse rire les honnêtes gens'. Zie: Folkierski (1925), p. 345, 346.

wo man immer weinen möchte, ist ihm [= Voltaire] ein Ungeheuer'. En doelend op toneelstukken van Graffigny en Diderot, voegde hij daaraan toe: 'vieles musz das Genie erst wirklich machen, wenn wir es für möglich erkennen sollen'.[715]

Ook Lessings landgenoot M.C. Curtius had grote moeite om de *comédie larmoyante* in zijn theorie onder te brengen. In de eerste paragraaf van zijn *Verhandeling over de persoonen en voorwerpen van het blyspel* (Nederlandse vertaling van 1780) had hij opgemerkt dat 'de meeste kunstregters en byna alle voorbeelden der Ouden en Nieuweren' hierin overeenkomen: 'dat de voorstelling van het *belaggelyke* in de menschelyke handelingen het oogmerk des Blyspels zy'. Hij besluit: 'de zaak is te bekend en te veel op de ondervinding gegrond, dan dat ik rede zoude hebben my wydloopig daarby optehouden'. Maar in de vierde paragraaf van zijn verhandeling ziet Curtius zich verplicht zijn lezers te confronteren met de stukken van Nivelle de la Chaussée: 'een nieuw soort van Blyspelen... waarin de zuivere Deugd op eene beminlyke wyze voorgesteld wordt, die in plaatse van het laggen, traanen uit persen en tedere hartstogten gaande maaken'. Dit fenomeen nu 'werpt alle de voorige verklaaringen der Blyspelen terneder, wyl in deze soort van Blyspelen... in de meeste stukken niets belaggelyks te vinden is'. De consequentie daarvan voor de theorie omschrijft Curtius als volgt: 'De kunstregters zullen gevolgelyk verpligt zyn twee soorten van Blyspelen aantenemen, en die in belaggelyke en ernstige te verdeelen. Om ze egter beiden onder eene algemeene verklaaring te begrypen, zo moet het Treur en Blyspel de Handelingen des menschelyken levens onderling deelen: de eerste is de dramatische voorstelling van de groote en verheven Handelingen, maar de laatste, naamlyk het Blyspel, is de dramatische nabootsing der handelingen des gemeenen levens'. Dit impliceert volgens Curtius dat het begrip 'Blyspel' voortaan zo wel deugden als ondeugden, zo wel ernstige als belaggelyke handelingen insluit.[716]

Mario Fubini wijst in zijn studie *Genesi e storia dei generi letterari* met nadruk op het feit dat ook Diderot heeft getracht de nieuwe toneelpraktijk onder te brengen in het traditionele classicistisch genre-schema. De Fransman schrijft (en ik cursiveer): 'Voici donc le système dramatique dans toute son étendue. *La comédie gaie* qui a pour objet le ridicule et le vice, *la comédie sérieuse*, qui a pour objet la vertu et les devoirs des hommes. *La tragédie* qui aurait pour objet *nos malheurs domestiques*, *la tragédie* qui a pour objet *les catastrophes publiques et les malheurs des grands*'.[717] Evenals Curtius kende Diderot dus een 'ernstig Blyspel' (*comédie sérieuse*) en een 'belaggelyk Blyspel' (*comédie gaie*). Terwijl Curtius daartegenover slechts één soort tragedie noemt – namelijk die waarover we in het eerste hoofdstuk hebben gesproken – onderscheidde Diderot twee soorten treurspelen. De ene soort valt duidelijk samen met Curtius' 'oude' treurspel ['*tragédie... publique*']; de andere zouden

715 Voltaire's 'aartsvijand' Lessing: zie voor de 'geistige Gemeinschaft' tussen beiden: Von Jan (1930) I, p. 365 e.v., II, p. 302 e.v.; Lessing (1958), p. 87, 88; vgl. Nivelle (1955), p. 207, 208; Gaiffe (1910), p. 31.

716 Aristoteles, Verhandeling (1780), p. 82, 83.

717 Fubini (1913), p. 60. De uitspraak van Diderot wordt verderop behandeld.

we het eindpunt kunnen noemen van de ontwikkeling die dit treurspel in de achttiende eeuw heeft doorgemaakt ['*tragédie...domestique*']. Meer dan de Duitse professor Curtius, gaf de Franse encyclopedist Diderot er zich rekenschap van dat de toneelpraktijk niet alleen de notie 'comédie' had veranderd, maar ook het begrip 'tragédie'.

4. Burgerlijk treurspel

In 1639 had La Mesnardière de mening verworpen dat het treurspel genoegen zou moeten verschaffen aan het gewone volk. Dat was volgens hem totaal onmogelijk, omdat iedere congenialiteit van het volk met de verhevenheid der dramatis personae in de tragedie ontbrak. 'Si on désirait que le peuple fût touché du poème tragique, il fallait lui faire traiter des avontures populaires', schreef La Mesnardière, die echter tegelijkertijd leefde in het besef dat zo iets in het genre 'treurspel' uitgesloten moest worden geacht.[718] Toch treffen we soortgelijke 'democratische' gedachten wel meer aan in de zeventiende eeuw. Toen Charles de Saint-Evremond in de dramatis personae van de Griekse tragedie niet in de eerste plaats helden en halfgoden wenste te herkennen maar veeleer de algemeen menselijke gevoelens ('la nature humaine') wist te waarderen die in deze verheven persoonlijkheden kunnen schuilgaan, ondergroef hij misschien al enigszins (en zonder het te willen) de sociale, elitaire fundering van het verheven treurspel.[719] Nog duidelijker was Corneille in het voorwoord van zijn *Don Sanche d'Aragon* (1650), waar de door La Mesnardière genoemde mogelijkheid tot popularisering kennelijk al minder ón-mogelijk werd geacht. Maar ook voor Corneille bleef het verschil tussen 'comédie' en 'tragédie' voornamelijk een kwestie van 'dignité des personnages'. En derhalve een treurspel met gewone burgers in de hoofdrol een paradoxale veronderstelling...[720] Een stapje verder achterwaarts deed anderhalve eeuw later de treurspelschrijver Vittorio Alfieri, die niet wenste dat hij zou worden aangesproken met de sedert de Franse revolutie in zwang gekomen titel 'burger' (*Citoyen, Cittadino*). Hij schreef anno 1800 in zijn autobiografie dat het burgerlijk treurspel ('il dramma urbano') een poging was om uit de komedie een tragedie op te vissen, wat hij even dwaas vond als de *Ranae* van Aristofanes te kwalificeren als 'epos'. Zelf probeerde Alfieri het omgekeerde: namelijk aan de tragedie iets komisch ontlokken. Dit vond hij nuttiger en meer in overeenstemming met de waarheid, want groten en machtigen die belachelijk zijn bestonden volgens hem volop, maar, zo vervolgde deze edelman: mensen uit de middenklasse (bankiers, advocaten en soortgelijken), die onze bewondering verdienen, bestaan er niet. En de cothurnen van het 'treurspel' passen nu eenmaal niet aan modderige voeten.[721]

---

718 Bray (1927), p. 331, 332.

719 Folkierski (1925), p. 251; Barnwell (1957).

720 Corneille, dl. I (1950), p. 66; Bray (1927), p. 332; Krueger (1961), p. 182.

721 'Questo mio secolo,scarsetto anzi che no d'invenzione, ha voluto pescar la tragedia dalle commedia, praticando il dramma urbano, che è come chi direbbe l'Epopea delle Rane. Io all'incontro che non mi piego mai se non al vero, ho voluto cavare (con maggiore verisimiglanza mi credo) dalla tragedia la commedia; il che mi pare più utile, più divertente, e più nel vero; poichè dei grandi e potenti che ci fan ridere si vedono spesso; ma dei mezzani, cioè banchierio avvocati, o simili, che ci facciano ammirare non ne vediamo mai; ed il coturno assai male si adatta ai piedi fangosi.'

De traditie wilde dat de gewone man alleen maar op het toneel verscheen om de toeschouwers om zijn fouten en ondeugden te laten lachen. In de achttiende eeuw werd dat anders. Men ging de burger ook beschouwen als een potentiële (literaire, zedelijke) toneelheld. Zoals al aangetoond in de vorige paragraaf, onderging zijn eigen dramatisch domein (het *blijspel* dus) een zodanige wijziging, dat de burger au sérieux wordt genomen en zijn 'zuivere Deugd' de toeschouwers 'traanen (gaat) uitpersen'. Daartoe was er, behalve een morele stijging vanaf het komisch-denigrerend niveau van het oude blijspel (met als resultaat: de *larmoyante komedie*), ook nog een andere weg mogelijk. Deze keer geen stijgende, maar een dalende weg, die overigens in de praktijk niet zo gemakkelijk van de eerste valt te onderscheiden. Ik bedoel de hiervoor aangeduide, onder meer door Lessing verdedigde mogelijkheid van een tragedie in de oude zin des woords, maar dan met burgers in de hoofdrol en losgemaakt van mythologie en geschiedenis (met als resultaat: het *burgerlijk treurspel*). Zowel het stijgen als het dalen ging voor de theoretici niet zonder onoverkomelijk lijkende bezwaren.

Folkierski veronderstelt in zijn studie *Entre le classicisme et le romantisme* (1925) dat de algemeen als 'larmoyante' vernieuwer van de achttiende-eeuwse 'comédie' beschouwde Nivelle de la Chaussée er nog van overtuigd was dat de verhevenheid van de tragedie niet viel te bereiken zonder een hoge sociale positie van de hoofdpersonen, en hij wijst ook op protesten van Chassiron en Voltaire, anno 1749, tegen de idee van een 'tragédie bourgeoise'. Maar de meningen waren verdeeld. In 1751 schreef Fréron in zijn *Lettres sur quelques écrits de ce temps* dat er geen sprake hoefde te zijn van veranderingen binnen het kader van de komedie, maar dat men eenvoudig te doen kreeg met toneelstukken die een apart genre vertegenwoordigden, dat van de '*drames moraux*'. Al honderd jaar tevoren had Corneille zijn *Don Sanche d'Aragon* verdedigd, door de ketterse mening te verkondigen dat het mogelijk was koninklijke dramatis personae vanuit de 'tragédie' naar de 'comédie' te laten afdalen. Lang nadat Corneille zelf van deze 'dwaling' was teruggekomen, treffen we haar opnieuw aan in de achttiende-eeuwse theorieën van M. Curtius, J.G.B. Pfeil en Fontenelle. De beide laatstgenoemden behoren tot degenen die kort na 1750 bovendien de mogelijkheid zagen om het burgerlijk personage vanuit blijspel-niveau op te heffen tot het niveau van de tragedie of, met andere woorden: om de tragische handeling vanuit haar traditionele vorstelijke verhevenheid te verplaatsen naar een omgeving waar zij de dramatische verhoudingen bepaalt tussen gewone burgers.[722]

De gecompliceerde literaire praktijk laat zich weerbarstig ordenen volgens de historische schema's die de literaire theorie meent te kunnen ontdekken. Daarom verbiedt mij de chronologie om Lessings *Emilia Galotti* (1772) aan te duiden als overgangsstadium van de klassieke tragedie naar het burgerlijk treurspel, ofschoon de stof van dit toneelstuk daar

(*Vita di Vittorio Alfieri da Asti scitta da esso*, Milano -B.U.R.- 1960, cap. 29, p. 323).

722 Folkierski (1925), p. 342-352; Bray (1927), p. 308; Krueger (1961), p. (178), 182, 183; Aristoteles, Verhandeling (1780), p. 83. Over het ontstaan van het burgerlijk treurspel verschenen na de jaren vijftig o.m.: Daunicht[2] (1965), Scherpe (1968), Wierlacher (1968), Guthke[5] (1994), Rochow (1999).

duidelijk op wijst. De stof die Lessing koos, is in de geschiedenis van de dramaturgie bekend als het literairhistorisch *Virginia*-motief en behandelt de ondergang van het tweede decemviraat in de Romeinse geschiedenis, als gevolg van het feit dat de plebejer Lucius Virginius zijn dochter Virginia moest doden, om haar te behoeden voor ontering door de tienman Appius Claudius.[723] In deze door Livius verhaalde stof waren particuliere gevoelens van illustere personen vermengd met staatsbelangen, zoals Corneille en zijn tijdgenoten dat kenmerkend achtten voor de tragedie. Er bestaat dan ook een hele serie treurspelen in klassieke trant over dit onderwerp: van Jean de Mairet, Jean-Gilbert de Campistron, Lemierre, Le Blanc de Guillet, Chabanon en La Harpe in Frankrijk, van Juan de la Cueva en Agustín de Montiano in Spanje, van Bernardo Accolti en Vittorio Alfieri in Italië, van Hans Sachs en Julius Graf van Soden in Duitsland, van A. van Mildert, Jacob Veen, F.J. Winter Tromp en... Bilderdijk (als ontwerp) in Nederland.[724]

Toen Lessing ditzelfde thema ging bewerken, ontdeed hij het van zijn geschiedkundige achtergrond, maakte het los van 'het welzijn des geheelen staats' (Curtius) en bracht het terug tot de privé-sfeer van adellijke familieverhoudingen in een klein vorstendom. Men zou schematiserend kunnen zeggen dat de 'deftigheid' van de vroegere tragedie in Lessings *Emilia Galotti* stilistisch is afgedaald tot het proza en inhoudelijk-sociaal gedegradeerd in de richting van het burgerlijke. Die richting was overigens al bijna twintig jaar eerder ingeslagen in Lessings als 'bürgerliches Trauerspiel' aangekondigd en gewaardeerd toneelstuk *Miss Sara Sampson*, van 1755. De adellijke hoofdpersoon van dit stuk wordt omgebracht door een uit vroegere klassieke treurspelen bekende gifbeker en haar wanhopige minnaar beneemt zich het leven met dezelfde overtuiging als een held van Racine. Maar andere overeenkomsten met de oude tragedie zal men in dit stuk waarschijnlijk tevergeefs zoeken: de handeling is geheel teruggebracht tot de sfeer en het ethos van de burgerlijke samenleving.[725]

Al weer twintig jaar vóór Lessings *Sara*, had de Engelsman George Lillo 'a true tragedy' gepubliceerd die hij *Fatal curiosity* noemde. Zijn stuk herinnert in zekere zin aan Sofocles' *Oedipus Rex* en vertoont de door Aristoteles in de tweede categorie van het tragisch medelijden geklasseerde situatie, namelijk een doodslag tussen familieleden die elkaar pas na het onheil herkennen.[726] Maar alleen: dit alles staat volkomen los van bekende stof uit mythologie of geschiedenis en speelt zich af binnen de begrenzing van het kleinburgerlijke

[723] Titus Livius, Boek III, 45 e.v. (B.O. Foster, *Livy with an english translation*, dl. II (The Loeb Classical Library), London-New York 1922, p. 143 e.v. Zie noot 111.

[724] Deze Virginia-bewerkingen, alsmede het onbekend gebleven fragment van Bilderdijk, kwamen al ter sprake in het *Eerste Boek*, hoofdstuk IV, paragraaf 4.

[725] Een samenvattende bespreking van *Emilia Galotti* en *Miss Sara Sampson* geeft Prinsen (1931), p. 262-273; p. 255-260. Balet (1936), p. 143, signaleert de politieke achtergronden van *Emilia Galotti*; hij noemt Lessings *Samuel Henzi* een 'politische Tragödie' om soortgelijke redenen als (pseudo?-) Pfeil dit stuk in 1755 als een 'heroisches Trauerspiel' beschouwde: Krueger (1961), p. 186 (In 1963 verscheen Edvard Dvoretzky, *The enigma of Emilia Galotti*, The Hague 1963). Schaer (1963), p. 27, wijst erop dat het in het 'burgerlijk' treurspel *Miss Sara Sampson* niet gaat om de tegenstelling adeldom-burgerdom, maar om 'das menschlich-seelische Verhalten der Figuren', uiteindelijk om wat hij op p. 59 aanduidt als ethische normen als peilers van de burgerlijke moraal.

[726] Aristoteles, cap. XIV (Van den Ben en Bremer, 1986), p. 53; Mattioli, p. 68-70.

Engelse familieleven. 'Schrik en medelijden', twee Aristotelische doelstellingen van de tragedie, had Lillo al in 1731 weten te bewerken door zijn *The London Merchant or the History of George Barnwell*, een stuk dat op het vasteland buitengewoon veel succes had... maar dan wel in bewerkingen die het gegeven veel sentimenteler en gemoedelijker maakten.[727] Lillo's 'tragédie bourgeoise' werd, met andere woorden, op het continent uitgerust met eigenschappen die kenmerkend waren voor de 'comédie larmoyante' of het sentimenteel blijspel.

[727] Prinsen (1931), p. 240-241.

HOOFDSTUK III

TONEEL ZONDER GRENZEN

1. De indeling van Diderot

Zoals gezegd, onderscheidde de Fransman Denis Diderot de 'comédie sérieuse' van de 'tragédie qui aurait pour objet nos malheurs domestiques'. Zijn geciteerde indeling van de dramatische soorten treft men aan in de verhandeling *De la poésie dramatique*, van 1758. Wanneer men dit opstel en Diderots drie *Entretiens* van een jaar eerder onderzoekt op hun terminologisch mérites, blijkt dat de onderscheidingen niet zo heel erg duidelijk zijn. 'Tragique' veronderstelt volgens Diderot: 'La terreur, la commisération et les autres grandes passions'... 'entiments élevés' en 'sublime'. De tragische held is een individueel karakter en de uitwerking van zijn lotgevallen op de toeschouwer is: 'frémir'. Van de 'comédie' vermeldt Diderot veel minder kenmerken. Hij verdedigt de stelling dat de komische hoofdpersoon geen individueel karakter mag hebben ('[il] doit au contraire représenter un grand nombre d'hommes'), en hij noemt als uitwerking van de komedie op de toeschouwer: 'rire'.[728]

Tussen deze twee uitersten ligt een grensgebied. Terwijl M.C. Curtius daar alleen het 'ernstig Blyspel' plaatste, ziet Diderot er twee verschillende dramatische soorten. In dit opzicht sluit hij zich aan bij de mening van Fontenelle, die al in 1751 had geschreven: 'il se formera *deux espèces mixtes*, auxquelles on donnera, si l'on veut, des noms particuliers'.[729] En Diderot geeft inderdaad namen. Hij onderscheidde in het door hem als 'genre intermédiaire' aangeduide niemandsland: 'des comédies dans le genre sérieux' en 'des tragédies domestiques'. Van de laatstgenoemde soort komen we alleen maar te weten dat ze is geschreven in proza, dat haar intrige (evenals die van de komedie) teruggaat op de inventie van de auteur, en dat ze hetzelfde effect moet teweegbrengen als de klassicke (heroïsche) tragedie. Een kwestie dus van 'frémir' En nu de 'comédie sérieuse'. Deze is ernstig van toon en heeft een belangrijk onderwerp bij een handeling die zich in het gewone leven kan voordoen: 'sans ridicule qui fasse rire, sans danger qui fasse frémir'. Het gaat niet om individuele 'caractères'maar, evenals in de 'comédie gaie', om 'conditions': de mens wordt voorgesteld in zijn sociale en familiale relaties. Tenslotte is de uitwerking op de toeschouwers: 'réfléchir'.[730]

Gedurende de maand maart 1768 heeft Lessing de lezers van zijn *Hamburgische Dramaturgie* aan de hand van Aristoteles bezig gehouden met Diderots weinig verduidelijkend (en door hem zelf in de praktijk niet volgehouden) onderscheid tussen

[728] Diderot, (Oeuvres IV, 1821), p. 184, 190, 192, 202.

[729] Citaat bij Folkierski (1925), p. 339. Ik cursiveer; datering aldaar, p. 349.

[730] Diderot (Oevres IV, 1821), p. 201, 202, 477, 185, 186, 192, 202, 208.

‘conditions’ en ‘caractères’.[731] Maar ook afgezien van deze kritiek kan worden vastgesteld dat de verdeling die de Fransman op het grensgebied tussen ‘tragédie’ en ‘comédie’ heeft aangebracht, niet erg scherp mag worden genoemd. Kalff kwalificeerde Diderots toneelstukken *Le fils naturel* (1757) en *Le père de famille* (1758) als eerste voorbeelden van de 'tragédie domestique ou bourgeoise' in de Franse literatuur en, in navolging van Te Winkel, schreef Knuvelder dat Diderot ze ook met deze naam had aangeduid. Maar het verdient onze aandacht dat Lessing *Le père de famille* als een specimen van ‘ernsthafte Komödie’ behandelt en dat Diderot zelf de hier bedoelde stukken zeer duidelijk ‘comédie’ heeft genoemd.[732] Waarschijnlijk hangt dat samen met de omstandigheid dat de tragedie nu eenmaal aan strenge eisen was onderworpen en dat de komedie in mindere mate de aandacht van de theoretici had. De genre-aanduiding ‘comédie’ kon dus gemakkelijk dienen als dekmantel voor allerlei ‘onregelmatige’ vernieuwingen.[733]

Ondertussen vormde de door Diderot gebruikte term voor hemzelf geen belemmering om bij de uitgave van *Le fils naturel* (1757) op te merken dat dit stuk iets heeft van de ‘tragédie’, de ‘comédie’ en het ‘genre sérieux’, en dat het wordt gekenmerkt door ‘des nuances de la tragédie’. In zijn verhandeling *De la poésie dramatique* van een jaar later schrijft hij tenslotte: ‘J'ai essayé de donner, dans le *Fils naturel*, l'idée d'un drame qui fût entre la comédie et la tragédie’. Met betrekking tot zijn als ‘comédie’ aangekondigde toneelstuk *Le père de famille* deelde Diderot mee dat deze tekst moet worden geplaatst: ‘entre le genre ‘sérieux du *Fils naturel*, et la comédie’. Als klap op de vuurpijl verzekerde hij tenslotte zijn lezers dat hij ooit nogeens hoopt te schrijven: ‘un drame qui se place entre le genre sérieux et la tragédie’.[734]

Als wij nu bij Willem de Clercq (1822) lezen dat Nivelle de la Chaussée de eerste schrijver van het ‘zoogenaamde *Drama*’ heet, en dat de werken van Diderot werden beschouwd als meesterstukken van ‘hetgeen de Franschen *comédie larmoyante* noemen’, wordt een en ander nog onduidelijker...zolang men tenminste niet aanneemt dat beide termen op zeker moment door elkaar konden worden gebruikt.[735] Diderots landgenoot La Harpe schreef in zijn *Cours de littérature* van 1823 dat La Chaussée de grondlegger was van de ‘comédie mixte ou drame’, waarin de lach werd verbonden met een traan. En verder beweerde hij: ‘Diderot crut, toute sa vie, avoir fait une grande découverte en proposant le *drame sérieux*, le *drame honnête*, la *tragédie domestique*; et sous tant d'affiches différentes, c'était tout uniment le genre de La Chaussée, en ôtant la versification et le mélange du comique’.[736] Er waren, met andere woorden, geen grenzen meer. Dat blijkt ook als men

[731] Lessing (1958), p. 335 e.v.; Mortier (1954), p. 83.

[732] Kalff, dl. VI (1910), p. 454; Te Winkel, dl. III (1910), p. 587; Knuvelder^2, dl. III (1959), p. 176; Lessing (1958), p. 88; Mortier (1954), p. 77-79.

[733] Folkierski (1925), p. 342, 352; Bray (1927), p. 332-335; Wellek, dl. I (1955), p. 119 e.v.

[734] Diderot (Oeuvres IV, 1821), p. 193, 234, 439 (vgl. Müller (1986), p. 434, 450).

[735] De Clercq (herdruk, 1826), p. 289, 307.

[736] La Harpe, dl. XII (1823), p. 96; idem, dl. XIII, p. 6.

Lansons hiervoor (in hoofdstuk II, paragraaf 3) geciteerde omschrijving van de *comédie larmoyante* vergelijkt met de definitie die Gaiffe bijna een kwarteeuw later aan het *burgerlijke treurspel* of *drama* meende te kunnen geven: 'un spectacle destiné à un auditoire bourgeois ou populaire et lui présentant un tableau attendrissant et moral de son propre milieu'.[737]

2. Sociale aspecten

De oudste gedrukte verhandeling over het burgerlijk treurspel is wellicht het opstel *Vom bürgerlichen Trauerspiele*, dat in 1755 anoniem werd gepubliceerd in een Duits tijdschrift. Een onbekende theoreticus (vermoedelijk Johann Gottlob Benjamin Pfeil) probeerde het onderscheid te bepalen tussen het burgerlijke treurspel en de comédie larmoyante. Allereerst stelde hij vast dat beide genres tegenover het gewone blijspel staan, omdat ze zich bezig houden met de deugden van de burger en niet met diens fouten. Het burgerlijk treurspel wijkt echter af van de comédie larmoyante, doordat het aan de ernst van de burger nog een zekere 'Erhabenheit' toevoegt. En merkwaardigerwijze zockt de schrijver deze 'Erhabenheit' waar de classicistische theorie haar steeds had menen te vinden: in het sociale milieu van de dramatis personae. De auteur, die ervan overtuigd is dat mensen zonder kroon of scepter toch 'erhabener denken als mancher Prinz' (iets wat Jacob van Maerlant al door had), sluit naarboven toe de vorsten van het burgerlijk treurspel uit en naar beneden toe het gewone volk ('der Pöbel'). Hij schrijft zonder blikken of blozen: 'Kein Schneider, kein Schuster ist einer tragischen Denkungsart fähig'! Ondanks het feit dat Rousseau hetzelfde jaar de gelijkheid van álle mensen had geproclameerd in zijn *Discours sur l'origine et les fondements de l'inégalité parmi les hommes*, is voor deze Duitse theoreticus het burgerlijke treurspel een zaak van de middengroepen: alleen de lagere adel, de geleerden, de kooplieden en huns gelijken worden waardig geacht om op treden in de tragedie.[738] Dit geval staat weer niet op zichzelf. In het voetspoor van Fontenelle had ook Bougainville anno 1754 in Frankrijk geconstateerd: 'que la dignité des âmes est indépendante de celle des rangs', en drie jaar tevoren schreef Fontenelle zelf: 'Je me crois dispensé de m'appliquer ce que font les empereurs, ils sont trop hauts pour moi, je ne daigne pas m'appliquer ce que font des saltimbanques, ils sont trop bas; et les uns et les autres ne sont que dans des cas extraordinaires, où je ne me trouve jamais: la conséquence se tire d'elle-même'.[739]

Paul Hazard vestigde er de aandacht op dat de Encyclopedisten, in overeenstemming met de idee 'que la propriété faisait le citoyen', zich wel hebben verzet tegen de noblesse, maar geen aandacht toonden voor 'le petit peuple'. Joan Derk van der Capellen tot den Poll, auteur van het in 1781 verschenen democratisch pamflet Aan het volk van Nederland, had soortgelijke ideeën. Als 'erflater van onze beschaving' kreeg hij terecht de titel 'Tribuun der

[737] Gaiffe (1910), p. 93.

[738] Krueger (1961), p. 188-190; Vgl. Alfieri over deze 'middengroepen' in hfdst. II, par. 4!

[739] Folkierski (1925), p. 350, 351.

12. Illustratie uit De azijnkooper. Toneelspel; vertaling van L.-S. Mercier, La brouette du vinaigrier (1775).

In de 'Voorreden' staat onder meer: 'Mercier verdedigt [...] de keuze van zyn onderwerp, als zynde geenszins te laag, of de personaadjen te gering, om een treffend en nuttig stuk te maken; doch daar wy in onze taal reeds verscheidene maalen het Burgerlyk Tooneelspel verdedigd hebben gezien, en 't zelve eene algemeende goedkeuring vindt, achten wy het onnodig hier op stil te staan..'

Worp II, p. 316, vermeldt een anonieme vertaling onder de titel *De azynkooper*, 1777, en een andere uit hetzelfde jaar met de titel *De kruiwagen van den azijnverkooper*. Mijn exemplaar heeft de eerste titel, met de toevoeging 'Tooneelspel', zonder vermelding van auteur, uitgever, plaats of jaartal, maar op de binnenzijde van de achterkaft staat in handschrift het jaartal 1807, voorafgegaan door: 'Dezen boek behoort aen Cornelus Guislain' (Blijkens een stempel op het titelblad met het jaartal 1860 is het boek afkomstig uit de bibliotheek van het bekende gesticht en museum Guislain te Gent.)

burgerij'. In 1822 constateerde Willem de Clercq dat 'de Engelsche Spectatoriale werken, zowel als hun voortreffelijke navolger [= Justus van Effen]' hadden bijgedragen tot 'eene meerdere toenadering tusschen den middelstand en de Letterkunde'. Veertien jaar later stond er in de *Provinciale Groninger Courant*: 'De berigten uit Praag zijn over het algemeen gunstig. De cholera heerst er wel bij voortduring, doch bepaalt zich tot dusverre tot lieden van den geringsten stand'. Een dergelijk 'berigt' verduidelijkt waarom de verburgerlijking van de letterkunde slechts geleidelijk heeft plaats gehad en zich aanvankelijk alleen richtte op de middengroepen tussen de adel en het volk.[740] In Merciers toneelspel *La brouette du vinaigrier*

[740] Hazard (1949), p. 357, 362, 363; Pernoud (1956), p. 119, 120. Jan en Annie Romein, *Erflaters van onze beschaving. Nederlandse gestalten uit zes eeuwen III* [4], Amsterdam 1941, p. 134-169 [*Aan het volk van Nederland* werd heruitgegeven door W.F. Wertheim en A.H. Wertheim-Gijse Weenink (Amsterdam 1966) en door H.L. Zwister (Amsterdam 1988)]. De Clercq (herdruk, 1826), p. 275; het bericht uit de *Groninger Courant* wordt geciteerd door P. J. Bouman, *In de ban der geschiedenis* [3], Utrecht 1962, p. 45. Zie ook de karakteristiek 'De dichter van de burgerij' van H. Tollens bij Huygens (1972). Vgl. voor het standenprobleem bij Diderot: Müller (1986), p. 436, 448. Schaer (1963) wijst herhaaldelijk op het naar standen geordende achttiende-eeuwse burgerdom, onder meer n.a.v. het toneelwerk van Iffland: p. 39 en o.a. p. 28, 70, 71. Merkwaardig zijn de aanduidingen van doelgroepen als 'beschaafden stand' of 'algemeen' in ondertitels van Nederlandse tijdschriften omstreeks 1800: G.J. Johannes, *De barometer van de smaak*, Den Haag 1995, p. 105 en 219.

van 1775 rijdt de eenvoudige azijnventer Dominique met zijn kruiwagentje de salon van een rijke koopman binnen en slaagt erin hem ervan te overtuigen dat zijn zoon een geschikte huwelijkspartner is voor de dochter des huizes, Het succes van die gedurfde onderneming berust grotendeels op de imponerende hoeveelheid tot dan toe verborgen gebleven spaarcenten van de azijnverkoper. Maar dit neemt niet weg dat Mercier het moment schijnt aan te kondigen waarop de 'Erhabenheit' los kan komen van de sociale status. Daarmee verdwijnt ook het vage onderscheid tussen 'comédie larmoyante' en 'tragédie bourgeoise', dat Pfeil en Diderot nog trachtten te handhaven omdat ze zich nog niet geheel durfden losmaken van de classicistische indeling. Het feit dat Pfeil het burgerlijk treurspel een stuk noemt waarin 'eine Person bürgerlichen Standes... als unglücklich vorgestellt wird' en dat Diderot het woord 'malheurs' in de mond neemt, zou erop kunnen wijzen dat ze zelfs nog verstrikt zaten in de verouderde theorieën over de *exitus infelix*.

Dat lijkt me niet het geval. Voor Diderot werd het verschil tussen comédie gaie (en 'sérieuse') enerzijds, en tragédie héroïque (en 'domestique') anderzijds, ondermeer bepaald door de 'tragische verwondering' ('l'ètonnement tragique') die samengaat met de hier al eerder genoemde 'caractères' van het treurspel, en die ontbreekt in de 'conditions' van het blijspel. Folkierski veronderstelt ten onrechte dat Diderot de tragische verwondering reserveerde voor de oude tragédie héroïque. Uit het feit dat hij de 'conditions' alleen kenmerkend acht voor het blijspel en ze niet vermeldt als eigenschap van het burgerlijk treurspel, moet echter volgen dat Diderot het effect van de tragische verwondering ook mogelijk achtte in de 'tragédie domestique et bourgeoise', die hij in de toekomst hoopte te begroeten.[741] Bij de 'tragédie bourgeoise' ten opzichte van de 'comédie sérieuse' moet het Diderot te doen zijn geweest om een verschil in hevigheid van handeling, in laatste instantie om de 'schrik' of de 'vrees' van de Aristotelische tragedie, – en daardoor tevens om een verschil in sfeer, om een zekere 'Erhabenheit', die de burger zou verheffen op een niveau dat overeenkomst vertoonde met dat van de oude heroïsche tragedie. Inderdaad slechts overeenkomst: 'Les passions de Melpomène sont des passions violentes, portées jusqu'à l'excès: les nôtres sont réprimées par l'éducation et par l'usage du monde', had Fréron al in 1751 opgemerkt. En het is tekenend voor de aarzelende terminologie, dat hij daarbij doelde op het 'genre larmoyant', maar dan met de toevoeging: 'puisqu'on l'appelle ainsi...'[742]

De theoretici ondervonden dat de ontwikkeling van de toneelwereld al even moeilijk in vaste banen was te leiden als de sociale en politieke werkelijkheid (die zou culmineren in de grote revolutie van 1789!). Naast en tegenover de traditie van het oude treurspel ontstonden en bestonden er allerlei mengvormen. Niet gehinderd door poëticale restricties, konden ze een spiegel zijn van wat er, zowel aan literaire smaak als aan maatschappelijke

741 Het is Folkierski (1925), p. 465 e.v., waarschijnlijk ontgaan dat Diderot het 'genre sérieux' op een gegeven ogenblik gelijk stelt met de *comédie sérieuse* en dat hij daarnáást (en dus niet *in* het 'genre sérieux') de *tragédie bourgeoise* onderscheidt. Zie Diderot (Oeuvres IV, 1821), p. 202, 207, 208. Op p. 225 wordt onder de opgaven voor de toekomstige dramaturgie genoemd: 'La tragédie domestique et bourgeoise à créer, le genre sérieux à perfectionner'.

742 Folkierski (1925), p. 347.

overtuiging, in de toenmalige wereld omging. Er bestonden allerlei combinaties. Bij een figuur als Rhijnvis Feith ging de aan regels gebonden traditie hand in hand met maatschappelijk-revolutionaire bedoelingen. In zijn treurspelverhandeling van 1793 geeft Feith de voorkeur aan het traditionele 'vorstelijk treurspel', maar daarnaast zou hij 'het moderne drame' gehandhaafd willen zien om moderne politieke redenen. Het nieuwe genre kan namelijk van nut zijn 'om het geluk van 't menschdom in de hand te werken' door: 'bij het meerder licht dat in deze dagen over de regten van den mensch verspreid is... de zaak der vrijheid te dienen'.[743] Twintig jaar tevoren al had Mercier in Frankrijk ten aanzien van het burgerlijk treurspel soortgelijke theorieën verkondigd en daarbij met verbaal geweld uitdrukkelijk vastgesteld dat zelfs de grootste armoede en ellende op het toneel mochten worden uitgebeeld. De sociale 'Erhabenheit' van Pfeils middenstand was hem volkomen vreemd. In zijn *Du théâtre, ou nouvel essai sur l'art dramatique* (1773) staat een duidelijke aanval op regeringen (en met name de Franse) die de standenmaatschappij ondersteunen. 'L'homme de cour' wordt rechtstreeks geschoffeerd: 'verge avilie du despotisme, un tisserand, son bonnet sur la tête, me paroît plus estimable & plus utile que toi. Si je te mets sur la scène, ce sera pour la honte. Mais ces ouvriers, ces artisans peuvent y paroître avec noblesse; ce sont des hommes, que je reconnois tels à leurs moeurs, à leurs travaux. Et toi, né pour l'opprobe du genre humain, plût à Dieu que tu fusses mort à l'instant de ta naissance!' In 1784 zou Schiller met zijn *Kabale und Liebe* het burgerlijk treurspel publiceren dat Mercier hier aankondigt. Het kleinburgerlijk meisje Luise Miller van Schiller (en later van Verdi) gaat samen met haar hoger geboren minnaar Ferdinand von Walther ten onder als slachtoffer van tot corruptie en misdaad leidende kuiperij van het hoofse beambtendom. 'He seems a representative of a new social type', schreef René Wellek over Mercier: 'the lower bourgeois, resentful of all upper-class...'.[744]

In 1823 verscheen de eerste druk van *Racine et Shakespeare. Etudes sur le romantisme* door Stendhal. Hij verweet de classistische treurspeldichters ondermeer dat zij geen oog hadden voor het leed van het gewone volk en herinnerde aan Racines tragedie *Andromaque*, waarin een kind uit het volk wordt gedood om een vorstelijke telg te kunnen redden: zónder dat daarbij ook maar de geringste bekommernis om het lot van dit onschuldige slachtoffer blijkt. 'Cet autre enfant avait pourtant une mère aussi, qui aura pleuré... mais q'importent les larmes de cette mère?...c'était une femme du *tiers état*', schreef Stendhal. En hij concludeerde verontwaardigd: 'Tout cela doit être fort beau aux yeux d'un prince russe qui a cent mille francs de rente et trente mille paysans'.[745] Een jaar tevoren was in Nederland Willem de Clercq met goud bekroond voor een verhandeling waarin men leest dat er

743 Feith (Bijdragen, 1825), p. 121.
744 Mercier (1773), p. 139, vgl. p. 150, 151, 157; Schaer (1963), p. 70, 71; Wellek, dl. I (1955), p. 73 (Verdi's *Luisa Miller* (libretto van Salvatore Cammavora) werd in 1849 voor het eerst opgevoerd in de Napolitaanse San Carlo).
745 Stendhal-Beyle (nouvelle édition, 1854), p. 124. (Deze passus staat ook in Brody (1966), p. 15 en Roubine (1971), p. 105, 106).

zogenaamde 'Drama's' zijn ontstaan, tengevolge van 'de ontwikkeling der denkbeelden eener algemeene menschenliefde, waarbij ook de burgerlijke klasse eene rol begon te spelen'.[746]

Om datgene te realiseren wat de toch nog in classicistische genre-theorieën verstrikte La Mesnardière en Corneille onmogelijk achtten – zie paragraaf 4 van hoofdstuk II – waren veranderingen noodzakelijk die zich uitstrekten over een breder terrein dan dat van de poëtica. Er bestaat verband tussen Lessings mening dat de hoofdpersonen van een tragedie geenszins van vorstelijke afkomst hoeven te zijn en het door de Dertigjarige oorlog en de ideeën der Aufklärung versterkte besef dat de gewone burger niet onder hoefde te doen voor de hogere klassen.[747] De mening van Lessing vindt men in zijn *Hamburgische Dramaturgie*, waar de auteur haar toelicht met een redenering die herinnert aan La Mesnardière en Corneille (maar deze keer volgehouden tot de voor de hand liggende consequentie!), en waar hij ook verwijst naar Marmontels *Poétique française* (1763), die dezelfde progressieve opvatting verkondigt.[748]

Uit de zeer interessante studie van Leo Balet over *Die Verbürgerlichung der Deutschen Kunst, Literatur und Musik im 18. Jahrhundert* blijkt dat de emancipatie van de burger zich in de tweede helft van de achttiende in alle kunsten begon te manifesteren.[749] Ook in Nederland was dit verschijnsel merkbaar en en ook de ermee gepaard gaande ontwikkeling van het 'sociaal besef' als aspect van de Verlichting en resultaat van 'de waardering van het *gevoel* als eerste principe van menselijkheid in de tijd van de Praeromantiek.'[750] Voor de dramaturgie heeft dit tot gevolg dat de burger letterlijk een andere rol krijgt toebedeeld.

3. Preromantische aspecten

De revolutionaire overtuigingen van Mercier waren niet alleen maatschappelijk gericht, maar al evenzeer artistiek of literair-theoretisch. Mercier en Dorat-Cubières keerden zich heftig tegen de vroegere kunstregels, beweerden dat Racine de kunst had gedood en waren van mening dat alle poëtica's – het eerst die van Boileau – zo gauw mogelijk naar de brandstapel moesten worden verwezen.[751] In 1766 publiceerde Heinrich Wilhelm von Gerstenberg zijn *Briefe über Merkwürdigkeiten der Litteratur*. Hij was, evenals Home en Blair in Engeland en

[746] De Clercq (herdruk 1826), p. 297, 298.

[747] Op dit verband wijst Nivelle (1955), p. 200, 201.

[748] Lessing (1958), p. 57, 58 (Stück 14).

[749] Balet (1936), passim; Krueger (1961), p. 184, 185.

[750] Brandt Corstius (1955), p. 69; ik cursiveer. H. Smilde noemde in de vijftiende stelling bij zijn Amsterdamse dissertatie (*Jacob Cats in Dordrecht*, 1935) de liefdadigheidspoëzie van Tollens en zijn tijdgenoten nog 'een uiting van het liberaal-humanisties standpunt der bedeling.' Nochtans signaleerde L. Knappert in *Het zedelijk leven onzer vaderen in de achttiende eeuw* (Leiden 1910) al de eerste sporen van echt sociaal gevoel. Hij meende dat de patriottentijd een duidelijke strijd tegen standsbevoordeling laat zien. Ook de meer kritisch-realistische kijk op het landleven, i.t.t. de 'idylle' en de 'pastorale', verraadt een toenemende belangstelling voor sociaal gevoel. Zie hierover: M. Prinsen (1934), p. 297, 335, 336; Brandt Corstius (1955), p. 17, 57, 61-63, 68-70, 98. (Geheel ten onrechte schrijft Meijer (1998), p. 113, herhaald in *De achttiende eeuw* 3 (1999) 1, p. 17, dat in het sentimentalisme van Feith en Post 'elke verwijzing naar een vorm van sociale realiteit opvallend afwezig is.' Vgl. slechts de hiervoor vermelde plaatsen en A.N. Paasman, *Reinhart: Nederlandse literatuur en slavernij ten tijde van de Verlichting*, Leiden 1984. Zie ook G.J. van Bork over 'Romantiek en stijgingsambitie' in Beekman -1999-, p. 46 e.v.)

[751] Mornet (1956), p. 76, 78. Vgl. Folkierski (1925), p. 337, 338.

Condillac in Frankrijk, van mening dat de genre-indelingen en de daarbij behorende voorschriften kunstmatige theoretische produkten zijn die voor het originele [romantische] genie geen enkel belang hebben en waarvan dit genie zich bijgevolg ook niets hoeft aan te trekken. Hij heeft hier immers alleen maar te doen met 'eine Art von Usurpation, die sich der *bel esprit* von jeher über das Genie erlaubt hat'! In naam van het genie Shakespeare (die hij in het Duits vertaald had) en in naam van de grote verscheidenheid in de natuur zelf, betoogde de dichter Wieland herhaaldelijk het zelfde. Klopstock en Herder waren het met hem eens. Evenals die van Gerstenberg zijn hun namen verbonden met de revolutionair-vernieuwende beweging die de Duitse literatuurgeschiedenis kwalificeert als 'Sturm und Drang' of 'Die erste Romantik'.[752] Het gaat om een belangrijke fase in een ontwikkeling die al was begonnen doordat er ook onder bewonderaars van de oude 'tragedie' verscheidene auteurs waren wier eigen inspiratie niet meer accorderen kon met de classicistische regels. Gaiffe ziet in de treurspelen van Voltaire: 'un souffle assez puissant de rénovation pour conclure que la forme rigoureusement classique de la tragédie selon Boileau semblait trop rigide et trop étroite aux écrivains aussi bien qu'au public'.[753]

Het gezag van Aristoteles en van zijn (nog strengere) Frans-classicistische opvolgers werd langzaam maar zeker ondermijnd. Ondanks opstandige gedachten van Francesco Patrizzi en Giordano Bruno in de zestiende eeuw, ondanks het bekende leerdicht *Arte nuevo de hacer comedias* (1609) van Lope de Vega, en ondanks het feit dat zelfs Gian Vincenzo Gravina al in 1692 in een voor zijn doen wel erg revolutionaire verhandeling de klassieke indeling in genres en het algemeen aanvaarde literaire gezag had belaagd: ondanks dergelijke voorspellende symptomen vond de vrijmaking in de achttiende eeuw maar zeer geleidelijk plaats. Men kan met Paul van Tieghem aan het eind van de zeventiende eeuw op twijfels van Saint-Evremond wijzen en in het begin van de achttiende eeuw op 'gedurfde' uitspraken van Addison, Bodmer en Breitinger, Du Bos, Voltaire, Feijóo...[754] Maar daarnaast en daartegenover staat de hier al aangeduide aarzelende houding van verschillende 'modernen', waarop door Daniel Mornet werd gewezen in zijn studie *La question des règles au XVIIIe siècle*.

Leerzaam is de vergelijking van twee literairhistorische studies uit de eerste helft van de twintigste eeuw. In 1940 publiceerde de Amerikaanse hoogleraar Francis Gallaway (University of Kentucky) zijn studie *Reason, Rule and Revolt in English Classicism*. Hij toonde aan dat de achttiende-eeuwse Engelse classicisten meer romantisch waren dan ze zelf leken te beseffen. Acht jaar tevoren had zijn Franse collega Pierre Moreau (Université de Fribourg) in *Le classicisme des Romantiques* met evenveel overtuiging bewezen dat de

752 Melchinger (1929), p. 53; Fechter dl. I (1956), p. 48; Guthke (1961), p. 130, 131; Scherpe (1918), p. 220-223; Huyssen (1980).

753 Gaiffe (1910), p. 27.

754 Robertson (1929), p. 27. Vgl. voor de mening van Giordano Bruno in zijn *De gl'Heroici Furori*: S. Dresden, *De literaire getuige*, Den Haag 1959, p. 47; voor Lope de Vega (die overigens óók niet geheel en al 'opstandig' is): Bradbury (1981) en Juan Hurtado y J. de la Serna, y Angel González Palencia, *Historia de la literatura española*², Madrid 1925, p. 638; voor Saint-Evremond: Barnwell (1957) en Van Tieghem, dl. I (1924), p. 24, 25.

Franse romantici voor een goed deel classicist waren gebleven. Het woord 'éclectisme' was voor hem bij uitstek toepasselijk op de achttiende-eeuwse Franse preromantici. Over Voltaire schreef Moreau: 'Il révolta son temps, mais ce ne fut pas toujours par son romantisme: ce fut aussi par son respect de la tradition'.[755] Kenmerkend voor de kracht van het zeker nog niet geheel ondermijnde oude gezag in Duitsland is de ontstaansgeschiedenis van de in 1774 verschenen *Anmerkungen übers Theater* van Jacob Reinhold Lenz. Vóór hem had Lessing in zijn *Dramaturgie* de strijd aangebonden tegen 'das französische Regelgebäude', maar de (ánders door Lessing geïnterpreteerde) poetica van Aristoteles bleef daarbij nog 'unfehlbahr'. Lenz daarentegen wilde zich uitsluitend baseren op 'gesunde Vernunft und Empfindung', en deed een rechtstreekse aanval op Aristoteles... zolang zijn verhandeling niet in het openbaar werd gedrukt. Zodra dat wél het geval was, heeft Lenz (die overigens anoniem bleef) een aantal revolutionaire passages aanmerkelijk verzacht uit vrees voor het door Lessing verdedigde bolwerk van de Aristotelische traditie.[756]

De drang naar vormvrijheid blijkt in Nederland ondermeer uit een tientallen jaren durend debat over het rijm, waarbij Feith, Bellamy en Van Alphen waren betrokken, en ook uit de pleidooien voor variatie in de versbouw van Bilderdijk en in een anno 1781 anoniem verschenen *Nederduitsche Dichtkunde*.[757] Typerend voor de aarzelende wijze van de ontvoogding is een passage uit de *Voorrede* die Izaak Schmidt liet voorafgaan aan zijn al besproken 'tooneelspel' van 1785: 'En wat den trant van vaerzen, de zogenaamde versificatie betreft, daarin heb ik geene eenpaarigheid gehouden; nu heb ik eens de voetmaat van Heldenvaerzen, dan van vijfvoetigen, en elders al weder vaerzen van minder maat gebezigd, om dat zulk eene speeling: dacht mij, meerder overeenkomst met de redenkavelingen mijner hedendaagsche Persoonadiën hadt, dan de eenzelvigen voetmaat van het Heldendicht'. Hoewel in de praktijk van het Nederlandse toneelspel al vóór Schmidt het proza ('onrijm') was gebruikt, meende Rhijnvis Feith kennelijk dat hij een gedurfd standpunt innam door in

[755] Moreau (1932), p. 40; Gallaway (herdruk 1966), wijdt een apart hoofdstuk aan 'the survival of Elizabethan romanticism' (p. 259-275), maar geeft geen definitie van dit begrip. Het is duidelijk dat hij de term 'romanticism' niet literairhistorisch maar typologisch opvat in verband met de tegenstelling 'rules' en 'decorum', tegenover 'the idea of original genius' en 'the fairy way of writing' (p. 274). Vgl de 'romantische' aspecten van de door Brody (1966) bijeengebrachte teksten over 'French classicism' en Fumaroli (2001) over de 'romantiek' van de 'Anciens'. Zowel voor het onderscheid tussen 'classicisme' en 'romantiek' als tussen 'verlichting' en 'romantiek' geldt dat er niet alleen sprake is van 'scission' maar ook van 'unité' (Mortier, 1963). Een ingeburgerde en geschikte term om de eigenaardige verbondenheid van 'classicistisch' en 'romantisch' aan te geven lijkt me nog steeds de typering 'preromantisch', als een belangrijk aspect van verlichting en classicisme. Ettore Bonora wijst in dit verband op de 'profonda coerenza' tussen Diderots rationalistische *Pensées sur l'interprétation de la nature* (1754) en zijn *Discours sur la poésie dramatique* (1758) en besluit, met een verwijzing naar een soortgelijk verschijnsel bij Rousseau: 'il suo préromanticismo non è che un aspetto del suo illuminismo' (*Dizionario della letteratura italiana*, Milano 1977, p. 432). Een vergelijkbaar samengaan van 'rationalisme' en 'romantiek' als de genoemde publicaties van Diderot vertonen Bilderdijks wis- en natuurkundig *Système de Perspective* en zijn lyrisch leerdicht *De kunst der Poëzy* als lofzang van het gevoel tegenover regels en verstand., beide geschriften ontstonden omstreeks 1808-1809: zie hfdst. XV, par. 2, hfdst. XVIII, nr. 20, en hfdst. XX, par. 4. Vgl. de nog volgende noot over preromantiek en, als kenmerkende anecdote, een opmerking van Ernst Robert Curtius, die eraan herinnert dat de (Italiaans-) classicistische Goethe de romantische heksenscène van zijn *Faust* in de tuin van de Villa Borghese schreef: *Kritische Essays* zur *europäischen Literatur,* Bern 1950, p. 36.

[756] Friedrich (1908), p. 24.

[757] Brandt Corstius (1951), p. 253; De Jong (robinsonade, 1958), p. 154.

1793 te verklaren dat hij 'in de moderne drames... de proze hartelijk gaarn zou aannemen'.[758] De worsteling om de vrijheid van vorm is kenmerkend voor de preromantici. Als August Wilhelm Schlegel de term 'romantisch' gebruikte, dacht hij – in contrast tot klassiek evenwicht – aan vermenging van tegengestelde elementen en 'ringendes Chaos'. Anderhalve eeuw later zag Umberto Bosco de preromantiek als een bevrijding uit de classicistische regels, die pas zou eindigen met de ontbinding van het woord zelf in het moderne 'Dada'! De preromantische vrijheidsdrang ten aanzien van de traditionele literaire vormen gaat in het 'tooneelspel' of 'drama' samen met het in de vorige paragraaf besproken streven naar sociale bevrijding en verheffing van de gewone man, of kortweg: de burger. Het inzicht dat alle mensen gelijk zijn en de ophemeling van de deugd tot 'Nut van 't Algemeen' staan geboekstaafd als typische verlichtingsverschijnselen. Ze gaan gepaard met de cultus van het gevoel en de overgevoeligheid, die literatuurhistorici kenmerkend achten voor de preromantiek. Paul Hazard constateert: 'Aussi le drame larmoyant, en même temps qu'il fait place à la sentimentalité, marque-t-il une évolution sociale: le bourgeois conquiert ses titres comme il a conquis la vie.[759] Sentimentaliteit is een burgerlijke deugd. In de nieuwerwetse drama's zijn overdreven gevoeligheid en de ophemeling van de Deugd (met hoofdletter!) schering en inslag. Verlichte preromantische toneelburgers waarschuwen onophoudelijk voor de ondeugden waaraan personages ten onder kunnen gaan; hun sentimentele uitroepen (de auteur geeft de houding, die daarbij moet worden aangenomen uitdrukkelijk aan) worden maar al te dikwijls voortgebracht met een door tranen verstikte stem die ons herinnert aan de gevoelige en deugdzame romanhelden van Rhijnvis Feith.[760]

'Deugd, triomfeerend over de haar vervolgende ondeugd; zedelijke monsters, gestuit in hun streven – dat zijn vaste motieve dezer stukken', constateerde Kalff.[761] Niet zonder

[758] Worp, dl. II (1908), p. 167 e.v.; Feith (1793), p. 107. Vgl. Kalff, dl. VI (1910), p. 465, 466.

[759] Hazard, (1949), p. 363; Van Tieghem, *Le Préromantisme*, dl. III (1947), p. 399, 400; Bosco, *Preromanticismo e Romanticismo* (*Questioni*, 1949), p. 607; Bonora (1968); Ewton (1972), p. 98-106 Ondanks bezwaren tegen het begrip 'preromantiek' (vgl. Jonard, 1971, Vialleneix, 1975 en Van den Berg, 1976, herdruk 1999, p. 13-39) handhaaf ik de term om redenen die ik heb aangegeven in De Jong (1978). Ter toelichting: 'Il se constitue, en effet, vers 1770, un parti littéraire, le parti préromantique, dont le chef est Jean-Jacques (un chef malgré lui): admirateur de Young et de Shakespeare, des jardins anglais et des forêts 'romantiques', ces écrivains tiennent pour le 'génie' contre le goût, ils exaltent l'imagination et la sensibilité aux dépens de la raison et des règles.' (Pichois, 1959). Moreau (1932), p. 43, noemt *le préromantisme*: 'Compromis délicat entre le classique qui se prolonge et le romantique qui naît'. Krejci (1969) wijst op de combinatie van voorkeur voor volkskunst (Herder, Percy, Ossian) en 'renaissance nationale' in kleine (Oost-Europese) landen en gewesten. Peucker (1980) ziet hoe 'Preromantic modes' ontstaan op grond en vanuit klassieke 'Gattungskonventionen' en in 1914 schreef Gillot, p. 540: 'L'on veut faire "autrement" que les devanciers, inventer des 'ressorts nouveaux'. L'on découvre des genres 'inconnus à l'Antiquité' tragédie horrifique à la Crébillon, roman bourgeois ou sensible à la Marivaux et à la Prévost. L'on imagine des raffinements et des superfétations. Et voici naître les produits bàtards: comédie sérieuse, drame bourgeois, comédie larmoyante. L'on substitue les larmes au rire dans la comédie. L'on mélange le comique et le dramatique. L'on s'égare dans les sentiers d'à côté à la poursuite de l'inédit.' Het gaat om het ontstaan van een soort sensibiliteit en poetica die tot volle wasdom komen bij de 'echte' romantici'. In zijn studie *Preromanticism* (1991) schrijft Marshall Brown: 'I call the period preromantic because it was *not yet* romantic', en: 'the term 'preromanticism' has always been attacked for its teleology, but that is the very reason I welcome it.' (Terecht onderscheidt Scherer -1950-, p. 427, 'l'époque préclassique van 'l'époque classique' en spreekt men in kunstgeschiedenis en literatuur zonder gewetenswroeging van 'vroegrenaissance' en 'hoogrenaissance'.)

[760] Vgl. *Eerste Boek*, hfdst. VI, par. 3; hfdst. VII, par. 6, hfdst. IX, par. 1.

[761] Kalff, dl. VI. (1910), p. 471. Te Winkel, dl. V (1924), p. 456; Worp, dl. II (1908), p. 166, die ook wijst op de uitspraak van Lanson (1887), p. 233: 'Hommes et femmes, vieux et jeunes, premiers rôles et comparses, dès qu'ils entrent en scène, dès qu'ils ouvrent la bouche, ils ont l'oeil humide, des sanglots dans la voix, les sentiments montrés très haut sur des représentations d'évènements possibles ou des conceptions d'idées abstraites.'

reden werden de zedenspelen, drama's of toneelspelen door de tijdgenoten soms aangeduid als 'drames moraux' of '*zedelijke spelen*'. Maar de benaming deed er al niet meer toe. De vervaging van de grenzen tussen de toneelgenres werd vooral in de hand gewerkt door de rumoerige 'ontdekking van Shakespeare', waardoor de bezwaren werden overstemd van een auteur als Diderot, die het tragische nog wilde (onder-)scheiden van het komische.[762] In het 'tooneelspel' van Izaak Schmidt werden de hartroerende taferelen op het voorbeeld van Voltaires *Nanine* afgewisseld door komische situaties. De twee soorten die Diderot had willen onderscheiden in het 'genre intermédiaire', gingen ongemerkt en onherroepelijk in elkaar over en dit verklaart mede de neutrale naam *tooneelspel*, waarmee ten onzent het 'middelding tusschen Blijspel en Treurspel' dikwijls werd aangeduid.

[762] Het derde deel van Paul van Tieghems *Le préromantisme. Etudes d'histoire littéraire européenne* (1947) kreeg als ondertitel *Le découverte de Shakespeare sur le continent*. Vgl. onder meer Pichois (1959), Blin (1982-1988) en Bauer (1988). Voor Nederland: Pennink, 1936; Leek, 1988.)

DEEL II

BILDERDIJK OVER DE DRAMATISCHE KUNST

HOOFDSTUK IV

BILDERDIJKS 'IDEAAL-THEORIE'

1. Het dichterlijk ideaal

De in hoofdstuk XVIII opgenomen Lijst van Bilderdijks dramatische geschriften telt tweeëntwintig nummers. Ik heb er hiervoor al op gewezen dat Bilderdijk zich ook buiten het kader van deze speciale geschriften met toneeltheorie heeft beziggehouden. Elders in zijn werk en in zijn brieven vindt men allerlei verspreide uitlatingen over de dramatische dichtkunst. Aanvankelijk lijkt het zeer moeilijk deze uitgebreide materie te beheersen, maar bij nader toezien blijkt dat bijna alles wat door Bilderdijk over het toneel te berde is gebracht, kan worden verklaard uit één bepaald beginsel. Dat beginsel noem ik Bilderdijks *Ideaal-theorie*.

In 1805 eiste hij (evenals Lessing) dat lezers van poëzie en toeschouwers in de schouwburg zich zouden losmaken van hun normale omgeving, om te worden binnengevoerd in een totaal andere, op zichzelf bestaande wereld waarmee de dagelijkse werkelijkheid niet mag worden vermengd.[763] Zestien jaar later citeerde hij met instemming het woord van Goethe: 'Die Aufgabe einer jeden Kunst ist, durch den Schein die Täuschung einer höheren Wirklichkeit zu geben'. En die hogere werkelijkheid is dan gelegen in 'het volkomener ideaal' dat, volgens Bilderdijk, 'het voorwerp der kunst is'.[764] In een publicatie van 1820 leest men: 'Wij willen Kunst zien, maar geen Natuur; nabootsing, maar geen wezendlijkheid; en die meer vordert, heeft geen gevoel voor Dichtkunst of Schoonheid. Doch durf ik meer zeggen. Onze nabootsing moet geen bloote nabootsing zijn; zij eischt, dat wij ons *het voorwerp door verdenkbeeldiging eigen maken, en het dus als in eene nieuwe schepping en met oorspronkelijkheid weder voortbrengen.* Dit is de eigenlijke sleutel, die 't heiligdom van de Fraaie Kunsten ontsluit, voor die hem weet te gebruiken'.[765]

Als wij nu de verhandeling *Het treurspel* (1808) voor ons nemen, lezen we (evenals trouwens in een stuk van 1795) dat de kunst niets anders mag en kan uitdrukken dan de schoonheid. Het voorwerp van haar uitdrukking vindt de kunst bij gevolg niet in de onvolkomen werkelijkheid, maar in het *ideaal* dat het voor de schoonheid gevoelige hart van de dichter daaruit schept. De werkelijkheid brengt het gevoel van de met drift voor het schone vervulde kunstenaar alleen maar in beweging. Vervolgens herschept dit gevoel het ideaal dat het vindt in zichzelf en in de verbeelding die het oproept. Zo ontstaat de ideale 'Dichterwareld' die weliswaar blijft lijken op de normale werkelijkheid maar daar

[763] DW. I, p. 486.
[764] TDV. II, p. 200.
[765] *Van het letterschrift*, Rotterdam 1820, p. 165. Ik cursiveer.

anderzijds verre boven verheven is door het 'Dichterlijk Enthusiasmus', dat alles veredelt en vergoddelijkt. Het treurspel, dat volgens zijn aard en wezen een 'Dichtstuk' is, dient deze poëtische wereld voor te stellen, ofwel 'het treffende' van de gewone wereld, maar dan 'verdichterlijkt en boven zich-zelve verheven'.[766]

Uit dit beginsel vloeit voort dat de handeling van het treurspel het peil van de normale samenleving moet overtreffen. 'Groot en belangwekkend zal de daad zijn', en de dramatis personae zullen bij voorkeur behoren tot 'Vorsten en Wareldgrooten', wier hoedanigheden en uitdrukkingswijze eveneens in overeenstemming moeten zijn met de ver boven het alledaagse verheven dichterlijke wereld, waarin het treurspel ons binnenvoert. Van natuurnabootsend realisme is dus geen sprake. Vandaar dat Bilderdijk in 1808 schrijft: 'waar men in de Navolging de afbeelding, en niet het Dichterlijke ideaal, 't geen het voorwerp den Dichter of Schilder heeft ingestort zoekt; daar is inderdaad geen waarachtig treurspel meer mooglijk'.[767]

Wie *ideaal* zegt, denkt aan iets beters, iets hogers. We vernemen dan ook dat voor Bilderdijk 'de verheffing het wezen des Treurspels uitmaakt'.[768] Verheffing nu veronderstelt een bepaald niveau als uitgangspunt. En het is al gebleken dat dit niveau geen ander is dan dat van de gewone wereld rondom ons. De vraag die wij ons stellen moeten is daarom: wat is het wezen van de verhevenheid waardoor het dichterlijke treurspel-ideaal boven de alledaagse wereld uitreikt? Als men uitgaat van het besef der verscheidenheid dat de zichtbare aardse werkelijkheid in ons wekt, zal men instemmen met Bilderdijks antwoord dat het 'de *Eenheid,* de volle en rijke en als overstelpende *Eenheid'* is, die 'deze verhevenheid uitmaakt.'[769] Wie daarom vatbaar is voor het wezen der poëzie zal, aldus Bilderdijk, 'met geheel zijne Ziel aan het zalig ... Een hangen.'[770] Uit dit idealistische beginsel vloeien 'de Eenheid van Dichtstuk, de Eenheid van voorwerp (en) de Eenheid van daad' voort, die Bilderdijk in het treurspel noodzakelijk acht.

Evenals de zojuist aangeduide eigenschappen van de handeling, de dramatis personae en de stijl van de tragedie, zullen de met dit principe der Eenheid samenhangende kenmerken van Bilderdijks treurspelopvatting in de volgende hoofdstukken nader worden onderzocht. Maar eerst dient te worden opgemerkt dat de hier aangeduide 'ideaal-theorie' geenszins op zichzelf staat, en vervolgens dat ze in de versie van Bilderdijk een aspect vertoont dat onmisbaar lijkt voor een juist begrip van zijn kunstopvattingen in het algemeen.

---

766 Trsp., p. 197, 146, 147; DW. IV, p. 470; vgl. TDV. II, p. 185, 191.
767 Trsp., p. 146, 147, 187, 137.
768 Trsp., p. 212.
769 TDV. II, p. 53.
770 Trsp., p. 137, 147.

2. Longinus en de verheven eenheid

Uit de geciteerde uitspraken van Bilderdijk is gebleken, dat hij het ideaal in de kunst stelt tegenover de nabootsing of afbeelding. De nabootsing stelt de met de zintuigen te kennen buitenwereld primair, en het ideaal veronderstelt in laatste instantie een subjectief uitgangspunt. Op wijsgerig niveau is dit verschil aan te duiden met de termen empirisme en critisch idealisme, of met de namen Locke en Kant. Op het gebied van de esthetica is het de tegenstelling tussen imitatie en inspiratie. Aan de ene kant staat de stelling van Batteux die de poëzie als een nabootsing der schone natuur beschouwt, en aan de andere kant de ontkenning daarvan in de typisch romantische uitspraak van Herder dat de poëzie 'Nachahmung der schaffenden, nennenden Gottheit' zelf zou zijn. Volgens deze uitspraak van de (later meer genuanceerd denkende) Duitse romanticus is de kunst met andere woorden een scheppingsdaad van het onafhankelijke en soevereine genie.[771]

De actualiteit van deze tegenstelling verleidde de 'Hollandsche maatschappij van Fraaye Kunsten en Wetenschappen' in 1823 tot het uitschrijven van een prijskamp ter beantwoording van de vraag: 'Wat verstaat men door het ideäal in het gebied der kunsten, en in hoe verre moet derzelver beoefenaar zich naar hetzelve rigten?'. Het met een gouden erepenning bekroonde antwoord bleek te zijn ingezonden door de Kantiaans geïnspireerde essayist en kunstschilder J.A. Bakker uit Rotterdam.[772] Zijn *Verhandeling over het ideäal* stelt de geest van slaafse navolging tegenover het exces van de 'Romantische school', dat hij aanduidt als het overhellen 'naar eene dweepende, mystische voorstelling', die niet het eigenlijke ideaal benadert, maar slechts een 'hersenschimmige wereld' als product van een verhitte verbeelding.[773] Volgens Bakker ligt de waarheid in het midden. De natuur behoort het middel van de kunstenaar te zijn, maar het hoge ideaal is zijn eigenlijke doel.[774] Hij besluit zijn verhandeling met de conclusie dat 'allen ... met den eenigen Bilderdijk (moeten) bekennen, dat de dichtkunst de uiting is van een waarachtig en verheven gevoel,

---

[771] Charles Batteux schreef *Les beaux arts réduits à un même Principe* (Paris 1746), waarin hij het voorwerp der kunst het navolgen van de *schone* natuur noemde, hetgeen wil zeggen dat de kunstenaar als het ware selecties uit de realiteit maakt en deze weergeeft 'avec toute la perfection dont ils sont susceptibles'. Het gaat om: 'Une imitation où on voye la Nature, non telle qu'elle est en elle-même, mais *telle qu'elle peut être et qu'on peut la concevoir par l'esprit'*. Een Nederlandse bewerking van Batteux's geschrift leverde W.E. de Perponcher in 1770: een bestrijding ervan vindt men in het eerste deel van de *Theorie der schoone kunsten en wetenschappen* van de door T.J. Riedel geïnspireerde Hiëronymus van Alphen (1778), die echter nog niet met volle overtuiging de nabootsing der schone natuur durft interpreteren als het *middel* waardoor de kunstenaar zijn eigen gevoelens uitdrukt. De in 1780 gepubliceerde polemiek tussen De Perponcher en Van Alphen over de leer van Batteux, vindt men besproken in twee Nederlandse proefschriften: De Koe (1910), p. 109 e.v. en Reijers (1942), p. 63 e.v.: een kort overzicht geeft Buijnsters (1973, Van Alphen), p. 137-140. Zoals verderop in dit hoofdstuk nog duidelijker blijken zal, laat Bilderdijks opvatting van de poëzie als uitstorting van het gevoel de stelling van Batteux ver achter zich (vgl. ook een uitlating van Bilderdijk in Bosch (1955), p. 117.) Voor de opvatting van Herder, zie: Wellek, dl. I (1955), p. 188 en Nivelle (1955), p. 250. Een kort overzicht bij Buijnsters (Het ideaal, 1967), p. 48-53.

[772] Bakkers (1796-1876) directe concurrent was niemand minder dan de beroemde en bejaarde Rhijnvis Feith (1753-1824), wiens verhandeling pas in 1973 zou verschijnen in een wetenschappelijke uitgave van P.J. Buijnsters, die in zijn inleiding concludeert dat Bakker aansluit bij 'Kants pleidooi voor een autonome kunst', terwijl Feiths verhandeling kunst en religie met elkaar verbindt en als 'literair testament' uitmondt in een 'lofrede op de christelijke kunst': Buijnsters (Het ideaal, 1973), p. 69.

[773] J.A. Bakker, *Verhandeling over het ideäal*, Werken der Hollandsche maatschappij..., dl. VII, Leyden 1824, p. 119, 121.

[774] Bakker, p. 77.

dat zich geene hersenschimmen eener verhitte verbeelding als Ideälen voorgoochelt, maar de Natuur voor hare beelden en inbeelding te baat neemt.'[775]

De kwestie van gevoel en verbeelding komt in de derde paragraaf van dit hoofdstuk ter sprake; uit de eerste paragraaf is al gebleken dat Bilderdijk de ideale wereld van de kunst, in casu van het treurspel, inderdaad wilde baseren op de werkelijkheid die door het dichterlijk enthousiasme wordt verheven, veredeld en vergoddelijkt tot het ideale niveau der 'Dichterwareld'. Hoezeer deze opvatting (met velerlei nuances) voor en tijdens Bilderdijks leven de theorie van het treurspel heeft beïnvloed, blijkt uit talrijke dramaturgische geschriften. Ik wijs ter illustratie slechts op uitspraken van vier verschillende auteurs. In *An essay of dramatic poesy* (1668 en 1684) van John Dryden vindt men de tragedie aangeduid als 'nature wrought up to a higher pitch'.[776] In de Nederlandse treurspelverhandeling van Rhijnvis Feith (1793) wordt het 'boven de natuur' verheven, ideale niveau, kenmerkend voor het treurspel genoemd.[777] Als Friedrich Schiller in 1803 het gebruik van de reien in de tragedie verdedigt, doet hij dit met oorlogsverklaringen aan het 'naturalisme' in de kunst. De rei is voor hem een middel om het ideale imperium van het treurspel af te zonderen van de realiteit in de gewone wereld. 'Auf dem festen und tiefen Grunde der Natur errichtet sie [= die wahre Kunst] ihr ideales Gebäude', schrijft Schiller.[778] Tenslotte zegt August Wilhelm Schlegel in een Weense lezing van 1808, dat de waarachtige treurspeldichter zijn publiek verheft tot het ideale niveau van zijn kunstwerk, waar hij op volmaakte wijze de verbinding tot stand brengt tussen bovenmenselijke grootheid en menselijke waarheid.[779]

In hun belangrijke studies over het classicisme wijzen Francis Gallaway en René Wellek erop dat in de achttiende eeuw de theorie van het Platonisch ideaal heeft doorgewerkt die zegt dat de dichter zich een eigen, superieure natuur schept waardoor de realiteit wordt overtroffen.[780] Men zou ook kunnen wijzen op sommige uitspraken over het treurspel in de *Poetica* van Aristoteles.[781] Maar de Griekse theoreticus aan wie de grootste

---

775 Bakker, p. 138

776 Gilbert (1940), p. 653.

777 Feith (1793, herdruk 1825), p. 107.

778 F. Schiller, *Ueber den Gebrauch des Chors in der Tragödie* (bij de uitgave van 'Die Braut von Messina'), *Schillers Werke*, herausgeg. von Reinhard Buchwald, dl. III, Leipzig 1940, p. 538.

779 Schlegel (Van Kampen, 1810), p. 36, 77.

780 Gallaway (1940), p. 155; de daar geciteerde *Apology for poetry* van Sidney werd in het Nederlands bewerkt door Th. Rodenburg. Een in dit verband typerend citaat uit deze bewerking vindt men in het proefschrift van M.M. Prinsen (1934), p. 18. Wellek, dl. I (1955), p. 54. (vgl. 113) plaatst naast Shaftesbury ook Diderot en Winckelmann in 'the neo-Platonic strain in neoclassicism'.

781 *Poetica*, hfdst. XV, 1454 b, hfdst. XV, 1460 b. In de Nederlandse vertaling van 1780 luiden deze plaatsen als volgt: 'Nademaal het Treurspel een nabootsing van betere voorwerpen is, dan we thans hebben, behoort men in deszelfs opstelling de goede Schilders te volgen, dewelke aan de Personen, door ze gelykende aftemalen, wel hunne ware gedaante geven, maar ze egter iets schoner, dan ze inderdaad zyn, verbeelden' (p. 39) ...'Wanneer men voorts den Poëten verwyt, dat ze de dingen niet volgens de ware natuur afmalen, zo is het antwoord dat zy ze wilden afmalen zo als ze behoorden te zyn; gelyk ook SOPHOKLES zegt: dat hy de menschen verbeeldde zo als zy behoorden te weezen, en EURIPIDES zo als ze in de daad zyn; 'waarom men deze tegenwerping op dezelfde wyze moet beantwoorden' (p. 68). (In de moderne vertaling (1986) van Van der Ben en Bremer, p. 56 en 82; Mattioli, p. 75 en 121). Vgl. de beschouwingen over enkele andere plaatsen door M.M. Prinsen (1934), p. 19, 20.

betekenis in verband met de hier bedoelde 'ideaal-theorie' moet worden toegekend, lijkt toch eerder de door romantische dichters vereerde pseudo-Longinus, die waarschijnlijk heeft geleefd in de eerste eeuw van onze jaartelling. Zijn verhandeling *Over het verhevene* werd pas in 1554 gedrukt en bleef toen onopgemerkt. Ernst Robert Curtius meent dat Longinus steeds is 'abgewürgt' door de onverbrekelijke 'Traditionskette der Mittelmäszigkeit', maar dat doet niets af aan het grote gezag dat hem door de achttiende-eeuwse theoretici werd toegekend.[782] Die gebruikten hem overigens naar eigen goeddunken en ze kenden zijn geschrift soms alleen via de door Bilderdijk geprezen en tevens gelaakte bewerking van Boileau.[783] In de *Historia de las ideas estéticas en España* van Menéndez Pelayo kan men bijvoorbeeld lezen dat de Spaanse vertaling van het Griekse origineel pas in 1881 werd gepubliceerd, nadat verschillende bewerkingen naar Boileaus versie al een eeuw tevoren een belangrijke rol hadden gespeeld in de literaire theorie.[784] In Engeland dateert de eerste vertaling van 1652, maar pas in de achttiende eeuw trad er een criticus op die zich zo zeer op Longinus verliet, dat hij de bijnaam 'Sir Longinus' verwierf.[785] Een terecht geprezen Nederlandse vertaling van Longinus staat in het in 1936 verdedigde proefschrift van J.Ph. Hoogland; zijn voorgangers waren P. le Clercq (die in 1719 Boileaus versie bewerkte), M. Siegenbeek (1811) en ... Bilderdijk, die rond 1809 enkele fragmenten vertaalde in een voordracht die anno 1821 werd opgenomen in zijn *Gedachten over het verheven en naïve*.[786]

Longinus spreekt over de geniale verhevenheid van de poëzie der grote dichters, die op sublieme wijze het niveau van het menselijke en sterfelijke overschrijden en in de vervoering van de inspiratie 'de majesteit Gods' naderen. Voor hem is de schoonheidsbeleving het enige doel van de poëzie, en de verheven adeldom van dictie en compositie in het kunstwerk van genieën acht hij in staat de menselijke geest op te voeren: 'tot den standaard, dien we als ideaal in ons vormen'. Het is duidelijk dat een dergelijk

---

[782] Ernst Robert Curtius, *Europäische Literatur und lateinisches Mittelalter*, Bern 1948, p. 404; vgl. Wellek, dl. I, (1955), p. 6.

[783] Wille, dl. I (1937), p. 213; Smit (1929), p. 51, noot 1 (het is Smit ontgaan, dat Bilderdijk spreekt over een door Boileau vertaald voorbeeld uit *Sappho* dat bij Longinus voorkomt: TDV. II, p. 54 en 88. Zie verder NTDV. I, p. 208). Een geschiedenis van Longinusvertalingen en een herwaardering van Boileau als theoreticus en als vertaler van de verhandeling *Over het verhevene*, geeft Jules Brody, *Boileau and Longinus*, Genève 1958.

[784] Menéndez Pelayo, *Historia de las ideas estéticas en España*, edición revisada y compulsada por D. Enrique Sánchez Reyes, dl. III, siglo XVIII, Santander 1947, p. 178 e.v.

[785] Bedoeld is John Dennis, auteur van de lezersgerichte verhandeling *The grounds of Criticism in Poetry* (1704): A. Rosenberg, *Longinus in England bis zum ende des 18. Jahrhunderts*, Weimar und Berlin 1917 en D.A. Russel, '*Longinus' On the Sublime*, Oxford 1964, p. 51 e.v. Vgl. Bate (1946), p. 46 e.v. en Gallaway (1940), p. 333 e.v. (De in 1967 in eigen beheer verschenen *Bibliography of the 'Essay on the Sublime'* door Demetrio St. Marin te Bari werd afgesloten in 1953, telt 741 nummers en vermeldt Siegenbeek als Siegenbeck. In 2000 verscheen te Bern L. Kerslake *Essays on the Sublime. Analysis of French Writings on the Sublime from Boileau to La Harpe*, en in 2005: Chr. Madelein & J. Pieters (eds) '*The Sublime re-considered*' in *Phrasis. Studies in Language and Literature* 46 (2005) 1.

[786] J.Ph. Hoogland, *Longinus 'Over het verhevene': Vertaling met inleiding en opmerkingen*, Groningen 1936; Wille, p. 213; TDV. II. Dat Bilderdijks tekst teruggaat op een voordracht, blijkt geenszins uit het op 1820 gedateerde voorwoord dat de auteur eraan liet voorafgaan; het volgt echter uit de aansprekingen op p. 22 en 23, en uit de term 'voordracht' op p. 43. Smit (1929), p. 51, noot 1, vermoedt dat het een voordracht uit 1809 betreft. Deze datering lijkt echter betwistbaar, gezien de mededelingen van Bilderdijk zelf in een brief van 1810 (Tyd. I, p. 224) en van Jeronimo de Vries in *Gedenkzuil voor W. Bilderdijk*, Amsterdam 1833, p. 62 e.v. (Later verschenen Nederlandse Longinus-vertalingen zijn: W.J.E. Kuiper, 1980 en M. Op de Coul, 2000).

geschrift kon worden aangewend in de preromantische strijd tegen de gebondenheid van de inspiratie door de kunstregels. Maar het is daarnaast en daartegenover een veelbetekenend historisch feit dat Longinus zijn bekendheid juist dankt aan de meest gerenommeerde wetgever op de classicistische Parnassus.[787] Elementen die aan de verhandeling van pseudo-Longinus herinneren, kan men dan ook aantreffen in theoretische geschriften van verschillende strekking. De 'schone natuur' van Batteux's volgelingen en het door de rede geordende natuur-ideaal van Boileau dat door zijn Nederlandse discipelen Pels en Lairesse zo zorgvuldig voor onwelvoeglijke besmettingen werd behoed, hebben bijvoorbeeld een heel andere betekenis dan het fluctuerende 'beau idéal', waarover later Stendhal schreef toen hij met Lamartine over de romantische kunst polemiseerde.[788] Er is een ontwikkeling in de 'ideaal-theorie' die, via de opvatting van een verrijkende bewerking van de natuur door de kunstenaar en de uitdrukking van diens innerlijke visie, tenslotte leidde tot de romantische opvatting van het kunstwerk als resultaat van een door eigen gevoel en verbeelding gevoede originele, soms profetische scheppingsdaad.[789] Van een duidelijk te volgen chronologie is daarbij geen sprake, en al evenmin van een strenge scheiding tussen enerzijds de opvattingen die uitgaan van een eclectische verfraaiing der natuur volgens de traditie van Aristoteles en Batteux, en anderzijds de soms in een neoplatoonse traditie te plaatsen opvatting van de volmaakte schoonheidsidee, die leeft in de scheppende geest van de kunstenaar.[790] René Wellek meent dat de laatste stroming, die leidt tot de al aangeduide

[787] Gallaway, p. 177; Bate, p. 47. (De bekendheid van Longinus' tractaat blijkt ondermeer uit het feit dat de zoon van Jean Racine het gebruikte als oefenboek voor het Grieks. Zie de mededeling in R.C. Knight, *Racine et la Grèce*, Paris z.j., p. 430).

[788] Volgens Boileau is de in het kunstwerk na te volgen natuur ongeveer hetzelfde als 'la raison'. Een bespreking van zijn *Art poétique* vindt men in het Nederlandse proefschrift van H.J.A.M. Stein, *Boileau en Hollande...*, Utrecht 1929, p. 5 e.v.; een vermelding van Boileau's bronnen in de door Charles H. Boudhors verzorgde uitgave: Nicolas Boileau-Despréaux, *Epîtres, Art poétique, Lutrin*, Paris 1939, p. 258 e.v. De aangeduide activiteiten van Pels en Lairesse zijn besproken door M. Prinsen (1934), p. 143 e.v. H. Beyle (Stendhal), *Racine et Shakespeare - Etudes sur le romantisme*, nouvelle édition, Paris 1854, p. 108, schrijft zonder aarzelen dat er eigenlijk evenveel 'beaux idéals' zijn als neuzen en karakters. Vgl. in dit geschrift (i.v.m. Lamartine) de pagina's 99, en 129 e.v.

[789] Tot de voorgeschiedenis van de door mij als 'ideaal-theorie' aangeduide kunstbeschouwing behoort ook de leer van de Aristotelische *mimesis*, waarvan de ontwikkeling wordt behandeld door Folkierski (1925), p. 99 e.v. Verschillende fasen in de 'ideaal-theorie' (die men overigens niet streng chronologisch dient te interpreteren) werden kort en overzichtelijk gerangschikt in het eerste hoofdstuk van Wellek, dl. I (1955). (Zie Bilderdijk over Aristoteles in DW. VII, p. 77 en Trsp., p. 135.) Steunend op de *Literaturgeschichte des XVIII. Jahrhunderts* van H. Hettner (Braunschweig 1860), wees ten onzent A.C.S. de Koe op de betekenis van Johann Adolf Schlegel (vader der gebroeders Schlegel) voor de opvatting dat de kunst niet een eclectische verfraaiing van de natuur is maar zinnelijke uitdrukking van een ideële inhoud en schepping van de vrije fantasie. Schlegel publiceerde in 1751 een Duitse vertaling van het al genoemde werk van Batteux, gevolgd door kritische verhandelingen. Zijn boek is herdrukt in 1770 en werd in Nederland bestudeerd door figuren als Hiëronymus van Alphen (zie diens *Theorie der schoone kunsten en wetenschappen*, dl. II, Utrecht 1780, p. XXXIV), Rhijnvis Feith en Bilderdijk (Bosch -1955-, p. 43, 53). De opmerking van De Koe komt voor in de Inleiding op haar proefschrift (De Koe, 1910). De inhoud van deze beschouwingen keert met weinig veranderingen terug in het hoofdstuk 'De aesthetiek' in de dissertatie *De invloed van de Duitsche letterkunde op de Nederlandsche in de tweede helft van de 18ᵉ eeuw*, door H.A.C. Spoelstra, Amsterdam 1931.Vgl. ook Wittkower in Wasserman (1965), p. 143-161.

[790] Vgl. bijvoorbeeld de opvattingen van Signorelli, Muratori, Arteaga, Diderot, Shaftesbury, Reynolds en Goethe, zoals besproken bij Bigi, dl. IV: *Critici e storici della poesia e delle arti nel secondo settecento* (1960), p. 599; Robertson (1923), p. 75; Menéndez Pelayo (1947), p. 158, 167; Wellek, dl. I, (1955), p. 54, 107, 113, 208. De door Wellek (p. 209) slechts gedeeltelijk geciteerde uitspraak van Goethe ('a second nature'), luidt: 'Kunst: eine andere Natur, auch geheimnisvoll, aber verständlicher'. Wellek (p. 149, 150) ziet in Winckelmann een voortzetter van de neoplatoonse esthetiek van zeventiende-eeuwse Italiaanse theoretici en van Shaftesbury. Schoonheid is voor Winckelmann volgens Wellek: '*ideal*, in the sense that the artist concentrates what is found only rarely in reality, and it is ideal as an image in the mind of the artist, an inner vision, an idea'. Nivelle (1955), p. 131, schrijft over Winckelmann: 'L'art ajoute à

romantische consequentie (en tevens tot de door Bilderdijk en Bakker bestreden 'dweepende' aberratie), vooral verbreid was in Duitsland. Bilderdijks ideaal-theorie vertoont veel overeenkomst met deze 'Duitse stroming' waar hij – evenals elders en op verschillende wijzen – een verbinding van de ideale schoonheid met de idee der Eenheid heeft kunnen aantreffen.[791]

In zijn anno 1780 bekroonde literair-wijsgerige *Verhandeling,* heeft Bilderdijk (evenals de Duitser Johann Georg Sulzer en Hiëronymus van Alphen) het classicistische behagen als doel van de kunst gelijk gesteld met een streven naar schoonheid.[792] Een later toegevoegde Bijlage brengt bovendien de verbinding met het beginsel der Eenheid, waarbij wordt verwezen naar het *Essai sur le beau* (1759) van de Platoons geïnspireerde jezuïet J. André en de Nederlandse bewerking daarvan door W.E. de Perponcher, die de 'Oorspronkelijke, Eeuwige, Opperste en Hoogstvolmaakte Eenheid' aanduidt als de 'bronwel en 't richtsnoer van 't Weezen zelve der Schoonheid'.[793] Nog duidelijker heeft Bilderdijk deze opvatting uitgewerkt in zijn *Gedachten over het verheven en naïve.* Longinus' theorie over *Het verhevene* besprekend, stelt hij daar de vraag naar de herkomst van deze zielsverheffing schenkende eigenschap van de schone kunsten. Zomin bij Longinus als bij Boileau en andere theoretici, is dit probleem volgens hem op bevredigende wijze opgelost. Bilderdijk meent zelf dat het de Eenheid is die de verhevenheid uitmaakt, en die ook het Schone doet voelen. Verheffing en Schoonheid acht hij daarom (blijkens een aantekening uit 1805) onmogelijk zonder volkomen Eenheid.[794] 'Het is de Eenheid die altijd *schoon* is: maar het is de door rijkheid en volheid ontzettende Eenheid die *verheven* is', zegt Bilderdijk in zijn voordracht over Longinus.[795] Het hier gebruikte adjectief 'ontzettende' is typerend voor het onderscheid tussen het schone en het

---

la nature; il ne la reproduit pas, il l'interprète et la corrige, il l'idéalise. La beauté du grand art est une beauté idéale... Cette beauté idéale n'est pas une 'idée' métaphysique: elle n'a pas sa source dans quelque inspiration surnaturelle. C'est à partir de faits d'observation que l'esprit humain la conçoit et l'élabore'. De aarzeling tussen eclectische natuurnabootsing en expressie van een innerlijke idee bij Riedel en Van Alphen is besproken door De Koe, p. 71 e.v. en p. 89 e.v. (Voor Feith: zie Buijnsters, (Het ideaal, 1973) p. 61 e.v.)

791 Wellek, dl. I, (1955), p. 25, wijst ook op Shaftesbury. Het grote belang van deze Engelsman in de 'Duitse stroming' blijkt uit Folkierski (1925), p. 70 en p. 105.Vgl. in verband met de idee der Eenheid bijv. de opvatting van Mendelssohn (Nivelle -1955-, p. 105-108), van Goethe (Wellek, dl. I -1955-, p. 208 e.v.), en van A.W. Schlegel (Wellek, dl. II -1955-, p. 48, 49).

792 In Bilderdijks bekende gedicht *De kunst der poëzy* (1809) staan de regels (DW. VII, p. 77):

Wat wilt ge, ô Stagyriet? Is Dichtkunst louter malen?
Natuur haar voorbeeld? Zelfs in 't schoonst der Idealen?
Ga, gloei uw koude ziel aan 't Dichterlijk gevoel,
En ken in 't werk van 't hart, behoefte zonder doel.

Vgl. Verhandeling...², (1836), p. 3 e.v. Voor Sulzer: zie Nivelle (1955), p. 95; Van Alphens *Theorie*, dl. II, p. XLVII.

793 Verhandeling, p. 135, 139, 183; de vertaling van De Perponcher verscheen in diens *Grondbeginselen van de algemeene wetenschap der schoonheid, samenstemming en bevalligheid* (1770). Zie Reijers (1942), p. 58, en 59. Typerend voor de opvattingen van pater André zijn de door hem geciteerde uitspraken van Horatius en Augustinus: 'Denique sit quodvis simplex dumtaxat et unum' en: 'omnis porro pulcritudinis forma unitas est'. (Vgl. voor het beginsel der Eenheid als bron van het schone bij Marsilio Ficino en Giordano Bruno: Edgar de Bruyne, *Geschiedenis van de aesthetica / de renaissance*, Antwerpen - Amsterdam (1951), p. 139.)

794 DW. II, p. 488, 489.

795 TDV. II, p. 53

verhevene. Bilderdijk noemt de schoonheid een 'verhemelende gewaarwording': zij is de rustende, lieflijke Eenheid. De verhevenheid echter is een 'Goddelijke hoedanigheid eener voorstelling', die een 'onbeschrijfelijke aandoening' veroorzaakt: zij is de volle, rijke overstelpende Eenheid; haar aanblik slaat het menselijke verstand met verwonderde ontzetting, en verheft en vervult de ziel met een gevoel van grootheid.[796] Dit is een onderscheid dat onder meer herinnert aan de *Allgemeine Theorie der schönen Künste* van Johann Georg Sulzer en aan de *Beobachtungen über das Gefühl des Schönen und Erhabenen* van Immanuel Kant.[797]

3. Gevoel, verbeelding, poëzie en religie

Bilderdijk heeft de Verhevenheid en de Schoonheid niet alleen verbonden met het begrip Eenheid. Hij heeft Longinus 'Verhevene' in religieuze zin gefundeerd. Dat de leer van de destijds zeer bewonderde Griek daartoe de mogelijkheid bood, was al een eeuw tevoren bewezen in de verhandeling *The grounds of criticism in poetry* (1704) van John Dennis. Deze Engelse 'Sir Longinus' interpreteerde de 'ideaal-theorie' op theologische wijze. Hij eiste gevoel en godsdienst in de poëzie, kende de kunst een religieuze functie toe en verbond het verhevene met het goddelijke.[798] Bilderdijk heeft in 1805 de poëtische vrijheid tegenover de geschiedenis verdedigd, door erop te wijzen dat de dichter zijn (historische) stof eigenmachtig samenbrengt binnen een door hem te vervullen kring, waarin hij 'als op het voorbeeld der Goddelijke voorzienigheid' gelijk een 'Schepper' een eenheid van samenwerkende verbanden creëert.[799] Tot in de woordkeus herinnert deze 'metafysische'

---

[796] TDV. II, p. 19, 25, 53.

[797] Kant schrijft: 'Die Nacht ist *erhaben*, der Tag ist *schön* ... das Erhabene *rührt*, das Schöne *reizt* ... das Erhabene muss jederzeit *gross*, das Schöne kann auch *klein* sein'. Immanuel Kant, *Sämtliche Werke*, dl. I, Leipzig 1921, p. 10, 11, 12; vgl. dl. VI, p. 103. Voor Sulzer: Zie Nivelle, (1955), p. 328. In Van Alphens *Theorie*, dl. I, p. 86, wordt de opvatting van Longinus als volgt weergegeven: 'Het verhevene overreedt en verrukt. Onze ziel wordt daar door verheven boven de natuur en met eenen edelen hoogmoed vervuld'. Tegenover Bilderdijks mening die ook in de ontzetting van het verhevene de (classicistische) Eenheid blijft eisen, staat de romantische opvatting over de 'magnificence' van 'the apparent disorder' in de *Philosophical Inquiry into the Origin of our Ideas of the Sublime and Beautiful* (1757) van Edmund Burke: zie Folkierski (1925), p. 96. Bilderdijks streven naar combinatie van de angstwekkende Ontzetting en de rustgevende Eenheid lijkt als zodanig een typisch romantische aspiratie naar het onmogelijke; vgl. voor deze materie ook hoofdstuk VII, par. 3. (In de inleiding bij zijn vertaling van Edmund Burke, *Een filosofisch onderzoek naar de oorsprong van onze denkbeelden over het sublieme en het schone*, Groningen 2004, p. 37 e.v., schrijft Wessel Krul dat Burke's denkbeelden weliswaar een belangrijke stimulans zijn geweest voor de opkomende romantiek, maar dat diens eigen voorkeur uitging naar het neoclassicisme. Ten bewijze noemt hij Burke's vriendschap met Sir Josua Reynolds. In Bilderdijks bekroonde Verhandeling van 1780 wordt over deze klassieke portretschilder gezegd dat hij 'nog oppervlakkiger denkt dan verward schrijft' (p. 219) en in een brief uit Londen van 1796 noemde Bilderdijk zijn werk 'jammerlijk' als van een kladschilder (Briefwisseling II, p. 161). Bilderdijk zag toen in het werk van Reynolds wellicht een mislukte poging om de 'woeste' Engelse wansmaak te veranderen door valse nabootsing – zonder eigen gevoel – van de Italiaanse renaissance-kunst, die zelf, volgens Bilderdijk, weer verkeerde nabootsing van de kunst der Oudheid was. In zijn treurspelverhandeling van 1808 voerde hij Reynolds op als Engelse 'woestaart', die rechtstreeks afschuwelijke onderwerpen schilderde waarover een 'beschaafde Kunstenaar in Italië of Frankrijk' wel 'den sluier' zou werpen: vgl. hfdst. XIV, par. 1. In tegenstelling tot Diderot, scheen Bilderdijk niet in staat het 'Erhabene' te herkennen in het ethisch verwerpelijke: Roy (1966), p. 35-39. R. Wittkower, 'Imitation, Eclecticism, and Genius' in Wasserman (1965), p. 143-161, bespreekt Reynolds als classicist, wiens kunst berust op 'selective borrowing' van klassieke voorbeelden.)

[798] Gallaway (1940), p. 334; Wellek, dl. I, (1955), p. 17. In de verhandeling van Bakker (1824), p. 35 e.v. worden hiermee vergelijkbare interpretaties van Bouterwek en andere Duitse theoretici vermeld.

[799] DW. I, p. 483.

interpretatie van de eenheid-scheppende dichterlijke werkzaamheid aan Lessings *Hamburgische Dramaturgie*, waar ondermeer staat: 'das Ganze dieses sterblichen Schöpfers sollte ein Schattenrisz von dem ganzen des ewigen Schöpfers sein.'[800]

Als Bilderdijk later met Longinus in de hand over *Het verhevene* spreekt, wordt zijn opvatting dieper uitgewerkt. Hij stelt de gevoelservaring der eenheid in het schone gelijk met de afspiegeling van de volmaaktheid en algenoegzaamheid van God zelf. Zijn uitgangspunt is daarbij dat het goddelijke en oneindige sluimert in de boezem van de menselijke ziel, die van hogere bestemming en aard is dan de zichtbare werkelijkheid en zich daarom steeds bevindt in een eindeloze poging en drang tot verheffing. Deze verheffing wordt pas gerealiseerd als 'hoogere invloeden' in de ziel het 'zelfgevoel' opwekken. Dat wil zeggen: de ziel een gevoel doen ervaren dat in haar *het bewustzijn der eigen grootheid en bovennatuurlijke bestemming* verlevendigt.[801]

Als hogere invloeden beschouwt Bilderdijk de Schoonheid en de Verhevenheid, die eigen zijn aan de Kunst. Deze worden zintuiglijk, verstandelijk en zedelijk ervaren. Aangezien de mens voor Bilderdijk een ondeelbare eenheid is, bestaat er een harmonie tussen de verschillende menselijke vatbaarheden en vermogens, die al deze en andere ervaringen samen doet vloeien in één gevoelservaring. Deze gevoelservaring (het 'zelfgevoel') kwalificeert Bilderdijk als 'Geestelijk een naar 't Goddelijke gelijkend', en hij meent dan ook dat de mens door het Schone en het Verhevene wordt veredeld, verzedelijkt, vergoddelijkt en vervolmaakt.[802] Wie de bepaling van het begrip Godsdienst in Bilderdijks zielkundige *Verhandelingen* van 1821 vergelijkt met zijn beschouwingen over de Schoonheid en de Verhevenheid in de poëzie, begrijpt dat deze dichter kon schrijven:

---

[800] Lessing (1958), p. 310 (St. 79).

[801] TDV. II, p. 53, 17-21. Ik cursiveer. In zijn essay 'Willem Bilderdijk als wijsgerig historievormer' betoogt Bosch (1961) dat de term 'zelfgevoel' voor Bilderdijk tegelijk een religieuze en artistieke betekenis heeft. Religieus, omdat het zelfgevoel de mens zijn zelfbewustzijn doet ervaren in creatuurlijke relatie tot zijn schepper. Artistiek-religieus, omdat die gevoelservaring in Bilderdijks romantische dichterhart wordt verhevigd tot de extatische beleving van de inspiegeling Gods in de gehele schepping. Bosch wijst hierbij op de invloed van Leibnitz en Schelling. Naar de eerstgenoemde wijsgeer verwijst Bilderdijk zelf in zijn voordracht over over *Het verhevene*, TVD. II, p. 22. Van Eijnatten (1998), p. 425-428.

[802] TDV. II, p. 21, 22, 26, 39 e.v., 42, 44; W. Bilderdijk, *Verhandelingen, ziel-, zede-, en rechtsleer betreffende*, Leiden 1821, p. 165, 166; Bavinck (1906), p. 150 e.v., Van Eijnatten (1998), p. 182, wijst op overeenkomst met denkbeelden van J.M. Sailer, *Vernunftlehre für Menschen, wie sie sind* (1785). Men vgl. in dit verband ook sommige opvattingen van Rousseau, zoals weergegeven door H. Brugmans, *De révolte van het gemoed. Rousseau en het sentimentalisme*, Arnhem 1951, p. 51. In zijn redevoering *'s Menschen voortreffelijke aanleg, zigtbaar vooral ook in zijne vatbaarheid voor het verhevene* (1804) meent de met 'onze Rede' opererende Kantiaan Paulus van Hemert niet alleen dat de mens door de ervaring van het Verhevene met 'hemelschen wellust' in contact komt met het 'Onëindige' en 'bovenzinlijke dat in ons woont' en waardoor wij 'behooren tot Gods geslacht'. Hij spreekt, in afwijking van Kant, ook over het 'Zedenlijk verhevene, in voorbeelden verzinlijkt '(Madelein-Pieters -2008-, p. 55-80). Daardoor vertoont Van Hemert meer overeenkomst met Bilderdijk dan hem en Bilderdijk zelf (!) later waarschijnlijk lief was; vgl.voor Bilderdijks zedelijk verhevene: hfdst. VII, par. 1, noot 351 en hfdst. VIII, par. 3, noot 445. Over de vijandschap tussen beiden: Kollewijn, dl. I, p. 407, 408; dl. II, p. 271-275. (Uit Briefwisseling III, p. 327, blijkt dat Van Hemert in 1799, via Kinker, Bilderdijk heeft aangezocht als medewerker voor zijn *Magazyn voor de critische wijsgeerte en de geschiedenis van dezelve.* Meer over Van Hemert i.v.m. Kant bij Madelein, *Handelingen* 2007.)

De Dichtkunst des poëets, de Godsdienst van den Christen
Is één.

Een uitspraak die ondermeer herinnert aan opvattingen van Johann Georg Hamann, Friedrich Schlegel, Wilhelm Heinrich Wackenroder, Novalis en van Engelse romantici als Blake en Carlyle. Men kan er trouwens ook bij denken aan het bekende citaat van Goethe over het samengaan van 'Wissenschaft', 'Kunst' en 'Religion'.[803]

Door de dichterlijke inspiratie wordt de mens volgens Bilderdijk verheven boven de alledaagse wereld, en 'kent des dichters hart de Godheid', die hem in staat stelt met 'godlijk zelfbehagen' een verhevener wereld te scheppen. Want de taal wordt in de poëzie als het ware gelouterd van de zondeval en opnieuw een goddelijk instrument, dat het 'zelfgevoel' van de ene menselijke ziel in andere kan doen overvloeien. Volgens Bilderdijk schenkt alleen het gevoel (en niet: het verstand!) de vatbaarheid voor de goddelijke kracht van de dichtkunst. Als zetel van de poëzie beschouwt Bilderdijk daarom het hart, waar nog de vonken gloeien van het hogere en het hemelse, die alleen dáár door de aanblazing der Godheid tot het vuur der dichterlijke inspiratie kunnen worden aangewakkerd.[804]

Ik herinner in dit verband aan de conclusie van de Rotterdamse prijswinnaar J.A. Bakker, waarin staat dat volgens Bilderdijk de dichtkunst een uiting is van een waarachtig en verheven gevoel.[805] In het raam van Bakkers *Verhandeling over het ideäal* staat dit dichterlijke gevoel tegenover de excessen van de dweper, die zijn ideaal niet langer zoekt in de veredeling van de werkelijkheid, maar zich helaas laat leiden door de hersenschimmen van zijn verhitte verbeelding. Sprekend over de tegenstelling tussen nabootsing en ideaal, wijst Bakker met instemming op de *Kritik der Urteilskraft* van Kant, die volgens hem betoogt dat de denkbeelden van het schone en verhevene ontspringen uit het esthetisch gevoel.[806] Wie echter het deel 'Analytik der ästhetischen Urteilskraft' doorleest, komt tot de ontdekking dat Kant juist opereert met de term 'Einbildungskraft': hij zoekt het ideaal met andere woorden in de verbeelding.[807] En dát nu betekent voor Bilderdijk een fundamentele fout, waarop hij uitdrukkelijk wijst in zijn treurspelverhandeling. Wanneer men de poëzie beschouwt als een product van de (verstandelijke, het gevoel van de dichter niet eigen) verbeelding en niet als de uitstorting van het alles in zich opnemend en de verbeelding inspirerend zelfgevoel, kan er volgens dit essay geen waarachtig treurspel ontstaan. Het is juist dit kardinale verschil in de

[803] Het citaat van Bilderdijk komt uit het gedicht 'De kunst der poëzy (1809); DW. VII, p. 77; zie ook NTDV., I, p. 206 en Verhandelingen (1821), p. 159, Wellek (1955), dl. I, p. 179, dl. II, p. 18; De Deugd (1966) p. 115 e.v.; vgl. p. 90, 91, 131, 132; vgl. ook Bosch (1961). Het citaat van Goethe (Wer Wissenschaft und Kunst besitzt, / Hat auch Religion; / Wer jene beiden nicht besitzt, / Der habe Religion.) werd besproken door G.H. Streurman in de door Jac. De Roy ingeleide bundel *Grote filosofieën en de huidige mens*, Amsterdam-Antwerpen 1959, p. 46.

[804] Bavinck (1906), p. 159; Bosch (1961), p. 11. Vgl. ook Smit (1929), p. 36. (Voor de goddelijke inspiratie van de dichter bij Tasso en andere renaissancisten: Spingarn (1924), p. 196, 197.)

[805] Bakker (1824), p. 138.

[806] Bakker (1824), p. 7.

[807] Kant (1921), dl. VI, p. 53, 89.

interpretatie van het fenomeen 'poëzie', waaruit de bijzonder felle aanval op Immanuel Kant moet worden verklaard die men heeft aangetroffen in Bilderdijks nagelaten papieren.[808] Kants uitgangspunt opent namelijk de weg naar de (ook door Bakker afgewezen) excessen der dwepers, waarop Bilderdijk in 1809 de aandacht heeft gevestigd in een voordracht *Over dichterlijke geestdrift en dweepery*. Als kenmerk van de ware dichter noemt hij daar het overstelpend gevoel der Eenheid, dat de verbeelding en de ziel verheft tot de ideale wereld, en dat steeds vergezeld gaat van klare denkbeelden. Daartegenover staat de gekrenkte verbeeldingskracht van de dweper die zich, met zijn verstand, een soort gevoel verbeeldt of opdringt, en die zich daarom slechts uiten kan in verstikkende onzin en onzintuiglijke denkbeelden.[809]

Bilderdijk erkent 'geen verbeelding dan ontstoken door 't gevoel'.[810] De door hem veroordeelde buitensporigheden der fantasie, noemt hij in zijn treurspelverhandeling van 1808 kenmerkend voor 'lieden, wier poëzy uit het hoofd welt en niet uit het hart'. Al dertig jaar tevoren schreef hij trouwens dat onzin en wartaal producten van 'verwilderde verbeelding' zijn, terwijl ware poëzie 'uitdrukking van het hart' is. Het gevoel gaat voor hem steeds boven de hersenspinsels van het verstand. Niet alleen in de poëzie, maar in alles. De achteruitgang van de dramatische dichtkunst en de verwording van het leven in zijn geheel, verklaart hij dan ook uit het feit, dat men 'wat in 't hart t'huis behoorde naar het winderig hoofd (heeft) verplaatst'.[811] Waarbij ik opmerk dat Bilderdijk niet zonder meer de verbeelding als creatieve factor afwijst. In de voorrede bij zijn vertaling van de *Treurzang van Ibn Doreid* (1795) zegt hij duidelijk waar het hem om te doen is. Wat afgewezen wordt, zijn ontleende, de dichter niet eigen gedachten en gevoelens, als resultaat van een verhitte en verwilderde verbeelding die niet gevoed werd door zijn eigen

808 Dit nagelaten stuk (van 1810) werd gedrukt in *Mengelingen en fragmenten, nagelaten door Mr. W. Bilderdijk*, Amsterdam 1834, p. 76. Vgl. Trsp., p. 137. Zie De Jong (2000), p. 104.

809 TDV. I, p. 1 e.v. De datering van dit opstel blijkt uit de *Gedenkzuil voor W. Bilderdijk*, p. 62. Citaten over Bilderdijks ware dichterschap in De Jong-Zaal (1960), p. 32 e.v.

810 In het gedicht *De kunst der poëzy* (1809; DW. VII, p. 76) staat:

> Neen, geen verbeelding, dan ontstoken door 't gevoel
> Is Dichtkunst; ....
> ....
> Geen vinding van 't vernuft, geen smaakloos letterpluizen;
> Geen dweepzucht, ...

Vgl. Trsp., p. 185.

811 Trsp., p. 210; 137, 144, 156; DW. XV, p. 41. Smit (1929), p. 42, noot 5, wijst op de uitspraak van La Harpe: 'L'imagination doit se taire quand le cœur parle.'; vgl. Bavinck (1906), p. 103 e.v. Bilderdijks tegenstelling tussen 'verwilderde verbeelding' of dweperige inbeelding vanuit het 'winderig hoofd', tegenover waarachtige poëtische verbeelding 'ontstoken door 't gevoel', herinnert aan het door Coleridge geformuleerd contrast tussen 'fancy' als 'aggregating faculty of the mind' in het bereik van het verstand en het zintuiglijke, tegenover de romantische 'imagination' als eenheid-scheppend vermogen dat o.m. te maken heeft met 'a more than usual state of emotion', met 'enthusiasm and feeling profound or vehement' en met het bovenzinnelijke: Coleridge-Shawcross (1907), p. XXXII-XXXIV; Deutschbein (1921), p. 10-18. (Pieters en Madelein -2005-, p. 41, 42, citeren uit de Coleridge-uitgave van Jackson 1985, p. 319.)

‘natuurlijk gestel’ maar door navolging van wat hem in wezen vreemd is.[812] Bilderdijk veroordeelt dus wat Gossaert later, in zijn bekende opstel over Swinburne, zou aanduiden als valsche [en dus niet: *bezielde*] rhetoriek’. Daarentegen prijst Bilderdijk de dichterlijke verbeeldingskracht die voortkomt uit het eigen ‘hart’ en verrijkt werd door de eigen zintuiglijke ervaring. Bij Bilderdijk gaat het er om dat de – ook na de zondeval – voor het goddelijke vatbaar gebleven menselijke ziel het ‘zelfgevoel’ opwekt dat de dichter geestelijke indrukken doet beleven die door de verbeelding, mede op grond van zintuiglijke indrukken, kunnen worden getransformeerd tot werkelijk *bezielde* dichterlijke beelden. In zijn leerdicht *De kunst der poëzy* (1809) heet het over de dichterlijke inspiratie:

> Het hart wordt overstelpt, de ziel moet uitgebreid,
> [...]
> Verbeelding vliegt in vlam, en spiegelt, beeld voor beeld,
> De zielsbeweging af die door uw aders speelt.[813]

De voor deze uitweiding besproken religieuze fundering van Bilderdijks ‘ideaal-theorie’ vindt men terug in zijn beschouwingen over de tragedie. In de verhandeling *Het treurspel*

---

[812] DW. XV, p. 50. Een inventaris van Bilderdijks uitspraken *over* verbeelding – dus niet betreffende het belang van zijn ‘rijke’ (Da Costa); ‘weelderige’ (Kinker) verbeelding, ‘hooggestemde verbeeldingskracht’ (Delprat) of ‘stoute, het aardse ontstijgende verbeelding’ (Geyl) in de praktijk van zijn poëzie én van zijn historische, taalkundige én andere geschriften – geeft Johannes (1972), p. 137-190. Na op grond van secundaire literatuur over buitenlandse letterkunden te hebben vooropgesteld dat als hoofdkenmerk van ‘romantische’ poëzie en poëtica ‘de’ verbeelding kan worden beschouwd, komt hij tot de conclusie dat Bilderdijks negatieve uitspraken over [*verhitte en verwilderde* M.d.J.] verbeelding [*van dwepers* M.d.J.] hem buiten ‘de’ romantiek zouden plaatsen; vgl. zijn bijdrage aan Krop 1993, p. 107-119. In het tweede deel van zijn bundel *Wit en Rood* (1818) publiceerde Bilderdijk zijn gedicht ‘Aan de Verbeelding’. Daarin wordt de Verbeelding toegesproken als de vruchtbare moederschoot waaruit, als ze eenmaal door het dichterlijk gevoel is bevrucht, het ‘nieuw heelal’ ontspruit waarin de almachtige ‘Dichtgeest’ met ‘godlijk welbehagen’ zowel reeds vergane als nog nooit geziene ‘warelden’ en ‘Geesten’ oproept. De door het ‘warme hart’ ontstoken verbeelding is absoluut noodzakelijk om poëzie te doen ontstaan. Hart en Verbeelding vullen elkaar aan: ‘Vergeefsch, zoo ’t warme hart van ’t vuur der kunstdrift gloeie, / ontbreekt gy [= de verbeelding]...’ (DW. XII, p. 188; vgl. hfdst. XX, par. 4, noot 1354). In zijn uitvoerige studie over Bilderdijk n.a.v. de postume uitgave van diens *Brieven* (1836 en 1837) en diens nagelaten *Mengelingen en Fragmenten* (1834) schrijft J. Kinker over Bilderdijks ‘rustelooze’ en ‘scheppende verbeeldingskracht’, die zowel zijn literaire en wetenschappelijke geschriften als eigenlijk ook zijn hele leven bepaalde: ‘Het is juist door zijn weelderige vinding en verbeeldingskracht’, *waarin zijn hart niet altijd deel nam’* dat hij [...] beheerscht, ja niet zelden, overheerscht werd.’ De door mij gecursiveerde zinsnede schijnt erop te wijzen dat Kinker, evenals Bilderdijk, naast de echte, door het hart of het gevoel gevoede eigen verbeelding, een oneigen, valse verbeelding onderscheidt, die dus niet voorkomt uit het eigen gevoel. Het verschil is alleen dat hij die onechte, onbezielde, retorische verbeelding in Bilderdijks eigen werk meent aan te kunnen wijzen... waar dan nog bijkomt dat hij Bilderdijks wél door ‘uitstorting van het hart’ beheerste geschriften en gedragingen ‘het minst navolgingswaardig’ vindt. In de *Nederduitsche gewrochten van den Nederlandschen Waal* L. Jottrand, Brussel 1872, staat op p. 26 een brief van eind november 1827 waarin Bilderdijk door Kinker wordt gekarakteriseerd als een ‘dweepzucht huichelende’ auteur die behoort tot de ‘protestantsche obscuranten’: deze brief is herdrukt in Hanou-Vis (1993), dl. II, p. 254-257. (Kinkers kritisch essay verscheen in de *Recensent, ook der recensenten* van 1838 in verschillende afleveringen. Mijn exemplaar bevindt zich in dezelfde band als het vijfde en laatste deel van de *Brieven* (Messchert, Rotterdam 1837), zonder titelblad, maar met de nummering 1 tot en met 132 en de auteursnaam onder de laatste bladzijde. De door mij gebruikte citaten staan op de pagina’s 8 en 9. Voor het citaat van Delprat verwijs ik naar Van Hattum e.a. -1985-, p. 49, voor dat van Geyl naar: Geyl -1963-, p. 37).

[813] DW. VII, p. 76. Geerten Gossaerts opstel over Swinburne werd herdrukt in zijn bundel *Essays*, Helmond [1947]: zie aldaar p. 38, 39 en vgl. Knuvelder, dl. IV, tweede druk, p. 227 en 233. Gossaerts onderscheid tussen valse en bezielde retoriek valt te vergelijken met het verschil tussen valse en waarachtige sentimentaliteit, waarover Rhijnvis Feith spreekt in zijn polemiek met De Perponcher, die geschreven had dat echte gevoeligheid voortkomt uit het ‘hart’ en niets te maken heeft met het ‘windrig voedsel’ van een ‘tomelooze verbeeldingskragt’ (Reijers (1942), p. 98-101; zie ook Van den Toorn (1964) en Bulhof, 1993).

(1808) schrijft Bilderdijk dat de tragedie moet worden genomen uit het hart en in zijn aard en wezen een 'Dichtstuk' is, waarvan hij de maker aanduidt als 'den waren Priester van 't eeuwig onveranderlijke en algemeene schoon'. Het waarachtige treurspel is slechts bestemd voor hem, die 'gevoelig voor een Dichtstuk' is. En dat is alleen 'hij, wien Poëzy en Wijsbegeerte in hare oorspronkelijkheid waar in zij bij God en den nog ongevallen' mensch een en het zelfde waren, weder te samensmelt.'[814] Sprekend *Over het treurspel der Ouden in de uitvoering* zegt Bilderdijk in 1810, dat het wezen der dichtkunst in de vatbaarheid voor een hogere en bovennatuurlijke wereld ligt. Want de mens die voor verheffing vatbaar is, eist een wereld die hoger ligt dan 'deze rampzalige nietigheid, waar wij met het lichaam in gebonden liggen'. En, zo vervolgt Bilderdijk: 'hij kan geen Dichter zijn, die in zijn bange benaauwde palen der menschheid doorademen kan, en niet met geheel zijn ziel haar te buiten streeft.'[815] Waarachtig dichterschap veronderstelt, met andere woorden, de hang naar het bovennatuurlijke in de dichter zelf. En die uit hart en ziel voorkomende hang of innerlijke drang kan zich, zowel in epos als treurspel, manifesteren in de mythisch-bijbelse verbeelding van het wonderbaarlijke.[816] Herhaaldelijk schrijft Bilderdijk dat het treurspel in oorsprong een godsdienstige plechtigheid is. En in zijn treurspelverhandeling van 1808 meent hij dat ook in de moderne tragedie (evenals trouwens in het heldendicht) de mens nog wel zou kunnen worden voorgesteld als voorwerp van de goddelijke voorzienigheid.[817] In de voordracht over de uitvoering van de anticke tragedie, wijst hij op de bovennatuurlijke wezens in de reien van Aeschylus en Vondel en op de goden en godenzonen in de oude Griekse treurspelen. Evenals het gebruik van de 'Deus ex machina' (en de 'verheven Machine' in het heldendicht) bewijzen deze kenmerken, dat 'het Tooneel steeds eene stemming tot het bovennatuurlijke (heeft) gehad'.Wie minder ver teruggaat in de toneelgeschiedenis zou kunnen beweren dat Bilderdijk erin geslaagd is om de, uit spektakelstuk en opera bekende en het plechtige karakter van het treurspel bedreigende, 'machinerie' om te theoretiseren tot een middel om

814 Trsp., p. 142-143.

815 TDV., I, p. 191, 193. Het lijkt me duidelijk dat Bilderdijk onder 'ziel' het bewustzijn en de werkende kracht verstaat waardoor de mens denkt en begeert, en met name contact kan hebben met het metafysische, als resultaat van zijn 'zelfgevoel'. Daarom komt het mij vreemd voor dat Van Eijnatten (2005), p. 1 en p. 20, zonder enige bewijsplaats schrijft dat volgens Bilderdijk het hoofd 'the seat of the soul' zou zijn. Misschien speelt hier Van Eijnattens herinnering aan de pijnappelklier van Descartes een rol. Maar erger lijkt me dat hij (op p. 20) het menselijk hoofd ('the head') kwalificeert als 'the mirror-image of God, and the part of the body that enable[s] him to contact the meta-physical world.' Dit komt me voor als zo ongeveer het omgekeerde van wat Bilderdijk altijd en overal heeft beweerd inzake de functies van 'hoofd' (verstand) en 'hart' (gevoel). In Van Eijnatten (1998), p. 229, staat dan ook terecht dat voor Bilderdijk het 'hart' de zetel van de 'ziel' is. Waarbij ik opmerk dat volgens Bilderdijks *Verhandelingen, ziel-, zede-, en rechtsleer betreffende* (1821), p. 145, de term 'hart' een metafoor is voor het 'gevoel' en met dat 'lichaamlijke, dat dezen naam voert, niets gemeen heeft', maar het vermogen betreft 'om de werking van het geestelijke op ons gewaar te worden'. Elders in hetzelfde hoofdstuk bepaalt Bilderdijk dit 'geestelijke' herhaaldelijk als 'de hoogere' of 'Geestelijke wareld' en 'de Godheid'. (Vgl. voor Bilderdijks gebruik van de woorden 'hart' en 'hoofd' in zijn treurspel *Willem van Holland*: *Eerste boek*, hoofdstuk X, noot 448.)

816 Bilderdijks bij Klopstock en Hamann aansluitende opvatting van het verhevene als het bijbels-religieus gefundeerde wonderbaarlijke is, om een formulering van Breitinger te gebruiken, niet 'erdacht', maar ontstaat 'aus dem bewegten Innern des Dichters': Jochen Schmidt (1985), Band I, p. 58.

817 Trsp., p. 145, 149, 227; TDV I, p. 184, 190. Voor Bilderdijks opvattingen over het heldendicht en de daarin voorkomende 'verheven Machine' raadplege men de uitgave van zijn onvoltooide epos: Bosch (1959), p. 28, 29.

het treurspel juist te verheffen tot op een hoger plan: tot het niveau namelijk van de religieuze plechtigheid, waar het volgens zijn eigen ideaal-theorie thuishoorde.[818]

[818] Vgl. hfdst. II, par. 2. Blijkens Van Alphens Theorie, dl. I, p. 305, meende Riedel: 'Machinen zijn kunstige voorstellingen van de medewerking van bovennatuurlijke oorzaken in eene natuurlijke rei van handelingen'. In zijn anno 1780 bekroonde Verhandeling, p. 48, verklaarde Bilderdijk de naam 'machine' door erop te wijzen dat 'Bovennatuurlijke Wezens ... op het Toneel der Ouden uit zekere werktuigen spraken, waar door zij of uit den grond werden geheven of neergelaten'. Uit het vervolg blijkt dat Bilderdijk toen de machine zomin verwierp als noodzakelijk achtte. Voor zijn latere mening over 'de verheven Machine' in het epos, 'die alles vervullen, doorwoelen en heiligen zou': DW. I, p. 484 (1805), zie Bosch (1959), p. 28, 29; vgl. daar tevens op p. 130, Bilderdijks bepaling van het begrip 'machine' als 'inwerking van bovennatuurlijke wezens, die of 't ware, de springvederen zijn moeten, wier invattende werking het werkstuk der Dichters in beweging moeten zetten, in werking houden en ten doel leiden.'

HOOFDSTUK V

DE STRUCTUUR VAN HET TREURSPEL

1. Agnitio, peripetie, ontknoping

Al in zijn *Voorafspraak* bij de vertaling van de *Oedipus Rex* (1779) blijkt dat Bilderdijk de Eenheid, die volgens zijn ideaal-theorie de verhevenheid uitmaakt, in samenhang zag met de eenvoud van structuur in het treurspel. Vandaar dat hij in een brief van 1780 de 'deftige eenvoudigheid' van het Griekse treurspel aanduidde als 'de bron van het ware verhevene'.[819] Toen hij negen jaar later zijn vertaling van de *Oedipus te Colonus* publiceerde, beriep hij zich op het gezag van Boileau, Diderot en Lessing, om te betogen dat het 'plan' van de tragedie niet mag worden gemaskeerd. Volgens Bilderdijk (en volgens veel klassiek georiënteerde theoretici vóór hem) probeert een goede toneeldichter niet de toeschouwer te verrassen met een onvoorziene ontknoping die plaatsvindt door middel van een element dat buiten de eigenlijke daad staat. Hij volgt een duidelijk uitgestippeld plan, dat de toeschouwer onmiddellijk bij de aanvang van het stuk leert kennen door de *expositie* en dat vanaf het begin onherroepelijk tot de ontknoping leidt.[820]

In zijn *Voorafspraak* schreef Bilderdijk ook dat de Griekse tragici (in tegenstelling tot de Fransen) vermaak vonden in 'oplettende beschouwinge' van het lot van de hoofdpersoon *na* de ontknoping, om hieruit hun zedenleer te trekken: 'eene wijze, onzen Nederlandschen Toneeldichteren mede vrij eigen'. Wellicht reageerde Bilderdijk met de laatste opmerking op een passus in Andries Pels' leerdicht *Gebruik en misbruik des tooneels* (1681), waar staat dat Vondel en Hooft de toeschouwers soms 'verveelen' met moraliserende toevoegingen na de ontknoping in het laatste bedrijf. Bilderdijks opmerking hangt kennelijk samen met zijn bedoeling de Griekse trant te propageren. Desondanks liet hij haar voorafgaan door de mededeling dat men niet kan ontkennen dat met de ontknoping het toneelstuk eigenlijk voltooid is. Bijgevolg maakte Bilderdijk bezwaar tegen het gebruik van 'aanhangselen' in sommige Duitse burgerlijke drama's, waarin een eerste 'ontknoping' nogeens wordt gevolgd door aanvullende scènes of 'toonelen' over verdere lotgevallen van de dramatis personae.[821] Blijkens zijn treurspelverhandeling van 1808, vond Bilderdijk de Franse opvatting van het vijfde bedrijf de enig juiste voor de toneelschrijvers van zijn eigen tijd. Na een korte en duidelijke expositie in het eerste bedrijf, komt de ontwikkeling

[819] DW. XV, p. 17, 22; Br. I, p. 69. Voor de betekenis van de 'simplicité' in de klassieke Franse tragedie, zie Scherer, p. 92 e.v.

[820] DW. XV, p. 42; Bray (1927), p. 314; Lessing (1958), p. 191, 194 (St. 49).

[821] Bilderdijk doelt met name op de drama's *Romeo und Julie* van Chr. F. Weisse en *Der Schein betrügt* van J.C. Brandes, beide verschenen in 1767. Zie hfdst. XV, par. 2

van de eigenlijke daad, die definitief besloten wordt door een snelle en treffende ontknoping in de laatste akte.[822]

Overeenkomstig het beginsel van de eenvoudige eenheid, verklaarde Bilderdijk later in een brief aan Wiselius, dat zowel de expositie als de ontknoping dient te gebeuren door een van de hoofdpersonen, en in geen geval door een bijfiguur die slechts zijdelings bij de handeling is betrokken.[823] Een soortgelijke eis heeft Bilderdijk onder meer kunnen aantreffen in het *Discours sur le poëme dramatique* (1660) van Pierre Corneille. Daar staat trouwens ook dat de ontknoping aan het uiterste einde van de tragedie moet worden gesteld.[824] En het is juist dit laatste voorschrift dat sedert de dagen van Nil Volentibus Arduum steeds met overtuiging door de voorstanders van het Frans-classicisme in Nederland was verdedigd. Hoe Bilderdijk zelf door deze (ook door Feith gepropageerde) theorie werd beïnvloed bij zijn vertaling van de *Oedipus Rex*, heb ik uiteengezet in het *Eerste Boek*.

Van Hamel merkt op dat de opvatting van de ontknoping als slot van het treurspel tot gevolg had dat in de tijd van het Frans-classicisme de Aristotelische begrippen *peripetie* en *agnitio* ten onzent uitstierven: er bleef eenvoudig geen tijd meer voor over.[825] De oorzaak lijkt mij veeleer dat voor de Franse theoretici uit de zeventiende eeuw de peripetie met de ontknoping was gaan samenvallen.[826] Zo begreep het later Hiëronymus van Alphen blijkens het eerste deel van zijn *Theorie* en in die geest vindt men de peripetie ook behandeld in de treurspelverhandeling van Bilderdijk.[827] Soms echter, schrijft Bilderdijk, gaat de peripetie nog aan de ontknoping vooraf. Want de peripetie is eigenlijk 'een staatsverwisseling der *personaadje*' en de ontknoping is 'een voltooiing der *daad* door eene oplossing van alles wat haar scheen te weêrstreven'.[828] Bilderdijk verdiept zich niet met nadruk in het door vroegere theoretici besproken probleem van de verhouding tussen agnitio, peripetie en ontknoping. Al evenmin toont hij zich voorstander van de achttiende-eeuwse opvatting van de Fransen, die – bij een meer ingewikkelde intrige – meer peripetieën veronderstelt, waarvan dan de laatste de ontknoping vormt.[829] Met betrekking tot de 'herkenning' deelt Bilderdijk in zijn treurspelverhandeling alleen maar mee, dat ze op zodanige wijze dient plaats te vinden, dat de toeschouwers ze volledig kunnen meemaken. Een herkenning door middel van een ring of een ander klein voorwerp is

---

822 DW. XV, p. 16; Pels vs. 1397-1404 (1978, p. 87); Trsp., p. 134, 169, 184, 185. (Vgl. voor Pels c.s.: De Haas (1998), p. 235, 236.)

823 Trsp., p. 169, 183-185, 218; onuitgegeven brief aan Wiselius d.d. 30-11-1817 (Portefeuilles Margadant, Bilderdijk-Museum).

824 Corneille (1950), p. 80, 83.

825 Van Hamel (1918) p. 119. Vgl. voor deze kwestie bij Vondel: Smit (1956), dl. I, p. 462 en idem dl. II, p. 390.

826 Bray (1927), p. 323; Scherer, p. 83, 84. (La Mesnardière stelde in zijn *Poétique* van 1640 de peripetie zonder meer gelijk aan de 'justice poétique': Gethner (1983), p. 109, 110.

827 Van Alphen (1778), p. 369, 376.

828 Trsp., p. 192. Ik cursiveer.

829 Hierover: Smit (1956), dl. II, p. 391; Bray (1927), p. 323; Scherer, p. 84, 125.

daarom volslagen fout.[830] Bilderdijk is ervan overtuigd dat alleen grote zaken op het toneel een uitwerking op de toeschouwers kunnen hebben. Een bij uitstek grote zaak is uiteraard de (gewelddadige) dood.

'De dood is een heerlijke ontknoper; hadden wy dien niet waar bleef de Treurspeldichter?' heet het anno 1805 in de Aantekeningen bij Bilderdijks romance *Assenede*. Hij opperde in die Aantekeningen ironischerwijze de niet door hem benutte mogelijkheid om zich van de heldin van zijn verhaal te ontdoen, door haar zelfmoord te laten plegen: 'Zy ligt daar, dat zy zich doorsteke, en daar mee vergeten wy haar.'[831] Een zelfde soort gemakkelijke spot klinkt in het postuum gepubliceerd gedicht *Zelfmoord,* waarin wordt afgerekend met het stoïcisme van de 'Heidensche Oudheid', toen men nog roem kon verwerven door zich 'meester' te wanen over eigen 'levensduur en lot'. Maar, zo schrijft Bilderdijk, men kan beter wijn vergieten dan 'eigen bloed'. En, met een verwijzing naar zijn eigen tijd:

> Ja, doet men zich te kort, 't wordt razerny geheeten,
> En geeft geen glorie meer dan aan Tooneelpoëten...'[832]

Afgezien van het biografisch-dichterlijk gegeven dat Bilderdijk, in de donkerste periode van zijn leven, met zelfmoordneigingen te maken heeft gehad, mag worden vastgesteld dat hij zelf zonder enige twijfel behoorde tot de 'Tooneelpoëten die literaire glorie' hoopte te bereiken door gebruik te maken van het zelfmoordmotief.[833] Twee van de drie door hemzelf gepubliceerde treurspelen eindigen met een zelfmoord en ook het merendeel van de als 'treurspel' te kwalificeren teksten in zijn onvoltooid gebleven toneelwerk vertoont één of meer zelfmoorden in het laatste bedrijf.

Daarmee sloot Bilderdijk zich aan bij de classicistische tradities: 'les héros classiques se suicident triomphalement' schrijft Jacques Scherer in zijn standaardwerk *La dramaturgie classique en France*. En hij voegt eraan toe dat dit gebeurt 'sans un mot

830 Trsp., p. 230. Vgl. een brief van 1817 in Br. III, p. 95. Bilderdijk wijst op de kleinheid van het voorwerp der herkenning (een ring) in het treurspel *Merope* van de Italiaan Scipione Maffei en herinnert in verband daarmee aan Lessings beschouwingen over dit stuk en over het gelijknamige van Voltaire (Trsp., p. 227 e.v.). Het is opvallend dat Bilderdijk hierbij met geen woord rept over Lessings eigen *Minna von Barnhelm*, waar de ring van majoor Von Tellheim niet alleen tot de herkenning leidt, maar bovendien het voorwerp van een ingewikkelde intrige wordt. Over de betekenis als 'Leitmotiv' van het woord 'Ring' in Lessings toneelstuk, zie: Oskar Walzel, *Das Wortkunstwerk*, Leipzig 1926, p. 179.

831 DW. I, p. 487.

832 DW. XIII, p. 91. De term 'razerny' lijkt ontleend aan het in 1788 uit het Duits vertaalde werk *De inwendige razerny of de drift tot zelfmoord als eene wezenlijke ziekte beschouwd*, waarin de zelfmoord niet als een ethisch-godsdienstig – maar als een medisch probleem wordt besproken. Vgl. P. Buijs, 'Van Zonde maar ziekte: 'Nederlandse opvattingen over de zelfmoord ten tijde van de Verlichting', *De gids* 155 (1992), p. 307.

833 Als de donkerste periode in Bilderdijks leven beschouw ik de jaren na het vertrek van koning Lodewijk en de inlijving bij Frankrijk. Ziekte, dood en gebrek waren zijn deel en tenslotte werd hij eind 1811 failliet verklaard. In 1811 schreef hij zijn grote dichtstuk *De geestenwareld* waarin hij er zelf gewag van maakte dat 'de zelfmoord broedde': DW. VII, p. 120. Op 'Lentemaand, 1810' is een onuitgegeven autobiografisch document over christendom en zelfmoord gedateerd dat wordt besproken door Van Eijnatten (1998), p. 687.

d'excuse' aan de christelijke moraal.[834] Albert Bayet heeft die houding tegenover de christelijke moraal onderzocht in een omvangrijke studie. Hij merkt op dat de theatrale zelfmoord soms wordt voorgesteld als 'la solution normale, élégante ou obligatoire' en onderscheidt verschillende soorten 'suicides sympathiques. Ze variëren van 'altruïstisch', over 'eer', 'berouw' en 'boete', tot 'liefde'. Van deze laatste soort noemt hij de frequentie 'nombreux' of 'innombrables'. Wie Bilderdijks complete toneelwerk heeft gelezen kan hem gelijk geven.[835]

2. Eenheid van daad, plaats, tijd en belang

In alle dramaturgische geschriften van Bilderdijk wordt voor ieder toneelstuk volstrekte eenheid van daad of handeling verlangd. Een eis die logisch voortvloeit uit Bilderdijks ideaal-theorie en die aansluit bij het in Aristotelisch-Horatiaanse bodem gewortelde Fransclassicisme.[836] Tussen 1779 en 1808 heeft zich een verandering in Bilderdijks voorstelling van de *aard* der daad voorgedaan, die samenhangt met zijn gewijzigde mening over de toekomstmogelijkheden van het treurspel naar Grieks model. Aanvankelijk meende Bilderdijk dat de geregelde afloop van de Griekse tragedie met beschouwende reien, alleenspraken en verhalen, voor bepaalde onderwerpen zou zijn te herstellen in een treurspel dat zou bestaan uit een aaneenschakeling van toneelgesprekken, monologen en koren. Maar in de tijd dat hij zijn treurspelverhandeling schreef, was Bilderdijk (mét onder anderen Voltaire, Lessing en Feith) tot het al door Racine aangekondigde inzicht gekomen dat de daad van de tragedie een worsteling van tegengestelde krachten is; dat het treurspel, met andere woorden, alleen uit *handeling* moet bestaan.[837] In een onuitgegeven brief van 24 september 1818 aan Wiselius schrijft Bilderdijk over dit verschil naar aanleiding van het treurspel *Ramiro* van zijn tweede vrouw, dat volgens hem volledig aan zijn eigen theorie beantwoordde. Na te hebben medegedeeld, dat hij zelf (evenals Corneille en

---

[834] Scherer (1950), p. 420.

[835] Alb. Bayet, *Le suicide et la morale*, Paris 1922, p. 644, 561-565, 638-643. Kritiek op de indeling van Bayet levert De Haas (2001) die met betrekking tot het zelfmoordmotief een 'steekproef' levert voor het Nederlandse treurspel over de periode 1700-1770, 'met een voorzichtig uitstapje naar de laatste decennia van de eeuw' (p. 141). Bij het oorspronkelijk werk van Bilderdijk kan allereerst worden opgemerkt dat een zelfmoord voorkomt in twee van de drie treurspelen die hij zelf heeft gepubliceerd. Het blij-eindigend treurspel *Willem van Holland* vertoont in de slotscène de zelfmoord van de trotse en trotserende booswicht (I, 1) graaf Hendrik de Krane wiens 'eer' kennelijk niet gedoogt dat hij zich aan de Hollandse graaf onderwerpt. Heel anders is de zelfmoord in *Kormak*, waar de dappere zoon Irdan zichzelf in de laatste akte doorsteekt omdat hij – door een noodlottige vergissing – zijn vader heeft gedood: een zelfmoord uit 'berouw' en 'boete' die tegelijkertijd een 'altruïstisch' aspect heeft, omdat door Irdans dood de eenheid van Kormaks rijk wordt gewaarborgd. Het treurspel *Floris de Vijfde* eindigt met moord en doodslag, waarna Machteld van Velzen uit liefdesverdriet bezwijkt op het lijk van de vermoorde graaf. Van de eenendertig door mij als 'treurspel' gekwalificeerde toneelteksten in Bilderdijks nalatenschap zijn er vier blij-eindend, terwijl in alle andere de dood als 'ontknoper' optreedt waarvan veertien keer door zelfmoord. De zelfmoord door 'liefde' komt tien keer voor en daarbij gaat het in drie gevallen om dubbelzelfmoord. (Vgl. noot 428 i.v.m. Diderot en het bijbelse treurspel.)

[836] Bosch (1955), p. 24, 44, 46, 47; DW. XV, p. 147, 212; Van Hamel (1918), p. 109.

[837] Vgl. in de vorige paragraaf Bilderdijks mening over de ontknoping en in de volgende over de rei; zie ook Bilderdijks meningen over het Griekse en het Franse treurspel in het tweede deel van dit *Tweede Boek*. Verdere bewijsplaatsen: *Fingal in zes zangen naar Ossiaan*, dl. II, Amsterdam 1805, p. 91; Trsp., p. 150, 227 (Lessing), p. 234, 168, 169. Voor Voltaire: Lion (1895), p. 277. Voor Feith: Ten Bruggencate (1911), p. 59. In het voorwoord van *Britannicus* (1670) schreef Racine: 'qu'une des règles du théâtre est de ne mettre en récit que les choses qui ne peuvent passer en action' (Racine -1917-, p. 244). Vgl. voor Racine ook paragraaf 4, over de episode.

Huydecoper) in zijn 'rijpere kindschheid' wel treurspelen schreef die uit aaneengeschakelde, niet door de handeling gedetermineerde alleenspraken bestonden, vervolgt Bilderdijk: 'maar dit genre, 't geen in een declamatoir poëetisch schouwspel bestaat, is het treurspel, in den modernen geest niet, waarin de poëet zich als in zijn werk verbergen moet gelijk de zijwurm in zijn spinsel. Dit treurspel is handeling en geheel handeling, en de volkomenheid boven duizend anderen is, dat het inderdaad in de twee uren die het speelt (het halfuur daar boven verdeelt zich in de tusschenpoozingen der bedrijven) niet verhaald wordt, maar afloopt'.[838] In zo'n treurspel is geen enkele versregel overbodig en draagt alles bij tot de handeling. Ieder onderdeel dat niet aan die voorwaarde voldoet, moet daarom onverbiddelijk uit de moderne tragedie worden geweerd. Bijgevolg verdwijnen – zoals blijken zal in de volgende paragraaf – de rei en de verhalende monoloog uit Bilderdijks conceptie van de tragedie.

Als Bilderdijk in zijn verhandeling *Het treurspel* de drie beroemde en beruchte classicistische eenheden behandelt, gaat hij uit van de onder meer door Batteux en Feith verdedigde stelling dat het treurspel een *dichtstuk* behoort te zijn.[839] En dat heeft een tweeledig gevolg. Ten eerste moet het treurspel ons verheffen tot de ideale 'Dichterwareld', waar we getuigen zijn van de lotgevallen van verheven dramatis personae in een daad die 'groot en belangwekkend' moet zijn. Ten tweede zal het treurspel 'derhalve de Eenheid van een Dichtstuk, de Eenheid van voorwerp, de Eenheid van daad bewaren': kenmerken die Bilderdijk beschouwt als inherent aan de ware verhevenheid, en die de door hem en zijn voorgangers (D'Aubignac, Racine, Diderot, Lessing, Van Alphen, Feith ...) bewonderde edele en deftige eenvoudigheid waarborgen.[840] Volgens Bilderdijks treurspelverhandeling vloeien uit de eenheid van daad (die 'geene toegevendheid' toelaat!) vanzelf de eenheid van tijd en plaats voort. Hij wenst zich daarbij niet eens te verdiepen in de vraag of Aristoteles deze eenheden al dan niet heeft voorgeschreven en of de Griekse tragici ze correct hebben toegepast. Want: 'Voorbeelden, zelfs van de grondleggers des Treurspels, zijn geene wetten: *maar dat gene wat uit het beginsel en wezen der zaak voortvloeit, maakt wet'*.[841]

Bilderdijk meent dat door het verbreken van de bijkomende eenheden *de eenheid van het stuk zelf* wordt bedreigd. En dat is hem voldoende in verband met zijn ideaaltheorie, die verhevenheid-in-eenheid veronderstelt. Of liever: dat *zou* hem voldoende moeten zijn. Want in werkelijkheid is dat niet het geval. Hij mag dan in zijn treurspelverhandeling meedelen dat zijn voorschrift betreffende de eenheid van *tijd* (liever minder dan één etmaal) geenszins voortvloeit uit bekommernis om de illusie van waarschijnlijkheid: zodra hij over de eenheid van *plaats* spreekt, blijkt dat zowel de

[838] Portefeuilles Margadant, Bilderdijk-Museum.

[839] Trsp., p. 147; vgl. Smit (1929), p. 28, noot 1; Feith (1793), p. 107.

[840] Trsp., p. 147; Br. I, p. 69; TDV. II, p. 53; Bray (1927), p. 313; Racine, p. 331, 332 (voorwoord bij *Bérénice)*; Diderot (1821), p. 117; Lessing (1958), p. 183, 184 (St. 46); Van Alphen (1778), dl. I, p. 144; Feith (1793), p. 118, 119.

[841] Trsp., p. 214. Ik cursiveer.

'vraisemblance' als de traditie van het classicisme meespelen in zijn redenering. In tegenstelling tot Marmontel (1751) en Diderot (1757) werkt Bilderdijk niet met het eenvoudige argument dat er een toneeltechnisch verband bestaat tussen de eenheid van plaats en de mogelijkheid of onmogelijkheid om decors te verwisselen.[842] Na te hebben gesteld dat de plaats 'in het algemeen' dezelfde moet blijven, roept hij de waarschijnlijkheid en de traditie te hulp, door te betogen dat een opnieuw geopend toneel ons zonder bezwaar mag binnenvoeren in een 'eene andere zaal, ander gedeelte van een zelfde paleis, 'waar ons weinige opgemerkte voetstappen naar toe konden brengen' tijdens de rust tussen twee bedrijven: een rust die trouwens ook met betrekking tot de eenheid van tijd toelaat dat op het toneel 'wat meer (temporeel) verloop' wordt aangenomen dan er in werkelijkheid voor de pauze nodig is. Dat is een zienswijze die men in de achttiende eeuw onder meer aantreft bij Fontenelle, Rhijnvis Feith en Dr. Johnson. Ze gaat terug op een door de Italiaan Piccolimini in 1575 geformuleerde redenering waarvan de consequentie ook zonder moeite aanwijsbaar is in de praktijk van het Franse treurspel in de zeventiende eeuw. In overeenstemming met de traditie is eveneens dat Bilderdijk de betrekkelijke vrijheid van plaats die hij toestaat nog meent te moeten 'argumenteren' met een beroep op de door Metastasio en Pye gesignaleerde ondoctrinaire praktijk van de Grieken en op een passus bij Horatius, waar de decorwisseling wellicht wordt goedgekeurd.[843]

Als men dit alles vergelijkt met de treurspelverhandeling van Rhijnvis Feith uit 1793, blijkt dat Bilderdijk dichter bij de gebondenheid van het classicisme stond dan zijn sentimentele landgenoot. Ook Feith stelt de eenheid van daad als een eerste voorwaarde, maar hij acht de eenheid van plaats overbodig en interpreteert de eenheid van tijd zo ruim mogelijk.[844] En daarbij dient dan nog te worden opgemerkt, dat Bilderdijks opvatting uit 1808 al een grotere vrijheid toelaat dan zijn *Voorafspraak* van dertig jaar tevoren. Sprekend over de toneelwisseling in Franse stukken, beroept hij zich daar op redelijkheid, gezond verstand en natuurlijkheid, om de ongerijmdheid van deze verwisselingen aan de kaak te stellen. 'Zonder van plaatse veranderd te zijn, ben ik in een ander paleis, op een ander veld: wat tegenstrijdigheid. Wie beseft daar het ongerijmde niet van? ... Wat ook verscheelt het, of men zich verbeelde tien duizend dan twintig schreden verplaatst te zijn: is niet in beide gevallen de eenheid geschonden?'.[845] Zo'n uitspraak past volledig in de al bij Maggi (1550), Scaliger (1561) en Castelvetro (1570) begonnen traditie van de verdediging der eenheden, in naam van de waarschijnlijkheid. De eenheden van plaats en tijd werden noodzakelijk geacht vanwege het simpele feit dat de toeschouwers gedurende

[842] Folkierski (1925), p. 332, 456; in het eerste 'entretien' na *Le fils naturel* (Diderot, dl. IV, p. 118) zegt Dorval: 'Je pense qu'on ne peut être trop sévère sur l'unité de lieu. Sans cette unité, la conduite d'une pièce est presque toujours embarrassée, louche. Ah ! si nous avions des théâtres où la décoration changeât toutes les fois que le lieu de la scène doit changer !'.

[843] Trsp., p. 212-214; Folkierski (1925), p. 331; Bray (1927), p. 256; Scherer, p. 119, 208; Wellek (1955), dl. I, p. 89.

[844] Feith (1793), p. 60, schrijft dat een kundig dichter het interval tussen twee bedrijven kan benutten om daar het tijdverloop van één nacht te stellen. Voor zijn mening over de eenheid van plaats: zie noot 240.

[845] DW. XV, p. 10.

drie uur op een en dezelfde stoel aanwezig bleven en daar getuigen waren van de handeling in het treurspel: volgens een man als D'Aubignac kon men hun derhalve niet wijsmaken dat de plaats van deze handeling veranderde, en al evenmin dat de handeling langer duurde dan de tijd die het publiek ook werkelijk in de schouwburg vertoefde.[846] Een dergelijke manier van redeneren treft men eigenlijk ook aan bij Home, Lessing, Herder en Jacob Lenz als zij de eenheid van tijd en plaats in de Griekse tragedie verklaren met een verwijzing naar de rei als altijd aanwezige toeschouwer.[847] Figuren als Batteux, Voltaire en de jonge Bilderdijk gebruikten het argument van de 'waarschijnlijkheid' rechtstreeks bij de beschouwing van moderne stukken.[848] De tegenstanders van de omstreden eenheden laboreren evengoed aan 'waarschijnlijkheid', maar ze bedoelden daarmee het geloofwaardige in het stuk zélf. Zo Houdar de la Motte in zijn *Premier Discours sur la tragédie* van 1728; zo ook Lessing, als hij naar aanleiding van Voltaires *Mérope* schrijft: 'was er an *einem* Tage tun läszt, kann zwar an einem *Tage* getan werden, aber kein vernünftiger Mensch wird es an einem Tag tun!'[849]

Al ten tijde van zijn meest rigoureuze standpunt, was Bilderdijk met deze en dergelijke zienswijzen op de hoogte. In een brief van 1780 aan Juliana Cornelia de Lannoy schrijft hij over de onwaarschijnlijkheid in de voorstelling dat zulke grote gebeurtenissen als die der tragedie op één dag en op één plaats zouden plaatsvinden. Ook de onnatuurlijke stijl van het treurspel betrekt Bilderdijk in deze beschouwing. Maar dat alles is voor hem geen reden om die traditionele eigenschappen van de tragedie te bestrijden. Integendeel, hij zou de scala der onwaarschijnlijkheid zelf nog willen uitbreiden door de aloude rei in ere te herstellen. Want uiteindelijk gaat het niet om natuurlijkheid: ''t Is de zaak des dichters ons het *hart* te beroeren, en ons te verhinderen dat we het onwaarschijnlijke bemerken: de aanschouwer, eenmaal gewonnen, geeft zich met wellust over aan al wat de dichter wil; de dichter, wiens betoovrende wijze van voorstellen (na de uitdrukking van Pindarus) ook 't ongeloofbare, geloofbaar doet worden'.[850] Een soortgelijke bewering was ook het uitgangspunt van hen die de absolute eenheden van tijd en plaats in het treurspel juist wensten te bestrijden. In antwoord op de al vermelde bezwaren van Castelvetro en zijn navolgers tegen de geestelijke 'verplaatsing' van de toeschouwers, schrijven ze dat het publiek zich nu eenmaal altijd aan de illusie moet overgeven: ook als de plaats van handeling dezelfde blijft. Als de schouwburgbezoeker vatbaar is voor de illusie van plaats

[846] De mening van D'Aubignac staat in diens *Pratique du théâtre* (1657); Wellek, dl. I, p. 14, 15; Folkierski, p. 102; Scherer, p. 113; Bray, p. 255 e.v.; Gallaway (1940), p. 124; Knight, p. 65.

[847] Lessing (1958), p. 183 (St. 46), schrijft dat de rei in het Griekse treurspel het volk verbeeldde dat de handelingen der vorsten bijwoonde. Aangezien nu dit volk 'sich weder weiter von ihren Wohnungen entfernen, noch länger aus denselben wegbleiben konnte, als man gewöhnlichermaszen der bloszen Neugierde wegen zu tun pflegt', was de Griekse tragedie aan de eenheid van tijd en plaats gebonden! Robertson (1939), p. 383, wijst deze redenering ook aan bij Castelvetro, D'Aubignac en Home (*Elements of Criticism*, 1762). Zie ook Folkierski, p. 333 en Wellek, dl. I, p. 194. Voor Lenz (en Herder): Friedrich (1908), p. 38, 55.

[848] Smit (1929), p. 21, noot 2; Bouvy (1898), p. 268.

[849] Robertson (1939), p. 380 e.v.

[850] Br. I, p. 63. Ik cursiveer.

aan het begin van het treurspel als geheel, dan moet hij dat ook zijn aan het begin van ieder bedrijf, zo redeneerde Rhijnvis Feith die (evenals Antonio Conti) dit inzicht waarschijnlijk dankte aan Houdar de la Motte.[851] Theoretici als Dr. Johnson, Baretti en Beyle wijzen bovendien op de inconsequentie van de voorstanders der 'vraisemblance', die wèl aanvaarden dat de toeschouwers rustig op hun stoel in de Parijse schouwburg zitten, terwijl de handeling vóór hen zich drie uur lang te Rome of Memphis afspeelt![852] Dezelfde opmerking trof Bilderdijk aan in de *Monthly Review* van juni 1815. Hij tekende er bij aan dat ze juist is voor de eenheid van *plaats*. Nochtans, zo vervolgt hij, moet men de verbeelding van de toeschouwer behulpzaam zijn en niet 'choqueeren' door de handeling op het toneel van het ene rijk naar het andere te doen overspringen. Ook grote veranderingen in de *tijd* achtte Bilderdijk blijkens die aantekening gevaarlijk, omdat de mens in zijn gestel nu eenmaal de 'horologie' meedraagt en zeer gevoelig is voor temporele veranderingen.[853] Vanuit het standpunt van de toeschouwer is het bovendien zo, dat er eenheid van interesse of belang(stelling) moet bestaan.De toeschouwer dient, zoals bij de oude Grieken, zich volledig te kunnen concentreren op de held en zijn probleem en hij mag, volgens Bilderdijks 'Voorafspraak' van 1779, niet door 'nutloze tusschenvallen' worden afgeleid van ''t onderwerp des tooneelstuks'.[854] Waarover meer in paragraaf 4, bij de bespreking van de 'episode'.

Bilderdijk is steeds aan de eenheid van tijd en plaats blijven vasthouden. En dat niet alleen omdat ze aspecten zijn van de ideale Eenheid die de bron van het ware verhevene is. Bilderdijks mening steunt evenzeer op zijn eerbied voor de roemrijke toneeltraditie van Griekenland en Frankrijk en wordt daarenboven nog versterkt door overwegingen met betrekking tot de waarschijnlijkheid en tot de praktijk van de uitvoering in de schouwburg.

3. Monoloog, vertrouwde, rei

In zijn artikel 'Bilderdijk's denkbeelden over de dramatische dichtkunst' (1947), schreef Gerrit Kamphuis dat in de treurspelverhandeling van 1808 het gebruik van alleenspraken ontoelaatbaar wordt geacht.[855] De opmerking suggereert dat Bilderdijk, die in 1780 de monoloog het edelste en treffendste sieraard van de moderne tragedie noemde, zijn mening in dezen radicaal zou hebben gewijzigd.[856] Maar dat is niet het geval. In Bilderdijks

---

[851] Feith (1793), p. 65; Folkierski, p. 327. Voor de bekendheid van de Nederlandse auteur met het werk van Houdar de la Motte, zie: Rhijnvis Feith, *Ines de Castro*, treurspel, Amsterdam 1793, Voorbericht.

[852] Wellek, dl. I, p. 88; Bouvy (1898), p. 268; Beyle (Stendhal), *Racine et Shakespeare*..., nouvelle édition, Paris 1854, p. 236.

[853] Aantekeningenblaadje in de collectie-Leeflang van het Letterkundig museum te 's Gravenhage, Hschr. B583, adversaria 4. Vgl. de opvatting van Voltaire bij Lion (1895), p. 277.

[854] DWXV, p. 24; Zie Scherer (1950), hfdst. V, par. 5, over 'les unités de péril et d'intérêt'. Scherer benadrukt het verschil tussen de eenheid van 'action' en de eenheid van 'intérêt' en schrijft over de laatstgenoemde: 'elle fait ressortir l'intérêt humain d'une pièce, en exigeant que l'attention [des spectateurs] soit concentrée sur un héros ou sur un problème vital'. Vgl. J.J. Kloek,' Rhijnvis Feith, het belang en de gewone lezer', TNTL 97 (1981), p. 120 e.v.

[855] Kamphuis (denkbeelden, 1947), p. 221.

[856] Br. I, p. 68.

treurspelverhandeling staat alleen maar dat alleenspraken niet mogen worden misbruikt voor het opdissen van verhalen die buiten de handeling staan. Als 'uitboezeming van eene opgewelde aandoening' mag de monoloog wel degelijk worden gehandhaafd.[857] In hoofdstuk VII zal nog blijken dat dit laatste volledig in overeenstemming is met Bilderdijks eis dat de ware dichter-psycholoog de oorsprong van de hartstochten blootlegt; het klopt bovendien met zijn in 1809 gehouden pleidooi voor de monoloog als middel tot karakteruitbeelding, naar aanleiding van een aanval van Voltaire op Corneille.[858] In feite is Bilderdijks voorschrift een herhaling van wat Corneille in zijn *Discours sur le poëme dramatique* over de monoloog had gezegd. Namelijk dat de alleenspraak geen 'simple narration' mag zijn, maar moet ontstaan 'par les sentiments d'une passion qui l'agite'. Dat is een opvatting die men later ook aantreft bij Houdar de la Motte en Lord Home.[859]

Van Hamel deelt mee dat de eerste Frans-classicisten in Nederland een ware strijd tegen de monoloog hebben gevoerd. Om het 'verhaal' van de expositie desondanks bij de aanvang van het stuk te laten plaatsvinden, namen zij wel hun toevlucht tot de zg. 'vertrouwden' aan wie de dramatis personae de nodige inlichtingen verstrekten die eigenlijk voor het publiek bestemd waren.[860] Dat de kwestie van monoloog en vertrouwde zich inderdaad kon voordoen als een zaak van kiezen of delen, blijkt bijzonder duidelijk uit de treurspelen van de Italiaanse 'classicist' Vittorio Alfieri. Wie zijn treurspelen leest, wordt onmiddellijk getroffen door de vele monologen; een vertrouwde treft men daarentegen bij hem niet aan. Maar Bilderdijk meende dat het ook anders kon. Op voorbeeld van Marmontel, Pater Brumoy en de door Andries Pels aangepaste Horatius, beschouwde hij in zijn *Voorafspraak* van 1779 de vertrouwde als een Frans surrogaat voor de oude Griekse rei. Hij tekende (nota bene in naam der natuurlijkheid) protest aan tegen het gebruik van vertrouwden, wier belangrijkste taak alleen bestaat uit het aanhoren van de expositie uit de mond van hun meester of meesteres. Dat is een opmerking die men ook aantreft bij Baretti en Corneille.[861] Blijkens de verhandeling *Het treurspel* acht Bilderdijk in 1808 een dergelijke passieve figuur volkomen overbodig in een goede tragedie omdat daarin alles, dankzij de dichterlijke voorzienigheid, moet worden voortgebracht door het stuk zelf. Daarom is het zijn overtuiging dat de vertrouwden 'met de krukken die in een voorbijgaande lamheid gediend hebben', zonder pardon naar de zolder kunnen worden verwezen.[862] Deze (aan Edward Young en Lessing herinnerende) uitspraak is overigens niet zo revolutionair als de woordkeus ervan zou doen vermoeden. Al lang vóór Bilderdijks

857 Trsp., p. 150, 217, 218, (de vergissing van Kamphuis berust op het feit dat hij alleen de eerst vermelde bladzijde heeft geraadpleegd.)

858 DW. XV, p. 146, 147. Vgl. hfdst. VII, par. 1, over de dramatis personae in het treurspel.

859 Corneille, dl. I, p. 81; Folkierski, p. 312, 322.

860 Van Hamel (1918), p. 153.

861 DW. XV, p. 9; Pels' Horatius, vs. 599 e.v. (1973), p. 80, 81; P. Brumoy, *Le théâtre des Grecs*, dl. I, Amsterdam 1732, p. 105, 214; voor Marmontel: Scherer, p. 39 e.v.; voor Baretti (*Lettre sur Shakespeare et sur M. de Voltaire*, 1777): Bouvy (1898), p. 269; Corneille, dl. I p. 80. Zie ook: De Haas (1998), p. 147, 148.

862 Trsp., p. 149, 217, 218.

tijd, gold een tragedie zonder vertrouwde als een bijzondere prestatie. Zo vermeldde Coenraed Droste in de voorrede van zijn treurspel *Vrouw Jacoba van Beyeren* (1710) dat alle personen hun eigen belang in het 'bedrijf' hebben zonder dat er 'confidenten' zijn ingevoegd. En volgens de door d'Aubignac geïnspireerde Horatius-leer van Andries Pels is dat een grote verdienste.[863]

Over de rei in de Griekse tragedie en over de bruikbaarheid van de rei in het moderne treurspel, heeft Bilderdijk verschillende malen geschreven. Bij de bespreking van zijn opvattingen over het toneel van de Grieken zal duidelijk worden dat zijn mening over de functie van de oude reien kort na de publicatie van zijn treurspelverhandeling (1808) grondig is gewijzigd. Ook met betrekking tot de bruikbaarheid van de rei in het treurspel van zijn tijdgenoten heeft Bilderdijks oordeel een ingrijpende verandering ondergaan.

Waarschijnlijk geïnspireerd door Longinus, Boileau, Brumoy en Lessing (die hij overigens niet in dit verband noemt), schreef Bilderdijk in zijn *Voorafspraak* dat de rei in het Griekse treurspel bij alle belangrijke gebeurtenissen aan het hof aanwezig was: als vertegenwoordiger van het volk. Niet zonder verrassing constateert men dat de later zo fervente absolute monarchist zich in zijn *Voorafspraak* van 1779 min of meer opwerpt als woordvoerder van de democratische gedachte. In beslist antiroyalistische termen (en daardoor in tegenspraak met pater Brumoy en in overeenstemming met de toon van Mercier) 'protesteert' Bilderdijk tegen de afschaffing van de rei door de voorstanders van het beginsel der absolute alleenheersing, dat de vrije Nederlander wel moet verachten, bestrijden en verfoeien, omdat hij naast de rechten van de regeerder ook die van het volk erkent...![864] Verder verdedigde Bilderdijk het zedelijk en compositorisch nut van de rei tegenover Voltaire, en bestreed hij (evenals D'Aubignac, Dacier en Batteux) de mening dat de rei vanwege zijn onwaarschijnlijkheid een verwerpelijk element in het treurspel zou zijn. Aan de hand van Marmontel betoogde hij bovendien dat 'de begocheling der aanschouweren' door de rei kon worden bevorderd.[865] Zoals Feith dat nog in 1793 zou doen, verdedigde Bilderdijk rond 1780 de opvatting dat de Griekse toneelvorm, en dus ook de rei, met veel vrucht zou kunnen worden toegepast bij de dramatisering van de onderwerpen uit de oude geschiedenis.[866] Dat hij zulks bovendien niet geheel onmogelijk

[863] C. Droste, *De Haegse schouburg...*, 's Gravenhage 1710; Pels (1973), p. 22, 27. De vergelijking met de krukken van een lamme komt voor in de *Conjectures on original composition* van Edward Young en werd enkele malen gebruikt door Lessing: Robertson, p. 131, 132 , 457. (Vgl. voor de kwestie 'rei' en 'vertrouwde': De Haas, 1998, p. 148.)

[864] DW. XV, p. 8, 9; Robertson, p. 399. Brumoy, dl. I, p. 198, wijst erop dat de Griekse stukken zich afspelen 'dans un endroit public exposé à la vûë des Courtisans ou du peuple' en hij schrijft: 'Les spectateurs Athéniens, accoutumés à se mêler des affaires publiques avoient sur cela un tout autre goût que les spectateurs François, qui ne se mêlent de rien dans une Monarchie heureuse & tranquille' (Uit Bilderdijks *Voorafspraak* en uit de aantekeningen bij zijn eerste Sofoclesvertaling (1779), blijkt dat hij Brumoys *Le théâtre des Grecs* met vrucht had bestudeerd: vgl. hfdst. X. Mercier (1773), p. 45 e.v.; op p. 40 van *Du Théâtre* schrijft Mercier over de Nederlandse dramaturgie: 'Dès que la Hollande eut brisé ses fers, elle eut un poète mâle & vigoureux, nommé Vondel'. Vgl. voor Bilderdijks jeugdige democratische gezindheid: hfdst. XV, paragraaf 3.

[865] DW. XV, p. 11; Br. I, p. 62 e.v., 69; zie hierover Kamphuis (1947, denkbeelden), p. 213 en Knight, p. 77.

[866] DW. XV, p. 25; Br. I, p. 65; *Brief navolger* (1780), p. 16; Feith (1793), p. 118. Op p. 24 verwijst Feith naar Bilderdijks *Voorafspraak* n.a.v. Voltaires bestrijding van de rei.

achtte in toneelstukken over nationale onderwerpen uit de nieuwere geschiedenis, mag worden geconcludeerd uit een brief van 1791 aan Adriaan Loosjes. Daarin stelt Bilderdijk namelijk de vraag of deze voor zijn 'heldenspel' *De watergeuzen* (1790) niet meer partij had kunnen trekken van de reien.[867]

De treurspelverhandeling van 1808 brengt al een ander geluid. Nu schrijft Bilderdijk dat in het waarachtige moderne treurspel de eenheid van daad zo sterk moet zijn, dat alles uit het plan zelf kan voortvloeien. Zoals voor de expositie de Franse vertrouwden overbodig behoren te zijn, zo zijn dat voor de zedenleer de Griekse reien: want alle elementen worden samengetrokken in de absolute eenheid van daad, door de 'Dichterlijke voorzienigheid in wier plan alles noodzaaklijk is,en onfeilbaar het einde treft, waar het toe strekt.'[868] Met méér nadruk wordt het probleem van de reien behandeld in een voordracht van 1810. Op het voetspoor van onder meer Corneille, Perrault, Fénelon en La Harpe, stelt Bilderdijk daar dat de Griekse rei slechts een toeschouwend en werkeloos wezen was in de oude tragedie.[869] Hij mist dan in de rei wat de twintigste-eeuwse academicus Van der Kun de 'dramatische functie' zal noemen; en hij meent eveneens dat de continue uitbeelding van het toneelgebeuren door de rei wordt bedreigd.[870] Omdat het moderne treurspel volgens zijn aard de handeling zelf is en alles uitwerpt wat niet onmiddellijk tot die handeling bijdraagt, is volgens Bilderdijk het gebruik van de Griekse rei beslist onmogelijk geworden. Alleen wanneer men de rei anders zou opvatten dan de Grieken en hem tot een waarachtige 'personaadje' zou maken dat werkelijk deelneemt aan de handeling, alleen dán zou de rei nog van nut kunnen zijn. In de praktijk betekent dit dat de rei een allegorische persoon zou worden. En de ondervinding heeft geleerd dat van een dergelijke figuur weinig of niets voor het toneel te verwachten is. Even oppert Bilderdijk de mogelijkheid van de rei als 'een los divertissement' op het einde van het stuk, maar het is duidelijk dat hij ook van deze modus weinig of geen heil verwacht. In feite is het dan ook zo, dat Bilderdijk in 1810 geen mogelijkheden voor de toepassing van de rei in de praktijk van het moderne treurspel erkent. De rei zou slechts terug kunnen keren in een ideaal treurspel, dat Bilderdijk voor zijn eigen tijd niet te realiseren acht en dat nog ter sprake zal komen in de tweede paragraaf van hoofdstuk VIII.

Het is typerend voor het zoekend karakter van de toenmalige dramaturgie, dat Bilderdijks standpunt tegenover de rei zowel in 1779 als in 1809 werd bekritiseerd. Toen de jonge Bilderdijk in de *Voorafspraak* bij zijn eerste Sofoclesvertaling het herstel van de rei voor treurspelen over de oude geschiedenis had betoogd, meende een recensent dat de 'oordeelkundigen' het hiermee wel niet eens zouden zijn.[871] Toen dezelfde Bilderdijk in

867 Br. I, p. 237; vgl. De Haan, over Loosjes (1934), p. 35, 220.

868 Trsp., p. 149.

869 TDV. I, p. 171, 180, 184 e.v.; Knight, p. 77; La Harpe, (1822), dl. I, p. 456 e.v.

870 J.I.M. van der Kun, *Handelings-aspecten in het drama*, Nijmegen 1938, p. 213; vgl. par. 1 van hfdst. X.

871 Overdrukken van recensies in de collectie-Klinkert van de *Koninklijke Akademie van Wetenschappen* te Amsterdam, nr. 444, p. 287 (rood); vgl. Kollewijn, dl. I, p. 88.

zijn verhandeling *Het treurspel* van 1808 een tegenovergestelde mening had verkondigd, schreef een andere criticus dat er nog wel degelijk 'een uitmuntend gebruik' van de reien viel te maken![872] Hoe *De ondergang van de rei in het Nederlandsche treurspel* zich heeft voltrokken, is al eerder geboekstaafd door Kamphuis.[873] In dit verband merk ik nog slechts op dat de pogingen tot herstel van de rei door Racine (*Esther,* 1689; *Athalie*, 1691) en Schiller (*Die Braut von Messina*, 1803) aan Bilderdijk geenszins onbekend zijn gebleven. Blijkens zijn voordracht van 1810 had hij er echter geen bewondering voor en wellicht hebben deze experimenten hem zelfs gesterkt in zijn overtuiging dat er voor de rei in de moderne dramaturgie weinig of geen toekomst meer was.[874] Nog in 1822 heeft Alessandro Manzoni de rei gebruikt om lyrische gevoelens en beschouwingen te betrekken op de handeling van zijn treurspel *Adelchi*, maar ik acht het niet waarschijnlijk dat Bilderdijk dit stuk heeft gekend.[875] Dat hij ook de reien van Vondel niet altijd in dramatisch opzicht geslaagd achtte, blijkt zowel uit zijn voordracht van 1810 als uit zijn kort tevoren geschreven maar ongepubliceerd gebleven *Consideratien over de aanmoediging der tooneelpoëzy*. Sprekend over het repertoire van de Amsterdamse schouwburg, meent Bilderdijk in het laatstgenoemde geschrift dat enkele stukken van Vondel voor opvoering in aanmerking komen, doch dat dan slechts in sommige ervan de rei zou kunnen worden gehandhaafd.[876]

4. Episode en bedrijven

In de door Van Alphen bewerkte *Theorie der schoone kunsten en wetenschappen* (1778) van T.J. Riedel wordt de mening verkondigd, dat Aristoteles met de term *episode* hetzelfde heeft bedoeld als latere theoretici die, zoals Lord Home, daarbij dachten aan: 'voorvallen die wel enigszins met de hoofdgebeurtenis verbonden zijn, maar die niets doen om de handeling of te bevorderen of te verhinderen'.[877] Blijkens een uitgebreide schriftelijke gedachtewisseling met Rhijnvis Feith in 1779, was Bilderdijk het in genen dele met deze opvatting eens. Volgens hem is de Griekse episode in principe 'het gantsche lichaam des Tooneelstuks' tussen proloog en exodus (behalve de reien), zodat de episode feitelijk de gehele handeling van het treurspel uitmaakt.[878] De moderne (Franse) episode staat daarentegen volgens Bilderdijk in zekere zin los van het hoofdonderwerp en wordt daarmee verbonden als een bijkomend sieraad dat (zoals hij in navolging van Poullain de

---

[872] *Vaderlandsche Letteroefeningen* (1809), p. 341, 342 (Koninklijke Akademie Amsterdam, nr. 447, p. 16 en nr. 445, p. 1513 (rood); vgl. Kollewijn, dl. I, p. 448 e.v.).

[873] Kamphuis (1947, rei), p. 9 e.v.

[874] TDV. I, p. 181, 182.

[875] Allessandro Manzoni, *Adelchi*, (a.c. di Natalino Sapegno, Vittorio Gassman e.a.), Torino 1960.

[876] Zie de uitgave van deze tekst in de *Bijlage* achterin dit Tweede Boek.

[877] Van Alphen, dl. I, p. 363.

[878] Kalff (1905), p. 58; Trsp., p. 238; vgl. hfdst. X, par. I en hfdst. XVI, par. 1.

Sainte-Foy opmerkt) dezelfde dienst verricht als 'het blanketsel, de mouches en de kleinodien bij de Fransche jufferschap'.[879]

In overeenstemming met zijn beginsel van de verheven Eenheid, schrijft Bilderdijk in zijn treurspelverhandeling van 1808 dat de ware treurspeldichter alleen gebruik mag maken van de Griekse episode. Want de eenheid van daad gedoogt niet dat er een versierend 'hors d'oeuvre' aan de handeling wordt toegevoegd.[880] Bilderdijks redenering komt uiteindelijk voort uit dezelfde bezorgdheid om de 'simplicité merveilleuse', die Racine al in 1673 had doen schrijven: 'On ne peut prendre trop de précaution pour ne rien mettre sur le théâtre qui ne soit très nécessaire; et les plus belles scènes sont en danger d'ennuyer, du moment qu'on les peut séparer de l'action, et qu'elles l'interrompent au lieu de la conduire vers sa fin'.[881]

Over de betekenis van de *bedrijven* in de geschiedenis van het treurspel heeft Bilderdijk meermalen geschreven. Zijn opinie kwam al ter sprake bij de behandeling van zijn vertalingen van de Griekse tragici in het *Eerste Boek.* Waar het nu om gaat, zijn Bilderdijks ideeën met betrekking tot de treurspelvorm die volgens hem door zijn tijdgenoten zou kunnen worden verwezenlijkt. We kunnen dan allereerst vaststellen, dat in Bilderdijks verhandeling van 1808 de indeling in vijf akten geenszins als een 'organisch' gegeven wordt voorgesteld. Hij vermeldt (waarschijnlijk weer op voorbeeld van Lessing) de jammerklachten van Voltaire over de verschrikkelijke lengte van de *vijf* bedrijven en formuleert zelf een tweetal bezwaren tegen deze indeling. Aangenomen zijnde dat na de *expositie* de handeling volgt die uit *begin*, *midden* en *einde* bestaat, zou het natuurlijk zijn dat er maar *vier* bedrijven waren. Dat er desondanks *vijf* zijn, is zuiver willekeur en lijkt bovendien strijdig met de eis dat een treurspeldichter in grote trekken behoort te schilderen en zich niet mag verdiepen in details die de aandacht van de hoofddaad kunnen afleiden. Een dichter die aan een dergelijke voorwaarde gebonden is 'moet men zijn beeld niet te groot, en zijn tafereel niet te ruim opgeven', zo meent Bilderdijk in zijn treurspelverhandeling van 1808.[882]

Het is opmerkelijk dat Bilderdijk desondanks aan de indeling in vijf akten wenst vast te houden. In navolging van Metastasio stelt hij vast dat deze verdeling geenszins voortvloeit uit het wezen van het treurspel en alleen berust op een ingeburgerde

---

879 Kalff (1905), p. 59; vgl. de *Voorafspraak* (1779) in DW. XV, p. 12. Bilderdijk schrijft in een brief van 8 nov. 1779 dat de vergelijking met de 'Fransche jufferschap' afkomstig is van een 'geestige' Fransman, wiens identiteit onopgehelderd blijft bij Kalff (1905), p. 59, Ten Bruggencate (1911), p. 63, en Bosch (1955), p. 43. De door Bosch (p. 257) zonder bronvermelding aangetroffen Franse versie van dit geestigheidje, kan men terugvinden in de *Prologue* van de Sainte-Foy's *Deucalion et Pirrha*, Paris 1741 (zie *Eerste Boek*, hfdst. XI, par. 3.)

880 Trsp., p. 151.

881 Racine (1917), p. 435 (voorwoord bij *Mithridate*). Vgl. de opmerking over de eenheid van belang aan het slot van par. 2.

882 Trsp., p. 184, 185, 236, 237; Lessing (1958), p. 202 (St. 51).

gewoonte.[883] Maar juist omdat die gewoonte nu eenmaal aangenomen is, dient de treurspeldichter er rekening mee te houden en ze zich ten nutte te maken. Dit laatste is mogelijk als hij aan elk bedrijf een *bijzondere functie* toekent. De treurspelverhandeling omschrijft die functies als volgt: 1. de voorstelling des ontwerps; 2. het in werking brengen der daad; 3. de samenstelling der tegenstrijdige werkingen tegen een; 4. het ten top voeren van de verwarring, de verwachting des Toeschouwers; 5. de alles bevredigende ontknoping.

Wie dit overzicht vergelijkt met de bespreking van de vijf bedrijven bij Bilderdijks Sofoclesvertalingen, ziet niet alleen de tegenstelling tot Bilderdijks 'Voorafspraak' bij de *Oedipus Rex* van 1779, maar ook de overeenkomst met de 'Voorrede' bij *De dood van Edipus* van tien jaar later. Bilderdijks opvatting over de functie van de bedrijven en met name van het laatste bedrijf is sinds 1789 de zelfde gebleven. Dit is allerminst verbazingwekkend, om de eenvoudige reden dat deze functieverdeling dezelfde is als die René Bray kon weergeven toen hij *La formation de la doctrine classique en France* beschreef.[884] Bilderdijks terminologie was in 1789: 1. Expositie; 2. begin van de handeling; 3. knoop; 4. toehalen van de knoop; 5. ontknoping. Zowel in 1789 als 1808 veronderstelde hij dat de vijf bedrijven slechts functies zijn van het geheel: ze mogen met andere woorden niet ontaarden in een verdeling in vijf afzonderlijke stukken en daardoor afbreuk doen aan de ideale Eenheid van het treurspel.[885]

[883] Bilderdijk heeft niet alleen als dramatische dichter de invloed van Metastasio ondergaan. Hij blijkt ook een aandachtig lezer te zijn geweest van diens *Estratto dell'arte poetica d'Aristotele e considerationi su la medesima*: De Jong (1960, TNTL), p. 244.

[884] Bray, p. 325; vgl. Lion, p. 276. (In de 'Voorafspraak' van 1779 betoogde Bilderdijk dat de Nederlandse treurspelschrijvers geneigd waren om, evenals de Grieken, het vijfde bedrijf te gebruiken voor toegevoegde zedenkundige 'beschouwinge': zie par. 1, tweede alinea en het *Eerste Boek*, hfdst. XI, par. 2.)

[885] Trsp., p. 148, 182-185, 236-237; DW. XV, p. 45, 46.

HOOFDSTUK VI

TREURSPEL EN WERKELIJKHEID

1. De toneelillusie

Dat de dramatische kunst de illusie van echtheid moet scheppen, is een eis die men zowel bij classicistische theoretici als bij hun modern georiënteerde tegenstanders kan aantreffen. De eerste groep hanteert de illusie als argument voor de strenge toepassing van de eenheden van tijd en plaats, terwijl auteurs als Diderot en Lessing ermee opereren als ze de natuurlijke werkelijkheid van het burgerlijk toneelspel propageren.[886] Diderot (die zijn mening later herzien heeft) schreef in zijn *Les bijoux indiscrets* van 1748, dat de illusie van echtheid zo sterk moest zijn: 'que le spectateur trompé sans interruption, s'immagine assister à l'action même...'[887]

Voor Bilderdijk lagen de zaken anders. In de eerste plaats meende hij – met Corneille en Lessing en ondanks Racine – dat de ware dichter kan verhinderen dat het onwaarschijnlijke wordt opgemerkt; en vervolgens was hij ervan overtuigd dat de toeschouwer of lezer nu eenmaal verplicht is zijn denkbeelden uit de dagelijkse werkelijkheid verwijderd te houden van het rijk der verbeelding waarin het kunstwerk hem binnenvoert.[888] Maar belangrijker nog was voor hem het feit dat de illusie van natuurlijke echtheid een rechtstreekse bedreiging vormt voor zijn ideaal-theorie. Volgens deze theorie beoogt het treurspel immers juist verheffing boven de dagelijkse werkelijkheid. Bij herhaling heeft Bilderdijk dan ook laten merken dat hij in geen geval 'natuurlijkheid' in het treurspel wenst, want juist daardoor zou de tragedie als verheven en verheffend kunstwerk worden verwoest. In de treurspelverhandeling van 1808 schrijft hij dat, zodra de kunst zich tevreden stelt met de weergave van de ons omringende werkelijkheid, ze niet alleen ophoudt waarachtig 'kunst' te zijn maar bovendien volslagen oninteressant wordt. Acht jaar tevoren had Friedrich Schiller trouwens al gerijmd:

> Der Schein soll nie die Wirklichkeit erreichen,
> Und siegt Natur, so muss die Kunst entweichen.

---

[886] Zie hfdst. V, par. 2. Voor Diderot en Lessing: Robertson (1939), p. 429 e.v.; vgl. ook Lessing (1958), p. 275 e.v. (St. 70).

[887] Folkierski (1925) p. 452; Roy (1966), p. 48 e.v.; Wellek (1955), dl. I, p. 47, 269 (vgl. Lessing -1958-, p. 329 e.v., (St. 84).

[888] Racine (1917), p. 332 (voorwoord *Bérénice*); Corneille (1950), dl. II, p. 160 (voorwoord *Héraclius*); Lessing, p. 48 (St. 11); Br. I, p. 63; DW. I, p. 486; TDV. I, p. 179. Dat de jonge Bilderdijk desondanks door de eisen van de 'natuurlijkheid' werd beïnvloed, blijkt uit zijn theorieën over de eenheid in het treurspel: hfdst. V, par. 2.

Bilderdijk hoeft deze regels niet te hebben gekend. Zowel in Duitsland als in Frankrijk kwamen dergelijke opvattingen meer voor.[889] Zoals we nog zien zullen, golden ze volgens Bilderdijk vooral als het natuurlijke in het treurspel een indruk zou wekken die al te gewoon, of zelfs aanstotelijk en afzichtelijk is.[890] In zijn treurspelverhandeling schreef Bilderdijk zeer agressief dat de (elders door hem als 'dwaasheid' en 'hersenspook' aangeduide) illusie van werkelijkheid 'waarop dat onzinnig geschreeuw van *natuurlijk* steunt', helemaal niet de ware toneelillusie is.[891] Wat daaronder wèl zou moeten worden verstaan, staat in zijn *Gedachten over het verhevene en naïve*, van 1821. Bilderdijk spreekt daar over: 'het denkbeeld van *overeenstemming en samenhang met de aangenomen onderstelling* die ten grond gelegd wordt, en waaraan Dichter en Tooneelist getrouw moeten blijven'.[892]

De consequenties van het eerste, door Bilderdijk zelf gecursiveerde deel van deze uitspraak komen pas ter sprake in de volgende paragraaf. Het tweede deel zegt dat de eenmaal aangenomen illusie niet meer door de dichter of de acteurs mag worden verbroken. Dat is een eis die Bilderdijk al omstreeks 1780 tot tweemaal toe had gesteld. Wat hij er toen niet bij vermeldde, was het feit dat hij het door hem gelaakte voorbeeld van illusie-verbreking (evenals de erbij behorende kritiek) had ontleend aan de *Hamburgische Dramaturgie* van Lessing. Het betreft hier een passus in het Italiaanse treurspel *La Merope* (1713) van Scipione Maffei, waar men onmiddellijk na de agnitio opzettelijk aan de toneelfictie wordt herinnerd. De door Lessing geïnspireerde Bilderdijk noemde dit een ernstige fout. Want hij achtte het juist de taak van de toneeldichter de begoocheling van de toeschouwer 'op alle mogelijke wijze te weeg te brengen, te versterken en te bewaren'.[893]

[889] Trsp., p. 196, 197. Het lijkt me niet uitgesloten dat Bilderdijks terminologie is geïnspireerd door Lessing. Deze schreef ondermeer: 'Die Nachahmung der Natur müszte folglich entweder gar kein Grundsatz der Kunst sein; oder, wenn sie es doch bliebe, würde durch ihn selbst die Kunst, Kunst zu sein aufhören...' (Lessing, p. 275; St. 70). In de verhandeling *Van het letterschrift*, Rotterdam 1820, p. 163, beweert Bilderdijk: 'Illusie te zoeken is toch dwaasheid, en zelfs tegenstrijdig met het Dichterlijke oogmerk, dat kunst en geene waarheid ten doel heeft'. Vgl. in Trsp., p. 200, de mededeling dat 'het zoogenaamd Natuurlijke noodwendig het Treurspel (heeft) moeten doen vallen', omdat het er de dichterlijke waardigheid aan ontnam. Van 1810 zijn de uitspraken: 'Voor my, ik eisch geen Natuur in het Treurspel' en: 'Wel integendeel geloof ik niets nadeeliger te zijn dan dat te rug zien naar de Natuur, wanneer eens de Kunst eene vorm genomen heeft. Dit moet alle Kunst verwoesten' (TDV. I, p. 179, 178). Het citaat van Schiller wordt vermeld door Horst Baader in zijn studie 'Diderots Theorie der Schauspielkunst', *Revue de la littérature comparée*, 1959, p. 219, noot 4.

[890] Zie de volgende paragraaf en hfdst. VII, par. 3.

[891] Trsp., p. 213; vgl. Trsp., p. 135, 137, 141; TDV. I, p. 179; TDV. II, p. 134, en Van het letterschrift, p. 163.

[892] TDV. II, p. 134; Bilderdijk vestigde er overigens de aandacht op, dat de verstoring van de illusie als naïviteit soms een aardige uitwerking kan hebben in het blijspel. Hij wijst daarbij op Plautus' *Aulularia* en de navolgingen daarvan door Molière en P.C. Hooft. Zie hfdst. IX, par. 1. De verstoring van de illusie ontstaat hier als het ware door een knipoogje naar het publiek – of de lezer – en is daarom te vergelijken met wat men later, in navolging van Friedrich Schlegel, zou aanduiden als een vorm van 'romantische Ironie': Ingrid Strohschneider-Kohrs, *Die romantische Ironie in Theorie und Gestaltung*, Tübingen 1960, p. 14 e.v.

[893] W. Bilderdijk, Verhandeling², p. 98; vgl. Brief navolger, p. 20; Lessing (1958), p. 170 (St. 42). Vgl. voor deze plaats bij Maffei: hfdst. XII, par. 3, noot 712. Het verbreken van de illusie komt nog ter sprake in de volgende paragraaf en in noot 301. Hoewel De Haas (1998) het treurspel van Maffei enkele malen noemt i.v.m. de Nederlandse vertaling van Philip Zweerts, komt de hier bedoelde omstreden passus uit *La Merope* niet ter sprake. Wel wordt, op p. 136, 137, het verschijnsel 'terzijdes' of 'apartes' behandeld op grond van de meningen van Ludolph Smits (1744) en Lodewijk Meijer (1765) die, in naam der waarschijnlijkheid, afwijzend of minstens gereserveerd stonden tegenover het feit dat een personage tot het publiek of tot een ander personage spreekt, terwijl andere op het toneel aanwezig personages verondersteld worden dit niet te horen of te begrijpen.

Maar in 1808 vernemen we een ander geluid. Bilderdijk stelde zich toen, in een aantekening bij zijn treurspelverhandeling, op het standpunt van de lezers of toeschouwers. Na zijn hiervoor al besproken afwijzing van de illusie van het natuurlijke, stelt hij vast dat de toneelillusie geenszins aan de toeschouwer mag worden opgedrongen, maar 'van de zijde der Dichters eene eenvoudige aanlokking (moet zijn) voor den *Toeschouwer*, om zich in eene illusie die van hem-zelven afhangt, te werpen, *en die hij elk oogenblik afbreken kan'*.[894]

In een andere, vermoedelijk tijdens zijn verblijf in Duitsland geschreven aantekening werkte Bilderdijk deze zienswijze nader uit. Hij eist daar dat het toneel niet voor waarheid mag kunnen worden gehouden en steeds als verbeelding kenbaar moet zijn. Enerzijds moeten de dramatis personae zoveel op normale mensen lijken dat de toeschouwer zich met hen vereenzelvigen kan *voorzover hij aan de illusie toegeeft*. Anderzijds echter dienen ze zich in zo sterke mate als wezens uit een onwerkelijke en zuiver dichterlijke wereld voor te doen, dat de toeschouwer ze niet meer voor zijn evennaasten hoeft te houden zodra de aandoeningen die ze verwekken al te smartelijk zouden worden. De toeschouwer moet, met andere woorden, de illusie kunnen loslaten als de onlust het aangename van de hartstochten gaat vervangen. Indien dit niet kon, zou het treurspel op bepaalde ogenblikken van een verlustiging tot een pijniging worden en derhalve verwerpelijk.[895] Ik denk dat ook deze redenering teruggaat op een niet door Bilderdijk vermelde Duitse bron. Dat is de door hem al vóór 1780 bestudeerde *Rhapsodie oder Zusätze zu den Briefen über die Empfindungen* (1777) van Moses Mendelssohn, die later eveneens heeft geschreven: 'Soll eine Nachahmung schön seyn, so muss sie uns äesthetisch illudiren; die obern Seelenkräfte aber müssen überzeugt seyn, dass es eine Nachahmung, und nicht die Natur selbst sei.'[896]

De volkomen illusie van werkelijkheid is volgens Bilderdijk verwerpelijk omdat ze de verheffing tot de ideale dichterwereld verhindert en omdat ze in bepaalde gevallen het treurspel tot een pijnlijke ervaring zou kunnen maken. Maar er is nog een andere reden. In de vermoedelijk tijdens zijn verblijf te Brunswijk (1797-1806) geschreven aantekeningen

---

[894] Trsp., p. 213. Ik cursiveer.

[895] Trsp., p. 200, 213. Ook in verband met het nog volgend citaat van Mendelssohn (zie volgende noot) verwijs ik naar hfdst. X, par. 2, noot 573 over de *catharsis*, die alleen mogelijk lijkt tegen de achtergrond van de latente overtuiging bij de lezer of toeschouwer dat het uiteindelijk om fictie en illusie gaat en niet om werkelijkheid. Vgl mijn essay *Schrijven op het puin van Dresden. Oorlog en verwoesting als verhaal*, Westervoort 2005, p. 106, 107 en Kremers (2008).

[896] Men zie de citaten uit Mendelssohns geschrift bij Robertson, p. 432. Talrijke aantekeningen van Bilderdijk uit de geschriften van Leibnitz, Mendelssohn, Nicolai, en Lessing, bevinden zich onder nr. B 583, adversaria 3 in de collectie-Leeflang van het Letterkundig Museum te 's-Gravenhage. Daartoe behoort ook het handschrift van de hier besproken passus uit *Het treurspel*, p. 200. De blauwgrijze kleur van het door Bilderdijk gebruikte papier doet mij vermoeden, dat deze aantekeningen zijn ontstaan tijdens zijn verblijf in Duitsland (1797-1806). Uit de *Inleiding* is trouwens gebleken dat hij in deze periode 'lessen over 't Treurspel en de Dramaturgie' heeft gegeven. Bilderdijk noemt in zijn aantekeningen de titels *Gelehrter Briefwechsel*... en *G.E. Lessings Leben*. Deze werken werden uitgegeven door K.G. Lessing, resp. in 1789 (2dln.) en 1793-1795 (3 dln.). *G.E. Lessings Briefwechsel* ... (met Ramler, Eschenburg en Nicolai), welke uitgave Bilderdijk óók heeft gebruikt, verscheen bij F. Nicolai, Berlin und Stettin 1794. Bilderdijks bewondering voor Mendelssohn werd (oppervlakkig) besproken door Schokker (1933), p. 23. Dat Bilderdijk al voor 1780 de *Rhapsodie* van Mendelssohn kende, blijkt uit Verhandeling, p. 168.

uit de briefwisseling tussen Lessing, Mendelssohn en Nicolai, maakt Bilderdijk een in dit verband belangrijke opmerking naar aanleiding van Menselssohns raad: 'Schlieszen sie keine einzige Leidenschaft vom Theater aus'. Volgens Bilderdijk is deze stelregel fout zodra men hem niet uitsluitend op de held, maar ook op de toeschouwer gaat toepassen. 'Liefde en ijverzucht mag de Held hebben, maar moet die den Aanschouwer ingeboezemd worden? Zeker niet', schreef Bilderdijk. In de treurspelverhandeling van 1808 vindt men dit probleem iets breder uitgewerkt naar aanleiding van een soortgelijke opmerking van Nicolai, die trouwens ook in de genoemde aantekeningen wordt besproken. Nicolai meende: 'Das beste Trauerspiel ist das, welches die Leidenschaften am heftigsten erregt'.[897] Bilderdijk echter schrijft dat het treurspel absoluut geen andere hartstochten mag opwekken dan de *vrees* en het *medelijden* waarover Aristoteles spreekt. Het gezond verstand zegt dat een instelling die 'bewondering, eerzucht, wellustige weekheid der liefde en wat al niet meer' veroorzaakt, moet worden beschouwd als een verwerpelijke zaak. Dat alles (en vooral de bewondering die door eerzucht tot navolging prikkelt) is volgens Bilderdijks treurspelverhandeling uitmate gevaarlijk voor 'het algemeen'. Het gewone 'voor den fijnen geest onvatba(re)' volk zal immers alleen het grove 'inzwelgen'. De liefde van Phèdre of Orestes, het martelaarsschap van Polyeucte, de vrijheidszucht van Wilhelm Tell en de grootmoedigheid van Augustus mogen in geen geval op de toeschouwer overgaan. Het volk moet voor de hartstochten van deze en alle andere dramatis personae worden gevrijwaard. Derhalve is het fout de illusie zover door te voeren, dat de toeschouwer zich met een toneelfiguur kan identificeren: *dit maakt het toneel tot een bron van verderf*.[898] En daarmee is een laatste bezwaar van Bilderdijk tegen de illusie van werkelijkheid aangeduid. Hij acht deze illusie ook om *zedelijke* redenen verwerpelijk.

2. De uitvoering van het treurspel

Zoals ook elders nog blijken zal, was Bilderdijks belangstelling voor de dramaturgie niet alleen van zuiver literaire aard; hij interesseerde zich ook voor de uitvoering van het treurspel door de acteurs en voor de reacties van het publiek in de schouwburg.[899] In zijn *Grondregelen der perspectief of doorzichtkunde* (1828) staat een hoofdstuk over het 'tooneel-perspectief', waarin men technische uiteenzettingen aantreft over de plaatsing van

---

[897] Voor de datering en vindplaats van de hier gebruikte aantekeningen: zie de vorige noot. Ik citeer de in mijn tekst onvolledig weergegeven uitspraak van Nicolai, met Bilderdijks commentaar: 'Nicolai (Briefw. p. 407) stelt den Zweck des Treurspels in die *Erregung der Leidenschaften*, en zegt: 'Das beste Trauerspiel ist das, welches die Leidenschaften am heftigsten erregt, nicht das, welches geschickt ist, die Leidenschaften zu reinigen'. – Maar welke Leidenschaften dan, vraag ik weer. Dit is de eeuwige cirkel, die zijn oorsprong heeft in de verwarring van 't woord Leidenschaft als *voorwerp dat vertoond* en als *oogmerk dat bedoeld wordt*.' Bilderdijks mening over de bewondering als tragische aandoening komt nog ter sprake in hfdst. X, slot par. 2 n.a.v. Aristoteles en, n.a.v. J.C. de Lannoy, in hfdst. XVII, par 4.

[898] Trsp., p. 221-223. Met betrekking tot de bewondering schijnt Bilderdijks standpunt in *Het treurspel* af te wijken van dat in zijn onuitgegeven Aantekeningen. Zie echter hfdst. XX, par. 4, noot 1374; vgl. verder voor de aandoening 'bewondering' hfdst. X, par. 2, laatste alinea, noten 577-579, hfdst. VIII, par. 3, bij nootcijfer 457 en Bosch (1955), p. 55.

[899] Zie hierover in hfdst. XVII, par. 5.

toneelschermen in verband met het oogpunt van de toeschouwers.[900] Men concludere daaruit niet dat Bilderdijk veel heil verwachtte van een overdadig of de precieze werkelijkheid nabootsend toneeldecor. Het tegendeel is waar. Zijn mening over de wijze waarop een treurspel moet worden opgevoerd vloeit voort uit de ideeën van verheven eenvoud en waardigheid volgens zijn ideaal-theorie. Ze sluit derhalve aan op zijn conceptie van de toneelillusie als tegenhanger van het streven naar natuurlijkheid dat hij hekelde bij zijn tijdgenoten. In een publicatie van 1805 schrijft hij: 'Natuurlijk spelen! Ach, om dit te zien, ga ik naar geen' Schouwburg: dat vind ik overal. Maar karakters boven de gemeene Natuur, en in de Dichterlijke Idealenwareld behoorende; in eene Dichterlijke samenvoeging van betrekkingen en omstandigheden, Dichterlijk te zien uitvoeren: met één woord de uitvoering van een Dichtstuk by te wonen, en daar door hart en verbeelding verwarmd en my boven my-zelven opgeheven te gevoelen; dit vrage ik van 't Schouwtooneel.'[901]

Welke voorwaarden impliceert deze eis voor de mise en scène en voor het spel van de acteurs in de praktijk van de opvoering? Zowel uit zijn *Voorafspraak* van 1779 als uit zijn verhandeling *Het treurspel* van bijna dertig jaar later, blijkt dat Bilderdijk de 'deftige schouwburg' geen plaats achtte waar, door middel van gevechten en vertoningen, moest worden voldaan aan de zucht naar 'toestel en beweging' van het grote publiek.[902] Dit standpunt treft men al aan bij Horatius, Boileau en Andries Pels; het inspireerde Voltaire tot de in 1793 door Feith geciteerde opmerking, dat op het toneel vier goede verzen uiteindelijk veel belangrijker zijn dan een heel regiment cavalerie.[903] Maar Bilderdijk is niet alleen tegenstander van spektakelachtige elementen die de verheven eenvoud en de dichterlijke waardigheid van het treurspel bedreigen. Hij verwacht evenmin veel goeds van een natuurnabootsend decorum zonder meer. In de vorige paragraaf is al gebleken dat voor Bilderdijk de toneelillusie niets meer inhield dan 'de overeenstemming en samenhang met de *aangenomen* onderstelling die ten grond gelegd wordt'. Dit betekent dat de zogenaamde toneelillusie voor Bilderdijk slechts een kwestie van afspraak is. Men komt overeen dat het treurspel zich afspeelt in een bepaalde periode en een bepaalde omgeving, zonder dat er evenwel pogingen worden gedaan (zoals bijvoorbeeld Van Alphen wilde) om deze uiterlijke omstandigheden op het toneel na te bootsen.[904]

---

900 W. Bilderdijk, *Grondregelen der perspectief of doorzichtkunde*, Dordrecht 1828, p. 37 e.v. Enkele decorschetsen van Bilderdijk worden bewaard in het *Bilderdijk-Museum* te Amsterdam: zie de door Ton Geerts samengestelde *Catalogus van kunstvoorwerpen*, Leiden 1994, p. 83-85. Bilderdijks activiteiten op dit gebied – hij adviseerde volgens eigen zeggen ook bij de vervaardiging van de toneelschermen voor de nieuwe Amsterdamse schouwburg in 1775 – worden besproken in C.A. van Swighem, 'Mr. W. Bilderdijk en de Bouwkunst' in *Opus Musivum: studies aangeboden aan Prof. Dr. M. D. Ozinga*, Assen 1964, p. 357-375 en in Geerts (1994), p. 83-85. Zie ook hfdst. XVII, par. 5.

901 DW. II, p. 484.

902 DW. XV, p. 4; Trsp., p. 141, 190 e.v., 231; vgl. Bydragen, p. 81.

903 Boileau (Boudhors, 1939), p. 97 en p. 283 (*Art p.*, ch. III, vs. 53); Te Winkel, dl. III (1910), p. 71, 75; Lion (1895), p. 280, 283; Feith, *Iets over het treurspel*[2] ... (1825), p. 109; Aghion (1926), p. 415.

904 Van Alphen, dl. I, (1778), p. 324-325, meent dat onder meer uit de kleding en wapenen moet blijken dat het toneelstuk zich afspeelt in de oudheid of in vreemde landen. Van Alphens Duitse 'leermeester' T.J. Riedel houdt

13. Teatro olimpico te Vicenza.

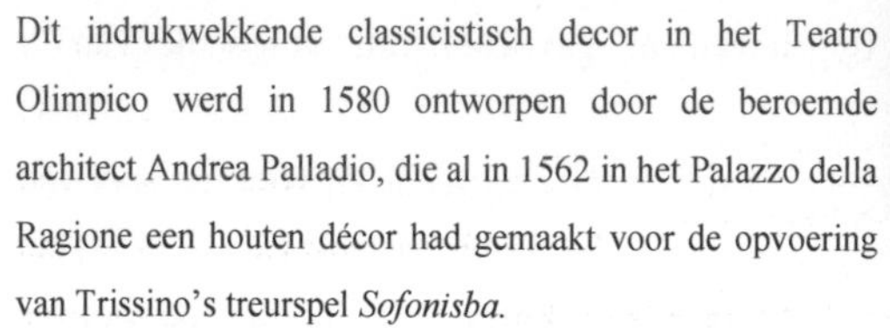

Dit indrukwekkende classicistisch decor in het Teatro Olimpico werd in 1580 ontworpen door de beroemde architect Andrea Palladio, die al in 1562 in het Palazzo della Ragione een houten décor had gemaakt voor de opvoering van Trissino's treurspel *Sofonisba.*

Tussen 1818 en 1821 heeft Bilderdijk herhaaldelijk geschreven dat het gebruik van zogenaamde historische kleding en toneelversiering volkomen averechts werkt. De deskundigen worden onaangenaam getroffen als er tekortkomingen zijn en de buitenstaanders staan vreemd en afwijzend tegenover historisch of etnologisch verantwoorde voorstellingen die hun onbekend zijn. Bovendien dreigen er contradicties: een acteur die nadrukkelijk als Romein of Indiaan is uitgedost en daarbij Nederlands spreekt, is volgens Bilderdijk eigenlijk onaanvaardbaar. Maar de fout doet zich al eerder voor. Als men 'kleeding, hulsel en uiterlijkheden' al te nauwgezet in acht neemt, heeft dit als enig resultaat dat 'het gebrek van overeenkomst tusschen de tegenwoordige lichaamsgedaante en die van de Heldeneeuwen des te aanstootelijker' wordt gemaakt! Bilderdijk zou daarom wensen dat men het toneel beschouwde als een *wereld van conventie*, waarin dienovereenkomstige conventionele Griekse en Romeinse toneelhelden optreden. Zo schrijft hij anno 1820 in een aantekening achter zijn verhandeling *Van het letterschrift*: 'Inderdaad 't ware wel best, een Tooneelideaal voor Romeinen voor Grieken, voor Oosterlingen, voor Oud- en Nieuw-Frankisch, Hollandsch, enz. in te voeren; *dat als een Poëtische kostume aangenomen wierd*, en niemand dan storen zou'.[905]

weliswaar tegenover Lord Home staande dat de illusie geen precieze nabootsing van de werkelijkheid hoeft te zijn, maar anderzijds werd hij toch weer door deze opvatting beïnvloed: De Koe (1910), p. 75.

[905] Aantekeningenblaadje in het *Letterkundig Museum*, hschr. B 583, adversaria 4 (ongedateerd maar er staat ook een notitie op uit de *Monthly Review* van juni 1815); Br. III, p. 95 (1817); *Van het letterschrift*, p. 163 (1820); TDV. II, p. 187 (1821) (de cursiveringen zijn van mij.) Bilderdijk vermeldt merkwaardigerwijze niet dat een dergelijke 'wereld van conventie' al werd toegepast op het achttiende-eeuwse toneel. Er bestond een typologie voor voordracht en costuum die even statisch-classicistisch was als het monumentaal-symmetrisch decor waarin een treurspel werd

Veel belangrijker dan de nabootsing van uiterlijkheden is voor Bilderdijk de uitbeelding van het door de auteur bedoelde karakter van de dramatis personae. Daarbij gaat het om de kunst van het toneelspel. Behalve in een aantal verspreide opmerkingen, heeft Bilderdijk zijn mening over dit onderwerp neergelegd in een verhandeling *Over het natuurlijk spelen op het tooneel,* van 1821. Hij maakt daar een onderscheid tussen de 'Poëzy' en de zogenaamde 'Kunsten van Nabootsing'. De eerste is 'louter uitstorting des gevoels' en eist derhalve van de dichter dat hij voldoet aan het Horatiaanse voorschrift: 'Zoo gy my tranen wil doen storten, schrei zelf eerst'. De kunsten van nabootsing (schilderkunst, acteerkunst) hebben volgens Bilderdijk een ander uitgangspunt. Het individuele gevoel van de kunstenaar dient in deze kunsten juist op de achtergrond te blijven. De tonelist moet dus niet zichzelf uitbeelden en al evenmin zijn persoonlijke aandoeningen bij de menselijke beschouwing van de held. Maar hij moet uitbeelden wat hij als kunstenaar beschouwt in het uit die held veredelde ideaal dat door de dichter is aangegeven. Niet de acteur moet de toeschouwer toornig, bedroefd, verliefd of verlegen zien, maar de held die hij voorstelt. En zodra dat niet het geval is, vervalt volgens Bilderdijk de juiste karakteruitbeelding op het toneel. Men kan zich dan druk maken over het uiterlijk decorum, maar een bepaalde hartstocht die door de acteur X wordt uitgebeeld zal altijd dezelfde zijn, of hij nu een Turkse Bassa, Julius Caesar, Orestes, of een historische middeleeuwse ridder voorstelt: om de eenvoudige reden dat geen rekening wordt gehouden met de individuele ideaal-persoonlijkheid die de dichter heeft bedoeld. Want de acteur 'speelt' dan simpelweg zichzelf. De held wordt met andere woorden verlaagd tot het niveau van de acteur, in plaats van dat de acteur zich verheft tot de ideale status van de held.

De toneelspeler mag zelf geen hartstochten en driften hebben, maar moet de vervoeringen van de held uitbeelden. Dat is een wijsheid die al vóór Bilderdijk onder meer was verkondigd door Goethe (1795) en Wilhelm von Humboldt (1800). Ook Diderot was anno 1778 in zijn *Paradoxe sur le comédien* tot dit inzicht gekomen, en daarmee tevens tot een flagrante tegenspraak met hetgeen hij enkele tientallen jaren tevoren over natuurlijkheid en waarheid op het toneel had verkondigd in zijn *Les bijoux indiscrets* (1748). In de *Paradoxe* immers heet het: 'c'est le manque absolu de sensibilité qui prépare les acteurs sublimes' en, met betrekking tot de illusie van echtheid: 'c'est la conformité des actions, des discours, ... etc. *avec un modèle idéal imaginé par le poète.*[906] Als men zich niet aan deze voorschriften houdt, vreest Bilderdijk dat de illusie te ver wordt doorgevoerd en daardoor 'akelig en schuwbaar' wordt. Een gevolg daarvan kan zijn, dat de vereiste

opgevoerd: Albach (1946), p. 25 e.v. en illustratie nr. 4.

906 Baader (1959), p. 217 e.v.; Folkierski (1925), p. 470 e.v., 492 e.v.; Wellek, dl. I, (1955), p. 55. (Diderots *Paradoxe* werd pas gepubliceerd in 1830. Over het paradoxale karakter van dit geschrift (de tegenstelling kunst-realiteit) schreef Marian Hobson in *Poétique* 4 (1973) 15, p. 320-339. Vgl. ook de opvattingen van de Nederlandse acteur Marten Corver in Albach (1946), p. 123.)

kiesheid in de uitvoering verloren gaat.[907] Bilderdijk heeft daarover geschreven in zijn verhandeling *Het treurspel* (1808), waar hij zijn mening kracht bijzet door de uitspraak van Lessing: 'Der zu hohe Grad des Schrecklichen wird in der Nachahmung wiederwartig'. Het omlaaghalen van de held tot het niveau van de acteur wordt dan voortgezet tot daar waar het natuurlijke niet alleen alledaags, maar zelfs lelijk en afschrikwekkend wordt. Het vertonen van een verwrongen gelaat en van zieltogende stuiptrekkingen om op 'natuurlijke' wijze wroeging of doodsstrijd uit te beelden, achtte Bilderdijk blijkens zijn treurspelverhandeling zonder meer verwerpelijk.[908] Hij deelde deze mening met Lessing en Mendelssohn, hoewel hij bij de uitgave van zijn eerste Sofoclesvertaling in 1779 aan Mendelssohn eveneens met instemming een passage kon ontlenen waarin een 'woest uitzigt' en het 'trekkend sidderen aller leden' werd geprezen als een middel tot uitdrukking van aandoeningen op het toneel.[909]

Bilderdijk schijnt op latere leeftijd van de toneelspelers een strengere toepassing van de klassieke voornaamheid te eisen. Merkwaardig is dat hij 'zeer lang' voor 1808 een actrice kon aanraden een beker aalbessengelei over het toneel te werpen, teneinde op het hoogtepunt van een zeker treurspel meer effect te sorteren. Het beoogde effect werd toen inderdaad bereikt, maar Bilderdijk karakteriseerde zelf het resultaat als 'afzichtelijk'. '*'t Was ensanglanter la scène*, letterlijk en boezemde afschrik voor schrik in', schreef hij in zijn treurspelverhandeling.[910] Het voorval bewijst dat het voor Bilderdijk niet gemakkelijk was de synthese te vinden van schoonheid en natuurlijkheid, of van ideaal en waarheid, waarover gesproken wordt in Van Alphens Riedel-vertaling (1780) en die in 1803 door Goethe werd geëist in zijn *Regeln für Schauspieler*.[911] In dit verband moet worden

---

[907] Zie voor de hier besproken kwestie: TDV. II, p. 177 e.v. en Trsp., p. 155.

[908] Trsp., p. 231, 232. Zie voor Bilderdijks opvattingen ook hfdst. XVII, par. 5.

[909] DW. III, p. 479: Bilderdijk citeerde en vertaalde in 1779 uit Mendelssohns *Ueber das Erhaben und Naive*, waar deze spreekt over de lichaamstaal van Jokaste terwijl zij stilzwijgend de ware herkomst van Oedipus verneemt. Robertson (1939), p. 484, 485, wijst erop dat voor Mendelssohn het toneelgebaar secundair blijft ten opzichte van de poëzie. Hij citeert uit *Literaturbriefe* 14-2-1760: 'Die äusserliche Handlung eines Sterbenden z.B. muss nur der Vorstellung, die wir vom Sterben haben, nicht wiedersprechen. Durch ein gelindes Hauptneigen, durch eine matte unterbrochene Stimme, kann sie der Einbildungskraft zu Hülfe kommen, die in der grössten Bereitwilligkeit ist, sich betrügen zu lassen. Das Hauptwerk aber, den grössten Antheil an dem Betruge, muss sie der Poësie überlassen, die in dem Trauerspiele die herrschende Kunst ist. So bald der Sterbende röchelt, schäumt die Augen verdrehet, und die Glieder verzuckt, so verdunklen diese gewaltsame sinnliche Handlungen durch ihre Gegenwart alle Täuschungen der Dichtkunst.' Spottend schrijft Mercier over hetzelfde verschijnsel in zijn *Nouvel examen de la tragédie francoise* (1778), p. 101: 'le Poète fait briller le poignard ou la coupe empoisonnée: le poignard est l'attribut de la Melpomène Françoise, & elle joue de l'instrument à point nommé: le Tyran se tue ou bien il est tué, mais c'est toujours de manière que l'on n'a jamais rien vu de tel dans le monde. Le mourant, semblable à un gladiateur Romain, expire de si bonne grâce, qu'il a l'air de s'endormir; car ce n'est pas tout que d'être assassiné, il faut, devant une assemblée aussi respectable, être poli & décent jusqu'au dernier soupir: point de convulsions, le poison qui se verse dans la coupe homicide, est toujours en France de l'Opium.'

[910] Trsp., p. 231.

[911] Van Alphen, dl. II, p. 78, 79: 'De vertooningen der treurigheid in de minen en houding zijn heftiger en zinnelijker, wanneer zij uit het gevoel van ligchamelijke smart ontstaan. De gezigtstrekken zijn verdraaid, en het geheele ligchaam op eene onnatuurlijke wijze uitgestrekt of gekromd en heengeworpen. De onderdrukking van deze kenteekens der smart en treurigheid is getuige van eene groote ziel, en vermeerdert onze agting voor den lijdenden persoon, maar meestal ten koste van het medelijden.' Na een beroep op Lessings *Laokoon*, vervolgt Van Alphens Riedel: 'De kunstenaar moet dus met wijsheid een middenweg zoeken tusschen de verhevenheid en de menschheid. Hij moet den strijd tusschen de smart en het tegenstaan van dezelve in een punt vereenigen; de smart van het ligchaam, en de grootheid der ziele met gelijke sterkte uitdeelen, en ons, noch de natuur ten koste der schoonheid,

opgemerkt dat het door de jongere Bilderdijk gegeven advies kennelijk in strijd is met de bij Hume en Mendelssohn voorkomende opvatting dat de dichterlijke illusie wordt bedreigd door al te gruwelijke voorstellingen. Uit een vermoedelijk na 1795 geschreven aantekening in Bilderdijks handexemplaar van de *Hamburgische Dramaturgie* blijkt dat hij het volledig eens was met een soortgelijke mening van Lessing ten aanzien van gewelddadige handelingen.[912]

Verschillende malen heeft Bilderdijk geschreven over de wijze waarop de taal van de treurspeldichter op het toneel moet worden voorgedragen. In 1779 citeerde hij met instemming een uitspraak van Voltaire, die de pracht en grootsheid der welsprekendheid verdedigd had en meende dat de verheven treurspeltaal in de schouwburg moest worden uitgesproken op een daarmee corresponderende manier, die de gewone spreektaal overtreft. Dit impliceert dat de verzen van de dichter inderdaad moeten worden gerealiseerd als *verzen*. De juiste toonval en de maat dienen in acht genomen en de verscheidenheid in zinsmelodie tot uitdrukking gebracht. De eerbied voor het metrum wil niet zeggen dat na iedere vers een rust mag plaatsvinden: als het zinsverband dat eist (enjambement!) dient de toon te worden aangehouden. Bilderdijk spreekt over deze eisen in 1779, 1808 en 1820.[913] In het laatstgenoemde jaar heeft hij bovendien de aandacht gevestigd op wat wij tegenwoordig aanduiden als 'svarabhaktivocaal' en 'spelling pronunciations.[914] De zogenaamde *schwa* moet – ook als hij niet is gespeld – volgens Bilderdijk bij de voordracht van verzen zelfs worden uitgesproken in de eerste persoonsvorm van het werkwoord, en vooral wanneer we te doen hebben met een aanvoegende wijs.[915] Het verwaarlozen van dit voorschrift betekent, met de spellinguitspraak in het algemeen, een ernstige bedreiging van de zoetvloeiendheid der Nederlandse taal, die volgens Bilderdijk vanouds een dactylisch of anapestisch karakter heeft gehad.[916] Waar het bij deze voorschriften weer om gaat, is het uit Bilderdijks ideaal-theorie verklaarbare principe dat

---

noch verhevenheid ten koste der natuur leveren...' Goethe zegt in zijn *Regeln* dat de toneelspeler 'nicht allein die Natur nachahmen, sondern sie auch idealisch vorstellen soll und er also in seiner Darstellung das Wahre mit dem Schönen zu vereinigen habe.' (Baader, p. 218; vgl. Perger (1952), p. 293.)

912 Gallaway (1940), p. 234; Robertson (1939), p. 484. In zijn handexemplaar van de *Hamburgische Dramaturgie* (Bilderdijk-Museum, Amsterdam) schreef Bilderdijk een aantal opmerkingen, waarvan er één zijn eigen vertaling van Ibn Doreid vermeldt, die verscheen in 1795. Wanneer Lessing n.a.v. het toedienen van een oorvijg in een treurspel opmerkt dat 'fast jede gewaltsamere Handlung den Zuschauer mehr oder weniger aus der Täuschung zu bringen pflegt', schrijft Bilderdijk in de marge: 'Optime! Aurea haec verba sunt, ne satis a[n]i[m]o revolvenda' (vgl. Lessing (1958), p. 223, St. 56.)

913 DW. XV, p. 25, 26; Trsp., p. 210; DW. XIV, p. 496; vgl. Lion, p. 237.

914 C.B. van Haeringen, 'Spelling pronunciations' in het Nederlands', *De nieuwe taalgids* 1938, p. 97 e.v.; P.C. Paardekoper, 'De foneemwaarde van de svarabhakti-vocaal, idem 1949, p. 74 e.v.

915 DW. XV, p. 190. Bilderdijk geeft als voorbeeld ondermeer de woorden 'trom-len', 'eig-ne' en de zin: 'Op dat ik hier niet te veel overhoop haal'. Er moet, kortom, worden vermeden dat 'konsonant tegen konsonant stoot'.

916 Over de spellinguitspraak schrijft Bilderdijk: 'De belachelijke en alle taal verwoestende dolheid, van de ten opzichte van den klank altijd onvolkomen, en hoe langer hoe meer bedorven schrijfwijze of spelling, te willen naspreken, heeft (en menigwerven beklaagde ik dit,) oneindig veel toegebracht, om onze heerlijke moederspraak van de haar eigenaartige kracht, nadruk, en welklank te ontzetten, en brengt onze verzen allengs tot een louter geweld doen aan 't teder echt Nederlandsch gehoor, dat van ouds nevens het Italiaansche, het meest zangrig gevoel van alle Europische Natien had.' (DW., XV, p. 190.)

de voordrachtskunst van de toneelspelers geen zelfstandige kunst mag zijn, maar slechts een uitvloeisel van het hoge Poëtisch gevoel van de treurspeldichter.[917] We zullen nog zien dat de praktijk van de acteerkunst hier een moeilijkheid veroorzaakt.

In de treurspelverhandeling van 1808 schreef Bilderdijk: 'Maar die niet zich-zelven onafmeetlijk boven des Schouwspelers uitdrukking, zijn werk boven de uitvoering des Tooneels verheven gevoelt, is geen Dichter.'[918] En in zijn beschouwingen *Over het natuurlijk spelen op het tooneel* (1821) beweerde hij dat het toneel in de grond wordt geboord, als de treurspeldichter zijn rollen afstemt op een bepaalde acteur of actrice: 'daar het eenige, waar de waarachtige Kunst aan hangt, 't Ideaal, 't hooge Ideaal is, waar men steeds onveranderlijk naar behoort te reiken, en dat buiten de Speler is, en uit hem niet gehaald worden moet.' Bilderdijk heeft een dergelijke verdediging van de dichter tegenover de aanmatiging van toneelspelers ondermeer kunnen aantreffen in de *Paradoxe sur le comédien* (1778) van Diderot, en in het *Nouvel essai sur l'art dramatique* (1773) van Mercier.[919]

Zoals al eerder geconstateerd, is het juist de toneelspeler zelf, die zich volgens Bilderdijk verheffen moet tot het door de dichter geschapen ideale niveau der dramatis personae. Blijkens zijn voordracht *Over het Treurspel der Ouden in de uitvoering* (1810) achtte Bilderdijk dit echter onmogelijk als de moderne dichter in zijn treurspel een waarachtige verhevenheid zou scheppen die voortkomt uit het (religieuze) besef van een 'hoogere wareld'. Hij schreef dat de juiste uitwerking van een toneelstuk nu eenmaal acteurs eist die: 'geheel eens en eenzelvig met den Dichter zouden moeten gevoelen, *het geen eene onmogelijkheid* is.'[920] De fout van de toenmalige toneelspelers was volgens Bilderdijk juist dat zij niet langer wénsten een werktuig van de dichter te zijn. Bilderdijk dacht (ten onrechte) dat zulks in de tijd der antieken en in zijn eigen jeugd, wel het geval was.[921] Volgens de zojuist genoemde verhandeling *Over het natuurlijk spelen op het tooneel* zou daarom 'de volkomen Tooneel-declamatie (of, gelijk zy het noemden, *Saltatie*) der ouden' moeten worden hersteld. Maar zelfs daardoor zou geen definitieve oplossing voor het probleem van de uitvoering zijn gevonden. Want, zo vervolgt Bilderdijk: 'dat deze [= toneeldeclamatie der Ouden] met al hare voortreffelijkheid, ook ware

---

917 Trsp., p. 154.

918 Trsp., p. 153.

919 TDV. II, p. 189; Folkierski, p. 451; Mercier (1773), p. 364, 372. Dat Aeschylus en vooral Sofocles hun lievelingsacteurs soms de rollen 'op het lijf 'schreven, wordt vermeld door Dierks (1952), p.36; Bilderdijk spreekt daar niet over: hfdst. XVII, par. 4, over Jan Nomsz.

920 TDV. I, p. 195.

921 Trsp., p. 153, 154; TDV. II, p. 194, 195; Diercks, p. 22; A. Mattioli in Aristotele, *La Poetica*, (1956), p. 52, noot 10. Schrijvend over het verschil tussen de toneelconventie en de waarachtigheid of natuurlijkheid, zag Diderot in zijn *Paradoxe sur le comédien* de verhouding tussen dichter en acteur anders dan Bilderdijk: 'Qu'est-ce donc que le vrai de la scène? C'est la conformité des actions, des discours, de la figure, de la voix, du mouvement, du geste, avec un modèle idéal imaginé par le poète [...] il y a trois modèles: l'homme de la nature, l'homme du poète, l'homme de l'acteur. Celui de la nature est moins grand que celui du poète, et celui-ci moins grand encore que celui du grand comédien, le plus exagéré de tous '(Folkierski -1925-, p. 470).

ongelegenheden had, en in wezendlijke opzichten zelfs voor de onze achter moest staan, is zeer zeker, waarvan misschien wel eens nader!'[922]

De hier halvelings beloofde toelichting heb ik niet in Bilderdijks overige werken kunnen ontdekken. Maar ook zonder deze, is het duidelijk dat Bilderdijk tussen 1810 en 1820 een volgens zijn ideaal-theorie aanvaardbare uitvoeringswijze van de tragedie zo goed als onmogelijk is gaan achten. Ik denk ook niet dat hij echt heeft geloofd in de mogelijkheid van een verhouding tussen de autonome dichter en de dociele toneelspeler, zoals die hiervoor min of meer schematisch is weergegeven. Bilderdijk heeft zelf meerdere malen laten merken dat de treurspeldichter wel degelijk rekening moet houden met 'de uitvoering des Tooneels' waarboven hij zich toch eigenlijk 'onmeetlijk... verheven' zou moeten voelen. Zoals de eerder besproken idealistische opvattingen over de uitvoering van de tragedie een conflict met de toneel*praktijk* tot gevolg hebben, zo impliceert de zojuist vermelde zienswijze onherroepelijk een conflict met Bilderdijks eigen ideaal-*theorie*.[923]

3. Toneel en geschiedenis als staatsleer

Het in de eerste paragraaf besproken probleem van de toneelillusie hangt ten nauwste samen met de houding van de treurspeldichter tegenover de geschiedenis. In 1780, 1805, 1806 en 1808 heeft Bilderdijk uitdrukkelijk gesteld dat de dichter het recht heeft van de geschiedkundige waarheid af te wijken. Dat recht houdt verband met de Eenheid-scheppende taak van de treurspeldichter volgens de ideaal-theorie. In 1780 schreef Bilderdijk zelfs dat de historische waarheid helemaal niet op het toneel bestaat. Het geheel, de samenhang, de schikking van de delen, de goede zeden, de karakters, de uitdrukking der hartstochten: dat alles is veel belangrijker dan de eisen der 'Geschicht- en Tijdrekenkunde'. Op het ideale toneel van het treurspel is de dichter zelf heer en meester en mag hij de historie 'om de oren' slaan... Dat blijkt volgens Bilderdijk uit de praktijk van Sofocles, Vergilius, Corneille, Racine, Voltaire, Feitama... en (alweer!) uit de *Hamburgische Dramaturgie* van Lessing.[924] Hij had de lijst nog kunnen uitbreiden met de naam van Aristoteles zelf, van Vondel, D'Aubignac, Batteux, Dacier, Muratori, Schiller en talrijke andere theoretici en treurspeldichters. De vrijheid van de dichter tegenover de geschiedenis was een door velen erkend privilege. De voornaamste reden waarom er nog over gediscussieerd kon worden, was gelegen in het probleem van de aanpassing aan de historische sfeer door middel van de toneelillusie en de daarmee samenhangende vraag hoe ver de dichter kon gaan aleer zijn publiek het Horatiaanse *incredulius odi* in de mond nam.[925]

---

922 TDV. II, p. 195.

923 Zie hfdst. VII, par. 3.

924 Brief navolger, p. 17, 18; DW. I, p. 483; DW. XV, p. 114; Br. III, p. 10.

925 Zie hierover Robertson (1939), p. 437 e.v. en (1923), p. 75; Bray (1927), p. 194, 218; Smit, dl. I (1956), p. 179; idem, dl. II, p. 14; Lion, p. 315, noot 5; Reinhard Buchwald, *Schillers Werke*, dl. II, Leipzig 1940, p. 185. Het in mijn tekst aangeduide citaat van Horatius luidt: 'Quodcumque ostendis mihi sic, incredulus odi' (*Ars poetica,* vs. 188).

Zoals bleek in de vorige paragraaf, heeft Bilderdijk tussen 1815 en 1821 verschillende malen geschreven dat het verkeerd is om op het toneel door kleding en versiering de juiste historische omgeving te willen nabootsen. Enkele andere uitspraken bewijzen dat de combinatie van geschiedenis en dichtkunst voor hem een moeilijk probleem was. In 1806 schreef hij naar aanleiding van zijn verhalend gedicht *Het slot van Damiate*: 'Op mijn klein Dichttooneeltjen ben ik meester, en doe steden en sloten innemen wien ik wil en wanneer ik wil.' Maar desondanks gaf hij zich de moeite om de aanvechtbare chronologie van dit gedicht met allerlei verontschuldigingen zodanig te beredeneren, dat het voor de historisch geschoolde poëzie-lezer aanvaardbaar zou kunnen zijn.[926] Ook in de aantekeningen bij zijn vertaling van Voltaires *Ridder Sox* (1793) sloofde Bilderdijk zich uit om anachronismen aan te duiden.[927] Herinneren we ons ook de in een ander verband al besproken plaats uit Maffei's treurspel *Merope*. Op voorbeeld van Lessing keurde Bilderdijk de daar voorkomende herinnering aan de toneelverdichting niet alleen af omdat er de illusie door verbroken wordt, maar ook omdat er in de tijd waarin de handeling zich afspeelt, nog geen schouwburg bestond![928] Blijkens een van zijn talrijke aantekeningenblaadjes, was Bilderdijk zeer gevoelig voor dit soort anachronismen. Zo merkte hij op dat treurspelschrijvers hun dramatis personae bij huwelijken naar het altaar of de tempel laten schrijden, terwijl dat bij de oude volken geenszins de gewoonte was. Zo'n fout maakte Jan Vos toen hij in zijn *Aran en Titus* aan de Romeinse ridderschap hoedanigheden toekende die deze helemaal niet bezat: 'de bloed' verkeek zich namelijk op de oude toestanden in Holland ...[929]

De hier besproken opmerkingen staan kennelijk in verband met de mening van Bilderdijk (en Batteux, en Talma, en Rhijnvis Feith...), dat nationale toneelpoëzie een leerschool voor de geschiedenis en zeden onzer vaderen behoort te zijn. Bilderdijk achtte dit laatste zo belangrijk, dat hij de laatste zes bladzijden van zijn verhandeling *Het treurspel* (1808) uitsluitend gebruikte om deze kwestie te behandelen. Hij vond dat het nationale treurspel vooral een juiste uitbeelding moest geven van de regeringsvorm in de eeuw waaruit de daad van het stuk genomen is. Zo doende, geeft het toneel 'staatslessen' en kan het tevens de lust tot het nauwkeurig bestuderen van de vaderlandse geschiedenis aanwakkeren. Voor Bilderdijk was dat zeer belangrijk, want: ''t Zijn de valsche begrippen omtrent de Geschiedenis, waar uit valsche begrippen van Staats-, Vorsten-, en Volksrecht ontspruiten; daar valsch of verkeerd en gebrekkig begrepen gebeurtenissen en daden valsche gronden opleveren, waar men herschenschimmige wetten en rechten op vest, of uit afleidt, die daarna Thronen en Natien schudden en omkeeren'. Helaas waren volgens Bilderdijk dergelijke valse begrippen omtrent geschiedenis en staatkunde alom verbreid.

926 DW. XV, p. 114.

927 DW. I, p. 490, 491.

928 Vgl. par. 1, noot 287. Bilderdijks kritiek op Maffei wordt besproken in hfdst. XII, par. 3, noot 712.

929 Aantekeningenblaadje in het *Letterkundig Museum*, hschr. B 583, adversaria 4. Soortgelijke historische kritiek op Vondels *Jeptha* vindt men bij Feith (1793) [= 1825], p. 88.

Met name in Holland had een door partijzucht vertekende geschiedbeschouwing het beeld van de vaderlandse historie verduisterd. Bilderdijk eindigde zijn verhandeling met het uitspreken van de wens dat de 'valsche Staats- en Zedenleer' van het toneel zal worden verbannen.[930]

Geschiedenis scheen voor Bilderdijk minder een autonome wetenschap dan wel een middel om een staatkundige idee te verdedigen en te verbeelden: de idee met name van een absoluut, bijbels-metafysisch gefundeerd monarchisme. De wijze waarop zijn onvindbaar en wellicht zelfs nooit opgeschreven toneelontwerp over Don Carlos zou zijn afgeweken van de vele andere treurspelen over de Spaanse kroonprins is al besproken in het *Eerste Boek*. Het ging Bilderdijk om niets minder dan een totale omkering van dit overbekende literairhistorisch motief. In afwijking van de gangbare interpretaties, wilde hij de schuld van het conflict niet bij de als tiran voorgestelde koning Philips II leggen, maar bij diens opstandige zoon Don Carlos.[931] Een dergelijke zienswijze paste op het eerste gezicht volkomen in zijn absolutistisch monarchisme. De vorst heeft altijd gelijk, omdat zijn gezag rechtstreeks van God komt en derhalve met mythische heldenmoed moet worden verdedigd. Maar juist daarom stelde het Don-Carlosmotief hem voor een onoplosbaar probleem. Het ging hier immers om de onafhankelijkheidsstrijd van Willem van Oranje en het Nederlandse volk tegen de Spaans-Roomse onderdrukker.

Oranje zelf had in zijn *Apologie* van 1581 Philips II beschuldigd van moord op zijn eigen zoon en op zijn echtgenote, teneinde zich meester te kunnen maken van Don Carlos' verloofde.[932] Zodoende legde hij de grondslag voor de Don-Carlosmythe die door latere toneelschrijvers (onder wie vooral Schiller) dankbaar werd benut, maar waartegen Bilderdijks treurspelontwerp nu juist stelling wenste te nemen...: een moeilijke, zo niet onmogelijke opgave voor een auteur die zelf liever wilde geloven in een andere mythe, namelijk die van de heilige drieëenheid 'God, Nederland en Oranje'. En in die andere, bijna bijbelse mythe vervulde de 'Vader des Vaderlands' de rol van de verdreven en vervolgde Verlosser van het nieuwe (Nederlandse) Israël uit de Spaanse overheersing van Philips II.[933] Om met het *Wilhelmus* over de Prins van Oranje te spreken: 'Als David moeste vluchten/ Voor Saul den tyran:/ Soo heb ik moeten suchten/ Met menich Edelman...'.

Als vorstelijk-legitieme nazaat van Oranje had stadhouder Willem de Vijfde, evenals menig edelman (onder wie de dichtende 'Heer van Teisterbant' zelf !) de Franse overheersing moeten ontvluchten en hij was aldus, evenals de 'Vader des Vaderlands', 'om Land om Luyd' gebracht. Maar deze omstandigheid deed niets af aan Bilderdijks latere verering voor Lodewijk Napoleon als eerste koning van Holland. Want Bilderdijks absoluut monarchisme

[930] Trsp., p. 158-163; Aghion (1926), p. 424; Feith (1793) [= 1825], p. 108.

[931] *Eerste Boek*, hfdst. VI, par. 5.

[932] *Apologie de Guillaume de Nassau* (ed. A. Lacroix), Bruxelles-Leipzig 1858, p. 75.

[933] Huisman (1983); Van Eijnatten (1993 en 1995).

was bovenpersoonlijk, boventijdelijk en, zoals gezegd, bijbels geïnspireerd.[934] Het absolute koningschap kon (na tussenkomst van de revolutie-bedwingende godsgezant Napoleon) óók worden belichaamd in de persoon van de kunst en letteren minnende Franse koning Lodewijk die, zo beweerde Bilderdijk later, zichzelf wel wilde beschouwen als voorbereider tot het koningschap van de wettige erfopvolger uit het Huis Oranje.[935] Zo'n 'Hineininterpretatie' typeert Bilderdijks denkwijze (of: voelwijze) als historicus en lijkt kenmerkend voor de aard van zijn verbeelding als historisch dramaturg.

[934] In 1793 zond Bilderdijk zijn in verguld marokijn gebonden gedicht *De Alleenheersching* naar de Deense ambassadeur met een begeleidend schrijven waarin hij verzekerde dat zijn 'Ode Hollandaise' was gewijd 'au Peuple Danois et au Monarque auguste qui en fait le bonheur.' Het gedicht vereert het absolute gezag van de koning die als een bijbelse goede herder waakt over zijn 'onbezorgde schapen', de 'chaos' van het 'duizendhoofdig dier' weet te temmen en wiens 'Oppermacht' een beeld is van Gods 'Almacht'. Aan zijn eigen tekst voegde Bilderdijk citaten toe van de profeet Habakuk en van Homerus, waaruit moest blijken dat een eenhoofdig gezag de menselijke samenleving onderscheidt van die der elkaar verslindende dieren. Een sterk eenhoofdig gezag is absoluut noodzakelijk om chaos te voorkomen: DW VIII, p. 417-422; Catalogus 1832, p. 78, 79. Zie voor een contextuele interpretatie van dit gedicht: Van Eijnatten (stamhuis, 1995), p. 295.

[935] Tyd. II, p. 84-86. Dat Bilderdijk voor zichzelf geloofde in de goede wil van Lodewijk Napoleon blijkt ook uit zijn onuitgegeven brieven in de Portefeuilles Margadant van 21 en 29 september 1808 aan Immerzeel als uitgever van zijn bundel *Vaderlandsche Oranjezucht* (1809). Bilderdijk zelf karakteriseerde die bundel als: 'zoo anti-fransch als het hart van Z(ijne) M(ajesteit)'. Vgl. ook Kollewijn, dl. II, p. 443, 444. In Bilderdijks verzen over Napoleon, koning Lodewijk en de latere koning Willem I speelde dichterlijke idealisering een belangrijkere rol dan kritisch realisme. Pas na de inlijving van zijn vaderland bij Frankrijk ontdekte Bilderdijk, evenals Beethoven als componist van de *Eroica*-symfonie, dat Napoleon 'ein gewöhnlicher Mensch' was, die bovendien aan tirannieke driften laboreerde. Vgl. De Jong-Zaal (1960), p. 89, 118, 119, Van Eijnatten (1998), p. 560-563 en het Napoleonnummer van *Het Bilderdijk-Museum* 20 (2003).

HOOFDSTUK VII

HET PROBLEEM DER VERHEFFING

1. De dichter en zijn eerzuchtige personages

De ideale wereld der schoonheid in het waarachtige treurspel ontstaat volgens Bilderdijk als een verheven schepping van het gevoel en de daardoor gestimuleerde verbeelding in de dichter zelf. Dit impliceert dat aan de dichter bepaalde eisen moeten worden gesteld. Sprekend over de beroemde verhandeling van Longinus, noemde Bilderdijk (omstreeks 1809) de verhevenheid van ziel in de dichter 'eigenlijk alles, en de grond van al 't geen hij voortbrengt.'[936] En inderdaad schreef de Griekse theoreticus: 'Verhevenheid is de weerklank van grootheid van ziel', of – zoals Ernst Robert Curtius het weergeeft: 'Hohe Literatur ist der Nachhall eines adligen Geistes.'[937]

Dit verduidelijkt waarom Longinus het verval van de dichtkunst toeschreef aan 'verlagende ondeugden' en waarom Mercier kon schrijven: 'Ah! que la plume s'affermit dans la main qui a porté l'épée pour sa patrie!' In een verhandeling van 1805 citeert Bilderdijk deze uitspraken met instemming en voegt eraan toe dat, bij gelijke geest en bekwaamheid, een verhevener resultaat kan worden bereikt door de dichter 'die de waarde van zijne geboorte en afkomst gevoelt, en de bewustheid in het hart omdraagt, dat hy in gedrag en gevoelens, van zijne Vaderen niet ontaard is'.[938] Tegen de achtergrond van zo'n uitspraak begrijpt men beter dat Bilderdijk intens laboreerde aan de genealogische mythe van zijn eigen adellijke afkomst als 'Heer van Teisterbant'. Het gevoel voor heroïsche dichterlijke grootheid volgens het niveau van de heldenwereld in tragedie en epos heeft ook zeker een rol gespeeld in zijn etymologische beschouwingen over de namen van Corneille en Racine, die hij in geen geval in alledaagse, burgerlijke zin wenste te interpreteren.[939]

---

936 TDV. II, p. 50. Vgl. Trsp., p. 137, 197 en TDV. I, p. 3.

937 Hoogland, (1936), p. 13; E.R. Curtius (1948), p. 402; Boileau vertaalt: 'un image de la grandeur d'âme': zie TDV. II, p. 44; in de door Kamerbeek ingeleide vertaling van Kuiper (1980), p. 36: 'Verhevenheid is de weergalm van karakter-grootheid.'

938 Zie de verhandeling 'Over Ossiaan en deszelfs Fingal' in: W. Bilderdijk, *Fingal, in zes zangen naar Ossiaan*, dl. II, Amsterdam 1805, p. 129-131; Vgl. TDV. II, p. 52 en Bilderdijks oordeel over Jan Vos in hfdst. XVII, par. 3. Bilderdijk citeert Mercier onnauwkeurig. In werkelijkheid schreef deze: 'comme la plume s'affermit dans la main qui a porté l'épée!' (*Du théâtre ou Nouvel essai sur l'art dramatique*, Amsterdam 1773, p. 21.)

939 Vgl. *Eerste Boek*, hfdst. IV, slot par. 5 en hfdst. X, par. 3, alsmede in het onderhavige *Tweede Boek*, hfdst. XIII, par. 2, noot 728, over de 'honor' in de Spaanse dramaturgie. Over Bilderdijks genealogische fantasieën schreef M.G. Wildeman in *het gedenkboek Mr.Willem Bilderdijk*, Pretoria-Amsterdam-Potschestroom 1906, p. 21 e.v.; later verschenen: J. Wille, 'De orde van de zwaan' in *Literair-historische opstellen* 1963, p. 257-269; L.F.W. Adriaenssens, 'De afstammingswaan en de genealogische poezie van Willem Bilderdijk', *Jaarboek Centraal Bureau voor Genealogie...* 41 (1987), p. 229-258. Vgl. Van Eijnatten (1998), p. 278, 481; DW. III, p. 468, 469. Zowel in brieven aan zijn eigen dochter als aan zijn geheime jeugdige geliefde Katharina Wilhelmina Schweickhardt komt men Bilderdijks wens tegen dat ze zich overeenkomstig het eergevoel van hun hoge geboorte zullen gedragen. De hoge geboorte van zijn dochter volgt uiteraard uit Bilderdijks eigen status als 'Heer van Teisterbant', die van K.W. Schweickhardt hangt wellicht samen met het door Alberdingk Thijm in *De gids* van 1876 vermeld 'praatjen' dat zij een natuurlijke dochter zou zijn van Prins Willem V van Oranje: zie De Jong (1989), p. 34, J. Kloek over 'de affaire

Marie Madeleine Prinsen constateerde in haar dissertatie over de idylle dat in Holland alle achttiende-eeuwse theoretici het erover eens waren, dat men een braaf en deugdzaam mens moest zijn om een goede dichter te kunnen wezen.[940] Ook Bilderdijk schreef dat – op gezag van Strabo – in zijn anno 1780 bekroonde *Verhandeling*. Maar later heeft hij de genoemde eigenschappen met nadruk geïnterpreteerd in romantisch-heroïsche zin. En dus op een heel ander niveau dan dat van Justus van Effen als burgerlijk-novellistisch vertegenwoordiger van de Hollandse Verlichting. Van Effen maakte van het 'met een hordetje bedekt' raam van een voorkamertje gebruik om gebeurtenissen te bespieden van een formaat als de 'burgervrijage' van het dochtertje ener 'deugdzame' weduwe...[941] Voor Bilderdijk is de dichter niet alleen een heroïsche schepper die mythisch heldendom verbeeldt, maar hij is ook een priester uit een andere en hogere wereld, die de ziel van zijn lezers nader brengt tot de Godheid. En dit priesterschap heeft een heroïsch-martiaal karakter. Toen de negentienjarige Bilderdijk in 1775 meedong naar het 'eremetaal' in een literaire prijskamp, begon zijn lange gedicht *De invloed der dichtkunst op het staatsbestuur* met de volgende homerische vergelijking:

> Gelijk, op 't schor geluid van Mavors wapenkreet,
> Een jonge Hengst zijn' moed ten oorlog' voelt ontbranden;
> Met opgeheven' hals de forse borst verbreedt;
> Het schuimende gebit doet knarsen op zijn tanden;
> De lange maanen schudt; en snuivende in het rond,
> En rook en vlammen blaast; en op zijn sterke lenden,
> (Daar hij zijn' staalen hoef slaat in den weeken grond)
> Zijn' Ruiter vrolijk voert in 't dichtst van 's vijands benden:
> Niet anders voelt mijn geest zijn' ijver aangespoord,
> Om, in de wakkere rij van Febus' Gunstelingen,
> Door d'onverwelkbren glans der Lauwerkroon bekoord,
> Naar d'opgehangen' prijs, met fieren moed te dingen.[942]

Als een homerische krijgsheld streeft de dichter naar eeuwige roem en hij beoefent daardoor de in de achttiende eeuw alom geprezen deugd der eerzucht.[943] Maar wil de eer- of gloriezucht een waarachtige deugd zijn en blijven, dan moet ze zich volgens Bilderdijk

De Jong' in M. van Hattum e.a., *Een eeuw rare kostgangers. Vereniging Het Bilderdijk-Museum 1908-2008*, Amsterdam 2008, p. 203 en W.R.D. van Oostrum in *Het Bilderdijk-Museum* 22 (2005), p. 13 e.v.

940 M. Prinsen (1934), p. 236.

941 Verhandeling...², Amsterdam 1836, p. 9; zie Van Effens bekende novelle *Kobus en Agnietje*. Behalve bij Strabo vindt men in de Griekse oudheid de opvatting dat alleen een goed mens een goed dichter kan zijn, nog vermeld bij Aristoteles (*Rhet.* I, 2) en in de *Ranae* (1008-12; 1482-1502) van Aristofanes: zie Cooper (1922), p. 111; vgl. ook de *Ars Poetica* van Horatius: J. van Gelder, *Latijnse lyriek* (Klassieke bibliotheek, dl. VII), Haarlem 1949, p. 163, 176.

942 DW. VIII, p. 3.

943 De Vries (1995), p. 146; Van Eijnatten (1998), p. 43.

weten te verheffen boven alledaags, werelds niveau. Dat wil zeggen: boven het burgerlijk-opportunistisch streven naar onmiddellijke erkenning door de contemporaine (politieke, ideologische, literaire) machthebbers. Ik citeer uit het gedicht 'Naroem' van 1818:

> Neen, Dichtkunst is te groot voor 't beedlend roembejagen [...]
> Gods almacht is haar kring, Zijn hemel maakt haar doel.

De gloriezucht moet zijn veredeld tot een bovenpersoonlijke en bovenwerelds gerichte zucht naar waarheid en deugd, die stelling durft nemen tegenover de communis opinio.[944] De roemzuchtige en waarachtige dichter is een held die het aardrijk met de voet durft stoten om zich in de steile vlucht van de adelaar te verheffen tot de 'hemel' van 'Gods almacht'. Zijn koninklijke moed is te vergelijken met die van grote krijgslieden en stichters van wereldrijken. De dichtkunst:

> Ze eischt moed. De zelfde moed die Dwinglandkluisters breekt,
> Verheft den Dichter 't hart, die heemlengodspraak spreekt.[945]

Vergelijkbare romantische uitlatingen treft men aan bij Hölderlin, Novalis, Alfieri en later bij Victor Hugo, terwijl theoretici als Mercier, M.C. Curtius en later A.W. Schlegel er de nadruk op leggen dat de grote Griekse tragici Aeschylus en Sofocles zelf krijgslieden waren en als zodanig hun moed en dapperheid hebben bewezen.[946] 'Il dire altamente alte cose, è un farle in gran parte', schreef de zelfbewuste graaf en treurspeldichter Vittorio Alfieri in zijn verhandeling *Del principe e delle lettere* (1789). Evenals Bilderdijk – en met stevigere papieren – liet deze classicistisch geschoolde Italiaaanse 'Sturm-und-Dränger' zich voorstaan op zijn hoge geboorte. Toen hij zijn beide treurspelen over *Brutus* begon, schreef hij in rechtstreekse rivaliteit met Voltaire: 'Che Bruti di *un* Voltaire ... il tempo dimostrerá poi, se tali oggetti di tragedia si addicessero meglio a me, o ad un francese *nato plebeo* ...' Alfieri meende, in overeenstemming met Longinus, dat de dichter het grootse karakter van zijn held uitsluitend in zichzelf vindt: 'lo crea da sé, dunque lo ritrova egli in se stesso'.[947] Zo was ook Bilderdijk ervan overtuigd dat de verheven wereld van het

---

944 DW. VII, p. 203. De hier bedoelde opportunistische wereldse eerzucht verweet Bilderdijk aan zijn vroegere vriend Rhijnvis Feith: zie De Jong (Thirsa, 1957), p. 205-208; vgl. Van Eijnatten, p. 45, 105, 106, die wijst op Bilderdijks stoïsche afwijzing van de eerzucht in de jaren 1783-1785.

945 DW. VII, p. 199 ('De naroem'). Zie ook Bavinck (1906), p. 165 e.v. en Jacob Smit (1957), p. 95 e.v.

946 In Hölderlins hymne *Wie wenn am Feiertage* wordt het de taak van de dichter genoemd 'dem Volk im Lied gehüllt die himlische Gabe zu reichen'. Vgl. voor deze hymne: Jochen Schmidt (1985), p. 420-429. Voor Novalis: zie Wellek, dl. II (1955), p. 83. Een vertaling van M.C. Curtius' *Verhandeling over het oogmerk des treurspels* werd opgenomen achter de Nederlandse bewerking van *Aristoteles verhandeling over Dichtkunst...* (1780), p. 71; Mercier (1773), p. 21; Schlegel (Van Kampen, dl. I, 1810), p. 100.

947 Vittorio Alfieri, *Vita scritta da esso*, a cura di Luigi Galeazzo Tenconi Milano 1960, p. 260 (ik cursiveer). Men vgl. in deze zelfde uitgave (p. 323) de brief van 28 maart 1801, waarin Alfieri verklaart dat hij niet als 'burger' wenst te worden aangesproken! Zie voor Alfieri's heroïsch dichterschap ook Natalino Sapegno in zijn *Compendio di storia della letteratura italiana*,vijftiende druk, dl. II, Firenze 1961, p. 569 e.v. en Francesco Flora, *Storia della letteratura italiana*, dl. III, Verona 1950, p 995; Gethner (1983), p. 112, wijst erop dat de nobele karakters in de treurspelen van

heroïsche dichtstuk slechts beantwoorden kan aan een authentiek gevoel in de dichter, uit wiens eigen hart het treurspel ontspringen moet.[948] Het niveau van de aldus ontstane ideale 'Dichterwareld' impliceert een duidelijke afstand tot de gewone samenleving, die in de poëtische praktijk van het treurspel ondermeer wordt bereikt door het bewerken van 'koninklijke' themata uit de geschiedenis. Doelend op deze gewoonte, schreef Racine in het voorwoord van zijn *Bajazet* (1672): 'On peut dire que le respect que l'on a pour les héros augmente à mesure qu'ils s'éloignent de nous.' Het onderwerp van dit treurspel was van vrij recente datum maar daar stond tegenover dat de handeling zich afspeelde in Byzantium. De historische distantie werd met andere woorden vervangen door een geografische: 'l'éloignement des pays répare en quelque sorte la trop grande proximité des temps', meende Racine.[949]

Racines redenering betreft de variërende middelen waarmee een vaststaand principe tot dramatische uitdrukking kon worden gebracht. Het ging er uiteindelijk om dat de door vorstelijke status van de dramatis personae gecreëerde sociale afstand ook in poëtische zin werd geaccentueerd, doordat hun belevenissen werden geplaatst in de sfeer van het onbereikbare (het voorbije of onbekende en vooral het grootse). De karakters in de Westerse tragedie hebben altijd een heroïsch-mythisch formaat vertoond.[950] Het is juist deze essentiële eigenschap die door Bilderdijk wordt benadrukt in zijn treurspelverhandeling van 1808. Voor hem is het een *conditio sine qua non* dat de treurspelhelden eerbied en gezag afdwingen, doordat hun stand en hoedanigheden overeenkomen met de door het poëtische enthousiasme veredelde en vergode wereld, waarin de tragedie ons in wellustige zielsbetovering vermag op te voeren.[951]

In de al eerder genoemde voordracht over *Het verhevene* van Longinus, noemt Bilderdijk de eigenschappen waardoor een personage ons in deze zin verheffen kan. Deze eigenschappen zijn in de eerste plaats zedelijke en geestelijke grootheid, die voortvloeien uit de verhevenheid van ziel in de dichter.[952] Omdat de psychische en fysische vermogens van de mens ineenvloeien en het gevoel van het een iets overeenkomstigs in het ander oproept, meent Bilderdijk bovendien dat ook lichamelijke grootheid het verhevene kan opwekken. Volgens hem onderscheidden de 'Heldeneeuwen' zich ondermeer van de latere tijden door een indrukwekkender menselijke 'lichaamsgedaante'.[953] Wat zedelijk en geestelijk is, behoort volgens Bilderdijk tot de hogere wereld. Hij schrijft: 'Aangedaan te

---

Corneille een nobele geboorte veronderstellen en dat 'The evil advisor' gewoonlijk 'a man of low birth' is. Hiëronymus van Alphen, *Theorie...*, dl. I, Utrecht 1778, p. 86, wijst op de passus waarin Longinus spreekt over de uitwerking van het verhevene op de lezer, wiens ziel daardoor boven de natuur uit stijgt en vervuld wordt 'met enen edelen hoogmoed..., even als of wij, het geen wij lezen, zelven ondervonden hadden.'

948 Trsp., p. 144.

949 In het voorwoord bij de editie van 1676: Racine, (Fourcassié, 1917), p. 404, 405.

950 Hfdst. I, par. 2 (zie de verwijzing naar het vijftiende hoofdstuk van Aristoteles' *Poetica* in hfdst. IV, par. 1, noot 170.

951 Trsp. p. 146, 211.

952 TDV. II, p. 44, 50.

953 TDV. II, p. 44, e.v., 187; vgl. hfdst. VI, par. 2 en, voor de harmonie in de mens bij Bilderdijk, TDV. II, p. 22, 39, 59 e.v., benevens ons hfdst. IV. Typerend is een brief aan H.W. Tydeman van 1810: Tyd. I, p. 223.

worden door het geen Zedelijk en Geestelijk groot is, en niet dan door dit, heeft iets bovenmenschelijks in zich, en wat aan een hooger rang van wezens, aan een verhevener wareld eigen is; en de uitdrukking van zulk eene zielsgesteltenis moet noodwendig voor zoo verr' zy daar het gevoel van overbrengt, treffen en verheffen'.[954]

Evenals verschillende passages over de ideaal-theorie in hoofdstuk IV, is Bilderdijks zojuist weergegeven mening over de fysieke grootheid kenmerkend voor zijn totaliteitsdenken.[955] Bilderdijk ziet de geestelijke en zedelijke grootheid niet als op zichzelf staande gegevens. Ze gaan voor hem samen met kiesheid, beschaving en andere schone verhevenheid-scheppende elementen. Dat verklaart waarom de monarchist Bilderdijk – in aansluiting overigens op een eeuwenoude traditie – ondermeer het begrip *stand* hanteert als verheffende eigenschap van de dramatis personae. Kennelijk zou Bilderdijk het liefst halfgoden, hogere wezens, helden, engelen en geweldigen van voor de zondvloed in het treurspel zien optreden. Geschikt acht hij echter ook 'vorsten en wareldgrooten', en zelfs eventueel een geringer persoon: 'mits hij ons een 'eerbied, een ontzag afdwingen kan, *gelijk wij aan Vorsten bewijzen*. Een profeet bij voorbeeld, hoe gering ook van stand anders, maar door dit character *verheven,* eene Maagd van Orleans...' Bilderdijk stelt de later door Erich Auerbach als *Ueberholung der tragischen Person* aangeduide verheffing afhankelijk van de *sociale* (normaliter: vorstelijke) status der dramatis personae: de verheffing kan dan wat hoger of lager zijn, 'maar toch altijd boven de wareld der gemeene samenleving aanmerkelijk rijzende'.[956] Slechts de treurspelkarakters wier eigenschappen en *stand* voldoen aan de hier besproken voorwaarden, acht Bilderdijk blijkens zijn treurspelverhandeling in staat om een levend, op het hart brandend en geen rust latend belang in te boezemen.[957] Door deze, uit zijn ideaal-theorie voortvloeiende en bij de klassieke traditie aansluitende overtuiging, staat Bilderdijk lijnrecht tegenover de onder meer door Diderot en Lessing vertegenwoordigde opvattingen die het drama of 'burgerlijke treurspel' mogelijk maken, en waarvan trouwens al tendenties waarneembaar zijn in de zeventiende eeuw.[958] Met een beroep op Marmontel had Lessing in de *Hamburgische Dramaturgie* geschreven: 'Das Unglück derjenigen, deren Umstände den unsrigen am nächsten kommen, musz natürlicherweise am tiefsten in unsere Seele dringen.'[959] Evenals zijn 'discipel' die in het tijdschrift *De tooneelkijker* (1817) deze uitspraak van Lessing belachelijk heeft gemaakt, huldigde Bilderdijk zelf een radicaal tegengestelde mening.[960] En dat blijkt niet alleen uit de zojuist besproken passus van zijn in

[954] TDV II, p. 44.

[955] Zie Bavinck (1906), Bosch (1961) en Van Eijnatten (1998). Vgl. ook *Bilderdijks epos...*, uitgegeven door Isaac da Costa, Leeuwarden 1847, p. 19.

[956] Trsp., p. 146, 211, 212. Ik cursiveer.Vgl. Auerbach (1946), 332, 333, 383.

[957] Trsp., p. 146, 147.

[958] Zie hoofdstuk II.

[959] Lessing (1958), p. 57 (St. XIV).

[960] Het stuk in 'De Tooneelkijker' wordt besproken door Balk (1927), p. 93 e.v. Het door Balk op p. 97 weergegeven citaat bewijst dat de anonieme criticus met vrucht de geschriften van Bilderdijk had gelezen.

1808 geschreven treurspelverhandeling. In zijn jeugd had hij met instemming bij Gravina gelezen: 'Quanto le cose ci divengono famigliari, tanto meno corre sopra di esse la nostra avvertenza: perché la mente è sempre rapita dall' oggetto più raro, nel quale ravvisa qualch'attributo singolare, e distinto da gli altri oggetti.'[961] Het is dit beginsel, dat Bilderdijk in verband heeft gebracht met het formaat van de ideale treurspelheld... en daardoor tevens met het zedenkundige aspect van het treurspel. Al in een publicatie van 1780 stelde hij het 'vorstelijk treurspel' boven het drama of 'burgerlijk treurspel', omdat in de eerstgenoemde soort de Aristotelische zuivering van het medelijden intenser is. En dit vanwege het grotere belang dat juist de *koninklijke, hooggeplaatste dramatis personae* bij de toeschouwers of lezers weten op te wekken: 'Les malheurs des hommes illustres... font sur nous une impression plus profonde que les infortunes du vulgaire', had hij (ondermeer) bij Voltaire kunnen lezen.[962] Het ideale niveau van het treurspel blijkt voor Bilderdijk dus innig verband te houden met de sociale status van de personages en de zedelijke bedoelingen van het genre.

Volgens Bilderdijks ideaal-theorie moet de verheven 'Dichterwareld' van de tragedie overeenkomst blijven vertonen met de lagere werkelijkheid van de gewone samenleving. Dit houdt in dat de drijfveer van haar door stand en hoedanigheden indrukwekkende dramatis personae een idealisering moet zijn van de motieven die het optreden van gewone stervelingen bepalen. Vandaar dat Bilderdijk voor de karakteruitbeelding van de treurspeldichter verlangt: 'Wijsbegeerte, zoo de wijsbegeerte zielkennis is.'[963] Ook deze mening van Bilderdijk duikt niet voor het eerst op in zijn treurspelverhandeling van 1808. Al in zijn anno 1780 door de Maatschappij der Nederlandsche letterkunde bekroonde verhandeling over het verband tussen de literaire kunst en de wijsbegeerte wordt van de treurspelschrijver een grondige kennis van het menselijk hart geëist: 'die te putten is uit eene gegronde Zielkennis... met één woord, uit de Wijsgeerte.' Zo goed als Hiëronymus van Alphen, heeft Bilderdijk dit kunnen leren uit F.J. Riedels *Theorie der Schönen Künste und Wissenschaften*, van 1774.[964]

---

961 Dit citaat is uit Gravina's *Ragion poetica* (1708) Het werd door Bilderdijk vertaald en becommentarieerd in zijn bekroonde *Verhandeling over het verband van de dichtkunst en welsprekendheid met wijsbegeerte²*, Amsterdam 1836, p. 61, 62.

962 Brief navolger, p. 13, 14; Lion (1895), p. 276; Petsch (1910), p. XVI; Gallaway (1940), p. 234. Vgl. het slot van Canto XVII in de *Paradiso,* waar Dante schrijft: 'Che l'animo die quel ch'ode non posa / Ne ferma fede per esemplo ch'haia / La sua radice incognita e nascosa...'

963 Trsp., p. 151.

964 Verhandeling², p. 57, 58. Op p. 67 geeft Bilderdijk een opsomming van kundigheden die hij in de dichter noodzakelijk acht. Zie ook de opmerking van Pennink (1936), p. 55.

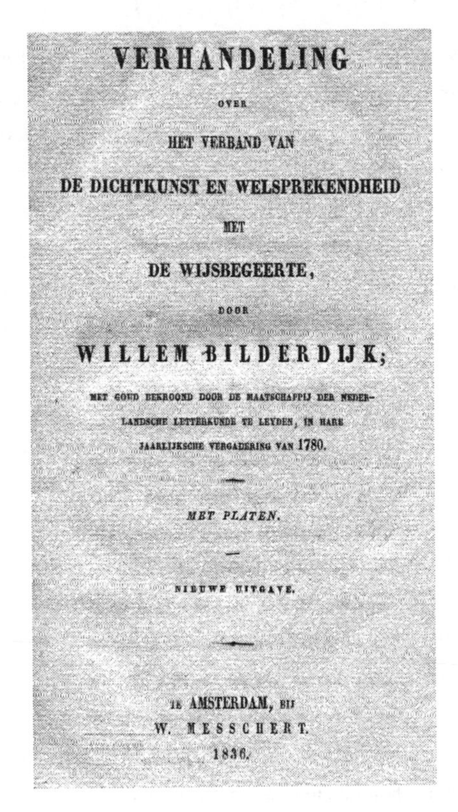
VERHANDELING

OVER

HET VERBAND VAN

DE DICHTKUNST EN WELSPREKENDHEID

MET

DE WIJSBEGEERTE,

DOOR

WILLEM BILDERDIJK;

MET GOUD BEKROOND DOOR DE MAATSCHAPPIJ DER NEDERLANDSCHE LETTERKUNDE TE LEYDEN, IN HARE JAARLIJKSCHE VERGADERING VAN 1780.

MET PLATEN.

NIEUWE UITGAVE.

TE AMSTERDAM, BIJ
W. MESSCHERT.
1836.

14. Titelblad van W.Bilderdijk, *Verhandeling over het verband van de dichtkunst en welsprekendheid met de wijsbegeerte* [1780], nieuwe uitgave, Amsterdam 1836, (met Ex Libris van Albert Verwey).

Hoe Bilderdijk zich de ideale karakteruitbeelding in het treurspel voorstelt, valt eigenlijk niet na te gaan in zijn zuiver dramaturgische geschriften. In laatste instantie blijkt dat pas uit zijn psychologisch-wijsgerige opvattingen over het verschijnsel mens. Een onderzoek daarvan leidt tot de conclusie dat Bilderdijk als ''s menschen prikkel en levensbeweging' het gevoel beschouwt. Het centrum van de mens is voor hem het *hart*. Van daaruit wordt het hele menselijke leven volgens Bilderdijk bepaald. Het hart is de kenbron van het verstand en de wortel van de wil. In dichtvorm formuleerde hij dit zo:

> Geheel ons zielsbedrijf, in aardsch en geestelijk woelen,
> Hangt aan 't gevoel van 't hart, en draait om deze spil.[965]

Wanneer Bilderdijk in 1805 over de heldenfiguur in het epos en de tragedie schrijft, verlangt hij dat de held in geen geval een koel en verstandelijk karakter zal hebben.

[965] Het citaat is uit het gedicht *Deugd, rein geloof*, van 1822, DW. V, p. 227. Vgl. hfdst. IV, IDV. I, p. 8, 9, 21 en Trsp., p. 137, 144, 156.

Gematigdheid en wijsheid verhinderen dat de held waarachtig belang inboezemt. De held moet 'bruischend' zijn en geen wijze voorzichtigheid vertonen. Zijn goede neigingen moeten zo weinig door wijze bedaardheid worden beheerst, dat ze ieder ogenblik kunnen ontaarden in de ondeugd die uit de overdrijving voortkomt. 'Zijn deugden moeten overgedreven zijn om te schitteren, zijn dapperheid in vermetelheid, zijn zucht tot gerechtigheid in gewelddadigheid, zijn verontwaardiging in grimmigheid, zijn toorn in woede overgaan'. Zodra de held ophoudt ons te verontrusten door de mogelijkheid 'dat hij in een oogenblik van gewicht, zichzelven ontvalle', is volgens Bilderdijk het dichterlijk belang verloren. Voor de held moeten wij daarom aanhoudend vrezen en hopen en 'geen rust in ons hart hebben ... tot dat het stuk uit is.'[966]

Bilderdijks opvatting van de held herinnert in zedenkundig opzicht aan de leer van Aristoteles die, op enkele uitzonderingen na, door alle theoretici van Chapelain tot en met Lessing werd aanvaard. Vandaar dat Rousseau in zijn bekende strijdschrift tegen het toneel (1758) kon opmerken: 'Un homme sans passions, ou qui les domineroit toujours, n'y sauroit intéresser personne; et l'on a déjà remarqué qu'un stoïcien, dans la tragédie, seroit un personnage insupportable.'[967] De held moet, zoals Vondel dat in een op Vossius geïnspireerde terminologie aanduidt: 'nochte heel vroom, nochte onvroom' zijn. Wat tot gevolg heeft, dat zijn goede eigenschappen tot onvrome aberraties kunnen leiden.[968] Bilderdijk spreekt over 'deugden' en 'ondeugden' van de held. En met de laatste heeft hij geen ondeugdzaamheid in de eigenlijke zin op het oog: 'maar zodanige (ondeugden) als goede neigingen noodzakelijk met zich brengen, wanneer zy door geene koele gemoedsgesteldheid in evenwicht worden gehouden'.[969] Er is dus, om met de Nederlandse Aristotelesvertaling van 1780 te spreken, geenszins sprake van 'boosheid', maar van 'een 'zwaren misslag' die bedreven wordt door iemand die noch uitmunt in deugd noch in boosheid', of – wat Bilderdijk met Aristoteles prefereert – door: 'zulk eenen, die eerder goed dan boos zij.'[970]

Volgens Bilderdijk moet de dichter-zielkundige zijn karakters zodanig uitbeelden, dat niet alleen de uiterlijke daad van het treurspel zichtbaar wordt, maar ook de wording daarvan in het hart van de dramatis personae. Als een middel daartoe duidt hij (wellicht op voorbeeld van Lessing) bij zijn *Cinna*-vertaling van 1809 het gebruik van de door Voltaire

---

[966] *Fingal*, dl. II, p. 97-103. Een samenvatting van Bilderdijks uiteenzetting vindt men in de door J. Bosch verzorgde uitgave: W. Bilderdijk, *De ondergang der eerste wareld*, Zwolle 1959, p. 32, 33, waar echter niet wordt vermeld dat deze beschouwingen over de held in het epos (blijkens p. 102 van Bilderdijks tekst) ook toepasselijk zijn op de held in de tragedie.

[967] 'Uitzonderingen' waren de Italiaan Minturino en Corneille. Men zie over deze kwestie: Spingarn (1924), p. 81 e.v.; Bray (1927), p. 315; Robertson (1939), p. 415-421; Kommerell (1940), p. 114 e.v., 122. Het citaat is uit: J.J. Rousseau, *Lettre à M. D'Alembert sur les spectacles* (uitg. L. Brunel), Paris 1896, p. 27.

[968] Smit, dl. II (1959), p. 294, 362, 363.

[969] *Fingal*, dl. II, p. 99.

[970] Aristoteles verhandeling (1780), p. 30 e.v; Van der Ben & Bremer (1986), p. 51, vertalen: 'iemand van, zoals gezegd, gemiddelde goedheid of beter maar niet minder: Mattioli (1956) vertaalt: 'un personaggio quale abbiamo detto prima [d.w.z.: colui che non si distingue in modo particolare né per virtù né per giustizia] o piuttosto migliore che peggiore. Vgl. Kommerell (1940), p. 73.

bestreden monoloog aan. Want de alleenspraak geeft toneelhelden immers gelegenheid hun eigen gevoelens en motieven zonder reserve voor de toeschouwer bloot te leggen.[971] Blijkens vroegere geschriften van ongeveer 1780, heeft deze psychische analyse een zedenkundige bedoeling. Bilderdijk meent dat door middel van de karakteruitbeelding de kiem kan worden blootgelegd waaruit het wangedrag van een treurspelfiguur is ontsproten: dit tot leringe van het publiek dat daardoor 'met siddering voor de broosheid zijner deugd' wordt vervuld en aldus behoed blijft 'voor den toegang tot de ondeugd'.[972]

Ten overvloede heeft Bilderdijk er in de aantekeningen bij zijn eerste Sofoclesvertaling de aandacht op gevestigd, dat de treurspeldichter geenszins aan de zedenleer voldoet door de simpele toepassing van de (in oorsprong Platoonse) formule van de dichterlijke gerechtigheid, die de beloning van de onschuld veronderstelt en de deugdzaamheid verbindt met de uiterlijke voordelen van het geluk der zegepraal. De zogenaamde 'justice poétique' was een omstreden kwestie in die tijd. Een criticus als Samuel Johnson toonde zich bijvoorbeeld ten zeerste geschokt door de ontknoping van Shakespeares treurspel *King Lear*, dat hij liever had zien eindigen met een happy end.[973] Blijkens een van zijn talrijke aantekeningenblaadjes, rangschikt Bilderdijk de redenering van Johnson onder de rubriek 'zotheden', omdat hij zelf van mening was dat de overwinning van de deugd geenszins 'een gelukkigen uitgang' van het treurspel impliceert.[974] In 1779 schreef hij dat de zegepraal van de deugd in de tragedie bestaat uit de levendigste schildering van haar inwendige beminnelijkheid. Hij licht deze uitspraak toe met een verwijzing naar Voltaires *Mahomet*, waar de triomferende boosheid ons met afschrik vervult.[975] Ik acht het niet uitgesloten dat Bilderdijk dit voorbeeld heeft ontleend aan Mercier, hoewel hij ook bestrijdingen van de 'justice poétique' heeft kunnen aantreffen bij Brumoy, Voltaire of Lessing, en al evenzeer bij zijn landgenoten Pieter Bernagie en Hiëronymus van Alphen.[976]

Bilderdijks treurspelverhandeling van 1808 bevat interessante bijzonderheden over de zedenkundige karakteruitbeelding. Hij verdedigt de bekende opvatting dat de zedenleer niet met opzettelijkheid en van buitenaf in het treurspel dient te worden gebracht maar als onderdeel van de handeling natuurlijkerwijze moet voortvloeien uit het optreden en de ontboezemingen van de personages.[977] De toneelschrijver moet de dichterlijke gerechtigheid zodanig toepassen, dat hij het hart van de toeschouwers treft en 'tusschen het

[971] DW. XV, p. 147; Lessing (1958), p. 192 (St. 48).

[972] Verhandeling², p. 57, 58; Bosch (1955), p. 49.

[973] Walter Raleigh, *Johnson on Shakespeare*, Oxford 1908, p. 161 e.v.

[974] Hschr. in het *Letterkundig museum* te 's- Gravenhage, nr. B 583, adversaria 3.

[975] DW. III, p. 477.

[976] Mercier (1773), p. 252. Het probleem van de 'dichterlijke gerechtigheid' kwam al ter sprake in hfdst. I, laatste deel van paragraaf 1; vgl. ook het slot van hfdst. IX, noot 523.

[977] Trsp., p. 151 en 224. In het *Voorbericht* bij zijn vertaling van het Duitse blijspel *Der Gasthof*, schrijft Jacob Lutkeman: 'Het onderwerp waaröp de handeling van een Tooneelspel gebouwd word, kan of behoeft juist altoos geen rechtstreeksche zedeleer in zich te vatten: deze moet echter door de wijze van voorstelling en eene verstandige behandeling daarüit altoos afgeleid, of door een 'nauwkeurigen oordelaar daarïn gevonden kunnen worden.'

boze en het goede volstrekt geene onzijdigheid toelaat.'[978] Dit laatste zou moeten worden bereikt door de zojuist aangeduide analytische karakteruitbeelding, waarover Bilderdijk al ongeveer dertig jaar vroeger had geschreven en die al vóór hem ter sprake kwam bij auteurs als M.C. Curtius (1753) en Melchiore Cesarotti (1762).[979] In zijn treurspelverhandeling toont Bilderdijk zich niet bepaald optimistisch over de mogelijkheden van deze methode. Hij schrijft dat de psychische exploratie naar de eerste bron van de hartstochten en hun verdere ontwikkeling een typisch dichterlijke taak is, waarvan het volmaakte resultaat een verheven 'leerschool der zedelijke misdrijfwording, harer voorbehoeding, en genezing' kan zijn. Maar, zo meent Bilderdijk in 1808: *dit is onmogelijk te realiseren in een toneelstuk*! Een treurspel is te kort om dit hele psychische proces van ontkieming tot uitwerking te kunnen bevatten, en het heeft bovendien de grondeigenschap dat het bestaat uit handeling en niet uit verhaal. Afgezien daarvan, ontbreekt in de schouwburg ten enenmale de ernstige aandacht die een dergelijke karakteruitbeelding tot een verheven genot zou kunnen maken. Het publiek zoekt verstrooiing en niets meer. En ook al zou de schuld niet bij de mentaliteit van het publiek en de sfeer van de schouwburg liggen, dan nog ware de hier bedoelde zedenkundige karakteruitbeelding onmogelijk. Want het treurspel bevat als dichtstuk de voorstelling van een daad door middel van handelende personen; het eist daarom volgens zijn aard dat de dichter zich niet verdiept in psychische nuances maar schildert 'en gros', met een zekere vluchtigheid en met 'groote trekken'.[980]

Men kan zich na deze redenering afvragen, hoe de treurspeldichter het voor elkaar moet krijgen om te voldoen aan de tevoren gestelde eis dat er geen twijfel tussen het kwade en het goede mag openblijven. Het antwoord is dat Bilderdijk zelf aan deze mogelijkheid heeft getwijfeld. Elders in zijn verhandeling schrijft hij dat het treurspel eigenlijk geen middelen heeft om te vermijden dat er door de lotgevallen van een heldenpersonage een onzekerheid in de zedelijke beginsels van het grote publiek ontstaat. De dichter kan zijn karakters uitbeelden zo hij wil, maar de 'zwakke hoofden... van den grooten hoop' zijn nu eenmaal niet in staat: 'om een schijnbaren en voor den dader bedrieglijken beweeggrond van eenen waarachtig rechtvaardigende grond te onderscheiden...'[981]

2. De stijl van het treurspel

Bilderdijks mening over de stijl van de treurspeldichter treedt bijzonder duidelijk aan het licht uit een kanttekening in het Latijn die hij (vermoedelijk na 1795) heeft geplaatst in zijn handexemplaar van de *Hamburgische Dramaturgie*. Met een beroep op Diderot, vraagt Lessing zich af, waarom de helden uit een modern treurspel niet zouden spreken als

[978] Trsp., p. 149; vgl. p. 148, 151.

[979] Voor Curtius: zie Petsch (1910), p. XLI; voor Cesarotti: Bigi, dl. IV (1960), p. 5.

[980] Trsp., p. 233-237.

[981] Trsp., p. 203.

gewone mensen: 'Was können wir für Ursache haben, sie... immer eine so geziemende, so ausgesuchte, so rhetorische Sprache führen zu lassen?'[982] Volledig in overeenstemming met zijn ideaal-theorie noemt Bilderdijk als enige oorzaak: 'dat het geen gewone mensen zijn, maar dat ze daarboven zijn gesteld: ze zijn namelijk halfgoden of helden ...' Hun taal is derhalve boven de natuur verheven en behoort tot de heldenwereld. De aard van die taal wordt *niet* bepaald door het volksgebruik, 'doch door een zekere poëtische idee, waartoe de natuur zelf ons kan verheffen'. Het is met de poëzie zoals met de schilderkunst, zo vervolgt Bilderdijk: 'Ik zal het beeld berispen dat mij een mens van gewone gestalte toont, niet alsof de mensen anders zijn, maar omdat wij hen anders moeten weergeven, opdat daardoor ware kunst ontsta.'[983]

Wat in de retorica der antieken het 'genus sublime', 'grande' of 'grave' wordt genoemd (Longinus: de 'verheven dictie'), acht Bilderdijk een zo vanzelfsprekende uitingsvorm van de ideale helden der tragedie dat hem een uitweiding daarover zelfs overbodig voorkomt in zijn treurspelverhandeling.[984] Inderdaad vindt men de van de gewone samenleving afwijkende uitdrukkingswijze, waardoor de treurspelstijl 'van het lage en gemene ontheven' wordt, al voorgeschreven in de poëtica's van Aristoteles en Horatius, en nadien in die van hun vele navolgers. Als voorbeeld in Nederland noem ik Rhijnvis Feith, die in 1793 eenvoudig constateerde dat het 'naar een ideaal vervaardigd' vorstelijk treurspel ook 'eene ideale taal van noode heeft.'[985] Tot op de dag van vandaag kent men het probleem van de 'dramatische stijl' of 'toneeltaal', die wordt gekenmerkt door een zekere distantie ten opzichte van het werkelijke leven.[986] Hoe zeer de idee van verhevenheid voor en tijdens het leven van Bilderdijk de stijl van het treurspel heeft beïnvloed, wordt de hedendaagse lezer duidelijk als hij zich enige tijd verdiept in *verschillende* treurspelen uit de zeventiende- en achttiende eeuw. Het blijkt dan dat alleen aan bepaalde uitdrukkingswijzen de kracht werd toegekend om de vereiste afstand boven de normale werkelijkheid te scheppen. De ideale helden van Corneille, Racine en talrijke andere treurspelschrijvers uiten zich in een bepaald tragediejargon, dat weinig of geen penetratie uit de taal van de gewone wereld toelaat.[987] In zijn anno 1780 bekroonde

---

[982] Lessing (1958), p. 233-235 (St. 59).

[983] Bilderdijk schreef zijn Latijnse aantekeningen (met allerlei afkortingen) in de marge van zijn handexemplaar van de *Hamburgische Dramaturgie*, dat thans aanwezig is in het Bilderdijk-Museum te Amsterdam (vgl. hfdst., XV, par. 3, noot 844 over Lessing.) De tekst van de *hier* bedoelde aantekeningen werd al eerder gepubliceerd in E.F. Kossmann, *Holland und Deutschland. Wandlungen und Vorurteile*, Den Haag 1901, p. 36.

[984] Trsp., p. 187; vgl. DW. XV, p. 26.

[985] Aristoteles verhandeling, p. 57 (hfdst. XXVII, 1459 a; Mattioli, p. 106). Voor Horatius zie de Nederlandse vertaling met inleiding van Jan van Gelder in *Latijnse lyriek* (Klassieke bibliotheek, dl. VII), Haarlem 1949, p. 157 e.v.; Rhijnvis Feith, Iets over het treurspel ...(herdruk), Rotterdam 1825, p. 107. Schrijvend over de treurspelstijl in de eerste helft van de achttiende eeuw, constateert De Haas (1998), p. 167: 'de treurspeltaal lijkt een eigen leven, los van de personages te leiden'.

[986] S. Chaouche, *L'art du comédien. Déclamation et jeu scènique en France à l'âge classique (1629-1680)*, Paris 2001; P. Larthomas, *Le langage dramatique*, Paris 1972; M. Rutten, *Inleiding tot de literatuur*, Amsterdam-Antwerpen, 1956, p. 61.

[987] Van Schoonneveldt (1906), p. 144 e.v. Voorbeelden in Bilderdijks dramatische robinsonade *Zelis en Inkle* en in Feiths treurspel *Thirsa* bij De Jong (robinsonade, 1958), p. 250, noot 1.

Verhandeling schrijft Bilderdijk dat de dichter zijn werk al kan 'bezwalken' als hij een vergelijking maakt met 'een onwaardig voorwerp.'[988] En de door de traditie en zijn eigen ideaal-theorie noodzakelijk geachte selectie in de woordschat, doet hem in 1795 verklaren dat hij het niet wagen zou een 'gemeen ding' als een *molen* 'in den deftigen treurstijl' te noemen.[989] Deze uitlating is niet zo vreemd als de hedendaagse lezer geneigd is te geloven. Ze wordt begrijpelijk als men haar plaatst tegen de achtergrond van de door Hiëronymus van Alphen geciteerde verzen uit Boileaus *Art poétique*:

> D'un seul nom quelquefois le son dur ou bizarre
> Rend un poëme entier ou burlesque ou barbare.[990]

Corneille verontschuldigde zich omdat hij in zijn *Polyeucte* het woord 'sucre' had geschreven; la Harpe gaf zich moeite om uit te leggen dat het door Racine gebruikte woord 'chien' door de inwerking van 'l'élégance et l'harmonie' was veredeld; Voltaire toonde zich in 1776 ernstig gechoqueerd door het woord 'mouse' in Shakespeares *Hamlet*; Geoffroy verklaarde rond 1810 dat het woord 'bijoux' niet, maar 'diamants' wel edel genoeg was voor de tragische stijl; en pas in 1823 maakte Stendhal zich vrolijk over het feit, dat een woord als 'pistolet' voor de treurspeldichters taboe was verklaard.[991] Wie trouwens de kritiek van het Nederlandse tijdschrift *De Tooneelkijker* (1817) op Lessings *Emilia Galotti* leest, ervaart dat dit stuk al min of meer a priori als treurspel was veroordeeld, vanwege het gebruik van de woorden 'aap', 'koppelaar', 'reebok' en 'mormeldier'. Voor het heel wat minder ruwe woord 'rakker', meende de Nederlandse dramaturg Fr. Lentfrinck zich (in 1764) bij zijn lezers te moeten verontschuldigen.[992] Dat het bij de treurspelstijl niet alleen om verheven gevoelens maar ook om een zekere 'bienséance' in de woordkeus gaat, blijkt al uit geschriften van zeventiende-eeuwse theoretici. Typerend is het standpunt van Chapelain, die geen bezwaar had tegen 'sales amours' als ze maar voor het voetlicht werden gebracht 'avec des paroles honnêtes!'[993]

Bilderdijk spreekt van de 'kiesche beschaafdheid 'in de stijl en ziet die kennelijk in verband met de innerlijke beschaving van de dramatis personae. Zowel in 1779 als in 1809 eist hij bijvoorbeeld dat de houding en de woordkeus van de vrouwelijke toneelfiguren in overeenstemming zullen zijn met de zedigheid die mag worden verlangd volgens de geldende omgangsvormen. Hoe belangrijk Bilderdijk de stilistische kiesheid acht, blijkt uit de inleiding bij zijn vertaling van Corneilles *Cinna*. Het heet daar dat hij bepaalde

[988] Verhandeling², p. 96.

[989] DW. IV, p. 470.

[990] Van Alphen, dl. I (1778), p. 158; Boileau (Boudhors, 1939), p. 103 (Art. p., Ch. III, vs. 243, 244), vgl. p. 83 e.v. (Art p., Ch. I, vs 79 e.v.). Vgl.Larthomas (1972), hfdst.V: 'L'unité du ton', p. 295 e.v.

[991] Van Schoonneveldt (1906), p. 68 e.v.; La Harpe, *Lycée...*, dl. VI (1823), p. 229; Wellek, dl. I (1955), p. 36; H. Beyle, Stendhal, (1854), p. 176; Eggli, dl. I (1927), p. 350. Vgl. Folkierski (1925), p. 255 over Dubos.

[992] Balk (1927), p. 99 (Vgl. de in dit werk op p. 92 geciteerde kritiek van Barbaz); M. Prinsen (1934), p. 173.

[993] Scherer, p. 386. Vgl. hierover Bray (1927), p. 228.

uitdrukkingen die bij Corneille 'beneden het Treurspel' waren gebleven, heeft moeten verheffen tot het ideale niveau dat de gewone samenleving achter zich laat. Pas de latere Franse toneeldichters munten volgens Bilderdijk uit in de ware kiesheid der beschaving.[994]

Dat Bilderdijk de versvorm als normaal voor de tragedie beschouwde, zal na het voorafgaande geen verwondering wekken. Het is daarom te meer opmerkenswaard, dat hij – althans in de praktijk van zijn onuitgegeven en onvoltooid werk – als dramatisch *dichter* rond de eeuwwisseling even onder invloed is gekomen van de toenmalige pogingen tot het scheppen van een treurspelstijl in proza. Maar in geen enkel van zijn *theoretische* geschriften heeft hij het proza als geschikte taalvorm voor de tragedie verdedigd. Voor Bilderdijk was het treurspel in de eerste plaats een 'Dichtstuk'. Evenals Feith, meende hij derhalve dat het ideale taalniveau van de tragedie slechts bereikt kon worden door 'de toverkracht der verzen'.[995] Ofschoon zo iets al (sporadisch) voorkwam in de praktijk van het Franse treurspel in de zeventiende eeuw, verdient het onze aandacht dat Bilderdijk in publicaties van 1779 en 1808 uitdrukkelijk heeft gepleit voor een zekere afwisseling in de versificatie van het treurspel.[996] Bilderdijk was een groot bewonderaar van de Nederlandse alexandrijn, maar hij meende desondanks dat ook kortere verzen in de tragedie konden worden gebruikt en dat bovendien de jambische maat nu en dan moest worden afgewisseld door trocheeën en spondeeën.[997] Gedurende zijn hele dichterlijke loopbaan heeft hij zich trouwens verzet tegen de mode van de eentonige jambische verzen, die volgens hem te wijten was aan de invloed van Rotterdamse nabootsers van Dirk Smits, onder aanvoering van 'den gladden Maaspoëet' Badon en van Klara Ghyben. Wat Bilderdijk wenste, was verscheidenheid van toon en val, uitdrukking van hartstocht, en de 'stoute nepen' die hij typerend achtte voor het ware dichterschap.[998] Dat Bilderdijk diep overtuigd was van de moeilijkheid om de juiste 'stijl en toon' van het treurspel te treffen, blijkt uit brieven van 1780 en 1806.[999] Dit stilistische probleem is mede van invloed geweest op zijn mening over de toekomstmogelijkheden van de treurspel in de negentiende eeuw.

3. Verheffing en kiesheid

Bij de behandeling van Bilderdijks denkbeelden over de uitvoering van de tragedie (in hoofdstuk VI) is gewezen op zijn uit de ideaal-theorie verklaarbare overtuiging dat de autonome dichter zich onmetelijk ver verheven moet voelen boven 'des Schouwspelers uitdrukking (en) de uitvoering des Tooneels.' Deze uitspraak is uit 1808, maar als wij haar

994 Bosch (1955), p. 48 en DW. XV, p. 144. Zie voor de Cinna-vertaling hfdst. XI van het *Eerste Boek*. Men vgl. in dit verband Bilderdijks kritiek op Trissino's treurspel *Sofonisba*: zie hfdst. XII.

995 Feith (1793-1825), p. 107. Vgl. hfdst. I, paragraaf 2. (Voor Bilderdijks standpunt omstreeks 1798: zie de Inleiding bij het *Eerste Boek*.)

996 DW. III, p. 474; DW. VII, p. 408. (Vgl. Scherer, p. 361 e.v.)

997 Bilderdijks bewondering voor de alexandrijn werd besproken in hoofdstuk XI van het Eerste Boek, n.a.v. zijn vertaling van Sofocles' *Oedipus Rex*.

998 DW. XIV, p. 495; DW. XV, p. 70, 71; Br. II, p. 165; NTDV II, p. 118.

999 Bosch (1955), p. 74; Br. II, p. 115.

vergelijken met het voorbericht bij het 'ter openbare voorlezing' bedoelde dichtstuk *Leydens ramp* uit hetzelfde jaar, doen wij een merkwaardige ontdekking. Bilderdijk schrijft daar dat een voor de voordracht bestemde poëtische tekst heel aparte eisen stelt, die onmogelijk met bepaalde eigenschappen van de normale (lees-)poëzie zijn te verenigen.[1000] De schrijver van zo'n soort dichtstuk moet nu eenmaal concessies doen aan de declamator. Aangezien het treurspel bij uitstek een voor te dragen 'Dichtstuk' behoort te zijn, geldt het zelfde voor de dichter van een tragedie... wat onherroepelijk impliceert dat de wereld van het treurspel niet alleen kan berusten op het verheven poëtisch ideaal. Het treurspel veronderstelt vanwege de dichter een zekere afdaling tot het niveau dat bereikbaar is voor de nabootsende kunst van de acteur: een niveau dat door de acteur met het nodige theatrale effect in de praktijk kan worden gerealiseerd. Deze aanpassing aan de schouwburgpraktijk dwingt de treurspeldichter tot het schilderen 'en gros'. In de eerste paragraaf van dit hoofdstuk is al aangetoond dat deze schildering met 'groote trekken' een bedreiging van de *zedenleer* in het treurspel tot gevolg heeft. Maar het monsterverbond tussen ideaal en praktijk leidt ook tot een rechtstreekse ondermijning van de *verhevenheid*, die volgens Bilderdijks juist 'het wezen des Treurspels' uitmaakt. Dit aspect eist meer ampele bespreking.

Uit de vorige hoofdstukken en paragrafen is gebleken, dat belangrijke voorwaarden voor de tragische verhevenheid de 'deftige eenvoudigheid' en de 'kiesche beschaafdheid' zijn: de eerste bewondert Bilderdijk vooral in de oude Griekse treurspelen, en de tweede beschouwt hij als een kenmerkende eigenschap van de Franse tragedie na Corneille. De kiesheid is niet alleen een kwestie van stijl. Ze betreft ook de wijze van uitbeelding in het algemeen en raakt daardoor de karaktertekening en het probleem van de toneelillusie. In aansluiting bij de Frans-classicistische traditie en in overeenstemming met veel andere theoretici, vond Bilderdijk dat gruwelijkheden en aanstotelijke zaken uit het treurspel moeten worden geweerd.[1001] In 1779 tekende hij protest aan tegen het vertonen van een 'verhangeling', welke voorstelling hij – in tegenstelling tot het toedienen van een snelle ponjaardsteek – volkomen in strijd achtte met de kiesheid omdat daarbij te lang en te intens de aandacht op het gruwelijke van de dood wordt gevestigd. Soortgelijke protesten tegen uitgewerkte voorstellingen van de dood en van akeligheden als razernij, komen voor in de verhandeling *Het treurspel* van 1808, en in de *Bydragen tot de Tooneelpoëzy* van 1823.[1002]

Toch ligt dit probleem voor Bilderdijk niet zo eenvoudig. Dat blijkt al als men kennis neemt van een andere desbetreffende passus uit zijn treurspelverhandeling. Bilderdijk behandelt daar het Horatiaanse *Multa tolli ex oculis* niet alleen in verband met het afzichtelijke dat de kiesheid bedreigt en derhalve beneden de waardigheid van het

[1000] DW. XV, p. 129.

[1001] Vgl. Hfdst. VI, par. 2, over de uitvoering van de tragedie. (Zie voor de houding van de Nederlandse dramaturg W.H. Warnsinck: Hunningher -1931-, p. 31.)

[1002] Bosch (1955), p. 47, 48; Trsp., p. 232; Bydragen, p. 81.

treurspel 'neêrzinkt'. Hij vestigt ook de aandacht op een ander aspect van dit voorschrift. De dichter moet niet alleen voorstellingen vermijden die een hatelijk of gruwelijk uitwerksel hebben, maar ook die welke 'geene uitwerking in 't geheel doen'... omdat ze te *gewoon* ('algemeen'), of te nietig zijn. Het is gemakkelijk in te zien dat het kleine en alledaagse in strijd is met Bilderdijks ideaal-theorie. 'Niet dan wat groot, wat breed, wat stout is, doet werking', staat er in zijn treurspelverhandeling. De aard van de tragedie eiste volgens hem dat de treurspeldichter werkt 'met groote trekken, breede massen, en zware treffende lichten en schaduwen'. En in een brief van 1810 lezen we, dat de 'Ethica des tooneels' onherroepelijk de overdrijving impliceert: 'Alles moet sterker spreken, alles sterker geteekend en gekleurd zijn dan in de Natuur plaats heeft of plaats kan of moet hebben. Zonder dit is tooneelpoëzy een schilderij van Van der Werf, boven een gallerij-boog gehangen; flaauw en verdwijnend, en dus zonder belang.[1003] Herinneren we ons in dit verband ook Bilderdijks mening over de boven de gewone spreektaal verheven wijze, waarop de verzen van het treurspel met pracht en grootsheid op het toneel dienen te worden voorgedragen. Dat alles blijkt dan veel overeenkomst te vertonen met hetgeen de Italiaanse tonelist Luigi Riccoboni al opmerkte in 1740: 'Quant à moi j'ai toujours cru, et je n'étais pas seul de mon opinion, que la nature toute simple, et toute pure serait froide sur la scène, et j'en ai vu l'expérience en plusieurs comédiens. Ainsi suivant ce principe, j'ai pensé qu'il fallait un peu charger l'action, et sans trop s'éloigner de la nature ajouter quelque art dans la déclamation: de même qu'une statue qu'on veut placer dans le lointain doit être plus grande que nature, afin que malgré la distance les spectateurs la distinguent dans le point d'une juste proportion.'[1004]

Ten aanzien van Bilderdijks theorie meen ik dat hier een contradictie dreigt. De (Griekse) eenvoud en de (Franse) kiesheid komen in het gedrang. Dit is nog duidelijker waarneembaar in de lezing *Over het treurspel der Ouden in de uitvoering*, die Bilderdijk in 1810 heeft opgesteld. Uitgaande van het gegeven dat de ideale 'Dichterwareld' van het treurspel evenredig moet zijn aan het menselijk bevattingsvermogen en dat de huidige denkwijze nu eenmaal verder ontwikkeld is dan die van de oude Grieken, meent Bilderdijk dat men niet langer volstaan kan met de enge omvang van de Attische treurspelwereld. Bilderdijks tijdgenoten hebben het recht 'iets van grooteren omvang' te eisen dan wat volstaan kon in de tijd van Sofocles. En, zo vervolgt Bilderdijk: 'Men kan dus, naar ik tegenwoordig de zaak inzie, thands onmooglijk met den eenvoud der Grieken vergenoegen.' Volgens hem werd deze waarheid al ingezien door de Fransen, die daarom de daad verdubbelden doormiddel van hun episoden ... '*om de eenheid daaraan op te offeren*'. Hij vervolgt: '*En dus zal het altijd met ons zijn.* Onze ziel bevat weinig, en gevoelt dit gebrek; zy wil meer, en verliest alles.' Het moderne treurspel is volgens deze

---

[1003] Trsp., p. 233-236; vgl. p. 150, 198, 199; Tyd. I, p. 213. (Vgl. Bilderdijks mening over de 'herkenning' in hfdst. V, par. 1.)

[1004] Riccoboni (1740), p. 135.

lezing 'in zijnen aart de handeling – zelve'. Vandaar dat de toeschouwer zich niet meer tevreden kan stellen met het 'bloot aanschouwen van lijken' of het aanhoren van klachten voor en na eigenlijke handeling. Hij wil nu de gebeurtenissen zelf zien, want de tragedie is een '*spel of vertooning*' geworden.[1005]

Het lijkt me dat door dergelijke beschouwingen niet alleen de 'deftige eenvoudigheid' maar evenzeer de 'kiesche beschaafdheid' op de helling komt. Dat deze laatste mogelijkheid in de praktijk bestond, is elders al gebleken uit de wijze waarop Bilderdijk een actrice adviseerde om door de vertoning van het 'stoute' en 'treffende' een effect te bereiken dat tevoren achterwege bleef door de kleinheid van het vertoonde. Het resultaat was verbluffend maar betekende tevens 'ensanglanter la scène', wat Bilderdijk verwerpelijk moest achten uit het oogpunt van kiesheid en goede smaak.[1006] De kiem van hetgeen hiervoor is besproken, blijkt overigens ook al theoretisch aanwezig in de verhandeling *Het treurspel* (1808). Bilderdijk schrijft daarin wel dat de tragedie 'in zijnen aart en wezen *Dichtstuk'* zal zijn, maar tevens eist hij dat de treurspeldichter van het voorrecht gebruik zal maken *'om aan het oog voor te stellen*, wat door het gehoor niet dan een te zwakke aandoening verwekken kon. En daarom moet hij 'door schoone verzen het gebrek aan *wezendlijke handeling* niet wanen te kunnen vervullen...'[1007] Dat de 'grooteren omvang', de 'vertooning' en het 'aan het oog voorstellen', moeilijkheden veroorzaken voor de bij de Grieken zo bewonderde *eenvoud*, zegt Bilderdijk zelf in het tot dusver besproken gedeelte van zijn voordracht over de uitvoering van de antieke tragedie. Maar ook de *kiesheid* en de *beschaving* waarin de Fransen uitmunten, lopen een groot gevaar. En dat niet alleen, omdat de 'wezendlijke handeling' blijkbaar het maken van lijken veronderstelt in plaats van de 'bloote aanschouwing' daarvan. In zijn voordracht van 1810 zegt Bilderdijk dat de Fransen de *dichterlijke geestdrift* en de poëzie hebben gefnuikt. De helaas in Nederland als navolgenswaardige voorbeelden beschouwde Franse dichters, maakten de poëtische stof tot een voorwerp van de verbeeldingskracht en de wijze van uitdrukking tot 'eene byzondere soort van Redekunst.'[1008] Deze uitspraak wordt duidelijker als men haar vergelijkt met Bilderdijks beschouwingen over het Franse treurspel en over het verschil tussen Corneille en Racine, zoals die twee jaar tevoren werden geformuleerd in zijn verhandeling *Het treurspel* en in zijn leerdicht *Het tooneel.* Bilderdijk brengt de zojuist genoemde fouten van de Fransen daar in onmiddellijk verband met de navolging van Racine. Deze dichter blinkt uit in beschaving en gekuiste smaak, maar door zijn 'opbruischend vuur' overtreft Corneille hem in verheffing.[1009] En wij weten dat het Bilderdijk juist om de *verheffing* te doen is ...

[1005] TDV. I, p. 178-184. Ik cursiveer.

[1006] Trsp., p. 231 (Vgl. hfdst. VI, par. 2.)

[1007] Trsp., p. 147, 149, 150. Ik cursiveer.

[1008] TDV. I, p. 192.

[1009] Trsp., p. 134, 196, 202; DW. VII, p. 412; zie ook de *Voorafspraak* van 1779, waar de kwalificaties 'verheven Corneille' en 'teederen Racine' voorkomen (DW. XV, p. 4). (Vgl. voor een meer uitgebreide behandeling hfdst. XVI, par. 2.)

In Bilderdijks *Bydragen tot de tooneelpoëzy* van 1823 kan men lezen dat het waarachtig gevoel voor toneelpoëzie in de 'ruwer dagen der kunst minder zeldzaam geweest schijnt te zijn dan na de beschaving der Fransche Tooneelwetgeving'. De laatste heeft als het ware 'een algemeene tabel ter remplissage' voorgeschreven, zodat de dichter alleen maar 'afgelijnde vakken' hoeft in te vullen, als ware hij slechts een 'Statist of Buralist'.[1010] Deze (Franse) bedreiging van het dichterlijk initiatief wordt niet genoemd in de voordracht *Over het treurspel der Ouden in de uitvoering,* van 1810. Maar daarin vindt men wél een aanval op de beschaving in het algemeen. Bilderdijk noemt de cultuur weliswaar onmisbaar, maar hij meent (misschien wel op voorbeeld van Vico, Herder of Diderot) dat ze een bedreiging vormt voor de ware poëzie. Want de beschaving heeft aan de mensheid niet alleen de vatbaarheid voor een bovennatuurlijke en hogere wereld ontnomen waarin het wezen der dichtkunst ligt, maar ze heeft bovendien de poëzie teruggebracht tot 'een staat van Conventie'. De verheffing in de tragedie is volgens Bilderdijk onmogelijk geworden, omdat de door kiesheid gesaneerde treurspelstijl ons niet meer meevoert tot boven het normale levensniveau. Zelfs de 'krachtigste uitdrukkingen die op de bezieling aller voorwerpen gegrond waren' zijn door herhaalde navolgingen tot 'bloote figuren en spreekwijzen' geworden, waarbij men iets anders denkt en verstaat dan men zegt. Het 'opbruischend vuur' wordt geblust door het gebruik van de kiese en beschaafde dichtertaal, die door gematigdheid of uitslijting de kracht mist om het verheffend dichterlijk gevoel op de toeschouwer of lezer over te dragen. Vandaar, zo vervolgt Bilderdijk, 'dat de *kieschheid* onzer tegenwoordige dagen zich zoo moeilijk met *ware* en enigszins volkomene *Dichtkunst* verenigen laat. Die kieschheid toch is niet anders dan een zich onderwerpen aan eene ondichterlijke wijze van zien.'[1011]

Ondichterlijk: dat wil zeggen *zonder verheffing*. De consequentie is duidelijk. Het verhevene, waarbuiten het treurspel ingevolge de ideaal-theorie nu eenmaal niet bestaan kan, moet worden geforceerd ten koste van de beschaving en de kiesheid, wier middelen immers niet alleen falen in het oproepen van de verhevenheid maar die zelfs tegenwerken. Voor de overdrijving, de grove effecten, de 'breede massen en zware treffende lichten en schaduwen', kortom: voor de om toneeltechnische redenen vereiste eigenaardigheden van het treurspel en het verheffend gevoel van zijn dichter, bestaat niet langer de rem van wat de Fransen 'le bon goût' noemen. Het is als met de verhouding tussen 'le goût' en 'le génie', zoals omschreven in Diderots *Encyclopédie:* 'Le goût est souvent séparé du génie. Le génie est un pur don de la nature; ce qu'il produit est l'ouvrage d'un moment, le goût est l'ouvrage de l'étude et du temps; il tient à la connaissance d'une multitude de règles, ou établies ou supposées; il fait produire des beautés qui ne sont que de convention. Pour qu'une chose soit belle selon les règles du goût, il faut qu'elle soit élégante, finie, travaillée

1010 Bydragen, p. 87.

1011 TDV. I, p. 192, 193. Voor Vico, Herder en Diderot: Wellek, dl. I (1955), p. 48, 50, 189. Vgl. voor Vico: Robertson (1923), p. 179 e.v.

sans le paraître; pour être de génie, il faut quelquefois qu'elle soit négligée; qu'elle ait l'air irrégulier, escarpé, sauvage.'[1012]

Al heeft Bilderdijk de scheiding van 'verheffing' en 'kiesche beschaving' dan niet als conclusie voorgesteld in zijn bekende verhandeling *Het treurspel*: ze vloeit noodzakelijk voort uit de innerlijke breuk die men in zijn theorie kan opmerken. Laat de Franse kiesheid eisen dat gewelddadigheden van het toneel worden geweerd en de toeschouwer de aanblik van het gruwelijke wordt bespaard, in zijn gedicht *De kunst der Poëzy* (1809) schrijft Bilderdijk:

> Zingt, Zangers, zingt! ons hart vereent zich met uw klanken!
> Of, wilt gy, siert de Lier met Bacchus wijngaardranken,
> En wapent Melpomeen met *stijfbebloede dolk*!
> Ontsluit den Hemel ons, of de *Acherontsche kolk*;
> Wy volgen, en, gedwee, gedwee in uw geleide,
> Gaan we op den starrenbaan of *zwarte Styx* ter weide,
> Gelukkig in den dwalm van uwen tooverzang.

Evenals Mercier bijna veertig jaar vóór hem had gedaan (en Victor Hugo ná hem zou doen!), raadt Bilderdijk de met het heilig vuur der poëzie bezielde dichter aan, zich vrij te maken van de dwang der literaire voorschriften:[1013]

> ....Geen Zanger ooit, die 't menschdom *hooger* voert,
> Zoo lang hem 't vreemd gareel van valsche stelsels snoert!

'Le génie brise ces entraves (des règles) pour voler au sublime', schreef Voltaire.[1014] Ook Bilderdijk heeft het gewaagd de adelaars 'die in de wolken hangen' al *steigerend* te trotseren. En hij weigert zijn *verheffing* te laten sluiten door de 'boei', de 'ydle kluisters' en het 'dwaas geklap van valsche Theoristen.' Want:

> ... *Dichtkunst is gevoel; gevoel, den band ontsprongen*;
> Behoefte van 't gevoel, door geen geweld bedwongen.
> Geen Dichter, die het vers of navorscht of gebiedt!
> Maar, wien het uit den stroom van 't bruischend harte schiet.[1015]

[1012] Encyclopédie, Tome VII (1759), geciteerd door Barrère (1972), p. 86, die erop wijst dat de auteur van dit artikel niet Diderot is, maar Saint-Lambert.

[1013] Zie het hoofdstuk 'A un jeune Poëte' in L.S. Mercier, *Du théâtre ou nouvel essai sur l'art dramatique*, Amsterdam 1773, p. 317 e.v. Blijkens de laatste zang van zijn *De Hollandsche natie,in zes zangen* (1812) was ook J.F. Helmers ervan overtuigd dat 'Melpomeen' was uitgerust met een (door Vondel hervonden) 'dolk'!

[1014] Citaat bij Van Tieghem, dl. I, Paris (1924), p. 26. Vgl. de uitspraak van Jochen Schmidt (1985),p. 22, n.a.v. Bodmer, Breitinger en de Sturm und Drang: 'In der Geniezeit fallen alle Fesseln'.

[1015] DW. VII, p. 68, 74, 76. Ik cursiveer.

De kunst der poëzy betekent voor Bilderdijk het tot stand brengen van verheffing door gevoelsuitstorting, zonder dat de dichter zich daarbij bekommert of dit gebeurt in overeenstemming met hetgeen passend wordt geacht door de theoretici. Voltaire was door het lezen van Shakespeare tot de ontdekking gekomen dat er ook verheffing mogelijk was 'par une marche irrégulière': barbaarsheden en gebrek aan orde en goede smaak verhinderden in het werk van deze Engelsman niet dat de geest van de Franse filosoof in hogere regionen kon worden opgevoerd...[1016] Een gruwelspel van Jan Vos was voor Bilderdijk voldoende om tot een soortgelijk inzicht te komen. In zijn lezing *Over het treurspel in Nederland tot op Jan de Marre (*1808-1816) en in zijn *Bydragen* van 1823, spreekt hij over Vos' *Aran en Titus* en constateert dan ondermeer dat 'valsche smaak' toch diep kan treffen. Bilderdijk concludeert zelfs dat dit gruwelijke spel iets van 'dat grootsche, dat ontzettende' heeft, dat 'somwijlen een echten zweem van verhevenheid aanneemt en daarvoor gehouden kan worden.'[1017] Hij nadert met dat al het standpunt van Diderot, die tegenover de verfijning van de beschaving de meest sensationele en hevig emotionerende taferelen stelt als typisch poëtische situaties en uitroept: 'Touche-moi, étonne-moi, déchire-moi; fais-moi tressaillir, pleurer, frémir, m'indigner d'abord!'[1018] In zijn lezing over Longinus' verhevenheid (± 1810), gebruikt Bilderdijk bij herhaling de term 'ontzettend'. Belangrijk is ook, dat hij al in zijn *Voorafspraak* van 1779 de aard van de tragedie mede bepaald zag door haar 'statige *somberheid*' en '*aakelige* deftigheid'.[1019] Het is nu eenmaal een feit, dat voor Bilderdijk en zijn achttiende-eeuwse landgenoten Van Alphen en Feith, het verhevene en aandoenlijke samenhangt met het pathetische, gruwelijke en akelige.[1020] En in dit opzicht staan ze niet alleen. De Engelse 'Sir Longinus' John Dennis somt in *The grounds of criticism in poetry* (1704) een aantal elementen op die bijzonder geschikt zijn om verhevenheid op te wekken. Tot dit 'sublime material' behoren, behalve goden en helden, ook: geesten, tovenarij, monsters, donder, tijgers, vuur, oorlog en allerlei andere akelige ingrediënten. Nog sterker blijken het verschrikkelijke en angstwekkende als kenmerk van verhevenheid uit *A philosophical inquiry into the origin of our ideas of the sublime and beautiful* (1756) van Edmund Burke. Burke duidt een bepaalde vorm van 'delightful horror' aan als 'the most genuine effect, and truest test of the sublime.' Na hem komt 'the terrible ... sublime' van Edward Young.[1021] Bilderdijk kan

[1016] Blijkens een uitspraak van Voltaire, uit 1734, geciteerd bij Van Tieghem, dl. III, p. 26.

[1017] Bydragen, p. 15; Over het trsp. in Nl. (Muzen-Album, 1849), p. 43; vgl. hfdst. XVII, par. 3.

[1018] Wellek, dl. I (1955), p. 269, 270, noot 6 en noot 11. Vgl. i.v.m. het sublieme: Burke (2004), Kerslake (2000), Madelein & Pieters (2005 en 2008), Von der Thüsen (1997).

[1019] DW. XV, p. 15. Ik cursiveer en herinner aan het in hoofdstuk IV, par. 2, besproken verschil tussen de Schoonheid en de Verhevenheid, waarvan alleen de laatste wordt getooid met adjectieven als 'onbeschrijfelijk', 'overstelpend' en 'ontzettend'.

[1020] De Jong, 'Rhijnvis Feith en de Divina Commedia' (1961), 'Begrip en onbegrip van Dantes 'Inferno' (1961), 'Comprensione e incomprensione' (1965).

[1021] Folkierski (1925), p. 92 en Gallaway (1940), p. 333 e.v. Ook voor Diderot kan het lelijke, het boze en het slechte tegelijkertijd 'sublime' zijn: Roy (1966), p. 36, 37.

dan wel uitvaren tegen 'den bedorven' smaak van een 'party Verengelschte woestaarts' en hun Duitse navolgers, maar het feit ligt er nu eenmaal dat zijn eigen ideaal-theorie innerlijke spanningen vertoont ten gevolge van de sombere, akelige en ontzettende aspecten van de Verhevenheid als tegenhanger van de kiese beschaafdheid en de deftige eenvoud.[1022] Die spanningen zijn niet zonder invloed gebleven op zijn mening over de toekomstmogelijkheden van het treurspel.

[1022] Trsp., p. 232.

HOOFDSTUK VIII

DOEL EN MOGELIJKHEDEN VAN HET TREURSPEL

1. De tragedie als problematisch genre

De behandeling van Bilderdijks dramaturgie in de voorafgaande hoofdstukken heeft enkele malen spanningen aan het licht gebracht ten aanzien van zijn eigen ideaal-theorie. Bijwijze van inleiding op de bespreking van zijn opvattingen over doel en toekomstmogelijkheden van het treurspel begint dit hoofdstuk met een overzicht van de al gesignaleerde moeilijkheden.

1. Blijkens de tweede paragraaf van hoofdstuk VI, acht Bilderdijk een juiste uitvoering van de tragedie onmogelijk omdat de acteurs en actrices de ideale verheffing van de auteur niet kunnen benaderen in hun toneelpraktijk. En gesteld dat ze dat wél konden (zoals dat in het oude Griekenland het geval was), dan zouden er weer andere, belangrijke bezwaren tegen hun voordracht zijn aan te voeren.
2. Blijkens de derde paragraaf van hoofdstuk VI, eist Bilderdijk dat de nationaal-historische tragedie een leerschool voor geschiedenis en staatkunde zal zijn en wel in die zin, dat ze bestaande valse opvattingen bestrijdt. Tegelijkertijd beseft Bilderdijk echter dat de toneelschrijver moet vermijden in conflict te komen met algemeen aanvaarde historische denkbeelden.
3. Blijkens de eerste paragraaf van hoofdstuk VII, zou het treurspel belangrijk zedenkundig nut hebben als de dichter door middel van subtiele karakterontleding de kiemen van verkeerde of goede daden van de dramatis personae voor het publiek kon blootleggen. Daarvoor zou echter geen belangstelling in de schouwburg bestaan en bovendien verzet de aard van het treurspel zich tegen een dergelijke genuanceerde en diepgaande psychologie. De praktische onmogelijkheid van een dergelijke ideale karaktertekening heeft tot gevolg dat er gevaar ontstaat voor de zedelijke beginselen van het publiek.
4. Blijkens de derde paragraaf van hoofdstuk VII, zou de dichter zich ver boven de toneelspelers en de schouwburgbezoekers verheven moeten voelen maar, evenals in zijn karaktertekening, moet hij voor wat betreft de aard van zijn poëzie en zijn wijze van uitbeelding, wel degelijk rekening houden met het niveau van acteurs en publiek.
5. Blijkens de derde paragraaf van hoofdstuk VII, komt de door de ideaal-theorie vereiste eenheid en eenvoud in gevaar, doordat het moderne toneel vooral handeling eist, waaraan de eenvoudige eenheid moet worden opgeofferd.
6. Blijkens de tweede paragraaf van hoofdstuk VI en de derde paragraaf van hoofdstuk VII, dient de dichter de illusie van schokkend realisme te vermijden. Maar daar staat weer

tegenover dat het toneel overdrijvende effecten eist die de toeschouwers op afstand kunnen treffen.

7. Blijkens de derde paragraaf van hoofdstuk VII, houdt de door de ideaal-theorie veronderstelde verheffing enerzijds verband met de kiesheid der beschaving en anderzijds met hetgeen daarmee in conflict komt omdat het ontzettend en akelig is. Bovendien conformeert de tot verheffing leidende ongelimiteerde uitstorting van het dichterlijk gevoel zich niet meer aan een door de beschaafde smaak geijkte treurspelstijl waarvan de kracht in de loop der jaren is verminderd.

Uit de hier vermelde moeilijkheden blijkt hoe zeer de tragedie voor Bilderdijk een problematisch genre is geweest. De oorzaak daarvan is het feit dat het treurspel zowel een literair als een visueel aspect vertoont en de bemiddeling van acteurs en de aanwezigheid van publiek in de schouwburg veronderstelt. Voor Bilderdijk bestond er een moeilijk verzoenbare tegenstelling tussen de ideale 'Dichterwareld' en de bestemming van de tragedie als *toneelstuk*. Zoals we nog zien zullen, veronderstelt dit praktisch doel niet alleen bepaalde concessies van de dichter die streeft naar zijn verheven ideaal, maar werkt het zelfs in ongunstige zin terug op de aard van het na te streven ideaal als zodanig.

2. Het onbereikbare ideaal en de toneelbestrijding

In zijn *Verhandeling over het ideäal* (1824) proclameerde J.A. Bakker: 'Het is het hooge gevoel voor het schoone en verhevene, dat eenen Kunstenaar moet bezielen om zijne voortbrengselen, *zoo na mogelijk*, aan de volkomenheid te brengen'.[1023] Evenals Riedel zag deze schilder-essayist dat het ideaal alleen maar na te streven is en niet in de werkelijkheid te verwezenlijken.[1024] Ook Bilderdijk schreef (in 1810, 1821, en 1829) dat de kunstenaar moet reiken naar het hoge ideaal, en dat dit ideaal de toetssteen behoort te zijn bij de beoordeling van ieder voltooid werk. Niets achtte hij zo nadelig dan het omgekeerde daarvan: namelijk het terugzien naar de gewone natuur, wanneer de kunst eenmaal haar eigen vorm heeft aangenomen.[1025] In zijn treurspeltheorie spreekt Bilderdijk herhaaldelijk over de ideale vorm van de tragedie, maar die ideale vorm wordt als het ware meteen naar het rijk der dromen verwezen: dit ideaal is zo hoog en onbereikbaar, dat er in de gegeven omstandigheden niet eens naar gestreefd hoeft te worden! In een brief van 30 november 1817 schreef hij aan de treurspeldichter S.I. Wiselius: 'Het Tooneel moet geheel iets anders zijn dan men 't hebben wil en *nooit maken zal of kan*. Waarvan wel eens nader.'[1026] Kollewijn tekent bij deze brief aan dat hem niet duidelijk is geworden wat Bilderdijk hier eigenlijk van het toneel verlangt.[1027] Inderdaad ontbreekt ons de aan Wiselius beloofde

[1023] Bakker (1825), p. 77; ik cursiveer.
[1024] Van Alphen (Riedel, 1778), dl. I, p. 33.
[1025] TDV. I, p. 178, 179, dl. II, p. 189; Br. V, p. 314.
[1026] Br. III, p. 96; ik cursiveer.
[1027] Kollewijn, dl. I, p. 460.

toelichting, maar er bestaat een herhaling van Bilderdijks belofte die een verduidelijkende aanwijzing bevat. In een brief van 27 september 1819 stelde Bilderdijk: ''t Ware en eigenlijke Treurspel is eigenlijk *in de middeleeuwen* eerst gezien, doch ook niet meer dan met een zwenk gezien, en *onuitvoerlijk*. Hiervan wel eens nader!'[1028] Of Wiselius het 'nadere' ooit uit de mond van zijn vriend gehoord heeft, valt te betwijfelen. Hij heeft het echter kunnen vinden in Bilderdijks voordracht *Over het treurspel der Ouden in de uitvoering* (1810), waarvan een gedrukte versie verscheen in 1820. Bilderdijk spreekt daar over de middeleeuwse mysteriespelen die hij weliswaar zeer onvolkomen en gedrochtelijk noemt, maar tevens vatbaar voor 'zeer groote en verheven schoonheden.' De reden daarvan is dat in deze stukken het verband werd uitgebeeld tussen de bovenwereld (Hemel), de onderwereld (Hel), en de middenwereld (Aarde). Een dergelijke conceptie is voor Bilderdijk 'boven verbeelding groot en dichterlijk.' Een waarachtige dichter die het grote en kolossale plan van zo'n treurspel op de juiste wijze wist te bevatten, zou ook weer gebruik kunnen maken van de rei. De geesten van de bovenwereld en de onderwereld zouden daarin aan het woord zijn als deelnemers en tegenstanders in de gebeurtenissen op de aardse middenwereld, terwijl hun zangen deel zouden uitmaken van de handeling in het dichtstuk en 'in verhevenheid boven alles uitstijgen, en de hoogste werking doen.' Helaas is zulks in Bilderdijks tijd onmogelijk geworden. De mensheid heeft geen belangstelling meer voor de 'hogere wareld' en bepaalt haar aandacht tot het aardse. De vatbaarheid voor het bovennatuurlijke is ons ontnomen en *daarmee is het wezen der dichtkunst onbereikbaar geworden.* Zolang de valse wijsbegeerte van de moderne tijd de ziel en het hart blijft verblinden voor de hogere wereld van God en de engelen – en de mens dus overheerst wordt door zijn aardse stoffelijkheid – zolang is het nutteloos naar deze ideale tragedie te streven.[1029]

Het is duidelijk dat de oorsprong van het hier geschetste onbereikbare treurspelideaal is te vinden in Bilderijks religieuze interpretatie van de ideaal-theorie, die ook zijn opvatting van het heldendicht heeft beïnvloed en waarover al werd gesproken aan het slot van het vierde hoofdstuk.[1030] De ware dichter verheft zich boven het stoffelijk bestaan tot een ideaal niveau ... dat van hemelse aard is. Daarmee wordt zijn treurspel echter wat het volgens Bilderdijk bij de Grieken was en het bij grotere dichterlijkheid in de middeleeuwen had kúnnen zijn: namelijk een dichterlijk verheven, godsdienstige plechtigheid. Maar het is nu eenmaal zo, dat de dichterwereld steeds evenredig moet blijven aan het menselijk bevattingsvermogen. En Bilderdijk vond de moderne mens 'kortzichtig', dat wil zeggen niet meer in staat te geloven in de steile dichterlijk-religieuze vlucht van figuren als Aeschylus en Sofocles.[1031]

[1028] M.F., p. 139, 140; ik cursiveer.

[1029] TDV. I, p. 188, 189, 191, 192, 195.

[1030] Zie hfdst. IV, par. 3.

[1031] TDV. I, p. 179; Trsp., p. 151.

HET

TREURSPEL.

VERHANDELING.

DOOR

MR. WM. BILDERDIJK.

IN 'S GRAVENHAGE

BIJ IMMERZEEL & COMP.

MDCCCVIII.

15. Titelblad van W. Bilderdijk, *Het Treurspel. Verhandeling*, 's-Gravenhage 1808.

In *Het Bilderdijk-Museum* 9 (2002), p. 24, citeert M.van Hattum een aantekening van Bilderdijk in het exemplaar dat wordt bewaard in de Koninklijke Akademie van Wetenschappen, nr 214: 'NB. 't Loof bij Eschylus is *klimop,* en behoort aan het Grieksche treurspel, de tak die Shakespear beschaduwt en daar Racine ook iets van heeft is *Willige,* en behoort aan het Engelsche treurspel, de krans tusschen Shakespear en Racine, maar die eigenlijk achter Racine hangt, is *Lauwrier*. Shakespear is deels *overschaduwd* van Eschylus. Men kan om de Medailjons zetten, zoo men 't verkiest in 't geheel of afgebroken: [Grieks:] AISCHYLOS, [rune-achtig:] SHAKESPEAR, [romein:] RACINE.'

In de treurspelverhandeling van 1808 schrijft Bilderdijk dat zijn hart versmelt op het denkbeeld van een (christelijk) treurspel, dat als dichtstuk 'het eindloos genadig en vreeslijk opperwezen' op waardiger wijze dan de Griekse tragedie zou doen kennen in een profetisch-dichterlijke aaneenschakeling van lofzangen en dat de mens in een eenvoudige en ontzaglijke daad zou voorstellen 'als een dorrend herfstblad door Gods adem gedreven.' Maar daarvoor is 'het van God afgevallen geslacht dezer Eeuwe' niet rijp. Het is een onbereikbaar ideaal dat bewaard moet blijven voor meer heuglijke tijden, 'waar in ziel en stof, aanschouwing en symbolische aandoening als verschillende stralen in een eenig brandpunt te samen zullen loopen, om geheel den mensch in het louterend vuur te ontvlammen, dat de Engelen-alleen zich begrijpen kunnen.'[1032] De ideale tragedie waarnaar zijn tijdgenoten intussen wèl streven kunnen, omschrijft Bilderdijk in 1808 als: 'een onheilig stuk van verlustiging, en het geen zedelijkheid en veredeling onzer gevoelens verheffen moet.'[1033]

Ik heb de indruk dat Bilderdijk één keer verwezenlijkt heeft gezien, of beter: voor zichzelf al lezende en belevende heeft geactualiseerd wat hiervoor werd aangeduid als zijn onbereikbaar religieus treurspelideaal, waarbij het 'boven verbeelding groot en dichterlijk' verband werd uitgedrukt tussen bovenwereld, onderwereld en middenwereld. Dat is gebeurd in Vondels *Lucifer*, een tekst die volgens Bilderdijk wordt gekenmerkt door 'den juisten toon dier Verhevenheid, die het echte Treurspel toebehoort'. Ook voor Vondels *Gijsbrecht* en met name voor de kerstreien in dit bekende treurspel had Bilderdijk grote bewondering vanwege 'den Christengeest' die erin 'dooradem t'.[1034]

Bilderdijks religieus gefundeerde bewondering voor deze treurspelen is des te welsprekender, omdat het juist de *Gijsbrecht* en de *Lucifer* zijn geweest die de (eveneens religieus gefundeerde!) weerzin en weerstand hebben opgewekt van de toenmalige gereformeerde predikanten. Ze kregen het in Amsterdam voor elkaar dat de opvoering van het ene stuk werd uitgesteld en die van het andere afgesteld. De *Gijsbrecht* was voor de predikanten verwerpelijk vanwege paapse 'superstitien' en de *Lucifer* omdat 'men zulke bybelstof, en den hemel met d' Engelen, op het tooneel braght: dat men 't heilige vermengde met menselyke vonden, en daar een spel van maakte.'[1035] In het gezaghebbende leerdicht *Gebruik én misbruik des Tooneels* (1681) van Andries Pels worden de twee treurspelen van Vondel bekritiseerd om dezelfde redenen als destijds de calvinistische predikanten hadden gehanteerd. Pels liet zijn kritische opmerkingen voorafgaan aan een passus waarin hij het opneemt tegen het bijbelse treurspel als zodanig, waarbij de toneeldichter ten onrechte meent de plaats van de predikant te mogen innemen.

> Men hoort dan wél te récht de Prédikstoelen dreunen,
> Wén zich het Speeltooneel wíl mét Góds woord bekreunen
> Een Leeraar, die dat niet bestraft, vergeet zyn' pligt,
> Verraadt zyn ampt, én staat zich zélven in het licht.'[1036]

[1032] Trsp., p. 145. '...als een dorrend herfstblad, door Gods adem gedreven': zie, i.v.m. Bilderdijks kerstening van het antieke Fatum de volgende paragraaf, noot 448.

[1033] Trsp., p. 145; TDV. I, p. 194.

[1034] Zie hfdst. XV, par. 2.

[1035] Gijsbrecht (uitg. De Voors, 1950), p. X, XI; Smit (1959), dl. II, p. 65. De Haas (1998), p. 205-217.

[1036] Pels (1978), p. 59-61. Vgl. in Boileau's *Art poétique* (1674): 'De la foi d'un chrétien les mystères terribles / D'ornements égayés ne sont point susceptibles' (Kromsigt -1931-, p. 2-7).

Opmerkenswaard lijkt me dat, ondanks Bilderdijks grote bewondering voor de 'verhevenheid' van Vondels *Lucifer* en voor de kerstreien in de *Gijsbrecht*, en ondanks zijn medewerking aan Feiths bijbelse martelaarstreurspel *Thirsa* (1783), er in zijn eigen omvangrijke toneelnalatenschap geen ander sporen van bijbels toneel zijn aangetroffen dan de in het *Eerste boek* besproken fragmentjes van een treurspel over *Jephtah*: werk dat hij waarschijnlijk heeft geschreven als jongeling van achttien jaar.[1037] Wèl heeft Bilderdijk zijn krachten beproefd op het helaas onvoltooid gebleven bijbelse epos *De ondergang der eerste wareld*, dat meteen een indrukwekkend bewijs is geworden van zijn ongebreidelde dichterlijke verbeeldingskracht. Die zelfde, op het religieus-wonderbaarlijke gerichte verbeeldingskracht had in een bijbels treurspel alle kansen kunnen krijgen, met name door het gebruik van de 'machine' (de Griekse 'deus ex machina') als manifestatie van het bovennatuurlijke.[1038] Bilderdijk begon aan zijn bijbels epos in het najaar van 1809, nadat zijn drie uitgegeven treurspelen waren gedrukt. Het bijbelse treurspel had toen al een rijke, internationale geschiedenis van successen maar ook van heftige kerkelijke tegenwerking achter de rug.[1039] Dat verklaart waarom Andries Pels in zijn leerdicht schreef dat bijbelse treurspelen wèl mochten worden geschreven, maar niet gespeeld. Hij bleef daardoor in het kielzog van de fanatieke toneelbestrijder dominee Petrus Wittewrongel, die de belangrijkste tegenstander van Vondels *Lucifer* was geweest.[1040] Het gaat misschien te ver om te veronderstellen dat het ontbreken van bijbelse treurspelen in Bilderdijks nalatenschap verklaarbaar zou zijn uit de mogelijkheid dat ook hij in calvinistisch kielzog is blijven naspartelen. Maar toch.

Het predikantenverzet tegen Vondels *Lucifer* is een bekend hoofdstuk in de geschiedenis van de calvinistische toneelbestrijding, die 'zoo goed als nergens... zóo verbreid, zoo diep en tegelijk zóo duurzaam is geweest als in Nederland.'[1041] Abraham Kuyper (1837-1920), de 'geweldige' gereformeerde politicus, stichter en leider van de Anti-Revolutionaire Partij en van de Amsterdamse Vrije (= Gereformeerde) Universiteit, hield in 1898 een aantal zogenaamde 'Stone-lezingen' over 'Het Calvinisme' in Amerika. De vijfde conferentie in die reeks ging over 'Het calvinisme en de kunst' en daarin beweerde Kuyper dat het volgens Calvijn 'de roeping der kunst' was, 'niet enkel om het zienbare en hoorbare waar te nemen in zich op te nemen en weer te geven, maar veel meer

[1037] *Eerste Boek*, hfdst. III, par. 1 en par. 2

[1038] Zie hfdst. IV, par. 3, slot.

[1039] Kromsigt (1931), p. 9, en Herr (1988), p. 148 e.v., wijzen ook op het parodistische bijbelspel Saül (1963) van Voltaire. (Diderot gebruikte stof en praktijk van het bijbelse treurspel door, bij zijn verdediging van de zelfmoord als treurspelmotief, te verwijzen naar de vrijwillige dood van Christus en de martelaars: Bayet -1922-, p. 647.)

[1040] Pels (1978), p. 61; Droste wilde klaarblijkelijk dat zijn bijbels treurspel *Adonias* wél gespeeld zou worden. Daarom schreef hij in zijn voorrede dat deze stof ook is besproken door Flavius Josephus en dus niet specifiek bijbels is, maar tot de gewone geschiedenis behoort... Droste (1710). Zie verder Worp (1908), dl. II, p. 139 en De Haas (1998), p. 211-213, die erop wijzen dat Claas Bruin, evenals anderen, zijn bijbelse treurspelen (over Paulus, 1734) uitdrukkelijk presenteerde als leesstof (Bij Bruins leestreurspel *Het Lyden van Paulus en Silas, in den kerker te Philippis* mag worden opgemerkt dat hij met vrucht de bekende rei van de engelen uit Vondels *Lucifer* heeft gelezen.)

[1041] Wille (1963), p. 80.

om in die verschijnselen de orde van het schoon te ontdekken, *en met die hogere kennis gewapend een schoon voort te brengen, dat boven de natuur uitgaat*'. De kunst openbaart, met andere woorden, 'een *hogere* werkelijkheid dan deze ingezonken wereld ons biedt'.[1042] Wie niet beter wist, zou denken dat Calvijn (evenals Kuyper) de treurspelverhandeling van Bilderdijk had gelezen...

In zijn tweede Stone-lezing sprak Kuyper over het toneel dat, evenals het treurspel en de dans, door de 'echte Calvinist' met zijn 'stalen levensernst' wordt afgewezen: niet wegens 'de comedie of tragedie, de opera of de operette op zichzelf, maar wel [wegens] het *onzedelijk offer* dat, om ons te vermaken, van spelers en speleressen werd gevergd'.[1043] Het ging met andere woorden, om 'de [ontbrekende] eer en deugd' van acteurs en actrices. Zo schreef Bilderdijk over de toneelactiviteiten van zijn vader (die graag 'Rollen van statigheid en waardigheid' speelde): 'Welhaast gaf hij de tooneeluitspanning geheel op, vooral daar zij (als veelal gebeurt) bij den een' een oorzaak van verloop en verval van huiselijke als beroepsbelangen, ten gevolg had, anderen daartegen in betrekkingen wikkelde die, zoo al niet onzedelijk, ten minste van een strekking waren, die hun in de samenleving weinig eer aan deed.'[1044]

'De moeizame relatie tussen kerk en toneel in de zeventiende eeuw' geniet – dank zij onder meer de hekeldichten en het 'Poëtologisch proza' van Vondel – een ruime bekendheid onder literatuurhistorici.[1045] Hoe het in de achttiende en het begin van de negentiende eeuw in Nederland gesteld was, valt niet alleen op te maken uit gereformeerde exegesen van de brand in de Amsterdamse schouwburg (1772) als terechte straf Gods, of uit de strubbelingen bij het kerkelijke huwelijk van de beroemde acteur Jan Punt met de actrice Anna Maria de Bruyn (1733) of, nogeens, bij de begrafenis van de niet minder beroemde actrice Johanna Cornelia Wattier-Ziezenis (1827).[1046] Betekenisvol zijn ook verspreide opmerkingen in allerlei voorwoorden bij toenmalige toneelstukken. Bijvoorbeeld in Feiths 'Voorbericht' bij zijn bijbels treurspel *Thirsa* (1784). Feith haalt er, evenals Van Engelen kort vóór hem en dominee M.A. Perk lang ná hem, een uitspraak bij van Luther waarin wordt betoogd dat er geen enkele reden bestaat om het toneel voor

[1042] A. Kuyper, *Het Calvinisme. Zes Stone-lezingen* ³, Kampen 1959, p. 128. Eerste cursivering van mij.

[1043] Kuyper, a.w., p. 59, 60. Van der Grinten (1947), p. 227 e.v., spreekt Kuyper tegen als deze beweert dat het calvinisme de kunst niet steeds heeft tegengewerkt: 'bij het steile puritanisme van de calvinistische levensopvattingen is voor plastiek, tooneel en dans nimmer een plaats, wordt, buiten het kerkgezang, de muziek argwanend aanhoord en vinden alleen litteratuur en schilderkunst onder de noodige beperkingen niet meer dan genade' (p. 28).

[1044] GdV., p. 175.

[1045] *J. van Vondels Hekeldichten met de aanteekeningen der 'Amersfoortsche' uitgave* (uitg. J. Bergsma), Zutphen z.j., p. 126-133. J. van den Vondel, *Poëtologisch proza* (uitg. L. Rens), Zutphen z.j. Vgl. Mak (1960), Groenendijk (1989), Duits in Erenstein (1996), p. 178-185.

[1046] Albach (1946), p. 11, 15, 19, 46, 85, 86, 152 en Albach (1956), p. 122, benevens in velerlei latere publicaties over die periode. Perk (1876), p. 150 e.v., herinnert aan de moeilijkheden bij de dood van Molière en Adrienne Lecouvreur in de katholieke kerk en haalt, op p. 213, voorbeelden aan van toneelbestrijding in geschriften van gereformeerde dominees in de negentiende eeuw. Zelf neemt hij stelling tegen 'wansmaak, een verderfelijk streelen der zinnelijkheid en een eenzijdig, overdreven realisme' (p. 214). Zijn boek was, tot ergernis van Wille (1963), p. 60, 61, bedoeld om 'ook bij de warmste voorstanders van den godsdienst en de zedelijkheid' belangstelling voor het toneel op te wekken en de opleving ervan te bevorderen (p. 21).

christenen te verbieden[1047] In zijn leerdicht *Lof der tooneeldichtkunde* (1780) nam C. van Hoogeveen het op tegen het verbieden van het 'schouwtooneel':

> Door onze Geestelijkheid, die somtijds, in haar driften,
> Vergeet verfoeilijk kwaad van nuttig goed te schiften,
> Maer, onbarmhartig, 't Spel verwijst, en steeds 't gemoed
> Van min ervarenen daervan zelfs gruuwen doet.

Van Hoogeveen wilde de 'braeve Predikanten' geenszins 'bezwalken' uit eerbied voor de kerk, maar hij meende dat ze een al te grote invloed uitoefenenden door alleen het 'misbruik' van het toneel af te schilderen en daardoor het 'kunsteloos gemeen' te vervullen met 'haet' tegen de kunst van het 'Schouwtooneel'. Zijn kritische opmerkingen veranderden overigens niets aan het feit dat ook hij zelf stelling nam tegen 'eerelooze kluchten', die vooral tijdens de kermis het 'Amsterdamsch Tooneel' plachten te bevuilen.[1048] Soortgelijke bezwaren kon men ruim een kwarteeuw nadien lezen bij de treurspelschrijver Samuel Iperuszoon Wiselius, die omstreeks 1814 deelnam aan wekelijkse bijeenkomsten over dogmatiek en exegese van het christendom ten huize van Bilderdijk.[1049] Wiselius constateerde een 'verval des schouwtooneels', als gevolg van een 'toenemende begeerte, om de uitwendige zintuigen gestreeld te hebben' in plaats van 'de ziel' te doen inkeren tot zichzelf om zich bezig te houden met meer 'verhevene' onderwerpen. Hij meende dat de mens daardoor 'meer en meer verdierlijkt' werd en durfde 'elken schrijver, die zulk eene toenemende neiging tot bloot zinnelijk genot, (d.i., om liever de grovere zintuigen gestreeld, dan het hart geroerd en de ziel gesticht te hebben,) bij zijn Tooneelwerk voedt en involgt, ja ook elk Bestuur, dat Tooneelstukken, die eene zo verderfelijke strekking hebben, op zijn Tooneel laat vertoonen, openlijk aanklagen als misdadig tegen God en den Burgerstaat'.[1050]

De gereformeerd-christelijke literatuurhistoricus en fervente Bilderdijkiaan J. Wille (1881-1964), hoogleraar aan de Vrije Universiteit, heeft zich jaren lang bezig gehouden met de kerkelijke toneelbestrijding tot en met de tijd van Bilderdijk. Hij voelde zich 'van jongs af' getroffen door 'de ergerlijk eenzijdige wijze van behandeling van deze stof in ongeveer alle literair-historische handboeken en monografieën [met uitzondering van Kalff en Schotel]: indien niet totaal negérend, dan toch minimaliserend, en de moeite van ernstige bestudering onwaardig achtend.'[1051] Wille zelf heeft herhaaldelijk colleges

---

[1047] Feith (1784), p. XI; Wijngaards (1956-1977), p. 77, citeert Van Engelen in zijn *Wijsgeerige verhandeling over de schouwburg* (1775); Perk (1876), p. 182.

[1048] Van Hoogeveen voorzag zijn in 1780 verschenen tekst van de datering 1771. Zie hfdst. I, par. 1, noot 34.

[1049] Tyd. II, p. 9 en p. 21.

[1050] S. Ipzn. Wiselius, *Mengel- en Tooneel Poezy*, dl. III, Amsterdam 1819, p. XIII en p. XX.

[1051] Deze en de nog volgende gegevens en citaten ontleen ik aan een tot mij gerichte brief van Wille, d.d. 11 mei 1956. Wille is de auteur van een uitgebreide studie over 'De Gereformeerden en het tooneel tot omstreeks 1620' en over William Pryne's uitvoerig strijdschrift tegen het toneel *Histriomastix* (1633), dat in 1639 in het Nederlands werd

gegeven over de geschiedenis van de toneelbestrijding van de zeventiende tot het begin van de negentiende eeuw. Hij was van plan een vervolg te schrijven op zijn vroeger gepubliceerde studie over de toneelbestrijding tot en met het begin van de zeventiende eeuw en daarbij dan de periode te bestrijken van ongeveer 1620 tot het Réveil. Maar zo schreef hij me in 1956: 'het heeft niet zo mogen zijn'. En hij vervolgde: 'En thans is het neo-calvinisme bezeten van een tooneelfurie. Niemand begrijpt meer, dat een Gereformeerd Christen in aanvaarding van schouwburg, tooneelspel (cabaret, opera, ballet e.t.v.) ooit *eenig* bezwaar *kan* zien, of gezien *kan hebben*. Bilderdijk begreep het nog wel...'[1052]

3. Zedenleer, dichter en publiek

In Bilderdijks *Voorafspraak* van 1779 wordt de schouwburg een oefenschool van goede smaak en goede zeden genoemd. Naar aanleiding van de (Franse) toneeltechniek die leeft bij de gratie van ingewikkelde intriges en talrijke episoden, maakte Bilderdijk bovendien de opmerking dat de schouwburg een 'vermaaklijke uitspanning' moet bieden en niet mag ontaarden in een pijniging van de geest; de logische ontwikkeling van duidelijke denkbeelden waarborgde volgens hem 'een rijke bron van vermaak.'[1053] Blijkens de in 1780 bekroonde *Verhandeling* duidt de term 'vermaak' op schoonheid. Wie het doel van de kunst in het behagen of het vermaak stelt, eist volgens Bilderdijk het zelfde als degene die de schoonheid het voorwerp van de kunst noemt.[1054] De schoonheid in de tragedie is de literaire schoonheid. In 1805 schreef Bilderdijk dat het toneel een leerschool van dichtkunst en zeden moet zijn.[1055] Zoals al uit hoofdstuk IV en hoofdstuk VII gebleken is, veronderstellen beide een vorm van verhevenheid. Anno 1805 stelde Bilderdijk dan ook uitdrukkelijk dat de verheffing boven de gewone wereld niet alleen noodzakelijk is vanwege het esthetische doel van de tragedie, maar evenzeer vanwege het ethische. Alleen een treurspel dat als dichtstuk de mens verheft tot de ideale poëtische wereld kan een moreel effect sorteren. De zedenleer van het treurspel blijkt dus onlosmakelijk verbonden met de verheffing, die het wezen van de tragedie als dichtstuk is.[1056]

Welnu. Afgezien van de 'byzondere Zedenlessen' die de tragedie kan inhouden als 'iets bykomstig', behelst het verheven treurspel volgens Bilderdijks verhandeling van 1808 slechts 'ééne groote waarheid' en daarin opgenomen 'slechts ééne groote zedenles'. Door deze waarheid en les in het hart van de toeschouwer te prenten, zuivert het treurspel de

vertaald en tot voorbeeld diende voor de Amsterdamse toneel- en Vondelbestrijder, ds. Petrus Wittewrongel: Wille 1963 (1931 en 1950), p. 59 e.v. en p. 182 e.v. Vgl. Perk (1876), p. 192 e.v., Schenkeveld in Pels (1978), p. 11 e.v., De Haas (1998), p. 183 e.v.

1052 Hierna verwees Wille in zijn brief naar enkele alinea's in de aantekeningen van Trsp. (p. 202, 222 en 234), benevens naar de hiervoor al geciteerde passus over Bilderdijks vader in GdV. XI.

1053 DW. XV, p. 4, 15.

1054 Verhandeling², p. 3 e.v.

1055 DW. II, p. 484.

1056 Trsp., p. 141 e.v., p. 212. Vgl. de opvatting van Paulus van Hemert (noot 191).

vrees en het medelijden en de hartstochten in het algemeen, zo vervolgt hij met een verwijzing naar Aristoteles.[1057] De vraag is nu uiteraard, welke die waarheid en de daarin opgesloten zedenles is. Bilderdijk vindt het antwoord door het onbevooroordeeld lezen van de oude Griekse treurspelen, die volgens hem dit ene besef verwekken: '*Sterveling! den snoode achterhaalt de straf, den onschuldige, de onverbiddelijkheid van het lot. Ons leven is lijden, en tot lijden bestemd. Stel dit vast en richt u daar na!*'[1058] Bij de Grieken moest deze leer wel 'iets ter neêrslaande hebben', omdat ze de mens maakten 'tot een speelbal van den nijdigen willekeur hunner Goden, dien zy echter aan 't noodlot onderwierpen'. Voor de Christen ligt dit heel anders. In overeenstemming met de leer van de oudste Christelijke apologeten als Tertulianus (groot bestrijder van toneel en van vrouwelijke opschik) en de kerkvader Augustinus, was er in Bilderdijks levensbeschouwing geen plaats voor het heidense fatum als een van God onafhankelijke macht. De christen is geen speeltuig van het blinde noodlot, maar weet zijn 'lot geregeld in den Hoogen door het eindloos genadig en vreeslijk Opperwezen'. En, zo vervolgt Bilderdijk: 'wat is er troostrijker, wat in 't ongeluk meer verheffende, in den voorspoed meer bedachtzaammakende; wat meer tot weldadigheid opleidende, en met één woord alle waarachtige deugden instortende, dan het Leerstuk der allesbestemmende Voorzienigheid, van wier raadbesluit wy geheel en voor eeuwig afhangen!'[1059]

Bilderdijk meende dat het moderne treurspel deze waarheid op werkelijk volmaakte wijze zou kunnen uitbeelden, als het werd teruggebracht tot de godsdienstige plechtigheid zoals hiervoor omschreven. Daarmee zijn we weer terug bij het *onbereikbare ideaal*, waarover het ging in de vorige paragraaf. Bilderdijk wist dat een dergelijk treurspel bij de bestaande mentaliteit een onmogelijkheid was. Daarom stelde hij zijn tijdgenoten in 1808 het lagere ideaal van 'een onheilig stuk van verlustiging' voor ogen. De wijze waarop dit moderne treurspel onze zedelijkheid dient te verheffen en onze gevoelens moet veredelen, verandert door dit meer werelds karakter geenszins. Het moet steeds de 'Goddelijke', in christelijke zin te interpreteren 'wijsbegeerte' der Griekse treurspelen blijven bevatten, teneinde 'door de wichtigste les die den stervling gegeven kan worden', de hartstochten, 'inzonderheid zoo de vrees als het medelijden' te louteren.[1060] Wij naderen daarmee de Aristotelische catharsisleer. Deze leer zal worden besproken in hoofdstuk X.

[1057] Trsp., p. 149, 220 e.v.; Verhandeling², p. 176, 177.

[1058] Trsp., p. 224, 225; vgl. hfdst. X, par. 2.

[1059] Trsp., p. 227, 145. We hebben hier te maken met wat de comparatist Roger Bauer in een artikel 'Zur Theorie des Tragischen im deutschen Idealismus' heeft aangeduid als *Das gemiszhandelte Schicksal* (Bauer, 1964). Hij spreekt achtereenvolgens onder meer over 'christianisierten Stoizismus' (Scaliger, p. 247) en over het zeer gering geworden verschil tussen 'fatum stoicum' en 'fatum christianum', of 'Glauben an die göttliche Vorsehung' (Leibnitz, p. 253). In 1985 organiseerde Bauer een internationaal symposium over dit onderwerp, waarvan de handelingen vijf jaar nadien werden gebundeld: De Jong, Fatum und... 1990. Naar Tertulianus en Augustinus verwijst Joerg O. Fichte in 'Providentia – Fatum – Fortuna', *Das Mittelalter. Perspektiven Mediävistische Forschung*, 1 (1996) 1, p. 9, 10. (Over de periode 1600-1720 in Nederland handelt de dissertatie van Konst -2003- die (in *Nederlandse letterkunde* 11-2006-1, p. 23-43) het verchristelijkt fatum ook bespreekt bij A. van der Hoop, 1831).

[1060] Trsp., p. 149.

Intussen konden in de eerste paragraaf al een aantal gegevens worden samengevat, die bewijzen dat zelfs het lagere treurspelideaal van Bilderdijk velerlei moeilijkheden opleverde. Dit impliceert dat de grote zedenles van de tragische kunst maar zeer bezwaarlijk in dit treurspel te verwezenlijken zal zijn. De dichterlijke verheffing en de zedelijke verheffing gaan in Bilderdijks ideaal-theorie nu eenmaal hand in hand. Daarom noemde hij anno 1810 'het van God afgevallen geslacht...' tevens 'het ondichterlijk geslacht... dezer Eeuwe'.[1061] Een soortgelijke constatering vinden we in het leerdicht *Het tooneel* van twee jaar tevoren, waar wordt gesproken over de verderfelijke Engelse en Duitse invloed op het treurspel, die 'Zede en Godsdienst stoorde en Dichtkunst heeft verwoest.'[1062]

Maar Bilderdijk meende niet alleen dat het treurspel door de ontwikkeling van de moderne tijd onmachtig geworden was om zijn hoge dichterlijk en zedelijk ideaal te bereiken. Hij was er bovendien van overtuigd, dat het treurspel zelf deze idealen bedreigde! In hoofdstuk VII is geconstateerd dat Bilderdijk in 1823 twijfelde aan de artistieke levensvatbaarheid van de 'beschaving der Fransche Tooneelwetgeving' waardoor de dichter wordt gedegradeerd tot een bureaucraat die gereedliggende schema's invult. Al in 1810 schreef hij dat de kiese, beschaafde dichterlijke taal haar vermogen tot verheffing was gaan missen, omdat door het vele gebruik de oorspronkelijk 'bezielde' dichterlijke uitdrukkingen waren verbleekt tot 'bloote figuren en spreekwijzen.'[1063] Op dit laatste verschijnsel wijst Bilderdijk ook in zijn treurspelverhandeling van 1808 en in de aantekeningen bij zijn leerdicht *Het tooneel* van hetzelfde jaar. Hij zegt daar dat in een door het dagblad *Le vrai Hollandais* gepubliceerde beschouwing duidelijk is aangetoond, hoe de verbreiding van het Franse treurspel noodzakelijkerwijze 'verwoestend voor de Dichtkunst' moest worden. En daarvoor bestonden verschillende redenen. Als het toneel 'eens zeer algemeen geworden' is, maakt het 'de lieden met den stijl en toon die daar heerscht te gemeenzaam'. Het resultaat is ons al bekend: de treurspeltaal verliest door het vele gebruik haar uitwerking op de toeschouwer en wordt ervaren als een verzameling clichés. Men gaat de bekendste toneeldichters 'tot modellen, voorbeelden en wetgevers in 't geheele Rijk der Poëzy verheffen', met als gevolg wat Bilderdijk 'oratorie' noemt en wat hem doet spreken over poëzie als 'een staat van Conventie'. De verbreiding van het toneel werkt ook nog op andere wijze 'verwoestend' op het treurspel. De toneelstijl ondervindt immers een 'vermindering' (aan verhevenheid namelijk): 'Zoo dra het Tooneel te algemeen wordt, en het ware dichterlijke denkbeeld derhalve verloren gaat en verwisseld wordt met dat gene, dat het ondichterlijk algemeen er in vindt, en *dat altijd weer op de Dichters te rug werkt.*'[1064]

[1061] TDV. I, p. 194.

[1062] DW. VII, p. 21

[1063] Bydragen, p. 87; TDV. I, p. 193.

[1064] Trsp., p. 202; DW. VII, p. 412; TDV. I, p. 193 (ik cursiveer); vgl. hfdst. XVI, par. 3.

Ingevolge de samenhang van zedenleer en poëzie, is de populariteit van het toneel niet alleen funest voor de dichtkunst: 'het heeft meer en niet minder gewichtige nadeelen voor de zedelijkheid.' Zelfs het toneel in zijn meest volmaakte vorm 'zoo volkomen als 't zijn mocht', zei Bilderdijk – en de blijspelen daarom uitgesloten –, zelfs dat ideale toneel wordt bij algemene verspreiding gevaarlijk voor de zeden. Immers: 'Onafhankelijk van de zucht van verstrooiing, die het altijd by een gemeen dat er zich op verslingert, zal voortbrengen, zoo ontstaat er uit, eene vatbaarheid om wat het zij van twee zijden met deelneming te beschouwen, en dus eene onzekerheid in de zedelijke beginsels te doen ontstaan, die de Reien der Ouden wel krachtiger en kenlijker dan de Hedendaagsche Stukken tegengingen, maar echter in zwakke hoofden, als van den grooten hoop, *nooit genoegzaam.*'[1065] Laat Bilderdijk de treurspeldichter op het hart drukken dat hij 'tusschen het boze en het goede volstrekt geene onzijdigheid' mag toelaten: zelf heeft hij blijkbaar getwijfeld aan de resultaten van deze voorzorgsmaatregel.[1066] De zojuist aangehaalde passus uit zijn treurspelverhandeling bewijst voldoende dat Bilderdijk alleen al op theoretische gronden belangrijke zedelijke bezwaren had tegen de verbreiding van het toneel. Hij vond de kunst van de schouwburg *als zodanig* gevaarlijk voor het volk. De talrijke dichterlijke of zedenkundige gemotiveerde afwijzingen van de *praktijk* van vele toneeldichters die men verspreid in zijn werk aantreft, zijn daarbij vergeleken van ondergeschikt belang.[1067]

De onmogelijkheid van zijn hoge ideaal-treurspel als godsdienstige plechtigheid erkennend, blijft Bilderdijk uiteindelijk niet zo heel ver verwijderd van het afwijzend standpunt dat strenge calvinisten al veel vroeger tegenover het toneel hadden ingenomen. Daarop wijst in 1808 trouwens ook zijn vrees voor de toneelillusie en voor de bewondering als tragische aandoening, waarin hij een zedelijke bedreiging onderkent voor 'het algemeen', dat al te gemakkelijk geneigd zou zijn om zich met de toneelheld te vereenzelvigen en diens voorbeeld na te volgen.[1068] Dat Bilderdijk vooral in latere jaren zo

---

[1065] Trsp., p. 202, 203; ik cursiveer.

[1066] Trsp., p. 149; dit wil niet zeggen dat Bilderdijk vasthoudt aan de zg. 'dichterlijke gerechtigheid': zie hfdst. VII, par. 1, noten 362-365 en hfdst. IX, par. 2, noot 523.

[1067] Ik verwijs in dit verband naar hetgeen wordt uiteengezet over Bilderdijks afwijzing van de *praktijk* der blijspeldichters in hfdst. IX, par. 1. Kritiek op bestaande toneelstukken treft men dikwijls bij Bilderdijk aan. Zo schreef hij anno 1808 in zijn verhandeling *Het treurspel* dat blijspelen 'altijd al by het volk gediend hebben om de ondeugden algemeener te maken.' (Trsp., p. 202) en herhaaldelijk gaat hij te keer tegen de 'ontuchtige dansen' op het toneel (Trsp., p. 163; TDV. I, p. 194; DW. II, p. 485.) In dezelfde afdeling van zijn treurspelverhandeling waarin hij uiteenzet hoe de tragedie 'de wichtigste les die den stervling gegeven kan worden' in het hart prenten kan, constateert hij dat een verkeerde treurspelpraktijk 'het Tooneel tot een bron van verderf maakt' (Trsp., p. 223). Bilderdijk besluit dit bekende opstel met de wens dat de 'valsche Staats- en Zedenleer' toch spoedig van het toneel mag worden verbannen. Een hele serie verwijten van zedelijke aard aan de eigentijdse schouwburg vindt men ook in de aantekeningen bij het grote gedicht *Het tooneel* van 1808 (DW. VII, p. 410-412). Dit alles bewijst echter nog niet dat Bilderdijk de dramatische kunst *als zodanig* van de hand wijst; de door hem aangewezen 'fouten' zijn slechts het gevolg van afwijkingen van de ideaal-theorie! Bilderdijk heeft immers duidelijk op het oog: 'het Schouwtooneel, zoo het *thands* is'. Juist doordat men zich niet regelt naar het ideaal dat hij voorstond, kan dit toneel onmogelijk een 'schoole van Dichtkunst en zeden' zijn maar wordt het noodzakelijk 'een bron van zedenverderf; verstrooiing, ledigang, en wat hatelijker en afschuwelijker is dan dat ik 't hier noemen zou', zo schreef hij rond 1805 (DW. II, p. 484, 485).

[1068] Zie hfdst. VI, slot par. 1, noot 287 en hfdst. X, par. 2.

goed als geen aanvaardbare toekomstmogelijkheden voor het treurspel vermocht te zien, blijkt zeer duidelijk uit een brief aan S.Ipzn. Wiselius van 30 november 1817. Hij zinspeelt daar even op de treurspelvorm die ik hiervoor heb aangeduid als zijn 'onbereikbaar ideaal', maar zegt er onmiddellijk bij dat deze vorm nooit zal kunnen worden verwezenlijkt. En met betrekking tot de wel realiseerbare vorm van de tragedie, schrijft hij dat de toneelmoraal, evenals trouwens alle andere elementen van het treurspel, noodzakelijkerwijze onwaar is. Hij vervolgt: 'Men mag haar (= de toneelmoraal) schadeloos maken, maar *nuttig zal zy nooit zijn, om dat zy altijd valsch blijven zal*.'[1069]

Evenals Bilderdijks vrees voor de zucht tot verstrooiing en voor de uit bewondering voortkomende navolging van toneelhelden, vertoont deze laatste uitspraak overeenkomst met de strijdschriften tegen het toneel die in 1725 en 1758 respectievelijk door Béat Louis Muralt en Jean-Jacques Rousseau in het licht waren gezonden. Beiden wezen erop dat de deugd in de dramatische kunst wordt gedegradeerd tot een esthetisch genotmiddel, omdat ze buiten de praktijk van het dagelijks leven op het onechte toneel wordt gebracht. Het theater is volgens Rousseau een wereldje apart, met zijn eigen moraal, taal en kleding. En zoals de beide laatste ingrediënten onwaar zijn en ongeschikt voor het dagelijkse leven, zo zal men ook de deugd als een 'jeu de théâtre' gaan beschouwen. Dat is een inzicht waartoe later ook Diderot is gekomen: de edele gevoelens waarmee een toneelstuk ons vervullen kan, ziet hij dan slechts als onderdelen van de toneelfictie; ze staan volkomen los van de werkelijkheid waarvoor ze zonder belang zijn...[1070] Diderot had daar vroeger anders over gedacht. Bilderdijk ook. Elf jaar voor zijn pessimistische brief aan Wiselius, op 3 september 1806, had hij aan Jeronimo de Vries schriftelijk de vraag gesteld of er niet iets gedaan kon worden om de smaak voor het treurspel in Nederland te herstellen. Want, zo meende hij toen: 'Het [treurspel] is, ongetwijfeld, het gedeelte der poëzy, dat meest algemeen nuttig *kan* zijn.'[1071]

Zoals nog blijken zal in hoofdstuk XVII, heeft Bilderdijk zich in de tijd van Lodewijk Napoleon inderdaad bezig gehouden met praktische maatregelen die zouden moeten leiden tot de dichterlijke en zedelijke verheffing van het Nederlandse treurspel. In die tijd schreef hij trouwens ook zijn drie oorspronkelijke tragediën en zijn verhandeling *Het treurspel*. Van 1810 is zijn voordracht *Over het treurspel der Ouden in de uitvoering*, waarin men eveneens pessimistische geluiden kan beluisteren. De kwestie is dat Bilderdijk zich bij iedere beschouwing over de dramaturgie geconfronteerd zag met het gegeven dat een treurspel bestemd is om te worden uitgevoerd en dus, behalve toneelspelers en decors (die eveneens moeilijkheden veroorzaken), de aanwezigheid van publiek veronderstelt. En dat publiek is een factor die zowel in zedenkundig als in dichterlijk opzicht terugwerkt op

---

1069 Br. III, p. 96; ik cursiveer.

1070 Voor Muralt en Rousseau: zie Rousseau (Brunel 1896), p. 39 e.v.; vgl. Folkierski (1925), p. 287; voor Diderot: Wellek (1955) dl. I, p. 57; Folkierski, p. 452; Roy (1966), p. 50, wijst erop dat Diderot slechts uitzonderlijk gewezen heeft op de zuiver esthetische aard van de artistieke illusie.

1071 Br. II, p. 110.

de ideale poëtische wereld, als domein van de dichter. Het verheven treurspelideaal moest worden gesubstitueerd door een lager en praktisch ideaal: want het publiek is vervreemd van de hogere religieuze en zedelijke wereld en derhalve van de dichtkunst. En zelfs het lagere ideaal blijft voor Bilderdijk een modus vivendi van zeer problematische aard. D'Aubignac schreef in zijn *La pratique du théâtre* (1657): 'si le sujet n'est conforme aux sentiments des spectateurs, il ne réussira jamais.'[1072] Hij formuleerde daarmee een ijzeren wet van de schouwburg, die zou worden herhaald door Marmontel en Mercier. Maar Bilderdijk stemde kennelijk óók in met hetgeen Mercier schreef in zijn *Nouvel essay sur l'art dramatique* (1773): 'Le poëte qui flatteroit sa nation au moment où elle serait avilie, seroit un lâche corrupteur...'[1073]

Door zijn verbinding van dichterlijke en zedelijke verheffing, vertoont Bilderdijks conceptie van het treurspel overeenkomst met die van Aristoteles. Max Kommerell heeft er in zijn studie over de dramatische theorieën van Corneille, Lessing en Aristoteles op gewezen dat Corneille en Lessing steeds een onderscheid hebben gemaakt tussen de esthetische vorm en het ethische effect van de tragedie. Voor Aristoteles bestond dit onderscheid niet. Dichterlijke vorm en zedenleer waren voor de Griekse theoreticus onafscheidelijk. En deze verbinding berustte op een diepere verstandhouding tussen de dramaturg en de toeschouwer. Aristoteles' conceptie van het treurspel is functioneel. Voor hem was de tragedie volgens de pregnante formulering van Kommerell: 'ein Werk der Wirkung'. Ze vormde een geheel van tragische conceptie en tragische receptie. Wat wij tragedie noemen, was voor Aristoteles een potentie die pas tot act werd in de psychische realiteit van de catharsis.[1074]

Bilderdijk verbindt het dichterlijk aspect weliswaar met het zedelijke, maar zijn theorie loopt steeds dood, omdat hij er niet in slaagt de synthese te interpreteren als een samenspel tussen de treurspelschrijver en zijn publiek. Voor hem bestond tussen deze beiden een onoverbrugbare discrepantie, die in feite de kloof is waardoor Bilderdijk als 'de grote ongenietbare' van het merendeel van zijn land- en tijdgenoten gescheiden bleef. Het is typerend dat Bilderdijk over het schouwburgpubliek spreekt in termen als: *het van God en de dichtkunst vervreemde geslacht dezer eeuw*; of: *het algemeen*; of: *de grote, onwetende hoop*. Deze terminologie herinnert aan de door Bilderdijk gewaardeerde Duitse theoreticus Johann Christoph Gottsched, die in zijn *Critische Dichtkunst* (1730) had geschreven: 'So müssen sich denn die Poeten niemals nach dem Geschmacke der Welt, das ist, des *grossen Haufens*, oder des *unverständigen Pöbels* richten.' Voltaire schreef in 1764 dat de treurpelschrijver slechts de lof der 'connaisseurs' moest trachten te verwerven en Lessing meende in 1767 dat hij zijn oog gericht moest houden op de smaak en

---

1072 Knight (Racine), p. 66.

1073 Mercier (1773), p. 257, 259; vgl. Tyd. I, p. 215.

1074 Kommerell, (1940), p. 62-64.

ontroerbaarheid van de 'Erleuchtetsten und Besten seiner Zeit und seines Landes.' Ongeveer dertig jaar later stelt Wilhelm Heinrich Wackenroder zeer duidelijk de kunstenaar zélf primair: 'ein Künstler müsse nur für sich allein, zu seiner eignen Herzenserhebung und für einen oder ein paar Menschen, die ihn verstehen, Künstler sein.'[1075] Op dit laatste (overigens al in de tijd van de Pléiade aangekondigde) standpunt staat Bilderdijk, wanneer hij in zijn treurspelverhandeling droomt van een tragedie die verre boven het 'onvatbaar en voor alle Dichtstuk ongevoelige gemeen' verheven zal zijn, en slechts genoten kan worden door de happy few waartoe hij het nageslacht rekent. 'Mihi et Musis zij onze standaartleus', roept hij uit; 'Schrijven wij voor ons-zelven, en *die weinigen, die met ons gevoelen, zich met ons opheffen kunnen*; en vooral voor dat dierbaar Nageslacht om het welke wij zijn ... en dat ... eindelijk tot de ware erkentenis van goed, waar, en schoon, wedergebracht en in deze oeverlooze bron van onstoflijke wellust verzwolgen moet worden.'[1076]

Driekwart eeuw later zou Mallarmé zijn eigen tijd beschouwen als een 'interrègne pour le poète...en vue de plus tard ou de jamais': in afwachting van 'une société constituée où aurait sa place la gloire dont les gens semblent avoir perdu la notion.'[1077] Sociaal en pedagogisch gezien, was Bilderdijks aansporing in Nederland niet helemaal nieuw. Al in 1804 had Willem Emmery de Perponcher 'Aan de lieden der beschaafde Waereld' trachten uit te leggen, dat de schouwburg eigenlijk moest worden voorbehouden aan de aristocratie in de grote steden, die immers het best haar voordeel kan doen met de beschaving van het toneel. De grote massa bleef volgens De Perponcher het langst gelukkig 'bij een zeekere maat van nuttige onweetendheid...'[1078] Eigenlijk staat Bilderdijk méér vijandig tegenover de grote onwetende hoop. Enerzijds wil hij de massa behoeden voor de zedelijke gevaren van het treurspel: en zoals nog blijken zal, schrikt hij daarbij niet terug voor censuur op het schouwburgrepertoire.[1079] Anderzijds echter, neemt hij het treurspel zélf in bescherming tegenover de macht van de massa, waardoor hij dit treurspel als verheven dichtstuk bedreigd acht. Mede een strijd dus van dichterlijke zelfverdediging. Maar met een inzet waaraan Bilderdijk zelf is gaan twijfelen.

[1075] Robertson (1939), p. 459; TDV. I, p. 36; Lion (1895) p. 281; Lessing (1958) p. 10 (St. I); Wellek, dl. II, p. 91, 374. (Ook Lodewijk Meyer keurde al het behagen van 'den grooten hoop' af: zie G.W. Huygens (1946) p. 19.)

[1076] Trsp., p. 143, 144 (vgl. Trsp., p. 237; ik cursiveer); voor de elitaire opvatting van het dichterschap in de renaissance: zie Spingarn (1924), p. 191, 215.

[1077] Stéphane Mallarmé, *Œuvres complètes* (Pléiade, 1945), p. 664 en p. 869. Vgl mijn bundels *Maurice Gilliams. Een essay*, Amsterdam 1985, p. 250, 252 en *Honderd jaar later*, Baarn 1985, p. 109, 110, 177.

[1078] Reijers (1942), p. 73, 74. Vgl. echter de Voorrede tot de 'Nederlandsche Juffers' in de *Historie van mejuffrouw Sara Burgerhart* (1782), waarin toneelteksten worden aanbevolen als pedagogische leesstof: 'Gij hebt zedelijke Verhalen, Drama's en Treurspelen. Daar is des zeer veel voorraads, om uwen weetlust te voldoen' (uitg. L. Knappert, Amsterdam 1905, p. 9).

[1079] Zie hfdst. XVII, par. 5, over het tweede deel van Bilderdijks in de *Bijlage* gepubliceerde geschrift *Consideratien*... Zoals Diderot in staat was in het boze en slechte soms het sublieme te zien (hfdst. VII, noot 410) zo moest Bilderdijk – maar *niet* voor het grote publiek en *niet* zonder tegenzin- voor zichzelf (h)erkennen dat zedelijke bezwaren tegen de 'modder' van Plautus niets of weinig afdeden aan de artistieke waarde van diens door Nil Volentibus Arduum vertaalde blijspel *Menaechmi:* zie hfdst. XI, par. 3.

HOOFDSTUK IX

HET BLIJSPEL EN DE ANDERE TONEELSOORTEN

1. Blijspel, klucht, parodie en dans

Hoe stond Bilderdijk tegenover het blijspel? De vraag is al door vroegere onderzoekers beantwoord. In 1891 meende Kollewijn 'dat hij in een blijspel iets onzedelijks vond' en daarom niet over dit genre sprak in zijn verhandeling *Het treurspel*.[1080] In 1929 schreef Johan Smit: 'il trouve la comédie de peu d'importance, et qui pis est, immorale.' Verder gewaagde Smit van 'le dédain du savant calviniste pour la comédie.'[1081] Kamphuis sloot zich bij deze voorgangers aan toen hij in 1947 schreef dat Bilderdijk het blijspel als een minderwaardig en onzedelijk genre beschouwde; een genre dat bovendien de mogelijkheid schept om iets van twee kanten te bezien en daardoor onzekerheid in de zedelijke beginsels veroorzaakt. De laatste opmerking vindt men ook bij H.H.J. de Leeuwe, die Bilderdijk in 1990 een 'tegenstander van blijspel en klucht überhaupt' noemde.[1082]

We moeten een en ander meer van nabij bekijken om te zien dat Kollewijn zich vergiste toen hij meende dat Bilderdijk zich niet over het blijspel uitlaat in zijn treurspelverhandeling van 1808 en dat Kamphuis een passus over het blijspel in die verhandeling niet nauwkeurig heeft gelezen. Het verwijt onzekerheid te scheppen in de zedelijke beginselen door de mogelijkheid open te laten om een bepaalde daad van twee kanten te bezien, richt Bilderdijk daar namelijk juist tot toneelstukken die *niet* tot het genre van de blijspelen behoren.[1083] Maar belangrijker is iets anders. Waarop steunen deze onderzoekers hun uitspraak dat Bilderdijk het blijspel als een onzedelijk genre afwees? Ze verwijzen naar een aantekening die Bilderdijk maakte bij zijn bewerking van 'L'homme des champs', door de abbé Delille (1802). Die aantekening luidt: 'Niets misschien is onzedelijker dan de smaad van 't belachlijke op iemand te werpen, en vooral, op een 'stand of orde onder de menschen. Zie daar, waar in voor een groot gedeelte het onzedelijke van het Blijspel bestaat.'[1084] Dat werpen van 'de smaad van 't belachlijke' lijkt me een vertaling van het door Lessing afgekeurde 'verlachen' in de komedie. Lessing schreef: 'Wir können über einen Menschen *lachen*, bei Gelegenheit seiner lachen, ohne ihn im geringsten zu

[1080] Kollewijn, dl. I, p. 450.

[1081] Smit (1929), p. 58, 59.

[1082] Kamphuis (N.T., 1947), p. 211; De Leeuwe (1990), p. 14, 19.

[1083] Trsp., p. 202, 203: 'Gesteld het Tooneel, zoo volkomen als 't zijn mocht, *en de Blijspelen uitgesloten* ...] Onafhankelijk van de zucht van verstrooiing [...], zoo ontstaat er uit, eene vatbaarheid om wat het zij van twee zijden met deelneming te beschouwen, en dus eene onzekerheid in de zedelijke beginsels ...' (ik cursiveer).Vgl. voor dit bekorte citaat: hfdst. VIII, par. 3. Mijn eerste bekorting betreft Bilderdijks mening dat de praktijk van blijspelen, kluchten en dansen altijd al een slechte invloed op het publiek heeft gehad: 'Blijspelen uitgesloten, die altijd bij het volk gediend hebben om de ondeugden algemeener te maken, zoo wel als de lichtzinnige kluchten, de dansen, wier invloed hier niet behoeft aangeroerd!'

[1084] DW. VI, p. 464 (De Leeuwe vermeldt zijn bron niet.)

verlachen. So unstreitig, so bekannt dieser Unterschied ist, so sind doch alle Schikanen, welche noch neuerlich Rousseau gegen den Nutzen der Komödie gemacht hat, nur daher entstanden, weil er ihn nicht gehörig in Erwägung gezogen.'[1085] Lessing doelt hier op de bekende *Lettre à M. D'Alembert sur les spectacles* (1758), waarin Jean-Jacques ondermeer aan Molière had verweten dat hij in de hoofdfiguur van zijn *Misanthrope* de deugd belachelijk had gemaakt.[1086] Toen D'Alembert daarop antwoordde dat het gedrag van de deugdzame toneelheld in kwestie de toeschouwers weliswaar kan doen lachen, maar dat de held zelf daardoor nog niet belachelijk wordt, maakte hij hetzelfde onderscheid als Lessing: een onderscheid overigens dat men tevoren al kon aantreffen bij Home en Batteux.[1087]

Ook Bilderdijk heeft dit verschil gezien. Als hij 'het onzedelijke van het Blijspel' voor een groot gedeelte uit de bespotting van de medemens verklaart, volgt daaruit dat hij daarbij heeft gedacht aan een bepaalde soort blijspelen, aan de *praktijk* dus van zekere blijspeldichters. Andere plaatsen uit Bilderdijks geschriften bewijzen dit trouwens. In zijn prijsverhandeling van 1779 raadde hij de schrijvers van blijspelen aan de zedenleer te beoefenen, want het is juist 'bij gebrek dezer kunde' dat in het blijspel niet zelden ''t betaamlijke' is geschonden. En in een bijlage *Over het belachlijke* die Bilderdijk enkele jaren later aan zijn verhandeling heeft toegevoegd, kwam hij tot deze conclusie: 'Men zou echter mijn woorden te verr' trekken, *indien men ze tegen het lachen, of 't lachverwekkende-zelf wilde doen gelden.* Integendeel: daar het belachlijke in een zeker gebrek van overeenkomst bestaat, zo is het een wezendlijk *goede* hoedanigheid in ons, dit gebrek met vaardigheid op te merken; en het geen onze vatbaarheid hier in oefent, onwedersprekelijk, *nuttig.* En dit is, gelijk LESSING zeer wel aangemerkt heeft, het *ware algemeene nut van het Blijspel.* Doch deze vatbaarheid (*die ook in het Zedelijke, van het uiterste nut is*) wordt niet geoefend, maar misbruikt, in de aangeroerde gevallen, en, ongelukkig! laat zij zich zo lichtlijk misbruiken.[1088]

Het is duidelijk dat Bilderdijk in het blijspel niet zonder meer een onzedelijk genre heeft gezien, zoals Kollewijn, Smit, Kamphuis en De Leeuwe meenden. Integendeel; hij gaf kennelijk Lessing gelijk, waar deze schrijft: 'Die Komödie will durch Lachen bessern, aber nicht eben durch verlachen... Ihr wahrer allgemeiner Nutzen liegt in dem Lachen selbst, in der Übung unsrer Fähigkeit, das Lächerliche zu bemerken...'[1089] De wijze waarop Bilderdijk zich voorstelt dit 'algemeene nut van het Blijspel' te bereiken, hangt weer ten

[1085] Lessing (1958), (St. 28 en St. 29), p. 115 e.v.

[1086] Rousseau (L. Brunel, Paris 1896), p. 57: 'Vous ne sauriez me nier deux choses: l'une, qu'Alceste, dans cette pièce, est un homme droit, sincère, estimable, un véritable homme de bien; l'autre, que l'auteur lui donne un personnage ri-dicule. C'en est assez, ce me semble, pour rendre Molière inexcusable'; p. 60: 'Cependant ce caractère si vertueux est présenté comme ridicule.'

[1087] Zie hierover Robertson (1939), wiens bewijsplaatsen worden herhaald door Nivelle (1955), p. 204, 205.

[1088] Verhandeling ...², 1836, p. 60; 103, 104 (ik cursiveer); de verhandeling zelf is ontstaan in de jaren 1777-1779; de bijlagen daarna.

[1089] Lessing (1958), p. 116 (St. 29).

nauwste samen met zijn ideaal-theorie. Interessante mededelingen verstrekt hij daarover in de aantekeningen bij zijn verhandeling *Het treurspel* van 1808, die op dit punt overeenkomst vertonen met de opvattingen die August Wilhelm Schlegel praktisch tezelfdertijd verkondigde in zijn Weense voordrachten over de dramatische kunst. Bilderdijks uitgangspunt is: 'dat de Fraaie kunsten geen voorwerp dan 't Schoon hebben.' Derhalve drukken zij nooit de onvolkomen, werkelijke wereld rondom ons uit maar het ideaalbeeld dat de kunstenaar zich daaruit schept. Dit laatste is zo waar, dat zelfs de kunstenaar die het onschone wenst uit te beelden, zich niet beperkt tot een realistische weergave. Ook hij neemt zijn toevlucht tot een ideaal. Het gebrekkige dat hij waarneemt wordt door hem gechargeerd: en zo ontstaat het belachelijke. Op deze wijze, zo vervolgt Bilderdijk, kan het blijspel nuttig zijn voor de zeden en kan de parodie zijn nut hebben voor de dichtkunst: 'Niet, door te vertoonen wat wij dagelijks zien; maar wat tot een versterkt Ideaal gebracht, onder zekere omstandigheden, het beschamende voor den dag doet springen, dat zonder dat niet getroffen had.'[1090]

Ook Rousseau sprak over de mogelijkheid tot chargeren in het blijspel maar hij meende (evenals Chapelain meer dan een eeuw vóór hem!) dat dit chargeren geen enkel effect oplevert, omdat de voorgestelde zedenschildering erdoor ontheven wordt aan de waarschijnlijkheid en het natuurlijke. Bovendien verwachtte Rousseau slechts nut van een rechtstreekse veroordeling van de ondeugd; hij zag geen heil in de hulp van het belachelijke, dat hij aanduidt als: 'l'arme favorite du vice'.[1091] Hoewel Bilderdijk er anders over dacht, zag hij wel degelijk gevaren in het blijspel. Hij meende dat de mogelijkheid tot zedelijk nut van deze toneelsoort alleen valt te verwezenlijken als de auteur gezegend is met een subtiel zedenkundig onderscheidingsvermogen. Zoals al opgemerkt, maakte hij onderscheid tussen het belachelijk maken van een persoon of groep, en het lachen over een bepaalde situatie. In een kritisch opstel van 1779 verzette hij zich met kracht tegen het belachelijk maken van de soldatenstand in een toneelstuk van zijn landgenoot J. van Panders en anno 1808 verweet hij de Duitse dramaturgen, dat ze bij voorkeur 'slechte Hofraden' in hun blijspelen lieten optreden.[1092] Van Mendelssohn en Lessing had Bilderdijk geleerd dat hetgeen ons lachen doet op een gebrek aan overeenkomst berust. In Mendelssohns *Rhapsodie über die Empfindungen* staat: 'Ein jeder Mangel der Übereinstimmung zwischen Mittel und Absicht, Ursache und Wirkung, zwischen dem Charakter eines Menschen und seinem Betragen, zwischen den Gedanken und der Art, wie sie ausgedrückt werden; überhaupt ein jeder Gegensatz des Grossen, Ehrwürdigen, Prächtigen und Vielbedeutenden, neben dem Geringschätzigen, Verächtlichen und

[1090] Trsp., p. 197-199; Schlegel (Van Kampen 1810), p. 205, 247.

[1091] Rousseau (Brunel, 1896), p. 40, 41; voor Chapelains verdediging van de absolute 'vraisemblance', vgl. hfdst. V, en Knight (Racine), p. 75; Gallaway (1940), p. 155.

[1092] Bosch (1955), p. 46, Br. I, p. 94; DW. VII, p. 410.

Kleinen, dessen Folgen uns in keine Verlegenheit setzen, ist lächerlich.'[1093] In zijn anno 1780 bekroonde prijsverhandeling, schreef Bilderdijk dat een 'keurig gevoel van zedelijkheid' wordt vereist om te kunnen vaststellen bij wie het gebrek aan overeenkomst dat het lachen verwekt, eigenlijk moet worden geplaatst. Een tekort aan kennis van de zedenleer is er meermalen oorzaak van geweest, dat de deugdzame figuur in het blijspel de oorzaak van lachen werd. Bilderdijk stelde dan ook de retorische vraag 'Heeft hij [= de niet zedenkundig geschoolde blijspeldichter] den lichtgelovigen, den gulhartigen aanschouwer nooit de onopgesmukte taal eens eenvoudigen, de wijze ingetoogenheid eens jonglings, of de achtbaarheid eens vromen grijzaarts doen belachen?'[1094]

Maar het is niet alleen de braafheid die slachtoffer van het komische genre kan worden. Somtijds wordt het lachen ook te duur betaald, als het wordt veroorzaakt door een vernuftig spel op het grensgebied tussen het verhevene en het lachwekkende. In zijn in 1783 gedrukte bijlage *Over het belachelijke* noemde Bilderdijk als voorbeelden: het voordragen van ernstige stukken op een belachelijke toon of het omgekeerde daarvan, en het uitdenken van parallellen tussen geheiligde waarheden of loflijke verrichtingen, en beuzelingen of dwaasheden.[1095] In 1825 verweet hij Constantijn Huygens dat deze in zijn sneldichten bepaalde bijbelplaatsen op onbehoorlijke wijze tot 'verdraaiende geestigheden' had gemaakt.[1096] Bilderdijks vrees voor een al te luchthartig hanteren van dit soort belachelijkheid (waaronder op de eerste plaats de parodie valt), wordt verklaard in de hier al genoemde bijlage bij zijn prijsverhandeling. Daarin staat dat dergelijke parodiërende spotternijen hun kracht ontlenen aan 'een zeekere overrompeling des verstands' en 'den geest in de hebbelijkheid van zijn denkbeelden te onderscheiden en te ontwikkelen, schadelijk zijn: om dat zij een verwarring ten grondslag' hebben, waar van het, en voor het Zedelijke besef, en voor het ware vermaak van de ziel, van een wezenlijk belang is, eenen afkeer in te scherpen'.[1097] Het is nu eenmaal zo, dat men volgens Bilderdijk bij 'het algemeen' geen oplettendheid en ervaring kan veronderstellen, die voor een nauwkeurig onderscheidingsvermogen noodzakelijk zijn. Ook hier speelt Bilderdijks verantwoordelijkheidsgevoel 'voor den grooten onwetenden hoop' weer een belangrijke rol. Zoals het treurspel en het blijspel gevaarlijk zijn omdat zij twijfel kunnen laten bestaan tussen wat zedelijk te prijzen of te verwerpen is, zo kan de parodie door de speelse vervaging van grenzen de vatbaarheid van het zwakke verstand ondermijnen.[1098]

[1093] Geciteerd door Robertson (1939), p. 391; zie Verhandeling...², p. 60, 103 en vgl. de in Engeland door Hutcheson geïntroduceerde verklaring van het belachelijke zoals besproken in Gallaway (1940), p. 236.

[1094] Verhandeling...², p. 60.

[1095] Idem, p. 94.

[1096] C. Huygens Koren-Bloemen ..., dl. VI, Leiden 1825, p. 288.

[1097] Verhandeling...², p. 86, 87.

[1098] Idem, p. 95, 106; vgl. hfdst. VIII, par. 3.

Over de eigenlijke dramaturgie van het blijspel deelt Bilderdijk weinig mee. In de *Voorafspraak* van 1779 staat dat deze toneelsoort wordt gekenmerkt door 'geringheid van onderwerp', en in de verhandeling *Het treurspel* van 1808 weet Bilderdijk te melden dat de 'verheffing..., het wezen des Treurspels uitmaakt en het van de klasse des Blijspels onderscheidt'. De verhouding tussen beide genres kan bovendien worden aangeduid als die tussen 'schreien en lachen, of 't geen deze tweederlei uitstorting van aandoening voortbrengt.'[1099] Blijkens de aantekeningen in zijn handexemplaar van de *Hamburgische Dramaturgie*, was de komedie, in tegenstelling tot het treurspel, voor Bilderdijk (evenals voor veel andere theoretici) het dramatisch domein van de gewone man.[1100] De treurspelverhandeling noemt 'de gaaf van onderhouding' als de eigenschap die het blijspel qua toneelsoort 'gelden' doet. Een komedie moet levendig zijn en (uiteraard) niet platvloers. Verder blijkt Bilderdijk 'zedelijke kluchtjens' te kunnen waarderen die een getrouwe schildering 'der voorouderlijke zeden' bevatten; het feit dat die soms worden ontsierd door 'gebrek van houding' of enkele nietige en vervelende plaatsen, neemt hij zelfs op de koop toe.[1101] Een in 1821 gepubliceerde verhandeling bewijst dat Bilderdijk de komedie bijzonder geschikt achtte voor naïeve effecten. Onder 'het naïve' verstond hij alles wat de natuurlijke aard *verraadt* en wat, bij grotere beschaving, voorzichtigheid en 'wareldkennis', verborgen zou zijn gebleven. Een naïef effect ontstaat bijvoorbeeld als iemand door een onvoorzichtige uitlating zichzelf blootgeeft, terwijl dit kennelijk in strijd is met zijn eigenlijke bedoeling. Bilderdijk waardeerde deze vorm van naïviteit in de blijspelen van de Deen Ludvig Holberg. Naïviteit (waarin Bilderdijk verschillende soorten onderscheidde) wordt echter niet alleen door gesproken of geschreven taal tot uitdrukking gebracht. Dit kan even goed door 'houding en stand, beweging en bedrijf': en het zijn juist deze middelen die Bilderdijk typerend achtte voor komische acteerkunst. Een typisch blijspeleffect was voor Bilderdijk de vereenzelviging van de toneelheld met de acteur, waardoor de rechtstreekse aanspraak tot de toeschouwers mogelijk wordt. Als voorbeeld noemde hij in zijn anno 1780 bekroonde *Verhandeling* de door Molière en Hooft uit Plautus' *Aulularia* overgenomen plaats, waar de gierigaard aan de toeschouwers om inlichtingen vraagt over zijn verloren schat. Bilderdijk vond deze kunstgreep een naïviteit die altijd succes heeft, maar hij merkt erbij op dat, voorzover hem bekend is: 'alle kunstrechters, en kunstleeraars en theoristen', zich ertegen hebben verzet, omdat de toneelillusie erdoor wordt verbroken.[1102] In hoofdstuk VI bleek al dat Bilderdijks kritiek op het verbreken van de illusie in het treurspel is terug te vinden bij Lessing. Op de desbetreffende bladzijde van de *Hamburgische Dramaturgie* kan men ook lezen: 'Dem

[1099] DW. XV, p. 12; Trsp., p. 106, 212.

[1100] Lessing (1958), p. 234 (St. 59) stelt de vraag: 'was können wit für Ursache haben sie [de dramatis personae in het treurspel] immer so eine geziemende, so ausgesuchte, so rhetorische Sprache führen zu lassen?' Bilderdijk commentarieert onder meer: 'si c[o]mmun[e]s hom[ine]s i[n]troducere comoedia est' (vgl. hfdst. I, par. 2).

[1101] Trsp., p. 208, 209.

[1102] Verhandeling ...², p. 104, 105, 128, 133, 134.

komischen Dichter ist es eher erlaubt, auf diese Weise seiner Vorstellung Vorstellungen entgegenzusetzen; denn unser Lachen zu erregen braucht es des Grades der Täuschung nicht, den unser Mitleiden [im Trauerspiel] erfordert...' Een uitwerking van dit gezichtspunt heeft Bilderdijk ten overvloede kunnen aantreffen bij August Wilhelm Schlegel.[1103]

Intussen schijnt Bilderdijks voorbeeld van naïviteit erop te wijzen dat de mentale schok die hem tot lachen bracht óók kan samenhangen met de oppositie tot een bepaald theoretisch beginsel. De komische werking van het blijspel situeerde hij soms op een ongewoon vlak. Overtredingen van de dramaturgische regels konden hem zowel irriteren als doen lachen. Blijkens de treurspelverhandeling van 1808, ervoer hij de afwijkingen van de eenheid van plaats in de blijspelen van Plautus als 'onlijdelijk'.[1104] In de *Voorafspraak* van 1779 schreef hij echter, dat verwisselingen van plaats in 'tooverstukken' ons kunnen doen lachen: vanwege de ongerijmdheid dat wij ons volgens het toneelstuk op een andere plaats zouden moeten bevinden terwijl we in werkelijkheid toch steeds op dezelfde stoel en in dezelfde zaal zijn blijven zitten![1105] Dit 'lachen' lijkt wel erg theoretisch... In de verhandeling *Van het letterschrift* (1809 en 1821) maakte Bilderdijk het nog erger. Het 'belachelijke' van de beroemde taalles in Molières *Le bourgeois gentilhomme* is volgens hem gelegen in het feit, dat de leraar de mondstand bij het uitspreken van een klinker uit de vorm van het gedrukte letterteken verklaart, terwijl een wetenschappelijk verantwoorde redenering juist omgekeerd had moeten luiden...[1106]

Het blijspel en de parodie worden in Bilderdijks treurspelverhandeling aangeduid als 'spelingen van een dartel vernuft, dat somtijds lust schept, beneden de ons voorkomende wareld af te dalen.'[1107] Bilderdijk zelf achtte zich kennelijk geen man voor dergelijke benedenswaarts gerichte literaire dartelheden. Wanneer hij in 1806 verklaart dat het burleske nooit zijn voorkeur heeft gehad en zich als het ware verontschuldigt voor het feit dat ook hém weleens een luchtig en schertsend ogenblik kan aanwaaien, hoeft ons dat eigenlijk niet te verwonderen.[1108] Bilderdijk was niet bij uitstek gezegend met de *vis comica*. Afgezien daarvan, werd zijn houding tegenover het blijspel voornamelijk door zedenkundige overwegingen bepaald. Blijspelen deden volgens hem bij het gewone volk 'de zucht van verstrooiing' toenemen.[1109] Desondanks meende Bilderdijk, evenals de Duitse theoreticus Michael Conrad Curtius, dat de komedie tot verbetering van de zeden zou kunnen bijdragen; de praktijk van veel blijspeldichters zagen beiden helaas dikwijls

---

[1103] Lessing(1958), p. 170 (St. 42); Wellek (1955), dl. II p. 53.

[1104] Trsp., p. 215.

[1105] DW. XV, p. 10.

[1106] W. Bilderdijk, *Van het letterschrift*, Rotterdam 1820; voor de datering zie het Voorbericht van de uitgave en Gedenkzuil, p. 62.

[1107] Trsp., p. 198.

[1108] DW. XV, p. 115.

[1109] Trsp., p. 202.

met deze mogelijkheid in tegenspraak.[1110] In het tweede deel van dit *Tweede Boek* zal nog blijken dat Bilderdijk auteurs als Plautus, Molière, Bredero, Huygens en Jan Vos op niet mis te verstane wijze van onzedelijkheid beschuldigt. Er bestaan weliswaar komedies die Bilderdijk waarderen kon, maar in het algemeen geldt voor hem dat de blijspelen *in de praktijk* 'altijd by het volk gediend hebben, om de ondeugden algemeener te maken, zoo wel als de lichtzinnige kluchten [en] de dansen...'[1111]

Bovenstaande uitlating komt voor in de verhandeling *Het treurspel*, die besluit met de hartgrondige wens dat, behalve de valse staats- en zedenleer, eveneens de 'ontuchtige dansen en nietige spotternyen' spoedig van het toneel verbannen mogen worden.[1112] Ook in een voordracht van ongeveer 1810 drukte Bilderdijk zijn afkeer uit van 'ontuchtige dansen', die ertoe hadden bijgedragen dat het toneel was gedegenereerd tot een 'uitspanning, een tijdverdrijf.'[1113] En nadat in 1805 had vastgesteld dat het toneelspel van 'eene schoole van Dichtkunst en zeden' in Duitsland en Engeland was verworden tot ' een bron van zedenbederf, verstrooiing, lediggang' en nog afschuwelijker zaken, schreef Bilderdijk een hekeldicht dat mede tegen het dansen is gericht. Er is daar sprake van een bruid die 'op 't ontuchtig bal' de druk beantwoordt 'van eens verleiders handen, / Die haast haar bed beklimmen zal.'[1114] Dit erotisch alpinisme heeft Bilderdijk nader besproken in een opstel dat hij omstreeks 1815 heeft gewijd aan het mesmerisme of 'dierlijk magnetisme.' Hij schrijft daarin dat, door de werking van een fluïdum, de aanraking van een man tot gevolg kan hebben, dat een wezen van het zwakkere geslacht aan hem wordt overgeleverd. Een dergelijke 'possessie' is echter alleen geoorloofd in het huwelijk. En: 'het is daarom dat de verhittende dansen en omarmingen en omzwaaiingen aan de hand van een man, voor de vrouw of het meisje zo verpestend, zo zeden en ziel verwoestend, zo Godloos kwaad is.'[1115]

De studie over *L'Esthétique de Calvin* van Léon Wencélius bewijst dat Bilderdijks houding tegenover het dansen vergelijkbaar is met die van Calvijn zelf. Maar hij motiveerde anders. Met name ontbreekt bij Bilderdijk het argument ter bestrijding van de dans dat Calvijn aan de bijbel ontleent. Dat is de dans van Salomé aan het hof van Herodus, die immers heeft geleid tot de dood van Johannes de Doper! Na te hebben meegedeeld dat het dansen een misdaad was die de inwoners van Genève in de gevangenis bracht, stelt Wencélius vast dat Calvijn de dans van David voor de ark blijkbaar niet verwerpelijk achtte; en hij concludeert daarom: 'l'attitude du Réformateur sur la danse n'est donc pas aussi uniformément négative qu'on veut bien le dire. Ce n'est jamais une

---

1110 Aristoteles verhandeling (1780), p. 80.

1111 Trsp., p. 202.

1112 Trsp., p. 163.

1113 TDV. I, p. 194.

1114 DW. II, p. 484, 485.

1115 W. Bilderdijk, *Opstellen van godgeleerden en zedekundigen inhoud*, Amsterdam 1833, dl. II, p. 105 e.v.: een verkorte uitgave van dit opstel verscheen in De Jong-Zaal (1960), p. 206 e.v. (voor de datering, zie Tyd. II, p. 80, 188.)

condamnation de principe...'[1116] Ook van Bilderdijk zou men dit laatste kunnen beweren. En met meer reden. In zijn aantekeningen bij de uitgave van Huygens' *Koren-Bloemen* (1825) geeft hij de zeventiende-eeuwse dichter gelijk, wanneer deze beweert dat er in de dans, 'in abstracto genomen' geen 'misdaad' ligt. Bilderdijk voegde er echter aan toe: 'Maar in den dans die tegenwoordig bestaat is 't een andere vraag. Ik voor my heb ten minste uit den dans meer zedelijk en lichamelijk jammer zien opspruiten, dan (om iets te noemen) uit de kinderpokken. En zoo de heerschappij van den Boze ergens in kennelijk is, het is zeker in den dans. – Statige en zedige dansen kent men niet meer, en strijden met den Geest der eeuw. Alleen een processie naar de maat zou de dans zijn moeten om praktisch zedelijk te kunnen zijn.' Elders in deze aantekeningen stelde Bilderdijk de vraag of er theoretisch gezien, religieuze dansen kunnen bestaan. Zijn bevestigend antwoord wordt gevolgd door de opmerking: 'Doch zoodanige dans zou dan ook heiligheid in ons vorderen; en, om het dus uit te drukken, eene zwevende Processie van Engelen en uitschieting ten Hemel zijn.'[1117] Dat herinnert de Dante-lezer aan de 'tripudi (dei) Principati ed Arcangeli', waarover de dichter spreekt in het achtentwintigste canto van zijn *Paradiso.*[1118] Maar Bilderdijks beschouwingen over de dans als religieuze manifestatie en als tegendeel van de verwerpelijke praktijk die typerend is voor 'den Geest der eeuw', herinnert ook aan iets anders: namelijk aan zijn in hoofdstuk VIII besproken opvattingen over de toekomstmogelijkheden van het treurspel. Ook daarbij stond de zuiver theoretische mogelijkheid van 'het onbereikbaar ideaal' van de verheven godsdienstige tragedie, tegenover de verwerpelijke praktijk van 'het ondichterlijke (en) van God afgevallen geslacht dezer Eeuwe...'

2. Het drama of burgerlijk-sentimenteel zedenspel

In het hiervoor gegeven overzicht van de toneelgenres (hoofdstuk II en III) werd al uitvoerig aandacht besteed aan de typisch achttiende-eeuwse toneelsoort die meestal wordt aangeduid met de term *drama*, als overkoepeling of vermenging van de subsoorten *comédie larmoyante* en *tragédie bourgeoise*. Bilderdijk heeft nooit een speciale beschouwing aan de nieuwe toneelsoorten gewijd, maar ze komen onder de namen 'burgerlijk toneelspel (toneelstuk)', 'zedelijk toneel (spel)' en (burgerlijk) drama' al bij herhaling voor in zijn eerste geschriften over de dramaturgie.[1119] In zijn *Voorafspraak* van 1779 uitte Bilderdijk scherpe kritiek op de praktijk van het drama in Duitsland en

[1116] Léon Wencélius, *L'Esthétique de Calvin*, Paris z.j., p. 142 e.v.; vgl. S. Anema, *Wat bracht ons Wencélius' «L'Esthétique de Calvin»?*, Aalten z.j.

[1117] Huygens, dl. V, p. 298, dl. VI, p. 255. (Vgl. Th. P. van Baaren, *Dans en Religie*, Zeist 1962.)

[1118] *Paradiso*, canto 28, vs. 124 e.v.: Poscia nei due penultimi tripudi; Principati ed Arcangeli si girano; L'ultimo è tutto d'Angelici ludi.

[1119] Kamphuis (denkbeelden, 1947), p. 217 meende ten onrechte dat de door Bilderdijk in zijn *Voorafspraak* van 1779 geuite kritiek op 'den tegenwoordigen staat der Tooneelpoëzye' uitsluitend toepasselijk is op de nieuwe drama's, die Bilderdijk volgens hem bovendien als bedervers van de goede smaak en de goede zeden zou hebben aangeduid. Uit de context (DW. XV, p. 4) en uit Brief navolger, p. 12, blijkt dat Bilderdijk niet alleen doelde op burgerlijke drama's maar ook op 'gebrekkige vorstelijke treurspelen'.

Frankrijk. Hij waagde zelfs de aarzelende veronderstelling dat deze toneelsoort een bewijs vormde voor 'het verval van der Franschen smaak en geest, dat in hunnen tegenwoordige voortbrengselen duidelijk genoeg te zien is.'[1120]

Een criticus van de *Nederduitsche Dicht- en Tooneelkundige Bibliotheek* vond het nodig de burgerlijke treurspelen tegenover Bilderdijk in bescherming te nemen.[1121] De jonge dichter antwoordde hem in zijn *Brief van de navolger van Sofokles' Edipus* (1780), waaruit blijkt dat hij zich niet wenste voor te doen als een principiële tegenstander van het nieuwe toneelgenre. Bilderdijk schreef ondermeer dat hij van ganser harte toestond 'de rampen van onze Medeburgeren op het Tooneel te vertonen', en geenzins aan de koninklijke personen van het vorstelijke treurspel het monopolie wilde geven om 'de kunstellaadje des Schouwburgs te mogen bestijgen'. Onmiddellijk daarna zette hij echter uiteen, dat het leren schragen van ongelukkigen slechts kan worden bereikt door de Aristotelische zuivering van het medelijden, die nu eenmaal toeneemt naarmate de dramatis personae belangrijker zijn.[1122] Er zijn weinig of geen drama's aan te wijzen, waarvoor Bilderdijk expliciet zijn bewondering heeft uitgesproken. In zijn *Voorafspraak* van 1779 noemde hij het oogmerk van de aanhangers 'dezer Tooneelspelen... zeer prijslijk' maar hij vond dat er onder de uit het Duits en het Frans vertaalde burgerlijke spelen 'weinige, zeer weinige' goede stukken zijn: in ieder geval geeft hij daar zelf geen enkel voorbeeld van. Zoals uit Deel II van dit *Tweede Boek* nog blijken zal, staat daartegenover dat Bilderdijk op talrijke drama's die hij wél met name noemt, in 1779 zeer scherpe kritiek wist te leveren.[1123] Als tegenstander van het burgerlijk toneelspel in genere, deed Bilderdijk zich pas duidelijk kennen in 1808. Zijn treurspelverhandeling noemt het drama 'een middelding tusschen Blijspel en Treurspel' en, zo voegde Bilderdijk daaraan toe: 'Het is den aard der Bastaardsoorten dat zij de Hoofdsoorten waar tusschen zij liggen, en de beteren allermeest, verwoesten.' Datzelfde jaar schreef hij voor koning Lodewijk een *Exposé touchant l'état déplorable de notre Théâtre*. Het drama wordt daarin omschreven als: 'un genre mitoyen et vicieux (qui) n'a pu que corrompre les deux genres qui s'y confondaient de la manière la plus absurde.'[1124]

Dat is duidelijke taal. Voor Bilderdijk was de nieuwe toneelsoort een (in 1808 beslist afkeurenswaardig) genre, dat eigenschappen van het treurspel en het blijspel in zich trachtte te verenigen.[1125] Qua standing hoort het thuis op het niveau van de komedie: in de

[1120] DW. XV, p. 4.

[1121] Kollewijn, dl. I, p. 88.

[1122] Brief navolger, p. 13, 14.

[1123] DW. XV, p. 23-25; welwillend stond Bilderdijk tegenover een (door hem zelf verbeterd!) drama van J. van Panders; zie hiervoor, evenals voor zijn lof op Vereul en Weisse, het derde deel van dit *Tweede Boek*, waarin Bilderdijks meningen over voorgangers en tijdgenoten ter sprake komen. Blijkens onuitgegeven aantekeningen (de zg. *Consideratien*) meende Bilderdijk, dat er geen Nederlandse drama's bestonden die voor opvoering in aanmerking kwamen: zie hfdst. XVII, par. 5.

[1124] Trsp., p. 136; Tyd. II, p. 307.

[1125] Vgl. Bilderdijks gebruik van de term 'comédie larmoyante' in Trsp., p. 106.

treurspelverhandeling staat dat de dramatis personae 'in den gewonen kring der samenleving vallen', en in een taalkundige publicatie van 1820 merkte Bilderdijk bijwijze van voorbeeld op, dat in de uitdrukking 'het *hooge* schouwtooneel' de gecursiveerde bepaling een tegenstelling uitdrukt tegenover het *lagere,* welke verhouding hij toelicht door enerzijds op het treurspel te wijzen, en anderzijds op het blijspel, de klucht, of het hedendaagsch Drama.'[1126] Ook in de Voorafspraak van 1779 sprak Bilderdijk over dit niveau-verschil. Hij schrijft daar dat een volmaakt drama nauwelijks iets anders zijn kan dan het oude Griekse treurspel: 'de grootschheid en verhevenheid der onderwerpen ter zijde gesteld.'[1127]

Deze laatste bepaling impliceert dat zo'n volmaakt drama moet voldoen aan hoge zedelijke en toneeltechnische voorwaarden. Bilderdijk achtte die voorwaarden beter geformuleerd dan vervuld in het werk van Louis Sébastien Mercier. Wat Bilderdijk verlangde was een zuivere zedenleer die de deugd met wellust en de ondeugd met afgrijzen doet beschouwen. En dat in een structuur die de eenheid van daad waarborgt.[1128] Een uitwerking van deze eisen kan men vinden in zijn *Voorafspraak* en in een tweetal kritieken die hij (eveneens in 1779) heeft opgesteld voor A. van der Kroe, toen deze uitgever zijn oordeel had gevraagd over de manuscripten van twee drama's door J. van Panders.[1129] Bilderdijk blijkt met betrekking tot structuur, kiesheid en zedenleer, aan het drama soortgelijke eisen te stellen als aan het treurspel. Het drama mag niet worden ontsierd door verwarde samenspraken, herhalingen, onwaarschijnlijkheden, en 'aanhangselen' na de ontknoping. Er mogen geen personages en episoden in voorkomen die los van de hoofddaad staan, en bijgevolg mag de expositie niet plaatsvinden door toevallig optredende figuren die de rol van 'vertrouwde' gaan vervullen. Alle onderdelen moeten een hechte eenheid vormen en er dient zonder pardon te worden voldaan aan de 'Toneelwetten'.[1130] Deze laatste eisen dat een drama is opgebouwd als volgt:

> 1. Een *voorstel,* 't welk tot het eerste bedrijf behoort.
> 2. *handeling,* en *verwarring* of *knoop*; behoorende tot de middelbedrijven.
> 3. *ontknoping*, die 't laatste bedrijf moet uitmaken.[1131]

Met betrekking tot de 'kieschheid' vindt Bilderdijk dat smakeloosheden moeten worden vermeden en dat het taalgebruik en de zeden bij dramatis personae 'van rang en fatsoen' niet te platvloers mogen zijn. De zedenleer moet voortvloeien of afleidbaar zijn uit de handeling zelf en mag niet (zoals bij Euripides en Seneca) onafhankelijk van de

[1126] Trsp., p. 211; TDV. I, p. 75, 76.
[1127] DW. XV, p. 24.
[1128] DW. XV, p. 24.
[1129] Bosch (1955), p. 23 e.v., p. 44 e.v.
[1130] DW. XV, p. 4, 9, 17, 22; Bosch (1955), p. 24, 45, 46, 47, 51.
[1131] Bosch (1955), p. 25.

gebeurtenissen worden aangebracht in de vorm van losse spreuken. Verder eist 'de kieschheid der beschaafde wareld' dat vrouwelijke karakters terughoudend en ingetogen worden voorgesteld. En tenslotte dient de vertoning van akeligheden zoals een 'verhangeling', te worden vermeden.[1132]

Een fout tegen de zedenleer in het drama acht Bilderdijk het gebruik van uitdrukkingen die beledigend zijn voor een bepaalde stand. Als een personage verwerpelijke stellingen over godsdienst of zeden voordraagt, dient de schrijver ervoor te zorgen dat de toeschouwers sterker moreel 'tegengift' krijgen toegediend. De aandoeningen die moeten worden verwekt, zijn medelijden en afkeer. Bij de uitbeelding van een slecht karakter dient de schrijver ervoor te zorgen dat dit wordt voorgesteld als een gevolg van valse beginsels. En in geen geval mag de indruk worden gewekt dat de vertegenwoordiger van de ondeugd in het stuk triomfeert, terwijl de brave lieden daarentegen aan het slot ongelukkig achterblijven.[1133] In zijn al eerder besproken aantekeningen bij zijn eerste Sofoclesvertaling protesteerde Bilderdijk tegen de mening dat een deugdzaam personage op het toneel niet ongelukkig zou mogen worden voorgesteld. Er moet daarbij worden opgemerkt dat het toen ging over de held in het *treurspel* en met name over de Oedipus-gestalte van Sofocles. Voor het *drama* hanteerde Bilderdijk blijkbaar een andere maatstaf. Evenals in het blijspel, mag de deugd hier nooit het slachtoffer worden. In deze, voor het volk en over het volk geschreven toneelgenres, geeft hij duidelijk de voorkeur aan de eenvoudige formule van de 'justice poétique'. Waarschijnlijk werd hij daarbij meer gedreven door zedelijk verantwoordelijkheidsgevoel voor 'den grooten onwetenden hoop' dan door de bij Corneille en Addison geldende overweging, dat de toneelauteur tegemoet zou moeten komen aan smaak en verlangen van de toeschouwers, die nu eenmaal graag de dichterlijke gerechtigheid zagen uitgebeeld.[1134]

[1132] Bosch (1955), p. 45-48 en Bilderdijks kritiek op Trissino in hfdst. XII, par. 3. Vgl.in verband met de zedenleer de al in hfdst.VII, par. 1, noot 366, geciteerde uitspraak van Lutkeman als vertaler van het Duitse drama *Der Gasthof: Het verkeerd vertrouwen, blyspel*, Amsterdam 1780. (Dat Bilderdijk de door Lutkeman vertaalde treurspelen van J.F. von Cronegk (*Codrus*) en J.E. Schlegel (*Canut*) 'jammerlijke miskramen' vond, staat in hfdst. XV, slot par. 2.)

[1133] Bosch (1955), p. 46, 47, 49, 50.

[1134] Gallaway, p. 151; Trsp., p. 237. (Vgl. voor de 'justice poétique' hfdst. VII, par. 1.)

DEEL III

BILDERDIJK OVER VOORGANGERS EN TIJDGENOTEN

HOOFDSTUK X

HET GRIEKSE TONEEL

1. Algemeen

De beschouwingen en aantekeningen die Bilderdijk heeft toegevoegd aan zijn vertalingen van Griekse toneeldichters bewijzen een grote belangstelling voor de structuur van de Attische tragedie.[1135] Het is daarom begrijpelijk dat Bilderdijk zich ook in andere theoretische geschriften heeft bezig gehouden met de rei, het epeisodion en de overige elementen waardoor de bouw van het Griekse treurspel wordt bepaald. Als drieëntwintigjarige blijkt Bilderdijk de rei te beschouwen als vertegenwoordiger van het volk, dat bij de Grieken deelnam aan alle wederwaardigheden van de vorsten en ook tegenwoordig was op de 'openbare plaats' waar het toneel zich afspeelde. Naast deze democratisch-politieke opvatting van de rei, kende Bilderdijk een toneeltechnische, die tot de gelijkstelling leidt van de eenheid van koor met de eenheid van plaats. Hij schrijft dat de rei deelnam aan de handeling en steeds 'tusschen de onderscheiden bedrijven' op het toneel aanwezig bleef. Beide beschouwingswijzen kan Bilderdijk hebben leren kennen uit het werk van andere theoretici: Boileau, Batteux, Brumoy, Lessing, Lenz, Herder ...[1136]

De taak van de rei omschreef Bilderdijk in zijn *Voorafspraak* (1779) als het verbreiden van de lof der Goden, der deugd en der helden, of het geven van zedenkundige bespiegelingen of verklaringen. In alle gevallen moest de rei een tegenwicht vormen tegenover 'de onstuimige driften der speleren'.[1137] Op het voorbeeld van Marmontel meende Bilderdijk dat de rei de indruk van het Griekse treurspel moest versterken door het tonen van mededogen, ijzing, afkeer, ontzag en bewondering: '*De rei*; in de zelfde omstandigheid met den aanschouwer geplaatst, verstrekte eenen spiegel, waar in dees zich zelven beschouwde: deszelfs hartstochten achtte hij de zijnen, en door ze in zijn' eigenen boezem na te sporen, deed hij ze zelf ontstaan; en wel met des te meer wellust en vertrouwen, als hij in zijn voorbeeld een voorbeeld der zuiverste zedenleer en deugdsbetrachting ontmoette.' Tenslotte bestreed Bilderdijk nog de kritiek van Voltaire op de rei, door te beweren dat 'deze personaadje' niet alleen een allernuttigst deel van het treurspel uitmaakt in zedelijk opzicht, maar ook als 'werktuiglijke aaneenschakeling, in welker waarneming zij den aanschouwer te hulpe koomt.'[1138]

[1135] Zie het *Eerste Boek*, hfdst. XI, par. 2.

[1136] DW. XV, p. 7, 10; Br. I, p. 64, 65, 67, 68; vgl. Kamphuis (Denkbeelden, 1947), p. 213, noot; Friedrich (1908), p. 38, 55; Lessing (1958), p. 183, (St. 46); Brumoy, dl. I (1732), p. 198; zie verder: Schlegel (Van Kampen, 1810), p. 58, 83; Feith (Iets over het treurspel, herdruk 1825), p. 49.

[1137] DW. XV, p. 7.

[1138] DW. XV, p. 8, 10, 11 (noot); vgl. Br. I, p. 69.

Bilderdijks opvattingen van 1779 zijn niet direct in tegenspraak met hetgeen hij in zijn essay *Het treurspel* (1808) meedeelt over het belang van de aan de handeling deelnemende rei in de opbouw van het Griekse treurspel, en (op gezag van Horatius) over zijn zedelijk nut als 'tegengift' voor de invloed van roekeloze of 'snoode personaadjen'.[1139] Enkele jaren later (in 1810) heeft Bilderdijk in het Koninklijk Instituut een spreekbeurt aan de rei gewijd.[1140] Dit is een belangrijk stuk, omdat Bilderdijk daarin zijn vroegere mening over het Griekse koor expliciet herroept. In overeenstemming met de later algemeen aanvaarde opvatting, verklaart hij de herkomst van de rei als lofzang tot Dionysus. Toen zich de tragedie later van muziekstuk, lofzang en dans tot het eigenlijke 'tooneel' ontwikkelde, kwam de gezongen rei buiten de handeling te staan en verloor alle belangstelling van de Atheense toeschouwers: het eerste blijkt volgens Bilderdijk uit Aristoteles en het tweede onder meer uit een plaats bij Aelius Donatus.[1141] Zijn conclusie is dat de rei niet mag worden beschouwd als een deel van het Griekse treurspel en dat het verkeerd is er 'een geheel volk in (te zien) dat in de bedrijven der groote mannen die optreden, 't hoogst belang heeft, en, aan deugd en waarheid gehecht, in 't midden van de barning der hartstochten, plicht en menschlijkheid voorstaat, verdedigt, en handhaaft.'[1142]

Bilderdijks mening over de *episode* in het Griekse treurspel zal nog ter sprake komen naar aanleiding van zijn oordeel over Sofocles' *Ajax* en *Antigone* en eveneens in verband met zijn opinie over Euripides. Bilderdijk heeft zich over de Griekse episode uitgesproken in 1779, 1805, 1806 en 1808, maar hij verdedigde steeds dezelfde opvatting.[1143] Die komt erop neer, dat de wijze waarop de toneeldichter zijn ontwerp uitwerkt, dus de handeling zelf, in de ideale Griekse tragedie het eigenlijke epeisodion was. Dit ene epeisodion bestond uit meer delen, die men later ('doch tegen de meening en 't verstand van Aristoteles') is gaan beschouwen als evenzovele afzonderlijke episoden. Wat Bilderdijk bij deze redenering uiteindelijk verdedigt, is de eenvoudige eenheid van daad in het volmaakte Griekse treurspel. Vanaf het moment immers dat men een *zogenaamde* episode als een afzonderlijk geheel beschouwt, kan men er een eigen strekking aan toekennen en vervalt de eenheid van handeling die wordt gewaarborgd door het axioma van het ene allesomvattende echte epeisodion dat gericht is op één doel en waartoe elk onderdeel zijn eigen noodzakelijke bijdrage levert.[1144]

Dit door reien afgewisselde éne epeisodion werd voorafgegaan door een inleidende 'expositio' en gevolgd door het 'slot', dat de consequenties van de ontknoping liet zien.[1145]

[1139] Trsp., p. 133, 168, 203, 217.

[1140] TDV., I, p. 167 e.v.; vgl. de aantekening bij nr. 15 op de *Lijst van theoretische geschriften over het toneel* in hfdst. XVIII.

[1141] TDV. I, p. 172, 169-171, 183, 187; vgl. hfdst. V, par. 3.

[1142] Idem, p. 171, 172.

[1143] Vgl. met in de volgende noten genoemde vindplaatsen: DW. I, p. 484 e.v., DW. II, p. 489, DW. XV, p. 12.

[1144] G. Kalff, 'Onuitgegeven brieven van Bilderdijk aan Feith', TNTL 1905, p. 58 e.v.; Trsp., p. 238 e.v.; vgl. hfdst. V, par. 4.

[1145] Trsp., p. 181 e.v.

Zoals in het *Eerste Boek* werd aangetoond bij de bespreking van Bilderdijks Sofocles-vertaling van 1779, kwam Bilderdijk pas later tot het inzicht dat de indeling in vijf bedrijven volgens het Frans-klassieke schema geenszins een eigenschap was van het Griekse treurspel. Dit immers ging onafgebroken voort en dankte daaraan in beginsel zijn eenheid van plaats en tijd.[1146] Belangrijker dan deze eenheden was echter de eenheid van voorwerp en daad, die het Griekse treurspel bezat omdat het in wezen een *dichtstuk* was: 'Het was geen handeling; het was tot geen voorstelling van de gebeurtenis door nabootsing van handeling, geschikt; maar zijn aart was, het Dichterlijk beklag en verhaal', aldus Bilderdijk in zijn treurspelverhandeling van 1808. En in hetzelfde essay noemt hij 'het groote fonds en de schering der Webbe' van het dichtstuk dat wij aanduiden als 'de Griekse tragedie': de *alleenspraken*, de *verhalen van de dramatis personae* en [tenminste nog in 1808] *de rei*.[1147]

De 'voornaamste verdienste' van het Griekse treurspel zag Bilderdijk in 1779 bepaald door: 'De deftige eenvoudigheid, de bron van het ware verhevene; de kunstrijke schikking...; de eenheid van onderwerp, plaats en tijd; de natuurlijke ontknoping.'[1148] Als hij in 1808 zijn leerdicht *Het tooneel* schrijft, roemt hij 'der Grieken eedle pracht' en spreekt hij over ''t heerlijkst meesterstuk van 't oude Griekenland.'[1149] Dat meesterstuk is de Attische tragedie. In de *Voorafspraak* van 1779 bewonderde de jonge Bilderdijk vooral de technisch-structurele aspecten. Zijn verhandeling *Het treurspel* van 1808 bewijst eveneens belangstelling voor het inhoudelijk, en daarmee samenhangend stilistisch aspect van het ideale dramatisch 'Dichtstuk' van de oude Grieken. Hier volgt de passus waarin Bilderdijk in een soort lofzang weergeeft wat voor hem de waarachtige Griekse tragedie betekent. [en waarbij ik even herhaal dat zijn opvatting over de rei zich na 1808 heeft gewijzigd]:

> Het Grieksche Treurspel is een Dichtstuk, en wel, een Zangerig Dichtstuk. Het is, Dichtstuk zijnde, in zijn aart en wezen van een Historisch voorstel onderscheiden. Het bestaat in Lierzangen, doormengd met Alleen- en Saamgesprekken, wier stijl dien des Lierzangs byblijft, en dien van het Heldendicht overtreft. Het stelt Wezens voor, boven onzen kring. Goden, Halve goden, Geesten, Helden van den ouden tijd, Goden gelijk, en hun afkomst. Goden afkomst, ontzachlijk als zy, en zelfs, van een reuzige gestalte; stout, sterk van aandoeningen; boven ons menschen in alles. 't Stelt die voor, ongelukkig; of in 't onheil stortende door het onverbidlijk lot, door de vervolging van Goden die niet te weêrstaan zijn. 't Stelt eene eenige eenvoudige daad voor, regelmatig afloopende; en het stelt die daad voor, naar den aart van het

[1146] *Eerste Boek*, hfdst. XI, par. 2, Trsp., p. 125, 212, 214.
[1147] Trsp., p. 212, 168, 169.
[1148] Br. I, p. 69.
[1149] DW. VII, p. 20, 21

> Dichtstuk, en aan den eisch van dat Dichtstuk zoodanigerwijs onderworpen, dat niet het Dichtstuk om de daad, maar de daad om het Dichtstuk is. 't Stelt die daad voor, in zeer eenvoudig afloopende alleenspraken, twee- of driespraken, allen in het openbaar gehouden, en waar in de Rei, wiens statelijke Zangen en Ommegangen het Godsdienstige van de instelling vertegenwoordigen, en die daarom steeds het belang van godvrucht, wet, en zeden ter harte neemt en openlijk voorstaat, (en die ook, regelmatig gesproken, na zijne eerste opkomst het Tooneel niet verlaat,) deel en belang heeft; en welke, zoo onderling als met de zangen van den Rei, zonder tusschenverpozingen en onafgebroken te samen hangen. Ieder gevoelt dat hier eene zeer bepaalde ruimte van tijd, onveranderbaarheid van plaats, en eene uitsluiting van al wat overtollig tot de daarstelling des bedrijfs zijn zoude, aan verknocht is. En ieder, vertrouw ik, gevoelt even zoo, dat die in dit Treurspel iets anders dan Dichtstuk, iets anders dan zangerige, dan allerverhevenste Dichtkunst zoekt, het ten eenenmaal en in allen opzicht miskent.[1150]

Zoals al eerder besproken, meende Bilderdijk dat aan deze verheven Griekse tragedie een goddelijk te noemen wijsbegeerte ten grondslag ligt, een filosofie die hij ook zou willen aantreffen in het moderne treurspel. We komen daarmee tot zijn opvattingen over de Aristotelische catharsisleer.

2. Aristoteles

In Bilderdijks verhandeling *Het treurspel* (1808) en in zijn lyrisch leerdicht *De kunst der poëzy* (1809) staan een paar opmerkingen over Aristoteles die niet bepaald vleiend kunnen worden genoemd. In hoofdzaak wordt de Griekse wijsgeer verweten dat hij zelf geen poëet was en derhalve geen kennis kon hebben van de wijze waarop de poëzie, als ongelimiteerde uitstorting van het gevoel, zich manifesteert in de 'zichzelven als kunstenaar niet bewust zijnde' dichter. In de Aristotelische leer die de kunst een navolging van de natuur noemt, zag Bilderdijk een bedreiging van zijn eigen opvatting over *De Kunst der Poëzy*.[1151] Maar dit verminderde geenszins zijn eerbied voor andere meningen van Aristoteles en zijn met verbazing gemengde verontwaardiging over het feit, dat een figuur als Nicolai het gewaagd had de grote Griekse theoreticus tegen te spreken.[1152] Blijkens de vorige paragraaf heeft Bilderdijk zich steeds beroepen op het gezag van Aristoteles bij zijn beschouwingen over de episode in het Griekse treurspel. Omstreeks 1780 noemde Bilderdijk Aristoteles' *Poetica* het werk van een 'verlichten Wijsgeer', dat nodig door een terzake kundige auteur zou moeten worden vertaald.[1153] En inderdaad is hij zelf als

[1150] Trsp., p. 127, 128.

[1151] DW. VII, p. 77; Trsp., p. 135; TDV. I, p. 56; vgl. La Harpe, *Lycée, ou cours de littérature...*, dl. I, (1822), p. 59. Zie ook hfdst. IV, hfdst. VI par. 3 en hfdst. XI, par. 2.

[1152] Trsp., p. 222.

[1153] Verhandeling², (1836), p. 177, 178.

adviseur betrokken geweest bij de uitgave van *Aristoteles verhandeling over de dichtkunst*, die kort daarop bij Arend Fokke Simonsz werd uitgegeven.[1154]

In 1805 en in 1808 heeft Bilderdijk de wetten van Aristoteles aangeduid als lessen van het 'gezond verstand'; een zienswijze die hij deelt met Brumoy, Chapelain, D'Aubignac, Rymer, Dryden, Shaftesbury en andere theoretici.[1155] Men moet zich niet verkijken op Bilderdijks mededeling (1805), dat de leer van Aristoteles vanwege dat gezonde verstand 'onverbreeklijk' zou zijn. In 1808 heeft hij tot tweemaal toe benadrukt, dat Aristoteles slechts waarnemingen van het destijds bestaande treurspel heeft willen formuleren en geen voorschriften die zonder uitzondering altijd en onder alle omstandigheden van kracht moesten blijven. Bilderdijk schrijft dat men onderscheid dient te maken tussen hetgeen 'algemeen is aan alle dichterlijke voorstelling', en hetgeen alleen eigen is aan het Griekse treurspel dat Aristoteles heeft gekend. Hij gaat echter niet dieper in op deze onderscheiding.[1156]

De interpretatie (en appreciatie) van Aristoteles was een omstreden en niet steeds heldere kwestie in Bilderdijks tijd. En dat geldt met name voor de catharsisleer, waarover grote verwarring bestond in Engeland, die geenszins was begrepen door Saint-Evremond, Fontenelle, Voltaire en Rousseau, en waartegenover een figuur als Schiller herhaaldelijk zijn standpunt moest wijzigen.[1157] De talrijke, tussen 1483 en 1927 geschreven studies, commentaren en vertalingen (1583 nummers!) die men vermeld vindt in Coopers en Gudemans *A bibliography of the Poetics of Aristotle*, geven een indruk van de moeilijkheden waarvoor Aristoteles zijn talrijke uitleggers heeft geplaatst.[1158] Ook Bilderdijk heeft zijn standpunt in de loop der jaren moeten veranderen.

1154 Br. I, p. 4, 17 e.v.; Bosch (1955), p. 52. In de bibliotheek van de Koninklijke Akademie te Amsterdam bevindt zich onder nr. 475 een exemplaar van deze vertaling met een brief van H.J. Koenen (20-XII-1833), waarin staat dat het werk 'op aanraden en onder toezicht van B.' door iemand anders vervaardigd is.

1155 W. Bilderdijk, *Fingal, in zes zangen naar Ossiaan*, dl. II, Amsterdam 1805, p. 95; DW. XV, p. 141; Brumoy, dl. I, p. 332. Volgens Riccoboni (1740), p. 139, zijn de kunstregels gedicteerd door de 'raison'. Dezelfde mening hebben de Fransen Chapelain en D'Aubignac, en de Engelsen Puttenlaw, Rymer, Dryden en Shaftesbury. De classicisten brachten de regels eveneens in verband met de natuur; zo Rapin, Dennis, Gildon, Pope e.a. Zie Green (1934) en Gallaway (1940), p. 197 e.v.

1156 Trsp., p. 109; DW. XV, p. 141.

1157 Folkierski (1925), p. 253, 276, 292; Gallaway (1940), p. 75; Wellek, dl. I (1955), p. 118, 248, 249.

1158 Lane Cooper and Alfred Gudeman, *A bibliograhy of the Poetics of Aristotle*, New York 1928. Cooper bezorgde ook een met voorbeelden toegelichte parafrase van de Poetica in: Lane Cooper, *The Poetics of Aristotle, its meaning and influence*, New York 1927. Verrassend was de Nijmeegse dissertatie van C.W. van Boekel, *Katharsis, een filologische reconstructie van de psychologie van Aristoteles omtrent het gevoelsleven*, Utrecht 1957, waarin filologische interpretatie tot psychotherapeutische inzichten leidt en verbinding wordt gelegd met de Freudiaanse dieptepsychologie. Een indeling in twee 'klassieke' catharsisopvattingen, gevolgd door een korte samenvatting van de meningen der voornaamste Italiaanse theoretici in de renaissance geeft Spingarn (1930), p. 74 e.v. Een uitgebreider overzicht (aanvankelijk uitgaande van dezelfde tweedeling) voor de achttiende eeuw is te vinden bij Robertson (1939), p. 372 e.v. Diepgaand en belangrijk voor Lessing en al zijn voorgangers is Kommerell (1940), p. 63 e.v. en p. 262 e.v. Een kort en duidelijk overzicht van 'vier Hauptauffassungen der Katharsis' geeft Otto Mann in zijn uitgave van de *Hamburgische Dramaturgie* (1958), p. 460 e.v. Ook in de anno 1986 verschenen Nederlandse Poetica-vertaling door Van der Ben en Bremer vindt men een overzicht van catharsisopvattingen (p. 177-186). Een vergelijkend overzicht voor Nederland over de periode 1700-1772 geeft De Haas (1998), p. 244-252. Een korte bespreking van Bilderdijks catharsisinterpretatie staat bij Van Eijnatten (1998), p. 450-451 en p. 468.

De Aristotelische catharsisleer komt alleen maar zijdelings ter sprake bij de uitgave van Bilderdijks eerste Sofoclesvertaling in 1779. Wanneer Bilderdijk in zijn *Voorafspraak* de *Phèdre* van Racine behandelt, spreekt hij daarbij van het 'medelijdend belang' van de Hippolyte-figuur en noemt hij Phèdre zelf een 'voorwerp van schrik': dat zijn kwalificaties waarvan hij de kiem heeft kunnen vinden in een beschouwing van Racine zelf.[1159] In de aantekeningen bij zijn vertaling van de *Oedipus Rex*, schrijft Bilderdijk dat Sofocles in de lotgevallen van de door ongebreidelde wanhoop gedreven Thebaanse koning heeft uitgebeeld: het afgrijslijk gevolg van het niet bedwingen der driften. En in het aantonen van de waarheid dat al het onheil der stervelingen uit die ondeugd voortkomt, bestaat volgens Bilderdijk: 'het zuiveren der driften door den *schrik of het afgrijzen*'. Tenslotte spreekt hij in zijn *Brief van den Navolger van Sofokles Edipus* (1780) nog even over de Aristotelische zuivering van het *medelijden*, waarvan het gevolg wordt omschreven als: 'het leren onderschragen van ongelukkigen.'[1160]

Meer uitvoerig over de catharsisleer van Aristoteles is Bilderdijk in de zevende bijlage ('Over de gemengelde aandoeningen'), die hij kort na 1780 heeft toegevoegd aan zijn door de Leidse Maatschappij bekroonde *Verhandeling over het verband van de dichtkunst en welsprekendheid met de wijsbegeerte*. Na te hebben geschreven dat Moses Mendelssohn in het medelijden geen 'Rücksicht auf uns selbst' erkent, beroept Bilderdijk zich onder meer op Aristoteles en Marmontel om te bewijzen dat de *vrees* dat een soortgelijk ongeluk onszelf of de onzen zou kunnen overkomen de bron is van het *medelijden* met anderen. Op dit onderscheid tussen hetgeen wij ten opzichte van onszelf en hetgeen wij ten opzichte van anderen gevoelen, zou de verdeling van die twee 'tragische aandoeningen' door Aristoteles berusten. Want ofschoon de vrees naar oorsprong in het medelijden begrepen is, is zij dit niet in het uitwerksel, zoals Lessing volgens Bilderdijk ten onrechte schijnt te menen. Bilderdijk noemt het medelijden de gesteldheid die ons geneigd maakt ongelukkigen te redden; de vrees bereidt ons voor om niet te worden ontmoedigd door rampen die zich in de realiteit van het menselijk leven kunnen voordoen. Beide zijn 'hoogstnuttige hoedanigheden' waarin andere soortgelijke zijn opgesloten, die eveneens betrekking hebben op algemene menslievendheid of op 'bedachtzaam zelfmistrouwen.' Deze hoedanigheden door zichzelf (dat wil zeggen door hun beoefening) en door elkaar aan te kweken, te matigen, te verbeteren en te zuiveren is – zo besluit Bilderdijk – 'volgens Lessings verklaring', hetgeen Aristoteles bedoelt, wanneer hij als het ware zedelijk doel van het treurspel opgeeft: ' door meêlijden en vrees zodanige hartstochten te zuiveren.'[1161]

[1159] DW. XV, p. 14; Racine neemt t.a.v. Phèdre de woorden 'horreur' en 'odieuse' in de mond en spreekt t.a.v. Hippolyte over 'pitié' (Racine, *Oeuvres choisies* par Jean Fourcassié, Paris 1917, p. 565, 566.)

[1160] DW. III, p. 478. Ik cursiveer. Brief navolger, p. 13, 14.

[1161] Verhandeling², p. 172-177. Voor het samenspel van vrees en medelijden in de catharsis: zie de uitwerking van Lessings beginsel bij Kommerell, p. 274.

Ten opzichte van zijn opmerkingen bij de eerste Sofoclesvertaling van 1779, vertoont deze passus enkele opmerkelijke veranderingen. De scheiding in herkomst van de twee tragische aandoeningen die de opvatting van *Phèdre* in Bilderdijks *Voorafspraak* veronderstelt, lijkt bezwaarlijk te verzoenen met zijn theorie van na 1780. Ik merk hierbij op dat een dergelijke scheiding (één afzonderlijke toneelfiguur verwekt één afzonderlijke aandoening) wel mogelijk was volgens de Aristoteles-interpretatie in het *Discours de la tragédie* van Corneille, maar geenszins volgens die in de *Hamburgische Dramaturgie* van Lessing.[1162] Belangrijker is echter, dat in Bilderdijks tweede beschouwing de termen 'schrik' en 'afgrijzen' zijn verdwenen. Deze vertalingen van de door Aristoteles gebruikte term *Phobos* waren zeventiende-eeuws en onder meer bekend uit Vossius en Heinsius, op wier voorbeeld Vondel het doel van het treurspel aanduidde als 'de menschen te vermorwen door schrick, en medoogen' en die hem over een van zijn dramatis personae deed mededelen dat zij 'den aenschouweren te gelijck schrick aanjaeght, en tranen van medoogen ten oogen uitperst.'[1163] Ook de Franse Aristotelesvertaling van Dacier (1692) en de Duitse van Curtius (1753) werken respectievelijk met de termen 'terreur' en 'Schrecken'. Corneille vatte Aristoteles' *Phobos* al op als 'crainte', maar het is vooral Lessing die (misschien op voorbeeld van Louis Racine) de vertaling 'Furcht' heeft gepropageerd.[1164]

Bilderdijk wijst in de zevende bijlage bij zijn *Verhandeling* de vertaling 'schrik' af en deelt mee, dat hij 'met Lessing' het Griekse woord *Phobos* als 'vrees' wenst te verstaan. Daarbij is niet zozeer opmerkenswaard dat hij met geen woord over zijn vroegere opvatting rept, als wel dat hij 'zijn' nieuwe interpretatie niet eens motiveert. Ik neem aan, dat hij ze zonder meer op het gezag van Lessing heeft aangenomen. Heel zijn beschouwing vertoont trouwens invloed van de Duitse theoreticus. Te beginnen met Bilderdijks opmerking tegenover Mendelssohn, dat in het medelijden steeds 'te rugzicht op onszelven' aanwezig is. Bilderdijk beroept zich daarbij weliswaar op Aristoteles, maar in de *Hamburgische Dramaturgie* had hij zonder twijfel gelezen dat de term 'medelijden' bij de Griekse filosoof steeds gepaard gaat met 'vrees' voor ons zelf. De minder heftige aandoeningen van medelijdende aard die de 'vrees' niet insluiten, duidt Aristoteles volgens

1162 Corneille, *Théâtre*, dl. I (Pléiade), Paris 1950, p. 93: 'Pour recueillir ce discours, avant que de passer à une autre matière, établissons pour maxime que la perfection de la tragédie consiste bien à exciter de la pitié et de la crainte par le moyen d'un premier acteur, comme peut faire Rodrigue dans *Le Cid*, et Placide dans *Théodore*, mais que cela n'est pas d'une nécessité si absolue qu'on ne se puisse servir de divers personnages pour faire naître ces deux sentiments, comme dans *Rodogune*; et même ne porter l'auditeur qu'à l'un des deux, comme dans *Polyeucte*, dont la représentation n'imprime que de la pitié sans aucune crainte. Cela posé, trouvons quelque modération à la rigueur de ces règles du philosophe, ou du moins quelque favorable interprétation, pour n'être pas obligés de condamner beaucoup de poèmes que nous avons vu réussir sur nos théâtres.' Lessing bespot deze redenering van Corneille in zijn *Hamburgische Dramaturgie* (St. 81, p. 318, 319). Dat Corneilles interpretatie een verdediging van de martelaarstragedie betekent, wordt uiteengezet door Kommerell, p. 77 e.v.

1163 Smit, dl. I (1956), p. 441, dl. II, p. 76, 295; vgl. Kommerell, p. 274.

1164 Kommerell, p. 65, 72, 73; Otto Mann in Lessing (1958), p. 455 e.v.; zie Robertson, p. 354-356.

Lessing aan met de term 'filantropie'. Deze laatste, 'filantropie' dus, betreft niet het eigenlijke tragische medelijden maar slechts een begeleidend verschijnsel.[1165]

Wanneer Bilderdijk elders in zijn zevende bijlage de schijn wekt dat hij Lessing tegenspreekt, kan zijn argumentatie ofwel worden verklaard uit onbegrip, ofwel als een poging om de aandacht af te leiden van het feit dat hij tevoren aan de *Hamburgische Dramaturgie* heeft ontleend. De (volgens Robert Petsch en Max Kommerell met Aristoteles' bedoeling strijdige) onderscheiding tussen vrees als een aandoening die *op ons zelf* betrekking heeft, en medelijden als betrekking hebbend op de *held der tragedie*, vindt men al in 1575 bij de Italiaan Allessandro Piccolimini en later onder meer bij Pierre Corneille, André Dacier en Lord Home.[1166] Maar Bilderdijk denkt kennelijk aan Lessing als hij schrijft dat Aristoteles' onderscheid tussen vrees en medelijden berust op het feit dat de eerste op ons zelf, en de laatste op een ander betrekking heeft. De passus uit de *Hamburgische Dramaturgie* waarmee Bilderdijk in een voetnoot suggeren wil dat Lessing tussen vrees en medelijden geen onderscheid in 'het uitwerksel' maakt, is uit haar verband gelicht en wordt in werkelijkheid voorafgegaan door een redenering die verdacht veel op die van Bilderdijk zelf lijkt.[1167]

Merkwaardig is ook Bilderdijks voetnoot bij de door hem gegeven Aristolesvertaling: 'door meêlijden en vrees zodanige hartstochten te zuiveren'. Hij wil het doen voorkomen dat zijn opvatting van Lessings interpretatie afwijkt, door mede te delen dat de Duitser in plaats van 'zodanige', de vertaling 'deze en dergelijke' verdedigt. Ten bewijze citeert hij twee plaatsen uit de *Hamburgische Dramaturgie* op onvolledige wijze en vergeet daarbij te melden dat Lessings hele betoog bedoeld is om aan te tonen dat, buiten de vrees en het medelijden, eigenlijk geen andere hartstochten worden gezuiverd.[1168] Juist daardoor wijkt Lessing (evenals Batteux) namelijk af van de door hem bestreden

[1165] Lessing (St. 76), p. 299; zie de commentaar van Kommerell, p. 80 e.v. en die van Otto Mann in Lessing (1958), p. 459.

[1166] Petsch (1910), p. XV, LII; Kommerell, p. 73, 74; Folkierski (1925), p. 281.

[1167] Lessing (St. 75), p. 294-296, schrijft onder meer: 'seine Furcht ist durchaus nicht die Furcht, welche uns das bevorstehende Übel eines andern, für diesen andern, erweckt, sondern es ist die Furcht, welche aus unserer Ähnlichkeit mit der leidenden Person für uns selbst entspringt; es ist die Furcht, dasz die Unglücksfälle, die wir über diese verhänget sehen, uns selbst treffen können; es ist die Furcht, dasz wir der bemitleidete Gegenstand selbst werden können. Mit einem Worte: diese Furcht ist das auf uns selbst bezogene Mitleid. [...] Es beruhet aber alles auf dem Begriffe, den sich Aristoteles von dem Mitleiden gemacht hat. Er glaubte nämlich, dasz das Übel, welches der Gegenstand unsers Mitleidens werden solle, notwendig von der Beschaffenheit sein müsse, dasz wir es auch für uns selbst, oder für eines von den Unsrigen zu befürchten hätten. Wo diese Furcht nicht sei, könne auch kein Mitleiden stattfinden. [...] So dachte Aristoteles von dem Mitleiden, und nur hieraus wird die wahre Ursache begreiflich, warum er in der Erklärung der Tragödie, nächst dem Mitleiden, nur die einzige Furcht nannte. *Nicht als ob diese Furcht hier eine besondere, von dem Mitleiden unabhängige Leidenschaft sei, welche bald mit, bald ohne dem Mitleid, sowie das Mitleid bald mit, bald ohne ihr erreget werden könne*; welches die Miszdeutung des Corneille war: *sondern weil, nach seiner Erklärung des Mitleids, dieses die Furcht notwendig einschlieszt;* weil nichts unser Mitleid erregt, als was zugleich unsere Furcht erwecken kann.' Alleen de door mij gecursiveerde passus werd door Bilderdijk geciteerd.

[1168] Verhandeling^2, p. 177; Lessing, (St. 77), p. 304; in Stück 78 (p. 307) schrijft Lessing: 'Dieser, um es abermals und abermals zu sagen, hat an keine andere Leidenschaften gedacht, welche das Mitleid und die Furcht der Tragödie reinigen solle, als an unser Mitleid und unsere Furcht selbst; und es ist ihm sehr gleichgültig, ob die Tragödie zur Reinigung der übrigen Leidenschaften viel oder wenig beiträgt.'

Corneille en Dacier, die menen dat de catharsis betrekking heeft op *alle* hartstochten.[1169] Bilderdijks eigen versie is intussen feitelijk dezelfde als die in de Nederlandse Aristotelesvertaling van 1780, waar staat: 'door het verwekken van medelyden en vrees de zuivering van diergelyke hartstogten te weeg brengt.'[1170] Zijn voetnoot bevreemdt des te meer, omdat zijn tekst zelf geenszins de consequenties van Bilderdijks 'eigen' opvatting weergeeft maar geheel op verantwoording van Lessing wordt geschoven. Bilderdijk geeft in zijn tekst de Aristotelische catharsisleer immers weer 'volgens Lessings verklaring'. En zoals we al gezien hebben, blijkt daaruit zeer duidelijk dat het toegevoegde 'en dergelijke' in feite slechts een ruime interpretatie van de termen 'vrees' en medelijden' betekent: ook de soortgelijke hoedanigheden die in deze begrippen zijn opgesloten, worden er door aangeduid. Lessing schrijft letterlijk: 'er (= Aristoteles) sagt 'dieser und dergleichen' und nicht blosz 'dieser': um anzuzeigen, dasz er unter dem Mitleid nicht blosz das eigentlich sogenannte Mitleid, sondern überhaupt alle philanthropische Empfindungen, sowie unter der Furcht nicht blosz die Unlust über ein uns bevorstehendes Übel, sondern auch jede damit verwandte Unlust, auch die Unlust über ein gegenwärtiges auch die Unlust über ein vergangenes Übel, Betrübnis und Gram, verstehe. In diesem ganzen Umfange soll das Mitleid und die Furcht, welche die Tragödie erweckt, unser Mitleid und unsere Furcht reinigen; *aber auch nur diese reinigen und keine andere Leidenschaften.*'[1171]

Bij de hier al eerder vermelde bepalingen die Bilderdijk van de begrippen 'vrees' en 'medelijden' geeft, kan worden opgemerkt, dat de opvattingen volgens welke de eerste hoedanigheid ons wapent tegenover toekomstige tegenslagen door Lessing wordt vermeld als afkomstig van Dacier.[1172] Deze ethisch-stoïcijnse interpretatie van de catharsis heeft echter een veel langere voorgeschiedenis, waarin onder meer de namen Robortello, Vettori, Castelvetro, Opitz, Gottsched en Brumoy voorkomen.[1173] Dat het medelijden ons geneigd maakt om ongelukkigen te redden, staat niet bij Lessing. Maar al in het *Discours on music, painting and poetry* (1744) van Harris wordt gesteld dat het gelouterde medelijden ons brengt tot de 'readeness to relieve others in their calamities and distress.'[1174] Wat Bilderdijk, zoals hij zelf meedeelt, weer wél bij Lessing heeft kunnen vinden, is de opvatting dat 'vrees' en 'medelijden' door wederzijdse beïnvloeding de catharsis tot stand brengen, die voor de Duitser bestaat 'in der Verwandlung der Leidenschaften in tugendhafte Fertigkeiten.'[1175] Het 'aankweken' van vrees en medelijden als nobele deugden en de 'zuiverende matiging' ervan, zijn elementen die men al aantreft in de Aristoteles-

[1169] Lessing, (St. 78), p. 306; Robertson, p. 378, 379; zie hierover ook Gallaway, p. 75.
[1170] Aristoteles verhandeling over de dichtkunst... (1780), p. 14.
[1171] Lessing, (St. 77), p. 304. Ik cursiveer.
[1172] Lessing, (St. 78), p. 307.
[1173] Zie hierover: Robertson, p. 373; Mann in Lessing (1958), p. 460; Kommerell, p. 275; Petsch, p. XXVII.
[1174] Folkierski, p. 280, 281.
[1175] Lessing, (St. 78), p. 308.

interpretatie van Daniël Heinsius.[1176] Lessing kan die hebben leren kennen, via de verwerking ervan in de geschriften van Batteux, Home, Père Rapin, M.C. Curtius, of Dubos.[1177]

Dat Bilderdijk zich later opnieuw met de catharsisleer heeft beziggehouden, bewijst een bundel aantekeningen die hij wellicht in Brunswijk (1797-1806) heeft geschreven.[1178] Het betreft hier een aantal becommentarieerde uittreksels uit de briefwisseling tussen Lessing, Nicolai en Mendelssohn (1756-1757). Bilderdijk merkt onder meer op dat hun gedachtewisseling over de bewondering, de schrik en het medelijden veel goeds oplevert, maar ook veel verwards. Hij meent dat het resultaat uiteindelijk 'niet verlichtende' is, en acht een nieuwe behandeling van de gestelde problemen noodzakelijk. Zover komt hij zelf echter niet. Hij merkt onder meer op dat Lessing een 'zeer vruchtbaar' beginsel verdedigt als hij de bewondering voor de held van het epos reserveert en het medelijden voor de held van het treurspel: de eerste heeft zijn ongeluk te wijten aan het lot, en de tweede aan een fout in zijn karakter. Verder tekent Bilderdijk naar aanleiding van deze briefwisseling aan, dat hij desnoods de bewondering nog wel naast het medelijden als uitwerking van het treurspel zou willen toelaten, maar alleen als ze niet een personage geldt doch voortspruit uit de ontdekking van een deug, van een goede en schone daad.[1179]

Wanneer Bilderdijk de catharsisleer ter sprake brengt in een aantekening bij zijn treurspelverhandeling van 1808, verwijst hij daarbij één maal naar de *Hamburgische Dramaturgie* en tweemaal naar de *Briefwechsel* van Lessing, Mendelssohn en Nicolai. Het geheel maakt nu echter de indruk dat Bilderdijk zijn stof meer zelfstandig beheerst en met vaste hand een eigen opvatting verdedigt. Hij begint met het stellen van twee onderscheiden maar onderling verwante vragen, die volgens hem 'tot nog even kwalijk beandwoord zijn.'
Deze vragen luiden:

1. Welke is de grote les van het Griekse treurspel?
2. Welk is het nut dat Aristoteles daarin gesteld heeft?

[1176] Max Zerbst, *Ein Vorläufer Lessings in der Aristoteles-Interpretation*, Jena 1887, p. 49; Edith G. Kern, *The influence of Heinsius and Vossius upon French dramatic theory*, Baltimore 1949, p. 60.

[1177] Petsch, p. XL; Kommerell, p. 274; Robertson, p. 374-376.

[1178] Ltk. Museum te 's-Gravenhage, hschr. B 583, adversaria 3. Voor de datering van deze aantekeningen, zie hfdst. VI, par. 1, noot 285.

[1179] Zie de betreffende brieven bij Petsch, p. 56, 80, 89 en (voor Lessings vermoedelijke navolging van Dacier) de commentaar van Robertson, p. 366, 367. Het onderscheid tussen de te bewonderen epische- en de te beklagen tragische held was al gemaakt door Tasso en kwam via de Italiaanse kritiek, ook in de Franse theorie terecht: Bray (1927), p. 340. Vgl., i.v.m. de bewondering in het treurspel, Bilderdijks lof voor een claus in Lannoy's *Leo de Groote*: hoofdstuk XVII, par. 4, noot 1162.

Alvorens de eerste vraag te beantwoorden, herinnert Bilderdijk eraan dat het Griekse treurspel in oorsprong een religieuze plechtigheid was en met name een 'Lofzang der Goden'. De aanvankelijke hymnen op de onweerstaanbaarheid van de goddelijke macht ging men al spoedig afwisselen met voorstellingen van de nederlaag van hen die deze macht hadden durven weerstaan. De uitbeelding van de Goddelijke wraak en toorn gaf aan de Griekse tragediën al dadelijk 'den statelijk droeven geest', waardoor ze worden gekenmerkt. Wie zich nu als 'onbevooroordeeld' lezer afvraagt wat deze stukken eigenlijk in ons nalaten en door de aandoening waarin ze ons storten weten te verwekken, komt volgens Bilderdijk tot de conclusie dat het Griekse treurspel ons doet beseffen dat de door de loop der gebeurtenissen meegesleepte mens tot lijden is gedoemd en er voor hem geen heil op aarde mogelijk is. Zoals al geciteerd in hoofdstuk VIII, formuleert Bilderdijk de grote les van de Griekse tragedie als volgt: 'Sterveling! den snode achter haalt de straf, den onschuldige de onverbiddelijkheid van het lot. Ons leven is lijden, en tot lijden bestemd. Stel dit vast en richt u daarna!'.[1180] Door de invloed van deze 'grondregel' worden volgens Bilderdijk, naar de leer van Aristoteles, de vrees en het medelijden gelouterd en zelfs de hartstochten in het algemeen. De zuivering van de vrees brengt de mens tot een moedige aanvaarding van zijn lijdensbestemming. Hij verwerft een stoïcijnse houding tegenover de wisselingen van het lot en beseft dat er geen angst bestaan kan voor hem die zijn plicht vervult. De zuivering van het medelijden verheft de mens boven zijn lijdensbestemming en doet hem hulp bieden aan zijn naaste uit plichtsbesef en niet uit hoogmoed, weekhartigheid of eigenbelang. Als de vrees en het medelijden die het treurspel moet opwekken aldus worden geregeld, tot hun waar filosofisch beginsel teruggebracht en van de vervalsing der bijkomende hartstochten gelouterd zijn, dan mag men volgens Bilderdijk zeggen dat ook alle andere hartstochten worden gezuiverd. En dit resultaat maakt voor Bilderdijk de discussie over de juiste vertaling van de Aristotelische treurspeldefinitie evenzeer overbodig als een aantal andere filologische 'spitsvinnigheden' bij de interpretatie van de Griekse wijsgeer. Ik kom daar aan het slot van deze paragraaf nog op terug. Wij volgen nu eerst Bilderdijks redenering en stellen vast dat hij, blijkens zijn treurspelverhandeling en zijn later gedicht *De Nemesis* (1823), het lot der dramatis personae in de Griekse tragedie bepaald zag door de drift der goden en het blinde fatum, waaraan ook deze onderworpen was.[1181] Bij de aanwezigheid van zo'n onverbiddelijk en almachtig Noodlot moest de zojuist vermelde grote zedenles van het Griekse treurspel noodzakelijk 'iets ter neêrslaande' hebben, meende Bilderdijk. Maar deze les deed de lijdende mens ook zijn

[1180] Trsp., p. 223-225; vgl. Trsp., p. 145, 167, 168 en Bilderdijks onuitgegeven brief aan J. Immerzeel van 12-VIII-1808, in copie aanwezig in de Portefeuilles Margadant van het Bilderdijk-Museum te Amsterdam.

[1181] Trsp., p. 144, 145, 223, 225; DW. III, p. 407. Vgl. Jacob Lenz in zijn anoniem verschenen *Anmerkungen übers Theater* van 1774, p. 49: 'Da nun Fatum bey Ihnen [= de Grieken] alles war, so glaubten sie eine Ruchlosigkeit zu begehen, wenn sie Begebenheiten aus den Charakteren berechneten, sie bebten vor dem Gedanken zurück. Es war Gottesdienst, die furchtbare Gewalt des Schicksals anzuerkennen, vor seinen blinden Despotismus hinzuzittern.' Vgl. voor Bilderdijks opvatting ook par 4, over het Oedipus-karakter bij Sofocles en hfdst. VIII, p. 3, alsmede de nog volgende noot 573, over B.A.van Groningen.

blik opheffen tot het 'opperste noodlot' als 'eeuwig besluit van de Hoogste onnoembare, ondenkbare, onveranderlijke in zich-zelve besloten Godheid'; ze nodigde hem uit tot berusting en onderwerping; gaf hem moed, lijdzaamheid en belangeloze goedwilligheid; verwoestte de hoogmoed, het eerbejag en de hebzucht; en deze les bewerkte tenslotte dat de plicht werd beschouwd als het hoogste goed in dit aardse tranendal.

De opvatting van de menselijke existentie als een bestaan van onontkoombaar lijden betekent volgens Bilderdijk voor de Christenmens geen teneerdrukkende maar integendeel een verheffende en troostrijke waarheid. Want de onverbiddelijkheid van zijn lot vindt de Christen verklaard in het leerstuk der allesbestemmende Voorzienigheid, van wier raadsbesluit hij zich volledig en voorgoed afhankelijk weet.[1182] Blijkens het zojuist gegeven citaat over de Hoogste ... Godheid, interpreteerde Bilderdijk ook het 'opperste noodlot' van de Grieken als 'het eeuwig besluit van de ondenkbare 'Hoogste Godheid', waaraan de willekeur van de geconcretiseerde afzonderlijke goden was onderworpen. De Griekse tragedie is volgens zijn opvatting een '*Spel van het lijden*', dat de mens doet opzien naar een andere, transcendente werkelijkheid. Ik cursiveer de uitdrukking *Spel van het lijden*, omdat ze de titel is van een in dit verband interessante tekst over de Griekse tragedie door de Leidse hoogleraar B.A. van Groningen. Deze twintigste-eeuwse classicus kwam anno 1949 tot soortgelijke inzichten als Bilderdijk ... en diens tijdgenoten Friedrich en August Wilhelm Schlegel.[1183] Hij concludeerde dat de Griekse tragedie het menselijk leven uitbeeldt als in zijn diepste bereikbare grond verbonden met het leed. Het lijden wordt er gezien als een essentieel aspect van de menselijke existentie, waarvan wij de zin bevroeden wanneer wij het beschouwen *sub specie aeternitatis*. Het tragische leed maakt ons bewust van het bovenwereldlijke, en is daardoor verbonden met de metafysische grondslag van het menselijk bestaan. De Griekse tragedie wekt in de mens een streven naar inzicht, doordringt hem met een tot innerlijke rust leidend besef van de eisen die hem worden gesteld door een kracht die boven ons is gesteld, en zij schenkt hem de vrede die voortvloeit uit de zekerheid dat zijn tijdelijkheid en betrekkelijkheid geplaatst is en gedragen wordt door het eeuwige en absolute. Daarom slaat het tragisch leed ons niet neer, maar het verheft ons. Wij worden niet definitief overgeleverd aan vrees of meelijden, maar beleven de Aristotelische catharsis, die ons hart zuivert van de verontrustende gevoelens van angst en deernis.[1184]

[1182] Hfdst. VIII, par. 3; Trsp., p. 226, 227; vgl. in het *Eerste Boek* de bespreking van Bilderdijks treurspel *Kormak*, hfdst. X, par. 4.

[1183] Schlegel (Lohner, 1966), p. 64; Van Kampen, 1810), p. 82; Wellek (1955), dl. II, p. 21, 25, 52.

[1184] B.A. van Groningen, *Vier voordrachten over de Griekse tragedie*, Leiden 1949, p. 22, 23, 28, 29, 30, 39; Bilderdijks opvatting staat in Trsp., p. 225 (vgl. par. 6, noot 637 over Opstelten). Waarbij ik opmerk dat een voorwaarde voor welke vorm van catharsis dan ook de latente zekerheid van de lezer of toeschouwer lijkt, dat hij zich tijdelijk heeft overgegeven aan een illusie of fictie, die werd geëvoceerd door een literaire tekst en niet door controleerbare feiten uit de werkelijkheid. Anders wordt, om met Bilderdijk te spreken, 'de aandoening smartelijk en verwerpelijk' in plaats van een 'verlustiging' te zijn (zie hfdst. VI, par. 1, noot 284).

In hoeverre vertoont Bilderdijks treurspelverhandeling afwijkingen ten opzichte van zijn vroegere meningen over de catharsisleer?

Ten eerste valt ons op dat Bilderdijk in 1808 terugkomt op zijn dertig jaar tevoren door Lessing geïnspireerde opvatting dat Aristoteles' term *Phobos* zou moeten worden vertaald met 'vrees'. Hij schrijft in 1808 dat de begrippen 'vrees', 'schrik', en 'schaamte', voor de Grieken ten nauwste verwant waren en laat de mogelijkheid open dat de term *Phobos* ook een aandoening zou kunnen aanduiden die de beide eerstgenoemde begrippen samen omvat. Ik acht het niet onmogelijk dat Bilderdijk tot zijn ruimer inzicht is gekomen door kennisname van de briefwisseling die Lessing met Nicolai en Mendelssohn over deze en andere dramaturgische problemen heeft gevoerd. Maar afgezien daarvan, kan in ieder geval worden geconstateerd dat zijn nieuwe opvatting de inzichten van latere filologen benadert.[1185]

Ten tweede blijkt Bilderdijk te zijn teruggekomen op zijn (en Lessings!) mening dat volgens de juiste vertaling van Aristoteles' definitie, alleen de vrees en het medelijden door de tragedie worden gelouterd. Hij schrijft in 1808 dat het treurspel 'door vrees, of schrik, en medelijden, die het inboezemt, deze, soortgelijke (en waarom ook niet *andere*) hartstochten zuivert.'[1186] Zoals hiervoor vermeld, meende Bilderdijk in 1808 dat door zijn opvatting van de catharsis het verschil tussen de desbetreffende Aristoteles-vertalingen van geen enkel belang is. Dat zelfde geldt voor een derde probleem waarover Bilderdijk zich rond 1780 totaal anders had uitgelaten. Ik bedoel de opvatting dat de vrees (voor onszelf) een middel zou zijn ter opwekking van het medelijden (met anderen). In 1808 noemt Bilderdijk deze, vroeger door hemzelf weergegeven zienswijze (van Lessing!) een overbodige spitsvondigheid.[1187]

Tenslotte brengt Bilderdijk nog het probleem van de bewondering ter sprake, waarin hij zich (te Brunswijk?) had verdiept bij de bestudering van Lessings correspondentie met Mendelssohn en Nicolai. Schijnbaar in tegenstelling tot wat zijn aantekeningen bij deze briefwisseling kunnen doen vermoeden, verklaart hij in zijn treurspelverhandeling dat de tragedie alleen vrees en medelijden mag opwekken en in geen geval bewondering. Bij de bespreking van de toneelillusie in het zesde hoofdstuk, heb ik al vermeld dat Bilderdijks bezwaar tegen de bewondering als tragische aandoening van zedelijke aard is. Hij vreest dat de tot eerzucht en grove zinnelijkheid leidende bewondering *voor de toneelheld* (en niet: vóór een door hem gestelde deugdzame en glorievolle *daad*) tot navolging prikkelt die hij verwerpelijk acht.[1188] Misschien is hij mede tot dit inzicht gekomen door een brief van Mendelssohn aan Lessing waarin 'die Begierde zur Nacheiferung' wordt voorgesteld als een gevolg van de aangename aandoening 'den

[1185] Trsp., p. 218-220; Petsch, p. 114 e.v.; Kommerell, p. 72, 73; Mann in Lessing, p. 457.

[1186] Trsp., p. 223.

[1187] Trsp., p. 225.

[1188] Hfdst. VI, slot par. 1; Trsp., p. 221, 222. Vgl. in hfdst. XVII, par. 4, noot 1162 over het treurspel *Leo de Groote* van J.C. de Lannoy.

wir Bewunderung nennen.'[1189] Bilderdijk staat duidelijk aan de kant van Lessing als hij in zijn treurspelverhandeling de bewondering als tragische aandoening verwerpt. Daarmee staat hij tevens tegenover een min of meer bij Minturno (1559) aangekondigde beschouwingswijze, die meer door de Franse theoretici werd gepropageerd dan door hun Engelse confraters.[1190]

3. Aeschylus

Aeschylus is de enige van de drie grote Attische treurspelschrijvers die Bilderdijk niet heeft vertaald. Ook valt op dat zijn naam weinig voorkomt in Bilderdijks theoretische geschriften en in zijn correspondentie. In 1808 schreef Bilderdijk in zijn verhandeling *Het treurspel* over de noodzakelijkheid om de dingen enigszins overdreven op het toneel voor te stellen, maar daarbij te vermijden dat er door het *ensanglanter la scène* een 'hatelijk uitwerksel' ontstaat dat 'afschrik' verwekt. In dit verband nu wees hij op Aeschylus, 'die geweldig veel hing aan den toestel des Tooneels' en daar het 'schriklijke' in zocht, hetgeen trouwens is opgemerkt door Philostratus en Plutarchus. Bij de opvoering van zijn *Eumeniden* ging Aeschylus hierin zover, dat zwangere vrouwen bij het zien van deze tragedie een misval kregen, en enkele van hen zelfs stierven.[1191] Vermoedelijk heeft Bilderdijk dit verhaal aangetroffen bij Brumoy; het komt ook voor in de Weense *Vorlesungen* van A.W. Schlegel, maar dan voorzien van de opmerking dat Schlegel zelf niet bereid is het te geloven![1192]

Over Aeschylus wordt verder in de treurspelverhandeling gesproken naar aanleiding van Bilderdijks mening dat het Griekse treurspel uitsluitend Goden, Halfgoden en Geesten zou voorstellen, of 'helden van den ouden tijd' die 'Goden gelijk' waren. In verband met deze uitspraak, achtte Bilderdijk het noodzakelijk even in te gaan op Aeschylus' tragedie *De Perzen,* die de nederlaag van het Perzische leger onder Xerxes tegen de Grieken behandelt. Volgens Bilderdijk komt dit eigentijdse onderwerp geenszins in strijd met hetgeen hij heeft meegedeeld over de dramatis personae in het Attische treurspel. Hij wijst erop dat de grote eerbied van de Grieken voor 'de koning', het Aeschylus mogelijk maakte de verslagen Xerxes te verheffen onder de halfgoden. Daardoor betekende zijn nederlaag bij Salamis voor de Grieken als het ware 'eene zege op een Hoogere macht.' Bovendien meende Bilderdijk: 'dat dit stuk niet zoo zeer de Perzen ten voorwerp heeft als wel de ontzachlijke *schim van Darius*.'[1193]

1189 Petsch (1910), p. 59, 60.

1190 Volgens Spingarn (1930), p. 52, was Minturno de eerste die de bewondering als doel van de poëzie noemde. Onder meer bij Corneille, Saint-Evremond en Gottsched vindt men de bewondering als tragische aandoening: Petsch (1910), p. XIX, XXVIII; Folkierski (1925), p. 253, 254; Bray (1927), p. 319. In het algemeen waren de Engelse theoretici tegen de tragische bewondering, behalve in romantisch-heroïsche toneelspelen (Gallaway, p. 234). Voor Lessings opvatting zie Robertson, p. 367 en Kommerell, p. 57, 72. Belangrijk is de historische beschouwing bij Kommerell, p. 280 e.v. Vgl. voor Bilderdijk: hfdst. VIII, par. 3, noot 457, hfdst. VI, par. 1, noot 287, hfdst. XVII, par. 4, noot 1162.

1191 Trsp., p. 231.

1192 Brumoy (1732), dl. I, p. 111; Schlegel (Lohner, 1966), Sechste Vorlesung, p. 82, (Van Kampen, 1810), p. 115.

1193 Trsp., p. 127, 189.

Hoewel ook Gilbert Murray in zijn studie over Aeschylus opmerkt dat de Perzen 'brave and chivalrous' worden voorgesteld, lijkt het mij duidelijk dat Bilderdijk door zijn redenering een belangrijke eigenschap van deze tragedie miskent. *De Perzen* blijft voor ons een historisch treurspel, waarin Aeschylus de Griekse overwinnaars weliswaar indirect huldigt, maar waarbij hij het gegeven toch benadert vanuit het standpunt van de verslagenen als slachtoffers van goddelijke wraak. Wanneer de Perzische koningin-moeder in het derde epeisodion de schim van haar echtgenoot Darius raadpleegt, verklaart deze de nederlaag van Xerxes uit de overmoed, die hem ertoe gebracht heeft de tempels der goden te willen vernietigen en het Griekse gevoel voor vrijheid aan te tasten. Niet de Grieken hebben, zoals Bilderdijk wil, een 'Hoogere macht' verslagen; maar Xerxes is door de goden gestraft vanwege zijn ontoelaatbare Hybris.[1194] Bilderdijks aanpak van het zojuist besproken probleem vestigt de indruk dat hij de tragedie van Aeschylus in overeenstemming wilde zien (of brengen) met hetgeen hij zelf kenmerkend achtte voor het ideale Griekse treurspel. Deze indruk wordt nog versterkt door de omstandigheid dat hij – evenals Brumoy – een andere tragedie van Aeschylus, namelijk *Prometheus*, uitdrukkelijk verheft boven het plan van de gewone allegorie. Hij plaatste het dramatisch oeuvre van Aeschylus als geheel op hetzelfde niveau als dat van Sofocles: dat wil zeggen op de hoogte waarnaar de latere toneelschrijvers slechts streven kunnen en die mede wordt bepaald door de juiste 'toon', die eigen is aan de boven de normale werkelijkheid gesitueerde ideale 'Dichtwareld'.[1195]

4. Sofocles

Zoals blijkt uit het *Eerste Boek* schreef Bilderdijk Nederlandse bewerkingen van de *Oedipus Rex* (1779) en van de *Oedipus te Colonus* (1789). Bovendien vertaalde hij later (1809 of 1821) nog een kort fragment uit de *Oedipus Rex* opnieuw, en leverde hij in 1827 een bewerking van het eerste stasimon van de *Antigone*.[1196] Bilderdijks mening over Sofocles is ons tamelijk genuanceerd overgeleverd en het ligt daarom voor de hand allereerst melding te maken van zijn oordeel over de afzonderlijke treurspelen.

Ajax, de oudst overgeleverde tragedie van Sofocles, wordt door Bilderdijk anno 1779 ter sprake gebracht in een tweetal brieven aan mr. Daniël van Alphen. Hij merkt op dat Sofocles in dit treurspel op minder openlijke wijze dan in *Antigone* de 'impietas' bestrijdt die bestaat uit wreedheid tegenover de gestorvene en hij stelt verder vast dat het stuk weliswaar treffende tonelen heeft, maar structureel geen sterke indruk maakt.[1197] Waarom dat zo is, maakt Bilderdijk duidelijk in zijn uitvoerige correspondentie over de

[1194] Gilbert Murray, *Aeschylus. The creator of tragedy*, Oxford 1940, p. 127; vgl. H.D.F. Kitto, *Greek tragedy, a literary study*², London 1950, p. 44 en G.F. Diercks, *Het Griekse treurspel*, Haarlem 1952, p. 55 e.v.

[1195] Brumoy, dl. III, p. 192; Trsp., p. 135, 151, 173; vgl. het slot van par. 4.

[1196] *Eerste Boek*, hfdst. XI, par. 2. TDV. II, p. 130 (voor de datering: zie p. 22, 23 en *Gedenkzuil voor W. Bilderdijk*, Amsterdam 1833, p. 62); DW. VIII, p. 303.

[1197] Br. I, p. 5, 12.

‘episode’, die hij datzelfde jaar heeft gevoerd met Rhijnvis Feith. Hij schrijft op 8 november 1779 dat volgens Aristoteles ook een goede dichter terwille van de omvang van zijn treurspel weleens gedwongen is een episode toe te voegen die buiten zijn eigenlijke onderwerp staat. Uit deze noodzaak, zouden misschien de laatste tonelen van Sofocles’ *Ajax* zijn te verklaren.[1198]

Het is hierna niet moeilijk vast te stellen wat Bilderdijk in het oudste stuk van Sofocles heeft gehinderd. Evenals veel andere theoretici, meende hij dat de eenheid van handeling in de *Ajax* ontbrak, doordat de held al sterft in het derde epeisodion; de daarna volgende twist over het al dan niet weigeren van de eerbewijzen aan zijn lijk kwam Bilderdijk voor als een toevoeging die buiten de hoofddaad staat. Steunend op een uitspraak van Aristoteles (én kennelijk op een door hem niet genoemde Griekse scholiast), achtte hij het daarom niet uitgesloten dat Sofocles zijn treurspel tot de vereiste omvang heeft willen uitbreiden. Zijn opmerking over de minder openlijk dan in de *Antigone* aangetaste ‘impietas’ bewijst intussen dat Bilderdijk zich bij zijn onderzoek naar het eenheid-scheppende thema in dit treurspel niet liet misleiden door het uiterlijk gegeven van *Ajax*’ ondergang. Dat hij daarmee tenminste op de goede weg was, volgt uit de studie die H.D.F. Kitto aan dit treurspel heeft gewijd; die goede weg was al vóór Bilderdijk bewandeld door Pater Brumoy.[1199]

In de zojuist genoemde briefwisseling van 1779 heeft Bilderdijk ook zijn mening uitgesproken over Sofocles’ *Antigone*. Op 25 augustus 1779 schreef hij aan mr. Daniël van Alphen dat de ‘anderszins zo beweeglijke’ *Antigone*, wat structuur betreft, verre achterblijft bij de *Oedipus Rex*; maar in december van datzelfde jaar noemde hij het stuk als een der treurspelen die hij eventueel zou willen vertalen.[1200] De structuur van dit treurspel komt opnieuw ter sprake in zijn tot een verhandeling uitgegroeide brief van 8 november 1779 aan Rhijnvis Feith. Daar heet de *Antigone* een stuk dat duidelijk bewijst hoe in één treurspel meerdere episoden kunnen voorkomen, mits deze slechts ‘wel verbonden’ zijn en tot een en het zelfde doel leiden. Tiresias en Haemon ‘maken’ in deze tragedie volgens Bilderdijk immers ‘onderscheiden Episoden’. Sprekend over de al naar aanleiding van de *Ajax* gesignaleeerde noodzaak van toevoegingen teneinde een treurspel zijn vereiste omvang te geven, schreef hij dat men vanuit dit standpunt misschien ook de *Antigone* zou kunnen verschonen, waarvan het slot wel wordt beschouwd ‘als een uitgerekt en kwalijk verbonden Aanhangsel’. Die zienswijze achtte Bilderdijk overigens absoluut onjuist, maar in het bestek van zijn brief aan Feith wenste hij er niet op in te gaan. Hij zou dat eigenlijk willen doen in een apart essay over deze tragedie van Sofocles:‘dit tederste,

[1198] Kalff (Onuitgegeven… 1905), p. 63

[1199] Kitto (1950), p. 119 e.v.; Brumoy, dl. III, p. 309, 313; vgl. La Harpe (1822), dl. I, p. 386-388.

[1200] Br. I, p. 5, 15.

dit aandoenlijkste zijner Treurspelen, van welke 't geheel, van welke 't welingericht samenstel nog nimmer begrepen schijnt.'[1201]

Tot goed begrip van de aangehaalde brieffragmenten herinner ik eraan, dat in Sofocles' treurspel de Thebaanse vorst Kreon Antigone ter dood veroordeelde, omdat zij tegen zijn bevel in (maar in overeenstemming met de goddelijke wet) het lijk heeft begraven van haar broer, die als landverrader zijn eigen vaderstad bevocht. In het derde epeisodion tracht 's konings zoon Haemon zijn vader af te brengen van het besluit Antigone te laten doden, en in het vijfde epeisodion gebeurt dit zelfde (te laat) door de blinde ziener Tiresias. Deze beide episoden zijn dus qua inhoud nauw met elkaar verbonden en schaden geenszins de eenheid van het stuk. We hebben te doen met de in Bilderdijks brief aan Feith genoemde mogelijkheid dat 'verscheiden mindere personaadjen, niet aan elkander ondergeschikt, van elkander onafhangkelijke pogingen in 't werk stellen, wier samenloop op het einde van het werk de ontknoping verwekt.'[1202] Een in december 1779 geschreven tweede brief aan mr. Daniël van Alphen verklaart niet alleen Bilderdijks al geciteerde lofzang op ''t welingerichte samenstel' van de *Antigone*, maar bewijst ook dat zijn hiervoor al eerder aangehaalde minder gunstige mening over de structuur van dit treurspel na zijn eerste schrijven aan Van Alphen grondig is gewijzigd. Bilderdijk toonde er zich in december 1779 van overtuigd dat de hoofdpersoon van Sofocles' treurspel geenszins Antigone is en het de dichter absoluut niet gaat om haar 'Ongelukkige Broederliefde' of 'Pietas'. Indien dat het geval was, zou de hoofddaad van het stuk met Antigones dood zijn voltooid en zou de rest van de tragedie een toevoegsel zijn. Maar de thans bekende titel 'Antigone' is volgens Bilderdijk slechts een product van de overlevering, dat in genen dele strookt met de bedoelingen van Sofocles zelf. Herinnerend aan de overeenkomst met de *Ajax,* bepaalt Bilderdijk het onderwerp van de *Antigone* als: *de gestrafte 'Impietas' van Kreon.* En hij vervolgt: ''t is dezes (= Kreons) wreedheid tegen den afgestorvenen, waar van de dichter het haatlijke, het snode, en ontheiligende (na de begrippen zijnes leeftijds) heeft willen aantonen, het welk hij hier opzetlijk behandeld heeft, en in zijn *Ajax* minder openlijk aantast: en uit dit oogpunt beschouwd is dit Treurspel in 't geheel niet onderhevig aan al die bijhangsels, aan al die stukken buiten 't ontwerp van welke men het nimmer kan vrijspreken, indien men Antigone voor de Hoofdpersonaadje houdt.'[1203]

Het komt mij voor dat – behalve wellicht de lectuur van Brumoy en Lessing – vooral Bilderdijks bezorgdheid om de structurele kwaliteiten volgens het ideaal der 'deftige eenvoudigheid', deze interpretatie in de hand heeft gewerkt.[1204] Voorzover zijn opmerking niet alleen getuigt van belangstelling voor de technische (buiten-) kant van het

[1201] Kalff (Onuitgegeven... 1905), p. 60, 62, 63.
[1202] Kalff, a.w., p. 60.
[1203] Br.I, p. 12.
[1204] Vgl. Brumoy, dl. III, p. 342, 343; Lessing (1958), p. 118, 119, (St. 29).

treurspel, blijkt er bovendien uit dat hij de innerlijke waarde voornamelijk in een duidelijk aan te wijzen moraal zoekt. Het is intussen interessant dat in onze tijd een classicus als H.D.F. Kitto ook tot de conclusie komt dat in feite Kreon de hoofdfiguur van Sofocles' treurspel is. Ook de samenhang tussen *Antigone* en de *Ajax* wordt door deze Britse filoloog aangetoond, maar niet op de moralistische gronden van Bilderdijk.[1205] Dat tenslotte ook Bilderdijks beschouwing van de houding tegenover de dode als eenheid-scheppend thema nog niet heeft afgedaan, bewijst het samenvattend werk over *Het Griekse treurspel* van Diercks.[1206]

We zagen al dat Bilderdijk, als alternatief voor zijn eigen zienswijze, slechts de 'Ongelukkige Broederliefde' van Antigone als thema noemt. Dit bewijst dat de jonge dichter geen oog had voor het bovenpersoonlijke conflict tussen de trouw aan de onveranderlijke goddelijke wetten en het daarmee strijdige staatsgezag, waardoor de *Antigone* in onze ogen juist een tragedie van alle tijden blijft. De moraal die de moderne lezer uit Sofocles' treurspel zou kunnen putten is dan ook van geheel andere aard. Ze werd door Van Groningen geformuleerd als het door levendig besef van de betrekkelijkheid der aardse dingen geïnspireerde antwoord dat de *Antigone* geeft op de vraag naar de geestesgesteldheid waarin de mens zijn ware natuur kan terugvinden: 'wanneer hij, zo zegt Antigone ons, gehoorzaamt aan de nooit geschreven, maar eeuwige wetten; *wanneer hij zich oriënteert naar het oneindige.*'[1207] Een moraal naar het hart van Bilderdijk, maar die hij als drieëntwintigjarige filoloog (nog) niet wist te ontdekken, omdat hij zich toen kennelijk te zeer bekommerde om de structuur van Sofocles' treurspel en om andere moralistische aspecten, zoals zijn al besproken theorie over de titel. Bijna een halve eeuw later schreef Bilderdijk het gedicht *De mensch* van 1827, waarin hij het eerste stasimon van de *Antigone* zodanig bewerkte dat het gegeven dienstbaar werd aan Bilderdijks eigen doodsverlangen.[1208]

De *Oedipus Rex* van Sofocles werd door Bilderdijk vertaald in 1779. Bij de bespreking van deze vertaling in het *Eerste Boek*, hebben we zijn mening over dit treurspel al leren kennen. Bilderdijk prees het werk om zijn voortreffelijke structuur en om de juistheid van smaak, maar dat verhinderde hem niet een 'overbodig' geacht toneel in zijn vertaling achterwege te laten en de 'kieschheid' van het origineel aan te tasten met de kracht van zijn eigen gevoel. Uit een kort na de publicatie geschreven brief blijkt dat Bilderdijk in 1779 de *Oedipus Rex* niet alleen beschouwde als een 'kunststuk' uit compositorisch oogpunt, maar zelfs meende dat het in 'juistheid van orde en schikking' alle andere Griekse tragediën overtrof.[1209] Met deze mededeling sluit Bilderdijk zich zowel aan bij de door hem

[1205] Kitto, p. 124 e.v.

[1206] G.F. Diercks, *Het Griekse treurspel*, Haarlem 1952, p. 247, 248.

[1207] B.A. van Groningen, 'Antigone', *De gids* 1959, dl. I, p. 163; ik cursiveer.

[1208] DW. VIII, p. 303.

[1209] Br. I, p. 5; vgl. DW. XV, p. 3 e.v.

zorgvuldig bestudeerde *Réflexions sur l'Oedipe* van Brumoy, als bij de *Opdracht* die Vondel in 1660 had laten voorafgaan aan zijn vertaling van de *Oedipus Rex*. De zeventiende-eeuwse dichter vermeldde daar dat juist dit treurspel van Sofocles door verschillende, met name genoemde theoretici, in velerlei opzicht wordt geprezen als 'een volkomen voorbeelt.'[1210]

In de *Voorafspraak* bij de uitgave van Bilderdijks vertaling leest men dat de *Oedipus* vooral in de 'verwarring' uitblinkt boven andere tragediën. Bilderdijk wijst erop dat het oorspronkelijke onderzoek naar de moordenaar van koning Laius in dit treurspel ongemerkt plaatsmaakt voor een onderzoek naar de afkomst van Oedipus en hoe, naarmate dit laatste vordert, de koning en de rei met blijde hoop worden vervuld, juist op het moment dat de koningin gaat beseffen dat de oplossing van het tweede probleem op verschrikkelijke wijze tegelijk die van het eerste zal zijn. 'Deze *schijnbare tegenstrijdigheid* in de *volmaakte overéénkomst* der oplossing van 't ontwerp; deze schijnbare aanstaande uitkomst, met het voorstel des ontwerps, gelijk met de ware ontknoping', strijdende, is de toetsteen van dien scheppende geest, echten Tooneeldichteren eigen, en de klip der gemeene vernuften', schreef Bilderdijk. Ondanks al deze – misschien door Brumoy geïnspireerde lof, is ons bij de bespreking van Bilderdijks vertaling gebleken, dat hij geen waardering kon opbrengen voor de duidelijke scheiding die Sofocles door middel van een koorzang heeft aangebracht tussen de ontknoping van zijn tragedie en de exodus of 'slokakte', die de handeling voortzet op zuiver menselijk niveau en daarbij nog niet belichte aspecten zichtbaar maakt.[1211] De kritiek van Bilderdijk komt niet alleen voort uit zijn waardering voor het treurspel 'an sich', maar schijnt veeleer het gevolg van het feit dat hij zich als vertaler wilde richten naar de (Latijns- Franse) traditie van de vijf bedrijven.

Maar het zijn niet alleen structurele kwaliteiten die Bilderdijk in de *Oedipus Rex* waardeerde. Zijn *Voorafspraak* prijst ook 'de schilderachtige beschrijvingen en verhalen' en de 'lieflijke Lierzangen van de Rei' en in zijn *Aantekeningen* vraagt hij speciaal aandacht voor een tweetal plaatsen die uitmunten in verhevenheid. Het door de verwarring der wanhoop gevolgde stilzwijgen van Jokaste bij de ontdekking van Oedipus' herkomst, noemt Bilderdijk op gezag van Mendelssohn een voorbeeld van 'het ware verhevene in de gemoedsbewegingen'. Met instemming haalt hij op een andere plaats Longinus aan, die de verhevenheid prijst van de verzen waarin Oedipus het afschuwelijke van zijn eigen huwelijk aan de kaak stelt in de exodus; tenslotte citeert Bilderdijk dan deze plaats (die hij zelf jaren nog eens opnieuw heeft vertaald) in de door hem bewonderde Franse uitgave van Boileau: een handelwijze, die men ook aantreft bij Brumoy.[1212] Bilderdijks opmerking in de *Voorafspraak* dat het hartroerende onderwerp van de *Oedipus Rex* des te treffender is door

[1210] Smit (1959), dl. II, p. 380; Brumoy, dl. I, p. 317 e.v.

[1211] DW. XV, p. 21; Brumoy, dl. I, p. 98; *Eerste Boek*, hfdst. XI, par. 2.

[1212] DW. III, p. 245; DW. XV, p. 23, 479, 483; vgl. voor Bilderdijks latere vertaling noot 585.; Brumoy, dl. I, p. 307-309.

de beminnelijkheid der dramatis personae 'wier deugdzame en edelmoedige geaartheid door geene ware ondeugden ontluisterd wordt', brengt ons tot zijn opvatting over Sofocles' karaktertekening, die vrij uitvoerig ter sprake komt in de *Aantekeningen.*

Naar aanleiding van het begin van het derde epeisodion (Bilderdijks vierde bedrijf), waar Jokaste verschijnt om de Goden te offeren, laakt Bilderdijk de mening van een Griekse Scholiast en van de Franse vertaler Brumoy, volgens wie er geen gebed door Jokaste plaatsvindt en die tevens beweren, dat Oedipus haar na de berichten van de Corinthische bode meedeelt dat de voorgenomen godsdienstige plechtigheid overbodig is, zodat de koningin die maar moet nalaten.[1213] Volgens Bilderdijk wordt er wél door Jokaste gebeden en hebben de latere woorden van Oedipus alleen maar betrekking op het raadplegen van wichelaars. Bilderdijk verklaart de foutief geachte interpretaties van zijn voorgangers uit hun bedoeling 'om van Edipus zo wel als Jokaste verwaten bespotters van den Godsdienst te maken.' In het vervolg van zijn aantekeningen gaat Bilderdijk daar nader op in en, zoals wij zien zullen, levert hij daarbij ten aanzien van Jokaste een merkwaardige 'bestrijding' van een passage uit zijn eigen *Voorafspraak.*

Na de onrustbarende mededeling van de ziener Tiresias en de woordenwisseling met Kreon, tracht Jokaste haar gemaal in Sofocles' tweede epeisodion (Bilderdijks derde bedrijf) gerust te stellen door een poging om de waarde van orakels en voorspellingen in twijfel te trekken en ze zelfs belachelijk te maken: een houding die het koor der Thebanen in het tweede stasimon beslist afkeurt. Bilderdijk schrijft daarover in zijn *Voorafspraak*: 'De minachting ondertusschen, welke Jokaste voor de Heiligheid der Orakelen en Wichelarijen betoond heeft, ergert den Rei, die zijne verkleefdheid aan den Godsdienst en deszelfs plegtigheden ten krachtigste blijken doet: en dus is het, dat Sofocles teffens den pligt van den Rei in acht neemt, om de deugd en Godsdienst voor te staan, en tot tegengif voor de kwade zedenleer der personaadjen te strekken.'[1214] Wanneer Bilderdijk in de *Aantekeningen* zijn hierboven al genoemde voorgangers bestrijdt, behandelt hij deze kwestie totaal anders. Hij toont aan dat Jokaste nergens tegen de godsdienst spreekt (wat Brumoy trouwens ook geenszins beweert!), maar alleen de juistheid der voorspellingen van de priesters betwijfelt. Het feit dat zij bidt en offert, pleit in dezen voor haar. Resten slechts de verzen van het koor der Thebanen, dat duidelijk stelling neemt tegen de houding der koningin ... Bilderdijk schijnt zijn eigen lof op Sofocles' moralistisch gebruik van de rei tegen de kwade zedenleer der 'personaadjen' te zijn vergeten, als hij in zijn *Aantekeningen* schrijft: 'Hier tegen [namelijk tegen de godsdienstzin van Jokaste] strijdt niet, dat de Rei hare redeneering tegengaat en als een heiligschennis opneemt: het is de aart des volks, der Geestelijkheid blindelings aan te hangen, en derzelver zaak gelijk de zaak des Hemels te beschouwen en voor te staan.'[1215] Men ziet dat Bilderdijk de rei eerst interpreteert vanuit

[1213] DW. III, p. 220, 223, 475.

[1214] DW. XV, p. 21.

[1215] DW. III, p. 476. (Bilderdijk stelt de opvatting van Brumoy niet geheel juist voor: zie Brumoy, dl. I, p. 322.)

het standpunt der zedenleer en later deze interpretatie wil doen vergeten door de tekst te verklaren vanuit de 'massapsychologie', die op dat moment te pas komt in zijn redenering.

Tot zover het door Bilderdijk verdedigde karakter van Jokaste, tegenover wie de moderne Sofocles-kritiek zich heel wat minder mild toont.[1216] Over Oedipus zegt Bilderdijk in zijn *Aantekeningen* dat hij grootmoedig en deugdzaam is en vervuld van liefde voor zijn volk. Het feit dat Oedipus schijnt in te stemmen met de redenering van Jokaste tegen de waarde van voorspellingen komt volgens Bilderdijk voort uit toegeeflijkheid tegenover zijn gemalin en bewijst verder totaal niets, omdat het hier gaat tegen de priesters, en niet tegen de godsdienst. Daarentegen zou juist het tegendeel van minachting voor het godsdienstige volgen uit Oedipus' met vrees gemengde gehoorzaamheid aan de orakels en ook uit zijn ijver om 'de haat des Hemels' af te weren. Na op deze manier de deugdzaamheid en de godsdienstzin van de hoofdpersonen te hebben bepleit, gaat Bilderdijk in op de mening van hen die het tegengestelde beweren. Hij meent dat hun interpretatie voortkomt uit de overtuiging dat de deugdzame nu eenmaal niet ongelukkig mag worden in het treurspel. Afgezien van het feit dat Bilderdijk deze opvatting onjuist acht, meent hij dat ze niet ter zake dienend is. Oedipus is een deugdzaam en godsdienstig man, die ongelukkig wordt door 'zijn zwakheden (en) misslagen'. Plutarchus noemt als zodanig zijn nieuwsgierigheid, maar Bilderdijk zou daar (evenals Brumoy) nog zijn verregaande en buitensporige 'gloriezucht' aan willen toevoegen. Deze immers verklaart zijn vertrek naar Delfos, de moord op Laius en zijn strijd met de sfinx. En zelfs is de oorzaak van zijn uiterste ramp: 'niets dan de begeerte, om zich-zelven alles, zijner geboorte niets, verschuldigd te zijn'. De gloriezucht van Oedipus (waarvoor de moderne interpretatie eveneens alle aandacht heeft)[1217] wordt volgens Bilderdijk in Sofocles' treurspel bestreden en maakt hem zijn ongeluk 'waardig'. Overigens, zo vervolgt Bilderdijk – en misschien werd hij daarbij

[1216] In verband met Bilderdijks opvatting is het de moeite waard te vermelden dat de door hem bestreden interpretatie der Jokaste-figuur nog wel herkenbaar is in de mening van de Italiaanse classicus Fausto Codino, die anno 1957 over de koningin schrijft: 'Sofocle à fatto di lei una incredula, scettica di fronte alle manifestazioni della volontà divina, in modo conforme a certe tendenze culturali che al tempo della rappresentazione dell' *Edipo Re* si andavano affermando.' (*Dizionario letterario Bompiani delle opere e dei personaggi*, dl. VIII, Milano 1957, p. 394.) Maar hiermee is niet alles gezegd. We kunnen het tweede stasimon inderdaad in verband brengen met de door Jokastes 'impietas' veroorzaakte schrik onder het volk, maar dit doet niets af aan het uiteindelijk generaliserend karakter van deze rei: het gaat niet om een hekeling van Jokaste of Oedipus in het bijzonder. Dat Jokaste inderdaad, zoals Bilderdijk zegt, bidt en offert, staat ook voor de moderne onderzoeker zo vast als een huis (Kitto, p. 165, 140; Diercks, p. 200). En dat zij niet geheel goddeloos is al evenzeer. Eilhard Schlesinger veronderstelt in zijn studie over de Oedipus, dat Jokaste zich schuldig maakt aan hybris, omdat bij haar de ratio in conflict komt met de oude godsdienst: 'ella pretende forjarse *sus propias ideas religiosas* en base a lo que resulta a la inteligencia humana y, con ello, ataca la esencia misma de religión.' (*El Edipo Rey de Sófocles*, La Plata 1950, p. 82.) Kitto zoekt de 'fout' van haar scepticisme tegenover de orakels echter in de *ontkenning* van de Logos: 'the very basis of all serious Greek Thoughts ... for the Greek believed, as if by instinct, that the universe was not chaotic and 'irrational', but was based on a *logos*, obeyed Law.' Volgens Kitto wordt Sofocles' vaste geloof in 'this underlying logos', als het ware bevestigd en versterkt door ieder detail van zijn eerste Oedipus-tragedie, waarvan de volmaakte opbouw de aanwezigheid van een vaste orde in de schepping vooronderstelt en aantoont (Kitto, p. 140, 141).

[1217] Brumoy, dl. I, p. 295, 330, 332; Kitto, p. 136, noemt Oedipus' ondergang het gevolg van eigenschappen in diens karakter en gebruikt daarbij de termen 'hot tempered' en 'too sure of himself'. Blijkens zijn 'Note per la messinscena', *Notiziario del Teatro Popolare Italiano*, 2 (1960) 4, p. 1-3, 8, onderkende de Italiaanse regisseur en acteur Vittorio Gassman in Oedipus een 'orgoglio smisurato'. Men zou hier kunnen spreken van een karakterologisch of endogeen fatum. Vgl. mijn bespreking van het allesoverheersend noodlotsmotief in de *Eneas en Turnus* van Rotgans (De Jong, Spiegel der L., 1960), waar het endogeen fatum van de Lavinia-figuur uiteindelijk toch terug gaat op exogene manipulatie.

geïnspireerd door Dacier – zijn het minder de nieuwsgierigheid en de gloriezucht die Oedipus in het verderf storten, dan wel zijn onbedachtzaamheid om daaraan toe te geven door zich te laten meeslepen in de *vervoering van zijn driften*. Indien Oedipus gewoon was geweest zijn hartstochten te breidelen, zou de *rede* hem tot het (stoïsch) inzicht hebben gebracht dat hij heus niet zo schuldig was en zich dus ook niet zo gruwelijk hoefde te straffen. De niet door de rede weerhouden Oedipus steekt zich echter de ogen uit en maakt zichzelf daardoor 'tot een voorwerp van afgrijzen en gruuwzaamheid'. En het is hieruit, dat volgens Bilderdijk juist zijn schuld bestaat. Het Aristotelische 'zuiveren der driften door den schrik of het afgrijzen' ziet Bilderdijk dan ook plaatsvinden, doordat Sofocles aantoont dat al het onheil der stervelingen ontstaat uit het niet bedwingen der hartstochten.[1218] In zijn *Voorafspraak* duidt hij het slot van dit treurspel aan als het vertrek in ballingschap van de rampzalige Oedipus 'onder 's Volks mededogen, liefde en afgrijzen: waar uit de zedenleer voortvloeit, *dat niemand gelukkig kan heeten zo lang hij leeft*'.[1219]

Tenslotte dient nog te worden gewezen op het feit dat Bilderdijk als reactie op een (overigens vrij gunstige) bespreking van zijn eerste Sofocles-vertaling zijn *Brief van den Navolger van Sofocles Edipus* heeft laten verschijnen.[1220] Kollewijn is geneigd te veronderstellen dat de jonge dichter dit stuk vooral heeft gepubliceerd tot meerdere eer en glorie van zichzelf; inderdaad kan worden opgemerkt dat de 'Brief' weinig of geen nieuws brengt.[1221] Wat voor ons van belang lijkt, is ten eerste dat Bilderdijk (aan de hand van Lessing) bepleit dat Sofocles, zomin als iedere andere dramaturg, rekening had te houden met de 'Geschicht- en Tijdrekenkunde' die ten opzichte van de dichtkunst slechts bijkomstig zijn. Een tweede kwestie die onze aandacht verdient, is Bilderdijks verdediging van de zg. 'boden' in de *Oedipus Rex*. In tegenstelling tot de bijfiguren in het burgerlijke toneelspel, zijn ze volgens Bilderdijk noodzakelijk in de opbouw van het Griekse treurspel en heeft hun optreden rechtstreeks betrekking op de hoofddaad.[1222]

In het *Eerste Boek* is al gebleken dat de *Electra*-vertaling van Vondel voor Bilderdijk een reden is geweest dit treurspel niet in het Nederlands te bewerken. De omstandigheid dat hij in 1779 over een eventuele vertaling heeft gecorrespondeerd met mr. Daniël van Alphen stelt ons in staat Bilderdijks mening over de *Electra* te achterhalen. Het blijkt dat Bilderdijk er een aanmerking op heeft die hij vermoedelijk zelf zou aanduiden als gebrek aan verhevenheid. De drieëntwintigjarige dichter schrijft namelijk dat de twist van Electra met Clytaemnestra 'en de anderszins natuur ontzettende moordkreet' die Electra tegen haar moeder aanheft, nog 'draaglijk zou zijn te maken door een enkele zwier van tederheid, van

[1218] DW. III, p. 477, 478. Voor het oordeel van Dacier over de *Oedipus Rex*: zie Petsch, p. XVIII.
[1219] DW. XV, p. 23.
[1220] W. Bilderdijk, *Brief van den navolger van Sofokles Edipus*, Amsterdam 1780.
[1221] Kollewijn, dl. I, p. 89.
[1222] Brief navolger, p. 17, 21.

godsvrucht (pietas), van vervoering buiten zichzelve (enthusiasmus)'.[1223] Een tweede opmerking van Bilderdijk is vooral interessant, omdat we in het *Eerste Boek* zijn 'worsteling' hebben leren kennen om in de wél door hem vertaalde Griekse treurspelen de Frans-classicistische vijf bedrijven aan te brengen. In een brief van december 1779 schreef Bilderdijk dat de Grieken deze verdeling niet kenden en dat men derhalve geen recht heeft ze te eisen in een treurspel van Sofocles. Het is voldoende dat daarin voorkomt 'de algemeene verdeeling van voorstelling, verwarring en ontknooping', zo redeneerde Bilderdijk en hij vervolgde met de conclusie: 'En 't is op deze wijze dat het samenstel van de Electra geheel gerechtvaardigd wordt'. Dat Bilderdijk de structuur van deze tragedie ten zeerste bewonderde, blijkt ook uit een vroegere brief. Daarin staat dat hij na de *Oedipus Rex* de *Electra* qua 'schikking' als het beste van het Griekse toneel beschouwt, en dit stuk 'voor het overige den prijs voor alle de zeven treurspelen' zou willen geven: een oordeel dat de mening van de moderne lezer nabijkomt en dat mij, evenals Bilderdijks eerste opmerking, (weer) even herinnerde aan de *Réflexions sur l'Electre de Sophocle* van Pater Brumoy.[1224]

Sofocles' laatste treurspel, *Oedipus te Colonus*, werd door Bilderdijk vertaald in 1786 of 1787: de datering is al ter sprake gekomen in het *Eerste Boek*, waar ook is gebleken dat Bilderdijk dit stuk bewonderde om de grote eenvoud van samenstelling. Vooral na de zojuist geciteerde passus over *Electra* uit een brief van 1779, verwondert het ons dat Bilderdijk op 4 augustus 1787 aan Uylenbroek schreef dat hij de *Oedipus te Colonus* vanwege de grote eenvoud 'altijd (*sic*) het beste van Sofocles geacht, en zelfs boven de meer verbreide Edipus en Electra (heeft) gesteld'.[1225] Wanneer Bilderdijk in de voorrede bij zijn vertaling 'nog iets bijzonders in dit stuk wil doen opmerken', wijst hij op de gelijkmatige afloop die zonder verrassing naar de ontknoping voert die de toeschouwer al vanaf het eerste toneel bekend is. En dit nu achtte Bilderdijk typerend voor 'het ware vernuft', dat aan zichzelf genoeg heeft om de aandacht te boeien en de grootste eenvoud in het ontwerp weet te paren aan de rijkste bewerking en uitvoering.[1226]

Het is duidelijk dat Bilderdijks belangstelling niet op de eerste plaats uitgaat naar wat Linforth aanduidt als *Religion and drama in 'Oedipus at Colonus'*, maar dat zijn bewondering berust op de toneeltechnische kant van het treurspel.[1227] De 'schikking' staat bij Bilderdijk weer voorop en het is daarom van belang vast te stellen dat zijn voorrede doet vermoeden dat hij het verloop van de handeling eigenlijk niet tot in de kern heeft doorgrond. Bilderdijk merkt op dat 'den knoop' alleen bestaat in de twijfel 'wie meester van Edipus laatsten levenssnik zijn zal', en dat het 'toehalen van den knoop' of de

[1223] Br. I, p. 7.

[1224] Br. I, p. 3, 7, 11; vgl. Kitto, p. 168 e.v. en Brumoy, dl. I, p. 451, 452.

[1225] Br. I, p. 157

[1226] DW. XV, p. 42.

[1227] I.M. Linfoth, *Religion and drama in Oedipus at Colonus*, London 1951.

'verwarring' ontspringt uit de onrust waarmee de toeschouwer (na het optreden van de Thebanen Kreon en Polynices) de ontknoping afwacht die de zekerheid moet brengen dat Oedipus' laatste rustplaats inderdaad de stad Athene wordt. Maar het einddoel is niet alleen Oedipus' dood op Attische bodem. Het gaat meer om diens eigen rechtvaardiging en om de gesteldheid waarin hij tenslotte sterft. Wel merkt Bilderdijk op dat in het tweede bedrijf (het eerste epeisodion) de 'zuivering' van Oedipus plaatsvindt, maar het schijnt hem te zijn ontgaan dat de rehabilitatie van de vroegere Thebaanse koning wordt voortgezet tot aan het slot. Oedipus wordt veel meer dan 'gezuiverd'. Dit treurspel laat zien hoe de schijnbaar armzalige balling zich steeds duidelijker openbaart als een figuur die de normale menselijke verhoudingen te buiten en te boven gaat. De ontknoping bestaat niet alleen uit Oedipus' dood te Athene: ze is tevens het plechtig heengaan van een tenslotte in zijn ware aard erkende *heros*, naar regionen die verder voeren dan de blik van de toeschouwers.[1228]

Tot zover Bilderdijks opvatting over de structuur van de *Oedipus te Colonus*. Voegen we daar nog aan toe dat het *Eerste Boek* ons al heeft geleerd dat Bilderdijk het bij zijn vertaling noodzakelijk achtte ook dít Griekse treurspel aan te passen aan de gewoonte van zijn tijd, door het 'van buitenaf' de traditionele verdeling in vijf bedrijven op te dringen.

Als we nu, na het onderzoek van de vertalingen in het *Eerste Boek* en na de bespreking van Bilderdijks oordeel over de treurspelen afzonderlijk, nog even nagaan wat door hem in het algemeen over Sofocles te berde is gebracht, blijkt opnieuw dat hij in deze auteur vooral de 'orde en schikking' waardeert die verklaart waarom 'het beloop zijner stukken zoo kunstig is.' Dat oordeel geldt zowel voor de tijd dat Bilderdijk zijn eerste vertaling van 'den voortreffelijken Sofocles, den Vader van 't Treurspel' publiceerde (1779), als voor later, met name voor het jaar 1808, waarin de uitgave plaatsvond van zijn verhandeling *Het treurspel*.[1229]

We hebben gezien dat de jonge Bilderdijk eveneens belangstelling had voor de 'zedenleer', die hij anno 1779 zag voortvloeien uit het verloop van de handeling in de *Ajax*, de *Antigone* en de *Oedipus Rex*, en waarvan hij ten aanzien van het laatstgenoemde stuk ook even meende dat ze zou zijn te zoeken in de rei. In zijn essay over het treurspel van 1808 geeft Bilderdijk uiting aan zijn bewondering voor Sofocles, omdat die er als dramaturg in slaagt de zedenleer voor te stellen als onderdeel van de handeling. De zedenleer volgt uit het optreden van dramatis personae, of ze komt aan het licht bij de 'uitboezemingen der getroffen ziel'.[1230] In verband hiermee dient ook opgemerkt dat

[1228] Kitto, p. 393, 410; Diercks, p. 228, 229.
[1229] Br. I, p. 5, 10; DW. XV, p. 4; Trsp., p. 237, 238.
[1230] Trsp., p. 150.

Bilderdijk in 1808 persisteert bij zijn naar aanleiding van de *Oedipus Rex* (1779) gesignaleerde mening over de 'waardigheid' der karakters van Sofocles' hoofdpersonen.[1231]

Ook de in 1779 door Bilderdijk geprezen 'juistheid van smaak' en de 'eenvoudige verhevenheid' van Sofocles[1232], komen ter sprake in de verhandeling van 1808, waarin zijn stukken (mét die van Aeschylus) worden geprezen als het hoogste wat een dramatische dichter bereiken kan.[1233] Sofocles had volgens Bilderdijk het ware dichterlijke besef van de tragedie. Evenals het treurspel van Aeschylus, is dat van Sofocles in de eerste plaats een dichtstuk; het wordt derhalve gekenmerkt door een verheven dichterlijke 'toon'. De ware stijl en innige verhevenheid die Sofocles als dichter bezat, droeg hij over op zijn dramatis personae. Zijn treurspel is daarom gesitueerd 'op zekeren afstand boven ons': in een het alledaagse verre overtreffende 'grootsche Dichtwareld'.[1234]

16. Griekse vaas met een voorstelling van Medea die haar kind doodt.

Deze voorstelling (vierde eeuw v. Chr.) is vermoedelijk geïnspireerd door een Medea-opvoering.

17. Andries Snoek (1766-1829) als Orestes.

Volgens Albach (1956), p. 112, in *Ifigineia in Tauris* van C. Guimond de la Touche (1757, vertaling M.G. de Cambon van der Werken, 1771); volgens de catalogus *Greek Classical Theatre*, Athene 1993, in *Orestes* (1802) van M. Straalman [vertaald naar *Oreste* van Voltaire].

1231 Trsp., p. 237.

1232 Vgl. het voorafgaande, alsmede het *Eerste Boek*, hfdst. XI, par. 2.

1233 Trsp., p. 151.

1234 Trsp., p. 135, 195, 196.

5. Euripides

Van Euripides heeft Bilderdijk op zijn oude dag het satyrspel *Cyklops* (1828) vertaald, waarover al gesproken is in het *Eerste Boek*.[1235] Dat hij zich ook tevoren met werk van Euripides had beziggehouden en er zelfs door was beïnvloed, wordt bewezen door zijn onvoltooide parodie op de *Orestes* en door zijn ontwerpen voor treurspelen over *Medea* en *Polydoor*.[1236] Verder blijkt Bilderdijk in 1818 een fragment uit de kommos in het vierde epeisodion van *Alcestis* te hebben vertaald, werd hij in 1827 door het tweede stasimon van *Heracles* geïnspireerd tot zijn gedicht *Lichaams verval* en door het tweede stasimon uit *Iphigenia in Taurië* tot zijn gedicht *'t Gebed*.[1237]

Bilderdijks oordeel over Euripides vertoont tegengestelde aspecten. Toen hij in 1779 met Feith van gedachten wisselde over de episode in het Griekse treurspel, schreef hij dat de dikwijls niet goed met de hoofddaad verbonden episoden van Euripides hebben geleid tot verkeerde opvattingen. Euripides was namelijk 'niet zeer gelukkig in 't schikken zijner ontwerpen', terwijl zijn reien 'zelden genoegzaam aan 't onderwerp verbonden zijn'.[1238] Daar staat tegenover dat hij uitmunt 'in de uitvoering, den stijl en 't hartstochtelijke'. In overeenstemming met deze laatste lofprijzing is, anno 1780, Bilderdijks grote bewondering voor de dichterlijke waarde van Euripides' koorzangen: een bewondering die de keuze van de in 1827 door Bilderdijk 'bewerkte' fragmenten verklaart.[1239] Omstreeks 1808 blijkt dat Bilderdijk het als een verdienste van Schiller aanmerkt dat hij tenminste 'iets van Euripides... al ware 't dan ook met een blooten zweem, heeft gezien'. Eveneens pleit het ten zeerste voor Wieland dat deze Euripides 'doorkroop'.[1240] De laatste uitspraak komt voor in de verhandeling *Het treurspel* van 1808, waar Bilderdijk meerdere malen een oordeel geeft over Euripides. Handelend over de *Iphigénie* en de *Phèdre* van Racine, zegt hij bijvoorbeeld dat deze treurspelen hun schoonheid alleen maar danken aan hetgeen Racine ervoor ontleende aan Euripides, waarbij nog dient te worden opgemerkt dat 'het overheerlijke oorspronkelijke' meermalen 'jammerlijk geleden' heeft. Een dergelijk oordeel was al eerder uitgesproken door Brumoy en andere theoretici.[1241] Lof blijkt ook wanneer Bilderdijk tegenover de bedorven Engelse smaak de kiesheid stelt waarmee Euripides de razernij van Orestes heeft behandeld.[1242] De naam *Orestes* herinnert ons aan de in het *Eerste Boek* besproken parodie, die het vermoeden wekte dat Bilderdijk toch wel het een en ander had aan te merken op de jongste van de grote Griekse tragici. Inderdaad blijkt dat het geval in zijn verhandeling *Het*

[1235] *Eerste Boek*, hfdst. XI, par. 2.
[1236] *Eerste boek*, hfdst. II, par. 5 en hfdst. IV, par. 1 en par. 2.
[1237] DW. XIII, p. 235; DW. VIII, p. 324; DW. VI, p. 12.
[1238] Kalff, a.w., p. 63.
[1239] Br. I, p. 68.
[1240] TDV. I, p. 172; Trsp., p. 205.
[1241] Trsp., p. 193; Brumoy, dl. II, p. 233, 368; Vgl. ook hfdst. XVI, over het Franse toneel.
[1242] Trsp., p. 233.

treurspel. Als Bilderdijk de aandacht vestigt op de voortreffelijke toepassing van de zedenleer door Sofocles, laakt hij meteen de 'praalzieke schittering van spreuken' waarmee Euripides de niet uit zijn 'hart' maar uit zijn 'hoofd' voortgekomen moraal aan de man placht te brengen. Ongelukkigerwijze beschouwden Aristoteles en andere theoretici dit als een verdienste die Euripides boven Sofocles bezat, maar dat was een enorme vergissing. Bilderdijk gaat vrij uitvoerig in op de verhouding Sofocles-Euripides. Hij merkt op dat Euripides de 'waardigheid' der karakters van Sofocles mist en ook diens kunstige structuur: een oordeel dat duidelijk aansluit op de mening die Bilderdijk al dertig jaar tevoren tegenover Rhijnvis Feith had verdedigd.[1243] Maar Bilderdijk gaat deze keer verder. Hij schrijft dat de 'vrouwenhater' Euripides de stijl en de verhevenheid van Sofocles (én Aeschylus) heeft verminderd. Zijn praalzieke zedenspreuken passen volledig in zijn niet-dichterlijke, oratorische stijl: Euripides was van aanleg minder poëet dan redenaar en omdat hij, evenals de waarachtige dichter Sofocles, zijn dramatis personae voorstelde zoals hij die zelf 'bevatte en in zijn hart gevoelde', moest Euripides volgens Bilderdijk 'noodwendig in bevatting en gevoel verr' beneden Sofocles blijven, en dit door Oratorie en Wijsgeerige lessen, op zijne wijze, vervullen.' Terwijl de 'Dichtwareld' van Sofocles groot en verheven is, schept Euripides een minder dichterlijke sfeer en blijft hij de 'daaglyksche wareld' nader: dit verklaart zijn succes bij de velen die voor 'het hooge Dichterlijke niet zoo vatbaar' zijn.[1244] Het verklaart volgens mij ook waarom Bilderdijk een treurspel van Euripides wenste te parodiëren en waarom de enige dramatische tekst die hij een volledige vertaling waard achtte, slechts een toneelstukje 'in losser trant' was. Ik bedoel de *Cyklops*, waarmee de ouder geworden Bilderdijk 'voor eenige oogenblikken' zijn ernst meende te kunnen ontspannen. Dat hij daarbij, in tegenstelling tot Brumoy, geen pogingen deed om de minder kiese passages te onderdrukken, bewijst dat hij zich heel wat minder bezorgd toonde voor Euripides' 'goede naam' dan zijn Franse voorganger.[1245]

6. De Attische treurspelschrijvers vergeleken

Terugziend op Bilderdijks bemoeiingen met de grote Griekse treurspeldichters, kunnen we vaststellen dat hij van 1779 tot en met 1827, dus van zijn drieëntwintigste tot na zijn zeventigste jaar, met tussenpozen van ongeveer tien jaar uit de Attische dichters heeft vertaald of zich op andere wijze in hun werk heeft verdiept; waarbij dan natuurlijk moet worden opgemerkt dat het jaartal 1779 onmogelijk het begin van zijn studie kan markeren. Bilderdijk heeft zich van zijn jeugd tot in zijn ouderdom geregeld met het werk van de drie

[1243] Trsp., p. 150, 237; Kalff (Onuitgegeven ..., 1905), p. 63.

[1244] Trsp., p. 135, 195, 196. Wanneer Lessing (1958), p. 235, (St. 59), schrijft dat zelfs koninklijke personen in het treurspel op natuurlijke wijze dienen te spreken, verwijst hij daarvoor naar het voorbeeld van Euripides' *Hecabe*. In zijn handexemplaar van de *Hamburgische Dramaturgie* (aanwezig in het Bilderdijk-Museum te Amsterdam) tekende Bilderdijk daarbij aan: 'Euripidis h[un]c pr[aes]te exempl[um] idon[ius] p[ro]b[a]re [n]o[n] pote[rc]. Graecor[um] r[e]ges vix r[e]g[um] nomi[n]e salutari mer[en]t[u]r. Divine o[mn]ia ad amussi[onem] populor[um] suor[um] exaeq[ui]bu[n]t[ur]; [n]o[n] q[ui]a sic recto, s[e]d q[ui]a sic ad plausit[um] p[o]pular[em] se acc[o]modar[un]t.' Voor de kwalificatie 'vrouwenhater', zie par. 7, noot 644.

[1245] *Eerste Boek*, hfdst. XI, par. 2; vgl. Brumoy, dl. VI, p. 262.

grote Grieken beziggehouden en zijn belangstelling ging daarbij vooral uit naar de eenvoudige verhevenheid, de waardige karakters en de structurele kwaliteiten in de treurspelen van Sofocles. Voornamelijk na 1795 blijkt uit Bilderdijks geschriften belangstelling voor Euripides, wiens compositievermogen en niveau hij in het geheel niet, maar van wie hij enkele lyrische partijen kennelijk wél bewonderde. Tenslotte getuigde tot dusver alleen de verhandeling *Het treurspel* (1808) van zijn waardering voor het werk van Aeschylus, die hij om zijn stijl en zijn verhevenheid even hoog waardeerde als Sofocles. Ik schreef 'tot dusver': want er bestaat nog een interessant fragment van 27 september 1819 waarin de toen drieënzeventigjarige Bilderdijk aan mr. S.Ipszn. Wiselius 'eens voor al' zijn oordeel kenbaar maakt over Aeschylus en de beide andere Griekse tragici. Bilderdijk begint daar als volgt: 'Ik ben geen liefhebber van Euripides. Eschylus heeft by my den eigenlijken toon, Sofokles het ware beloop van het Treurspel ingezien, en naar mijn gevoel ontbreekt het Euripides aan plan, stijl en gevoel.' In datzelfde fragment leest men: 'Ziedaar mijn oordeel over de Gr. Tragici eens voor al. Vraagt men my, wie ik liefst was? Ik andwoord zonder bedenken: Eschylus. – Wien ik tot voorbeeld in het Treurspel geve. Sofokles. – Wien ik, om by een publyk, opgang te maken geschikst reken; zekerlijk Euripides, maar juist om dat gene, waarom ik hem zoo laag stel.'

Na te hebben geconstateerd dat Bilderdijk in dit fragment zijn waardering uitspreekt voor Euripides' taalbeheersing en voor enkele 'losse brokken', kunnen we vaststellen dat zijn redenering in feite aansluit bij wat er staat zijn verhandeling *Het treurspel* (1808). Sofocles was dichter en had als zodanig 'eene statige verheffing'. Daarom kon hij nooit de geliefkoosde auteur van Athene worden, want 'De dichter verheft alles *tot ZICH'*, en houdt geen rekening met het niveau van zijn lezers of toeschouwers. Euripides echter was redenaar en als zodanig 'raamt hij de hoogte waar zijn toeschouwers op staan.' Daarom kon Euripides de auteur van ''t Atheense gemeen' worden, want als redenaar 'plooide' hij zich naar het publiek. En zodra het publiek oordeelt, zo vervolgt Bilderdijk, begint de retorica de plaats in te nemen van de poëzie... en daardoor gaat het treurspel als verheven dichtstuk verloren. Het verwondert Bilderdijk daarom niet dat de Griekse tragedie zich niet meer heeft staande gehouden ná Euripides, want: 'Hy had het de vleugels gebroken en de beenen verlamd, om op Rhetorische krukken te lopen, zonder ware verheffing.'[1246]

Maar Bilderdijks waardering van de drie Attische treurspelschrijvers is niet alleen literair gefundeerd. Zoals gebleken is uit zijn opvatting over het Griekse treurspel in het algemeen en over de catharsisleer van Aristoteles, had Bilderdijk evenzeer aandacht voor de 'goddelijk' te noemen wijsbegeerte en de zedenleer van de Attische tragedie. Bilderdijk verklaarde 'den statelijk droeven geest' waardoor het Griekse treurspel als religieuze plechtigheid werd gekenmerkt, door te wijzen op de uitbeelding van de 'Goddelijke wraak

[1246] M.F., p. 137-139; de redenen waarom Euripides juist *niet* 'populair' kon zijn, vermeldt Dierks, p. 19 en 46, vgl. in dit verband par. 7.

en vertoorning' tegenover ieder hoogmoedig verzet. Als Bilderdijk schrijft dat Aeschylus uitblinkt in de verheven 'toon' die eigen is aan het ideale Griekse treurspel, dient men dan ook te bedenken dat in de tragediën van deze oudste dichter het religieuze karakter het sterkst is en dat we daarin de aan hybris schuldig bevonden held leren kennen als het slachtoffer van de (door de auteur gerechtvaardigde) wraak der Goden.[1247] Dit religieuze karakter is minder duidelijk in de werken van Sofocles en wordt zwakker bij Euripides, die de goden zelfs bekritiseert. Bilderdijks opvatting van de Griekse tragedie als godsdienstige plechtigheid verklaart daarom mede de rangorde van zijn waardering voor de drie grote Attische treurspeldichters. Ten aanzien van Sofocles dient te worden herinnerd aan Bilderdijks dagende inzicht in het noodlot als eeuwig besluit van de godheid zelf, en aan zijn mening dat de Griekse tragedie als spel van het lijden de mens doet opzien naar een transcendente werkelijkheid.[1248] Zijn grote waardering van Sofocles vindt een extra verklaring in Bilderdijks religieuze interpretatie van de Griekse tragedie. Dit gegeven staat niet los van Bilderdijks strijd tegen de a-religieuze tendenties van zijn door de Verlichting 'besmette' tijd. In zijn 'kristisch-synthetisch essay' *Humanistisch en religieus standpunt in de moderne beschouwing van Sophokles* kwam J.C. Opstelten anno 1954 ten aanzien van noodlot en transcendentie tot conclusies die in zekere zin al anderhalve eeuw tevoren door Bilderdijk waren uitgesproken. Opstelten meende dat ten onrechte de nadruk wordt gelegd op de antropocentrische (humanistische) aspecten bij Sofocles, en hij verklaarde dat door te verwijzen naar de seculariserende en psychologiserende tendenties van de moderne tijd, die de blik doen sluiten voor de religieuze waarde van Sofocles' treurspelen.[1249] Het komt mij voor dat door het voorafgaande meteen wordt verklaard waarom Bilderdijk aan Euripides een gebrek aan verhevenheid kon verwijten. Zijn treurspel was in te geringe mate een waarachtige godsdienstige plechtigheid gebleven.

Bilderdijks houding tegenover de Griekse tragici heeft ook een literairhistorische achtergrond. Wanneer de Nederlandse dichter Sofocles aanprijst als een meester in de structuur en Euripides juist zijn gebrek aan 'plan' verwijt, verklaart hij zich daardoor akkoord met een waardering die gemeengoed was in de gouden eeuw van het Franse toneel.[1250] Deze waardering treft men ook aan bij La Harpe en in de treurspelverhandeling (1793) van Rhijnvis Feith, maar dan bij de laatste met een nuance ten gunste van

[1247] Zie hierover: J.C. Opstelten, 'Humanistisch en religieus standpunt in de moderne beschouwing van Sophokles. Een kritisch-synthetisch essay', *Mededelingen der Koninklijke Nederlandse Akademie van Wetenschappen, afd. letterkunde*. Nieuwe reeks, dl. 17, nr. 1, Amsterdam 1954, p. 39, 41.

[1248] In Trsp., p. 225, schrijft Bilderdijk dat ook de willekeur der goden aan het noodlot was onderworpen. Hij vervolgt met de gelijkstelling van het Noodlot aan het eeuwig besluit van de Hoogste 'ondenkbare' Godheid (waaraan de eerstgenoemde, denkbare en geconcretiseerde Griekse godheden waren onderworpen). Opstelten, p. 18, meent dat het noodlot geen afzonderlijke en van de goden onderscheiden macht is, en wijst op de *Oedipus Rex*, vs. 1329, waar Oedipus uitdrukkelijk Apollo als voltrekker van zijn lot noemt; zie ook de vertaling van Bilderdijk in DW. III, p. 243. Vgl. voor Bilderdijks opvatting van het Fatum en zijn Christelijke interpretatie daarvan i.v.m. het treurspel *Kormak*: *Eerste Boek*, hfdst. X, par. 4 en in het algemeen: hfdst. VIII, par. 3.

[1249] Opstelten a.w., p. 35; vgl. p. 9, 18, 41, 42.

[1250] Knight (Racine et la Grèce), p. 77.

Euripides. Zoals Sofocles voor Feith het grote voorbeeld voor de compositie is, zo is dat Euripides uit stilistisch oogpunt. Feith meende dat Euripides 'oneindig meer, dan Sofokles, die teedere wendingen en uitdrukkingen (bezit), die onmiddellijk het hart raken, en aan een treurspel het vermogen bijzetten van tranen uit de oogen te lokken.'[1251] Bilderdijk dacht die gemakkelijke uitwerking op het publiek later te kunnen ontmaskeren als retoriek en gebrek aan verhevenheid. Zijn oordeel toont daardoor overeenkomst met dat van August Wilhelm Schlegel. Met hem, en met Diderot, deelt hij zowel de mening dat Euripides eigenlijk de minste van de Griekse tragici is, als zijn bewondering voor Aeschylus, die door Diderot gigantisch en subliem wordt genoemd.[1252] Ten aanzien van Aeschylus stond een man als Feith veel meer op het zeventiende-eeuwse Franse standpunt en op dat van La Harpe. Feith vergelijkt de oudste Attische dramaturg met Shakespeare, vanwege zijn grootheid en zijn karakterschildering, maar eveneens vanwege zijn ruwheid. De zeventiende-eeuwse Fransen hadden weinig of geen aandacht voor Aeschylus. Zij achtten zijn compositie onregelmatig en signaleerden zonden tegen de 'bienséance'. Hun lof voor zijn sublieme stijl werd geheel en al overschaduwd door de afschrik die datgene inboezemde, wat zij aanduidden als: 'rude et peu poli'.[1253] Bilderdijk was daar minder bang voor, omdat hij de verhevenheid uiteindelijk los kon zien van de 'kieschheid der beschaving'. Zijn waardering voor de Attische treurspeldichters vertoont bovendien nog een heel ander aspect. En dat brengt ons in contact met zijn mening over een nog niet genoemde dramatische dichter uit het oude Griekenland: de blijspelschrijver Aristofanes.

7. Aristofanes

Het feit dat Bilderdijk in 1779 de 'verregaande rijkheid' van de Griekse blijspelen roemde en in geschriften van 1805, van omstreeks 1815 en van 1820 fragmenten van Aristofanes heeft vertaald, bewijst zijn belezenheid in diens werk, evenals trouwens een brieffragment van 1819, waarin hij het meesterschap van de blijspeldichter over de Griekse taal prijst.[1254] Het brieffragment noemt Aristofanes terloops als tegenstander van Euripides. Dit herinnert er ons aan dat Aristofanes in zijn *Thesmophoriazusen* Euripides aan de kaak stelt als vrouwenhater: een in de Oudheid bekend verwijt dat we al hebben vernomen uit de mond van Bilderdijk en dat trouwens ook wordt aangetroffen bij Feith en August Wilhelm Schlegel.[1255] Daarenboven vindt men in de blijspelen van Aristofanes talloze bespottingen en parodieën van Euripides' werk: en het is ondermeer als parodist van Euripides' *Orestes*

[1251] Feith (*Iets over het treurspel*, 1793-1825), p. 119.

[1252] Schlegel (Lohner, 1966), dl. I, Sechste und Achte Vorlesung; zie: Wellek (1955), dl. I, p. 58, dl. II, p. 38, 61. Vgl. ook het oordeel van Fr. Schlegel over Sofocles in Wellek, dl. II, p. 20, 25.

[1253] Knight, p. 76; La Harpe, dl. I, p. 368, dl. II, p. 52; Feith (1793-1825), p. 3, 118, 119.

[1254] DW. XV, p. 15, 354, 106, 193; TDV. I, p. 112, 155 en Gedenkzuil, p. 66; MF., p. 138 (opmerkingen over Menander vindt men in DW. XIV, 493 en DW. VII, p. 274).

[1255] Victor Coulon et Hilaire van Daele, *Aristophane*, dl. IV (collection Budé), Paris 1928, p. 11 e.v.; Trsp., p. 195; Feith, p. 69; Schlegel (Lohner, 1966), p. 106, 107 (Van Kampen, 1810), p. 158: vgl. Diercks, p. 46.

dat we Bilderdijk hebben leren kennen in het *Eerste Boek*.[1256] Vergeten we tenslotte ook niet dat Aristofanes in zijn *Kikvorsen* de jongste der Attische treurspeldichters een smadelijke nederlaag laat ondergaan tegenover Aeschylus. Met andere woorden: tegenover de Griekse treurspeldichter die Bilderdijk juist het hoogst stelde.

Wanneer wij in de *Ranae* voor het eerst kennisnemen van de twist tussen Aeschylus en Euripides, blijkt de geringe aanhang van eerstgenoemde uit het 'betere' publiek te bestaan, terwijl Euripides juist de luidruchtige heffe des volks achter zich heeft.[1257] Euripides prijst zichzelf omdat hij het toneel op het niveau van de gewone werkelijkheid heeft gebracht, maar krijgt van Aeschylus het verwijt te incasseren dat hij op het toneel de ondeugd heeft uitgebeeld en daardoor is tekort geschoten in zijn opvoedkundige taak als dramaturg. En nadat hij Euripides al met evenzovele woorden in de *Thesmophoriazusen* een atheïst had genoemd, wekte Aristofanes ook in de *Kikvorsen* twijfel aan diens religieuze instelling.[1258] Een belangrijk verwijt van Euripides aan Aeschylus is in de *Ranae* dat laatstgenoemde in pompeuze stijl over zaken en personen handelt, die boven de zichtbare werkelijkheid staan. Aeschylus' antwoord luidt in de vertaling van Hilaire van Daele: 'Mais, malheureux, pour de grandes sentences et pensées force est bien de créer des expressions à leur hauteur. D'ailleurs, il est naturel que les demi-dieux usent de termes plus grandioses; c'est ainsi que leur costume est plus important que le nôtre. J'avais montré le bon modèle, tu l'as dégradé.'[1259] Dit antwoord had, om zo te zeggen, ook van Bilderdijk kunnen zijn. Men zal trouwens hebben opgemerkt dat al de hier vermelde kwalificaties opmerkelijke overeenkomsten vertonen met wat we in het voorafgaande hebben leren kennen als Bilderdijks mening over de twee Griekse auteurs in kwestie. Nog duidelijker wordt de parallel als ik vermeld dat Sofocles zich volgens de *Ranae* de meerdere acht van Euripides maar Aeschylus met liefde als zijn meester beschouwt. Wanneer de oudste tragediedichter uit de onderwereld vertrekt, staat hij zijn aan Euripides geweigerde troon dan ook tijdelijk af aan Sofocles: 'Car c'est lui que pour le talent je juge être le second.'[1260]

Het lijkt me beslist onjuist de overeenkomst tussen de waardering van Aristofanes en die van Bilderdijk te beschouwen als louter toeval. Temeer omdat Bilderdijk bij zijn in 1808 geuite kritiek op de toepassing van de zedenleer door Euripides, zelf herinnert aan het afwijzend oordeel hierover van Aristofanes. Hij herhaalt: 'Aristofanes, zeg ik, die zeer wel wist wat Poëzy is, en in wiens scherpe boert over de Dichters, zeer veel schoons en zeer vele waarheid is, die niemand er nog opzettelijk in heeft waargenomen, schoon het dit zeer

---

1256 *Eerste Boek*, hfdst. II, par. 5.; vgl. over Aristofanes' parodieën op Euripides: J. van IJzeren, *Geschiedenis der klassieke literatuur*, dl. I, Utrecht-Antwerpen 1958, p. 146.

1257 Coulon-Van Daele, Aristophane, dl. IV, p. 23.

1258 Coulon-Van Daele, a.w., p. 131, 135, 128.

1259 Coulon-Van Daele, a.w., p. 136, 126, 132.

1260 Coulon-Van Daele, a.w., p. 156, 122, 123. Dat Aristofanes, blijkens zijn *Ranae*, boven allen Sofocles zou hebben bewonderd, is voor mij niet zo duidelijk als voor Lane Cooper. Zie Lane Cooper, *An Aristotelian theory of comedy, with an adaptation of the Poetics and a translation of the 'Tractatus Coislinianus'*, New York 1922, p. 48.

verdiende'.[1261] Bilderdijk heeft in dezen duidelijk recht gedaan aan de Attische blijspeldichter; ongeveer tezelfdertijd gebeurde dat ook in de Weense voordrachten over de dramaturgie door August Wilhelm Schlegel.[1262]

1261 Trsp., p. 238.

1262 Schlegel (uitg. Lohner, 1966), Zwölfte Vorlesung, p. 139 e.v.; (Van Kampen, 1810), p. 149, 163, 216. Zie voor de internationale receptie van Schlegel: Körner (1929).

HOOFDSTUK XI

HET ROMEINSE TONEEL

1. Algemeen

Over het toneel van de Romeinen heeft Bilderdijk zich weinig of niet uitgelaten. Dat lijkt verklaarbaar uit de omstandigheid dat hij – blijkens geschriften uit 1808 en 1827 – het Romeinse volk beslist als ondichterlijk beschouwde.[1263] Al in 1779 en 1789 schreef hij dat de Romeinen geen al te beste leermeesters in de dramaturgie waren en in 1808 beweerde hij in zijn treurspelverhandeling dat zelfs in de bloeitijd van de Romeinse literatuur de ruwe smaak van het volk ongeschikt was voor de tragedie: een mening die Bilderdijk deelde met zeer verscheiden voorgangers, van de Italiaanse theoreticus Gianvincenzo Gravina (1664-1718) tot en met de revolutionaire Fransman Louis Sébastien Mercier (1740-1814). Dit afwijzend oordeel zet zich onder meer voort in de anno 1822 bekroonde comparatistische verhandeling van Bilderdijks leerling Willem de Clercq, waar men leest dat 'de bloeddorstige meesters der wereld' meer voelden voor zwaardvechters en gevechten van wilde dieren dan voor het dichterlijke treurspel in Griekse trant als 'eene vereeniging van zang, poëzij en eeredienst'.[1264] Jérôme Carcopino vertelt in zijn *La vie quotidienne à Rome* dat toneeldichters als Seneca sinds de tijd van Nero hun teksten nog slechts voorlazen in auditoria, terwijl in de grote openluchttheaters balletten en mimen werden opgevoerd op allerlei gruwelijke en sensuele thema's, van verkrachtingen en bestialiteiten tot en met echte kruisigingen en andere martelscènes: 'Het kon niet anders of dergelijke onderwerpen hadden op de toeschouwers, die soms rilden van zuiver fysieke angst en dan weer gloeiden van wellust en steriele verlangens, een verdierlijkende, demoraliserende invloed', zo meent Carcopino, die er een citaat van Juvenalis bijhaalt dat zijn gelijk moet bewijzen.[1265]

Intussen zijn de Romeinen wèl de uitvinders van de vijf bedrijven, die bepalend zijn geweest voor de structuur van het classicistische treurspel in latere eeuwen. Volgens Bilderdijk hadden die vijf bedrijven voor hun eigen treurspelen weinig of geen structurele

[1263] Trsp., p. 110; DW. XIV, p. 494. Een interessante tekst en een frappant voorbeeld van omkering van een bekend literairhistorisch motief is Bilderdijks gedicht 'Nero aan de nakomelingschap' (1811; DW. IV, p. 307-311), waar Nero wordt voorgesteld als een 'gevoelig hart', geboren 'voor 't schoon der kunsten [en] voor Griekens eer'. Bitter teleurgesteld, verandert hij echter in een dwingeland en brandstichter als hij moet ondervinden dat het Romeinse volk alleen maar van gruwelen en vernielingen houdt: 'Zijn weldaân uitgestort om welvaart, kunsten, zeden, / Te vesten in een' wal, vervuld van gruwzaamheden, / Waar 't bloedig zwaardgevecht een volk betooverd houdt, / Voor Grieksche spelen blind, voor Dicht- en Zangkunst koud ! / Wreedaartigen! Dit voegt den wolvenaart uws stichters! / Ja, moorden is u lust, geen Treurspeltoon eens Dichters'

[1264] Br. I, p. 11; DW. XV, p. 45; Trsp., p. 110; voor Gravina: Robertson (1923), p. 42; Mercier (1773), p. 24. De Clercq (Verhandeling², 1826), p. 210, 211.

[1265] Jérôme Carcopino, *La vie quotidienne à Rome à l'apogée de l'Empire* (1939). Ik citeer uit de Nederlandse vertaling van O. de Marez Oyens-Schilt, *Het dagelijks leven in het oude Rome*, Utrecht z.j. [1959], dl. II, p. 113. Het in de tekst gegeven citaat vervolgt met een verwijzing naar Juvenalis (VI, 63-66): 'Door dit obscene gebarenspel raakten de vrouwen in trance. De wellustige gesticulaties brachten haar buiten zichzelf: 'Tuccia kan zich niet meer beheersen; Apula slaakt diepe extatische zuchten alsof zij in de armen van een man ligt; Thymele, nog maagd en groen als gras, is een en al aandacht en leert hier haar les.'

betekenis; ze werden onderscheiden en aangeduid als 'acten', omdat na iedere verpozing door de rei een nieuwe uitvoering (*actus*) voor de speler of *actor* begon. Bilderdijk schrijft dat in zijn treurspelverhandeling van 1808, waar hij op voorbeeld van Metastasio nog meedeelt dat Horatius 'zoo stijf op de vijf Bedrijven staat', omdat ''t algemeen' daar nu eenmaal aan gewoon was en het zo wilde.[1266]

2. Horatius en Seneca

Het laatste, vijftiende deel van de postuum verschenen *Dichtwerken van Bilderdijk* (1856-1859) bevat een met talrijke aantekeningen toegelichte 'Voorlezing over de voortreffelijkheid van Bilderdijk in het navolgen en overbrengen der oude dichters, bijzonder van Horatius', door mr. J. Pan. Het slot van die uitgebreide titel suggereert dat Bilderdijk zich intensief heeft bezig gehouden met het werk van Horatius. En inderdaad blijkt uit de toegevoegde bibliografische lijst dat hij herhaaldelijk uit alle werken van Horatius heeft vertaald en bewerkt... maar het minst uit de *Epistola ad Pisones*.[1267] En juist deze berijmde brief werd, al lang voor Boileau's bewerking in zijn *Art poétique* (1674), in heel Europa bestudeerd, vereerd en vertaald als de gezaghebbende *Ars poetica* waarnaar sinds de renaissance allerlei toneeltheorieën direct of indirect verwezen.[1268] Waarbij moet worden opgemerkt dat het geschrift van Horatius in oorsprong een brief was aan zijn vrienden de Pisones en geen systematisch opgezet wetenschappelijk tractaat. Vandaar dat zijn 'Ars poetica' vatbaar was voor verschillende soorten interpretaties. Typerend zijn twee Nederlandse bewerkingen. De Leidse hoogleraar en internationaal befaamde humanistische geleerde Daniël Heinsius bezorgde in 1610 een kritische uitgave van de *Ars poetica*, waarin hij – geïnspireerd onder meer door de *Poetica* van Aristoteles – een heel eigen ordening en een aantal tekstwijzigingen aanbracht. Zodoende schiep hij een probleem voor filologen.[1269] Belangrijker voor de praktijk van de Nederlandse toneeldichters was de berijmde vertaling, of liever: bewerking, die in 1677 werd gepubliceerd door de Amsterdamse dichtgenootschapper

---

[1266] Trsp., p. 181 e.v.; vgl. Br. I, p. 11 en DW. XV, p. 45.

[1267] Bilderdijks vertalingen uit de *Ars poetica* betreffen Horatius' opmerkingen over het oorspronkelijk en vernieuwend woordgebruik van dichters (vs. 48 e.v.) en houden geen enkel verband met toneeltheorie. Ze staan in deel II, p. 149, van de door Bilderdijk herziene en anno 1826 bij Immerzeel verschenen herdruk van de door Bilderdijk en Feith bezorgde herwerking van de vaderlandse gedichtencyclus *De Geuzen* door Onno Zwier van Haren en werden niet herdrukt in *De dichtwerken van Bilderdijk*.

[1268] Een inleiding tot en vertaling van Horatius' 'Brief over de dichtkunst' schreef Jan van Gelder in de door hem bezorgde bundel *Latijnse lyriek* (Klassieke Bibliotheek VII, Haarlem 1949). De invloed van Horatius op de zeventiende-eeuwse theorie werd behandeld door Van Hamel (1918), die zijn toneelvoorschriften samenvat als volgt: 'Wanneer van den tooneeldichter verlangd wordt, dat hij zich aan de waarschijnlijkheid zal houden, dat hij zijn personen zoodanige taal zal doen gebruiken, als met hun leeftijd en positie overeenstemt, dat hij de stof in vijf bedrijven zal verdeelen, geen gruwelen ten toonele voeren, en zijn werk na voltooiing jarenlang polijsten, dan is dat alles Horatiaansche leer' (pag. 22). Maar de belangrijkste reden waardoor Horatius 'de kunstwetgever bij uitstek' kon worden en lange tijd kon blijven, was volgens Van Hamel de met de Nederlandse volksaard overeenkomende ethische strekking: de combinatie van nut en vermaak. Van Hamel citeert in dit verband uit de *Ars poetica* het bekende vers 343 (Omne tulit punctum qui miscuit / utile dulci), later door Jan van Gelder vertaald als: 'met algemene stemmen krijgt den prijs, / wie amuseert en tevens onderwijst' (vgl. De Haas -1998-, de hoofdstukken 21-23).

[1269] J.H. Meter, *De literaire theorieën van Daniël Heinsius. Een studie over de klassieke en humanistische bronnen van* De Tragoediae Constitutione *en andere tractaten*, Amsterdam 1975, p. 203-221 (Een herziene Engelse uitgave van deze dissertatie verscheen in 1984 te Assen in de reeks Respublica Literaria Neerlandica).

Andries Pels. De titel *Q. Horatius Flaccus Dichtkunst, Op onze tyden, én zéden gepast* suggereert al dat Pels de tekst van Horatius wenste te gebruiken als een instrument. Een literaircritisch middel met name om het Frans-classicisme in Nederland te reguleren en te propageren.[1270]

Bilderdijks grondige kennis van de *Ars poetica* blijkt op allerlei plaatsen en manieren. Niet in het minst uit de citaten die hij kennelijk uit het hoofd en schijnbaar moeiteloos bewerkte en verwerkte in gedichten en brieven. Al in de jaren 1776 en 1777 was de jonge Bilderdijk met goud bekroond voor prijsverzen met de op de dag van vandaag onmogelijke titels *De invloed der Dichtkunst op 't Staatsbestuur* en *De waare liefde tot het Vaderland*. Hij ontpopte zich in die teksten als een mede door Horatius' voorschriften en voorbeelden geïnspireerde classicistische dichter.[1271] Het zelfde kan worden opgemerkt over zijn toenmalige kwaliteiten als essayist en literatuurtheoreticus. In 1780 verwierf hij een gouden penning voor zijn *Verhandeling over het verband van de dichtkunst en welsprekendheid met de wijsbegeerte*. Dit studieuze prozastuk begint en eindigt met een citaat van Horatius en het neemt als uitgangspunt het wellicht bekendste verzenpaar van deze 'Dichter, die zo velen eeuwen, zo velen onderscheidenen volkeren ten voorwerp van bewondering, ten voorbeeld van navolging gestrekt heeft':

> Aut prodesse volunt, aut delectare Poëtae
> Aut simul et jucunda et idonea dicere vitae.

Door Bilderdijk ter plaatse vertaald als: 'De dichters willen of nuttig zijn of vermaken, of teffens het aangename en het leerzame uitdrukken'.[1272] Bijna dertig jaar later schreef Bilderdijk zijn eigen 'ars poetica' in de vorm van het lyrisch leerdicht *De kunst der poëzy* (1809). De Nederlandse titel lijkt een vertaling van de kwalificatie die zich de Latijnse Pisonenbrief in de loop der eeuwen verworven had. Maar hij wordt deze keer niet gevolgd door een citaat van Horatius of een andere auteur uit de klassieke Oudheid. Bilderdijk gebruikte als motto een vijftal versregels[1273] uit de preromantische *Night-thoughts* van Edward Young, waarin de rede ('reason') en het filosofisch vernuft ('philosophic wit') op de korrel

---

[1270] Een wetenschappelijke uitgave werd bezorgd door Maria A. Schenkeveld van der Dussen, die nadien ook het leerdicht *Gebruik én misbruik des Tooneels* uitgaf. Pels (1973) en Pels (1978).

[1271] DW. VIII, p. 3-20 en DW. VI, p. 213-245. Beide dichtstukken worden afgesloten met een citaat van Horatius.

[1272] *Verhandeling*^{2}, 1826, p. 15, 16.

[1273] DW. VII, p. 66-81. Het aan Young ontleende motto luidt:

> They draw Pride's curtain o'er the noontide ray,
> Spike up their inch of reason on the point
> Of Philosophic wit, call'd argument,
> And then exulting in their taper, cry:
> 'Behold the Sun, and, Indian-like, adore!'

(*The complaint: or, Night-thoughts on life, death, & immortality*)

worden genomen. In rechtstreekse tegenspraak tot de combinatie van het 'nuttige' of 'leerzame' met het 'aangename' of 'vermaken' van Horatius, dichtte Bilderdijk:

> Neen, Dichtkunst is gevoel; gevoel, den band ontsprongen;
> Behoefte van 't gevoel, door geen geweld bedwongen.
> Geen Dichter, die het vers of navorscht of gebiedt!
> Maar, wien het uit den stroom van 't bruischend harte schiet!
>
> Wat wilt ge, ô Stagyriet? Is Dichtkunst louter malen?
> Natuur haar voorbeeld? zelfs in 't schoonst der Idealen?
> Ga, gloei uw koude ziel aan 't Dichterlijk gevoel,
> En ken in 't werk van 't hart, behoefte zonder doel.
> Neen, 't snikken van de borst, het hol en angstig kermen
> Des weemoeds, heeft geen wit, geen uitzicht op ontfermen;
> Het hupplen van het rund in 't frissche klavergroen,
> Beoogt niet, wien 't aanschouwt, genoegen aan te doen.
> De pijn, de vreugde spreekt, en eischt zich uit te gieten:
> 't Gevoel wil doortocht, ja! in lijden en genieten.
>
> Het hart wordt overstelpt, de ziel moet uitgebreid,
> En vraagt niet, wie ons hoort, en met ons juicht of schreit?[1274]

Dichten is uitstorting van gevoel 'onder doel' of leerzaam 'wit' en ook zonder streven naar vermaak of 'genoegen' voor de lezer. Het gaat uitsluitend om het gevoel van de dichter die zich niet bekommert om publiekgerichte en beperkende raadgevingen van Horatius (en al evenmin om de leer van Aristoteles, die in de dichtkunst een nabootsing van de natuur zag). Wat nog niet betekent dat de latere 'romantische' Bilderdijk zijn aanvankelijke bewondering voor Horatius heeft ingeruild voor minachting. Boven de Griekse theoreticus Aristoteles had de Latijnse briefschrijver Horatius het voordeel dat hij zelf een (herhaaldelijk door Bilderdijk vertaalde) dichter was. Bilderdijks waardering voor zijn alom vereerde Romeinse collega ging echter delen in zijn veranderende houding tegenover theorieën en verstandelijke categorieën in het algemeen. Ze verminderde naarmate in de loop der jaren Bilderdijks afkeer van alle soorten 'Philosophic wit' evenzeer toenam als zijn geloof aan het alleen-zaligmakend (zelf-)gevoel als tegenpool van het door zijn tijdgenoten overschatte verstand.[1275]

[1274] DW. XV, p. 77. Een wetenschappelijke heruitgave van *De kunst der poëzy* bezorgden W. van den Berg en J.J. Kloek (Amsterdam 1995).

[1275] De Leidse hoogleraar-classicus P.H. Schrijvers wijdde in 1980 zijn inaugurele rede aan 'Horatius dichtkunst en Bilderdijks *De kunst der poëzy*', ook opgenomen bij zijn nieuwe vertaling van Horatius *Ars Poetica*, Amsterdam 1980. Op de pagina's 85 en 86 verzamelde hij een aantal op Horatius geïnspireerde maar hem tegensprekende passages uit Bilderdijks gedicht die hij aankondigt als 'parodieën op de Ars Poetica'.

Van Seneca, de grote Romeinse treurspeldichter, heeft Bilderdijk een tweetal reien (zeer vrij) vertaald: in 1815 een uit de *Hercules Furens* en in 1817 een uit de *Thyestes*.[1276] Zijn oordeel over hem is niet bepaald vleiend. In de Aantekeningen bij zijn vertaling van Sofocles' *Oedipus Rex* (1779) brengt hij een paar keer het *Oedipus*-treurspel van Seneca ter sprake. Hij stelt daarbij 'de eenvoudige verhevenheid' van Sofocles tegenover Seneca's 'opgepronkten en gedwongen stijl' en noemt het Romeinse treurspel over de Thebaanse koning uit stilistisch en toneeltechnisch oogpunt een 'erbarmlijk stuk'.[1277] Verder verwijt hij Seneca in 1808 dat hij, evenals Euripides, de zedenleer verkeerd toepast door ze te prediken met 'een praalzieke schittering van spreuken' in plaats van ze onmiddellijk te laten voortvloeien uit het optreden van de dramatis personae.[1278] Daar staat tegenover dat Bilderdijk een enkele plaats uit Seneca's *Medea* als voorbeeld van verhevenheid aanhaalt in een verhandeling van 1821.[1279]

Het oordeel van Bilderdijk over Seneca hangt ten nauwste samen met zijn bewondering voor de 'deftige eenvoudigheid' van de Griekse treurspelen van Aeschylus en Sofocles. Seneca daarentegen tracht te verbazen door een overvloed van spreuken, de zogenaamde 'sententiae metricae' in gekunstelde stijl; bovendien schrikt hij niet terug voor de uitbeelding van het meest afgrijselijke. Het te pas en vooral te onpas gebruik van 'zedenryke spreuken' in de treurspelen van Seneca had Balthasar Huydecoper (na Heinsius en andere geleerde commentatoren) al gehekeld in de 'Voorrede' bij zijn eigen, herhaaldelijk opgevoerd en herdrukt treurspel *Arzases, of 't edelmoedig verraad*, van 1722. Pater Brumoy schreef tien jaar nadien: 'Les sentences éternelles de Sénèque font des lieux communs qui ne disent rien'; Mercier sprak in 1773 van 'Le boursouflé Sénèque (qui) eut le style du mauvais goût' en La Harpe veroordeelde de door Bilderdijk vermelde tekortkomingen zo mogelijk nog feller.[1280] De tekstbezorger van Seneca's toneelwerk in de moderne Loeb Classical Library was de classicus Frank Justus Miller. Hij schreef anno 1927 over Seneca's treurspelen: 'They are indeed open to criticism from the standpoint of modern taste, with their florid rhetorical style, their long didactic speeches, their almost ostentatious pride of mythologic lore, their over-sensationalism, which freely admits the horrible and uncanny, their insistent employment of the epigram; and, finally, their introduction of situations which would be impossible from the technique of practical drama'.[1281]

[1276] De gedichten *Morgenstond* en *Zielerust*: DW. VIII, p. 188 en 211; vgl. DW. XV, p. 493.

[1277] DW. III, p. 475, 482; vgl. Br. I, p. 135.

[1278] Trsp., p. 150.

[1279] TDV. II, p. 122, 123; 161, 163.

[1280] Brumoy, dl. I (1732), p. 165; Mercier (1773), p. 24; La Harpe, dl. II (herdruk 1822), p. 59. Van Huydecopers *Arzases of 't edelmoedig verraad* bezorgde Maria A. Schenkeveld-van der Dussen een wetenschappelijke uitgave met inleiding en aantekeningen: 's-Gravenhage 1982. De mening van Huydecoper en van andere Nederlandse achttiende-eeuwers wordt besproken bij De Haas (1998), p. 228-230.

[1281] Frank Justus Miller, *Seneca's tragedies*, dl. I, London-New York 1927 (The Loeb Classical Library), Introduction, p. X; veel gunstiger over Seneca oordeelde Clarence W. Mendell, *Our Seneca*, New Haven 1941, op wiens boek een gedeelte steunt van de bijzonder instructieve inleiding die F. Veenstra liet voorafgaan aan zijn uitgave van P.C. Hooft, *Baeto*, Zwolle 1954, p. 21 e.v. Voor de invloed van Seneca op de Europese dramaturgie in de renaisssance, zie Jacquot-Oddon, 1964 (de hoofdstukken over Vlaanderen en Holland werden geschreven door E. Rombauts en W.A.P. Smit). Zie ook: Lefèvre (1978).

Wie Bilderdijks lof voor het Griekse treurspel kent, zal het niet verwonderen dat hij voor dergelijke stukken een duidelijke afkeer toonde. Intussen ligt er het feit dat de al in 1892 door J.A. Worp onderzochte *Invloed van Seneca's treurspelen op ons tooneel* enorm groot is geweest, voornamelijk door middel van indirecte navolging via het dramatisch werk van P.C. Hooft.[1282] Toch was Bilderdijks afwijzing ook in Nederland geenszins nieuw. Al in 1626 was Hugo de Groot teruggekomen van zijn aanvankelijke bewondering voor Seneca en hij werd hierin later gevolgd door Gerard Vossius en Vondel. De in 1647 verschenen *Institutiones poeticae* van Vossius betekende eigenlijk al de definitieve 'onttroning van Seneca als tooneelvorst', ten gunste van Sofocles en het Griekse treurspel.[1283] Bilderdijks opvatting sluit aan bij die van de oudere Vondel en de grote humanistische theoretici uit de zeventiende eeuw. Dat ze hem in zijn eigen dichterlijke praktijk niet weerhield van dramatische effecten uit de school van Seneca en de spektakelstukken van Jan Vos, lijkt me bewezen in het *Eerste Boek*.[1284]

3. Plautus en Terentius

Dat Bilderdijk zich heeft beziggehouden met het werk van de Romeinse blijspeldichter Plautus bewijzen een door hem vertaald citaat in een bundel van 1820, drie plaatsen uit de verhandeling *Het treurspel* van 1808, en een parafrase van een passus uit de *Trinummus* uit hetzelfde jaar.[1285] Bilderdijks oordeel over Plautus is zo mogelijk nog ongunstiger dan dat over Seneca. Plautus' blijspelen vertonen 'de onlijdlijkste' fouten tegen de eenheid van plaats en zijn 'van geenerlei kracht of gewicht' voor iemand die zich bezighoudt met de dramaturgie. De door Machiavelli nagevolgde *Casina* noemt Bilderdijk 'morsig' en 'godonterend'. Zijn veel vertaalde blijspel *Menaechmi* is 'vuil en morsig' en omdat de Nederlandse bewerking daarvan (*De gelyke twélingen*, 1670) door het dichtgenootschap Nil Volentibus Arduum de oorspronkelijke tekst van Plautus op de voet volgt, is ze ook 'van zijnen modder bespat'. Deze afwijzing op zedelijke gronden gaat merkwaardigerwijze gepaard met de mededeling dat *De gelyke twélingen* het beste Nederlandse blijspel is dat Bilderdijk kent en 'verre weg de allerbeste der veelvuldige navolgingen' van Plautus' komedie 'in wat taal ook'.[1286] In 1712

[1282] Worp (1892), p. 116, 292; een nuancerende correctie op Worps mening t.a.v. de door Hooft zelf ondergane invloed van Seneca vindt men in Veenstra's uitgave van *Baeto*, p. 26, 55. Vgl. ook Smit, dl. III (1962), p. 591 e.v.

[1283] Smit, dl. I (1956), p. 229, verwijst hiervoor naar A.M.F.B. Geerts, *Vondel als classicus bij de Humanisten in de leer*, Tongerloo 1932. In Jacquot-Oddon (1964), p. 230, schrijft Smit dat de invloed van Seneca op het Nederlands toneel voelbaar bleef tot de komst van het Frans classicisme omstreeks 1670.

[1284] *Eerste Boek*, hfdst. IV, par. 1, hfdst. V, par. 3, hfdst. VI, par. 7. Een passus uit Seneca's *Medea* werd (anno 1809) door Bilderdijk vergeleken met de bewerking van Corneille in TDV. II, p. 122. Ter verdediging van de kindermoord bij open doek in zijn treurspel *Medea* (1667) deed Jan Vos een beroep op Seneca als 'd'uitstekendste Treurspeldigter der oude Latijnen', wiens mening hij met instemming plaatste tegenover die van de 'Lierdigter' Horatius: Van Hamel (1918), p. 160-161.

[1285] DW.VII, p. 480; Trsp., p. 179, 209, 215; Br. II, p. 178.

[1286] Trsp., p. 179, 209, 215; vgl. Worp, dl. I (1904), p. 429, en hfdst. VIII, noot 468. Van Hamel (1918), p. 119 en 120, schrijft dat in de Nederlandse vertaling van *Nil* de ontknoping, vanwege de spanning en in afwijking van Plautus naar achteren is verschoven en dat in het eerste bedrijf enkele tonelen zijn toegevoegd. De Haas (1998), p. 43, noot 42, deelt mede dat aan het begin van de achttiende eeuw de toneelspeler Hendrik van Halmael Plautus en Terentius vertaalde 'als tegenwicht tegen de Franse invloed'.

had Justus van Effen over Plautus geschreven: 'Il eut beaucoup d'esprit, peu d'art et point de goût'.[1287] Zijn oordeel is mild in vergelijking met dat van Bilderdijk en van de Fransen La Harpe en Mercier, die misschien als diens voorbeeld mogen worden beschouwd. Beiden veroordelen Plautus zeer fel op toneeltechnische en morele gronden. Het later uitdrukkelijk door Bilderdijk verworpen blijspel *Casina* noemde Mercier: 'la farce la plus obscène qu'on puisse imaginer...'[1288]

De heel wat welwillender door Mercier beschouwde en door La Harpe zelfs geprezen blijspeldichter Terentius wordt zelden door Bilderdijk genoemd.[1289] Blijkens een brief uit 1772 kende de toen zestienjarige Bilderdijk de *Andria* en blijkens een verhandeling van 1821 had hij ook Terentius' *Adelphoe* gelezen. Met betrekking tot de eerstgenoemde komedie vindt men in de treurspelverhandeling van 1808 de opmerking dat ze, evenals de moderne comédie larmoyante, de goede lezer zelfs tranen in de ogen kan brengen.[1290]

1287 Piet Valkhoff, *Ontmoetingen tussen Nederland en Frankrijk*, 's-Gravenhage 1943, p. 77.

1288 Mercier (1773), p. 24, 25; La Harpe, herdruk, dl. II, p. 120.

1289 Mercier (1773), p. 24, 25; La Harpe, herdruk, dl. II, p. 138.

1290 Bosch (1955), p. 3, 120 (1772 en 1781); DW. XV, p. 12 (1779); TDV. II, p. 126 (1809); Trsp., p. 106 (1808); Tyd. I, p. 373 (1812).

HOOFDSTUK XII

HET ITALIAANSE TONEEL

1. Algemeen

Dat Bilderdijk zich heeft verdiept in de geschiedenis van het Italiaans toneel, blijkt onder meer uit een aantal aantekeningen over de middeleeuwse periode. Ik vond ze op een van de duizenden octavoblaadjes die hij gebruikte voor het maken van kritische opmerkingen en excerpten.[1291] Ook de catalogi van zijn boekerij in 1797 en in 1832 vermelden uitgaven van Italiaanse toneelstukken.[1292]

Uit verschillende geschriften van Bilderdijk blijkt zijn overtuiging dat, na de tijd van de Antieken, Italië het cultureel centrum werd van waaruit 'beschaving en kennis' zich over Europa verbreidden. In 1808 stelde hij de Italiaanse (en Franse) smaak als voorbeeld tegenover de woestheid van de Engelsen.[1293] Dit impliceert nog geen onbeperkte culturele waardering voor het Italiaanse volk. Rond 1820 heeft Bilderdijk bij herhaling verkondigd dat het 'gruwelijke' en de 'grofheid' van de Romeinen in zekere zin nog zijn aan te wijzen bij de latere Italianen.[1294] En in zijn verhandeling *Het treurspel* (1808) schreef hij dat de Italiaanse invloed op de ontwikkeling van de tragedie noodzakelijkerwijze uiterst gering is geweest, omdat de 'luchtigheid' der Italianen hen volslagen ongeschikt maakte voor het treurspel. 'Waar de ernst verloren is, is alles voor een volk verloren, en zijne te rug komst tot de ware Poëzy een onmooglijkheid', beweerde Bilderdijk.[1295] Dat 'de geest der Natie' in Italië niet aan het treurspel 'hing', is volgens Bilderdijk mede te wijten aan de slechte invloed van Paus Leo X die, als beschermer van de schone kunsten, zijn eigen aanzien en waardigheid onteerde door zijn grote belangstelling voor het boertige. Onzedige blijspelen van Machiavelli en kardinaal Bibiena werden door Leo X hoger gewaardeerd dan het beste treurspel. En afgezien

[1291] Collectie-Leeflang, Letterkundig Museum te 's-Gravenhage, hschr. B 583, adversaria 4. Bilderdijk heeft onder meer gebruik gemaakt van Bouterwek, dl. II (1802) en Flögel, *Geschichte der komischen Literatur*, dl. IV.

[1292] Van deze twee catalogi schijnt alleen die van 1832 een betrouwbaar beeld te geven van Bilderdijks boekenbezit. De catalogus van 1797 wordt beschouwd als 'sterk vervuild'. Hij is meer representatief voor de ramsjboekhandel aan het eind van de achttiende eeuw dan voor de bibliotheek van Bilderdijk. Zie: M. van Hattum en J. Zwaan (uitg.), *Bilderdijks boekenwijsheid*, Amsterdam 1989 en J. van Eijnatten, *Register op de 'Catalogus librorum (1797)' en de 'Bibliotheekcatalogus (1832)' van Willem Bilderdijk*, Amstelveen 1997.

Uit de catalogi noteerde ik de volgende algemene uitgaven over Italiaans toneel:

Catalogus librorum 1797, nr. 140: *Le théâtre italien de Gerardi*, Amsterdam 1721 (4 dln.); *Le théâtre nouveau italien*, Paris 1733 (7 dln.); nr. 145: *Aminta* in de vertaling van Wellekens; nr. 176: *Bibliothèque Italique ou Hist. litt. de l'It.*, Genève 1728 (16 dln.); nr. 198: *19 Ital. Comedien.*

Catalogus eener merkwaardige verzameling..., nagelaten door Mr. Willem Bilderdijk, 1832, nr. 756: *Tragedie di Vittorio Alfieri da Asti*, Firenze 1803, (5 dln. + 2 dln.); nr. 761: *Le tre piú celebri pastorali italiane* (Tasso, Guarini, Bonarelli), 1787; nr. 763: *L'Aminta di Tasso, L'Alcèo di Ongaro*, Edinb. 1796; nr. 765: *Opere del signor abate Pietro Metastasio*, 1784 (12 dln.); nr. 766: *Commedie di Goldoni*, 1795 (3 dln.); *Teatro antico tragico, comico, pastorale, drammatico*, 1785.

[1293] NTDV. II, p. 95; Trsp., p. 110, 232; Verhandeling (1836)^2, p. 215.

[1294] W. Bilderdijk, *De bezwaren tegen den geest der eeuw van Mr. I da Costa, toegelicht*, 1823, p. 35; GdV. I, p. 134 (vgl. voor Bilderdijks mening over de Romeinen: hfdst. XI).

[1295] Trsp., p. 180.

nog van het feit dat de pauselijke kunstbeschermer weinig of niets heeft bijgedragen tot de veredeling van de smaak, was de toestand in Italië zodanig dat er lange tijd geen 'eigenlijk Tooneel' heeft bestaan.[1296] Als enige invloed die er van Italië op dramaturgisch gebied is uitgegaan, noemde Bilderdijk enkele ontleningen van Molière aan Italiaanse blijspelen en de verbreiding van overdreven allegorieën, zoals we die aantreffen in Nederlandse rederijkersspelen.[1297]

Bilderdijks ongunstige oordeel over de Italiaanse volksaard in verband met het tragische toneel staat geenszins op zichzelf. Hij raakte daarmee een probleem waarover men het ook in het latere Italië moeilijk eens werd.[1298] Merken we in dit verband nog slechts op dat Scipione Maffei ter bestrijding van de bestaande ongunstige meningen over de Italiaanse toneelprestaties in 1723 onder de titel *Teatro italiano* een bundel met twaalf klassieke Italiaanse treurspelen publiceerde. Ze werden opgevoerd door het gezelschap van de beroemde acteur Luigi Riccoboni.[1299] Desondanks vindt men met Bilderdijks mening vergelijkbare afwijzende oordelen over het Italiaans toneel, behalve in Italië zelf (bijvoorbeeld bij Metastasio, Galiani en later Francesco de Sanctis) onder meer bij Voltaire en A.W. Schlegel, en bij de Nederlanders Rijklof Michael van Goens en Hiëronymus van Alphen: deze critici lieten echter Paus Leo X buiten het geding.[1300]

2. Komedie, pastorale, Metastasio

Voor de favoriete blijspeldichters van Paus Leo X heeft Bilderdijk in zijn treurspelverhandeling van 1808 alleen maar scherpe afkeuring. De *Clizia* van Machiavelli is even 'morsig' als de *Casina* van Plautus waarnaar deze komedie is bewerkt en zelfs is ze nog 'Godonteerender' dan het Latijnse origineel. De *Mandragora* van Machiavelli is 'schandelijk' en de *Calandria* van kardinaal Bibiena noemde Bilderdijk zonder meer 'onzedig'.[1301]

Tot zover de Italiaanse komedies uit de zestiende eeuw, die trouwens de enige zijn waarover Bilderdijk een oordeel heeft uitgesproken. Dat dit oordeel geenszins opvallend puriteins was in die tijd, kan blijken uit het feit dat hij er zich voor heeft kunnen inspireren op gezaghebbende auteurs als Voltaire en Friedrich Bouterwek. De eerste achtte de genoemde Italiaanse blijspelen 'un peu trop licencieuses'; de tweede sprak ten aanzien van Bibiena over 'platte Späsze' of 'derbe Unsauberkeiten' en verbaasde zich over de goedkeuring van Paus

[1296] Trsp., p. 179, 180.

[1297] Trsp., p. 181, 116.

[1298] Vgl. het in 1960 verschenen werk van Federico Doglio, *Teatro tragico in Italia* en de daarop in de *Paesa Sera* van 14 jan. 1961 geleverde kritiek door Vito Pandolfi, die zelf een boek schreef over het Italiaanse toneel na de tweede wereldoorlog. Merkwaardig waren de pogingen tot 'volkstoneel' op basis van klassieke treurspelen door Vittorio Gassman en zijn *Teatro Popolare Italiano*. Van 1960 tot 1963 verscheen het maandblad *Notiziario del Teatro popolare italiano*. Een interview met Gassman publiceerde ik in *Elseviers weekblad* van 18 febr. 1961. (Als een achttiende-eeuwse voorloper van Gassman zou men Scipione Maffei kunnen beschouwen).

[1299] *Teatro italiano ossia scelta di dodici tragedie per uso della scena, premessa una storia del teatro e difesa di essa*. Vgl. Robertson (1923), p. 156; Eugène Bouvy, *Voltaire et l'Italie*, Paris 1898, p. 247.

[1300] Claudio Varese, *Saggio sul Metastasio*, 1950, p. 37; Bouvy (1898), p. 191, 246; Schlegel (Van Kampen, 1810), dl. I, p. 30; P.J.C. de Boer, *Rijklof Michaël van Goens...*, 1938, p. 116; Van Alphen (1778), dl. I, p. 176, 177.

[1301] Trsp., p. 179.

Leo X.[1302] Volledigheidshalve zij nog meegedeeld dat men uit het voorwoord van Bilderdijks bundel *Mengelpoëzy* (1798) zou kunnen opmaken, dat hij van de achttiende-eeuwer Carlo Goldoni (wiens werken hij bezat) het blijspel *Un curioso accidente* kende. Nergens staat echter Bilderdijks mening over deze of andere Italiaanse blijspelschrijvers uit latere tijd.[1303]

Uit een vroeger verschenen studie blijkt dat Bilderdijk ongeveer in alle perioden van zijn dichterlijke loopbaan belangstelling heeft getoond voor het Italiaanse herderspel.[1304] De *Aminta* van Tasso noemde hij anno 1796 een 'chef d'oeuvre' in een onuitgegeven Frans gedichtje aan Katharina Wilhelmina Schweickhardt en aan *Il pastor fido* van Guarini ontleende hij citaten in 1798, 1805 en 1824, terwijl hij in die jaren bovendien fragmenten uit dit stuk heeft vertaald. Ook de vissersidylle *Alceo* van Antonio Ongaro blijkt Bilderdijk te hebben gekend en nog in 1825 leverde hij een bewerking van een fragment uit het herdersspel *Filli di Sciro* van Bonarelli. Opvallend is echter dat Bilderdijk in het openbaar nooit een oordeel heeft uitgesproken over Tasso's meesterwerk *Aminta* en dat dit herdersspel ook zonder invloed is gebleven op zijn eigen toneelwerk. Contacten met Tasso's oeuvre blijven voor Bilderdijks dramaturgie beperkt tot de indirecte invloed van *La Gerusalemme liberata* op zijn in het *Eerste Boek* besproken 'opera' *Willem van Holland*. Daarenboven is er een brief van 1781 waarin Bilderdijk terloops een foutief geachte interpretatie van de Griekse 'episode' door Tasso signaleert.[1305] De pastorale komt als toneelgenre nergens ter sprake in Bilderdijks theoretische geschriften of in zijn correspondentie. De wijze waarop zich zijn belangstelling voor dit genre manifesteert, doet vermoeden dat Bilderdijk de herdersspelen voornamelijk heeft bewonderd om de daarin voorkomende brokken Italiaanse poëzie. Waarschijnlijk vertoonde de pastorale als toneelsoort naar Bilderdijks smaak in te geringe mate een catastrofaal en statig karakter: een dergelijke conclusie schijnt althans voort te vloeien uit zijn onvoltooid gebleven navolgingen van een tweetal melodrammi van Pietro Metastasio.

Zoals blijkt uit het *Eerste Boek*, heeft Bilderdijk, vermoedelijk in het laatste decennium van de achttiende eeuw, de *Olimpiade* en de *Demetrio* van Metastasio in het Nederlands willen bewerken. In verband met hetgeen al werd meegedeeld over Bilderdijks belangstelling voor het herdersspel, is het nu interessant te kunnen opmerken dat Metastasio's tijdgenoot Aurelio de' Giorgi Bertola juist in deze stukken een navolging van de pastorale traditie aanwijst. Hij schrijft onder meer: 'E chi versato alcun poco nella letteratura del *Pastor fido* non ne ravvisa il più dilicato estratto inserito eccellentemente nel *Demetrio* e nella *Olimpiade*? Sifatte imitazioni così maestrevolli, così fine, così libere non fan certamente torto alla fama altissima del poeta'.[1306] Nochtans is in het *Eerste Boek* gebleken dat Bilderdijk in zijn bewerkingen juist heeft getracht het arcadische en idyllische karakter van Metastasio's

---

1302 Bouvy (1898), p. 189; Friedrich Bouterwek, *Geschichte der Poesie und Beredsamkeit*, dl. II, Göttingen 1802, p. 172, 174.

1303 DW. XV, p. 66.

1304 De Jong (Taal van..., 1973), p. 28 e.v.

1305 Br. I, p. 39; Bosch (1955), p. 112.

1306 Aurelio de' Giorgi Bertola, *Osservazioni sopra Metastasio* (1784), gedeeltelijk herdrukt in Emilio Bigi, *Dal Muratori al Cesarotti...*, dl. IV, Milano-Napoli 1960, p. 801.

melodrammi om te buigen in de richting van het statige paleisstuk volgens de Frans-klassieke smaak, waarbij hij in het Italiaanse origineel vooral oog had voor de 'altezza patetica'. Alleen in zijn rond 1783 geschreven dramatische robinsonade *Zelis en Inkle* is Bilderdijk in een indirecte navolging van Metastasio trouw gebleven aan diens 'landelijkheid'. Maar ook toen liet hij zich uiteindelijk méér leiden door de theatrale pathetiek van een bekend literair thema uit de preromantische periode.[1307]

Evenals zijn belangstelling voor Guarini en Tasso, strekte Bilderdijks bemoeiing met het werk van Metastasio zich ongeveer uit over zijn hele dichterlijke loopbaan.[1308] En hoewel hij ook de toneeltheoretische geschriften van de Italiaanse operaschrijver heeft gekend en benut voor zijn eigen verhandeling *Het treurspel*, schijnt Bilderdijks bewondering vooral te berusten op het feit dat hij Metastasio beschouwt als een ''grote en voor melodie hoogst gevoelige dichter'.[1309] Met andere woorden: Bilderdijks waardering wordt toch weer bepaald door de poëzie, en niet door de dramaturgie van de pastorale toneelwereld uit de Italiaanse literatuur.

De in dramatische vorm verbeelde renaissancistische herderswereld had in Bilderdijks tijd al veel van zijn aantrekkingskracht verloren.[1310] In de gouden eeuw hadden Rodenburg, Hooft en Vondel de invloeden van *Il pastor fido* en *Aminta* ondergaan. En in de achttiende eeuw verschenen er tussen 1711 en 1732 nog vijf vertalingen van Aminta, terwijl in die periode bovendien bewerkingen naar herdersspelen van Contarini en Bonarelli op de markt kwamen.[1311] Desondanks schreef Jan Baptista Wellekens al in het voorwoord bij zijn eigen Aminta-bewerking (1715), dat het herdersspel niet geschikt was voor opvoering in de schouwburg, omdat het niet meer beantwoordde aan de heersende smaak.[1312] Dat de vroege achttiende eeuw behalve zijn 'velt- en zeezangen' ook enkele oorspronkelijke herdersspelen kende, doet even weinig aan deze waarheid af, als het feit dat B. Luloffs zelfs nog in 1780 een minder geslaagde parodie op dit genre leverde.[1313] Als Bilderdijk zich niet in de pastorale als toneelsoort verdiept, komt dat eenvoudig omdat ze voor hem en zijn tijdgenoten geen serieus

[1307] De Jong (Metastasio, 1960), p. 241 e.v. en De Jong (robinsonade, 1958), p. 131 e.v.

[1308] Dit blijkt uit De Jong (Taal van..., 1973).

[1309] NTDV. II, p. 107. Ik cursiveer; Trsp., p. 213, 214, 182; 137 e.v., 197, 198; 178-180; Pietro Metastasio, *Estratto dell'arte poetica d'Aristotile e considerazioni su la medesima* in: *Tutte le opere di P.M.*, a cura di Bruno Brunelli, dl. II, Verona 1947, p. 1015, 1016, 1117; vgl. *Varese* (1950), p. 32 e.v., 37.

[1310] Mia I. Gerhardt, *La pastorale. Essai d'analyse littéraire*, Assen 1950, bestudeert de Italiaanse, Spaanse en Franse pastorale (maar niet alleen in dramatische vorm) tot aan de achttiende eeuw: zie p. 25 van haar werk. Voor de veranderde en veranderende opvattingen over landleven en natuur: M. Prinsen (Idylle, 1934) en Brandt Corstius (Idylle, 1955).

[1311] Worp, dl. II (1908), p. 334, 335; M. Prinsen (Idylle, 1934), p. 125, 127; vgl. Anton van Duinkerken in Joost van den Vondel, *Leeuwendalers*, Utrecht 1948, p. 13 e.v. Een bewerking uit 1735 van Guarini's herdersspel vermeldt P.E.L. Verkuyl, *Battista Guarini's IL PASTOR FIDO in de Nederlandse dramatische literatuur*, Assen 1971, p. 123. Volgens D.J.M. ten Berge werd Hoofts *Granida* in de zeventiende eeuw beschouwd als 'het' model voor het Nederlandse pastorale spel (*De nieuwe taalgids* 69 (1976) 1, p. 33-38).

[1312] M. Prinsen (Idylle, 1934), p. 129; vgl. voor Wellekens' vertaling: R. Pennink, *Silvander (Jan Baptista Wellekens)...*, Haarlem 1957, p. 77 e.v.

[1313] C.M. Geerars, *Hubert Korneliszoon Poot*, Assen 1954, p. 261 e.v.; Pennink (1936), p. 89 e.v.; Worp (1908), dl. II, p. 185, 186.

dramaturgisch belang meer had. P.J.C. de Boer schrijft in zijn dissertatie over Rijklof Michael van Goens dat deze vroegrijpe geleerde in zijn jonge jaren de spelen van Guarini en Tasso bewonderde maar dat hij later 'losgeraakt' is van die pastorale literatuur.[1314] Misschien heeft hierbij wel een rol gespeeld wat Van Alphen in 1780 prees als 'bevalligheid' en 'zagte schoonheid' in Tasso en Metastasio.[1315] Bij alle bewondering voor Metastasio vond Van Goens zijn gracieuze poëzie eigenlijk te week. Een dergelijk geluid verneemt men ook in 1822 bij Willem de Clercq, die meende dat de Nederlandse literatuur in de eerste helft van de achttiende eeuw gunstig afsteekt bij de Italiaanse, wier roem beperkt bleef tot de Weense operazaal, 'alwaar Metastasio zijne welluidende coupletten deed hooren, ofschoon ook hij de beschuldiging, van de Franschen nagevolgd, en de taal zijns Vaderlands, door overmaat van zachtklinkende woorden, verteederd doch verzwakt te hebben, eenigzins verdient'.[1316] Met betrekking tot de door Bruno Brunelli besproken Europese (en zelfs Amerikaanse) bekendheid van Metastasio in de achttiende eeuw, kan tenslotte worden vermeld dat vier van de elf Italiaanse toneelstukken die toen in het Nederlands werden vertaald van zijn hand waren. Bovendien bewerkte J. Immerzeel nog in 1801 Metastasio's *La clemenza di Tito*.[1317]

3. Het Italiaanse treurspel

Toen Bilderdijk in zijn verhandeling *Het treurspel* (1808) de ontwikkeling van het Europese toneel behandelde, vermeldde hij de pogingen van enkele zestiende-eeuwse Italiaanse geleerden om een treurspel te scheppen dat aansloot bij de oude Griekse tragedie. Maar hun goede bedoelingen bleven zonder resultaat omdat ze niet waren afgestemd op het bevattingsvermogen van het volk, dat in de schouwburg geen 'Dichtstuk', maar 'het vertoonen eener gebeurtenis' wilde bijwonen. Bovendien waren die geleerden volgens Bilderdijk ook zelf 'alleronbekwaamst om een waarachtig Treurspel uit te denken of te bevatten'.[1318]

De Italiaanse literatoren die dit brevet van onvermogen meekregen waren Ludovico Dolce, wiens vertalingen van de oude tragici 'weinig baatten', Giovanni Ruscellai, die 'nietige pogingen tot oorspronkelijkheid' ondernam, en Giangiorgio Trissino, over wie Bilderdijk zich al even weinig tevreden toonde. Hij stond in dezen trouwens niet alleen: dergelijke afwijzende oordelen over de zestiende-eeuwse Italiaanse tragedie heeft hij bijvoorbeeld kunnen vinden bij Voltaire, Brumoy, Bouterwek en Van Goens.[1319] Met betrekking tot Trissino's bekende treurspel *Sofonisba* meende Bilderdijk dat dit stuk voor

---

[1314] De Boer (1938), p. 115, 159.

[1315] Van Alphen, dl. II, p. 217; een aanmerking op de weergave der hartstochten in de *Aminta* maakt Van Alphen in dl. II, p. 155.

[1316] De Boer (1938), p. 118, 119; De Clercq (1826), p. 278. Een soortgelijke mening treft men nog zestig jaar later aan bij F.M. Lurasco, *Bloemen uit den Italiaanschen lusthof*, Amsterdam 1882, p. 77.

[1317] De Jong (*Sulla fortuna...*, 1960), p. 348 e.v.

[1318] Trsp., p. 123, 124, 178.

[1319] Bouvy (1898), p. 188; Brumoy, dl. III (1732), p. 247, 322 e.v.; Bouterwek (1802), dl. II, p. 81 e.v.; 93 e.v.; 169, 170; De Boer (1938), p. 116.

iemand met een enigszins veredelde smaak geen enkele waarde kan hebben. Elders is uiteengezet waarop deze afwijzing berust en hoe Bilderdijk heeft geprobeerd het werk van de Italiaanse dichter te 'verbeteren'.[1320] Wat hem in Trissino's treurspel tegenstond, was zowel de 'afgrijslijk laffe rol' van de Numidische koning Siface, als de onvrouwelijke uitbeelding van zijn hooghartige gemalin. Wat het laatste betreft, vertoont Bilderdijks kritiek overeenkomst met Lessings aanmerkingen op de *Rodogune* van Corneille. Volledig in Bilderdijks geest, schrijft Lessing: 'Die Natur rüstete das weibliche Geschlecht zur Liebe, nicht zu Gewaltseligkeiten aus; es soll Zärtlichkeit, nicht Furcht erwecken...'.[1321]

Voor de prestaties van de Frans-classicistisch georiënteerde Italiaanse dramaturgen uit de achttiende eeuw had Bilderdijk evenmin veel belangstelling of waardering. In het brouillon voor zijn *Consideratien omtrent het Repertoire* voor de Amsterdamse Schouwburg (1808) vermeldde hij Italië onder de landen die geen stukken 'in den Franschen smaak' hebben voortgebracht waarvan de vertaling voor opvoering in aanmerking komt.[1322] Verder vindt men in Bilderdijks theoretische geschriften van 1780 en 1808 enkele opmerkingen over 'fouten' met betrekking tot herkenning, illusie en historische waarheid in het treurspel *Merope* van Scipione Maffei. Deze hoeven echter nog niet te bewijzen dat Bilderdijk dit treurspel ook werkelijk grondig heeft doorgewerkt of dat de betreffende kritiek uit zijn eigen koker komt. Over Maffei's *Merope* is in de achttiende eeuw zoveel heen en weer geschreven, dat Bilderdijk zijn wijsheid gemakkelijk elders heeft kunnen opdoen, bijvoorbeeld bij Lessing.[1323]

Opmerkelijk is, dat men in Bilderdijks treurspelverhandeling tevergeefs zoekt naar de naam van Vittorio Alfieri, die in het achttiende-eeuwse Italië toch kan worden beschouwd als de sterkste vertegenwoordiger van de dramatische kunst in 'den Franschen smaak'.[1324] Toch bewijzen enkele aantekeningen van Bilderdijk zijn belangstelling voor deze auteur en er

---

[1320] De Jong (Trissino, 1959), p. 193 e.v.; vgl. het *Eerste Boek*, hfdst. IV, par. 5.

[1321] Lessing (1958), p. 121 (St. 30); vgl. hfdst. IX, noot 521.

[1322] Zie de *Bijlage* achterin dit *Tweede Boek*.

[1323] In de Verhandeling[2] van 1780 (1836), p. 98, en in Brief van den navolger... van 1780, p. 20, vestigt Bilderdijk de aandacht op het zevende toneel van het vierde bedrijf in Maffei's *Merope*. Men leest daar:

Con cosí strani avvenimenti uom forse
Non vide mai favoleggiar le scene.

Deze regels verbreken volgens Bilderdijk de 'begocheling' van de toeschouwers, door hen te herinneren aan de toneelfictie en ze bevatten bovendien een anachronisme, omdat er in de tijd van Merope nog geen schouwburg bestond. Bilderdijk prijst daarom de Nederlandse bewerking van dit stuk door Filip Zweerts, waarin Maffei's 'fout' is vermeden. (Ik merk terloops even op dat een soortgelijk verschijnsel voorkomt in het door Bilderdijk bewerkte melodramma *Demetrio* (II/12) van Pietro Metastasio, welk stuk hem echter in 1780 nog niet bekend zal zijn geweest.

Maffei's *Merope* komt eveneens anno 1808 tersprake in de verhandeling *Het treurspel* (p. 227, 228) en ook nu wordt door Bilderdijk een fout gesignaleerd; de 'herkenning' vindt plaats doormiddel van een ring, welk voorwerp volgens Bilderdijk niet groot genoeg is 'om door de aanschouwing uitwerking te doen'. Vgl. *Lessing*, (St. 47), p. 170, die precies dezelfde regels uit Maffei's treurspel citeert; Robertson (1939), p. 217; over Voltaires houding tegenover het treurspel van Maffei: zie *Bouvy* (1898), p. 198, 252; Lion (1895), p. 149 e.v. In 1743 schreef Domenico Lazzarini zijn *Osservazioni sopra la Merope del march. Maffei*, Roma 1743. V. Placella schreef een artikel over 'La polemica settecentesca della "Merope"' in *Filologia & letteratura* 1967. Maffei's treurspel werd o.m. herdrukt in G. Gaspirini, *La tragedia classica delle origine al Maffei*, Torino 1963 en als aparte B.U.R.-uitgave (Milano 1954) door G.R. Ceriello, die in zijn voorwoord de Merope-treurspelen van Maffei, Voltaire en Alfieri bespreekt.

[1324] Natalino Sapegno, *Compendio di storia della letteratura italiana*[15], dl. II, Firenze 1961, p. 588 e.v. Vgl. De Jong (Alfieri, 1963); Steiner (1965), p. 154-156.

bestaat een op 20 juli 1819 gedateerde brief waarin Bilderdijk Alfieri's tragedie over Don Carlos (bedoeld is *Filippo*) beschouwt als de beste toneelbewerking die hem ooit van het veelgebruikte Don Carlos-motief onder ogen is gekomen.[1325] In het *Eerste Boek* is gebleken dat Bilderdijks onvoltooide bewerking van het Virginia-motief als het ware tegenover de interpretatie van Alfieri staat. Maar hier hebben we niet zozeer met een literaire afwijzing te doen, dan wel met een diepgaand verschil in politieke overtuiging tussen de monarchistische Bilderdijk en Alfieri als auteur van het rebels-libertaire tractaat *Della tirannide*.[1326] Misschien heeft Bilderdijk de treurspelen van Alfieri pas laat leren kennen: de catalogus van zijn bibliotheek vermeldt een editie van 1803, en al in 1789 was de verzameluitgave van Alfieri's treurspelen te Parijs verschenen.[1327]

In de tijd dat Willem de Clercq zijn bekroonde *Verhandeling* (1822) schreef, was Alfieri blijkbaar niet onbekend in Nederland. Terwijl De Clercq het nodig achtte elementaire inlichtingen te verstrekken over figuren als Parini en Monti, deelde hij mee dat hem zulks bij uitzondering overbodig voorkwam ten aanzien van Alfieri, die hij betitelde als 'de Demagoog der Dichters'.[1328] Het feit dat hij elders schreef over 'het vreemde, hetwelk thans de Italiaanse Letterkunde voor ons heeft', bewijst al dat er destijds in Nederland geen sprake was van de romantische belangstelling voor de Italiaanse cultuur die men in Engeland kende.[1329] In de tweede helft van de achttiende eeuw verminderde bij ons de kennis van het (sedert de renaissance met voorliefde beoefende) Italiaans, terwijl die van het Duits juist toenam.[1330] Aangaande het toenmalige toneelleven kan nog worden vermeld dat in de tijd van Lodewijk Napoleon te Amsterdam regelmatig een Italiaanse opera-groep optrad; dit was ook gebeurd in de zeventiende eeuw.[1331]

[1325] Ltk. Museum, hschr. B 583, adversaria 1; DW. III, p. 455; Br. III, p. 129 (vgl. *Eerste Boek*, hfdst. VI, par. 5); zie voor het door Bilderdijk bedoelde treurspel: Vittorio Alfieri, *Tragedie*, edizione critica a cura di Carmine Jannaco, dl. I, *Filippo*, Asti 1952. Voor het Don-Carlosmotief: hfdst. VI, slot par. 5.

[1326] Van de verhandeling *Della tirannide* verscheen in 1949 een pocketuitgave in de Biblioteca Universale Rizzoli te Milano; vgl. voor dit werk *Sapegno*, dl. II, p. 575 en Francesco Flora, *Storia della letteratura italiana*, dl. III, Verona 1950, p. 992.

[1327] Vittorio Alfieri, *Vita scritta da esso*, Milano 1960, p. 271, 272; vgl. voor Bilderdijks bibliotheek: noot 681.

[1328] De Clercq (Verhandeling), p. 529, zie ook p. 146. De jonge Nicolaas Beets noteerde op 6 februari 1835 in zijn dagboek dat hij een voordracht van M. Siegenbeek had bijgewoond, die de vertaling in alexandrijnen van de eerste twee bedrijven van een treurspel van Alfieri voorlas: ''t Was, als men denken kan, allerberoerdst. De helft der toehoorders deserteerde dan ook, de zaal bij troepen vrij luidruchtig verlatende. De andere helft bleef om zich met den spreker te vermaken, lachende en à tort et à travers applaudisscerende. Voor geen honderd gulden was ik in 's mans plaats geweest.' (H.E. van Gelder, *Hildebrands voorbereiding / het dagboek van de student Nicolaas Beets*, Den Haag 1956, p. 58).

[1329] C.P. Brand, *Italy and the english romantics. The italianate fashion in early nineteenth-century-England*, London 1957; vgl. ook: W. Rehm, *Europäische Romdichtung*², München 1960.

[1330] De Jong (Sulla fortuna..., 1960), p. 349. De *Catalogus librorum* van 1797 vermeldt op een totaal van ongeveer zesduizend nummers 114 boeken in het Italiaans of met betrekking tot Italië; in de *Catalogus* van 1832 blijken er slechts 36 dergelijke werken aanwezig op een totaal van ongeveer drieduizend. Men bedenke hierbij dat Bilderdijks bibliotheek niet alleen letterkundig was en ook zeer vele werken over allerlei andere wetenschappen bevatte. Vgl. par. 1, noot 681.

[1331] Worp-Sterck (1920), p. 154, 253.

HOOFDSTUK XIII

HET SPAANSE EN PORTUGESE TONEEL

1. Algemeen

Toen Bilderdijk in zijn treurspelverhandeling van 1808 over het Spaanse toneel sprak, richtte hij zijn aandacht niet zozeer op met name genoemde Iberische auteurs dan wel op de betekenis van de Spaanse dramaturgie voor de ontwikkeling van de toneelliteratuur in West-Europa. Die betekenis was volgens Bilderdijk niet gering. Ontstaan uit de verwereldlijking van de middeleeuwse mysteriespelen, ontwikkelde zich het Spaanse treurspel volkomen los van invloed en aard van de Griekse tragedie.[1332] De religieuze onderwerpen maakten plaats voor nationale thema's en zo ontstonden in Spanje de ijverig door Franse auteurs nagevolgde 'Historische stukken', die ook in Engeland hebben gebloeid en wier enige 'wet of doel' de vertoning van een 'gebeurtenis' was, in latere tijd al dan niet ontleend aan de geschiedenis[1333] Dit 'Spaansche of Engelsche Treurspel' had niets van doen met 'Dichtkunst', maar beoogde de voorstelling van steeds meer 'voorvallen ... plaatsvertooningen ... en personaadjen.' Nadat de humanistische geleerden de oude klassieke dramaturgie hadden ontdekt, trachtte men in Europa (maar het minst in Spanje) een aantal uiterlijke kenmerken daarvan toe te passen op het 'Spaansche of Engelsche Treurspel.' Het laatstgenoemde was daardoor echter niet tot het Griekse om te vormen, omdat het wezenlijk iets anders was. Want het Griekse treurspel ontstond uit de dithyrambe en is volgens zijn aard een in de vorm van een 'allerverhevenst' Dichtkunst uitgebeelde zielsbeweging, terwijl het uit de mysteriën ontwikkelde moderne ('Spaansche' of 'Engelsche') treurspel alleen naar de vertoning van een gebeurtenis is.[1334] Het Griekse

---

[1332] Trsp., p. 115-118. In 1765 werden de mysteriespelen bij decreet van koning Carlos III verboden. Hoewel moderne ethische en esthetische verlichtingsideeën een grote rol speelden, moet worden vastgesteld dat er al in de zeventiende eeuw belangrijke bezwaren tegen deze spelen bestonden: F.Martínez Gil, 'La expùlsion de las representaciones del templo (los autos sacramentales y la crisis del Corpus de Toledo 1613-1645)', *Hispania. Revista Española de Historia* 66 (2006) 224, p. 959-996.

[1333] Trsp., p. 119 e. v., p. 180.

[1334] Trsp., p. 119-130; ik heb in mijn samenvatting van Bilderdijks aldaar ontwikkelde denkbeelden tevens gebruik gemaakt van een op deze gedachtegang betrekking hebbende aantekening, die zich bevindt in de collectie-Leefgang van het Letterkundig Museum te 's-Gravenhage, hschr. B 583, adversaria 4. In Bilderdijks verhandeling blijkt nauwelijks of geen onderscheid tussen de betekenis van de termen 'historie' en 'gebeurtenis'. Na te hebben meegedeeld dat de Engelsen in de tijd van Shakespeare van 'Historiespelen' spraken als het onderwerp uit de nationale geschiedenis was genomen, en van 'Treurspelen' als het onderwerp aan de Oudheid was ontleend, schrijft Bilderdijk (p. 121, 122): 'Ik spreek hier van Nationale Tooneelstukken; maar ieder begrijpt, dat zoo dra men dien kring uitbreidde, allerlei Historische stukken van gelijken aart waren, en, daar alle Treurspel een gebeurtenis onderstelt ('t zij dan dat de fabel historisch waar of historisch valsch zij), dat de onderscheiding der Engelschen van die eeuw, louter hersenschimmig was, en, geen' invloed ter wareld hebbende op de behandeling van het onderwerp, dat gene dat men Treurspelen noemde, even zoo zeer Historiestukken in aart en wezen waren, als die dezen laatsten naam droegen. *Voorstellingen* naamlijk *eener gebeurtenis*, zoo ruim opgevat als deze uitdrukking slechts eenigszins toelaat, en zonder beperking of vormbepaling hoegenaamd ook.' De term 'geschiedenis' in de betekenis van 'fabula' komt ook voor in Bilderdijks *Voorafspraak* van 1779; DW. XV, p. 6 (Hoe afwijzend de Spaanse toneelschrijvers tegenover aanpassing aan de klassieke tragedie stonden, blijkt uit Raymond R. MacCurdy, *Francisco de Rojas Zorilla and the Tragedy*, Albuquerque 1958, Rojas wilde 'perturbación' en 'admiración' inboezemen. Vgl. voor deze

treurspel heeft 'het Dichterlijk ideaal' tot voorwerp en het moderne historiespel een daad of handeling uit de 'daaglijksche wareld.'[1335] Het grote belang van het Spaanse toneel blijkt nu niet zozeer uit ontleningen door oudere Franse auteurs, maar volgt vooral uit het feit dat Corneille het nieuwe Franse treurspel heeft geschapen door zich te baseren op het 'Spaansche Historiespel'. Naar het voorbeeld van de Grieken verhief hij dit historiespel tot dichtstuk, terwijl het toch de meerdere verwikkelingen van zijn herkomst behield.[1336]

Bilderdijk had meer waardering voor het oorspronkelijke Spaanse toneel dan voor de door zijn tijdgenoten nagevolgde verzwakte vorm waarin zich de Franse tragedie na Corneille en Racine vertoonde. Want het 'oude Spaansche Treurspel' beantwoordde volgens hem beter aan zijn eigen doel: namelijk een vermaak voor het volk te zijn.[1337]

2. Toneeldichters

Bilderdijks kennis van de Spaanse en Portugese literatuur blijkt onder meer uit een aantal vertalingen die men verspreid in zijn werk aantreft. Aantekeningen bij zijn lectuur bewijzen dat hij van de Spaanse blijspelen in ieder geval onder ogen heeft gehad: *Casarse por vengarse* van Francisco de Rojas Zorilla, *El desdén con el desdén* van Augustín Moreto, en *El domine Lucas* van José Cañizares. Bovendien bevatten deze aantekeningen citaten uit de Portugese tragedie *Doña Inés de Castro* van Antonio Ferreira, uit *Las mocedades del Cid* van Guillén de Castro, en uit ongenoemde werken van Lope de Vega en Calderón de la Barca. Dat Bilderdijk zich speciaal interesseerde voor het meesterwerk *La vida es sueño* van Calderón, mogen we concluderen uit een aantekening waarin hij diverse Nederlandse vertalingen van dit stuk vermeldt.[1338] De twee treurspelen over de Cid van Lopes vriend Guillén de Castro, heeft Bilderdijk met aandacht gelezen. Hij gaf een overzicht van de inhoud in zijn *Bydragen tot de Tooneelpoëzy* van 1823; het eerste gedeelte van deze parafraserende bespreking is vermoedelijk al bijwijze van 'voorlezing' ontstaan in 1815, en het tweede gedeelte in 1817. Een vergelijking met Corneilles beroemde stuk ontbreekt, omdat Bilderdijk dit bij zijn toehoorders voldoende bekend achtte. Bilderdijk stelde Castro's eerste treurspel verre boven het latere vervolg, waarvan hij de onregelmatigheid laakte in structuur en stijl. In het eerste treurspel (dat deze fouten in mindere mate vertoont) roemde Bilderdijk de tweestrijd tussen de brandende liefde en de alles overheersende plicht der eer, die 'zoo innig, en zoo roerende is en het hart van elk aanschouwer verscheurt en verdeelt.' Na ook de plastische kwaliteiten en de karaktertekening te hebben geprezen, besloot Bilderdijk: 'Inderdaad is er, over 't algemeen

begrippen: hfdst. X, par. 2.)

[1335] Trsp., p. 129 en 137.

[1336] Trsp., p. 124, 180; 131 e.v. Zie hfdst. XVI, par. 1.

[1337] Trsp., p. 136.

[1338] Ltk. Museum, 's-Gravenhage, hschr. B 583; Bilderdijk-Museum, Amsterdam, collectie-Sterck nr. A 48².

gesproken by de Spaansche Dichters iets hooggevoelends en treffends waardoor zy zich onderscheiden en waartoe hunne taal-zelve bydraagt.'[1339]

Bilderdijks mening over enkele andere Spaanse toneelstukken kan men leren kennen uit zijn treurspelverhandeling van 1808. Er staat een afwijzend oordeel in over *Venganza de Agamemnón* van Fernán Pérez de Oliva (een mislukte poging tot 'opwarmen' van het Griekse toneel die niet strookte met de Spaanse smaak) en een weinig zeggende opmerking over *Nise lastimosa* en *Nise laureada* van Antonio de Silva. Bilderdijk waardeerde deze (eveneens zestiende-eeuwse) stukken hoger dan het werk van Oliva.[1340] Lope de Vega, van wie Bilderdijk ook elders wat kortere stukjes heeft vertaald, is in *Het treurspel* vertegenwoordigd met een in het Nederlands bewerkt fragment uit het leerdicht *Arte nuevo de hacer comedias en este tiempo* (1609). Het verdient aandacht dat Bilderdijk de beroemde Spaanse toneeldichter naar aanleiding van dit gedicht een meer eenzijdig afwijzende houding tegenover de kunstregels toedicht dan Lope in werkelijkheid bezat.[1341] Blijkens een passus in zijn bewerking van Luis José Velázques' *Orígenes de la poesía castellana*, toonde de door Rijklof Michaël van Goens bewonderde Göttinger hoogleraar J.A. Dieze al in 1768 een meer genuanceerd begrip voor het samengaan van Lope's 'schöpferische Einbildungskraft' met zijn eerbied voor de kunstregels der Oudheid.[1342]

Een Spaanse auteur die eveneens ter sprake komt in de treurspelverhandeling is de zeventiende-eeuwse tweederangsdramaturg Juan de Matos Fragoso, van wie Bilderdijk navolgingen in de Franse toneelliteratuur aanwijst. Kennelijk was hem niet bekend dat Matos Fragoso voor de heroïsche komedie in kwestie (*El sabio en su retiro y villano en su rincón*) op zijn beurt weer was te rade gegaan bij Rojas Zorilla en Lope de Vega.[1343] Een laatste verwijzing naar een Spaanse dramaturg heeft Bilderdijk in zijn verhandeling aangebracht, zonder dat hij dit naar alle waarschijnlijkheid zelf heeft beseft. Betogend dat

---

[1339] Bydragen, p. 182, 183; 91 e.v. Voor de dateringen: Tyd. II, p. 159, 193; Kollewijn, dl. II, p. 320 (Een vergelijking tussen het – door hem vertaalde – stuk van Castro en de tekst van Corneille schreef J. Larochette '*Les Exploits de Jeunesse du Cid' de Guillén de Castro et 'Le Cid'* de P. Corneille, Bruxelles 1945. Het voor Bilderdijk zo belangrijkste motief van de 'eer' en de daarmee samenhangende geboortestatus – vgl. hfdst. VII, par. 1 – wordt in breder verband behandeld in A.A. van Beysterveldt, *Sur la conception de l'honneur dans la 'Comedia nueva' espagnole*, Leiden 1966, waar, op p. 173 e.v., de maatschappelijke component van de theatrale 'orgullo de linaje' zelfs wordt aangetoond bij de vervolgde en verdreven Sefardische joden. Ook uit de studie van C.L. Barber, *The Idea of Honour in the English Drama 1591-1700*, Stockholm 1957, blijkt dat de theatrale 'Code of Honour' zich wijzigde als het maatschappelijk ideaal op dat gebied veranderde.

[1340] Trsp., p. 179. Vgl. het oordeel in Juan Hurtado y J. de la Serna y Angel González Palencia, *Historia de la literatura española*², Madrid 1925, p. 386 en 469.(Antonio de Silva is het pseudoniem van Fray Jerónimo Bermúdez († 1599). Het eerstgenoemde treurspel is een bewerking naar het Portugese stuk over Ines de Castro van Antonio Ferreira; het tweede is origineel maar minder overtuigend.)

[1341] Trsp., p. 126, 186. (Andere vertalingen van Lope door Bilderdijk staan vermeld in DW. XV, p. 378, 379.) Bilderdijk vertaalde het fragment waarin Lope schrijft dat hij, om 'el vulgo' te behagen, zich keert tot 'aqual habito barbaro' die bestaat uit het niet eerbiedigen van de antieke kunstregels (3 jornadas i.p.v. 5 bedrijven, géén drie eenheden, wel vermenging van het komische en het tragische.) De regel 'Saco y Terencio y Plauto de mi estudio' geeft Bilderdijk weer als: 'Begin ik met *'t verstand* mijn kamer uit te drijven.' Ramón Menéndez Pidal ziet – blijkens *De Cervantes y Lope de Vega*, Madrid 1958, p. 69 e.v. – Lope's *Arte nuevo*... als een manifestatie van het vrije kunstenaarschap tegenover de dwang van de kunstregels (te vergelijken dus met Bilderdijks *De kunst der poëzy*). Vgl. ook José F. Montesinos, 'La paradoja del 'Arte nuevo', *Revista de Occidente 1964*, p. 302-330.

[1342] Wille, dl. I, Zutphen 1937, p. 562; Hurtado y Palencia, p. 638 en p. 798.

[1343] Trsp., p. 180; Hurtado y Palencia, p. 735.

– om verwarring te voorkomen – een toneelschrijver geen eigen naam moet geven aan personages die een onbetekenende bijrol vervullen, noemt Bilderdijk het tegen deze regel zondigend treurspel *Joan Galeasso, Dwingeland van Milanen*, waarvan hij echter de auteur niet vermeldt. Deze auteur heet Thomas Arendsz en het genoemde toneelstuk heeft Arendsz zonder bronvermelding vertaald naar *Los esforcias de Milán* van Antonio Martínez de Meneses: een feit dat Bilderdijk blijkbaar onbekend was en dat ook geen bezwaar bleek voor succes. De Nederlandse versie werd nog in 1739 herdrukt, nadat het stuk al sedert 1681 herhaaldelijk was opgevoerd.[1344]

Het is opvallend dat Bilderdijk, terwijl hij toch een volle bladzijde aan de Franse ontleningen uit Spanje wijdt, nergens spreekt over soortgelijke praktijken in Nederland en al evenmin over de Spaanse invloed op ons vroegere toneel in het algemeen.[1345] Toch is de Spaanse *comedia* van vrij groot belang geweest voor het zeventiende-eeuwse toneelleven in Noord- en Zuid-Nederland.[1346] En niet alleen de comedia. Ook ernstige Spaanse stukken werden gespeeld of bewerkt en dat ging voort in de eerste helft van de achttiende eeuw. Zelfs schijnt er rond 1765 nog regelmatig in het oorspronkelijk te zijn gespeeld op een schouwburg van Spaanse en Portugese Joden te Amsterdam.[1347] Tot de in Nederlandse versies bekende stukken behoorden weliswaar niet de door Bilderdijk – blijkens zijn adversaria – met de pen in de hand gelezen blijspelen, maar dat neemt niet weg dat werken van de door hem bestudeerde auteurs (behalve waarschijnlijk Oliva, Silva, Cañizares, en de Portugees Ferreira) in het Nederlands waren nagevolgd of vertaald, evenals trouwens toneelspelen van een aantal andere Spaanse schrijvers.[1348]

Ofschoon niet zo sterk als door haar dramaturgie, schijnt de Spaanse letterkunde ten onzent op ander terrein een zekere bekendheid te hebben genoten, maar dan in de periode voor het optreden van Bilderdijk. In zijn dissertatie *Spanje in de Nederlandse literatuur* schrijft S.A. Vosters, dat Bilderdijk zich van zijn tijdgenoten onderscheidde door kennis van – en waardering voor Spanje en de Spaanse letterkunde.[1349] Blijkens het

[1344] Trsp. p. 216; Worp, (1904), dl. I, p. 396; idem, dl. II, p. 157, 334; Worp-Sterck (1920), p. 162, noot 3; Van Praag (1923), p. 74.

[1345] Handelend over het Nederlandse blijspel, schrijft Bilderdijk in Trsp.,p. 109: 'Vodderyen als *Pefroen met het schaapshoofd*, uit het Spaanse *Intermedio de la Reliquia* genomen en zulk soort, komen hier in geen aanmerking.' Worp, dl. II, p. 210, noemt in verband met dit stuk en een vervolg daarop, de namen van Y. Vincent en A. Frese. Vincent zou in 1669 hebben gewerkt naar een Frans voorbeeld van R. Poisson. Vgl. Hilman (Alphabetisch...1878), p. 267; Worp-Sterck, p. 152; Van Praag, p. 96-98. De door Bilderdijk genoemde Spaanse bron wordt door geen der latere onderzoekers vermeld. Vgl. hfdst. XVII, par. 3, noot 1117.

[1346] William Davids, *Verslag van een onderzoek* [met vrij negatief resultaat, M.d.J.] *betreffende de betrekkingen tusschen de Nederlandsche en de Spaansche ltk. in de 16e- 18e eeuw*, 's-Gravenhage 1918; Van Praag, p. 39, Vgl. Worp, dl. I, p. 389-398.

[1347] Worp, dl. II, p. 157; vgl. Wille, p. 547 e.v. Voor Rodenburg en zijn Spaanse bronnen, zie het *Eerste Boek*, hfdst. VI, noot 244. Voor de bewerkingen van Rojas Zorilla, Moreto, Lope en Calderón, zie Van Praag. Vgl. ook de 'Spaanse' rollen van de toneelspeler Jan Punt in Albach (1946), p. 67. Een inleidend overzicht van de Spaanse invloed in het algemeen gaf G.J. Geers in *Geschiedenis van de letterkunde der Nederlanden* o.l.v. F. Baur, dl. III, Antwerpen-'s-Hertogenbosch 1944, p. 59 e.v.

[1348] Zie de lijsten met vertalingen en bewerkingen in Worp, dl. II,en de aanvullingen en correcties daarbij in Van Praag.

[1349] S.A. Vosters, *Spanje in de Nederlandse literatuur*, Amsterdam 1955, p. 52 e.v.

bijzonder rijke proefschrift van J. Wille, was de belangstelling voor de Spaanse letteren in Nederland rond 1750 sterk verminderd. Daarom verdient het aandacht dat de Europees georiënteerde Rijklof Michaël van Goens in 1769 het plan koesterde een geschiedenis van de Spaanse letterkunde te schrijven en zeer veel moeite deed het daarvoor benodigde boekenmateriaal bijeen te brengen. Zijn bibliotheek bleek 350 delen over Spaanse- en 40 over Portugese taal en letteren te bevatten.[1350] Dat is bijzonder veel, als men bedenkt dat A.C.W. Staring maar 7 Spaanse boeken bezat, en de (vervuilde!) catalogus van Bilderdijks bibliotheek in 1797 op een totaal van bijna zesduizend nummers maar 18 werken vermeldt over Spanje, de Spaanse taal en de Spaanse letterkunde (voor het laatste onderdeel slechts 4 nummers). In handschrift trof ik nog een door Bilderdijk opgemaakte lijst van 7 geschiedkundige werken in de Spaanse taal aan, en in de bibliotheekcatalogus van 1832 staan 9 titels die op Spanje betrekking hebben.[1351] Daaronder bevindt zich op dramatisch gebied alleen de uitgave *Comedias de Lope de Vega y de Calderón*, maar zoals hiervoor al gebleken is, volgt daaruit zeker niet dat Bilderdijk geen andere teksten uit de Spaanse toneelliteratuur zou hebben gekend. Nog minder kan men daaruit conclusies trekken voor Bilderdijks kennis van de Iberische letterkunde in het algemeen. Hij heeft bijvoorbeeld werk van Tomás de Iriarte gelezen en op persoonlijke wijze een van diens bekende 'Fabulas literarias' bewerkt, zonder dat deze auteur op de lijst van zijn boekenbezit voorkomt.[1352] Wie trouwens de bronnen van Bilderdijks vertalingen uit het Spaans en Portugees nagaat, ontdekt nog een aantal andere namen en onder zijn onuitgegeven aantekeningenblaadjes vond ik onder meer citaten van Garcilaso de la Vega, Gil Vicente en Bernaldim Ribeiro.[1353] We mogen in dit verband nog vaststellen dat Rhijnvis Feith voor zijn in 1793 verschenen treurspel *Ines de Castro* onder meer gebruik heeft gemaakt van vertaalde toneelstukken uit het Spaans en Portugees.[1354]

Hoezeer in de tweede helft van Bilderdijks leven de vervreemding ten aanzien van de Spaanse letteren toenam, bewijst de in 1822 bekroonde comparatistische *Verhandeling* van Willem de Clercq. Een duidelijk gebrek aan kennis wordt door De Clercq getransformeerd tot een patriottisch en religieus gekleurd a-priori tegenover mogelijke Spaanse invloeden in het verleden. En met betrekking tot het heden lijkt de Spaanse literatuur voor hem zelfs een of ander exotisch fenomeen, blijkens de toon van zijn mededeling, dat de familie van Jeronimo de Bosch (1740-1811), 'uit Spanje afkomstig,

[1350] Wille, p. 548, 566, 568; vgl. (overzichtelijker, maar met veel minder gegevens): P.J.C. de Boer, *Rijklof Michaël van Goens (1748-1810) en zijn verhouding tot de literatuur van West-Europa*, Amsterdam 1938, p. 121 e.v.

[1351] Hschr. A 48², Bilderdijk-Museum te Amsterdam; zie voor deze catalogi hfdst. XII, noot 681; voor Staring: D.Th. Enklaar, 'Spaanse hulp bij Nederlandse moeilijkheden II', *De nieuwe taalgids* 56 (1959) 2, p. 82, noot 3.

[1352] Zie het hoofdstuk 'Een fabelachtige ezel (Theorie en vertaling bij Iriarte en Bilderdijk)' in mijn bundel *Literatuur: een spel zonder grenzen*, Leiden 1991, p. 95-104.

[1353] Letterkundig Museum, hschr. B. 583; zie ook de door mr. J. Pan gemaakte lijst van Bilderdijks vertalingen in DW. XV.

[1354] Ten Bruggencate (1911), p. 77.

nog veel liefde voor die letterkunde' behouden schijnt te hebben ...[1355] In 1816 kon Bilderdijk in de tweede (letterkundige) klasse van het Koninklijk Instituut zonder kans op tegenspraak beweren, dat er ten aanzien van de Spaanse taal 'een vrij algemeene onbekendheid' bestond.[1356]

[1355] Willem de Clercq, Verhandeling ...², Amsterdam 1826, p. 182 e.v.; over de Amsterdamse familie De Bosch (die de herinnering bewaarde aan een voorvader die in de 17[de] eeuw in Spanje had vertoefd) schreef G.A. Steffens, *Pieter Nieuwland en het evenwicht*, Zwolle 1967, p. 6 e.v.

[1356] Bydragen, p. 92.

HOOFDSTUK XIV

HET ENGELSE TONEEL

1. Algemeen

In het voorafgaande hoofdstuk is al duidelijk geworden wat Bilderdijk verstond onder het 'Engelsche Treurspel'. Deze toneelvorm schijnt voor hem voornamelijk van de Spaanse dramaturgie af te wijken doordat de 'ondichterlijke' eigenschappen duidelijker naarvoren komen: ze wekken ook in hogere mate zijn afkeer. Zelfs meent Bilderdijk in 1808 dat 'de overvloeiing van den smaak der Engelsche Letterkunde', de Duitse poëzie heeft 'verwoest' en de ondergang van het Franse toneel heeft voorbereid.[1357] Tijdens zijn verblijf in Londen (1795-1797) had Bilderdijk de Engelse schouwburg leren kennen; zijn ervaringen hebben wellicht bijgedragen tot de overtuiging dat het toppunt van wansmaak en woestheid in Engeland was te vinden.[1358] Typerend voor de Engelse smaak achtte hij een door hem te Londen gezien schilderstuk van de kunstenaar West: 'een stuk van omtrent tien voet hoog en vier breed, houdende niet dan het eenige beeld van den Duivel!'. Zo had ook de Engelsman Sir Joshua Reynolds het sterven van een kardinaal geschilderd 'in verwringing der leden'.[1359] Een dergelijk onbeschaafd realisme bewees volgens Bilderdijk een verwerpelijke voorkeur voor het afzichtelijke, waarover juist de gecultiveerde kunstenaar 'den sluier' pleegt te werpen. Dezelfde bizarre voorkeur nu, meende Bilderdijk te herkennen in talrijke Engelse treurspelen, die ''t afschuwlijke der razerny of uitzinnigheid' op het toneel uitbeeldden of waarin een groot aantal moorden voor de ogen van de toeschouwers plaatsvond.[1360]

De Engelsen stonden in Bilderdijks tijd bekend om hun slechte smaak en hun voorkeur voor het gruwelijke. Typerend is een oordeel van de Italiaanse Ossian-vertaler Melchiorre Cesarotti, die sprak over: 'Le irregolaritá e carnificine del teatro inglese'.[1361] In Nederland bleek een duidelijke afwijzing van de Engelse kunst onder meer bij Balthasar Huydecoper, die al in 1720 op voorbeeld van René Rapin wist te melden dat de Engelsen 'volgens de eigenschappen der Eilanders wreed zyn en bloedige vertooningen beminnen'. Later vindt men dergelijke uitspraken in Hiëronymus van Alphens *Theorie der schoone Kunsten en Wetenschappen* (1778), in de inleiding bij de roman *Sara Burgerhart* (1782)

[1357] Trsp., p. 136, 203; vgl. DW. VII, p. 21; in Bydragen, p. 11, maakt Bilderdijk onderscheid tussen het Engelse en het Spaanse treurspel. Vgl. ook de zeker door Bilderdijks denkbeelden beïnvloede verhandeling van P. van Limburg Brouwer in de *Werken der Hollandsche Maatschappij*..., Leiden 1823, p. 150.

[1358] Trsp., p. 155; voor Bilderdijks schouwburgbezoek zie ook hfdst. XVII, par. 5, noot 1200.

[1359] DW. VI, p. 494 (1802); Trsp., p. 232 (1808). Zie voor Reynolds: Bate (1946), p. 79 e.v.; Gallaway (1966), p. 156, 157, 280, 281; vgl. hfdst. IV, par. 2, noot 186.

[1360] Trsp., p. 232; DW. VII, p. 409; Bydragen, p. 81.

[1361] Geciteerd bij Wellek, (1955), dl. I, p. 295; vgl. de talrijke meningen over het Engels toneel in Paul van Tieghem, Le préromantisme ...,dl. III, Paris 1947 en het citaat van Saint-Evremond bij Folkierski (1925), p. 254.

van de dames Wolff en Deken, en in het voorbericht bij het treurspel *Thirsa* (1783) van Rhijnvis Feith. In 1823 sprak P. van Limburg Brouwer over het akelige en gruwzame van de Engelse dramaturgie, waarvoor onze zeventiende-eeuwse voorouders nog wèl maar het tegenwoordige geslacht zeker geen waardering meer zou kunnen opbrengen: aangezien 'wij ook hierin beschaafder (zijn) geworden'.[1362]

Wat bij Bilderdijk even zwaar woog, was de zedelijke inhoud van de Engelse treurspelen. In 1805 schreef hij dat het gebrek aan dichterlijke verhevenheid het Engelse (en Duitse) toneel hebben gemaakt tot: 'een bron van zedenbederf, verstrooiing, lediggang, en wat hatelijker en afschuwelijker is dan dat ik 't hier noemen zou'.[1363] En in 1823 uitte hij in zijn *Bydragen tot de Tooneelpoëzy* zijn afschuw van de ongerijmdheden van de 'Engelsche Logica, Ongodisterij en Staatsconstitutie', die de Engelse treurspelen de 'volle en opgehoopte volmaaktheid' zouden moeten geven. Met instemming citeerde Bilderdijk 'een Fransch schrijver' die meende: 'Qui cherche les applaudissements du Peuple (le Souverain d'aujourd'hui) doit l'étonner!'[1364]

2. 'Gewone' Engelse auteurs

In zijn anno 1780 bekroonde Verhandeling vermeldde Bilderdijk een afwijzend oordeel van Edward Young over John Dryden. Uit de context blijkt dat Bilderdijk het eens was met de kritiek van Young, voorzover Dryden een tekort aan kennis van het menselijk hart wordt verweten.[1365] Met een soortgelijke kritiek van Lessing op het treurspel *The earl of Essex* (1682) van John Banks was Bilderdijk het echter niet eens. Lessing merkte in het treurspel van Banks psychologische onwaarschijnlijkheden op, waar Bilderdijk meende (blijkens ongepubliceerd gebleven aantekeningen) dat de gewraakte plaatsen op aanvaardbare wijze verklaard kunnen worden.[1366]

Bij de bespreking van Bilderdijks onuitgegeven toneelwerk is al gebleken dat hij in Engeland voor zijn tweede vrouw het treurspel *Elfriede* heeft ontworpen op een literairhistorisch motief dat al eerder was gebruikt door William Mason. Dit verklaart misschien het vernietigend vonnis dat Bilderdijk in 1808 over diens 'drammatical poem' *Elfrida* heeft geveld zonder enige opgave van reden.[1367] Een ander zeer ongunstig oordeel uit 1808 is een opmerking over *The beggar's opera* van John Gay, die voor het eerst werd opgevoerd in 1728 en waarnaar Bertolt Brecht enkele eeuwen later *Die Dreigroschenoper*

[1362] Te Winkel, Ontwikkelingsgang, dl. III, (1910), p. 362. Van Alphen, (1798), dl. I, p. 90; E. Wolff-Bekker en A. Deken, *Historie van mejuffrouw Sara Burgerhart* (uitg. L. Knappert), Amsterdam 1941, p. XXX; Rhijnvis Feith, *Thirsa of de zege van den Godsdienst*, Amsterdam 1784, voorbericht.

[1363] DW. II, p. 484.

[1364] Bydragen, p. 81.

[1365] Verhandeling..., p. 57.

[1366] Voor Lessings kritiek op John Banks, zie: Robertson, (1939), p. 262 e.v.; Lessing, (1958) p. 219, (St. 55). De aantekeningen van Bilderdijk staan in zijn handexemplaar van de *Hamburgische Dramaturgie*, (Bilderdijk-Museum, Amsterdam).

[1367] Vgl. *Eerste Boek*, hfdst. VI, par. 1; Tyd. I, p. 71.

zou bewerken. Bilderdijk vermeldde het stuk van Gay toen hij wees op de kwaadaardige zedelijke gevolgen van het moderne toneel. Want *The beggar's opera* had volgens hem te Londen 'een Jongman van goeden huize vervoerd en ten galge gebracht...'.[1368]

Het door Voltaire en Lessing matig gewaardeerde classicistische treurspel *Cato* (1713) van 'de groote Addison' (Feith), betekende voor Bilderdijk een gunstige uitzondering op het Engelse toneelrepertoire.[1369] Hij noemde het als zodanig in zijn treurspelverhandeling van 1808 en blijkens zijn *Consideratien* van enkele maanden later, vond hij het waardig genoeg om te worden opgevoerd in Amsterdam.[1370] Anno 1808 en 1820 citeerde hij uit Addisons treurspel, zowel in de vertaling van Hermanus Angelkot en Pieter Langendijk, als volgens het Engelse origineel.[1371]

Het treurspel *Venice preserved* van Thomas Otway was in Nederland bekend via een indirecte vertaling uit het Frans door Gerard Muyser.[1372] Bilderdijk vertaalde een achttal verzen uit het Engelse origineel en werd misschien beïnvloed door Otway's treurspel *The Orphan,* toen hij gebruik maakte van het 'bedtrick'-motief in zijn onvoltooide stuk over *Alice, prinses van Engeland.*[1373] Met enkele andere kleinigheden vormen deze gegevens de enige schriftelijke bewijzen van Bilderdijks belangstelling voor de 'gewone' toneeldichters in Engeland.[1374] Evenals het merendeel van zijn tijdgenoten, toonde Bilderdijk zich in veel sterkere mate geboeid door het fenomeen Shakespeare.

3. Shakespeare

In een brief van 1806 beweerde Bilderdijk dat hij zichzelf Engels had geleerd uit Shakespeare en in zijn aantekeningenblaadjes vond ik talloze citaten uit bijna alle werken van de Engelse dichter.[1375] Uit onderzoek van Bilderdijks verborgen gebleven toneelwerk is bovendien gebleken dat zijn onvoltooide treurspel *Brutus* invloed vertoont van Shakespeares *Julius Caesar.*[1376] Verder lijkt het niet uitgesloten dat ook in de fragmenten over *Willem van Holland* en *Alice, prinses van Engeland* herinneringen aan Shakespeare

---

[1368] DW. VII, p. 412. Volgens De Perponcher had 'zeeker stuk de Roovers genaamd' een zelfde gevolg. Bedoeld is kennelijk *Die Räuber* van Schiller: Reyers (1942), p. 138.

[1369] Voor Voltaire: Wellek, (1955), dl. I, p. 34; voor Lessing: Robertson, p. 257; vgl. ook het oordeel van Riccoboni in Folkierski, p. 265. De kwalificatie van Feith staat in *Iets over het treurspel...*, Rotterdam 1825, p. 95 (vgl. voor Voltaire ook: Prinsen, -1931-, p. 63).

[1370] Trsp., p. 121; vgl. de *Bijlage* achterin dit *Tweede Boek.*

[1371] DW. VII, p. 468; TDV. II, p. 6 (vgl. Br. III, p. 184). Voor de in de tekst genoemde Nederlandse vertalingen: Meyer (1891), p. 410.

[1372] Te Winkel, dl. III, p. 440.

[1373] DW.VII, p. 453 (1808); vgl. het *Eerste boek*, hfdst VII, par. 6.

[1374] Kritiek op het treurspel 'The Grecian daughter' blijkt uit een gedicht van 1756 (DW. X, p. 345); in 1823 bewerkte Bilderdijk een aantal fragmenten uit een oud Engels treurspel *Graaf Juliaan* (DW. XV, p. 366, 514).

[1375] Br. II, p. 107; Letterkundig Museum te 's-Gravenhage, hschr. B 583; Bilderdijk-Museum, hschr. A 2, 16 + 18.

[1376] Zie het *Eerste Boek*, hfdst. IV, par. 7 en hfdst. XIV, par. 2, Pennink (1936), p. 136.

18. Johanna Cornelia Wattier- Ziezenis (1762-1827) en Andries Snoek in *Hamlet*.

Hamlet werd, evenals de andere stukken van Shakespeare, gespeeld in de Frans-classicistische bewerking van Jean-François Ducis, vertaald door M.G. de Cambon van der Werken (tweede druk, 1779), of in die van A.J. Zubli (1790). Beroemd was de hier uitgebeelde scène met de lijkbus van Hamlets vader, waar Hamlet zijn moeder wil laten zweren dat zij onschuldig is. Pennink (1936), p. 265, citeert uit Barbaz' *Gedenkzuil* voor Snoek (zie illustratie nr. 13) onder meer de regels: 'Wanneer Wattier en Snoek, als moeder en als zoon, / Wedijvrend' met elkaar in onnaarvolgbaar schoon, / U mogten 't grootsch tooneel van 's konings lijkbus malen! / Zegt vry: 'Zulk heerlijk spel zal ik nooit zien herhalen.' Albach (1956), afb. 4 en pag. 127, 128, citeert Barbaz uit *Amstels Schouwtooneel* (1808, 1809), waar hij de scène 'het zenit der nabootzende kunst' noemt. De door Albach gereproduceerde tekening is afkomstig uit de collectie-Rondel in de Bibliothèque de l'Arsenal te Parijs.

zijn verwerkt en dat het uitgegeven treurspel *Kormak* enige invloed van de *Hamlet* heeft ondergaan.[1377] Evenals andere literatoren in de achttiende eeuw voelde Bilderdijk zich kennelijk bijzonder aangetrokken tot de *Hamlet*, die door Feith zelfs was gepromoveerd tot 'handboek' van de hoofdfiguur in zijn sentimentele roman *Ferdinand en Constantia*.[1378] Op 18 juni 1798 informeerde Bilderdijk vanuit Brunswijk of er in Nederland belangstelling zou bestaan voor een Shakespeare-bewerking, maar het antwoord (van J. Kinker) heeft hem blijkbaar van een dergelijke onderneming doen afzien.[1379] Wat Bilderdijk tenslotte wel in het Nederlands heeft overgebracht, is zeer weinig. In de aantekeningen bij enkele van zijn werken uit 1808 en 1823 komen een paar vertaalde regels voor (één keer uit *Henry VI* en twee keer uit *Hamlet*); verder blijkt Bilderdijks als oorspronkelijk gedicht gepubliceerd *Zangstukjen* (1795) in werkelijkheid te zijn bewerkt naar *Measure for Measure* en tenslotte bestaan er twee bewerkingen uit *Hamlet*, waarvan er één – als uitwerking van al vroeger vertaalde versregels – wel erg vrij is en bovendien pas postuum werd uitgegeven.[1380] Uiteindelijk heeft Bilderdijk zich slechts doen kennen als vertaler van één fragment uit *Hamlet*. Dat fragment was de bekende monoloog *To be or not to be*, die tevoren – met heel wat minder resultaat – al in het Nederlands was overgebracht door R.M. van Goens (1774) en door M.G. de Cambon-van der Werken (1777) en waaraan zich later J. Hinlopen (1798), G.J. Meijer (1808) en H. Tollens (1816) hebben gewaagd.[1381] Bilderdijk werd zodanig door dit fragment geboeid, dat hij het tot driemaal toe heeft bewerkt. Hij vertaalde de Franse versie van Voltaire (1777), de oorspronkelijke tekst van Shakespeare (1777 of 1783), en hij leverde tenslotte een virtuoze parodie op de Engelse tekst (1805).[1382] Het lijkt me niet zonder betekenis dat Bilderdijk de beide eerstgenoemde bewerkingen achter elkaar heeft laten afdrukken in zijn bundel *Verspreide gedichten* (1809). Evenals zijn onvoltooide treurspel over *Brutus* mag deze Hamlet-vertaling wellicht worden beschouwd als een soort 'wedkamp' met Voltaire. Maar dit terzijde.[1383]

De bovenstaande gegevens,vermeerderd met het feit dat Bilderdijk in 1780 een monoloog uit *Hamlet* hoger stelde dan verscheidene reien van Euripides, bewijzen intussen nog geenszins Bilderdijks waardering voor het beroemde treurspel van Shakespeare in zijn

[1377] *Eerste Boek*, hfdst. V, par. 3; hfdst. VII, par. 6, hfdst. X, par. 4.

[1378] Vgl. Pennink, p. 118 e.v., p. 271.

[1379] Brief van Bilderdijk aan J. Kinker d.d. 18-VI-1798, Portef. Margadant, Bilderdijk Museum (Briefwisseling III, p. 105).

[1380] DW. VII, p. 472; DW. XV, p. 24; Trsp., p. 204; DW. X, p. 68 (vgl. DW. XV, p. 429); voor de postume publicatie: DW. XII, p. 441; vgl. de collectie-Klinkert in de Koninklijke Akademie van Wetenschappen te Amsterdam, nr. CIV, p. 179 en DW. XV, p. 214. 0ver deze vertalingen: Pennink, p. 140 e.v.

[1381] Pennink, onder meer p. 278 e.v. Vgl. J. van Eijnatten, 'De alleenspraak van Hamlet. Bilderdijk, Voltaire en Shakespeare', *Voorgang* 14 (1993-1994), p. 61-84.

[1382] DW. XII, p. 438-440 (voor de datering: Kollewijn, dl. I, p. 147; DW. XV, p. 451, 492); DW. XIII, p. 130 (vgl. DW. XV, p. 480). Voor Bilderdijks parodie, zie ook Pennink, p. 143, noot 9.

[1383] Vgl. in dit verband de aantekening over Voltaires bewerking in DW. XII, p. 470.

geheel.[1384] In zijn verhandeling *Over Ossiaan en deszelfs Fingal* (1805) sluit Bilderdijk de *Hamlet* (evenals trouwens *Henry VIII*) vanwege gebrek aan 'eenheid en plan' of 'schikking en uitvoering', zelfs met nadruk uit van het soort toneel dat hij de naam 'Treurspel' waardig keurt. De Engelsman die het stuk over Hendrik de Achtste een 'treurspel' zou willen noemen, wijst Bilderdijk zelfs zonder aarzelen 'zijn plaats in Bedlam toe'![1385] Daarmee komen we tot Bilderdijks waardering van Shakespeare als dramaturg. Rond 1780 heeft hij in zijn bekroonde Verhandeling aan Shakespeare 'winderigheid' en 'veelvuldige laagheden' verweten; in 1808 sprak hij van zijn ruwheid, zijn 'kindergrillen' en 'poppenkraam' en ook van de verderflijke invloed die zijn navolgers op het Duitse toneel hebben uitgeoefend; in 1809 heette het dat liefhebbers der 'Duitse dweepkunst' Shakespeare alleen bewonderen voorzover hij indruist tegen de oordeelkunde, de waarheid, de goede smaak en het gezond verstand en voorzover hij de auteur is van 'onzin' en 'belachlijke wild zang'.[1386] Bilderdijks in 1823 en ook nog in 1849 (postuum) gepubliceerde vergelijkingen van de *Titus Andronicus* met de *Aran en Titus* van Jan Vos, voegen aan deze negatieve uitspraken geen belangrijke nuances toe.[1387]

Al deze afwijzingen schijnen vrijwel op het zelfde neer te komen. Wat Bilderdijk hindert, zijn allereerst de verwerpelijke navolgingen van Shakespeare. In de stukken van de dichter zelf laakt hij het gebrek aan verhevenheid, beschaving en goede smaak, benevens de grilligheid in compositie en motiefkeuze, waardoor Shakespeare te zeer aan de bontheid der 'daaglijksche wareld' herinnert.[1388] De in zijn leerdicht *Het tooneel* (1808) gebruikte benamingen 'kindergrillen' en 'poppenkraam' verklaart Bilderdijk verderop in zijn tekst, waar hij (evenals in zijn verhandeling *Het treurspel*) de oorzaken van Shakespeares fouten aangeeft. Het is volgens hem zo, dat de dramaturgie van het Engelse genie in de traditie van het uit de middeleeuwse mysteriën ontstane 'Historiespel' wortelde en bovendien ontstond in een land waar de wansmaak heerste. De fouten van Shakespeare zijn dan ook het gevolg van 'onbedrevenheid' of van de tijd en de omstandigheden waarin hij leefde. Dit laatste is een gemeenplaats, die Bilderdijk ondermeer heeft kunnen aantreffen bij Dennis, Blair en Voltaire.[1389] Met dat al acht hij het werk van de Engelse dichter niet zonder meer verwerpelijk. Shakespeare wordt aangeduid als 'genie' en 'wondergeest van

[1384] Br. I, p. 68.

[1385] *Fingal, in zes zangen naar Ossiaan*, dl. II, Amsterdam 1805, p. 107, 109.

[1386] Verhandeling, p. 208; DW. VII, p. 20; Trsp., p. 109, 205, 120; TDV. I, p. 51 (voor de datering van dit stuk: Gedenkzuil -1833- p. 62).

[1387] Bydragen, p. 13 e.v.; Over het trsp. in Nl. (Voor de datering van deze stukken, zie de lijst van theoretische geschriften in hfdst. XVIII). Bilderdijk meende dat Shakespeare ten onrechte als auteur van *Titus Andronicus* werd beschouwd (DW. VII, p. 409). Interessant voor de toenmalige Shakespeare-studie in Nederland is de anonieme bespreking van Bilderdijks Bydragen in de *Recensent ook der recensenten* van 1824, p. 449, als overdruk aanwezig in de collectie-Klinkert van de Koninklijke Akademie van Wetenschappen te Amsterdam, nr. 444, p. 216 e.v. (rode nummering). Het opstel van Bilderdijk wordt behandeld bij Pennink, p. 140 e.v., maar deze kritiek komt daarbij niet ter sprake. Vgl. echter in dit verband Pennink, p. 39.

[1388] Trsp., p. 206.

[1389] DW. VII, p. 20; Trsp., p. 119, 121, 129; vgl. Bydragen, p. 87; Pennink, p. 253.

zijn tijd' (1823), terwijl zijn *Merry Wifes of Windsor* een voorbeeld is van een toneelstuk waarin 'alle verhaal inderdaad handeling is', zoals dat volgens Bilderdijk behoort.[1390] Maar de grootste lof verdient Shakespeare omdat hij uitmunt in karakterschets, dialoog, psychologie en in de uitbeelding van de menselijke hartstochten. Om die reden is zijn werk navolgenswaard, al zal die navolging dan zeer moeilijk zijn: ze kan namelijk alleen met succes gebeuren door hen die zo ver boven het niveau van de Engelse dichter staan, dat ze de genoemde kwaliteiten weten te scheiden van het geheel. Aldus Bilderdijk in 1808 en 1809.[1391]

In het proefschrift van Renetta Pennink (1936) wordt gesuggereerd dat er een ontwikkeling in Bilderdijks oordeel over Shakespeare zou zijn, die begint met een absolute afwijzing in zijn bekroonde Verhandeling van 1780 en die eindigt met een zekere waardering in latere jaren.[1392] Wesseling heeft hier in zijn dissertatie *Bilderdijk en Engeland* zelfs een 'verklaring' voor proberen te geven, door erop te wijzen dat Bilderdijk nog jong was toen hij zijn Verhandeling schreef: 'd.w.z. door zijn opvoeding in een classicistische geestesgesteldheid levend'.[1393] Deze verklaring is echter overbodig, om de eenvoudige reden dat het verschijnsel als zodanig slechts het resultaat is van een verkeerde interpretatie. In afwijking van Bilderdijks andere oordelen over Shakespeare, wordt zijn kritiek in de Verhandeling van 1780 toevallig niet ter plaatse door een positieve waardering in evenwicht gehouden. De kwestie is dat Bilderdijk daar de waarde van de vaderlandse letterkunde verdedigt, door in het werk van buitenlandse literatoren soortgelijke 'fouten' aan te wijzen als zijn landgenoten bij Nederlandse schrijvers plachten te hekelen. Van een waardebepaling van Shakespeare is in dit verband geen sprake.[1394]

Kamphuis heeft later geschreven dat Bilderdijks kritiek op Shakespeare alleen moet worden begrepen uit zijn 'idealistisch-religieuze standpunt' en niet werd veroorzaakt door de 'ruwheid' van de Engelse auteur.[1395] Ook deze mening is niet helemaal juist. Uit het voorafgaande is gebleken dat Shakespeare voor Bilderdijk niet alleen 'de bontheid der daaglijksche wareld' van het zogenaamde 'Historiespel' vertegenwoordigde, maar ook de grillige onbeschaafheid van de Engelse smaak. In Bilderdijks veelvuldige aantekeningen bij een bundel uit 1808 staat een onopgemerkt gebleven uitspraak die voor zijn waardering van Shakespeare heel belangrijk is. Na te hebben vastgesteld dat een juiste beoordeling van

---

[1390] Trsp., p. 121, 227; Bydragen, p. 15.

[1391] DW. VII, p. 20; IDV. I, p. 35; vgl. DW. XV, p. 214.

[1392] Pennink, p. 156.

[1393] Wesseling (1949), p. 72.

[1394] Verhandeling, p. 208: 'Men schreeuwt van Antonides gezwollenheid in een stuk van verbeelding, maar geen woord van de *winderigheid* van Shakespeare in zijn Toneelgesprekken, zoo min als van zijn veelvuldige *laagheden*'. Het eerste door mij gecursiveerde woord correspondeert met Antonides' *gezwollenheid*, die Bilderdijk zelf niet hindert; het tweede gecursiveerde woord duidt een bezwaar van Bilderdijk aan dat ook later nog voor hem bestaat. Een 'tegenhanger' van deze kritiek vormt een brief uit dezelfde periode, afgedrukt in Br. I, p. 68.

[1395] Kamphuis (denkbeelden, 1947), p. 217

literair werk slechts mogelijk is indien men ''s Dichters oogmerk en bedoeling daarmeê' doorziet, vervolgt hij ondermeer met de toelichting:'[Die] van Shakespeares Historiespelen [de vereischten] des Treurspels [vordert], heeft onrecht'.[1396] Deze uitspraak bewijst dat Bilderdijks 'kritiek' op Shakespeare eigenlijk niet de dichter als zodanig raakt, maar het door hem beoefende genre. En dit genre nu is zowel strijdig met Bilderdijks idealistisch-religieuze bewondering voor de Griekse tragedie als met zijn Frans-classicistische vorming inzake beschaving en goede smaak. Ten anderen achtte Bilderdijk de eigenschappen waardoor Shakespeare als dramaturg uitblonk wel zo belangrijk, dat hij zijn beeltenis op het door hem zelf ontworpen titelvignet van zijn verhandeling *Het treurspel* liet plaatsen, tussen de portretten van Sofocles en Racine. Behalve het op religieuze fundamenten steunende ideale niveau, de eenheid in compositie en de beschaafdheid van uitdrukking, kende Bilderdijk grote waarde toe aan de karakterbeschrijving in het treurspel. En het is onder meer vanwege zijn treffende psychologie, dat Shakespeare ook door talrijke andere auteurs in Europa werd gewaardeerd, onder meer door Goethe, die in 1826 meende: 'Shakespeare ist ein grosser Psychologe und man lernt aus seinen Stücken wie den Menschen zu Mute ist'.[1397] Ook in Nederland was deze overtuiging gemeengoed. In het tijdschrift *Vaderlandsche letteroefeningen* treft men in de jaargangen 1777 en 1780 afwijzende kritieken op Shakespeare aan, maar in 1783 wordt opgemerkt dat de Engelsman, bij al zijn onregelmatigheden: 'een sterke en zeer uitgebreide verbeeldingskragt (bezit), *met eene verregaande kennis van het menschelijk hart*, en de drijfveeren van deszelfs werkzaamheid, die hij op eene juiste wijze in beweeging weet te brengen en te houden'.[1398] In 1766 was een soortgelijk oordeel over Shakespeare al uitgesproken door R.M. van Goens, die bovendien van mening was dat niet Shakespeare het slachtoffer zou zijn van de Engelse smaak (zoals men bij Bilderdijk leest), maar dat het omgekeerde in zekere zin het geval is.[1399] Zoals al opgemerkt, was het oordeel van Bilderdijk in dezen geenszins nieuw. In het jaar dat de anonieme vertalers van de Nederlandse Shakespeare-uitgave (1778) op de slechte invloed van de 'landaart, en de Eeuw van den Dichter' wezen, kwam ook Van Alphen in zijn *Theorie der schoone kunsten en wetenschappen* voor de dag met dezelfde redenering.[1400]

Brandt Cortius maakte met betrekking tot Van Alphen dezelfde fout als Wesseling ten aanzien van Bilderdijk, toen hij in zijn bundel *Idylle en realiteit* (1955) suggereerde dat

---

[1396] DW. VII, p. 414.

[1397] Citaat bij Wellek (1955), dl. 1, p. 327; vgl. Folkierski (1925), p. 321; Van Tieghem (1947), dl. III, p. 398; Hazard (1949), p. 304.

[1398] Hartog, 'Uit het leven van een tijdschrift', *De gids* 1877, dl. III, p. 80,116; *De gids* 1879, dl. II, p. 26. Ik cursiveer.

[1399] De Boer, (1938), p. 12; Pennink, p. 42.

[1400] Pennink, p. 54, 62, 77, 261: zoals Shakespeares stukken in de achttiende eeuw meestal werden opgevoerd in Nederlandse vertalingen van de Frans-classicistische bewerkingen door J.F. Ducis, zo werden de eerste delen van de onvoltooid gebleven volledige Nederlandse Shakespeare (1778-1782) vertaald naar een Duitse bewerking van J.J. Eschenburg.

er meer waardering voor Shakespeare blijkt uit Van Alphens *Digtkundige verhandelingen* (1782) dan uit zijn *Theorie* van vier jaar tevoren.[1401] Wat Van Alphen aan Shakespeare verweet en is blijven verwijten, is ongeveer het zelfde als wat Bilderdijk hem verweet: de Engelse dichter was in zekere zin het slachtoffer van zijn zestiende-eeuwse omgeving, 'waar de smaak bedorven was'. Hij werd 'zeker meer door zijn vuurige genie gedreven, dan door oordeel en smaak', die (evenals bij Jan Vos) te zwak vertegenwoordigd waren, om de 'verbeeldingskragt' voor buitensporigheden te behoeden.[1402] Wat Van Alphen in Shakespeare prees en is blijven prijzen, is zijn vermogen om 'de vouwen van het menschelijk hart' open te slaan, waardoor hij 'in de natuurlijke schetsing der hartstogten zijn wedergae niet heeft'.[1403] Na Van Alphen en nog voor Bilderdijk,heeft Rhijnvis Feith soortgelijke beweringen gepubliceerd. In zijn treurspelverhandeling van 1793 verweet hij Shakespeare gebrek aan verhevenheid en compositievermogen, maar hij prees (op het voorbeeld van Blairs *Lectures on rhetoric*, 1759) de karakterschildering en de uitbeelding van de hartstochten. Wat bij Bilderdijk ontbreekt en bij Van Alphen wél voorkomt, is Feiths optimistische verlichtingsovertuiging dat Shakespeare zeker tot grotere prestaties in staat zou zijn geweest, indien hij later had geleefd en dus de ware kunstregels had kunnen kennen en toepassen. Een zelfde gevoel van spijt bezielde J. Lublink de Jonge, toen hij schreef dat er helaas 'nog geen geleerde Maatschappy bloeide' die Shakespeare op het goede pad had kunnen helpen. Om het met de woorden van Voltaire zelf te zeggen: Shakespeare 'aurait été un poète parfait, s'il avait vécu au temps d'Addison'.[1404]

Bilderdijks meningen over de Shakespeare-epigonen in Duitsland en over de moeilijkheid van succesvolle navolging in het algemeen, lijken wel een echo op uitspraken van Feith, die ondermeer schreef: 'Wie hem (Shakespeare) navolgt, zal struikelen; wie hem bestudeert, zal oneindige rijkdommen uit hem kunnen verzamelen'. In navolging van Mendelssohn had Lessing op zijn beurt geschreven: 'Shakespeare will studiert, nicht geplundert seyn'. Tenslotte schijnt Feiths overtuiging dat Shakespeare, los van het Griekse en het Franse toneel, een klasse apart vormt als het ware picturale vorm te hebben gekregen in het al besproken titelvignet van Bilderdijks verhandeling *Het treurspel*.[1405] Voor degenen die het nog niet elders hadden vernomen, heeft P. van Limburg Brouwer dit nog eens herhaald in 1823. Hij kwam toen bovendien tot de (her-)ontdekking dat

[1401]Brandt Corstius (Idylle, 1955), p. 42.

[1402]Van Alphen, (1778), dl. I p. LXXXIV; evenzeer in *Digtkundige verhandelingen* (1782), p. 228. Ook N.G. van Kampen vergeleek Shakespeare (in 1807) met Jan Vos: Pennink, p. 176.

[1403]Van Alphen, dl. I, p. LXXIV: Digtk. verh., p. 30. Van Alphen meende dat Shakespeare in de uitbeelding der hartstochten Corneille heeft overtroffen: een soortgelijk oordeel vond Pennink, p. 56, terug in Kames' *Elements of criticism* (1761).

[1404]Feith, (Iets over, 1825), p. 91, 95; M.M. Prinsen, (De idylle, 1934), p. 182; Pennink, p. 133; op het citaat van Voltaire wijst Pennink, p. 54, n.a.v. Van Alphens *Theorie*, dl. I, p. XLVI.

[1405]Feith, p. 90; Robertson, p. 152, 249, 250; Pennink, p.122 e.v. Vgl. ook het aan Pennink nog onbekende oordeel van David Jacob van Lennep, die in 1811 n.a.v. Shakespeare en Calderón sprak over 'De ruwe pogingen eener rijke, maar wilde en onbeschaafde natuur ...' (Knuvelder, 'Prille romantiek', *De nieuwe taalgids* 52 (1959), p. 35.)

Shakespeare niet geschikt was om 'in alle opzigten nagevolgd te worden', maar dat wèl studie en imitatie wenselijk waren van zijn karakterschildering en zijn uitbeelding der hartstochten...[1406]

Uit de hoofdstukken IV en XIV in het *Eerste Boek* is gebleken hoe zeer Bilderdijks onvoltooide treurspel over *Brutus* typerend mag worden geacht voor de gangbare Shakespeare-waardering in de tweede helft van de achttiende eeuw. In dit verband zij nog vermeld dat Renetta Pennink, na haar onderzoek van de Nederlandse reacties op het werk van Shakespeare, de indruk overhield dat Bilderdijk meer ontvankelijkheid voor het Engelse genie heeft getoond dan zijn Nederlandse tijdgenoten.[1407]

[1406] Van Limburg Brouwer (1823), p. 141: de hele passus herinnert sterk aan Bilderdijks opmerkingen over Shakespeare in zijn leerdicht *Het tooneel*, van 1808.

[1407] Pennink, p. 270.

HOOFDSTUK XV

HET DUITSE TONEEL

1. Algemeen

Bilderdijk heeft zich herhaaldelijk negatief uitgelaten over het Duitse toneel en met name over de in de achttiende eeuw veelvuldig vertaalde en opgevoerde Duitse drama's. In de *Voorafspraak* bij zijn Sofoclesvertaling van 1779 staat dat, ondanks de goede bedoelingen, slechts weinige, 'zeer weinige' van de in Nederland gespeelde Duitse 'Zedelijke of Burgerlijke Spelen' werkelijk goed zijn. En het Duitse treurspel komt er al niet veel beter af. In een brief van 1785 aan zijn uitgever P.J. Uylenbroek schreef Bilderdijk dat 'Der Hoogduitscheren arbeid in dit vak' zeer slecht is en dat 'schier al de Duitschers [falen] zoo dra zij een Heldenonderwerp behandelen.' Want het ontbreekt hun aan 'waardigheid van stijl, aan 'werking', en alles.'[1408] Ruim twintig jaar later, in 1808, heeft Bilderdijk de Duitse dramaturgie in drie verschillende geschriften beoordeeld. Zijn verhandeling *Het treurspel* bevat de uitspraak dat men in Duitsland onder meer de verderfelijke invloed van de Engelsen had ondergaan en dat de Duitsers daarna mede het verval van het toneel in Frankrijk hebben voorbereid.[1409] Dit gezichtspunt was geenszins nieuw. Het werd toen al sedert enkele jaren met felle verontwaardiging gepropageerd en toegelicht in het Franse *Journal de l'Empire*, waar men stelselmatig aan een afbraak werkte van alles wat Duits en Engels was.[1410] Heel wat driester nog is Bilderdijk in zijn leerdicht *Het tooneel*, waar het heet:

> .... Ach, onze taal verviel,
> En Neêrland heeft noch hart, noch ooren meer, noch ziel.
> Der Duitschren wanspraak heeft, met Duitschen aart en zeden,
> Den Vaderlijken smaak, en geest, en vatbaarheden,
> Ja, 't oordeel zelfs, verdoofd: wat zegge ik, uitgeroeid...

In een aantekening bij dit gedicht leest men: 'Kluizenaars, Ridders, en slechte Geestelijken, maken thands in de Duitsche Treurspelen schering en inslag (even als slechte Hofraden in hun Blijspelen). De optred en afloop is even als in onze eerste prulleryen; somtijds nog iets platter. Vervloekingen op het eind, dat spreekt van zelfs. ... Van het doel

[1408] R. Schokker, *Bilderdijk en Duitschland*, Harderwijk 1933, p. 31, 32, meende ten onrechte dat de brief aan Uylenbroek van 1785 Bilderdijks 'eerste afkeurende opmerking over Duitsche toneelspelen' behelst. DW. XV, p. 23-25; Br. I, p. 135.

[1409] Trsp., p. 137, 205, vgl. DW. VII, p. 21.

[1410] Edmond Eggli, *Schiller et le romantisme français*, Paris 1927, p. 352 e.v. Kaakebeen (1887), p. 91, schrijft m.b.t. de opkomst van het drama als nieuw toneelgenre in Nederland dat vooral na 1790 het aantal uit het Duits vertaalde drama's (Kotzebue, Iffland) dat van Franse herkomst (La Harpe, Nivelle) begon te overtreffen.

daartoe al zulke fraaiheden strekken, behoef ik niet te spreken. Kerk en Godsdienst, wet, en gezag haatlijk te maken, ten minste aan te blaffen, maakte sints lang den schoonen geest uit.'[1411] De laatste zin bevat een bezwaar van moralistische aard dat Bilderdijk ook tegen de Engelse treurspelen heeft en dat voor de Duitse dramaturgie nogeens terugkeert in het voor koning Lodewijk opgestelde *Exposé touchant l'état déplorable de notre théâtre*. Uit de 'niaiseries des allemands' die in Nederland tegen het einde van de achttiende eeuw werden opgevoerd, blijkt volgens Bilderdijk niet alleen 'faux goût', maar al evenzeer een verderfelijke Jakobijnse verlichtingsgeest, die vol verachting is voor alles wat eerbiedwaardig is, zoals: 'les Princes, les Ministres d'Etat, la distinction des rangs...' en slechts dient: 'qu'à relever la plus basse classe de la populace en déprimant tout ce qu'il y a de plus respectable'. Dat ook na de omwenteling van 1795 het verval van het Nederlandse toneel voortging, is te wijten aan de invloed van mensen als Chénier en de 'extravagances des Allemands', wier producten bewijzen dat ze de toestand van 'barbarie' nog maar nauwelijks te boven zijn. Tegen de Duitse invloed heeft Bilderdijk altijd al gestreden en zal hij ook met kracht blijven strijden. Zelfs neemt hij de vrijheid de koning erop te wijzen dat geen enkel middel verwaarloosd mag worden om de Duitse smaak te verzwakken of uit te roeien: 'et qu'il sera digne de Votre Majesté de prendre des mesures efficaces à cette fin'![1412]

Hierbij vergeleken is het een kleinigheid dat de Duitse dramaturgie (blijkens het onuitgegeven geschrift *Consideratien over de Aanmoediging der Tooneelpoëzy*) mét de Italiaanse, Spaanse, Portugese en Engelse toneelliteratuur nog deelt in Bilderdijks oordeel dat ze geen enkele tragedie 'in den Franschen smaak' heeft voortgebracht die voor opvoering in aanmerking zou mogen komen.[1413] Dit laatste gegeven wijst er meteen op dat Bilderdijks afkeer van het Duitse toneel niet helemaal op zichzelf staat. Ze vormt een scherp geformuleerde climax van een hele serie veroordelingen van buitenlandse toneelstukken. Dat de houding van Bilderdijk tegenover de Duitse literatuur rondom 1800 in Nederland geen opvallende uitzondering betekende, wordt duidelijk uit de destijds geuite wederzijdse kritiek van Nederlandse en Duitse letterkundigen. In zijn bekende comparatistische Verhandeling van 1822 signaleerde Willem de Clercq klachten van Nederlandse dichters over verderfelijke Duitse invloeden; hij meende dat de 'afkeer van vele der voornaamsten tegen allen vreemden, en vooral Duitschen, invloed' zo bekend zijn, dat zij als het ware een voorbehoedmiddel vormen dat voor verderving kan vrijwaren.[1414] Bilderdijk zelf heeft trouwens in 1810 voor de leden van het Koninklijk Instituut een voordracht gehouden 'Over den afkeer onzer Voorvaderen tegen het Hoogduitsch en de

[1411] DW. VII, p. 18, 410.

[1412] Tyd. II, p. 307 e.v. Vgl. voor de Duitse invloed in Nederland ook noot 803.

[1413] Zie de *Bijlage* achterin dit boek; Bilderdijk maakte een uitzondering voor het Engelse treurspel *Cato*, van Joseph Addison.

[1414] De Clercq, Verhandeling...², p. 323, 324.

blijken daarvan in onze taal te vinden.'[1415] Daartegenover kon Schokker in zijn proefschrift van 1933 een aantal geringschattende oordelen van Bürger, A.W. Schlegel, Jacob Grimm en andere Duitse literatoren bijeen brengen, die voldoende bewijzen dat de Nederlandse xenofobie ongeveer in evenwicht werd gehouden door een zelfgenoegzaam Duits a-priorisme ten opzichte van de Hollandse Muze.[1416]

2. Weisse, Kotzebue en andere auteurs

Een vertegenwoordiger van de door Bilderdijk verachte Duitse smaak is Christian Felix Weisse geweest, wiens werk als vulgarisator van Shakespeare in zijn tijd grote bekendheid genoot.[1417] Van 1767 is zijn naar Shakespeare bewerkt burgerlijk toneelspel *Romeo und Julie*, welk sentimenteel en declamatorisch stuk in Duitsland herhaaldelijk is opgevoerd en ten onzent meermalen werd vertaald.[1418] Een Nederlandse versie van dit spel treft men aan in het tweede deel van de *Spectatoriaale Schouwburg* (1775). In vier bedrijven, waarvan de sentimentaliteit soms door een komisch tafereel wordt afgewisseld, behandelt de auteur de bekende geschiedenis die eindigt met Julia's zelfmoord (met het zwaard van Romeo) in de grafkelder en voor de ogen van de toeschouwers, waarna nog een verzoeningsscène tussen de ouders volgt.[1419] Dit stuk was in 1775 vertaald door Bilderdijks vriend en uitgever J.P. Uylenbroek. Vier jaar later liet Bilderdijk een gedicht *Op Weisses Toneelspel: Romeo en Julia* verschijnen, dat onder een andere titel werd opgenomen in de eerste, zeldzame druk van de bundel *Mijn verlustiging*.[1420] Wat nu bij eerste oogopslag verbazing kan wekken, is Bilderdijks zeer duidelijke bewondering voor dit toneelstuk. Bij nader inzien blijkt deze bewondering niet zozeer de dramaturgische verdiensten van Weisse te betreffen dan wel diens vermogen om 'de driften des harten met zo veel waarheid te malen', dat de jonge dichter zichzelf kon 'beschreien' in het lot van de hoofdpersonen. Niet zonder reden heeft Bosch dit gedicht in verband gebracht met Bilderdijks eigen liefdessmart uit die tijd. Kalff heeft de betekenis van dit vers wel wat overschat: het heeft hooguit belang voor de kennis van Bilderdijks biografie en vormt absoluut geen bewijs van literaire waardering voor de moderne Duitse dramaturgie.[1421] Dit blijkt duidelijk uit de al

[1415] *Gedenkzuil voor W. Bilderdijk*, Amsterdam 1833, p. 63.

[1416] Schokker, Inleiding + hfdst. I; De ommekeer in de Duitse opvattingen over Nederland in de loop van de achttiende eeuw wordt met voorbeelden aangetoond door T. Hommes, *Holland im Urteil eines Jungdeutschen*, Amsterdam 1926, p. 3 e.v. Voor de Duitse invloed in Nederland, zie ook hfdst. XVII, par. 1.

[1417] W. Hüttemann, *Chr. F. Weisse und seine Zeit in ihrem Verhältnis zu Shakespeare*, Bonn 1922. Door de Duitse Sturm-und-Dränger werd Weisse bestreden vanwege de 'Undeutschheit' die spreekt uit zijn 'Nachahmung fremder Muster': Melchinger (1929), p. 8.

[1418] Kalff (1910), dl. VI, p. 459, 464; Worp (1908), dl. II, p. 332; Van Tieghem, *Le préromantisme* (1947), dl. III, p. 233.

[1419] *Spectatoriaale schouwburg*, dl. II, Amsterdam 1775.

[1420] Bosch (1955), p. 21, 124, 262; Schokker, p. 31. (Een herdruk van de bundel *Mijn verlustiging* bezorgde M. Schenkeveld - van der Dussen, Zutphen 1975. Vgl. mijn bespreking in *Spiegel der letteren* 20 (1978), 2, p. 126-130.)

[1421] Bosch (1955), p. 21; Kalff, dl. VI, p. 182. Sommige regels in Bilderdijks gedicht wekken het vermoeden dat hij een uitvoering van Weisses toneelstuk heeft bijgewoond. Volgens Albach, (1956), p. 19, zou de première van dit stuk pas hebben plaatsgevonden in 1786. Het feit dat Bilderdijks gedicht vier jaar na de vertaling van Uylenbroek ontstond, hangt misschien samen met de inniger geworden betrekkingen tussen beide literatoren. Vgl. Bosch, p. 1 met Bosch, p. 124 en zie W. Breekveldt in *Voortgang IV* (1983), p. 109-139.

vermelde *Voorafspraak* die Bilderdijks heeft toegevoegd aan zijn vertaling van de *Oedipus Rex*, in 1779. Sprekend over gebrek aan verantwoorde dramatische structuur, wees hij daar op zogenaamde 'Aanhangselen' die na de eigenlijke ontknoping volkomen verkeerd nogeens een soort nieuwe 'ontknoping' komen vormen. Bilderdijk vond dat deze fout onder meer voorkomt in 'Burgerlijke stukken', en schreef dat men van 'den *Romeo*', zelfs het laatste stuk heeft moeten afkappen.[1422] Dat Bilderdijk inderdaad op het bekende spel van Weisse doelt, volgt uit het voorwoord bij de Nederlandse vertaling, waarin wordt vermeld dat de twee slottonelen (een verzoening tussen de ouders van Romeo en Julia in de grafkelder) bij de opvoering werden weggelaten.[1423] In afwijking van Rijklof Michaël van Goens, die het prul van Weisse schijnt te hebben vertaald en Shakespeare daarbij alleen in de aantekeningen vermeldde, hanteerde Bilderdijk kennelijk een meer verantwoorde maatstaf bij de beoordeling van het Engelse genie en zijn Duitse navolger.[1424]

Een Duitse dramaturg op wie Bilderdijk het hevig had gemunt, is de beroemde en beruchte Ferdinand von Kotzebue. Anno 1808 schreef Bilderdijk in zijn verhandeling *Het treurspel* dat deze succesvolle auteur 'platheden' produceerde en in zijn *Exposé* voor Koning Lodewijk van hetzelfde jaar sprak hij van 'Les rêveries larmoyantes de Kotzebue', waartoe onder meer diens drama *Menschenhass und Reue* behoort. Als voorbeeld van een in zedelijk opzicht verwerpelijk Duitse toneelstuk, noemde Bilderdijk in de aantekeningen bij zijn leerdicht *Het tooneel* nog Kotzebues *Adelheide von Wolfungen*.[1425] Dergelijke uitspraken waren destijds minder gedurfd dan het nu schijnt. Hoewel tussen 1790 en 1830 een honderdtal verschillende stukken van Kotzebue in het Nederlands werden vertaald en bijna al onze grote acteurs uit die tijd hebben geschitterd in zijn drama's, bereikte de minachting van de Nederlandse kritiek juist haar toppunt als het over de stukken van deze auteur ging. Het oordeel dat bijvoorbeeld in 1802 door Tollens werd geveld, was even vernietigend als de hier vermelde uitspraken van Bilderdijk.[1426]

Bilderdijks mening over verschillende andere Duitse auteurs van burgerlijke toneelspelen bleef onvermeld in de studie *Bilderdijk en Duitschland* van Schokker, omdat de dichter soms alleen de titel van Nederlandse vertalingen noemt zonder hun herkomst te vermelden. Zo wordt in de *Voorafspraak* van 1779 een soortgelijke kritiek als op 'den

[1422] DW. XV, p. 17.

[1423] *Spectatoriaale schouwburg*, dl. II; het voorwoord is van Weisse zelf.

[1424] Wille (*R.M. van Goens*, 1937), dl. I, p. 534 e.v.; De Boer (1938), p. 12.

[1425] Trsp. p. 142; Tyd. II, p. 357; DW. VII, p. 410; zie Schokker, p. 87, 88.

[1426] C.G. Kaakebeen, *De invloed der Duitsche letteren op de Nederlandsche*, Culemborg 1888, p. 94; H.A.C. Spoelstra, *De invloed van de Duitsche letterkunde op de Nederlandsche in de tweede helft van de 18de eeuw*, Amsterdam 1931, p. 136, 137; Worp – J.F.M. Sterck (1920), p. 232: H. Tollens, *Dichtlievende mengelingen voorafgegaan door Andromaché, treurspel*, Rotterdam 1802, p. 139, 200. Over de omstreden figuur van Kotzebue: F.Stock (1971). De tegenstelling tussen het schouwburgsucces van Kotzebue en de verachting door critici was een internationaal fenomeen: A. Denis, 'Kotzebue esquisse biographique: quelques perspectives se dégageant des études qui le concernent', *Neohelicon* ¾ (1973), p. 407-433. 'Zur Dramatik August von Kotzebues' i.v.m. 'Zufall' of 'Schicksal' schreef Ruprecht Wimmer in Bauer e.a., Inevitabilis...(1990) p. 236-248.

Romeo' uitgeoefend naar aanleiding van de ontknoping in 'De vrouw naar de wareld': dit is de bij Bilderdijk verkeerd gespelde titel van het door A. Hartsen vertaalde toneelstuk *Der Schein betrügt* (1767), door J.C. Brandes.[1427] Vooral na de al besproken opmerking over de Jakobijnse geest van de Duitse toneelliteratuur, is een andere kritiek uit de *Voorafspraak* interessant. Bilderdijk geeft in 'democratische' terminologie op felle wijze zijn afkeer te kennen van een 'zedelijk Tooneelspel', dat hij aanduidt als '*Den Dankbaren Zoon'*. Hij doelt hier zonder twijfel op het drama *Der dankbare Sohn* (1771) van de Duitse auteur J.J. Engel, welk stuk sedert 1776 herhaaldelijk was verschenen in vertalingen van H. van Elvervelt, C. van Hoogeveen of B. Fremery, en waarnaar in 1777 een opera was gefabriceerd met muziek van J.A.K. Collizzi.[1428] Bilderdijk hekelt in dit stuk een absolutistische uitspraak van ultraroyalistische aard. Als het ware in naam van de vrijheid en de rechten van het volk, verzet Bilderdijk zich tegen een dergelijke propaganda voor de 'willekeurige regeering eens Alleenheerschers.' Er moet dus sedert 1779 heel wat veranderd zijn in de politieke overtuiging van de man die anno 1808 aan Koning Lodewijk zou verzoeken om met alle middelen de Jakobijnse Duitse spelen uit te roeien, waaruit verachting bleek voor 'les Princes' en 'la distinction des rangs!'[1429]

Enkele niet door Schokker vermelde Duitse treurspelschrijvers die door Bilderdijk werden gekraakt zijn J.F. von Cronegk (*Codrus*), J.E. Schlegel (*Canut*) en 'zekeren Frederich Wachter' (*Brunhild*'): de eerste twee treurspelen zijn 'jammerlijke miskramen', zo heet het in 1785, en het laatstgenoemde treurspel wordt in de *Bydragen* van 1823 genoemd als een voorbeeld van wansmaak.[1430]

3. Schiller, Goethe en Lessing.

Tegelijk met Klopstocks 'onzin' (wiens navolgers het 'Harlekijnspak' hebben verward met de 'tabbert van Melpomene'), wordt in Bilderdijks gedicht *Het tooneel* (1808) ook afgerekend met het 'onverstand' van Schiller.[1431] *Die Räuber* is volgens Bilderdijk een in zedelijk opzicht verwerpelijk stuk, en *Die Verschwörung des Fiesco zu Genua* mag met al zijn bontheid en zijn bespottelijke ontknoping ('het afwippen van iemand die over een plank gaat') absoluut geen aanspraak maken op de naam 'Treurspel'.[1432] Ondanks deze afwijzing, lijkt het me niet uitgesloten dat Bilderdijk aan de *Fiesco* heeft gedacht toen hij zijn eigen treurspel *Kormak* schreef. Maar daarover werd al gesproken in het *Eerste Boek*.

[1427] DW. XV, p. 17; Worp, dl. II, p. 325, vermeldt vertalingen uit 1777, 1784 en 1805 onder de titel *De vrouw naer de wareld*. In de lijst waarmee het proefschrift van Spoelstra (a.w.) besluit, vindt men de oorspronkelijke titel.

[1428] Hilman (Alphabetisch overzicht, 1878), p. 95; Worp, dl. II, p. 326; lijsten Spoelstra (a.w.).

[1429] DW. XV, p. 8; vgl. hfdst. V, par. 3, noot 253, en hfdst. XVI, par. 1, noot 866.

[1430] Br. I, p. 135; Bosch (1955), p. 214; Bydragen, p. 81. (J.E. Schlegel was een neef van de bekende gebroeders. Peter Wolf schrijft in zijn proefschrift *Die Dramen Johann Elias Schlegels. Ein Beitrag zur Geschichte des Dramas im 18. Jahrhundert*, Zürich 1964, p. 9: ‚Er führt in seinen Dramen heran an die Grenze zum Sturm und Drang…')

[1431] DW. VII, p. 18; TDV. I, p. 34.

[1432] DW. VII, p. 18, 20, 411.

19. De jonge Goethe als acteur met Corona Schröter.

Goethe speelt Orestes en de beroepsactrice Corona Schröter Iphigenia in de première (proza-versie) van Goethes *Iphigenia in Taurus* op 6 april 1779 te Weimar. De kopergravure van F.W. Facius naar het schilderij van G.M. Kraus werd onder meer gereproduceerd in Günter Schöne, *Tausend Jahre deutsches Theater 914-1914*, München 1962, Hilde Höllerer-März e.a., *Johann Wolfgang Goethe II* (Die grossen Klassiker), Salzburg 1980 en in de catalogus *Greek Classical Theatre*, Athene 1993.

Wat Bilderdijk verder over Schiller ten berde heeft gebracht, zijn kwalificaties als 'drekhoop', 'raaskallen, 'woest' en 'onhebbelijk'; benevens de meer zakelijke oordelen dat de Duitse dichter faalde in 'plan- en ontwerpmaking', – dat hij in zijn *Die Braut van Messina* heeft getoond 'den waren aart van den rei' niet te kennen, – en dat zijn soms even aan Euripides herinnerende poëzie meer uit het hoofd dan uit het hart is opgeweld.[1433] Schiller is geen dichter, maar een dweper, zo schrijft Bilderdijk in een brief van 1811. En in een lezing van twee jaar tevoren heet het: 'Die aan 't hoofd van de Duitsche kunststellaadje optreedt, is Schiller. En wie is die Schiller. Een Enthusiast zal men zeggen. Ach! dat hy het waar! Neen, een Dweeper, wien ik gaarne zijne onkunde van plan en ontwerpmaking vergeve, wie ik zijne kinderlijke en somwijlen belachlijke hulpmiddelen niet wijten zou, had hy iets van den Dichterlijken stijl of bevatting. Neen, een Dweeper, die niets dan in weêrwil van 't hart, van de bron des gevoels, niets dan in den geest eener dweepende en verstandelooze verbeelding zegt: wiens beste bladzijde hem een plaats in het dolhuis verdienen zou, en wiens slechtste dan verdraaglijk is, als zy hem, zonder aan 't gene hy schreef te denken, ontslipte'.[1434] In *Journal de l'Empire* van 1807 had Saint-Victor de monsterachtigheden van Klopstock en Schiller al vóór Bilderdijk in één adem genoemd; over Schiller schreef hij onder meer dat hij op jammerlijke wijze miste: 'une invention

---

[1433] DW. XII, p. 107., p. 210; TDV. I, p. 37, 172, 182; zie Schokker, p. 90, 91; Trsp., p. 211 en 213 doet vermoeden dat Bilderdijk ook *Die Jungfrau von Orleans* en *Wilhelm Tell* heeft gekend.

[1434] Tyd. I, p. 302; TDV. I, p. 37, 44 (voor de datering zie: Gedenkzuil, p. 62.)

heureuse, une disposition habile, de la justesse dans les pensées et les images, de la chaleur et de la vérité dans les sentiments'. Een latere Franse parallel met Bilderdijks Schiller-kritiek vertoont d'Ancelots bewerking van de *Fiesco* (1824), waarin de door Bilderdijk bespotte ontknoping naar traditioneel model blijkt te zijn omgewerkt.[1435]

Bilderdijks waardering voor de dramatische werken van Goethe is heel wat groter geweest dan die voor de toneelstukken van Schiller. In zijn aantekeningenblaadjes vond ik citaten uit *Iphigenie auf Tauris* en *Torquato Tasso*.[1436] Verder citeerde Bilderdijk twee regels uit het 'Vorspiel' van *Faust* in de aantekeningen bij een dichtbundel uit 1820 en publiceerde hij in het zelfde jaar een vertaling van een kort fragment uit het eerste deel van Goethes meesterwerk.[1437] Een onderzoek van J.E. van der Laan heeft bovendien aangetoond dat Bilderdijk in de *Faust* nog door een aantal andere plaatsen zodanig werd getroffen, dat hij die voor zichzelf heeft gekopieerd.[1438]

Bilderdijks mening over Goethe als dramaturg mag gunstig worden genoemd, ook al meende hij nu en dan fouten bij de Duitse dichter te kunnen aanwijzen. Zo citeerde Bilderdijk in een anno 1824 gepubliceerde verhandeling een fragment uit Goethes 'Lustspiel' *Die Mitschuldigen*, als bewijsstuk voor zijn stelling dat de Duitse taal ongeschikt is voor de alexandrijnse versvorm. Hij kwalificeerde Goethe bij die gelegenheid als 'den Duitschen Hoofddichter... op wien, en met volle recht, zijne Natie zich tegenwoordig verheft', en al vier jaar eerder vindt men de aanduiding: 'den beroemden Goethe'.[1439] In de tijd dat hij zelf zijn treurspelverhandeling schreef en zich intensief met de dramaturgie bezighield, heeft Bilderdijk zich meer in het bijzonder over Goethes toneelwerk uitgesproken. Anno 1808 noemde hij de *Götz von Berlichingen* een dramaturgisch fiasco ('van een Tooneelstuk heeft het niets dan een samenspraak'), maar tegelijkertijd prees hij de navolgenswaardige karakterschildering.[1440] In zijn verhandeling *Over dichterlijke geestdrift en dweepery* (1809) heet de 'verdienstvolle' Goethe een kenner van het menselijk hart, wiens voorkeur (blijkens een waarschijnlijk in 1820 toegevoegde aantekening) uitging naar de genuanceerde schildering van 'de gekrenktheid van verstand', waardoor zijn geschriften, o.a. *Tasso*: 'een overbelangrijke bydracht ter Zielkunde' betekenen. Deze kwalificaties herinneren aan het ons al bekende oordeel over Shakespeare, temeer nog omdat Bilderdijk ook Goethe min of meer voorstelt als noodzakelijkerwijze behept met de fouten die nu eenmaal kenmerkend zijn voor het volk waartoe hij

[1435] Eggli (1927), dl. I, p. 352, 564.

[1436] Collectie-Leeflang in het Letterkundig Museum te 's-Gravenhage, hschr. B 583.

[1437] DW. XIV, p. 506; DW. XIII, p. 254.

[1438] J.E. van der Laan, *Goethe in de Nederlandsche letterkunde*, Amsterdam 1933, p. 83, deelt mede dat Bilderdijks vertaling uit *Faust* in 1810 werd gepubliceerd en dat Bilderdijk 'dus ook wel' in 'die jaren' de door hem teruggevonden citaten heeft genoteerd. Maar de vertaling van Bilderdijk verscheen pas in de *Nederlandsche Muzen-Almanak*, Rotterdam 1820. Vgl. DW. XIII, p. 254 en DW. XV, p. 362, 549.

[1439] NTDV. II, p. 176; Van der Laan, p. 80; DW. XIV, p. 506.

[1440] DW. VII, p. 409.

behoort.[1441] Het verwondert daarom niet dat de Nederlandse dichter, toen hij verderop in dit stuk, (maar nu met enige kritiek) opnieuw over Goethes karakterschildering schreef, tot de uitspraak kwam: 'Gelukkig, wie Göthe, even als Shakespear, wel verstaat, wel gebruikt! verloren, die hem zonder keus, meer dan hy-zelf te zijn, na wil volgen!'[1442] Dat Bilderdijk ook in theoretisch opzicht voor Goethe waardering had en moest hebben, is al gebleken bij de bespreking van zijn ideaal-theorie en van zijn opvattingen over de acteerkunst.[1443] Wat zijn bezwaar tegen de *Götz von Berlichingen* betreft, kan tenslotte worden opgemerkt dat Fernand Baldensperger en Jean-Marie Carré soortgelijke kritiek van Bilderdijks voorgangers en tijdgenoten in Frankrijk en Engeland konden optekenen.[1444]

In het *Eerste Boek* constateerden we overeenkomsten tussen Bilderdijks onvoltooide treurspel over *Virginia* en de *Emilia Galotti* van Lessing.[1445] Behalve in een onduidelijke verwijzing naar de bespreking van dit stuk door J.J. Engel in 1805, vindt men Lessings drama nog slechts vermeld in de *Consideratien over de aanmoediging der tooneelpoëzy* van omstreeks 1809. Bilderdijk noemt daar de *Emilia Galotti* een 'drama' dat eventueel voor opvoering in aanmerking zou mogen komen, maar dat bij nader inzien toch moet worden uitgesloten omdat het valt onder de categorie toneelstukken die strijdig zijn met de 'goede zeden' of waarvan 'de zedelijke strekking kwaad is'. Dat in dit geval de 'zedelijke strekking' te maken heeft met Bilderdijks anti-plebejische politieke overtuiging lijkt me duidelijk geworden uit de bespreking van zijn onvoltooid treurspel over *Virginia*, dat hetzelfde literairhistorisch motief behandelt als het stuk van Lessing.[1446]

Uit de voorafgaande hoofdstukken is gebleken dat Bilderdijks belangstelling vooral uitging naar Lessings theoretische geschriften. Een dergelijke interesse komt overeen met wat Lessing zelf had geschreven: op de laatste bladzijden van zijn *Hamburgische Dramaturgie* kan men lezen dat Lessing zichzelf geenszins als geboren dichter beschouwt, maar integendeel meent dat hij veel verschuldigd is aan de theorie, waarvan hij het nut verdedigt.[1447] Bilderdijk heeft verschillende malen een oordeel over Lessing gepubliceerd. Omstreeks 1780 en in 1808 noemde hij hem een goed kenner van Aristoteles, met grote verdiensten als wegbereider voor een beter begrip van de Griekse wijsgeer.[1448] Maar Bilderdijks bewondering ging verder. In 1805 zag hij Lessing niet alleen als de enige Duitser die doordrongen was van de Griekse letteren en wijsbegeerte, maar hij prees hem

[1441] TDV. I, p. 28, 29.

[1442] TDV. I, p. 35.

[1443] Zie hfdst. IV en hfdst. VI, par. 2.

[1444] Baldensperger (*Goethe en France. Etude de littérature comparée*², 1920), p. 98 e.v.; Carré (*Goethe en Angleterre*, 1920), p. 22 e.v.

[1445] *Eerste Boek*, hfdst. IV, par. 4.

[1446] Zie de *Bijlage* bij dit *Tweede Boek* (CD) en hfdst. II, par. 4. DW. II, p. 496 (vgl. voor Engel ook de voorafgaande paragraaf en W. Bilderdijk, *Fingal, in zes zangen naar Ossiaan*, dl. II, Amsterdam 1805, p. 174 e.v.)

[1447] Lessing (1958), p. 389 (St. 101-104).

[1448] Verhandeling...², p. 178; Trsp., p. 170. (Dat Bilderdijk in 1808 een meer zelfstandige houding tegenover Lessings interpretatie van de catharsisleer demonstreert, is gebleken in het tiende hoofdstuk.)

ook omdat Lessing, bij klare en heldere denkbeelden, een juist besef van de dichtkunst had.[1449] Dergelijke lof komt ook voor in 1780 en in 1808, maar dan gepaard met enig voorbehoud. In zijn bekroonde Verhandeling achtte de jonge Bilderdijk de *Hamburgische Dramaturgie* zeer belangrijk voor ieder die zich 'gelegen laat zijn' aan de wijsgerige beschouwing van het toneel en de verschillende geschriften daarover. Omdat Lessing soms wat slordig citeert en zich tevens 'zeer partijzuchtig' toont, is echter een kritische houding tegenover 'dees geleerde Schrijver' noodzakelijk.[1450] In de treurspelverhandeling van 1808 wordt gesproken over 'de kundige' Lessing die 'een goed Dichtkenner' is en wiens 'aanmerkingen omtrent eene menigte van voorwerpen des misverstands... onschatbaar (zijn) voor den Wijsgeer en Dichter'.[1451] Maar naar aanleiding van Lessings kritiek op de *Mérope* van Voltaire heet het in de zelfde verhandeling dat de Duitser een oppervlakkige kennis van de Oudheid had en het 'nobile officium judicis' niet kende of er niet van hield.[1452] Verder was Bilderdijk van mening dat Lessing 'over het Tooneel een' geheel nieuwen dag verspreid (zou) hebben', indien hij slechts een juist denkbeeld van het Griekse treurspel had bezeten en niet totaal verschillende toneelsoorten met elkaar had verward.[1453]

Bilderdijks bezwaren worden duidelijker, wanneer hij in zijn treurspelverhandeling de aard der dramatis personae in de tragedie ter sprake brengt. Hij schrijft dat er geen gewone burgers in het treurspel thuishoren en al evenmin vorsten 'in hun huislijk bedrijf'. Het laatste vermeldt hij uitdrukkelijk 'op dat men zich door Lessings paralogismen ten dezen aanzien niet late meêslepen'. Want wanneer men vorsten 'in huislijken boert' als gewone burgers liet spreken, zou men qua stijl het niveau van het burgerlijk toneelspel naderen en derhalve tekortschieten in de verheffing, die nu eenmaal het wezen van het treurspel uitmaakt.[1454] Zonder twijfel doelt Bilderdijk hier op het negenenvijftigste Stück van de *Hamburgische Dramaturgie*, waar Lessing pleit voor een meer alledaags taalgebruik door vorstelijke dramatis personae. In zijn handexemplaar van Lessings werk, schreef Bilderdijk bij dit gedeelte een aantal aantekeningen, waarvan de voornaamste werden vermeld in de tweede paragraaf van ons zevende hoofdstuk.[1455] Bilderdijk verlangt dat het taalgebruik in de tragedie dat van de alledaagse werkelijkheid overtreft en daardoor

[1449] DW. I, p. 486.

[1450] Verhandeling², p. 178.

[1451] Trsp., p. 220, 227, 170.

[1452] Trsp., p. 230; vgl. hfdst. XVI, par. 3, noot 945.

[1453] Trsp., p. 170.

[1454] Trsp., p. 211, 212.

[1455] Hfdst. VII, par. 2, noot 372. Bilderdijk schreef zijn aantekeningen (met vele afkortingen) in het Latijn. Andere aantekeningen van Bilderdijk werden vermeld in hfdst. V, par. 2; en in hfdst. X, noot 633. Rechtstreekse kritiek op Lessing blijkt uit een aantekening die Bilderdijk plaatste bij Stück 56, waar de Duitser over het toedienen van een oorvijg op het toneel schrijft. 'Wer sie gibt, wird nichts als pöbelhafte Hitze, und wer Sie bekömmt, nichts als knechtische Kleinmut verraten.' (Lessing -1958-, p. 223). Bilderdijk tekent hierbij aan: 'An itaq[ue] q[uam]vis ex populo an servis comoedia exulant! O Lessing, quod contradiciendi studium te in extrema absit.' (Folkierski -1925-, p. 576, wijst erop dat Lessings kritiek op het taalgebruik in de klassieke Franse tragedie tevoren al te lezen was bij Franse critici, onder wie Voltaire en Diderot.)

in overeenstemming blijft met het niveau van de dichterlijke heldenwereld. Wat hem van Lessing scheidt, is zijn uit de ideaal-theorie voortvloeiende conceptie van een heroïsche tragedie, wier (sociale) verheffing onverzoenbaar is met het door de Duitser bepleite moderne treurspel in burgerlijke trant.[1456] Dat Bilderdijk de schrijver der *Hamburgische Dramaturgie* kon blijven waarderen, dankt deze zowel aan zijn eerbied voor de Griekse tragici en Aristoteles, als aan zijn beschouwingen over de tekortkomingen van latere treurspelschrijvers en over de dramaturgie in het algemeen.

Bilderdijks meningen over Schiller, Goethe en Lessing staan weer geenszins op zichzelf in de toenmalige Nederlandse kritiek. Hoewel al in 1779 door een Duitse groep opvoeringen van *Kabale und Liebe* en *Die Räuber* waren verzorgd in een kleine Amsterdamse schouwburg, was er in de achttiende eeuw geenszins sprake van echte Schillerwaardering. Schillers stukken verschenen, evenals die van Shakespeare, doorgaans op de planken in Nederlandse vertalingen van Franse bewerkingen waarin het origineel enigszins was aangepast aan de classicistische smaak. De Shakespeariserende Schiller werd overgoten met een sausje-Racine volgens het recept van Ducis, zo ongeveer luidt het oordeel van H.H.J. de Leeuwe.[1457] Een figuur als E.M. Post prees weliswaar de door haar vertaalde *Don Carlos* (1789), maar dit zelfde stuk werd in 1801 vanwege zijn 'onregelmatige schikking' beschaafd door de tonelist M. Westerman. Ook de zedelijke bezwaren van Bilderdijk tegen *Die Räuber* staan niet op zichzelf. Dit bewijzen onder meer een opmerking bij De Perponcher en het feit dat G. van Os het in 1803 nodig achtte een contrafact te vervaardigen, waarin de rover berouwvol zijn misdaden bekent en bekeerd sterft.[1458] Maar daartegenover staat een zekere waardering, die bijvoorbeeld bij Rhijnvis Feith (1793) aan de dag treedt en die Willem de Clercq (1822) Schiller onder de schrijvers 'van stukken van den eersten rang' doet rangschikken.[1459] J. Kinker vertaalde in 1807 *Maria Stuart* en *Die Jungfrau van Orleans* en deed bij die gelegenheid de verstandige uitspraak dat de regels van de Franse klassieken niet mochten worden toegepast op Shakespeare, Lessing en Schiller.[1460] Zoals geconstateerd in het vorige hoofdstuk, bleek Bilderdijk wél bereid tot

[1456] Vgl. hfdst. VII, par. 2.

[1457] H.H.J. de Leeuwe, *De toneelgeschiedenis van Schillers werk in Nederland*, Amsterdam 1961; dezelfde toneelhistoricus publiceerde: 'Schiller auf der holländischen Bühne', *Duitse Kroniek* 1959, p. 134 e.v.; voor bibliografische gegevens omtrent Schiller-vertalingen, zie ook de bijdrage van Wouter Nijhoff in: E.F. Kossmann, *Schillerfeier te 's-Gravenhage*, 's-Gravenhage 1905, p. 27 e.v.

[1458] Reijers (W.E. de Perponcher... 1942), p. 138; Spoelstra (1931), p. 132.

[1459] Spoelstra, p. 133; De Clercq, p. 322, 323.

[1460] Spoelstra, p. 135; nog in 1823 wijdde de door Bilderdijk beïnvloede P. van Limburg Brouwer (vgl. hfdst. XVII, noot 1018) een vernietigende beschouwing aan *Die Jungfrau von Orleans* in een bekroonde Verhandeling... die verscheen in de *Werken der Hollandsche maatschappij van fraaye kunsten en wetenschappen*, dl. VI, Leyden 1823, p. 162. (Over de onderschatte invloed van Voltaire's *Pucelle* op Schillers *Jungfrau von Orleans* schreef Anni Gutmann in Grosser-Brockmeier (1979), p. 411-422.) Ph. van Tieghem (1947), p. 57, 61, acht de invloed van Schiller op de ontwikkeling van het Franse romantische toneel ongeveer even belangrijk als die van Shakespeare. Bloch (1968) benadrukt daarentegen Schillers verwantschap met het Frans classicisme, ondanks diens 'Kritik an der französischen klassischen Tragödie' (p. 77 e.v.) en de onder invloed van Mme de Staëls ontstane 'Mythus des deutschen Shakespeare' (p. 89 e.v.).

een dergelijk oordeel met betrekking tot Shakespeare; ten aanzien van Schiller onderscheidde hij zich echter door een absolute afwijzing. Zowel literaire als zedelijke bezwaren zijn daarvan de oorzaak, en wellicht ook het voorbeeld van Franse critici en van de gebroeders Schlegel.[1461] Ik vermoed dat Bilderdijk nooit kennis heeft genomen van Schillers geschriften na diens jeugdige 'Sturm und Drang'. Zijn houding tegenover Schiller wordt verbeeld in een fictionele dialoog van Jacob Geel als onderdeel van een een anno 1832 of 1833 gehouden lezing, die later werd gebundeld in Geels bundel *Onderzoek en Phantasie*. Hij liet – weinig fijngevoelig – de pas onlangs (december 1831) overleden Bilderdijk in het hiernamaals discussiëren met Schiller (†1805) en hem daarbij overladen met ironische verwijten die de tijdens zijn leven zo combattieve Bilderdijk tenslotte 'een traan' ontlokken. Waarbij ik opmerk dat uit het voorafgaand gesprek duidelijk wordt hoe Bilderdijk in zijn ideeën over gevoel, verbeelding en dweperij, verwantschap vertoont met de latere, gerijpte Schiller.[1462]

Het feit dat Goethes *Stella* al in het jaar van verschijnen (1776) door een Duitse toneelgroep werd opgevoerd in Amsterdam, levert nog geen bewijs voor een positieve Goethe-waardering in het achttiende-eeuwse Nederland. We worden integendeel herinnerd aan de lotgevallen van Schillers *Räuber*, wanneer we vernemen dat in 1782 de Nederlandse vertaler van *Stella* het nodig heeft geacht om het (later ook in Engeland omstreden) slot van dit stuk om moralistische redenen te wijzigen. Merkwaardig genoeg werd hij daardoor in zekere zin een voorloper van Goethe zelf, die in 1816 een voor zedenmeesters meer aanvaardbare omwerking van zijn eigen spel heeft gepubliceerd. De eerste versie van *Stella* besluit met een exitus felix voor de dubbelminnaar Fernando, die liefde en geluk

[1461] Franse kritiek op Schiller werd genoemd in de tekst en is te vinden bij Eggli (1927). Schokker, p. 49 e.v., wijst op overeenkomsten tussen Bilderdijks meningen en die van de gebroeders Schlegel (o.a. over de Duitse literatuur en Schiller). Voor de houding van de Schlegels tegenover Schiller en Goethe, zie Josef Körner, *Romantiker und Klassiker. Die Brüder Schlegel in ihren Beziehungen zu Schiller und Goethe*, Berlin 1924. Ziolkowski (2006), p. 132, vertelt hoe de Schlegels zich in oktober 1785 amuseerden door Schillers *Lied von der Glocke* te ridiculiseren en te parodiëren. Het in 1809 gepubliceerde eerste deel van de *Vorlesungen über dramatische Kunst und Literatur* van August Wilhelm Schlegel werd hier al in 1810 vertaald door N.G. van Kampen onder de titel *Geschiedenis der tooneelkunst en tooneelpoëzy*. Pas in 1814, 1815 en 1817 verschenen resp. de Franse, Engelse en Italiaanse vertaling van dit werk. Coleridge had Schlegels origineel en de Engelse vertaling zo grondig geassimileerd, dat hij van plagiaat kon worden beschuldigd (Lohner in A.W. Schlegel, 1966, dl. I, p. 7). Nagavajara (1966), p. 306, meent Schlegels invloed nog te onderkennen tot in de 'Préface de Cromwell' van Hugo. Zoals hier en daar opgemerkt in voorafgaande hoofdstukken, vertonen de opvattingen van Bilderdijk – wiens *Voorafspraak* en verhandeling *Het treurspel* eerder verschenen – ook overeenkomsten met die van A.W. Schlegel, die echter negatiever dacht over het Frans-classicistische treurspel en positiever over de moderne romantische dramaturgie, als aansluiting bij de vrije Spaanse en Engelse toneeltraditie.

[1462] Jacob Geel, *Onderzoek en phantasie* (uitg. C.G.N. de Vooys), 'Iets opgewondens over het eenwoudige', p. 75-83. In zijn uitgave van Geels *Gesprek op den Drachenfels* [4], Amsterdam 1981, noemt J.C. Brandt Corstius dit stuk 'een scherpzinnige en geestige dialoog' (p. 5). Van Franz Grillparzer verscheen postuum een 'Gespräch im Elysium' tussen Friedrich II en Lessing, waarbij Schiller door Friederich II 'der deutsche Racine' wordt genoemd; Bloch (1968), p. 93, 94. Wellicht is Geels dialoog het laatste Nederlandse voorbeeld van het in de achttiende eeuw veel beoefende genre 'dodengesprek'; zie R. Veerman in *De achttiende eeuw* 29 (1997) 1, p. 53-60. (Van den Berg, 1986, p. 311, 'betwijfelt [*zeer terecht*, M.d.J.] of Geels tijdgenoten het overduidelijk gelijk van Schiller hebben beseft.' Ze hebben – in tegenstelling tot Van den Berg – volgens mij begrepen dat het door Van den Berg gehanteerde Schiller-citaat in feite een overduidelijke bevestiging betekent van wat Bilderdijk steeds had betoogd en aan de 'in [z]ijn jeugd gedwaald hebben[de]' Schiller verweten.)

vindt bij twee overgevoelig naar hem smachtende vrouwen, maar in de tweede versie pleegt hij zelfmoord, terwijl de jongste van zijn minnaressen (Stella) sterft van vergif en liefdessmart. Voor moralisten was de (suïcidaire!) exitus infelix van de tweede versie blijkbaar wél aanvaardbaar... en bovendien strookte deze tweede oplossing meer met de classicistische treurspeltraditie.[1463]

Goethes *Götz von Berlichingen* was voor de classicistisch geörienteerde tijdschriften in Nederland niet meer dan een literaire curiositeit. Rhijnvis Feith merkte in de *Götz* gebrek aan eenheid op (evenals Bilderdijk), maar meende dat dit gebrek op het toneel door goed spel kon worden overwonnen. Met Bilderdijk deelde Feith ook zijn waardering voor de karaktertekening, al betreurde hij dat deze teveel naar de echte natuur (en niet naar de schone natuur) heeft plaatsgehad.[1464] Dat zelfde bezwaar keerde terug bij de latere Amsterdamse hoogleraar N.G. van Kampen, die bovendien zedelijke bezwaren tegen de *Götz* had. Van Kampen stelde Klopstock boven Goethe en van *Faust* begreep hij even weinig als A.C.W. Staring naar alle waarschijnlijkheid van de *Götz*. J.E. van der Laan kwam in zijn dissertatie over *Goethe in de Nederlandsche letterkunde* (1933) tot de conclusie dat Bilderdijk wél tot een juist begrip van *Faust* is gekomen en dat hij 'verder dan een van zijn tijdgenooten' met Goethe kon 'meegaan'. Zoals geconstateerd in hoofdstuk XIV had Renetta Pennink blijkens haar dissertatie *Nederland en Shakespeare* (1936) een soortgelijke indruk van Bilderdijks houding tegenover de grootste Engelse toneeldichter. Begrip voor Goethe constateerde Van der Laan ook bij Bilderdijks leerlingen Willem de Clercq en Isaac da Costa, die zelfs overeenkomsten tussen het Duitse genie en hun geliefde leermeester meenden te kunnen aanwijzen.[1465] Met betrekking tot N.G. van Kampen moet volledigheidshalve worden opgemerkt dat hij in een anno 1823 bekroonde verhandeling grote bewondering toonde voor de latere treurspelen van Goethe en Schiller. Hij waardeerde ze als een poging om de 'wansmaak' te herstellen, die beide auteurs zelf onschuldig in de hand hadden gewerkt door de ongetemde kracht van hun Sturm- und Drangperiode.[1466]

De lotgevallen van Lessings toneelstukken in Nederland staan opgetekend in de dissertatie *Lessing auf der niederländischen Bühne*, van F. Balk. Uit dit proefschrift blijkt onder meer dat Lessings *Nathan der Weise* pas in 1884 in het Nederlands werd opgevoerd, maar dat een vertaling al meer dan een eeuw tevoren (1780) het licht had gezien en bij die

---

[1463] Een bespreking van de twee versies geeft Simons, dl. III (1927), p. 478-471. Vgl. Van der Laan (1933), p. 40-42; Carré, p. 23; M. Schmidt in *Kindlers Literaturlexikon*, Band X, p. 8891-8893; i.v.m. 'die Ehe zu dritt': Kluckhohn (1922), p. 210 e.v.

[1464] Van der Laan, p. 27, 28; Spoelstra, p. 130, 133.

[1465] Van der Laan, p. 62, 72, 73, 84; Pennink (1936), p. 177.; vgl. De Graaf (1955), die niet zag dat de door hem besproken 'anonieme comparatist' Isaac da Costa was. Da Costa besloot zijn uitgave van Bilderdijks epos (1847) met het opstel 'Bilderdijk en Goethe', p. 465-519. (Zie ook: T. Streng, 'Goethe in Nederland tussen 1814 en 1870. Van ongodist tot heraut der moderne beschaving', *TNTL* 122 (2006) 2, p. 117-141)

[1466] Van Kampen (Verhandeling..., 1823), p. 291, 292, 297 e.v.

gelegenheid aanleiding werd tot een armzalige demonstratie van onbegrip door de recensent van de *Vaderlandsche Letteroefeningen*.[1467] Wat de door Bilderdijk afgewezen *Emilia Galotti* betreft, blijkt er waardering te bestaan bij Cornelius van Engelen (1777) en Arend Fokke Simonsz (1794), terwijl het stuk bovendien sedert 1790 herhaaldelijk in de grote steden werd opgevoerd.[1468] Maar dit alles bewijst geenszins dat Bilderdijks afwijzing geheel op zichzelf zou staan. Feith noemde in 1773 *Emilia Galotti* tezamen met de *Götz*, *Die Räuber* en *King Lear*, toen hij sprak over stukken die gebrek aan eenheid vertonen en nochtans heel goed speelbaar zijn.[1469] Bilderdijks afwijzing op zedelijke gronden wordt als het ware toegelicht door latere kritieken uit 1808 en 1817. De eerste is van A.L. Barbaz en werd gepubliceerd in *Amstels Schouwtooneel*; de tweede verscheen anoniem in *De Tooneelkijker* en verraadt zowel door haar woordkeus als door haar afwijzend oordeel over de 'dweepende' Duitsers, dat de auteur de geschriften van Bilderdijk kende.[1470] Beide critici maken op zedelijke gronden bezwaar tegen de dochtermoord waarmee het stuk van Lessing eindigt. Aangezien het motief van de doodslag tussen familieleden niet onbekend was in de klassieke toneelliteratuur en Bilderdijk zélf het door Lessing gebruikte Virginia-motief in een onvoltooid gebleven treurspel heeft willen verwerken, wordt daarmee Bilderdijks bezwaar tegen de *Emilia Galotti* nog geenszins toegelicht.[1471] Ook hier geldt dat de toon uiteindelijk de muziek maakt. In een vroegere kritiek van de *Vaderlandsche Letteroefeningen* was er al op gewezen dat bepaalde afschrikwekkende tonelen uit de *Emilia Galotti* slechts zedenkundige waarde konden hebben, indien men ze opvatte als middelen 'om het laakbaare van zulke gedragingen in het treffendste licht te stellen'.[1472] Zonder enige twijfel gebeurt dit in het Virginia-fragment van Bilderdijk ten aanzien van de doodslag op de ongelukkige Virginia: in plaats van met een heldendaad van haar vader, hebben we bij Bilderdijk te doen met het schurkachtige toppunt van diens wraakzucht. *De Tooneelkijker* maakte anno 1817 óók bezwaar tegen de houding van Lessings Emilia (– Virginia) zelf, die haar vader tot de moord aanzet in een overdreven 'toespraak' en die bovendien de plichten van godsdienst en vrouwelijke deugd miskent. Een dergelijke 'actieve' vrouwenfiguur ging rechtstreeks tegen Bilderdijks opvattingen in: dit blijkt onder andere uit zijn onvoltooide bewerking van het Sofonisba-motief en uit zijn gepubliceerde treurspel *Willem van Holland*.[1473]

[1467] Balk, (1927), p. 102, 71, 74. De betreffende plaatsen uit de *Vaderlandsche Letteroefeningen* werden later opnieuw geciteerd door Spoelstra, p. 129, 130. Heel anders was overigens de houding van figuren als J. Kinker, P. van Woensel en P. van Hemert: zie Balk, p. 75.

[1468] Balk, p. 67, 77, 89.

[1469] Spoelstra, p. 133. Het zijn juist deze soort stukken die gewaardeerd werden door de Duitse 'Sturm und Drang'-generatie: 'Die 'Emilia' ist überhaupt neben dem 'Götz' das richtunggebende Drama für den Sturm und Drang': Melchinger (1929), p. 109 (noot 23).

[1470] Balk, p. 91 e.v. Volgens Ruitenbeek in Beekman (1999), p. 249, zou Bilderdijk tot zijn verhuizing naar Leiden (1817) redacteur van *De Tooneelkijker* zijn geweest...Vgl. hfdst. XVII, par. 5, noot 1200.

[1471] *Eerste Boek*, hfdst. IV, par. 4

[1472] Balk, p. 69, voetnoot.

[1473] Vgl. Bilderdijks kritiek op Trissino en de overeenkomst met Lessing, hfdst. XII, par. 3 en *Eerste Boek*, hfdst. IV, par. 5 en hfdst. X, par. 3.

Wat Barbaz in 1808 over de *Emilia Galotti* te berde bracht, is van groot belang voor een goed begrip van Bilderdijks afwijzing. Na te hebben opgemerkt dat het stuk van Lessing een 'kluchtig Treurspel' en een zonderling 'hersenvoortbrengsel' is, maakte Barbaz onderscheid tussen 'de aanleidende oorzaak en omstandigheden' van de moord op de historisch bekende *Virginia*, en die op Lessings Emilia: 'De oude Galotti keelt zijne Emilia in een binnenkamer, tussschen vier oogen, onder een mooi zinbeeldig praatje, op haar eigen verzoek en slechts uit vrees, dat zij onteerd zou *kunnen* worden; Virginius, integendeel, stoot zijne dochter den dolk in 't hart op de open markt, voor de oogen van het bijéén vergaderde Romeinsche volk, en nadat zij werkelijk is gehoond; bovendien, Galotti is een Christen, wiens godsdienst allen moord en eigen wraak verbied; integendeel is Virginius een heiden, wiens leer hem veroorlooft zijn geslacht en zichzelven te wreken, een Romein, die, door geestdrift bezield, bewust is dat gantsch Rome het oog op hem houdt geslagen; en hetgeen hij nimmer in staat zou geweest zijn in 't verborgen te doen durft hij in het openbaar verrichten, verzekerd van de toejuiching des volks omtrent zijne zogenaamde heldendaad'.[1474]

Het komt mij voor dat Barbaz hier voor een groot deel naar het hart van Bilderdijk heeft gesproken. De doodslag in de oude Virginia-geschiedenis lag inderdaad op een heel ander niveau en in een totaal verschillend historisch perspectief. De wijze waarop Bilderdijk het Virginia-motief heeft verwerkt, bewijst dat hij de dochtermoord geenszins als heldendaad ten dienste van een verheven doel wilde voorstellen. Integendeel: de vader die zich in Bilderdijks versie vergrijpt aan het leven van een onschuldige dochter verricht deze schanddaad als opstandeling en als verrader van het staatsgezag. De monarchistische overtuiging van Bilderdijk is hier beslissend. Zoals hiervoor al is gebleken, betreffen Bilderdijks 'moralistische' bezwaren tegen de *Emilia Galotti* vooral zijn politieke zedenleer.

[1474] Balk, p. 92, voetnoot.

HOOFDSTUK XVI

HET FRANSE TONEEL

1. Algemeen

Hoewel Bilderdijk zich herhaaldelijk bezighield met de Franse dramaturgie, heeft hij zijn ideeën daarover maar twee maal min of meer als een afgerond geheel kenbaar gemaakt. Dat gebeurde in 1779 in de *Voorafspraak* bij zijn eerste Sofoclesvertaling en in 1808 in zijn verhandeling *Het treurspel*. In 1779 maakte Bilderdijk een vergelijking tussen het Griekse en het 'gewone' Franse treurspel, waaronder hij verstaat: 'den trant van Corneille en Racine'.[1475] Hij begint dan met voorop te stellen dat de Franse treurspelen op de Griekse het schijnbare voordeel hebben dat ze gemakkelijker uitvoerbaar zijn omdat ze minder acteurs nodig hebben: een omstandigheid die voor de Franse tonelisten van groot belang was in financieel opzicht en die ook praktisch nut had omdat hun speelruimte steeds voor een gedeelte door toeschouwers was bezet. Overigens meende Bilderdijk dat de uitvoering van het Griekse treurspel 'onvergelijkelijk grootscher' was in vergelijking met die van de Franse tragedie.[1476]

Maar als eerste, werkelijk belangrijk verschil tussen de twee soorten zag Bilderdijk in 1779 de Franse vervanging van de reien door de zogenaamde vertrouwden. Hij noemde deze figuren: 'nutloze wezens voor het meerendeel', wier enige taak doorgaans bestaat uit het aanhoren van de expositie uit de mond van hun meesters of meesteressen. Bilderdijk stond in dezen duidelijk aan de kant van de Grieken. In de hoofdstukken V en X is al gebleken dat hij anno 1779 de Griekse rei interpreteerde als vertegenwoordiger van het volk, verkondiger van de zedenleer, versterkende spiegel van het gemoed van de toeschouwers, en verbindende factor in de handeling. Dit alles hebben de Fransen prijsgegeven en daar staat slechts tegenover dat hun vertrouwden op passende wijze het verhaal van de ontknoping kunnen doen. Maar of dit verhaal op de toeschouwer meer indruk maakt dan het verslag door naamloze 'boden' uit de antieke treurspelen, is voor Bilderdijk een open vraag.

Een direct gevolg van het verdwijnen van de rei is dat in het Franse treurspel de handeling wordt verplaatst van het marktplein naar de hofzaal. Het door de rei vertegenwoordigde 'volk' was immers volledig van alle belangrijke gebeurtenissen buitengesloten onder 'de willekeurige regeering eens Alleenheerschers', waaraan de Fransen gewend waren, maar die door vrije democratische Nederlanders moet worden veracht, bestreden en verfoeid![1477] Aangezien het Griekse koor steeds op het toneel

[1475] DW. XV, p. 5.

[1476] DW. XV, p. 6.

[1477] Zie hfdst. V, par. 3; vgl. par. 2, noot 920, over het Sofonisba-motief en Corneille.

aanwezig bleef, had de afschaffing van de rei bij de Fransen nog een ander, belangrijk gevolg van zuiver dramaturgische aard. Bilderdijk vond dat door het leeg blijvende toneel na ieder bedrijf de draad van de handeling telkens wordt afgebroken: 'waar door de uitwerking van 't Treurstuk verloren gaat!' De Fransen gebruiken die onderbrekingen om toneelwisselingen aan te brengen en verbreken daardoor bovendien de eenheid van plaats, wat Bilderdijk niet 'natuurlijk' vond. Onnatuurlijk achtte hij trouwens ook de expositie van het stuk door de uitboezemingen van de hoofdpersonen aan hun vertrouwden.[1478] Vanwege zedenkundige, 'politieke' en dramaturgische bezwaren (de 'illusie'), achtte Bilderdijk dus de vervanging van de Griekse reien door de Franse vertrouwden een verlies voor het treurspel.

Een tweede belangrijk onderscheid tussen het Franse treurspel en het Griekse, zag Bilderdijk in de toepassing van de episode. In tegenstelling tot de episode van de Griekse tragedie is volgens Bilderdijk de Franse episode: 'een verdichtzel, het welk aan het onderwerp ondergeschikt is, en met deszelfs ontknoping geëindigd moet zijn'. Schijnbaar en theoretisch munten de Franse treurspelen daardoor in levendigheid uit boven de Griekse, maar in de praktijk blijken zelfs de beste Franse treurspelschrijvers in dezen te falen, zodat de episode het 'Hoofdonderwerp' gaat overwoekeren en de 'Eenheid van daad' wordt aangetast. Dit is een gevaar dat al lang vóór Bilderdijk werd gesignaleerd door theoretici als Pietro di Calepio en Pater Brumoy[1479]. Volgens Bilderdijk veranderde het treurspel erdoor van een bron tot vermaak, in een 'pijniging van den geest': omdat de toeschouwer zich immers moet gaan inspannen om de ontwikkeling van het spel te kunnen volgen.[1480]

Na deze twee hoofdverschillen tussen de antieke en de moderne tragedie, noemde Bilderdijk in 1779 nog drie andere vormen van onderscheid, die hij voornamelijk bepaald zag door de volksaard van Grieken en Fransen. Tegenover de 'statige somberheid' en 'aaklige deftigheid' van de Griekse tragedie, staat de 'welige levendigheid van handeling' van de Fransen; tegenover de genuanceerde karaktertekening van de Ouden, staat de eenvormigheid van de Franse dramatis personae die allen wel hovelingen van Lodewijk de Veertiende lijken; tegenover de moraliserende beschouwing van het door de ontknoping bereikte lot van de hoofdpersonen bij de Grieken, staat tenslotte het 'vluchtig' ontknopen van het Franse treurspel dat daarmee tegelijkertijd zijn slot bereikt. Ook bij deze (al vóór hem door anderen geconstateerde) verschillen, gaf Bilderdijk in 1779 de voorkeur aan de Attische tragedie. Hij betoogde dat de Nederlandse volksaard 'meer tot de bedaarde naauwkeurigheid der Grieken, dan tot de vurigheid onzer nabuuren helt.'[1481] Ondanks al

1478 DW. XV, p. 9, 10.

1479 Pietro di Calepio in het derde hoofdstuk van zijn in 1732 gepubliceerde *Paragone della poesia tragica d'Italia con quelle di Francia:* Robertson (1923), p. 172; Brumoy (1732) dl. I, ('Discours sur le parallèle des théâtres'), p. 195, 196, 213.

1480 DW. XV, p. 12 e.v. Zie over de kwestie der episoden: Kamphuis (Denkbeelden, 1947), p. 214 e.v.

1481 DW. XV, p. 15, 16; Brumoy, dl. I, p. 195, 196, 213, spreekt over 'la simplicité Grecque' en 'la vivacité Françoise'. Voor de (nationale) eenvormigheid van de karakters in de Franse tragedie: zie de meningen van Saint-Evremond,

deze vergelijkingen koesterde Bilderdijk grote waardering voor het Franse treurspel; voor de dramatisering van onderwerpen uit de nieuwe geschiedenis vond hij het zelfs meer geschikt dan het Griekse model. Als Bilderdijk ooit een treurspel zou schrijven, wenste hij dat te doen 'in den nieuwen trant' van de Fransen, zo staat er nadrukkelijk in zijn *Voorafspraak*.[1482]

De beschouwingen die Bilderdijk anno 1808 in zijn verhandeling *Het treurspel* aan de Franse tragedie heeft gewijd herhalen de in 1779 geformuleerde verschillen met de Griekse traditie. Maar het valt op dat Bilderdijk nu schrijft dat het Franse treurspel waarlijk 'Poëzy' is, dat de ingevlochten episode de 'Dichterlijke weeldrigheid' van het Griekse treurspel vergoedt, dat de verwarring en de ontknoping er een belang in hebben dat zelden of nooit 'bij de Ouden zo treffend gevoeld was', en dat de zedenleer van de vroegere rei 'eeniger mate door een ander hulpmiddel' van de Franse tragedie wordt hersteld.[1483] De mededeling dat het Franse treurspel echte 'Poëzy' is, licht Bilderdijk toe met een uiteenzetting over zijn ontstaan. Als grondlegger van het Franse treurspel beschouwt Bilderdijk Corneille. Deze waarachtige dichter ging uit van het Spaanse 'Historiespel' dat geen dichtstuk was (zoals de Griekse tragedie), maar de voorstelling van een gebeurtenis.[1484] Dit 'Historiespel' kon Corneille tot een 'Dichtstuk' omvormen, omdat hij zelf doordrongen was van het gevoel van de dichterlijke eenheid. Hij ging uit van het voorbeeld van de Griekse tragediën die hij weliswaar nog niet geheel doorschouwen kon, maar waarvan onder meer de schone details, de dichterlijke geest en de grootheid van gevoelens in zijn ziel weerklank vonden en door hem werden overgenomen. Het resultaat werd de hiervoor al omschreven Franse tragedie, welke toneelsoort volgens Bilderdijk is vervolmaakt door de meer beschaafde Racine, die 'ongelijk tederer van gevoel en smaak' was dan Corneille en wiens *Andromaque* het sublieme hoogtepunt vormt van wat in het Franse treurspel kon worden bereikt.[1485]

Bij de vergelijking van Bilderdijks beschouwingen uit 1779 en 1808 dient men rekening te houden met verschillende factoren. De *Voorafspraak* van 1779 is vooral te beschouwen als een soort propagandatekst voor de Griekse tragedie. Ze herinnert daardoor enigszins aan Lessings *Hamburgische Dramaturgie*, waarvan Robertson een van de hoofdstellingen noemt: 'to prove the immeasurable inferiority of French classic tragedy to that of the

---

Fontenelle, Brumoy, Mercier, Bodmer en Herder in Folkierski (1925), p. 304, 308, 309; Brumoy, dl. I, p. 200, 216; Mercier, (1773), p. 103, 206; Korff (1918), p. 85; vgl. ook Knight (Racine), p. 77. Voor het verschil tussen de Griekse en Franse ontknoping zie: hfdst. V, par. 1 en par. 4, alsmede de beschouwingen over Bilderdijks vertaling van de *Oedipus Rex* in het *Eerste Boek*, hfdst. XI, par. 2. Ook Diderot schreef over het verschil tussen de Griekse en de Franse ontknoping: Smit (1929), p. 291, noot 4, vermeldt echter ten onrechte dat Bilderdijk op zijn voorbeeld de vijfde akte zou hebben willen supprimeren; vgl. slechts hfdst. V, par. 4.

1482 DW. XV, p. 23.

1483 Trsp., p. 133.

1484 Vgl. hfdst. XIII, par. 1.

1485 Trsp., p. 131-134.

Greeks.'[1486] De verhandeling *Het treurspel* werd daarentegen opgesteld onder koning Lodewijk, toen Bilderdijk zijn eigen treurspelen in de 'Fransche trant' had geschreven en dit genre als enig redmiddel beschouwde voor een hernieuwde bloei van het Nederlandse treurspel.[1487] Het verschil van uitgangspunt verklaart de meer kritische toon tegenover het Franse treurspel in het oudste essay, welke toon overigens niets afdoet aan het in ons *Eerste Boek* geconstateerde feit, dat Bilderdijks Griekse vertaling van 1779 door Franse invloed werd besmet.[1488] In een spreekbeurt van 1810 zei Bilderdijk dat hij als jongeling 'door fraaie Grieksche verzen weggerukt, en louter geestdrift', een door zijn hart en verbeelding aangevuld denkbeeld van de oude tragedie had opgevat toen hij zijn *Voorafspraak* schreef. Dit verkeerde denkbeeld had hem de theorie over de zedelijke en dramaturgische waarde van de rei ingegeven, die hij in de voordracht van 1810 als onjuist verwierp.[1489] Daarmee komt ook het in de *Voorafspraak* breed uitgesponnen 'verliespunt' van de Franse tragedie tegenover de Griekse, geheel te vervallen. In 1810 meende Bilderdijk dat het Griekse treurspel, als 'Beschouwing van den staat eener verzierde personaadje', wél gebruik kon maken van de rei; maar het moderne Franse treurspel kan dat niet: Het is 'in zijnen aart de handeling-zelve' en het duldt derhalve geen enkel onderdeel dat niet tot deze handeling bijdraagt.[1490]

Er is nog een heel ander aspect aan Bilderdijks vergelijking van beide dramatische soorten. Bilderdijk beschouwde zijn Sofoclesvertaling van 1779 als een remedie tegen het verval van het toenmalige toneel. Het ging hem, met andere woorden, vooral om de *praktijk* van de Frans georiënteerde dramaturgie en minder om het ideale model van deze toneelsoort. En die praktijk vond Bilderdijk onbevredigend. Niet alleen in 1779, maar evengoed in 1808. Dat blijkt wanneer men kennisneemt van zijn oordeel over de Franse toneeldichters afzonderlijk, en meer in het bijzonder over de dramaturgie na de tijd van Racine. Want in tegenstelling tot vele voorgangers en tijdgenoten (onder wie ook Lessing), maakte Bilderdijk een duidelijk onderscheid tussen de bloeiperiode van het Franse toneel in de zeventiende eeuw en de tijd daarna.[1491]

[1486] Robertson (1939), p. 307.

[1487] In Trsp., p. 151, 152, schrijft Bilderdijk dat in zijn eigen tijd de geestelijke opvlucht tot de hoogte van Sofocles en Aeschylus onmogelijk is, maar wij kunnen wel, zo vervolgt hij: 'Frankrijks Racines en Corneilles op eene ons waardige wijze ... vervolgen'. Zie ook Bilderdijks onuitgegeven geschrift *Consideratien* in de *Bijlage* op bijgevoegde CD, en zijn *Exposé* aan Lodewijk Napoleon in Tyd. II, p. 312. In zijn *Consideratien* overweegt Bilderdijk enkele Griekse treurspelen en stukken van Vondel bijwijze van 'bijkomstig' onderdeel tot het repertoire toe te laten 'als gedenkstukken van Oudheid en geschikt om den Nationalen geest te onderhouden'. In hoofdzaak zullen echter treurspelen in de Franse trant moeten worden gespeeld (zie hfdst. XVII, par. 5 en vgl. de volgende noot).

[1488] In een brief van 1780 schreef Bilderdijk n.a.v. zijn *Voorafspraak*: 'Vooraf bidde ik U.H.W.G. echter, te begrijpen dat ik niet tot die blinde aanbidders der Oudheid behoore, die alles goedkeuren wat oud is. – Ik acht het Fransche tooneel zo veel als het Oude, en dit zo veel als het Fransche, beiden geloof ik voordeelen op elkander te hebben: en ik zou met even veel drift de partij van het Fransche Toneelspel aannemen, zo dit in verworpenheid geraakte, als ik thands die van het Grieksche omhelze. – Ik wilde dat men zo wel van de eene als van de andere soorte gebruik maakte, na dat de onderwerpen de meeste geschiktheid hebben voor de een of de andere behandeling.' (Bosch (1955), p. 73, 74.)

[1489] TDV. I, p. 173.

[1490] TDV. I, p. 180.

[1491] Folkierski (1925), p. 566, wijst met name op deze foutieve gelijkstelling bij Lessing.

2. Corneille en Racine

'Après les Auteurs Grecs et Latins, ce sont les ouvrages de Corneille et de Racine qui m'ont formé dans la Poésie', beweerde Bilderdijk anno 1808 in het aan koning Lodewijk gericht schrijven, waarmee hij zijn *Exposé* over het Nederlandse toneel aanbood.[1492] Hoewel een op zestienjarige leeftijd geschreven brief bewijst dat deze uitspraak heel wat meer is dan een hoffelijkheid tegenover de Franse vorst, betekent ze anderzijds weer niet dat Bilderdijk helemaal geen kritiek op de grote toneeldichters zou hebben gehad.[1493]

Beginnen we met zijn mening over de treurspelen van Corneille. In 1775 had Bilderdijk kritiek op de *Oedipe*, omdat daarin de episode van Dircés liefde de eigenlijke handeling overschaduwt en daardoor de eenheid van daad in gevaar brengt. Dat is een al bij Dacier, Aubignac en Voltaire voorkomend bezwaar, waartegen Balthazar Huydecoper bijna zestig jaar tevoren Corneille had verdedigd, zonder daarbij bepaald zachtzinnig om te springen met de grote reputatie van Voltaire.[1494] De *Cid* heeft Bilderdijk besproken in verband met het Spaanse voorbeeld van Guillén de Castro. Hij kwam daarbij (rond 1816) tot de conclusie dat Corneille dit thema met oordeel, smaak, gevoel en intelligentie heeft veredeld. Volgens Bilderdijk is de *Cid* een zeer goed treurspel, maar hij vond dat het de schoonheden waardoor het 'dien zoo wonderbaren indruk' maakt, juist te danken heeft aan zijn Spaanse oorsprong.[1495] Een terloopse opmerking uit 1810 leert ons dat Bilderdijk geen bewondering had voor de opbouw van *Andromède*.[1496] In *Horace* roemde hij in 1805 en 1821 een verheven passus, maar in *Medée* wees hij in 1821 een plaats aan waarvan Corneille de verhevenheid in vergelijking met het voorbeeld van Seneca heeft verzwakt.[1497] Een aantekening van Bilderdijk zou doen vermoeden dat zijn aandacht op het *Horace*-fragment werd gevestigd door de *Cours de déclamation* van La Rive, maar de wijze van behandeling en de daarin opgesloten tegenspraak met Voltaire wijzen eerder op verwantschap met La Harpe.[1498]

Met betrekking tot het later door hem vertaalde treurspel *Cinna* merkte Bilderdijk in 1779 op, dat de karaktertekening van de titelheld te zeer aan een Franse hoveling herinnert, maar in 1780 schreef hij dat de (later door hem tegenover Voltaire verdedigde) monoloog van Augustus sommige reien van Euripides overtreft.[1499] Bij de bespreking van

---

[1492] Tyd. II, p. 306.

[1493] Zie de brief aan P.J. Uylenbroek (over Racines *Phèdre*) in Bosch (1955), p. 1 e.v.

[1494] Huydecoper, die zelf Corneilles *Oedipe* had vertaald (1720), vond dat het 'klatergoud' van Voltaire al te zeer werd overschat. Vgl. Te Winkel, dl. III (1910), p. 360 e.v. en De Haas (2002), p. 155, 156; DW. XV, p. 12 (vgl. ook noot 920).

[1495] Bydragen, p. 92, 93, 136. Vgl. Smit (1929), p. 53. Vgl. hfdst. XIII, par. 2, voor Bilderdijks oordeel over Corneilles Spaanse voorbeeld. Voor Mercier (1778, p. 106, 107) is de vergelijking van *Le Cid* met het origineel van Guillèn de Castro een welkome gelegenheid om aan te tonen dat de regels van het klassieke Franse treurspel een nefaste invloed hebben gehad op het stuk van Corneille: 'Il est bien à regretter que cet homme de génie se soit plié à des règles aussi ridicules...'

[1496] TDV. I, p. 185 (voor de datering: zie *Gedenkzuil voor W. Bilderdijk*, Amsterdam 1833, p. 63)

[1497] TDV. II, p. 117, 122, 123, 163.

[1498] TDV. II, p. 159; La Harpe (Lycée – herdruk –, dl. V, 1824), p. 235 e.v.; vgl. Smit (1929), p. 54, voetnoten.

[1499] DW XV, p. 16; Br. I, p. 68; DW. XV, p. 146, 147; vgl. hfdst. V, par. 3.

Bilderdijks vertaling (1808), is gebleken dat hij een tekort in de dramatische structuur van *Cinna* meende te kunnen aanwijzen en dit heeft 'verbeterd' door de toevoeging van een viertal verzen. Verder bracht hij hier en daar een monarchistisch tintje aan. Belangrijker zijn Bilderdijks bezwaren tegen de stijl van *Cinna.* Hoewel hij door de vertaling van dit stuk de wansmaak en het verval van het Nederlandse toneel hoopte te bestrijden, moest Bilderdijk opmerken dat Corneille zelf zich nog niet altijd helemaal boven het toenmalige peil van de Franse poëzie heeft weten te verheffen. Daardoor mist zijn stijl soms de fijnheid, de tederheid en de kiese beschaving, die later kenmerkend zouden worden voor de Franse schrijvers. Zelfs komt het voor dat Corneille het niveau van de komedie raakt. Maar dit neemt niet weg dat hij als dichter 'edel, verheven, somtijds mag men zeggen, Godlijk' was.[1500] Wellicht op voorbeeld van Lessing, maakte Bilderdijk in 1785 een enigszins denigrerende opmerking over de stijl van Corneille: hij beweerde toen ook dat de Franse dichter eerst zijn treurspelen schreef en daarna pas bij Aristoteles de regels bijeenzocht die ze zouden kunnen rechtvaardigen.[1501] Deze aanmerkingen keren terug in de verhandeling *Het treurspel*, van 1808. Nu echter wordt het gezwollene van Corneilles stijl en gevoel aangeduid als een gevolg van zijn 'opbruischend vuur' en deelt Racine in het verwijt van averechts gebruik van Aristoteles' *Poetica.*[1502]

In de *Voorafspraak* van 1779 noemde Bilderdijk als voorbeelden van vertrouwden die in de Franse tragedie 'nutloze wezens' zijn, onder meer: 'Een Ismène, een Fedima, een Emar, bij Racine'.[1503] Johan Smit bespreekt in zijn dissertatie *Bilderdijk et la France* (1929) doorgaans alleen die plaatsen uit Bilderdijks oeuvre, waar auteurs of titels met name worden genoemd. Wellicht daarom is hem ontgaan, dat met Emar waarschijnlijk een vertrouwde uit Voltaires *Amélie* wordt bedoeld, en dat de beide andere namen betrekking hebben op de *Phèdre* en *Mithridate* van Racine. Bilderdijk blijkt *Phèdre* nauwkeurig te hebben bestudeerd. Het veel omstreden ontknopingsverhaal door Théramène verdedigde hij in 1779 en 1821, maar naar aanleiding van de daarin voorkomende beschrijving van het zeemonster uitte hij kritiek in zijn bekroonde verhandeling van rond 1780. Hij meende dat Racine hier 'alle sieradien der Welsprekendheid, alle zwieren der kunst' heeft gebruikt, zonder 'het wanvoeglijke dezer misplaatste beschrijving' in te zien.[1504] We hebben hier te doen met een oud zeer. Critici als Fénelon, Diderot, Signorelli en Hiëronymus van Alphen hadden al vóór Bilderdijk bezwaar aangetekend tegen de betreffende passus, die echter

---

1500 DW. XV, p. 144; La Harpe, dl. V, p. 205 schrijft over de tijd van Corneilles optreden: 'L'art ne faisait que de naître'. Zie ook *Eerste Boek*, hfdst. XI, par. 3.

1501 Smit (1929) p. 52. Voor Lessing: Robertson (1939), p. 416; vgl. ook Diderot over Corneille in Folkierski, p. 475.

1502 Trsp., p. 134, 196.

1503 Dw. XV, p. 9.

1504 DW. XV, p. 9; TDV. II, p. 171; Verhandeling², p. 212. Vgl. de commentaar bij dit fragment in Jean Fourcassié, *Racine. Œuvres choisies*, Paris 1917, p. 593 e.v. Forestier, Racine, *Œuvres complètes*, Paris 1999, (Pléiade), dl. I, p. 872-874, 1658-1660, wijst op voorbeelden bij o.m. Euripides, Ovidius, Seneca en spreekt van 'un véritable exercice de reécriture!

door Boileau was geprezen en door La Harpe werd verdedigd als een fout die tot een meesterwerk was geworden.[1505] Uit structureel oogpunt prijst Bilderdijk anno 1779 in *Phèdre* de rol van Oenone en laakt die van Ismène en Aricie: ook hier raakt hij weer een bekend twistpunt.[1506] De hele Aricie-episode acht Bilderdijk volslagen overbodig en zelfs nadelig, omdat deze episode het 'medelijdend belang' van Hippolyte vermindert. Overigens moet Bilderdijk toegeven dat Racine deze overbodige episode toch nog op kunstige wijze heeft weten te benutten. Hij bereikt erdoor dat de wanhoop van Phèdre ten top gevoerd wordt. Zij is in dit treurspel het voorwerp van 'schrik'en haar hartstochten worden meesterlijk geschilderd in het zesde toneel van het vierde bedrijf. [1507] Nochtans is Racines 'verfijning' er de oorzaak van geworden dat de hoofdfiguur minder schrik verwekt dan ze eigenlijk had kunnen doen, zo meende Bilderdijk in 1779. En na in 1805 te hebben geschreven dat de Franse dichter 'zijn borst van het vuur der Grieken verwarmd had' toen hij in zijn *Phèdre* de liefde beschreef, herhaalde Bilderdijk in 1808 zijn vroegere kritiek, door de bewering dat de aan Euripides geborgde schoonheid in kracht is verminderd en daardoor jammerlijk geleden heeft. Dat klopt met wat een jaar tevoren was geschreven door A.W. Schlegel en hetzelfde jaar werd herhaald door Mercier, die daardoor meteen zijn eigen *Nouvel essai sur l'art dramatique* van 1773 herhaalde.[1508]

De *Britannicus* was in 1779 voor Bilderdijk aanleiding tot een kritiek waartegen Racine zich al een eeuw tevoren had verdedigd. Volgens Bilderdijk is de dood van Britannicus de ontknoping van het onderwerp, dat bestaat uit diens liefde voor Junie. Het feit dat Racine zich nadien nog eens in háár lotgevallen verdiept, achtte Bilderdijk in strijd met de voorschriften van de dramaturgie. De intrede van Junie in de tempel van Vesta houdt niet voldoende verband met de eigenlijke daad, doordat iedere voorbereiding tot dit zogenaamde 'gevolg' van de ontknoping ontbreekt.[1509] Ook op de door zijn tweede vrouw (met zijn hulp) vertaalde *Iphigénie,* heeft Bilderdijk het een en ander aan te merken.[1510] In 1779 stelde hij de hoofdfiguur die Huydecoper in zijn treurspel *Achilles* heeft getekend boven het Achile-personage van Racine, die volgens hem te zeer 'de eenvormigheid' van de Franse hoftragedie vertoont. In 1808 heet het, dat het gegeven van Euripides – ondanks Racines 'keurigen uitdruk – 'jammerlijk geleden' heeft.[1511] In 1821 laakte Bilderdijk tenslotte de 'opschik van stijl' die een treffend moment door 'omwikkeling' wegneemt, geeft toe dat Racine zijn hoofdfiguur 'kunstig en kunstelijk' karakteriseert, maar

---

[1505] Roy (1966), p. 53; Folkierski, p. 311; Van Alphen, dl. I (1778), p. 6; Bigi (1960), p. 620; Smit (1929), p. 56, noot 6.

[1506] Vgl. La Harpe, dl. VI, p. 161 e. v.

[1507] DW. XV, p. 9, 14; vgl. Trsp., p. 239.

[1508] DW. XV, p. 14; DW. I, p. 483; Trsp., p. 193. Voor Schlegel (*Comparaison entre la Phèdre de Racine et celle d'Euripide*, 1807 en Mercier (*Satyres contre Racine et Boileau...*, 1808): A.D. Streekeisen in Hofer (1977), p. 126, 127. Roubine (1971) geeft een overzicht van Racine-commentaren vanaf diens tijdgenoten tot en met Goldmann en Mauron.)

[1509] DW. XV, p. 17; zie Racines verdediging in de Préface van 1670 bij Fourcassié, p. 243, of p. 373, 374 in de Pleiade – uitgave van 1999. De omstreden passus ontbreekt in de herdruk van 1675.

[1510] Voor Bilderdijks aandeel in het werk van zijn vrouw: zie hfdst. XVII, par. 4.

[1511] DW. XV, p. 16; Trsp, p. 193.

constateert ook dat het gegeven bij Euripides 'aandoenlijker' is en meer 'teder belang' inboezemt.[1512] Een in dit verband gemaakte vergelijking met het bijbelse thema van Jefta's dochter, wekt het vermoeden dat Bilderdijks kritiek op de *Iphigénie* is geparenteerd aan die van Mercier, bij wie men trouwens ook een aanmerking op Racines uitbeelding van Achilles kan vinden.[1513] Wat Racines verplichtingen aan Euripides (ook in *Phèdre*) betreft, kan worden opgemerkt dat de dichter daarop zelf gewezen heeft en dat al bij herhaling door anderen (Brumoy, Mercier, Signorelli, Schiller, Fr. Schlegel...) was geconstateerd dat de Fransman niet de hoogte van zijn voorbeeld had bereikt.[1514]

Als het meesterwerk van Racine beschouwde Bilderdijk de in 1779 zorgvuldig verzwegen *Andromaque* (het noemen van Franse meesterwerken paste toen kennelijk niet in het raam van zijn betoog!), een stuk dat hij in 1805, evenals *Phèdre* roemde om de uitbeelding van de liefde en waarover hij uitvoeriger zou schrijven in zijn verhandeling *Het treurspel*. De 'anders door de inrichting des stuks eenigszins flaauwe Andromache' is het hoogtepunt van de Franse tragedie in het algemeen en munt uit door de ontzettende uitdrukking van Orestes' 'ijsselijke zielstoestand in de afgrond der vertwijfeling.' [1515] En in het leerdicht *Het tooneel* (1808) leest men:

> 't Is waar, Racines leest schoeit al te maagre voeten,
> En schaarsch is 't, waar men zoek', die echte kunst te ontmoeten,
> Die zijne *Andromache* van alles onderscheidt
> Wat ooit op 't nieuw Tooneel geroemd is of beschreid.[1516]

Behalve duidelijke lof voor *Andromaque,* behelst dit citaat ook kritiek op het oeuvre van Racine in het algemeen: zijn 'leest schoeit al te maagre voeten'. Van der Horst heeft deze zinsnede als volgt geparafraseerd: 'De trant van Racine is van dusdanige verfijning, dat zij voor bijna niemand anders geschikt is. Ieder die in Racines brozen tracht te treden, moet ondervinden, dat zijn voeten er te grof voor gebouwd zijn, en voelt zich er door bekneld.'[1517] Inderdaad is het juist dat Bilderdijk in dit gedeelte van zijn gedicht over de mogelijkheid tot navolging door latere dramaturgen spreekt, maar dat neemt niet weg dat hier tegelijkertijd een bezwaar tegen Racine zélf is geformuleerd. Behalve in de *Andromaque* is zijn leest te groot voor zijn voeten, zijn vorm te ruim voor zijn inhoud. De 'opschik' van zijn stijl, de 'sieradien der Welsprekendheid', de 'zwieren der kunst', het 'keurige' en 'kunstelijke', betekenen een 'omwikkeling' die het aandoenlijke van de

[1512] TDV. II, p. 157.

[1513] Mercier (1773), p. 286.

[1514] Knight, p. 323; Brumoy, dl. II, p. 233, 368; Mercier (1773), p. 284; Bigi, p. 607; Paul Emerson Titsworth, 'The attitude of Goethe and Schiller toward French classic drama', *The journal of English and Germanic philology* 1912, p. 556; Wellek, dl. II, (1955), p. 38, 67.

[1515] Trsp., p. 134, 193 e.v.

[1516] DW. VII, p. 20.

[1517] Van der Horst (1952), p. 255. (broos: toneellaars, cothurn)

inhoud overwoekert en doet vergeten, om het met Bilderdijks eigen termen aan te duiden.[1518]

20. Johanna Cornelia Wattier-Ziezenis omstreeks 1810 als *Fedra* in de gelijknamige vertaling van Racines *Phèdre* (1677), door P.J. Uylenbroek.

Het was in deze rol dat Wattier op 23 oktober 1811 speelde voor Napoleon, die haar nadien de grootste actrice van Europa noemde: Jelgerhuis (catalogus 1969), Hoff (1996): zie hoofdstuk XVII, par. 5, slot.

Het is niet zo, dat Bilderdijk aan Racine rechtstreeks ten laste legt wat wij tegenwoordig 'retoriek' noemen, maar het lijkt er verdacht veel op. In zijn verhandeling *Het treurspel* vergelijkt hij de hier al eerder besproken verhouding tussen Sofocles en Euripides, met die tussen Racine en Corneille. Zoals Euripides de hoge toon van Sofocles heeft verminderd, zo heeft Racine dat zelfde ten aanzien van Corneille gedaan. Het verschil is voornamelijk dat Euripides *rechtstreeks* oratorie schreef, omdat hij volgens Bilderdijk meer redenaar dan dichter was. Racine werd door zijn 'gekuischte smaak' weerhouden van het gezwollene dat Corneilles 'opbruischend vuur' kenmerkt. Hij introduceerde een 'meer gematigde Treurspelstijl', die echter door zijn navolgers met 'blote Oratorie' zou worden verward. De epigonen gingen hogere gevoelens door 'macht- en praalspreuken' vervangen, en zo

[1518] Vgl. Bilderdijks kritiek op de *Iphigénie*. Zeer veel lof voor *Andromaque* heeft La Harpe, dl. V, p. 324, 354; op een parallel met Bilderdijks oordeel wijst Smit (1929), p. 54, noot 11. Een opmerking van Bilderdijk over *Esther* en *Athalie* treft men nog aan in TDV. I, p. 181.

ontstond 'het beginsel van den val aller Poëzy by de Franschen'. De kiem van een dergelijke zienswijze is te vinden bij Mercier.[1519] Dat Bilderdijk later Corneille met Sofocles heeft vergeleken en dat hij in Racine een 'te groote beoefening van Euripides' laakte, sluit bij de bovenstaande opvatting aan.[1520] Al in de *Voorafspraak* van 1779 treffen de karakteriseringen 'verheven Corneille' en 'teedren Racine' en worden bij Racine zowel zwakke verzen opgemerkt als een zekere verfijning die de uitwerking van de 'schrik' vermindert.[1521] Bilderdijks mening heeft zich niet gewijzigd. In het oeuvre van Corneille bleef hij vuur, verheffing en daardoor soms enige gezwollenheid bij gebrek aan smaak opmerken, terwijl hij verfijning, geleerdheid en daardoor soms een tekort aan verheffing bij kiese smaak, meende te kunnen aanwijzen in het werk van Racine.[1522] Corneille, de vader van het Franse treurspel, leek hem een dichter bij de gratie der natuur; de beschaafde Racine daarentegen naderde volgens hem soms het niveau van de kunstrijke redenaar. Wie alle uitlatingen van Bilderdijk over de twee Franse dichters analyseert, krijgt tenslotte de indruk dat zijn sympathie het meest naar Corneille uitging.[1523] Hij staat daardoor op hetzelfde standpunt als Saint-Evremond, Brumoy, Baretti en Mercier, en tegenover Voltaire, Diderot en La Harpe. Het door bijna alle critici gevoelde verschil tussen beide dichters duidde Brumoy aan, door de verheven Corneille te vergelijken met een adelaar en de elegante Racine met een zwaan.[1524] In Nederland vond de nieuwlichter Cornelis van Engelen de kwalificaties: 'de groote Corneille' en 'de wyze Racine'.[1525] Lord Home schreef in zijn *Elements of criticism* (1762) dat Racine 'tender' en 'correct' was, maar 'a stranger to the true language of enthusiastic or fervid passion.'[1526] De mening in de *Storia critica de' teatri antichi e moderni* (1777) van Pietro Napoli Signorelli lijkt typerend voor Racines verdedigers. Signorelli spreekt, evenals bijna iedereen voor en naast hem, weliswaar van 'grazia' en 'delicatezza', maar tegenover de Spanjaard Vicente García de la Huerta houdt hij vol dat het Racine daarom nog niet ontbrak aan kracht, mannelijkheid en vuur.[1527] Wat Huerta betwijfelde, hield ook Goethe en Schiller bezig, al kan van Goethe

---

[1519] Trsp., 135, 195 e.v. (De opinie van Mercier komt verderop ter sprake.)

[1520] DW. IX, p. 88; Trsp., p. 196.

[1521] DW. XV, p. 4, 14; Verhandeling, p. 211.

[1522] Zie, behalve de al vermelde plaatsen, ook Trsp., p. 134, 152 en DW. XV, p. 16.

[1523] Vgl. Van der Horst (1952), p. 222. (De weergave die Smit (1929), p. 57, van Bilderdijks oordeel over Racine en Corneille als dichters geeft, is onjuist omdat hij geen rekening houdt met de beperkende bepaling 'op gelijke wijze' – nl. als Euripides in vergelijking met Sofocles –, die voorkomt in de betreffende tekst van Bilderdijk: Trsp., p. 196.)

[1524] Brumoy, dl. I, p. 207 schrijft: 'Corneille semble un Aigle qui s'élance jusqu'aux nuës par la sublimité, par la force, par la fuite non interrompuë, par la rapidité de son vol; de même que Racine en suivant les traces des Anciens d'une maniere nouvelle imite les cignes qui tantôt planent, tantôt s'élevent, tantôt s'abbaissent à propos avec une grace qui ne convient qu'à eux...'. Voor de mening van Diderot en Baretti: Folkierski, p. 469, 475 en Wellek, dl. I, p. 59, 142. Voor Voltaire: Lion (1895), p. 282, 285; Wellek, dl. I (1955), p. 44; Barrère (1972), p. 61; voor Saint-Evremond: Barrère (1972), p. 39; voor Mercier: Mercier (1773), p. 282 e.v., p. 320, 321. Voor La Harpe: La Harpe, dl. VI, p. 274, 276, 293.

[1525] Spectatoriaale Schouwburg..., dl. I, Amsterdam 1775, p. 67.

[1526] Folkierski, p. 321.

[1527] Bigi, p. 621.

worden opgemerkt dat hij Racine duidelijk boven Corneille stelde.[1528] Wat Bilderdijk betreft, zullen we een soortgelijk verschil als tussen Corneille (Sofocles) en Racine (Euripides) opnieuw ontmoeten bij de bespreking van zijn mening over Vondel en Hooft. Telkens blijkt dat Bilderdijk meer waardering heeft voor grootsheid en verhevenheid dan voor de elegantie van de kiese beschaving en de goede smaak.

De 'contacten' met Corneille en Racine die men in Bilderdijks eigen dramatisch werk aantreft, schijnen deze indruk enigszins te bevestigen. We hebben Bilderdijk in het *Eerste Boek* leren kennen als de vertaler van *Cinna*, die Corneilles gebrek aan smaak trachtte te corrigeren maar tegelijkertijd zelf werd gedreven door een zucht tot gezwollenheid. In hoeverre Bilderdijks bemoeiingen invloed hebben gehad op de vertaling die zijn tweede vrouw van Racines' *Iphigénie* heeft geleverd, valt niet na te gaan. Maar vermeldenswaard is dat Bilderdijk zelf uitgerekend het fragment uit *Phèdre* heeft vertaald dat hij vanwege de opgepronkte stijl in de tragedie van Racine misplaatst achtte![1529] In zijn uitgegeven treurspel *Floris de Vijfde* constateerden we overeenkomst met Corneilles *Le Cid* en wellicht een herinnering aan Racines *Athalie*: juist deze fragmenten wijzen niet op voorliefde voor kiese smaak maar integendeel op een zucht naar verhevenheid en 'opbruischend vuur'.[1530] Met betrekking tot Bilderdijks onuitgegeven toneelwerk kon worden geconstateerd dat zijn interpretatie van het *Sofonisba*-motief (onder meer) afwijkt van die van Corneille, maar dat zijn onvoltooide treurspel over *Medea* schijnt aan te sluiten bij de Senecaniaanse versie die Corneille heeft geleverd.[1531] Merken wij tenslotte nog op dat uit de voorafgaande hoofdstukken ook is gebleken, dat er contactpunten bestaan tussen Bilderdijks dramatische theorieën en die van Corneille en Racine.

De Nederlandse toneelliteratuur bewijst dat er bij Bilderdijks landgenoten al in de zeventiende eeuw belangstelling heeft bestaan voor het werk van Corneille en Racine. Vooral Corneille, die zijn *Don Sanche* heeft opgedragen aan Constantijn Huygens, werd veelvuldig vertaald en nagevolgd.[1532] J. Bauwens meent weliswaar dat zijn invloed niet op de eerste plaats diepgaand of vruchtbaar is geweest, maar dat hij zich algemeen deed gelden staat vast.[1533] Voor Racine is dat niet in dezelfde mate het geval; zijn werken werden minder vertaald dan die van Corneille en van enkele andere Franse

[1528] Titsworth (1912), p. 529, 535, 552, 555.

[1529] De beschrijving van het zeemonster in *Phèdre*, V, 6. Deze vertaling werd niet door Bilderdijk gepubliceerd; het handschrift vond ik onder nr. CIII in de Koninklijke Akademie te Amsterdam (vgl. DW. XV, p. 554). Voor de vertaling van Mevr. Bilderdijk: zie hfdst. XVII, par. 4.

[1530] *Eerste Boek*, hfdst. X, par. 2.

[1531] *Eerste Boek*, hfdst. IV, par. 1 en 5. (*Opmerking:* Terwijl Bilderdijks na 1808 geschreven *Sofonisba*-ontwerp i.t.t. het treurspel van Corneille typerend is voor zijn absolutistische opvattingen over de rol van de vrouw in het maatschappelijk bestel, leverde hij in 1779 juist kritiek op Corneilles *Oedipe* vanwege de absolutistisch-royalistische strekking die later typerend voor Bilderdijk zelf zou zijn (DW. XV, p. 8; vgl. hfdst. XV, slot par. 2)

[1532] J.A. Dijkshoorn, *L'influence française dans les moeurs et les salons des Provinces-Unies*, Paris 1925, p. 161 e.v., bespreekt het contact tussen Huygens en Corneille.

[1533] Bauwens (1921), p. 225 e.v.

toneelschrijvers.[1534] Ook een onderzoek van particuliere bibliotheken uit de eerste helft van de achttiende eeuw heeft uitgewezen dat Corneille meer in Nederland werd gelezen dan zijn rivaal Racine.[1535] Het is daarbij opvallend dat Rijklof Michael van Goens en Frans Hemsterhuis zomin voor de ene als voor de andere Franse dramaturg veel belangstelling aan de dag legden; Hemsterhuis interpreteerde in 1780 zijn aanvankelijke bewondering voor hen zelfs als een soort literaire jeugdzonde.[1536]

De houding van deze beide geleerden schijnt de praktijk van het toneelleven in de tijd van Bilderdijk aan te kondigen: in het laatste kwart van de achttiende eeuw immers ging het monopolie van Corneille en Racine zowel in Frankrijk als in Nederland tot het verleden behoren.[1537] Het verschil in waardering bleef echter bestaan. En dat verschil wordt duidelijker zichtbaar als we de praktijk tegenover de theorie plaatsen. Een figuur als W.E. de Perponcher, mocht het dan (evenals Bilderdijk!) in theorie betreuren dat Corneille beschaving en kiesheid mist, maar daar staat tegenover dat de praktijk van de Nederlandse Racine-bewerkingen juist wordt gekenmerkt door de aantasting van deze eigenschappen in het Franse origineel.[1538] Terecht schreef Willem de Clercq in 1822 dat de heldenmoed en de aan ridderlijke tijden herinnerende geest van Corneille meer weerklank vonden dan de fijne keurigheid en de voortreffelijke stijl van Racine.[1539] Ik geloof dat Bilderdijks tijdgenoten Racine voornamelijk theoretisch bewonderden en zelfs dan nog met enige reserve. Een voorbeeld levert de naar Riedel bewerkte *Theorie der schoone Kunsten en Wetenschappen* van Hiëronymus van Alphen. A.C.S. de Koe stelt diens houding tegenover Racine al te kritiekloos voor. Het is waar dat Van Alphen onder meer de goed volgehouden karaktertekening in *Athalie* prees, maar de door Bilderdijk verdedigde ontknoping door Théramène in *Phèdre* keurde hij zeer duidelijk af.[1540] Verder verweet hij Racine de vervanging van sentiment door beschrijving in enkele tonelen van *Esther* en ook in *Athalie*.[1541] De *Theorie* van Van Alphen is strenger tegenover Corneille: maar daar is het dan ook een 'theorie' voor! Op voorbeeld van Lord Home wees Van Alphen in het werk van Racine een aantal plaatsen aan waar 'koele beschrijvingen en declamaties' de ware uitbeelding der hartstochten moeten vervangen. En in zijn Inleiding schreef hij: 'Men kent zelfs de zwakke zijde van Corneille te sterk, om hem over het algemeen tot een model te nemen'.[1542]

[1534]Geleerd (Les traductions hollandaises de Racine…, 1936), p. 6.

[1535] Krijn (Franse lektuur, 1917), p. 166, 168.

[1536] De Boer (1938), p. 102, 103; Brummel (Frans Hemsterhuis, 1925), p. 66.

[1537] Geleerd (1936), p. 138.

[1538] Reyers (1942), p. 85; Geleerd, p. 134, 135.

[1539] De Clercq (Verhandeling[2] 1826), p. 256.

[1540] De Koe (1910), p. 50; Van Alphen, dl. I, p. VI, 157, 161.

[1541] Van Alphen, dl. II, p. 163.

[1542] Van Alphen, dl. I, p. XVII, dl. II, p. 151 e.v.; Home meende: 'Corneille describes in the style of the Spectator, instead of expressing passions like one feels it!' (Folkierski (1925), p. 320.)

Veel overeenkomst met Bilderdijks opvattingen vertonen de beschouwingen van Rhijnvis Feith. In zijn verhandeling *Iets over het treurspel* van 1793 staat een stuk over het verschil tussen de Franse en Griekse tragedie. Feith blijkt een aandachtige lezer van Bilderdijks *Voorafspraak* en van de brieven over de episode die zijn vriend hem in 1779 had gezonden.[1543] Naar aanleiding van de Griekse rei verwijst hij naar de 'democratische' verklaring daarvan door Bilderdijk. En hoezeer de door zijn vroegere vriend in dit verband gemaakte opmerkingen een geschikte voedingsbodem vonden in de politieke ideeën van Feith, wordt duidelijk uit diens (van M.J. de Chénier overgenomen) mening, dat de karaktertekening van de Franse treurspelschrijvers ten zeerste heeft geleden door de omstandigheid dat zij leven moesten onder het juk van het 'Despotismus'.[1544] Uitspraken over het Franse toneel die zonder bronvermelding aan Bilderdijks *Voorafspraak* schijnen te zijn ontleend (en waarvan men de eerste later terugvindt bij Van Limburg Brouwer en Van Kampen), doet Feith wanneer hij zegt dat bijna alle helden van Corneille op hovelingen van Lodewijk XIV lijken en dat de *Achilles* van Huydecoper meer een Grieks karakter vertoont dan die van Racine.[1545] Afgezien van soortgelijke meningen van buitenlandse theoretici, had overigens onze eigen Justus van Effen al in zijn *Misanthrope* van 1712 de 'Franse' aard (en de zwakke verzen!) van Racines Griekse en Romeinse helden opgemerkt:

> le Romain et le Grec qu'un fade amour domine,
> Dans ses timides vers ont le coeur de Racine![1546]

Feith vond Racine 'teederer' dan Corneille, wat aan Bilderdijk en enigszins aan Van Engelen herinnert. En evenals Bilderdijk vergeleek hij de verhouding tussen Corneille en Racine met die tussen Sofocles en Euripides.[1547] Ondanks zijn bewondering voor Euripides, ging ook de voorkeur van Feith onbetwist naar Corneille en dat zelfs in zodanige mate, dat hij diens treurspel het blijvend model noemt 'van alle goede treurspelen, zoo lang er nog ergens smaak heerschen zal'. Deze apodictische uitspraak wordt verklaard door Feiths overtuiging, dat de Fransen (en met name Corneille) de treurspelen van de antieken hebben overtroffen en voorgoed achter zich gelaten. Daarom werd de Zwolse patriot vervuld met medelijden toen hij moest constateren dat de geniale Corneille zich gedwongen zag

[1543] Vgl. hfdst. V, par. 4; Kalff, 'Onuitgegeven brieven ...', *TNTL* 1905, p. 58 e.v.; vgl. Kamphuis, (Denkbeelden, 1947), p. 214.

[1544] Rhijnvis Feith, *Iets over het treurspel...*, herdruk, Rotterdam 1825, p. 49, 81, 82; vgl. voor het verschil in politieke overtuiging tussen Bilderdijk en Feith en hun mede daardoor veroorzaakte breuk: De Jong (De eerste auteur... II, 1957), p. 205 e.v.

[1545] Feith, p. 41, 75; voor P. van Limburg Brouwer en (met meer begrip) N.G. van Kampen, zie: *Werken der Hollandsche maatschappij...*, dl. VI, Leiden 1823, p. 114 en 333. Feiths 'Iets over het treurspel' verscheen anoniem in de door hem en J. Kantelaar uitgegeven *Bijdragen ter bevordering der schoone kunsten en wetenschappen*, dl. I, 1793. De invloed van zijn vroegere vriendschappelijke omgang en literaire briefwisseling met Bilderdijk is op sommige plaatsen aantoonbaar. Vgl. in dit verband Bilderdijks vroegere 'democratische' uitlatingen, zoals gesignaleerd in hfdst. XV, par. 2.

[1546] Citaat bij Valkhoff (1943), p. 73, 77.

[1547] Feith, (1793-1825), p. 3, 119.

verontschuldigingen te zoeken voor overtredingen van Aristoteles' *Poetica*, die immers voor de moderne tijd grotendeels heeft afgedaan...[1548] Zo'n opmerking bewijst een afwijzende houding tegenover de classicistische wetten van het treurspel die – zij het op andere wijze – zich ook bij Bilderdijk zou gaan voordoen. Dat blijkt bijvoorbeeld uit diens opmerkingen over Boileau als wetgever op de Franse Parnassus. Na aanvankelijke verering in de jaren zeventig en tachtig van de achttiende eeuw, volgen Bilderdijks soms heftige afwijzingen sinds het begin van de negentiende eeuw.[1549]

3. Voltaire en het treurspel na Racine

Slechts een gedeelte van de vele malen dat de naam Voltaire in Bilderdijks werken voorkomt, heeft betrekking op de dramaturgie. Toneelstukken van Voltaire die Bilderdijk in 1779 apart heeft beoordeeld, zijn *Mahomet*, *Olympie*, *Amélie* en *Brutus*. In de Aantekeningen bij zijn eerste Sofoclesvertaling prees Bilderdijk, wellicht op voorbeeld van Mercier, de levendige afschildering van de inwendige beminnelijkheid der deugd in Voltaires *Mahomet*.[1550] Bij de *Olympie* en de *Amélie* tekende Bilderdijk in zijn *Voorafspraak* aan dat er vertrouwden in voorkomen wier rol onnatuurlijk aandoet. De *Amélie* mist de nodige eenheid, omdat het stuk een episode bevat die niet tot de ontknoping bijdraagt; desondanks bewijst dit treurspel Voltaires vermogen om 'het belang te bewaren'. Deze 'kunstgreep' prees Bilderdijk ook in de *Brutus*, die hij, met de *Amélie*, Voltaires eenvoudigste tragedie noemt.[1551] Uitmuntend vond hij de wijze waarop Voltaire erin geslaagd is de episode van Titus' liefde te verbinden met het hoofdmotief van de *Brutus*.[1552]

Bilderdijks *Voorafspraak* bewijst grote bewondering voor Voltaire. Naast de verheven Corneille en de tedere Racine, plaatste hij: 'eenen kragtigen Voltaire, den meest Dichterlijken Dichter misschien, welke zijne Natie ooit gehad heeft.'[1553] Dit riekt naar de uitbundige lof voor Voltaire van Mercier. Maar daar liet Bilderdijk het niet bij. Ondanks zijn door Bilderdijk bestreden mening over de functie van de rei, bleef Voltaire voor hem

[1548] Feith, p. 48, 87, 34; voor Feiths mening over Euripides: zie hfdst. X, par. 6.

[1549] Vgl. de Inleiding. De mededeling van Smit (1929), p. 50, dat Bilderdijk nog in 1820 Boileau waardeerde als 'son presque-contemporain' berust op een foutieve interpretatie van een passus in het 'Voorbericht' bij Bilderdijks vertaling van *Perzius hekeldichten* (1820). Bilderdijk bepleit daar alleen maar de noodzaak van verklaringen aangaande 'zeden, begrippen en gebruiken van hun tijd' bij het werk van vroegere dichters. Dat geldt niet alleen voor Griekse en Latijnse teksten, maar zelfs voor 'de nog byna hedendaagsche Boileau en Pope', die zonder aantekeningen maar al te dikwijls 'volstrekt onverstaanbaar' zouden zijn (DW. XV, p. 196).

[1550] DW. III, p. 477 (vgl. hfdst. VII, par. 1.)

[1551] DW. XV, p. 9, 22, 14.

[1552] DW. XV, p. 12, 13; Smit (1929), p. 61 maakt een merkwaardige vergissing door de bewering dat Bilderdijk bezwaar heeft tegen de *Brutus*, vanwege de verdeling van het 'belang' over vier dramatis personae (Ifigenia, Thoas, Tomyris en Orestes). Blijkbaar was hem het treurspel van Voltaire onbekend, zodat hij niet kon weten dat de vier genoemde figuren er niet in voorkomen. De kwestie is dat Bilderdijk in zijn *Voorafspraak* onmiddellijk na elkaar enkele rollen uit twee totaal verschillende stukken bespreekt, zonder daarbij titels of auteursnamen te noemen. Hij veronderstelde bij zijn lezers blijkbaar zo'n grondige kennis van de toneelliteratuur, dat de vermelding van hoofdpersonen hem voldoende leek voor een juist begrip. De vier dramatis personae in kwestie (en dus ook Bilderdijks kritiek) hebben in werkelijkheid betrekking op een stuk van Guimond de la Touche, dat verderop nog even ter sprake zal komen. Vgl. DW. XV, p. 22 en La Harpe, dl. XII, p. 226.

[1553] DW. XV, p. 5.

ook 'een bevoegd Rechter in al wat het nieuwe Tooneel betreft'.[1554] Dat was in 1779. In 1808 bracht de verhandeling *Het treurspel* een ander geluid. Voltaire 'als hij Dichter was, groot', wordt nu (in navolging van Lessing) gekwalificeerd als een kunstbeoordelaar die veelal ten halve of vals ziet![1555] Bilderdijk verdedigde weliswaar de herkenning (door middel van een wapenrok) in Voltaires *Mérope* tegen een aanval van Lessing, maar hij maakte van de gelegenheid gebruik om, in overeenstemming met Lessing, de Franse auteur 'diep onkundig' inzake de antieke tragedie te noemen.[1556] Er gebeurt nog meer in deze verhandeling. Bilderdijk tastte met name Voltaires roem als treurspelschrijver en als dichter in het algemeen aan. In verband met de moderne comédie larmoyante, merkte Bilderdijk op dat het nooit aan '*zoogezegde* Treurspelen ontbroken heeft die 't gelach opwekten'. En ter toelichting liet hij in dit verband even weten dat hij – misschien in het voetspoor van Lessing – degene beklaagde die zich 'in de *Zaïre* of *Sémiramis* van den grooten Voltaire altijd van den trek om te meesmuilen onthouden kan.'[1557] Maar Bilderdijk gaat nog een stapje verder. Het vijfde bedrijf van Voltaires *Olympie* 'sleept' volgens hem (en La Harpe!) van 'langwijligheid'.[1558] Voltaire had namelijk moeite om de vijf akten 'vol' te krijgen. De reden daarvoor vond Bilderdijk onder meer bij Lessing: Voltaires geest had niet alle ressources die de waarachtige dichter in zo'n overvloed bezit, dat hij eerder over te veel dan over te weinig stof voor een bepaalde vorm beschikt. Zijn verbeelding welt niet op uit het dichterlijke hart: hij schrijft integendeel sententieuze en oratorische poëzie [die voortkomt uit het hoofd]![1559]

Bilderdijk is in 1808 Voltaire gaan rangschikken bij de retorische 'redenaars': de klasse dus van Euripides en Seneca. En er blijken nog andere bezwaren tegen Voltaire. Hij is de ijdeltuit die een belangrijk aandeel heeft gehad in het verbreiden van de Engelse smaak, die streefde naar 'toestel en beweging' in het treurspel, die 'den smaak voor nieuwigheden den weg gebaand (heeft) door er zelf naar te grijpen', en die tenslotte daardoor indirect de ondergang van het Franse treurspel heeft voorbereid.[1560] In het voorwoord bij zijn *Cinna*-vertaling (1809) beweerde Bilderdijk verder dat Voltaire zich verzette tegen de monoloog in het treurspel omdat hij meende dat alleen de '*uiterlijke* uitvoering' van belang was: en 'dit wanbegrip was, en zal steeds het verderf der Tooneelpoëzy wezen.'[1561] Toen Bilderdijk het jaar daarop (1810) over de rei in het

---

[1554] DW. XV, p. 11, 26; vgl. Mercier (1773), p. 169 (noot), 290, 291.

[1555] Trsp., p. 136: Robertson (1939), p. 206.

[1556] Trsp., p. 230; Robertson (1939), p. 206.

[1557] Trsp., p. 106, 107. Over 'Lessings Streit mit Voltaire' schreef, onder deze titel, Horst Albert Glaser, in Grosser-Brockmeier (1979), p. 399-407 (Lessings kritiek op Voltaires *Sémiramis* en *Zaïre* op p. 400).

[1558] Trsp., p. 184; La Harpe, dl. XI, p. 389.

[1559] Trsp., p. 185.

[1560] Trsp., p. 119, 136, 141; DW. VII, p. 413 (1808); vgl. Smit (1929), p. 64.

[1561] DW. XV, p. 147. Wat Bilderdijk er niet bij schreef, was dat zijn eigen *Cinna*-vertaling tegemoet komt aan de stilistische bezwaren die vroeger door Voltaire tegen Corneille's taalgebruik waren geformuleerd: zie *Eerste Boek*, hfdst. XI, slot par. 3.

treurspel sprak, wist hij nog te melden dat de 'Lyrische acclamatien' en de 'Ommegangen' in Voltaires *Oedipe* en *Amélie* alleen maar lachwekkend en vervelend zijn.[1562]

Wie Bilderdijks 'dramaturgische' verhouding tot Voltaire vergelijkt met zijn uitspraken over Voltaire als dichter en als denker in het algemeen, ziet een duidelijke parallel. Na aanvankelijke bewondering in zijn jeugd, heeft Bilderdijk kort na de eeuwwisseling een kritische en zelfs vijandige houding tegenover Voltaire verworven: hij drukte daarmee het voetspoor van Lessing.[1563] Ondanks dit alles, is in het *Eerste Boek* gebleken dat de in 1809 gepubliceerde *Cinna*-vertaling van Bilderdijk nog invloed van Voltaire vertoont. Zijn eigen optreden als dramaturg herinnert trouwens herhaaldelijk aan de later door hem bekritiseerde Fransman. Ik herinner aan overeenkomsten tussen treurspelen van Voltaire en een onvoltooid stuk van Bilderdijk over *Mammelukken*, waarop eveneens is gewezen in het *Eerste Boek*.[1564] Verder schijnen zowel Bilderdijks onvoltooide treurspel over *Brutus* als zijn vertaling van de *Hamlet*-monoloog, op rivaliteit met de roem van Voltaire tegenover Shakespeare te wijzen.[1565]

Enkele andere Franse treurspelschrijvers over wier werk Bilderdijk een oordeel heeft uitgesproken, zijn Ph. Quinault, P.L. Buyrette de Belloy, C. Guimond de la Touche en P. Jolyot de Crébillon. Quinault wordt in de treurspelverhandeling van 1808 genoemd als auteur van een 'prul' dat *Astrate* [1663] heet. De tekortkomingen daarvan waren al voor Bilderdijk gesignaleerd door Boileau en La Harpe.[1566] Over *Gabrielle de Vergy* [een stuk van P.L. Buyrette de Belloy, vertaald door Nomsz in 1789], wordt in *Het treurspel* medegedeeld dat het aandoenlijke onderwerp bepaald 'onverstandig' en met een 'afzichtlijk' detail is behandeld: het eerste is min of meer in tegenspraak en het tweede in overeenstemming met het oordeel van La Harpe.[1567] De vermelding van de titels *Zelmire* [1762] in 1779 en *Le siège de Calais* [1765] in 1808, bewijst tenslotte dat Bilderdijk ook deze treurspelen van Belloy heeft gekend.[1568] Zoals al eerder vermeld, had Bilderdijk in 1779 kritiek op de *Iphigénie en Tauride* [1757] van Guimond de la Touche. Hij meende dat de eenheid van daad niet goed in dit treurspel is volgehouden, achtte het verloop van de handeling hier en daar onwaarschijnlijk maar noemde het desondanks: 'een stuk dat zeer veel schoons heeft, en meer een goede navolging verdiende dan zeer vele andere'.[1569]

[1562] TDV. I, p. 185.

[1563] Smit, p. 61 e.v.; Robertson (1939), p. 205 e.v. Voor 'theoretische' verwantschappen van de jonge Bilderdijk met Voltaire, zie ook Bosch (1955), p. 43, 208.

[1564] *Eerste Boek*, hfdst. VII, par. 4.

[1565] Zie hfdst. XIV, par. 3 en het *Eerste Boek*, hfdst. IV, par. 7. In de collectie-Leeflang van het Letterkundig Museum te 's-Gravenhage bevindt zich in map hschr. B 583 adversaria 4, een aantal citaten uit Voltaires *Artémire, Marianne en Adelaïde du Guesclin*; vgl. ook Trsp., p. 229, en Bydragen, p. 136, waar waardering voor Voltaires *Agathocle* blijkt.

[1566] Trsp., p. 228; La Harpe; dl. VI, p. 383 e.v.; dl. VII, p. 162 e.v.; vgl. Robertson, p. 217, noot 4.

[1567] Trsp., p. 198, 231; La Harpe, dl. XII, p. 305 e.v.

[1568] DW. XV, p. 12; Trsp., p. 158.

[1569] DW. XV, p. 13, 22; vgl. het oordeel van La Harpe, dl. XII, p. 226 e.v. Van het stuk van Guimond de la Touche was al in 1771 een Nederlandse vertaling verschenen: Worp, dl. II (1908), p. 312. Zie illustratie nr. 8.

Crébillon komt onder meer ter sprake in Bilderdijks verhandeling over *Het naïve* (1809 en 1821). Bilderdijk vestigde de aandacht op het grote gebaar van de titelheld in *Pyrrhus* [1726], die aan de tiran die hem doden wil zijn identiteit zonder vrees openbaart maar daarbij helaas te veel praat. De passus mist daardoor de ware naïviteit en is eigenlijk ook niet echt 'verheven'.[1570] Bilderdijk zelf deelde al mee dat deze opinie 'algemeen' is en ik kan daaraan toevoegen dat hij ze bijvoorbeeld heeft kunnen aantreffen bij zijn landgenoot Hiëronymus van Alphen en (in enigszins andere vorm) bij La Harpe.[1571] Duidelijker was Bilderdijk over Crébillon in zijn treurspelverhandeling van 1808. Zich waarschijnlijk herinnerend wat hij bij Mercier – en vooral bij Lessing – aangaande Crébillon had gelezen, wist Bilderdijk te melden dat deze dichter de bijnaam 'den Verschrikkelijke' heeft verworven vanwege zijn voorkeur voor schrikaanjagende onderwerpen. Crébillon kwam daartoe, omdat hij besefte dat de toneelpoëzie tot 'oratorie' was gedegenereerd.[1572] Wie de anno 1910 verschenen *Etude sur le drame en France au XVIIIe siècle* van Félix Gaiffe raadpleegt, kan vergelijkbare opmerkingen met betrekking tot Crébillon aantreffen.[1573]

Al eerder is gebleken dat Bilderdijk in de stijl van Racine de kiemen tot de latere verwording van het Franse treurspel meende te ontdekken, en dat hij een verkeerde invloed toeschreef aan Voltaire. Naar aanleiding van Crébillon sprak Bilderdijk in 1808 opnieuw over de 'oratorie' van de latere Franse toneeldichters. Hij meende dat die redenarij het natuurlijk gevolg was van de grote populariteit van de tragedie in Frankrijk, waardoor de smaak van het 'ondichterlijk algemeen' invloed kreeg op de stijl en de ware verheffing onmogelijk maakte. Daarenboven ging men het werk van de grote toneeldichters zonder meer tot maatstaf nemen.[1574] Al eerder is geconstateerd dat Bilderdijk bij dergelijke beweringen verwees naar een kort tevoren verschenen artikel in *Le vrai Hollandais*. Maar ik acht het niet uitgesloten dat zijn zienswijze eveneens teruggaat op herinneringen aan Merciers *Nouvel essai sur l'art dramatique* (1773), waarin de verzwakking en het gebrek aan vuur van de Franse poëzie rechtstreeks in verband wordt gebracht met de navolging der 'élégance' van Racine en Boileau.[1575] Al in 1779 sprak Bilderdijk van het verval van de Franse smaak en nog in 1823 schreef hij dat de Franse toneelwetgeving het treurspel heeft verlaagd tot een soort invuloefening.[1576] De praktijk van het Franse treurspel na Racine vond Bilderdijk zonder meer beneden peil. In de verhandeling *Het treurspel* leest men dat er over te twisten valt of het uit de mysteriespelen ontstane Spaanse treurspel als vertoning van een 'gebeurtenis', al dan niet moet worden gesteld boven de nieuwe Franse tragedie,

---

[1570] TDV. II, p. 120, 160 (vgl. p. 81 e.v.).

[1571] Van Alphen, dl. I, p. 107; La Harpe, dl. XII, p. 127.

[1572] Trsp., p. 201; Mercier (1778), p. 68; Lessing (1958), p. 291 (Stück 74).

[1573] Gaiffe (1910), p. 24, 25.

[1574] Trsp., p. 201, 202; vgl. DW. VII, p. 412. Vgl. hfdst. VIII, par. 3.

[1575] Mercier, p. 321, 322.

[1576] DW. XV, p. 4; Bydragen, p. 87.

die niet meer is dan een 'geest- en zielloos geraamte'. En hoewel Bilderdijk ervan overtuigd was dat er in Nederland zeer weinig dichters zijn die een goed stuk in de Franse trant hebben geschreven, meende hij dat de Nederlandse resultaten toch nog beter zijn dan die van de Fransen na Racine.[1577] In het leerdicht *Het tooneel* (1808) leest men:

> Ja, Frankrijk, Frankrijk-zelf, zoo prat op zijn' *Racine,*
> Wat geeft het, dat den naam van Treurspel nog verdiene?
> Een *Blanche et Montcassin*, en zulke onzinnigheên!
> Een' gruwbren *Fenelon*-! De Hemel hoed' ons, neen!
> Daar, daar ook woei die wind van Brit en Duitschers over,
> Die 't Treurspel tot een school van booswicht maakte en roover,
> De zede en Godsdienst stoorde en Dichtkunst heeft verwoest.
> Neen, liever zij mijn stem in long en keel verroest![1578]

Dit citaat blijkt nog Bilderdijks oordeel over twee Franse treurspelen te bevatten. Het eerste moet wel *Les Vénétiens* van V.A. Arnault zijn, dat hier in 1802 werd vertaald door A.L. Barbaz, onder de titel *Blanka en Montcassin, of de Venetianen*.[1579] Kollewijn dacht ten onrechte dat Bilderdijk met de naam Fénelon de auteur van die naam zou hebben bedoeld.[1580] In werkelijkheid doelde Bilderdijk op de tragedie *Fénelon ou les religieuses de Cambrai* van Marie-Joseph de Chénier, welk stuk in 1796 was vertaald door P.J. Uylenbroek.[1581] Blijkens een aantekening bij zijn leerdicht, meende Bilderdijk dat in het treurspel *Fénelon* de woorden van de Heiland worden verdraaid om onzedelijkheid te rechtvaardigen.[1582] Het hoeft ons daarom niet te verwonderen dat volgens Bilderdijks *Exposé touchant l'état déplorable de notre théâtre* (1809) het verval van het Nederlandse toneel na 1755 onder meer bleek uit opvoeringen van Chénier, en dat volgens het onuitgegeven geschrift *Consideratien over de Aanmoediging der Tooneelpoëzy* (1808-1809) de 'Fénelon' niet in Nederland zou mogen worden gespeeld op grond van zedelijke bezwaren. Die zedelijke bezwaren hebben ook te maken met Bilderdijks streven om toneelstukken te weren die gericht waren tegen het (door koning Lodewijk beleden!) katholiek geloof. Het treurspel van Chénier behoort namelijk, evenals de in het *Eerste*

[1577] Trsp., p. 136, 141. Vgl. noot 723.

[1578] DW. VII, p. 21.

[1579] Worp, dl. II, p. 431.

[1580] Kollewijn, dl. I, p. 453.

[1581] Dit stuk wordt vermeld door H.G. Martin, *Fénelon en Hollande*, Amsterdam 1928, p. 62, wie Bilderdijks oordeel kennelijk onbekend was.

[1582] Bilderdijk schrijft in zijn aantekening (DW. VII, p. 411) dat de (niet genoemde) vertaler van *Fénelon* dezelfde afkeer van dat stuk zou hebben gehad 'indien hy 't recht doorgrond had'. In een brief van januari 1798 roept Bilderdijk zijn vriend Uylenbroek rechtstreeks ter verantwoording voor het feit dat hij zijn 'tijd en kunst' heeft besteed aan een stuk 'waar in 't Evangelie zo godloos mishandeld wordt als in dat onchristelijk samenstel' (Br. I, p. 213). De in Chéniers stuk optredende bisschop Fénelon heeft als historische referent de auteur Fénelon die de *Méditations* schreef waardoor Bilderdijk werd geïnspireerd toen hij zijn beroemde gedicht *Gebed* (1796) schreef: De Jong (Toegang, 1964), p. 18 en De Jong (Une prière, 1994), p. 77 e.v.

Boek besproken vertalingen van A.L. Barbaz, tot de antipaapse stukken over kloosterdwang.[1583]

Van de zojuist besproken Franse auteurs was Voltaire zonder twijfel het meest bekend bij Bilderdijks tijdgenoten en dat blijkt niet alleen uit de door H.J. Minderhoud verhaalde lotgevallen van *La Henriade dans la littérature hollandaise*.[1584] Of er in Nederland adellijke dochters waren die, zoals in Duitsland, naar tragische heldinnen van Voltaire waren genoemd, is mij onbekend.[1585] Het is echter een feit dat de verfransing van het Hollandse hof onder meer blijkt uit de kennis van Voltaires dramatisch oeuvre die stadhouder Willem de Vijfde ten toon spreidde bij wijze van gezelschapsspel.[1586] Drieëntwintig treurspelen van 'de verheven Voltaire zelf' (Van Engelen) werden in Nederland soms bij herhaling vertaald, en van de achttiende-eeuwse oorspronkelijk Nederlandse stukken zijn er verschillende waarin de invloed van de beroemde Fransman duidelijk aanwijsbaar is.[1587] Rijklof Michael van Goens was waarschijnlijk een van de weinige Europees georiënteerde letterkundigen die niet door Voltaire (althans niet in diens kwaliteit van dramaturg) werd geïmponeerd. Zoals al eerder gezegd, had Van Goens nu eenmaal weinig belangstelling voor het Frans-klassieke treurspel.[1588]

Hiëronymus van Alphen schreef in 1775 dat hij Voltaire als mens moest verachten maar hem als dichter moest navolgen en aanprijzen. Het werk van Voltaire leverde hem vooral voorbeelden van vernuftige en fijne stijl, maar daarnaast had hij bijvoorbeeld kritiek op het ontbreken van waarachtig sentiment in de treurspelen *Sémiramis* en *Brutus*.[1589] Voltaire en Crébillon worden door Van Alphen met ere genoemd als auteurs die 'zo ver ik weet' nooit hun beroemde voorgangers Corneille en Racine hebben nagebootst. Zijn later bij Bilderdijk terugkerende opmerking over Crébillons *Pyrrhus,* werd hiervoor al besproken.[1590]

Vooral als gezaghebbende theoreticus treft men Voltaire aan in de treurspelverhandeling van Rhijnvis Feith (1793), die van mening was dat *Zaïre* in structureel opzicht zelfs de *Cinna* van de zozeer bewonderde Corneille overtreft.[1591] Jan Nomsz, wiens herhaaldelijk opgevoerde Zaïre-vertaling verscheen in 1777, was het daar

---

[1583] Vgl. voor de door Barbaz (en Uylenbroek) vertaalde antimonastieke, (= antipapistische) stukken: *Eerste Boek*, hfdst. VI, par. 3. (De *Consideratien* vormen de *Bijlage* achterin dit *Tweede Boek*: vgl. Tyd. II, p. 309)

[1584] H.J. Minderhoud, *La Henriade dans la littérature hollandaise*, Paris 1927.

[1585] Korff, erster Halbband, p. 78.

[1586] Smit (1929), p. 8, noot 1; vgl. Wille (1937), p. 332 e.v.

[1587] Minderhoud, p. 1 en 2; Van Schoonneveldt (1906); A.G. van Melle, 'De bronnen van Van Winter's Monzongo en Menzikoff', *De nieuwe taalgids* 1959, p. 27 e.v. Vgl. A. de Haas in *Mededelingen van de stichting Jacob Weyerman* 25 (2002) 3, p. 153-166, die Bilderdijk apart ziet van de vooral door Voltaire geïnspireerde andere Nederlandse treurspelschrijvers.

[1588] De Boer (1938), p. 89, 103; vgl. voor Van Goens en Hemsterhuis de vorige paragraaf.

[1589] Van Alphen, dl. I, p. VIII, XVII; dl. II, p. 148, 163; De Koe, p. 50.

[1590] Van Alphen, dl. I, p. XVII, 107.

[1591] Feith, p. 14.

wellicht mee eens, maar dat Johannes Kinker er misschien anders over dacht, zou men kunnen vermoeden op grond van de niet onaardige parodie die hij in 1785 van Voltaires stuk heeft gepubliceerd.[1592] Maar bepalen we ons tot Rhijnvis Feith. Wat hem onder meer van Bilderdijk onderscheidt, is zijn bewondering voor Chénier, die blijkt uit zijn in de vorige paragraaf besproken politieke verklaring voor de eenvormigheid van de karaktertekening in de Franse treurspelen. Gezien de staatkundige overtuiging van Rhijnvis Feith, hoeft dit verschil in waardering ons geenszins te verwonderen.[1593] Wat mij, terloops gezegd, wél verwondert, is de bewering in de dissertatie van Ten Bruggencate, volgens welke Feith de herkomst van zijn opinie (namelijk: M.J. Chénier) in dezen niet zou willen erkennen. Het tegendeel blijkt uit zijn verhandeling.[1594] Feith toont zich ook in zijn literaire waardering van het Franse treurspel een man van de 'vooruitgang'. Hij maakt (evenals onder anderen Saint-Evremond, Fénelon en Brumoy) weliswaar bezwaar tegen de koketterie en de verliefde intriges waarzonder het de Fransen schijnbaar niet stellen kunnen, maar aan de andere kant schrijft hij met overtuiging: 'de Modernen (men vergeve mij deze heiligschennis, of beklage mijn onkunde) hebben de kunst tot eene grootere volmaaktheid gebragt, dan ze ten tijde van Sofokles was en zijn kon.' Ondanks de herhaaldelijke lof voor Voltaire in zijn tijdschrift *Amstels schouwtoneel*, zou A.L. Barbaz zo'n uitspraak zeker niet onderschrijven. Hij prees Voltaire onder meer omdat hij in zijn treurspelen *Oreste* en *Les lois de Minos* de geest en gebruiken van de oude Grieken op klassieke wijze had weergegeven.[1595]

Een duidelijke echo van Bilderdijks mening over het latere Franse treurspel valt te beluisteren in de bekende comparatistische verhandeling van Willem de Clercq (1823). Hij was van mening dat na Racine bij de Fransen de gewoonte ontstond 'om alles op dezelfde hoogdravende en dichterlijke wijze uit te drukken' en zich daardoor de spot van de Duitsers op de hals te halen. De Clercq noemde in dit verband de naam van Voltaire, wiens *Zaïre* hij tevoren al naast Corneilles *Cid* had geplaatst om aan te tonen dat de Fransen steeds hevigere effecten zochten teneinde de verstompte gevoelens van hun publiek te kunnen treffen en 'nog eenigen indruk te veroorzaken.'[1596]

[1592] Rispens (1960), p. 117, 120, 131. Blijkens zijn 'Ode aan Voltaire' (1817) bewonderde Kinker de Franse auteur niet alleen als bestrijder van de r.k. kerk maar ook als toneeldichter ('Thalia' en 'Melpomeen'): tekst in Vis (1982), p. 230-233. (Vgl. in verband met Voltaire's *Zaïre* de bespreking van Bilderdijks onvoltooide treurspel over mammelukken in het *Eerste Boek*, hfdst. VII, par. 4.)

[1593] Vgl. De Jong (De eerste auteur ... II, 1957), p. 205 e.v.

[1594] Ten Bruggencate (1911), p. 60; Feith, p. 75, 81, 82.

[1595] Feith, p. 73, 74, 87, 34; Folkierski, p. 283, 287; Brumoy, dl. I, p. 199, 214; Barbaz (die in 1812 een nieuwe vertaling van *Oreste* bezorgde) in *Amstels schouwtoneel* 8 (22-2-1808) en 59 (17-4-1809). Vgl. zijn Voltaire-besprekingen in de nummers 8, 17, 21, 22, 61, 65, 75.

[1596] De Clercq (1822), p. 217, 211.

4. Diderot, Mercier en Molière

In zijn *Voorafspraak* van 1779 schreef Bilderdijk dat de drama's of burgerlijke toneelspelen misschien wel mogen worden beschouwd als een voornaam bewijs voor het verval van de Franse smaak en geest.[1597] Blijkens de in 1808 verschenen verhandeling *Het treurspel*, zag hij Voltaire als wegbereider tot de vernieuwing die de 'bastaardsoort' tot gevolg zou hebben.[1598] Hoewel deze mening zeker waarheid bevat, mag worden vastgesteld dat vooral de namen Diderot en Mercier onafscheidelijk aan het nieuwe genre verbonden blijven.[1599] In Bilderdijks Franse voorwoord bij Brisseau Mirbels *Exposition et défense de ma théorie de l'organisation végétale* (1808) staan enkele epistemologische uitspraken die verwantschap (of: invloed?) vertonen van Diderot. Dit verhinderde Bilderdijk niet om Diderot in 1823, met onder anderen Voltaire, te rangschikken onder de verwerpelijke filosofen van de moderne tijd.[1600] Uit de voorafgaande hoofdstukken is ons gebleken dat in Bilderdijks dramaturgie wel enige overeenkomsten met Diderot zijn aan te wijzen. Maar zijn naam treft men zelden aan. Als Bilderdijk in 1808 over de comédie larmoyante schrijft, noemt hij terloops Diderot, Mercier en de 'Duitscheren' als promotoren van dat genre.[1601]

Duidelijker was hij in het voorwoord bij zijn tweede Sofoclesvertaling van 1789. Daar leest men de kwalificatie: 'Diderot, die een van de beste leermeesters der Tooneeldichtkunst zal zijn, zoo dra men hem verstaan, en niet navolgen zal'.[1602] Deze (aan Lessing herinnerende) uitspraak, suggereert meer waardering voor Diderots theorie dan voor diens praktijk als dramaturg.[1603] En inderdaad: tien jaar tevoren al had Bilderdijk in de *Voorafspraak* bij zijn eerste Sofoclesvertaling de 'Vader des Huisgezins' genoemd als voorbeeld van een burgerlijk toneelstuk waarin allerlei kleinigheden worden vertoond die niets met de hoofddaad te maken hebben.[1604] Het is niet moeilijk om in de door Bilderdijk genoemde titel Diderots beroemde en door Lessing vertaalde *Le père de famille* te herkennen, waarvan in 1773 een Nederlandse versie door H. van Ellervelt was verschenen.[1605]

[1597] DW. XV, p. 4.

[1598] Trsp., p. 136.

[1599] Vgl. Gaiffe (1910), p. 25 e.v. Vgl. hfdst. II, par. 3 + 4.

[1600] Smit (1929), p. 142, 143, 178.

[1601] Trsp., p. 106.

[1602] DW. XV, p. 42.

[1603] Bij de tweede uitgave van zijn vertaling van Diderots toneelwerk (1781) schreef Lessing met dankbaarheid over zijn verplichtingen aan Diderot; hij noemde hem de meest wijsgerige geest die zich na Aristoteles met het toneel heeft beziggehouden. Zie: Prinsen (1911), p. 451 en vooral de door K.D. Müller bezorgde Diderot-vertalingen van Lessing (1986).

[1604] DW. XV, p. 22.

[1605] Worp, dl. II, p. 308; over Lessings vertaling: Mortier (1954), p. 58 en Robertson (1939), p. 93, 341.

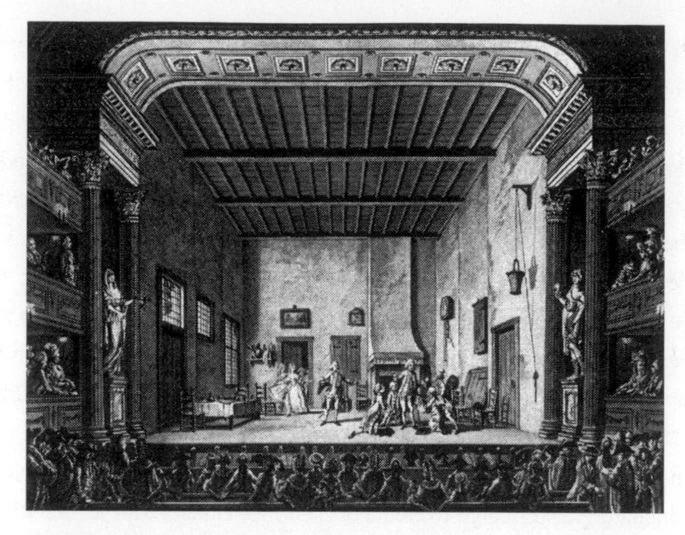

21. Slotscène van Diderots *Le père de famille* in de vertaling van H. van Elvervelt (1773), zoals gespeeld in de Amsterdamse schouwburg.

Gegraveerd door J. van Dreght en afgedrukt in Monteyne (1949), p. 282 (collectie-Rondel, Bibliothèque de l'Arsenal, Parijs).

Een burgerlijk toneelspel dat tegelijk met Diderots drama en om dezelfde reden door Bilderdijk werd veroordeeld is de 'Deugdzame Armoede', waarmee zonder twijfel *L'Indigent* van L.S. Mercier in de vertaling van J.J. Hartsinck is bedoeld.[1606] In dit stuk 'vallen' de bijfiguren volgens Bilderdijk 'uit de lucht': een acrobatisch kunststukje dat hij ook waarneemt in de *Azijnkooper*.[1607] Het origineel van Mercier is *La brouette du vinaigrier*, waarvan een andere Nederlandse vertaling de meer juiste titel *De kruiwagen van den azijnverkooper* draagt.[1608] Bilderdijk heeft de fouten in de hier genoemde drama's nog eens extra toegelicht in zijn *Brief van den navolger van Sofokles Edipus*, die in 1780 verscheen.[1609] Ook later heeft hij zich met minachting over Mercier uitgelaten. In 1808 noemde hij hem een wegbereider voor de Duitse beuzelarijen en in 1815 verweet hij Mercier gebrek aan literaire smaak.[1610] In de *Voorafspraak* van 1779 heet het dat Mercier zich voordoet als een braaf en vaderlandslievend burger en 'een vriend des menschdoms', die het zedelijk gebrek van het Franse toneel zou willen verbeteren: een loffelijk streven, waarin hij echter 'allerongelukkigst geslaagd' is. In Merciers theorie komen verstandige opmerkingen voor, maar in zijn praktijk verwaarloost hij die op jammerlijke wijze.

[1606] DW. XV, p. 22; Worp, dl. II, p. 316.

[1607] DW. XV, p. 9; Smit, p. 75, vertaalt de Nederlandse titel terug als 'Le marchand de vinaigre'.

[1608] Worp, dl. II, p. 316; Gaiffe, p. 367 e.v. Vgl. hfdst. III, par. 2.

[1609] Brief navolger, p. 21.

[1610] Tyd. II, p. 119, 308. Vgl. de aantekening bij het leerdicht *De ziekte der geleerden* (1807), in DW. XVI, p. XVI.

Bovendien dacht Mercier het zonder de eenheden van tijd en plaats te kunnen stellen en verwierp hij de reien, omdat hij er geen nut uit wist te trekken. Tenslotte concludeerde Bilderdijk: 'Ongelukkig zijn dezen schrijver de gedenkstukken der Oudheid niet genoegzaam bekend; nog ongelukkiger heeft hem 't vooroordeel voor 't weinige schoon, dat hij heeft kunnen waarnemen, verblind; en allerongelukkigst laat hij zich zodanig door zijne hersenschimmen verbijsteren, dat hij dikwijls niet weet, wat hij wille; tot zo verre zelfs dat hij, op de eene bladzijde roemt, het geen hij op de andere met drift heeft veroordeeld.'[1611] Ondanks deze negatieve conclusie in 1779 is ons gebleken dat Bilderdijk in zijn verhandeling *Over Ossiaan en deszelfs Fingal* (1805) met instemming een uitspraak van Mercier over de ware aard van de dichter citeerde.[1612] Hij voegde daar echter aan toe dat dit citaat 'verre boven' het werkelijk niveau van Mercier moet worden geacht! Dat niveau was nochtans niet zo laag, of er kunnen treffende overeenkomsten tussen uitspraken van Bilderdijk en Mercier worden aangewezen.[1613] Ik herinner aan de hiervoor gesignaleerde meningen van Bilderdijk over Seneca, Corneille en Racine.[1614] Ook Bilderdijks opinie over Molière en Boileau schijnt erop te bewijzen dat Mercier weleens meer boven het niveau uitkwam dat Bilderdijk hem had toegewezen. Tot een soortgelijke conclusie leidt de lezing van Bilderdijks lyrische leerdicht *De kunst der poëzy*.[1615]

De naam Molière komt niet dikwijls voor in Bilderdijks geschriften. In 1808 wist hij te melden dat Molière 'verscheiden zijner Blijspelen' aan de Italianen dankt en in 1821 deelde hij mee dat de titelheld van Molières *L'Avare* zich op een gegeven ogenblik rechtstreeks tot het publiek wendt: aldus vergetend dat hij slechts toneelspeler is en geen werkelijk individu.[1616] Andere blijspelen van Molière die Bilderdijk heeft gekend, zijn *Le malade imaginaire*, *Le bourgeois gentilhomme* en *Tartuffe*. Over de eerstgenoemde stukken spreekt hij slechts terloops en zonder daarbij in te gaan op hun verdiensten.[1617] Over de *Tartuffe* bestaat een al door Kollewijn gekend afwijzend oordeel, dat Bilderdijk ongepubliceerd heeft gelaten en waarvan ik het handschrift terugvond in het Letterkundig Museum te 's-Gravenhage.[1618] Bilderdijk spreekt daarin over 'de schandelijke Molière' en zijn 'Helsche stuk', waarin een vrouw zich met medewerking van haar echtgenoot aanbiedt

---

1611 DW. XV, p. 24.

1612 *Fingal, in zes zangen naar Ossiaan*, dl. II, Amsterdam 1805, p. 129; vgl. hfdst. VII, par. 1.

1613 Smit (1929), p. 76, 77. Ook bij zijn in hfdst. V, par. 2, besproken uitspraak over de 'eenheid van belang' beroept Bilderdijk zich op Mercier, wiens vier bundels *Mon bonnet de nuit* (1784 -1786) Bilderdijk, blijkens zijn adversaria, met de pen in de hand heeft doorgewerkt.

1614 Zie ook Smit, p. 56, 23, 53, 28.

1615 Zie hfdst. VII, par. 3 en Smit, p. 42, 43. Een soortgelijke afkeer van classicistische Parnaswetgevers als in Bilderdijks *De kunst der poëzy* blijkt uit Schillers voorbericht bij *Die Räuber* en ook hier kan als voorbeeld Mercier worden geciteerd: Hofer (1977), p. 88.

1616 Trsp., p. 181; TDV. II, p. 133, 134.

1617 Een aantekening over *Le malade imaginaire* bevindt zich op een kladblaadje in het Bilderdijk-Museum te Amsterdam, onder nr. A2³; in de verhandeling *Van het letterschrift*, Rotterdam 1820, p. 55, waardeert Bilderdijk als 'fonetisch' grapje dat Jourdan wordt wijsgemaakt dat de mondstanden van de klinkers een imitatie van het letterbeeld zijn: zie hfdst. IX, par. 1.

1618 Kollewijn, dl. II, p. 447; collectie-Leeflang, Ltk. Museum, hschr. B 583.

en prostitueert om iemand in een strik te lokken. Kennelijk was hij dus niet overtuigd door de energieke verdediging van de bedoelde scène ('près de l'extrême indécence'), die hij heeft kunnen aantreffen bij La Harpe.[1619] Bilderdijk schrijft verder dat hij zich in het Koninklijk Instituut tegen de opvoering van *Tartuffe* heeft verzet. Wie zijn onuitgegeven *Consideratien over de aanmoediging der tooneelpoëzy* raadpleegt, vindt Molières komedie inderdaad vermeld bij de toneelspelen die Bilderdijk op morele gronden. van het repertoire wilde uitsluiten.[1620] Wij kunnen hierbij aantekenen dat een dergelijke houding tegenover Molière geenszins uitzonderlijk was in die tijd. Naast de lof die de Franse blijspeldichter werd toegezwaaid door figuren als Voltaire, Diderot en Goethe, treft men afwijzingen in naam der deugd onder meer aan bij Rousseau, Curtius, Sulzer en Mercier: opmerkenswaard is dat laatstgenoemde een gunstige uitzondering maakt voor de door Bilderdijk zo gehate *Tartuffe*![1621]

De waardering voor Diderot en Mercier bij Bilderdijks land-en tijdgenoten, hangt ten nauwste samen met de geschiedenis van het burgerlijk drama. Merkwaardig is de blijvende bewondering voor Diderots dramatisch werk bij een man als Hemsterhuis, die de Franse auteur had leren kennen toen ze in 1774 gezamenlijk om de rokken van prinses de Gallitzin draaiden.[1622] Uiteraard werden Diderot en Mercier in Nederland bewonderd door Cornelis van Engelen die, als 'wegbereider voor onze nationale romantiek' zijn aandeel heeft geleverd 'tot de vernieuwing van de esthetiek in ons land'; een vijand vond Mercier daarentegen in Simon Styl en een verdediger in de toneelspeler Marten Corver.[1623] In de zeventiende eeuw hebben onze vertalende voorvaderen niet alleen de zedenleer in sommige stukken van Molière met woorden aangedikt, maar ze bestonden het bovendien de karakters van bepaalde dramatis personae in zedelijk opzicht te corrigeren.[1624] Behalve lof van onder meer Justus van Effen, De Perponcher en zelfs van de a-dramatische Van Goens, zien we ook in de achttiende eeuw morele bezwaren ten aanzien van Molières oeuvre.[1625] Zo bij Rhijnvis Feith en Van Engelen. Evenals Mercier, en in tegenstelling tot Bilderdijk, maakte de uitgever van de *Spectatoriaale schouwburg* een uitzondering voor de

---

[1619] La Harpe, dl. VII, p. 100.

[1620] Zie de *Bijlage* achterin dit *Tweede Boek*.

[1621] Wellek, dl. I, p. 44, 59 (vgl. Wellek, dl. II, p. 67, en Titsworth (1912), p. 534, over de afwijzing van Molière door A.W. Schlegel); M.C. Curtius, *Verhandeling over de personen en voorwerpen van het blyspel* in *Aristoteles verhandeling over de dichtkunst…*, Amsterdam 1780, p. 80; Ten Bruggencate, p. 175 (Sulzer); Mercier (1773), p. 86 e.v., 59, 91. Tegenover deze kritiek staat in Mercier (1778): 'L'homme vraiment précieux est donc Molière: c'est l'Auteur Dramatique dont les François peuvent réellement s'enorgueillir.' (p. 144). Hilman (1879), p. 268, 269, vermeldt het leugenverhaal volgens welk een pastoor aan de beroemde actrice Ziezenis-Wattier op haar sterfbed geestelijke bijstand had geweigerd omdat zij in *Tartuffe* had gespeeld.

[1622] Brummel (1925), p. 66, 139. E. Trunz (red.), *Fürstin Gallitzin und ihr Kreis Quellen und Forschungen*, Münster 1955.

[1623] Wijngaards (1964), p. 75; Wijngaards (1965), p. 155. Te Winkel, dl. III (1910), p. 592.

[1624] H.E.H. van Loon, *Nederlandsche vertalingen naar Molière uit de 17de eeuw*, 's-Gravenhage 1911, p. 103, 104.

[1625] Valkhoff, p. 75; De Boer, p. 103; Reijers, p. 138.

Tartuffe: een stuk waaraan trouwens al door Pieter Langendijk een lofdicht was gewijd.[1626] Bilderdijks uitzonderlijke vijandschap tegenover *Tartuffe* hangt volgens mij samen met zijn herhaalde verdedigingen van de 'heiligheid en onschendbaarheid des huwelijks'. Die vijandschap heeft daardoor een (paradoxaal) persoonlijk karakter.[1627]

[1626] Ten Bruggencate, p. 175; Spect. schouwburg, dl. I, p. 69; C.H.Ph. Meijers (Pieter Langendyk, 1891), p. 44.

[1627] Bilderdijks schriftelijke pleidooien voor de heilige onschendbaarheid van het huwelijk gingen, in de eerste jaren van zijn overspelige 'relatie' met de jonge Katharina Wilhelmina Schweickhart, onder aanroepingen van God, gepaard met emotionele en juridische huichelarij en bedrog. De teksten en feiten hieromtrent werden door Bilderdijks gereformeerde bewonderaars gedurende meer dan anderhalve eeuw omzwachteld c.q. verborgen gehouden en leidden in de jaren zestig van de vorige eeuw tot een polemiek tussen prof. dr. J. Bosch, secretaris van de in de V.U. te Amsterdam gedomicilieerde vereniging Het Bilderdijk-Museum, en mijzelf. Zie Bosch in *De nieuwe taalgids* 58 (1965), p. 289 e.v., 60 (1967), p. 100 e.v. en in *De gids* 129 (1966) 9, p. 285; De Jong in *De gids* 127 (1964) 8, p. 171 e. v., 129 (1966) 6, p. 52 e.v., 129 (1966) 9, p. 285 e.v. en in *De nieuwe taalgids* 60 (1967) 2, p. 91 e.v.; vgl. Joost Kloek en Joris van Eijnatten in M. van Hattum e.a. (2008), p. 187-203, 305-306 en Wim Zaal in *Elsevier*, 3-9-1966, p. 71. Een sinds de jaren negentig opgetreden meer open (en moreel afwijzende) houding t.a.v. Bilderdijks biografie ging bij historici aan de V.U. gepaard met de stelling dat Bilderdijk meer dan anderhalve eeuw lang ten onrechte is beschouwd als 'voorloper en wegbereider' van de 'protestantse orthodoxie': Schutte (1991); Van Eijnatten (1996 en 1998). (Vgl. Van Hattum in *Het Bilderdijk-Museum* 9 (1992), p. 20 en hfdst. XX, par. 4, laatste deel.)

HOOFDSTUK XVII

HET NEDERLANDSE TONEEL

1. Algemeen

In 1823 publiceerde Willem Bilderdijk zijn *Bydragen tot de tooneelpoëzy*. Deze bundel opstellen werd ingeleid door een Voorafspraak, waarin de schrijver een vluchtig overzicht geeft van de Nederlandse toneelgeschiedenis. Hij eindigde met de mededeling: 'het ontbrak nooit aan eigen vindingen, naar den smaak van den tijd waarin zy verschenen; maar nooit heeft het tooneel by ons een eigen Nationaal karakter gehad.'[1628] In dat zelfde jaar 1823 verscheen het zesde deel van de *Werken der Hollandsche Maatschappy van fraaye kunsten en wetenschappen*. Dit boekdeel opent met een bekroonde verhandeling van P. van Limburg Brouwer, waarin antwoord wordt gegeven op de omvangrijke vraag: 'Bezitten de Nederlanders een Nationaal Tooneel met betrekking tot het Treurspel? zoo ja, welk is deszelfs karakter? zoo neen, welke zijn de beste middelen om het te doen ontstaan? is het in het laatste geval noodzakelijk eene reeds bestaande School te volgen, en welke redenen zouden eene keus hierin moeten bepalen?'

Na vierenzestig bladzijden concludeerde Van Limburg Brouwer dat het antwoord op het eerste deel van de gestelde vraag *ontkennend* moet luiden. Hij kwam met andere woorden tot dezelfde conclusie als Bilderdijk, hetgeen misschien mede verklaard kan worden uit het feit dat de auteur, blijkens een andere publicatie, aan onze dichter het talent toeschreef 'om diegenen, die zijne hoogheid erkenden ... te betooveren.'[1629] Bilderdijk had zijn stelling van 1823 immers al eerder aangekondigd. Ook uit zijn verhandeling *Het treurspel* van 1808 blijkt dat hij niet geloofde aan een Nederlandse dramaturgie die zich door een eigen karakter van die van andere naties zou hebben onderscheiden. In een globaliserend historisch overzicht schreef hij dat Nederland, evenals de andere Europese landen, gedurende de middeleeuwen de zogenaamde mysteriespelen heeft gekend. Deze oorspronkelijk religieuze spelen verdwenen nadat ze waren verbasterd tot kermisklluchten, als gevolg van de voorkeur voor vernieuwende verscheidenheid die gepaard ging met 'logheid en dartelheid' van de clerus. In Spanje en Engeland ontstonden toen de 'historische' stukken waarvan Bilderdijks omschrijving al in de hoofdstukken XIII en XIV ter sprake is gekomen. Het zogenaamde 'historiespel' was niets meer dan een romantiserende en ongestructureerde uitbeelding van een geschiedenis, of van gebeurtenissen uit de (nationale) geschiedenis. Dit wereldse schouwspel vertoonde dezelfde vormgeving of liever: hetzelfde gebrek aan dichterlijke vormgeving als het vroegere mysteriespel en het zocht zijn kracht vooral in vertoningen en verwikkelingen.

[1628] Bydragen, p. 11.

[1629] Kollewijn, dl. II, p. 423; Van Limburg Brouwer (1823), p. 74.

Volgens Bilderdijk is het Pierre Corneille geweest die, uitgaande van het historiespel, het nieuwe, duidelijk gestructureerde poëtisch treurspel heeft geschapen dat bekend is als de Frans-klassieke tragedie. De grote dichter Corneille werd daarbij minder geleid door zijn (beperkte) kennis van het oude Griekse treurspel dan door zijn eigen, ingeboren gevoel voor dichterlijke 'Eenheid'.

Het Nederlands toneel nam volgens Bilderdijk geen deel aan deze ontwikkeling. De middeleeuwse mysteriespelen werden in Nederland niet vervangen door ernstige wereldse schouwspelen, maar door 'gedrochtelijke' zinnespelen van de rederijkers. In overeenstemming met een uit Italië overgenomen zucht tot allegorie, werden de vroegere bijbelse personages vervangen door zinnebeeldige figuren die de leerstukken van de kerk moesten uitbeelden zoals dat trouwens ook gebeurde in de meer satirisch gerichte Franse 'moralités' van die tijd. Bilderdijk brengt deze ontwikkeling in verband met de Nederlandse volksaard: 'Doffe maar spitsche scherpzinnigheid vervulde de plaats van genie, en fijne hekelzucht die van oordeel...'[1630]

Toen nu het tijdstip aangebroken was waarop onze voorouders de Oudheid en haar treurspelen opnieuw gingen ontdekken, lag er in Nederland voor de Griekse tragedie als het ware een open terrein. Want in tegenstelling tot andere landen, kende Nederland nog geen treurspel.[1631] Helaas was de kennis van de Oudheid destijds – dat wil zeggen in de periode dat Vondel ging optreden als toneeldichter – nog erg gebrekkig. Dat is des te betreurenswaardiger, omdat Vondel het Griekse treurspel als het ware in zijn eigen dichterlijke ziel heeft 'gevonden en daaruit opgedolven'. Maar zijn idee van deze tragedie moest uiteindelijk wel misvormd blijven, doordat Vondel afhankelijk was van de vooroordelen en het gezag van zijn geleerde tijdgenoten die zelf in kennis tekortschoten. Ondanks de grote schoonheden die erin aanwijsbaar zijn, bleef het treurspel 'by hem [= Vondel] gesticht en gebouwd, (daarom) onvolkomen'. En die onvolkomenheid heeft verhinderd dat het door Vondel geschapen Nederlandse treurspel zich kon handhaven toen de invloed merkbaar werd van een toneelsoort die volmaakter was. Deze toneelsoort is de Frans-klassieke tragedie. Men begon ten onzent Franse treurspelen te vertalen en al spoedig (vooral door toedoen van het dichtgenootschap Nil Volentibus Arduum) verschenen ook oorspronkelijke treurspelen in de Franse trant. De weinige stukken die als zodanig geslaagd zijn, werden in Bilderdijks tijd niet meer gewaardeerd. Dat kwam omdat zich nadien weer een wijziging in de smaak had voorgedaan. Ongevoeligheid voor het verhevene en voor de dichterlijke stijl waren het gevolg en ook een bijzondere voorkeur voor uiterlijk toneelvertoon dat geen inspanning van het publiek vereist. 'Alle genot van het Dichtstuk als Dichtstuk (is) verloren' klaagde Bilderdijk. Als het treurspel nog aan het

---

[1630] Trsp., p. 114-116; 171-176.

[1631] Trsp., p. 124-126.

schouwburgpubliek behagen wilde, kon dat volgens Bilderdijk alleen maar door tegemoet te komen aan de 'verdorven smaak' van het buitensporige (Engelse en) Duitse toneel.[1632]

Deze kijk op de ontwikkeling van het toneel in Nederland is niet alleen kenmerkend voor Bilderdijks treurspelverhandeling van 1808. Men kan haar zowel terugvinden in de *Voorafspraak* bij zijn vertaling van Sofocles' *Oedipus Rex* uit 1779, als in de hiervoor genoemde *Bydragen tot de Tooneelpoëzy* van 1823. Aan de hand van deze en enkele andere geschriften van Bilderdijk kunnen we zijn zienswijze enigszins nuanceren. In de tussen 1808 en 1816 gehouden lezing *Over het treurspel, in Nederland, tot op Jan de Marre*, schreef Bilderdijk uitdrukkelijk dat de geschiedenis van het eigenlijke treurspel voor de Nederlandse literatuur pas begint in de zeventiende eeuw: 'men zou onrecht hebben het Treurspel hoger te willen ophalen dan tot het tijdperk van Vondel en de oprechting van Doctor Costers Academie, die de oorsprong des Amsterdamschen Schouwburgs geweest is.'[1633] Maar de Academie van Coster had nog de smaak van de rederijkers, en in de daarnaast bestaande oude rederijkerskamer 'De Eglentier' werd het toneel volgens de Spaanse trant beoefend. Daarenboven deed zich toen al enige Engelse en Franse invloed gelden. Uit Bilderdijks *Bydragen* van 1823 volgt dat hij de toneeltoestand in het begin van de zeventiende geenszins als een gereed liggend tabula rasa voor het (gedeeltelijk!) herontdekte Griekse treurspel beschouwde. Het eerste toneelstuk van Vondel noemde hij nog 'volmaakt in de smaak van Costers Academie' en in de aantekeningen bij zijn treurspelverhandeling, wees hij de doorwerking van de middeleeuwse mysteriespelen aan in de zogenaamde 'stomme vertooningen' (tableaux-vivants) die bij de opvoering van zeventiende-eeuwse treurspelen, en met name van Vondels *Gijsbrecht van Aemstel* tot in Bilderdijks tijd gebruikelijk waren.[1634]

Vondels dichterlijke loopbaan begon in de zo juist geschetste omstandigheden, waarbij zich pas later de beschavende invloed van het Griekse treurspel voegde. Maar deze invloed kon zich, zoals gezegd, niet volledig doen gelden, vanwege de gebrekkige kennis die men toen nog van de Oudheid had.[1635] Daarbij komt nog, dat de belangstelling voor het Frans-klassieke treurspel steeds toenam. Bij de uitgave van zijn eigen treurspel *Willem van Holland* (1808), schreef Bilderdijk dat alleen Vondel de geest van het Griekse treurspel begrepen heeft en dit bij ons had kùnnen herstellen: 'had de geest van zijn' tijd hem niet, door eene vermenging van wat er onbestaanbaar meê was, op de grensscheiding gebracht, waar het Grieksc eindigt en het ware Fransche, dat by Racine – alleen te vinden is, aanvangt.'[1636] Bilderdijk vervolgde met de (hem bedroevende) constatering, dat men met de volledige opkomst van de Franse tragedie de treurspelen van Vondel 'achter den bank heeft geworpen.' Al in zijn *Voorafspraak* van 1779 had hij daarvoor de reden opgegeven

[1632] Trsp., p. 139-142; 217, 210 (vgl. p. 136, 137; 203-206).

[1633] *Over het treurspel, in Nederland, tot Jan de Marre*, overdruk uit de *Muzen-Album*, dl. I, Amsterdam 1849, p. 2.

[1634] Bydragen, p. 10, 11; Trsp., p. 190.

[1635] Bydragen, p. 11; vgl. paragraaf 2 van dit hoofdstuk.

[1636] DW. XV, p. 141.

die we hebben leren kennen uit zijn treurspelverhandeling: het zeventiende-eeuwse toneel van Vondel vertoonde gebreken (door tekort aan kennis van de Oudheid) en het werd overtroffen door het Franse treurspel, waarvan bovendien de nieuwheid en bevallige uitdrukking bekoorden. In zijn *Bydragen tot de tooneelpoëzy* schrijft Bilderdijk later dat Vondels voorbeeld weinig invloed had en 'verwoest' werd door 'een tegenstrijdigen Franschen stroomvloed', die een onafzienbare reeks vertalingen en navolgingen meebracht. Het lijkt me de moeite waard op te merken dat anderhalve eeuw later de Utrechtse hoogleraar en Vondelspecialist W.A.P. Smit, zonder enige verwijzing naar Bilderdijk en louter en alleen op grond van eigen literairhistorisch onderzoek, tot vergelijkbare conclusies is gekomen.[1637]

In 1772 werd de Amsterdamse schouwburg door brand verwoest: een opzienbarende ramp die aanleiding gaf tot vele tientallen pamfletten voor en tegen het toneel. Die polemieken gingen gepaard met heftige tegenstellingen in de schoot van de toneelwereld zelf. Men kan ze vereenvoudigenderwijze voorstellen als een strijd tussen het verheven, declamatorisch voorgedragen klassieke treurspel en het streven naar een meer realistische voordracht en toneelvorm. Bilderdijk schreef in zijn *Bydragen tot de tooneelpoëzy* dat na de schouwburgbrand van 1772 het Hollandse treurspel uit de zeventiende eeuw niet meer terugkeerde. Er ontstond een nieuw toneel 'waar de Fransche kunst en wankunst, en weldra ook de geest der Hoogduitschers, zich meester van maakten, om wat er nog van Hollandschen zweem overig was, in den grond uit te delgen.' Over dat nieuwe toneel schreef Bilderdijk uitvoerig in zijn tot koning Lodewijk Napoleon gerichte *Exposé touchant l'état déplorable de notre théâtre*, van november 1808. Het heet daarin, dat de Franse smaak heerste tot de brand van de Amsterdamse schouwburg. Nadien ontstonden particuliere toneelgroepjes, waarvan de acteurs de tragedie niet begrepen. Ze wendden zich daarom tot het 'genre mitoyen en vicieux', dat men *drama* noemt. Daarenboven leidde het ontbreken van een schouwburg tot het optreden van Duitse toneelspelers, die in Nederland de Duitse dramaturgie van het larmoyante burgerlijk toneelspel en zijn valse smaak verbreidden.[1638] Na de heropening van de Amsterdamse schouwburg in 1774, probeerde men nog de smaak voor het Frans klassieke treurspel te herstellen, maar het ontbrak daarvoor aan talentvolle acteurs. Toen gaf men zich volledig over aan de 'niaiseries des Allemands' (eerst in slechte verzen en later in proza), tot Bilderdijk in 1779 zijn eerste Sofoclesvertaling met de daarbij behorende *Voorafspraak* in het licht zond. Even scheen er een terugkeer tot de juiste toneelsmaak mogelijk, maar enkele slechte opvoeringen van Corneille deden tenslotte definitief de mening postvatten dat het tijdperk van de klassieke tragedie voorgoed voorbij was. Twee zeer machtige oorzaken droegen destijds bij tot het overdreven succes van de Duitse stukken. Ten eerste

[1637] DW. XV, p. 6; Bydragen, p. 10, 11; Smit, dl. III (1962), p. 593, 594.

[1638] Bilderdijks *Exposé* voor koning Lodewijk wordt als nr. 12 besproken in de *Lijst van theoretische geschriften* in hoofdstuk XVIII. De door Bilderdijk vermelde Duitse toneelspelers zullen de acteurs zijn geweest die al in 1776 Goethes toneelstuk *Stella* opvoerden: zie hoofdstuk XV, par. 3, noot 852.

de invloed van Duitse onderwijsinstellingen ('qu'ils appelaient du nom de Philantropins'), waar Nederlandse jongelui gingen studeren om volledig 'verduitst' en anti-Frans en anti-Hollands terug te keren. Ten tweede het Jacobijnse karakter van het Duitse toneel, dat tegemoet kwam aan de ideeën van het lagere volk en van de zogenaamde moderne filosofen.

De ontaarding van het Nederlandse toneel ging voort na de omwenteling van 1795; zelfs waren er toen vrouwelijke auteurs ('mêmes nos Dames') die in de barbaarse Duitse smaak begonnen te werken. Tenslotte schreef Bilderdijk zelf in 1808 zijn drie oorspronkelijke toneelstukken en zijn verhandeling *Het treurspel*, in de hoop op een herleving van de waarachtige tragedie en de daarvoor vereiste goede smaak.[1639] Die hoop werd niet vervuld. Evenzeer als in 1779 en in 1808, toonde Bilderdijk er zich in zijn *Bydragen* van 1823 van overtuigd dat de Nederlandse dramaturgie in een volslagen impasse verkeerde. Ik wijs op uitdrukkingen als: 'vervallende goeden smaak' 1779; 'woesten wansmaak' (1808); 'vodderyen onzer eeuw' (1808); 'het beklaaglijke verval van het Tooneel' (1808); 'l'Etat déplorable de notre théâtre' (1808); 'bedorven smaak... van eene doldriftige domme en ingebeelde menigte' (1823).[1640] Dat andere Nederlanders de mening van Bilderdijk deelden, blijkt onder meer uit de kritieken van het tijdschrift '*De tooneelkijker'* (1815-1819) en uit het vertoog *Over de vorming van een nationaal Nederlandsch tooneel*, dat Matthijs Siegenbeek anno 1817 in het licht gaf.[1641] Interessant is in dit verband een beschouwing die het tijdschrift *Vaderlandsche Letteroefeningen* publiceerde, naar aanleiding van Bilderdijks treurspel *Willem van Holland*. De criticus in kwestie spreekt er zijn vreugde over uit, dat een belangrijk dichter als Bilderdijk zijn krachten op de dramaturgie heeft beproefd. Hij hoopt dat nu ook 'andere vernuften van den eersten rang... eens ernstig (zullen gaan) denken aan den opbouw van ons *zoo vervallen en verbasterd Tooneel!*' Want ook zij behoren op hun beurt in te zien, dat het door 'kunstenaars van minder stempel' verlaagde en ontheiligde toneel, wel degelijk 'hunne edele begaafdheid en vermogens alleszins waardig is.' Daarom besluit de criticus met de wens: 'mogten wij zoo gelukkig zijn, van de eer en glorie van onzen Schouwburg op eene luisterrijke wijze hersteld te zien!'.[1642]

2. Vondel en Hooft

In het *Eerste Boek* kon herhaaldelijk worden gewezen op Bilderdijks aandacht voor het werk van Vondel. Als achttienjarige jongeling heeft Bilderdijk gewerkt aan een bijbels

[1639] Om de hier bedoelde 'herleving' te bewerkstelligen waren er volgens Bilderdijk ook maatregelen van overheidswege noodzakelijk: ze worden besproken in de vijfde paragraaf van dit hoofdstuk.

[1640] DW. XV, p. 23, dl. IX, p. 88, dl. XV, p. 139, 143; Tyd. II, p. 306; Bydragen, p. 87; vgl. ook het citaat uit het leerdicht *Het tooneel* in de eerste paragraaf van hfdst. XV.

[1641] Te Winkel, dl. IV (1910), p. 412, 415.

[1642] *Vaderlandsche Letteroefeningen* 1809, p. 296 (in overdruk aanwezig in de Koninklijke Akademie te Amsterdam, onder nr. 447, 18); ik cursiveer. Vgl. voor de bespreking van de opvoering van Bilderdijks *Willem van Holland* hoofdstuk XII in het *Eerste Boek*.

treurspel over *Jephta,* dat verplichting naast zelfstandigheid ten opzichte van Vondel vertoont; vijf jaar later volgde zijn eerste Sofocles-vertaling die getuigt van filologische kritiek en dichterlijke rivaliteit.[1643] In zijn *Orestesparodie* van rond de eeuwwisseling verwerkte Bilderdijk enkele verzen uit de *Palamedes*. Tenslotte verschenen in 1808 Bilderdijks treurspelen *Floris de Vijfde* en *Willem van Holland*: het eerste sluit mutatis mutandis aan bij de Gijsbrecht-traditie en het tweede bevat zeer duidelijk ontleningen aan het bekendste treurspel van Vondel.[1644] De houding van Bilderdijk tegenover de grote zeventiende-eeuwse dichter is al meermalen besproken. In twee wetenschappelijke publicaties is dat zeer grondig gebeurd. De eerste is van de priester B.H. Molkenboer en verscheen anno 1934 in een katholiek jaarboek; de tweede is van A.G. van der Horst en werd zeventien jaar later voorgelezen in een protestantse universiteit.[1645] Dit wil in Holland zeggen dat de eerste auteur Vondel ophemelt en Bilderdijk zo ongunstig mogelijk voorstelt, terwijl de tweede zich inspant om een sympathiek beeld te schetsen van de 'oranjegezind(e) orthodox-protestants(e)' dichter, die het Vaderland eens als banneling 'uitwierp'.[1646] Ik beschouw het niet als mijn taak de waarde van deze studies tegenover elkaar af te wegen en volsta met de vermelding van Bilderdijks voornaamste uitlatingen over Vondel als dramaturg.

Met Vondels *Gijsbrecht van Aemstel* is Bilderdijk als het ware groot gebracht. In het ouderlijke huis speelde hij samen met een jongere broer rollen uit dit treurspel, terwijl beiden waren uitgedost in papieren wapenrustingen die de toen twaalfjarige Willem zelf in elkaar had geknutseld.[1647] Hoe zeer Vondels treurspel in de familie-Bilderdijk bekend was, bewijst een rijmbrief die de jonge dichter een jaar of tien later aan zijn zusje Isabella schreef; in die tijd (1778-1779) nam Bilderdijk ook zijn nauwelijks zesjarige broertje al mee naar de schouwburg om hem een opvoering van de *Gijsbrecht* te laten meemaken.[1648] Kort daarop leverde Bilderdijk, in een bijlage bij zijn in 1780 bekroonde verhandeling, zijn eerste commentaar op het bekendste treurspel van Vondel. Hij verdedigde de dichter tegen de aanmerkingen van hen die Vondel 'ten kwade (hebben) geduid, dat hij zijner verbeelding een weinig den teugel viert, wanneer 't er op aankoomt, ons door iemand, die deel in de zaak heeft, die er levendig van aangedaan is, dien de akeligste beeldtenissen nog voor den geest zweven, de verwoesting van een gantsche Stad, de slachting der weerloze Burgeren, en de vlam, die de Heiligdommen verslindt, voor oogen te stellen.' Na deze apologie voor het bloederig verslag van broer Arent in het vierde bedrijf, verzekerde Bilderdijk dat hij van de (eveneens berispte) 'uitmuntenden Kerstzang' na het derde

[1643] *Eerste Boek*, hfdst. III, par. 1: hfdst. XI, par. 2

[1644] *Eerste boek*, hfdst. X, par. 2, 3 en De Jong (1987: *Jetzt kehr ich*).

[1645] B.H. Molkenboer, 'Bilderdijk over Vondel', *Annalen van de Vereniging tot het bevorderen der wetenschap onder katholieken in Nederland*, 1934, p. 148 e.v.; A.G. van der Horst, 'Bilderdijks mening over Vondel', *De nieuwe taalgids* 1952, p. 21 e.v., p. 248 e.v.

[1646] Van der Horst (1952), p. 223, 248, 250, 257.

[1647] Br. III, p. VI; vgl. *Eerste Boek*, hfdst. II, par. 7.

[1648] Br. III, p. VII; Bosch (1955), p. 21; Kollewijn, dl. I, p. 39.

bedrijf, liever de dichter zou willen zijn dan van 'al de stukken van Bodmer', die zo geroemd waren door Van Alphen.[1649]

Bij de publicatie van zijn tweede Sofoclesvertaling in 1789, heeft Bilderdijk een terloopse en zeer algemene vergelijking gemaakt tussen de *Oedipus te Colonus* van Sofocles en de *Gijsbrecht* van Vondel. Hij deed dit ter toelichting van de grote populariteit die het Griekse stuk in Athene genoot. Voor die populariteit bestonden volgens Bilderdijk twee redenen:

1. Het treurspel van Sofocles heeft 'bijzondere' eigenschappen, waardoor het de patriottische gevoelens streelde van de roemgierige en krijgszuchtige Atheners.
2. Het treurspel van Sofocles heeft 'algemeene voortreflijkheden' als dramatisch dichtstuk, die het overal en altijd bemind maken bij 'oude en nieuwere Liefhebberen der schoone wetenschappen.'

Hoe zeer *Oedipus te Colonus* in het oude Athene geliefd moet zijn geweest, meende Bilderdijk te kunnen aantonen door een verwijzing naar de onverzadigbare gretigheid, waarmee 'de nog echte en door geen verbastering veraarte Amsterdammers' de herhaalde opvoeringen van de *Gijsbrecht* plegen te gaan zien. Een vergelijking met het Griekse stuk, leert namelijk:

1. Dat het treurspel van Vondel in veel mindere mate bijzondere eigenschappen bezit, waardoor de gevoelens van trots der Amsterdammers kunnen worden gestreeld.
2. Dat het treurspel van Vondel als dramatisch dichtstuk geen algemene voortreffelijkheden vertoont.

Het tweede punt interesseert ons. Bilderdijk schrijft letterlijk dat de *Gijsbrecht* 'met al de schoonheden, welke 's dichters geest aan den Eneïs heeft weten te ontleenen, niets tooneelmatigs dan de samenspraak in zich heeft ...'. Hoe deze uitspraak ook wordt gedraaid of gekeerd: er zal uit gelezen moeten worden, dat Bilderdijk in 1789 Vondels *Gijsbrecht* als treurspel beneden peil noemde, en dat hij de dichterlijke schoonheden ervan als het resultaat van ontleningen aan Vergilius betitelde.[1650] In 1808 bracht de verhandeling *Het treurspel* opnieuw een oordeel over de *Gijsbrecht*. Het stuk heette toen 'dit meesterstuk van den grootsten Dichter', dat nodig in bescherming moest worden genomen tegen de onlijdelijke wijze waarop men het door middel van spektakelachtige uitvoeringen de nek omdraaide.[1651] Met dit laatste moet men goed rekening houden, wil men Bilderdijks oordeel op zijn juiste waarde schatten. Zoals de *Gijsbrecht* in 1789 min of meer als uitgangspunt moest dienen om de voortreffelijkheid van Sofocles aan te tonen, zo wordt dat zelfde stuk dertig jaar later opgehemeld in een kritiek op erbarmelijk geachte

[1649] Verhandeling², p. 212.

[1650] DW. XV, p. 39, 40; vgl. de commentaar van Van der Horst, p. 218, 219, die echter stilzwijgend voorbijgaat aan de opmerking over de ontlening aan Vergilius.

[1651] Trsp., p. 191.

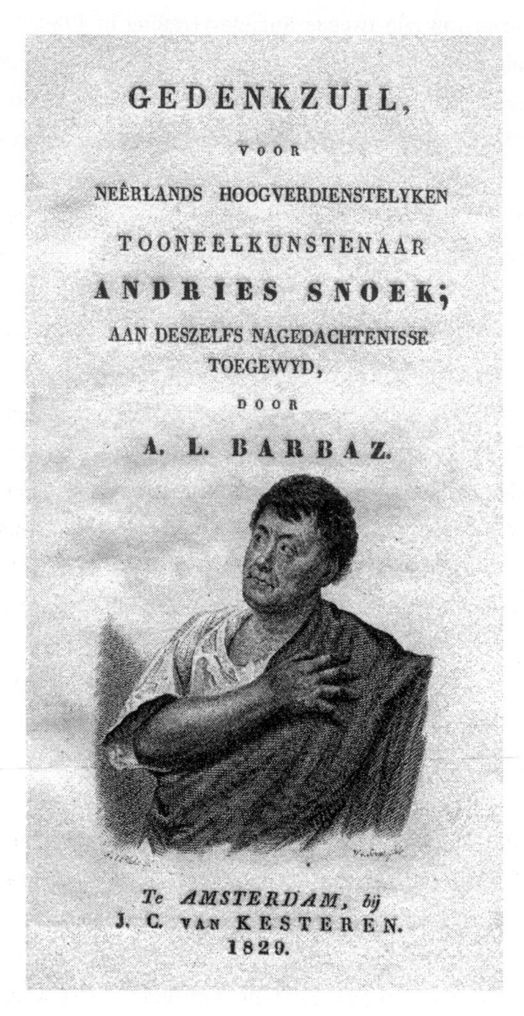

22. Titelblad van de *Gedenkzuil* voor Andries Snoek, door A.L. Barbaz.

Over de voordracht van Vondels *Gijsbrecht* schrijft Barbaz: ‘Alle de verhalen in den *Gysbrecht van Aemstel*, zyn volstrekt in den heldenstyl geschreven, en behooren dierhalve eenigszins te worden opgezongen, inzonderheid dat van den Bode: onze verdienstelyken tooneelisten hebben altoos veel werk van deze rol gemaakt, en Snoek was, door zyn gelukkig stemvermogen, niet een der minsten die dezelve hebben gereciteerd. Het moet hier de gewone toon des treurspels niet zyn, maar de welsprekendheid van den katheder, die wel een weinig deklamatie verëischt.’

schouwburgpraktijken. Aan de vooravond van het kerstfeest schreef de zesenzestigjarige Bilderdijk in 1822 een brief aan zijn leerling en vriend Da Costa, wie hij de vrome raad geeft de kerstreien uit Vondels *Gijsbrecht* te herlezen. Hij besluit: 'Ik bid u, lees dat geheele Treurspel eens na in de quarto uitgave, en gy zult met my gevoelig zijn voor den Christengeest die er by al de woestheid in doorademt.'[1652] De 'woestheid' die Bilderdijk hier bedoelde is van dezelfde aard als die hij in zijn jeugd (1780) tegen de bedillers van Vondel had verdedigd en die nu eenmaal voortvloeit uit het door de dichter behandelde onderwerp. Wat zijn aanval op de mishandeling van Vondels *Gijsbrecht* in de schouwburg betreft, kan worden opgemerkt dat van 1729 tot ongeveer 1880 voor de jaarlijkse opvoering een door David Ruarus grondig verminkte toneeleditie werd gebruikt.[1653] Daarenboven werd de *Gijsbrecht* in de schouwburg opgesierd met zogenaamde 'vertooningen', die de afkeer van de bekende acteur Johannes Jelgerhuis, de spot van het Duitse blad *Der Freimütige* en de verontwaardiging van Bilderdijk opwekten.[1654]

Een ander treurspel van Vondel waaraan Bilderdijk meermalen in zijn publicaties aandacht heeft besteed, is de *Lucifer*. In de verhandeling van 1780 werd dit treurspel al boven de paradijsepen van Milton gesteld.[1655] De lof werd voortgezet in de verhandeling *Het treurspel* van 1808. Na de mededeling dat Vondel in verscheidene stukken de geest en vorm van het Griekse treurspel zeer dicht benadert, volgt daar onmiddellijk de retorische vraag: 'Wien verrukt zijn Lucifer niet?'[1656] In een lezing van ongeveer twee jaar later treft ons de mededeling dat Vondel 'eenig denkbeeld' schijnt te hebben opgevat van de rei die eigen is aan een treurspel dat voortvloeit uit een in religieuze zin verheven wereldbeeld. Bilderdijk wees onder meer op de reien van engelen in de *Lucifer*, die 'het aandoenlijkst genoegen' doen.[1657] Tenslotte is er een passus in de voorlezing *Over het treurspel, in Nederland, tot op Jan de Marre,* die door Bilderdijk werd opgesteld tussen 1808 en 1816. Daar staat over Vondel: 'In *Lucifer* bereikte hij zijn toppunt, niet slechts in dat opzicht, dat hier het voornaamste is, (eene rechte Treurspelmatige schikking, die niets te begeeren laat) maar ook zelfs ten aanzien van den juisten toon dier Verhevenheid, die het echte Treurspel toebehoort, en zoo vrij van de zwellende uitkraming, eener op gezweepte geestverheffing is, hoedanige zijner jeugdiger voortbrengsels, als b.v. *Jerusalem* kenteekent; als van die te veel naar 't gemeenzame des ondichts hellende vermindering, die bij hooger ouderdom en

[1652] Br. IV, p. 58. In een brief van 1818 interpreteerde Bilderdijk (foutief) een passus uit de *Gijsbrecht* en in een verhandeling van ongeveer 1810 staat een opmerking over het gebruik van de reien in dit treurspel: Br. III, p. 100; TDV. I, p. 182.

[1653] B.H. Molkenboer, *Het rhythme van de Vondelwaardering* (inaug. rede, Nijmegen), Nijmegen-Utrecht 1933, p. 6.

[1654] Trsp., p. 190 (vgl. Br. IV, p. 57); Schokker, (1933), p. 13; B. Albach, 'Johannes Jelgerhuis over zijn rollen in *Gijsbrecht van Aemstel.* Twee van zijn Toneel-studien (1811) ingeleid en uitgegeven' *Spektator* 17 (1987-'88) 5, p. 415-430. N.a.v. tentoonstellingen in Nijmegen, Leiden en Amsterdam verscheen de catalogus *Johannes Jelgerhuis R. Zn., acteur-schilder 1770-1836*, Nijmegen 1969.

[1655] Verhandeling², p. 203 (vgl. het verderop door mij vermelde oordeel van H. van Alphen!).

[1656] Trsp., p. 207.

[1657] TDV. I, p. 190.

een minder gespannen geestkracht in zijne latere stukken den stijl der gesprekken ontluistert.'[1658]

Van gelijke aard wat de godsdienstig verheven inhoud betreft maar met kritiek op de toneeltechnische uitvoering, is Bilderdijks oordeel over de reien in de *Joseph in Dothan.* Over dit treurspel zei hij in een lezing van omstreeks 1810, dat Gods voorzienigheid er 'het ware thema' van is en dat de reien van engelen 'het Stuk zijne houding geven.' Bilderdijk vervolgde echter: 'en hadden zy slechts by hunne bloot toeziende en geheel werklooze wachtpost, een deel aan de handeling, waardoor de goede en kwade driften in de harten der broederen bestierd wierden, zonder echter die bloot tot werktuigen te maken, zy zouden een nog geheel andere uitwerking doen'.[1659] Opmerkingen over een onjuist gebruik van de rei naar Griekse maatstaf, maakte Bilderdijk in dezelfde voordracht ook met betrekking tot enkele andere stukken van Vondel.[1660] Daartoe behoort de *Palamedes,* welk treurspel in de *Bydragen* van 1823 een van Vondels 'schandelijkste hekeldichten' wordt genoemd, dat deel uitmaakt van het 'vuilaardig gedoe' der partijzucht tegen Maurits en 'de Rechtzinnige Kerk'.[1661] Deze felle veroordeling is meer politiek dan literair; ze wijst erop dat althans een gedeelte van Vondels werk voor Bilderdijk onaanvaardbaar moest zijn vanwege de staatkundige en religieuze strekking, die hij immers in een bepaalde soort treurspelen als een belangrijk aspect van de dramaturgie erkende.[1662] Voor Bilderdijk was dat overigens geen beletsel om in 1806 een fragment uit de *Palamedes* aan te halen en daaraan de commentaar toe te voegen: 'zie daar, wat Poëzy heeten mag. Wie in deze verzen aan eenige kleinigheid hangen blijft, en niet verrukt uitroept: dit's schoon; die leze de mijnen niet!'[1663] En deze laatste loftuiting verhinderde Bilderdijk weer geenszins om enkele jaren later, in zijn *Consideratien over de aanmoediging der Tooneelpoëzy*, de *Palamedes* van Vondel te vermelden als een toneelstuk waarvan de uitvoering eigenlijk moest worden verboden![1664]

Wanneer we een voorlopige balans opmaken van Bilderdijks uitlatingen over de afzonderlijke treurspelen van Vondel, kunnen we onder meer vaststellen dat hij zijn grote voorganger als politiek dramaturg verwerpt en hem (behalve in de *Lucifer*) gebrek aan toneelschikking en aan de juiste verhevenheid van stijl verwijt. Daar staat waardering en bewondering voor dichterlijke kwaliteiten tegenover en ook de erkenning dat Vondel de geest en de vorm van de Griekse tragedie in verscheidene stukken zeer dicht heeft benaderd. Maar dat is nog niet het voornaamste. Belangrijker is Vondels religieus-christelijke verhevenheid. De christengeest straalt door in het oorlogsspel over *Gijsbrecht;*

1658 Over het trsp. in Nl., p. 4.

1659 TDV. I, p. 190.

1660 TDV. I, p. 182.

1661 Bydragen, p. 26 e.v., 195.

1662 Zie hfdst. VI, par. 3.

1663 DW. VI, p. 519.

1664 Zie de *Bijlage* achterin dit *Tweede Boek* en ook de vijfde paragraaf van dit hoofdstuk.

de *Lucifer* vertoont in een volmaakte dramatische uitwerking de grootse conceptie van 'bovenwareld... middenwareld ... en onderwareld', met de daaruit voortvloeiende verhevenheid van de reizangen; in de *Joseph in Dothan* wordt de mens voorgesteld als 'een dorrend herfstblad door Gods adem gedreven.' Ik gebruik hier met opzet de terminologie die we in een ander verband hebben leren kennen als die van Bilderdijk zelf: Vondel heeft met andere woorden benaderd en zelfs eenmaal gerealiseerd, wat in hoofdstuk VIII werd aangeduid als Bilderdijks onbereikbare ideaal van een verheven godsdienstige tragedie, waarvan alleen het 'denkbeeld' hem het hart versmelten deed...[1665]

Richten wij nu onze aandacht op de meer algemene oordelen over Vondel in de geschriften van Bilderdijk. Al in 1779 was de uitgave van zijn eerste Sofoclesvertaling voor Bilderdijk een gelegenheid om te benadrukken dat Vondel slechts een gebrekkige kennis van de Oudheid bezat; in 1806 vestigde hij daar nogeens de aandacht op in de aantekeningen bij zijn leerdicht *De ziekte der geleerden.*[1666] In de achtste *Bijlage* bij de in 1780 bekroonde *Verhandeling*, wordt Vondel 'een uitstekend vernuft' genoemd en 'de grootste dichter van zijn tijd'. Er zijn echter twee opmerkingen bij zijn werk te maken.

1. Zeker zou Vondel nog groter geweest zijn:
   a. Indien hij de Ouden niet zo laat had leren kennen en zich op hun voorbeeld had kunnen vormen;
   b. Indien zijn leermeesters hem de Ouden beter verklaard hadden en hem hun grote schoonheden van vinding en schikking hadden doen opmerken.
2. Waarschijnlijk zelfs zou Vondel meer door zijn oorspronkelijke geest hebben geschitterd:
   a. Indien zijn leermeesters hem aan zichzelf hadden overgelaten;
   b. Indien hij bijgevolg geen 'gebreklijke handleidingen' zou hebben gebruikt.

Van deze beide opmerkingen wordt de tweede herhaald in een gedicht van 1793, terwijl men de eerste kan terugvinden in het leerdicht *Het tooneel* (1808), in de verhandeling *Het treurspel* (1808), in de voordracht *Over het treurspel, in Nederland, tot op Jan de Marre* (1808-1816), en in de *Bydragen tot de Tooneelpoëzy* (1823).[1667] Na in zijn leerdicht te hebben meegedeeld dat Vondel geen treurspel volgens de wetten van Aristoteles kon opzetten, schreef Bilderdijk in zijn treurspelverhandeling dat van de zeventiende-eeuwers niemand een juist denkbeeld van het Griekse treurspel had en dat Vondel het derhalve ook niet kon hebben. Dit verklaart in Vondels werk zowel 'de geweldige misgrepen tegen de Eenheid van plaats ... en meer anderen', als 'het uitvallen zelfs van de Dichterlijke sfeer, waar hy in behoorde, wanneer hy zich toelei om recht naauwkeurig, om in de volmaakste getrouwheid te schilderen'.[1668] Dat Vondel desondanks in verschillende stukken de geest en

[1665] TDV. I, p. 188, 189; Trsp., p. 145; zie hfdst. VIII, par. 2.

[1666] Zie *Eerste Boek*, hfdst. XI, par. 2; Van der Horst (1952), p. 215; DW. VI, p. 521, 522.

[1667] DW. XIII, p. 40; dl. VII, p. 20; Van der Horst (1952), p. 222, 254; Trsp., p. 139, 140, 206, 207; Over het trsp. in Nl., p. 4, 5; Bydragen, p. 10, 11.

[1668] Trsp., p. 139, 140; vgl. DW. XV, p. 141.

de echte vorm van het Griekse treurspel zeer nabij komt, moet worden verklaard uit de omstandigheid dat hij de Griekse tragedie 'somtijds in zijn ziel als gevonden en daar uit op gedolven' heeft.[1669] Een dergelijke uitspraak herinnert aan Bilderdijks oordeel over Corneille: ook deze door hem bewonderde auteur begreep het Griekse treurspel nog niet helemaal, maar ervoer de echte dichterlijke geest en de grote gevoelens ervan als zijn eigen zielservaring.[1670] Dat de als oorspronkelijk genie bewonderde Vondel min of meer wordt voorgesteld als slachtoffer van de tijd en de omstandigheden waarin hij leefde, herinnert trouwens niet alleen aan Corneille. De grote, maar qua smaak en techniek in onvoldoende mate gevormde dichters Shakespeare en Goethe heeft Bilderdijk op soortgelijke wijze beoordeeld ... en verontschuldigd.[1671] Dit aspect van zijn Vondelwaardering ontwaart men duidelijker, als Bilderdijks oordeel over P.C. Hooft in de beschouwing wordt betrokken.

Bilderdijk, die in 1808 'een nieuwe uitgaaf van Vondels Treurspelen met Dichterlijke (en wel, Tooneeldichterlijke) Aantekeningen 'wenselijk achtte, maar die later niet inschreef op de volledige Vondel-editie van 1824, – Bilderdijk heeft zelf wél in 1823 een volledige uitgave van *P.C. Hoofts gedichten* bezorgd.[1672] Dat men in die uitgave tevergeefs naar zijn opinie over Hoofts toneelwerk zoekt, wil niet zeggen dat Bilderdijk zich helemaal van een oordeel onthouden heeft. In 1821 publiceerde hij een beschouwing waarin terloops Hoofts 'geestige en recht naïve vertaling' van Plautus in de *Warenar* wordt geprezen en in zijn vroeger gehouden voordracht *Over het treurspel, in Nederland...* komen enkele kritische opmerkingen voor.[1673] De *Granida* wordt daar slecht van 'vinding, beloop, en houding' genoemd, terwijl men omtrent de *Baeto* verneemt, dat het onderwerp 'ongeschikt ... voor een tooneelspel' en het stuk zelf 'koud en belangloos' is. Gunstiger is Bilderdijks oordeel over de *Geeraerdt van Velsen*, op welk treurspel hij al in dramatische vorm een politiek antwoord had gegeven in zijn eigen *Floris de Vijfde*. Daarover is al gesproken in het *Eerste Boek*, waar we zagen dat Hooft zich volgens Bilderdijk de kans op een 'meesterstuk' heeft laten ontgaan, toen hij zijn 'aangenomen (politiek) systema' de kans gaf om zijn oorspronkelijke dichterlijke gevoelens te dwarsbomen.[1674] Zoals al aangetoond door Van der Horst, leidt een vergelijking van Bilderdijks uitlatingen over Vondel en Hooft in het algemeen tot de conclusie dat de eerste ('een ruwe diamant') wordt gewaardeerd als een groot, krachtig, vurig en verheven dichter, terwijl als kenmerkende eigenschappen van de tweede zijn vernuft, oordeel, tederheid, 'beschaafder smaak en meer gekuischte zeden' worden gewaardeerd.[1675] Dit herinnert aan het verschil tussen de

---

[1669] Trsp., p. 139; vgl. voor Vondels kennis van de *geest* van de Griekse tragedie: DW. XV, p. 141 (1809).

[1670] Trsp., p. 132; vgl. hfdst. XVI, par. 2.

[1671] Hfdst. XIV, par. 3; hfdst. XV, par. 3.

[1672] Trsp., p. 207; Molkenboer (1934), p. 170; *P.C. Hoofts Gedichten, met ophelderende aanteekeningen van Mr. W. Bilderdijk*, Leiden 1823 (3 dln.).

[1673] TDV. II, p. 134, voetnoot; Over het trsp. in Nl., p. 3.

[1674] Over het trsp. in Nl., p. 3; vgl. *Eerste Boek*, hfdst. X, par. 2.

[1675] Van der Horst (1952), p. 219-222 en 249-250; zie vooral DW. XV, p. 433. Een soortgelijke parallel treft men later aan bij W. de Clercq (1826), p. 200.

verheven 'Corneille' en de 'tederen Racine', alsmede aan dat tussen Sofocles die ons verheft in de 'grootsche Dichterwareld', en Euripides die (zijn gebrek aan Verhevenheid in 'Oratorie en Wijsgeerige lessen' verhullend) slechts succes verwerft bij de velen wier vatbaarheid niet tot aan 'het hooge Dichterlijke' reiken kan...'[1676]

In vergelijking met dat van zijn voorgangers en tijdgenoten, is Bilderdijks oordeel over Vondel zeker gunstig te noemen. Van Hamel heeft erop gewezen, dat de gezaghebbende dichtgenootschapper Andries Pels al in 1681 treurspelen van Vondel uit naam van de ware godsdienst heeft veroordeeld.[1677] Een halve eeuw later kwam Justus van Effen tot het inzicht dat Vondel (in tegenstelling tot Lucas Rotgans) 'geen denkbeeld van de Toneelwetten heeft gehad', en ongeveer tezelfdertijd schreef Balthazar Huydecoper een studie die volgens Molkenboer in de tweede helft van de achttiende eeuw 'een vrij sterke stemming tegen Vondel (heeft) wakker geroepen'.[1678] Toen Bilderdijk eind 1779 te kennen gaf dat hij Miltons epen beneden de *Lucifer* van Vondel stelde, was Van Alphen hem al voor geweest met een tegengestelde bewering. De schrijver van de *Theorie der schoone kunsten en wetenschappen* (1778), wist 'gezwollen' of 'belachelijke' stukken in Vondels werken aan te wijzen en stelde hem voor als de mindere van Racine, Klopstock en ... Lucretia Wilhelmina van Merken.[1679] Rotgans (volgens Justus van Effen) en Van Merken (volgens Van Alphen) zijn niet de enige achttiende-eeuwse auteurs die Vondel op bepaalde punten zouden hebben overtroffen. In zijn *Iets over het treurspel* van 1793 meldde Rhijnvis Feith dat de zeventiende-eeuwse dramaturg tevens de mindere is van 'onzen grooten Huydecoper'. De treurspelen van Vondel zijn zonder belang, en met name in de *Gijsbrecht* miste Feith: 'kunstige voorstelling en kunstige verbinding der toonelen.' Alleen de (door Bilderdijk juist gelaakte!) 'sieraadjen', verhinderen volgens Feith dat de opvoering van het Amsterdamse stuk de toeschouwers verdrietig maakt van verveling.[1680]

Ook in de negentiende eeuw werd de roem van Vondel belaagd. Vier jaar nadat P. van Limburg Brouwer was bekroond voor een verhandeling waarin hij Bilderdijks mening over Vondel had beaamd, verscheen een bekend gebleven stuk van P.G. Witsen Geysbeek.[1681] Deze formuleerde in 1827 zijn bezwaren tegen Vondel op zodanige wijze, dat hij daardoor zelfs een eeuw later nog de wetenschappelijke zelfbeheersing van Jan te Winkel en twee Nijmeegse hoogleraren aan het wankelen wist te brengen...[1682] Wat in 'het onzinnig oordeel van den door en door ploertigen Witsen Geysbeek' aan Vondel werd verweten, is onder meer gebrek aan theorie, wijsbegeerte, kennis en smaak. Dat zijn

[1676] Hfdst. X, par. 5 en 6; hfdst. XVI, par. 2.
[1677] Van Hamel (1918), p. 65.
[1678] J.W. Muller, 'Hooft en Vondel', *De nieuwe taalgids* 1932, p. 13; Molkenboer (1933), p. 8.
[1679] Van Alphen (1782), p. 203; Molkenboer (1933), p. 8.
[1680] Feith (1793-herdruk 1825), p. 41, 39. (De Haas -1998-, p. 50 bespreekt de mening van Van Effen.)
[1681] Van Limburg Brouwer (1823), p. 26.
[1682] Gerard Brom, *Geschiedschrijvers van onze letterkunde*, Amsterdam z.j., p; 30, 31; Molkenboer (1933), p. 12.

bezwaren waarvan men eigenlijk rudimenten kan terugvinden in de oordelen van Bilderdijk, die ze steeds in verband brengt met de omstandigheden waaronder Vondel leefde. Dergelijke overwegingen zijn typerend voor de achttiende- en het begin van de negentiende eeuw; ze worden al aangetroffen in pamfletten uit de zogenaamde 'Poëtenoorlog' (1713-1716). Van Alphen heeft rond 1780 zowel aan Hooft als Vondel 'genie' toegekend, maar: 'hunne theorie was gebrekkig, en hun smaak niet fijn of kiesch genoeg.' De schrijver der van Riedel nagevolgde *Theorie*..., slaakte de (al met betrekking tot Shakespeare bekende) achttiende-eeuwse verzuchting dat Hooft en Vondel het zeker verder gebracht zouden hebben, als ze honderd jaar later hadden geleefd.[1683] Zoals al eerder geconstateerd, maakte Bilderdijk een onderscheid tussen Hooft en Vondel, waarbij de hiervoor gesignaleerde gebreken in mindere mate voor de Muiderdrost gelden, maar 'de genie' vooral Vondel toevalt. Een weerklank van Bilderdijks oordeel meende J.W. Muller te kunnen beluisteren in de anno 1812 verschenen *Beknopte geschiedenis der Nederlandsche tale* van A. Ypey. Deze stelde Vondel echter beneden Hooft, op grond van het feit dat de laatstgenoemde een fijnere beschaving bezat.[1684] Overigens toonde Bilderdijk alleen maar minachting voor het 'onverstandig samenraapsel' van Ypey...[1685]

Merken we nog op dat een reactie op de staatkundig-historische denkbeelden van Hooft en Vondel niet alleen waarneembaar is in de uitlatingen van Bilderdijk over de beide dichters. J.W. Muller heeft er de aandacht op gevestigd dat het oordeel over Vondels *Palamedes* en over zijn hekelverzen in die tijd geenszins door literaire maatstaven werd bepaald. Het calvinistische, prinsgezinde volksdeel, stond tegenover de humanistische, libertijnse, aristocratische en staatsgezinde partij. Bilderdijk hoort duidelijk bij de eerstgenoemde groep maar vanwege zijn 'dichterlijke' bewondering voor Vondel toch weer niet helemaal. Laat Bilderdijks bewondering voor Vondels verheven dichterschap wellicht getemperd zijn geweest door bezorgdheid om zijn eigen roem (zoals Molkenboer meende): het voorafgaande heeft ons geleerd dat die bewondering in ieder geval bestond en in het openbaar werd geuit. Muller heeft er eveneens op gewezen dat Hooft vooral na de eeuwwisseling (1800) opnieuw werd gewaardeerd als geschiedschrijver. Ook hier vertoont de waardering een 'ietwat polemisch-politieke tint'. Dit politiek aspect houdt verband met de historisch-staatkundige opvattingen die door Bilderdijk werden verkondigd in zijn privaat-colleges te Leiden. Wat Bilderdijk daar onderwees, was juist het tegengestelde van wat zijn liberaal-staatsgezinde tegenstanders nastreefden en van wat ze wensten te propageren door heruitgaven van Hoofts geschiedkundige werken.[1686]

[1683] Molkenboer (1933), p. 28.

[1684] Muller (1932), p. 20.

[1685] Tyd. I, p. 411; dl. II, p. 136, 200.

[1686] Muller (1932), p. 83, vergist zich als hij schrijft dat Bilderdijks *Geschiedenis des Vaderlands* in 1822 werd gedrukt. Er is weliswaar al in 1810 en 1811 een prospectus voor een dergelijke uitgave gemaakt, maar het werk zelf verscheen postuum, van 1833 tot 1853. Zie Tyd. I, p. 241, 276 e.v.

Met betrekking tot de schouwburgpraktijken van Hooft en Vondel, kan worden vermeld dat de treurspelen van Hooft in Bilderdijks tijd zelden of nooit werden opgevoerd. Voor Vondel, wiens treurspel *Lucifer* tussen 1661 en 1826 nooit werd herdrukt of gespeeld, was de toestand weinig gunstiger. Wat men van hem via de Amsterdamse schouwburg kende, waren de *Faëton* en vooral de *Gijsbrecht,* welk laatste stuk rond nieuwjaar werd opgevoerd in combinatie (sinds 1707) met het op de actualiteit betrokken blijspelletje *De bruiloft van Kloris en Roosje*: een traditie waarmee na 1968 helaas werd gebroken. In Bilderdijks tijd werd niet alleen de *Gijsbrecht* in verminkte vorm opgevoerd. Hetzelfde gold voor de *Faëton*, die al in 1685 door de Amsterdamse medicus Govert Bidloo was uitgebreid met lichteffecten, vertoningen, zang en dans. Vondel werd, met andere woorden, in de schouwburg aangepast aan de smaak van het groot publiek.[1687]

3. Andere auteurs vóór Bilderdijk

De eerste paragraaf van dit hoofdstuk gaf te vermoeden dat er van Bilderdijk geen grote waardering voor het middeleeuwse toneel viel te verwachten. In zijn treurspelverhandeling staat dat de mysteriespelen zijn ontstaan uit stomme vertoningen, die de geestelijkheid (bij gebrek aan schilder- en beeldhouwkunst) uit *mensen* vormde en die later uitgroeiden tot een zekere handeling.[1688] Anno 1810 betitelde Bilderdijk de mysteriespelen als ‘onvolkomen’ en ‘gedrochtelijke’ stukken maar hij voegde daaraan toe dat ze vatbaar waren voor ‘zeer groote en verheven schoonheden’. Dat komt door de erin verborgen liggende kolossale conceptie van de aarde als een omstreden gebied tussen de hogere wereld en de lagere wereld: iets wat ‘boven verbeelding groot en dichterlijk’ is. Dit kwam al ter sprake in de tweede paragraaf van hoofdstuk VIII.

De toneelproductie van de latere rederijkers wordt in Bilderdijks treurspelverhandeling gewaardeerd met de kwalificatie ‘allerellendigst’. In hun kluchten toonden deze dramaturgen volgens Bilderdijk meer geest en fijnheid van verstand dan Langendijk, maar in het ernstige genre waren zij ‘onlijdelijk’. Hun zogenaamde zinnespelen zijn ‘gedrochtelijke’ stukken, die voortkomen uit een overdreven zucht voor allegorie. Uit zijn ‘kindschen tijd’ herinnerde Bilderdijk zich zo'n spel dat *Homulus* heette en waarvan volgens hem de zegswijze ‘Het is hommeles’ is afgeleid. Hij achtte het mogelijk dat dit stuk uit het Engelse spel *Everyman* is genomen, maar vervolgde: ‘Mijn geheugen herinnert my dit te onvolkomen om iets te bepalen’. Dat is beslist jammer voor

[1687] Te Winkel, dl. III, p. 90 e.v.; Molkenboer (1933), p. 6; Muller (1932), p. 83, 88 e.v.; Van Hamel, p. 109; Albach (1956), p. 24, 25. (In *De groene Amsterdammer* van 18 februari 1956 schreef C.J. Kelk een pleidooi voor het behoud van de *Gijsbrecht*-traditie. Toen al waren er contesterende stemmen tegen deze traditie opgegaan. Ze werden luider, naarmate het steeds minder weten gepaard ging met het steeds beter weten. De teleurgang vond plaats in dezelfde periode waarin bezoekers van de Scala met tomaten en ander fruit werden gemolesteerd. Als men niet weet dat bepaalde aria's en tekststukken bestààn – of (nog) het vermogen mist om ze te kunnen waarderen – is het blijkbaar moeilijk zich voor te stellen (of alleen maar: te tolereren) dat er mensen zijn die heel graag willen horen hoe ze worden gezongen of voorgedragen, in het genot en het besef dat een eerbiedwaardige traditie wordt voortgezet en een uitzonderlijk begaafde mens in zijn kunst geëerd.)

[1688] Trsp., p. 177.

de latere filologen. *Homulus* is immers de in 1537 verschenen Latijnse vertaling van het zinnespel *Elckerlyc*, welks plaats tegenover de door Bilderdijk genoemde Engelse tekst tot in onze tijd een omstreden kwestie is gebleven.[1689]

Van de zeventiende-eeuwse dramaturgen voor de tijd van Nil Volentibus Arduum, vermeldde Bilderdijk, behalve Hooft en Vondel, nog Jacob Cats, Constantijn Huygens, Gerbrand Adriaansz Bredero, Jan Hermansz. Krul, Theodore Rodenburg, Jan Vos, Isaac Vos en Reinier Bontius. Tweemaal herinnerde Bilderdijk eraan dat de door hem bewonderde rijmende raadspensionaris Cats ook de schrijver is van een toneelstuk, maar tot een oordeel over diens *Konincklijke herderin Aspasia*, kwam hij daarbij niet.[1690] In 1824 heeft Bilderdijk een uitgave bezorgd van Huygens' dichtwerken en dat werd voor hem een gelegenheid om deze deftige calvinist bij herhaling op gebrek aan kiesheid te betrappen.[1691] Het schuine toneelstukje over *Trijntje Cornelis* noemde Bilderdijk een 'recht geestige klucht', waarvan hij echter de opvoering zelfs in besloten kring 'onduldbaar' achtte.[1692]

Blijkens de treurspelverhandeling van 1808, meende Bilderdijk dat de naam Bredero niet meer de moeite van het vermelden waard was in een overzicht van de Nederlandse blijspelproductie.[1693] In de *Bydragen* van 1823 vernemen we dat Bredero stukken in de Spaans-Franse trant heeft geschreven en twee jaar later wordt terloops melding gemaakt van 'gants aanstootelijke kluchten van Breero'.[1694] Dat Bilderdijk in ieder geval *De klucht van den molenaar* heeft gelezen, bleek mij uit een onuitgegeven aantekening, waarin hij als bron van dit werkje de novelle *Le meunier d'Aleus*, van Enguerrand d'Oisi aanwijst.[1695] Deze crenologische belangstelling verbaast de moderne lezer waarschijnlijk minder dan Bilderdijks duidelijke afwijzing van de later zo gewaardeerde zeventiende-eeuwse auteur. Zoals de latere Bredero-waardering als een tijdsverschijnsel is te beschouwen, zo was dat ook de afwijzing van zijn werk in de tijd van Bilderdijk. Pels en Wellekens hadden zich al tegen Bredero's 'dertelheden' en 'straattaal' verzet, en in 1729 verscheen een uitgave van de *Spaanschen Brabander*, die door middel van coupures enigszins was aangepast aan de classicistische toneelvoorschriften. Een halve eeuw later gingen Betje Wolf en Aagje Deken op hun beurt de onbeschaafd- en

[1689] Trsp., p. 115, 116; 170, 175. (In het *Etymologisch woordenboek* van Franck-Van Wijk wordt de door Bilderdijk verdedigde etymologie van *Hommeles*: 'niet voldoende gemotiveerd' genoemd.)

[1690] Trsp., p. 190; Bydragen, p. 10. Voor Bilderdijks bewondering voor Cats, zie Kollewijn, dl. I, p. 27, 55, dl. II, p. 430, 446.

[1691] *C. Huygens Koren-Bloemen. Nederlandsche gedichten. Met ophelderende aantekeningen van Mr. W. Bilderdijk*, Leiden 1824-1825: dl. V, p. 10, 28, 45, 72; dl. VI, p. 288, 312, 372. (Vgl. L. Strengholt in *De nieuwe taalgids* 76 (1983) 1, p. 51-59.)

[1692] Huygens, dl. VI, p. 127.

[1693] Trsp. p. 208, 209.

[1694] Bydragen, p. 10; Huygens, dl. VI, p. 127.

[1695] Collectie-Leefgang in het Letterkundig Museum te 's-Gravenhage, hrschr. B 583, adversaria. Vgl. Worp, dl. I, (1904), p. 439 en de uitgave door Jo Daan van *G.A. Bredero's kluchten*, Culemborg 1971, p. 245.

onbeschoftheden van Bredero's toneelwerk te lijf.[1696] In hetzelfde jaar constateerde Pieter Huizinga Bakker dat Bredero te vroeg gestorven was 'om het ver te brengen'. Anno 1804 sprak Jeronimo de Vries over de 'platte' Bredero, en in 1821 wilde N.G. van Kampen zijn lezers niet vermoeien met vermelding van de 'reeds vergetene Blijspelen' van de onbeschaafde Bredero, 'die zich dikwijls met opzet op de markten vervoegde, om de vischwijventaal recht magtig te worden'.[1697] Bilderdijks afwijzing hoeft ons evenmin te verwonderen als het ontbreken van de naam Bredero in de bekroonde verhandeling over het Nederlands toneel (1823) van P. van Limburg Brouwer.[1698] Alleen Willem de Clercq bleek in 1822 het werk van Bredero te kunnen waarderen. De gewraakte belangstelling van de zeventiende-eeuwse dichter voor het idioom van de vishandel, bewijst volgens hem dat Bredero besefte 'wat de pligt van eenen eigenlijk nationale Blijspeldichter was, terwijl ons zijn *Spaanschen Brabander*, voorzeker zijn meesterwerk, overal toont, hoe veel hij van het plaatselijke en eigenaardige wist te bewaren en voor te dragen'. De Clercq beschouwde Bredero als een overgangsfiguur tussen het rederijkerstoneel en het werk van P.C. Hooft, in wiens werk ook anderen de dageraad van de waarachtige Nederlandse kunst begroetten.[1699]

Als een auteur die eveneens zijn krachten heeft beproefd op toneelstukken in de Spaanse trant, vermeldde Bilderdijk gelijk met Bredero nog Jan Hermansz. Krul, met wie hij hevig de spot dreef in zijn leerdicht *Het tooneel* (1808) en wiens werk alleen maar afkeuring verwierf in zijn lezing *Over het treurspel, in Nederland, tot op Jan de Marre*.[1700] Een andere vertegenwoordiger van het Spaanse toneel was Theodore Rodenburgh. In het *Eerste Boek* kon worden opgemerkt dat Bilderdijk voor een van zijn onvoltooide historische treurspelen misschien een motief heeft ontleend aan Rodenburghs *Keyzer Otto den Derden en Galdrada*, welk stuk hij met de pen in de hand blijkt te hebben doorgewerkt.[1701] Bilderdijk had Rodenburgh een plaats toegewezen onder zijn eigen voorouders en duidde hem steeds aan als 'oudoom'. In 1821 prees hij 'zijn geest en waarachtig Poëetisch gevoel' en twee jaar later noemde hij hem 'by uitstek vruchtbaar van ader'.[1702]

Aan de spectaculaire effecten in het toneelwerk van de glazenmaker en schouwburgregent Jan Vos herinnerde in het *Eerste Boek* de bespreking van Bilderdijks

---

[1696] Prinsen (*De idylle*, 1934), p. 176-179.

[1697] Brom (Geschiedschrijvers), p. 17, 23, 26. Vgl. Van Kampen 1826, dl. III, p. 332, over het taalgebruik 'van het laagste gemeen' in de eerste ('laffe en smakeloze') blijspelen.

[1698] Van Limburg Brouwer (1823).

[1699] Willem de Clercq (*Verhandeling*[2] 1836), p. 122, 123; Brom, p. 16, 26; J.P. Naeff schreef een proefschrift over *De waardering van Gerbrand Adriaenszoon Bredero*, Gorinchem 1960. Aanvullingen daarop gaf J.D. van der Meulen 'De waardering van Bredero in moderne Nederlandse literatuur', *De nieuwe taalgids* 1961, p. 156 e.v. In 1971 verscheen J.P. Naeff, *Bredero en de kritiek*.

[1700] Bydragen, p. 10; DW. VII, p. 20; Over het trsp. in Nl., p. 3; vgl. nog Trsp., p. 190.

[1701] *Eerste Boek*, hfdst. VI, par. 2.

[1702] TDV. II, p. 172; Bydragen, p. 10; Tyd. II, p. 248.

ontwerpen voor toneelstukken over *Medea* en *Willem van Holland*.[1703] Jan Vos was de auteur van twee opzienbarende treurspelen, die Bilderdijk zorgvuldig heeft bestudeerd.[1704] Uit het door hem in 1823 'lankwijlig' genoemde spektakelstuk *Medea*, kopieerde hij een groot aantal regels die zeer gruwelijk van inhoud zijn. Daarenboven heeft hij het bloederige stuk over *Aran en Titus* in een aparte studie vergeleken met het aan Shakespeare toegeschreven treurspel *Titus Andronicus*.[1705] Dat stuk brengt Bilderdijk meerdere malen ter sprake.[1706] Onder andere in zijn gedicht *Het tooneel* (1808), waar men kan lezen dat Vos met 'dat ontuig' veel succes had bij het gewone volk en dat de onzin van zijn welluidend vers zelfs 'de keurigste ooren boeide'.[1707] In de aantekeningen bij dit leerdicht, staat dat Vos de Engelse bron van zijn *Aran en Titus* 'nog oneindig verbeterd heeft.'[1708] Ik heb in het zevende hoofdstuk al gewezen op Bilderdijks eigenaardige waardering van dit 'Treur- of Gruwelspel.' Zo'n waardering is vergelijkbaar met de ervaring van Voltaire, die aan de hand van Shakespeare tot de ontdekking kwam dat er ook dichterlijke verheffing mogelijk was via een 'marche irrégulière'. Bilderdijk schreef in 1823 dat 'de geest' van *Aran en Titus* hem altijd heeft behaagd, ondanks de 'dwaze en bespottelijke' elementen die erin aanwijsbaar zijn. Volgens hem heeft dit treurspel iets van 'dat grootsche, dat ontzettende', hetwelk 'somwijlen den echten zweem van verhevenheid aanneemt en daarvoor genomen kan worden.'[1709] In Bilderdijks opstel over het met moord, doodslag en kannibalisme opgesierde stuk van Jan Vos, kan men de volgende oordelen aantreffen: de afwijkingen tegenover de Engelse tekst bewijzen gezond inzicht, dichterlijk genie en goede karaktertekening; het eerste bedrijf van Jan Vos heeft in vergelijking met het Engelse stuk 'oneindig beter houding en is deftiger, grootscher, en de broos van het Treurspel waardiger'; de reien van het Nederlandse stuk vertonen 'vrij wat Poëetische verdienste'. Tenslotte: Jan Vos schreef 'stoute en genievolle verzen'... doch zij waren vermengd met 'lage en laffe uitdrukkingen', alsmede met 'wangrepen' die kwetsend zijn voor het oor, het gevoel en de taal.[1710] Bilderdijks opstel sluit af met een algemeen oordeel over Jan Vos in dichtvorm.[1711] Daarin staat dat de invloed van Vos de stukken van Hooft en Vondel uit de Amsterdamse schouwburg heeft verdrongen en ertoe leidde dat werd verzaakt aan

[1703] *Eerste Boek*, hfdst. IV, par. 1, hfdst. V, par. 3.

[1704] Zie over deze stukken bv. Worp, dl. I, p. 296 e.v. en p. 350 e.v. (Vgl. J.A. Worp, *Jan Vos*, Groningen 1879) en vooral: H.H.J. de Leeuwe, 'Jan Vos' 'Medea', een Nederlandse bijdrage tot de Europese toneelgeschiedenis', *Levende talen*, 1963, p. 23 e.v.

[1705] *Eerste Boek*, hfdst. IV, par. 1; *Tweede Boek*, hfdst. XIV, par. 3, noot 776.

[1706] Een toespeling en een citaat treft men in Bilderdijks bewerking van *Perzius hekeldichten* (1820): DW. VII, p. 259, 270 en DW. XIV, p. 493, 502. Zie ook DW. VIII, p. 267 en DW. XIV, p. 512.

[1707] DW VII, p. 19.

[1708] DW. VII, p. 409.

[1709] Zie hfdst. VII, par. 3, noot 406. Bydragen, p. 15; de kwalificatie 'Treur- of Gruwelspel' gebruikte Bilderdijk in 1820: zie DW. VIII, p. 267 en DW. XIV, p. 512. Met betrekking tot de datering van Bilderdijks opstel in de *Bydragen*, kan worden opgemerkt dat hij zich (blijkens Br. V, p. 194, 246, 247) in 1822 en 1823 in ieder geval met het treurspel van Vos heeft beziggehouden; waarschijnlijk maakte hij daarbij ook gebruik van vroegere gegevens (vgl. voorafgaande en volgende noten).

[1710] Bydragen, p. 11, 20, 27, 84; vgl. Pennink (1936), p. 141 e.v.

[1711] Bydragen, p. 89 e.v.; DW. XIII, p. 432, 433.

'volksaart, zede, en smaak, en kunst', waardoor tenslotte de dichtkunst moest wijken voor 'weêrgalm uit den vreemde, of laffe kermispret'. Over het toneelwerk van Jan Vos als zodanig rijmde Bilderdijk onder meer dat de auteur smaak en kunde miste. Dat laatste hield volgens hem verband met het feit dat 'de arme Vos' was opgevoed als ambachtsman en zelf behoorde tot ''t Gemeen', dat hij door zijn 'kruipende aart' tevreden zocht te stellen. In 1827 verweet Bilderdijk hem bovendien gebrek aan kiesheid, toen hij Vos vermeldde als schrijver van 'den zoo laffen en plompen als ontuchtigen' klucht *Oene*.[1712] Ernstiger is in Bilderdijks gedicht de beschuldiging dat het werk van Vos slechts in geringe mate voortkwam uit het 'hart' en voor het merendeel het resultaat was van een [uit het 'hoofd' voortkomende] blakende verbeelding.[1713] In tegenstelling tot Vondel, miste Vos verhevenheid, omdat die nu eenmaal slechts voorbehouden is aan ''t hart dat edel denkt'. Overigens begint Bilderdijks gedicht met de waarderende regel: 'Ja, Vos had Dichtgeest, zelfs verheffing in zijn Dicht'. Vijf jaar nadien schreef Bilderdijk in zijn *Korte aanmerking op Huydecopers Proeve van taal- en dichtkunde*: 'Wat Jan Vos betreft, ik erken dat hy veelal te laag gesteld wordt; maar hy had Dichterlijke genie, doch door zijn gemeenen en onkieschen smaak veelal misbruikt en verdorven'.[1714] Dit laatste oordeel over Jan Vos lijkt iets op het (meer gunstige) dat Huydecoper zelf al in 1730 had gepubliceerd. In tegenstelling tot Andries Pels, wiens *Gebruik én misbruik des tooneels* (1681) als het ware een requisitoir tegen Vos bevat, kwam Huydecoper tot een positieve waardering van de dichterlijke glazenmaker.[1715] Hij schreef: 'Wy erkennen, zo wel als anderen, dat dees Dichter niet zeer voorzien was van Kunst: maar wy moeten te gelijk toestaan, dat hy rykelijk begaafd was met dien geest, zonder den welken de Kunst noit iemand tot een goed Dichter kan maaken. Dit alleen konnen we hier niet verzwygen, dat we met verontwaardiging dikwils gezien hebben, dat Jan Vos gehandeld is als een Zot en Windbuil van de zulken, die in honderd vaarzen noit zo veel verstands kosten doen blyken, als Jan Vos dikwils in vier of zes regels gedaan heeft. Doch hiervan genoeg.'[1716]

Het komt dus weer op het zelfde neer: Jan Vos had een aangeboren gave, maar hij miste de beschaving die kenmerkend is voor ware kunst. In hoofdstuk XIV kon al worden geconstateerd dat Hiëronymus van Alphen hem om die reden in dezelfde categorie plaatste als Shakespeare. In Van Alphens *Digtkundige verhandelingen* (1782) staat: 'Heeft hy [d.i. de dichter] een kleine mate van oordeel en smaak, maar die egter niet genoegzaam was, om

---

[1712] Huygens, dl. VI, p. 127; gebrek aan kunde blijkt ook uit het feit dat er in de *Aran en Titus* een anachronisme voorkomt: zie hfdst. VI, par. 3, noot 318, en Bydragen, p. 82.

[1713] Voor de ernst van deze beschuldiging, zie hfdst. IV, par. 3, alsmede Bilderdijks oordeel over Schiller: hfdst. XV, par. 3.

[1714] W. Bilderdijk, *Korte aanmerkingen op Huydecopers Proeve van taal- en dichtkunde*, Amsterdam 1828, p. 13. (Zie voor de 'onkiesche smaak' van Vos in zijn zg. 'stomme vertooningen': Smits-Veldt in Schenkeveldt (1993), p. 265 e.v. en voor de rivaliteit tussen Vos en Vondel in 1641: Meijer Drees in *De nieuwe taalgids* 79 (1986) 5, p. 453-460.)

[1715] Pels (1681-1978), p. 16-18. Over de mening van Pels: Te Winkel, dl. III, p. 67, 70; Van Hamel, p. 210, 211 en Worp (*Jan Vos*), p. 108 e.v.

[1716] B. Huydecoper, *Proeve van taal- en dichtkunde; en vrymoedige aanmerkingen op Vondels vertaalde herscheppingen van Ovidius*, 2e uitg. bezorgd door F. van Lelyveld, eerste deel, Leiden 1782, p. 137, 138.

zijne teergevoeligheid en verbeeldingskragt binnen de palen te houden, dan bespeurt men in zijne voordbrengselen zulke gebreken, als men bij Shakespeare, Jan Vos, Antonides en soortgelijken aantreft...'[1717] Als men de termen 'oordeel en smaak' door het woord 'kunstgevoel' vervangt, heeft men hier tevens het oordeel dat N.G. van Kampen in 1807 over Jan Vos publiceerde. Ook hij meende dat deze kwalificatie tevens kon gelden voor Shakespeare.[1718] In de traditie van Jan Vos' *Aran en Titus*, plaatste Bilderdijk in 1808 ook het werk van diens naamgenoot Isaac Vos. Wat hem daarbij kennelijk onbekend was, is het feit dat het succesvolle zinnespel *Iemant en Niemant* (1645) van Isaac Vos teruggaat op een Duitse navolging van het Engelse *Nobody and Somebody*.[1719] Ofschoon hij de Spaanse afkomst vermoedde van de *Beklaagelijke dwang* (1648) van dezelfde auteur, wist Bilderdijk waarschijnlijk niet dat dit stuk een bewerking was van een prozaversie die Baroces naar Lope de Vega's *La fuerza lastimosa* had vervaardigd.[1720] Bilderdijk schrijft over het werk van Isaac Vos dat men 'den Engelschen geest' er niet in miskennen kan en dat het niet 'ontbloot is van Poëtische schoonheden, maar misplaatst, en misbruikt, en tevens (dit verstaat zich), hoogst onbeschaafd'.[1721] Kennelijk huldigde Jan Nomsz dezelfde mening, want in 1768 publiceerde hij een moraliserende en meer classicistisch gebouwde bewerking van *Iemant en Niemant*.[1722] Volledigheidshalve vermeld ik nog dat in Bilderdijks *Bydragen* van 1823 gesproken wordt over het 'Oude gedrochtelijke stuk van Leydens beleg'.[1723] Daarmee zal de *Belegering en de Ontsetting der stadt Leyden* (tweede druk, 1646) van Reinier Bontius zijn bedoeld. Bij dit 'treur-bly-eyndespel' fabriceerde Jan Vos in 1660 een aantal vertoningen en T. van Domselaar beschreef tien jaar later de 'sieraden' die te pas kwamen bij de talrijke opvoeringen. Gedurende de hele achttiende eeuw bleven deze sieraden nog volle zalen trekken.[1724]

Aan het door het dichtgenootschap Nil Volentibus Arduum naar het Italiaans van Francesco Sbarra bewerkte 'zinnespel' *Tieranny van Eigenbaat, in het Eiland van Vryekeur* (1679), heeft Bilderdijk tussen 1813 en 1816 een voordracht gewijd waarin hij wilde aantonen dat dit stuk geenszins is bedoeld als een politieke aanval op stadhouder Willem de Derde. Volgens het tijdschrift *De recensent* van 1824 (en ook volgens zijn vriend Mr. S.I. Wiselius) is hij daarin niet geslaagd.[1725]

1717 Van Alphen (1782), p. 228; vgl. hfdst. XIV, par. 3.

1718 Pennink, p. 176; vgl. naar aanleiding van een kort tevoren verschenen artikel van H.H.J. de Leeuwe: De Jong, 'Preromantiek en Medea', *Levende talen* 1964, p. 487 e.v.

1719 DW. VII, p. 409; Worp, dl. I, p. 412.

1720 Van Praag (1923), p. 50 e.v.; Bydragen, p. 18, 19.

1721 DW. VII, p. 409.

1722 J. Nomsz, *Iemant en Niemant*, zinnespel, Amsterdam 1768. Zie Worp, dl. II, p. 189 en M. Prinsen (1934), p. 179, 180.

1723 Bydragen, p. 83.

1724 Worp, dl. I, p. 382-384; Albach (1946), p. 34.

1725 Bydragen, p. 195 e.v. Bilderdijk spreekt in dit stuk over de tijd van Napoleon en 'onze Tweede Klasse' van het Koninklijk Instituut. Gegeven de mededeling van Jeronimo de Vries in *Gedenkzuil*, p. 66, zou ik daarom dateren: 1813-1816. De in de tekst bedoelde recensie bevindt zich als overdruk in de Koninklijke Akademie te Amsterdam, nr. 444, p. 216 (rood): zie p. 460 van de gedrukte paginering. Voor de mening van Wiselius, Br. III, p. 166. Zie over dit

TIERANNY
Van
EIGENBAAT
In het Eiland van
VRYEKEUR,
ZINNESPÉL.
De Twéde Druk, op nieuws overgezien, verbéterd, én van veele Drukfeilen, enz. gezuiverd.

TE AMSTERDAM,
Gedrukt voor het KUNSTGENOOTSCHAP, én te bekomen by de Erven van J. LESCAILLE, énz.
Met Privilegie. 1705.

23. Titelblad van *Tieranny van Eigenbaat.*

zinnespel: Te Winkel, dl. III, p. 53 e.v., die, zonder Bilderdijk te noemen, het kennelijk met diens interpretatie eens is, en Worp, dl. I, p. 413 e.v., die Bilderdijks opinie wél noemt en erop wijst dat er in de eerste jaren van de achttiende eeuw vervolgen op *Tieranny* werden geschreven. Mijn exemplaar (een door Y. Vincent gesigneerde tweede druk van 1705) is voorzien van een geschreven sleutel, volgens welke met 'Eigenbaat' Willem de Derde wordt bedoeld. Een heruitgave van *Tieranny van Eigenbaat* werd bezorgd door T. Holzhey en K. van der Haven (Zoeterwoude 2008). Zij menen ten onrechte dat Bilderdijk zijn voordracht heeft gehouden in 1823 (p. 31) en weten te melden dat er 'tot nu toe' 25 verschillende 'sleutels' zijn gevonden, waarvan vijf Oranjegezinde die de oudere, staatsgezinde uitleg 'neutraliseerden'

Sleutel

Verstand	Holland
Deugd	Raad van Staten
Wil	Staten Generael
Gemeene best	Jan de Wit
Goedaard	Cornelis de Wit
Kwaadaard	
Rechtvaardigheid	Afgedankte Heeren.
Oprechtheid	
Eigenbaat	Prins Willem de 3e.
Arglistigheid	De Oude Princes Amelia
Bedrog	Raed Pensionaris Fagel
Schijnheiligheid	Simonides & Landman.
Ondeugd	Bentinck Portland
Vleijerij	Hovelingen
De Zinnen	Inwoonders der Seven Provinçien.
Eiland van Vrijekeur	's Gravenhage.

24. Sleutel bij het zinnespel *Tieranny van Eigenbaat* in een exemplaar van de tweede druk (1705).

Toen Bilderdijk in zijn treurspelverhandeling sprak over 'zedelijke kluchtjens, die ons de getrouwe schildering der voorouderlijke zeden belang inboezemen', noemde hij met ere Pieter Bernagie's *Den huwelijken staat* (1684). Daarentegen komen volgens hem 'vodderyen' als *Pefroen met 't schaapshooft* niet in aanmerking.[1726] Deze klucht verscheen in 1669 en werd geschreven door de '17[de] eeuwsche letterdief' Ysbrand Vincent. Hij was lid van Nil Volentibus Arduum en bewerkte zijn *Pefroen* naar een Frans voorbeeld van Raymond Poisson.[1727] Bilderdijk noemde diens naam niet, maar deelde mede dat Vincents klucht 'uit het Spaansche *Intermedio de la Reliquia* (is) genomen'.[1728]

Als het beste Nederlandse blijspel beschouwde Bilderdijk in 1808 *De gelyke twélingen* van Nil Volentibus Arduum. Dit is een door het kunstgenootschap in 1670 uitgegeven bewerking van Plautus' *Menaechmi*. Ook J.A. Worp roemde deze vertaling in zijn anno 1904 verschenen standaardwerk over de geschiedenis van het Nederlandse toneel.[1729] Bilderdijk was nog uitbundiger in zijn lof, maar zag zich verplicht zijn enthousiasme te temperen vanwege zedelijke bezwaren.[1730]

Pieter Langendijk, wiens *Don Quichot op de bruiloft van Kamacho* hij in 1779 citeerde in een rijmbrief aan zijn zusje, werd later door Bilderdijk zeer ongunstig beoordeeld. In de treurspelverhandeling staat dat men: '(tot schande onzer Natie) het toneel nog steeds onteert' met zijn 'zoogenoemde Blijspelen', die 'koud en inslapend' zijn. Bij dezelfde gelegenheid noemde Bilderdijk de blijspelen van Mr. A. Alewijn 'levendiger maar gemeen'.[1731]

Met de activiteiten van het kunstgenootschap Nil Volentibus Arduum (1669) begon de triomf van het Frans-classicisme in Nederland. In zijn treurspelverhandeling schreef Bilderdijk dat het – vooral op Corneille en Aubignac berustende en pas in 1765 gedrukte – *Nauwkeurig onderwijs in de Tooneel-poëzy* van het Amsterdamse genootschap: 'in duizend opzichten, van dwaasheden krielt'.[1732] Later, maar niet voor 1816, verklaarde Bilderdijk in een verslag aan de Tweede Klasse van het Koninklijk Instituut dat Lodewijk Meijer en Andries Pels het beginsel van het Franse treurspel dat zij meenden te onderwijzen, zelf geenszins 'doorzien' hadden: hun onwetendheid blijkt uit het zojuist genoemde theoretische geschrift.[1733] Zulke uitlatingen passen volledig in Bilderdijks van elders

---

[1726] Trsp., p. 209.

[1727] Worp, dl. II, p. 210; Te Winkel, dl. III, p. 28; Hilman. (Ons tooneel, 1879), p. 108; Alphabetisch overzicht... Hilman (1878), p. 267. De benaming 'letterdief' werd gebruikt door F.Z. Mehler, 'Een 17[de] eeuwsche letterdief (Ysbrand Vincent)', *Nederland* 1891, dl. II, p. 79 (vgl. voor Vincent ook noot 1114).

[1728] Trsp., p. 209; vgl. hfdst. XIII, par. 2, noot 734.

[1729] Worp, dl. I, p. 429.

[1730] Trsp., p. 209. Zie hfdst. XI, par. 3.

[1731] Bosch (1955), p. 42; Trsp., p. 170, 209.

[1732] Trsp., p. 140; vgl. Te Winkel, dl. III, p. 31.

[1733] Over het trsp. in Nl., p. 9.

bekende opinie over de kunstgenootschappen van zijn tijd: hij heeft meermalen op felle wijze uiting gegeven aan zijn minachting voor deze instellingen.[1734]

Het oudste treurspel in de Franse trant dat Bilderdijk heeft beoordeeld, is de *Sofonisba* (1698) van P.V. Haps. Hij achtte dit stuk van een dusdanige minderwaardige kwaliteit, dat het 'eene beschamende armoede' verraden zou, indien men er nu nog over sprak.[1735] De Duitse filoloog A. Andrae en de Nederlandse toneelhistoricus J.A. Worp bleken later een veel gunstigere mening over dit stuk te hebben. In het *Eerste Boek* is gebleken dat Bilderdijk een poging heeft gedaan om vroegere bewerkingen van het Sofonisba-motief met een eigen ontwerp te overtreffen.[1736]

Bilderdijks *Korte aanmerkingen op Huydecopers Proeve van taal- en dichtkunde* (1828), boden hem gelegenheid tot enkele terloopse opmerkingen over het dramatisch werk van deze taalkundige. Bilderdijk meende dat Balthazar Huydecoper geen kennis van de Nederlandse versificatie had. Dat hij nochtans als dichter roem verwierf, komt omdat hij natuurlijke aandrift had en 'somtijds zich-zelven te boven ging'. Dan wist hij de 'vastheid of waren Dichttoon' te vinden die ontbrak aan de hem eigen 'Zekeren slag of manier van versificatie'. Tenslotte merkte Bilderdijk op dat Huydecoper dikwijls verviel 'in prozaïsche toonvallen, waarvan zijne Treurspelen rijkelijk bewijzen opleveren.'[1737] Intussen wist Bilderdijk wel het een en ander in deze treurspelen te waarderen. Een verspaar uit Huydecopers *Achilles* (1779) blijkt hem zozeer te hebben getroffen, dat hij het zowel citeerde in 1783 als in 1823; bovendien leverde hij er een variant op in zijn eigen treurspel *Kormak*.[1738] In een brief van 1780 schreef Bilderdijk dat een alleenspraak van *Patroclus* (een der dramatis personae uit *Achilles*) bij hem op hoger prijs staat dan verscheidene koorzangen van Euripides. Een jaar tevoren heette het dat Huydecopers Achilles-figuur meer Grieks is dan die van Racine: maar in 1808 volgde de bedenking dat het Nederlandse treurspel juist schade heeft ondervonden omdat de auteur zich te angstvallig aan het voorbeeld van Homerus heeft gehouden.[1739] De vergelijking met Racine staat ook bij Rhijnvis Feith (1793), die bovendien van mening was dat 'onzen grooten Huydecoper' boven Vondel moet worden gesteld.[1740] Bilderdijks oordeel over Huydecopers dramaturgie is uiteindelijk minder gunstig dan dat van Jan te Winkel, die in 1910 de *Achilles* het beste treurspel uit de achttiende eeuw noemde.[1741] Blijkens zijn verslag *Over het treurspel, in Nederland...* was Bilderdijk van mening dat in *Achilles* (en ook in Huydecopers later treurspel *Arzases)* teveel declamatie voorkomt en dat de ontwerpen niet 'tooneelmatig'

[1734] Over het trsp. in Nl., p. 12.

[1735] MF., p. 82 e.v.; DW. VII, p. 72; DW. IX, p. 494 e.v.; DW. XIII, p. 273.

[1736] A. Andrae, *Sophonisbe in der französischen Tragödie...*, Oppels und Leipzig 1891, p. 85; Worp, dl. I, p. 139; zie *Eerste Boek*, hfdst. IV, par. 5.

[1737] Korte aanmerkingen..., p. 79, 102, 160.

[1738] Br. I, p. 122; *P.C. Hoofts gedichten...*, dl. III, p. 286; zie *Eerste Boek*, hfdst. X, par. 4, noot 492.

[1739] Br. I, p. 68; DW. XV, p. 16; Trsp., p. 208.

[1740] Feith (1793-1825), p. 41, 39; vgl. hfdst. XVI, par. 2, noot 934.

[1741] Te Winkel, dl. III, p. 357.

zijn. De lange alleenspraken die in de trant en soms ook in de maat van de lierzang zijn gesteld, vond Bilderdijk het verdienstelijkst. Maar helaas bevorderen ze geenszins de eigenlijke daad en steken ze ook te veel af bij de veel lagere stijl van de gesprekken waarmee ze samenhangen.[1742] In de treurspelverhandeling van 1808 schreef Bilderdijk dat de *Eneas en Turnus* (1705) en 'op eenigen afstand' de *Scilla* (1709) van Lucas Rotgans ''t Fransche Tooneel in veel opzichten nader uit(drukken)'. Evenals dat in 1822 Willem de Clercq zou doen, zag Bilderdijk zich verplicht te constateren dat de goede eigenschappen van Huydecopers treurspelen 'in de vertooning niet meer uit te houden zijn' vanwege de verandering 'of liever, de geheele verwoesting [...] van den smaak in de Tooneeluitvoering'. Hoewel daardoor een afkeer van de lierzangerige monologen in de *Achilles* is veroorzaakt, heeft het stuk zich nog staande weten te houden. Dat geluk is niet te beurt gevallen aan Huydecopers laatste treurspel, *Arzases of 't edelmoedig verraad* (1772). Bij de moderne uitvoering van dit 'pronkstuk der Nederlandsche treurspelen' (Van Effen), valt men volgens Bilderdijk in slaap.[1743]

Als een treurspel dat eveneens slachtoffer van de nieuwe smaak is geworden, beschouwde Bilderdijk *Semiramis, of de dood van Ninus* (1729) van Philip Zweerts. Vroeger voldeed dit stuk in de schouwburg, maar thans is het 'koud'. Het treurspel als zodanig heeft volgens Bilderdijk zeer grote verdiensten, maar er moet worden opgemerkt dat het in veel opzichten te gezwollen is.[1744] In zijn verslag *Over het treurspel, in Nederland* ... bewonderde Bilderdijk in dit zelfde stuk de 'dichterlijke zwier' en meende hij dat het 'een der best geregelde plans (heeft) waar wij op roemen mogen'.[1745] Zweerts komt verder voor in de *Brief van den navolger van Sofocles Edipus* (1780), waar hij een pluim krijgt omdat hij in zijn bewerking van Maffei's *Merope* enkele gezochte regels heeft weggelaten die een verwerpelijk anachronisme bevatten.[1746]

Van Claas Bruin wist Bilderdijk in zijn verslag *Over het treurspel, in Nederland* ... te melden dat hij enkele 'goede Tooneelen' heeft, maar 'zijn stukken zijn meestal declamatieën, langwijlig en ontbloot van een genoegzaam Tooneelmatig ontwerp.'[1747] Een aantekening uit 1805 doet vermoeden dat Bilderdijk waardering had voor Bruins treurspelen over *Het leven van den apostel Paulus* (1734) en in de *Bydragen* van 1823 vernemen we dat het treurspel *De dood van Willem den Eersten* (1721) 'gants niet

[1742] Over het trsp. in Nl., p. 12, 13.

[1743] Trsp., p. 208; De Clercq, Verhandeling² (1826), p. 258; het oordeel van Justus van Effen wordt geciteerd door Te Winkel, dl. III, p. 360. Van Effen stelde Rotgans boven Vondel: zie par. 2. (Van de genoemde stukken van Rotgans werden in 1959 en 1960 geannoteerde uitgaven bezorgd door L. Strengholt; van Huydecopers *Arzases* verscheen in 1982 een uitgave door M.A. Schenkeveld-van der Dussen.)

[1744] Trsp., p. 207. Het mij onbekende stuk van Philip Zweerts wordt in het Alphabetisch overzicht... Hilman, p. 63, aangeduid als een oorspronkelijk treurspel; volgens Worp, dl. II, p. 311 en Albach (1946), p. 188, is het een bewerking naar 'Mme Gomez'.

[1745] Over het trsp. in Nl., p. 13; Van Limburg Brouwer (1823), p. 59, is bij zijn oordeel over Zweerts wellicht 'geïnspireerd' door Bilderdijk.

[1746] Brief navolger, p. 20; hfdst. XII, par. 3, noot 712. (vgl. voor dit treurspel De Haas (1998), p. 168, noot 38)

[1747] Over het trsp. in Nl., p. 12.

verwerpelijk' is.[1748] We geloven dit des te eerder omdat in het *Eerste Boek* is geconstateerd dat Bilderdijk aan dit stuk van Bruin heeft ontleend voor zijn eigen onvoltooide treurspel over *Willem van Oranje*.[1749]

Jacoba van Beieren, gravin van Holland en Zeeland (1736) van Jan de Marre is het laatste treurspel dat Bilderdijk bespreekt in zijn verslag *Over het treurspel, in Nederland...* Hij prees dit stuk om zijn 'regelmatigen gang, by getrouwheid aan de aangenomen Tooneelregelen, en een goede, aandoenlijke en waardige stijl en versmaat'.[1750] In de verhandeling van 1808 noemde Bilderdijk de Marres treurspel 'de lieveling onzer Natie'. Deze lofprijzing klinkt geenszins overdreven wanneer men weet dat de *Jacoba van Beieren* nog in 1826 is herdrukt en door Worp wordt aangeduid als 'een der weinige Nederlandse treurspelen van dien tijd, die zich lang op het tooneel hebben staande gehouden'.[1751] Jan de Marre is van 1731 tot 1751 directeur van de Amsterdamse schouwburg geweest. Hoezeer Bilderdijk hem ook in die kwaliteit waardeerde, bewijzen zijn onuitgegeven *Consideratien over de aanmoediging der toneelpoëzy*.[1752]

Tot de door Bilderdijk vermelde oudere toneelauteurs behoren nog Frans van Steenwijk (die in het *Eerste Boek* ter sprake kwam in verband met Bilderdijks treurspel *Willem van Holland*) en zijn eigen vader dr. Izaak Bilderdijk. In zijn anno 1824 gepubliceerde verhandeling *Van de versificatie* noemde Bilderdijk hem als dichter van het treurspel *Tomyris* en hij voegde daaraan toe dat dr. Izaak 'eene uitmuntende versificatie had, maar die hy naderhand meestal bedorf, door haar steeds te willen verbeteren'. In dezelfde verhandeling haalde Bilderdijk een voorbeeld aan uit het treurspel '*Adéla* van Roulleau', die hij aanduidde als een dichter 'wiens geest en versificatie by my op hoogen prijs staat'.[1753] Wat opvalt, is de eigenaardigheid dat Bilderdijk in beide gevallen niet meedeelt dat de genoemde dichters geenszins de auteurs van de genoemde stukken zijn. *Tomyris* is een bewerking naar het Frans van Barbier en 'de Adéla van Roulleau' is het door H.J. Roullaud vertaalde treurspel van De la Place, dat in 1762 verscheen onder de titel *Adela, Gravinne van Ponthieu*.[1754]

4. Bilderdijks tijdgenoten

In 1810 wijdde Bilderdijk een voordracht aan het toneelstuk *Pietje en Agnietje of de doos van Pandora* (1779) van Onno Zwier van Haren, waarvan de 'oorsprong... algemeen een raadsel (was)'. Als bron wees hij terecht een Frans prozastukje aan dat sinds 1721 werd

---

1748 Zie de aantekening in DW. II, p. 486 en vgl. Worp, dl. II, p. 139; Bydragen, p. 186.

1749 *Eerste Boek*, hfdst. V, par. 7.

1750 Over het trsp. in Nl., p. 14.

1751 Trsp., p. 208; Worp, dl. II, p. 143; vgl. Van Limburg Brouwer (1823), p. 57, 58.

1752 Zie de *Bijlage* achterin dit *Tweede Boek*.

1753 NTDV., II, p. 152, 154; vgl. Br. V, p. 249. Voor F. van Steenwijk: zie *Eerste Boek*, hfdst. X, par. 3, noot 454.

1754 Het titelblad van het stuk van dr. Izaak Bilderdijk luidt: *Tomyris, of de dood van Cyrus; treurspel. Gevolgd naar het Fransche van Mejuffrouwe Barbier*, Amsterdam 1763; voor de vertaling van H.J. Roullaud zie: Alphabetisch overzicht... Hilman, p. 2, nr. 23.

gespeeld door een kermistroep. Bilderdijk karakteriseerde van Harens spel als een onregelmatige 'Tooneel-mijmering' in 'afwisselende samenspraken en handelingen'. Hij vond desondanks dat het zeker aanspraak mocht maken op de kwalificatie 'Tooneelspel', aangezien men immers ook 'de Hoogduitsche vodden' met deze naam placht aan te duiden. Zijn waardering voor *Pietje en Agnietje* en voor Van Haren in het algemeen (waarop ik nog terugkom) blijkt zeer duidelijk uit de volgende beoordeling: 'Dit stuk, het welk in den eersten opslag niet dan de vrucht van een luchtige luim schijnt, onderscheidt zich niet slechts door een fijne volgeestige scherts, luchtigen zwier, natuurlijke vinding, gemaklijken afloop, en eene wonderbaarlijke aangenaamheid, die ons vastboeit, en zich met een allertreffendste deelneming voor het onderwerp, op eene hartbetoovrende wijze vereenigt; maar het is diep gedacht, vol Staats-Zeden- en Menschenkennis; bevat groote gewichtige waarheden, en ademt alomme, een als verborgen en zich niet vertoonende, maar de ziel verwarmende Vaderlandsliefde hoedanige al des Schrijvers werken, (altijd, helder en onbezwalkte spiegels zijner ziel) wijd en zijd uitschieten'.[1755] Volgens Huet, Polak en Prinsen, was deze lof niet overdreven, maar Knuvelder toonde zich anno 1958 minder enthousiast.[1756]

In de serie *Het zedelijk Tooneel, bevattende eenige der beste zedelijke tooneelspelen, uit verscheiden taalen bijeengebragt* (1778-1792) is een stuk door J. van Panders verschenen, waarop Bilderdijk in 1779 uitvoerig kritiek heeft geleverd. Dit gebeurde in een brief aan de uitgever A. van der Kroe, die hem het manuscript ter beoordeling had gezonden. De drieëntwintigjarige dichter-criticus noemde de stijl van het betreffende spel 'levendig en aandoenlijk' en meende dat de behandeling van het onderwerp 'niet ongevallig, rijk en belangwekkend' was. Hij adviseerde de uitgever tot opname in zijn serie, maar stelde de auteur een aantal veranderingen voor volgens 'de wetten der dichtkunst, welke die der natuur en der wijsbegeerte zijn'. Volgde een uitvoerige bespreking, waarin Bilderdijk wijzigingen aanduidt die zouden kunnen leiden tot een hechtere bouw van het stuk. Inderdaad heeft Van Panders een gedeelte van Bilderdijks aanwijzingen benut; nog hetzelfde jaar verscheen in 'verplooide' vorm zijn drama *Bousard of de menschlievende lootsman*.[1757] Een tweede toneelspel van J. van Panders was *De vrijgeest*. Bilderdijk ontving het manuscript eveneens in 1779 ter inzage. Ditmaal leverde hij echter een vernietigende kritiek. Op grond van fouten tegen de samenstelling, de kiesheid en de zedenleer, ontraadde hij de publicatie. De uitgever volgde zijn advies, maar in 1805 verscheen het stuk alsnog in een ander fonds. Het droeg toen de titel *De snoodaard naar beginsels* en vertoonde enkele afwijkingen van het oorspronkelijke ontwerp die te danken zijn aan de kritiek van Bilderdijk. De hoofdlijnen

---

[1755] Bydragen, p. 186-188 (voor de datering van Bilderdijks voordracht zie Gedenkzuil, p. 63). Dat Bilderdijks crenologisch onderzoek juist was, blijkt uit Te Winkel, dl. III, p. 647. (Van O.Z. van Harens *Pietje en Agnietje* bestaat een op onbenullige wijze ingeleide schooluitgave, Gorinchem 1954.)

[1756] Prinsen (1931), p. 423-424; G. Knuvelder, *Handboek...* ², dl. II, 's-Hertogenbosch 1958, p. 431.

[1757] Bosch (1955), p. 23 e.v.; Worp, dl. II, p. 168.

van deze kritiek staan in de tweede paragraaf van hoofdstuk IX. Er kan nog bij worden opgemerkt dat ze een terloopse opmerking bevat over het toneelspel *Dorvant, of de zegepraal der liefde* (1789), van J.A. Schaz (Pieter 't Hoen). Daaruit blijkt dat Bilderdijk dit stuk ver beneden Van Panders' *Bousard* stelde.[1758]

Een Nederlands drama dat Bilderdijk heeft bewonderd (maar dat hij blijkbaar niet voor opvoering geschikt achtte), is *Catharina Herman* (1795) van mr. Jan Jacob Vereul. Bilderdijk zelf had de stof van dit stuk al gebruikt in een romance toen hij het stuk van Vereul leerde kennen. Hij besloot tot een omwerking van zijn eigen gedicht, die hij bij de uitgave (1799) als volgt inleidde: 'ik dacht er een uitvoerig tafereeltje van Huwelijkstederheid van te maken, wanneer ik het aandoenlijke Drama van den Dichter Vereul over dat onderwerp ontving, die dit werk voor my en op een veel volkomener wijze dan de Romance toeliet, had afgedaan; en ik verkoos niet, met flaauwe waterverf tegen zijn gloeiend gekleurd Kabinetstuk te worstelen'.[1759]

De in Duitsland geboren dichter O.C.F. Hoffham behoorde tot Bilderdijks vrienden voor en tijdens zijn verblijf in Brunswijk; mogelijk heeft hij een bemiddelende rol gespeeld toen Katharina Wilhelmina Schweickhardt (in 1798) te Berlijn een adres zocht om in het geheim te bevallen van Bilderdijks zoon Julius.[1760] Hij is de schrijver van de komedie in proza *Al stond er de galg op! of de verydelde tooneel komparitie* (1783), die door Worp 'zeker wel het aardigste Nederlandsche blijspel van dien tijd' wordt genoemd. Bilderdijk was hem in deze lof voor geweest. In 1808 heette Hoffhams stuk 'een onzer allerbeste blyspelen' en in 1821 een 'voortreflijk Blyspel'.[1761] Veel (rijmloze) gedichten van Hoffham werden gepubliceerd in de *Kleine dichterlijke handschriften* van Pieter Johannes Uylenbroek. Ook deze uitgever behoorde tot Bilderdijks vriendenkring. Dat blijkt onder meer uit het feit dat Uylenbroek in 1791 het manuscript van zijn vertaling van Guyot de Mervilles blijspel *Les époux réunis* (1738) aan Bilderdijk ter inzage zond. Deze beloofde het stuk 'met veel genoegen (te zullen) lezen en nazien'. Onmiddellijk na ontvangst maakte Bilderdijk al een opmerking over de titel. In plaats van 'De hereenigde Echtgenooten', stelde hij Uylenbroek voor: *De echtgenooten hereenigd.* En onder deze titel is het werk inderdaad nog hetzelfde jaar verschenen. Of de vertaling als zodanig ook wijzigingen heeft ondergaan op voorstel van Bilderdijk, is mij onbekend.[1762]

Bilderdijks waardering voor het toneelwerk van Onno Zwier van Haren heeft zich niet beperkt tot diens *Pietje en Agnietje*. In zijn voordracht van 1810 deelde hij mee dat Van

---

[1758] Bosch, (1955), p. 45.

[1759] DW. XV, p. 66; blijkens zijn *Consideratien* (zie par. 5 en de *Bijlage* achterin), meende Bilderdijk dat er in 1808 geen Nederlandse drama's bestonden die voor opvoering in aanmerking kwamen.

[1760] Brief van Bilderdijk aan Kath. Wilh. Schweickhardt, van 11-VI-1798 in Portef. Margadant (Briefwisseling III, p. 110); vgl. Kollewijn, dl. I, p. 287.

[1761] Bosch (1955), p. 62; Br. I, p. 149, 193, 213; Trsp. p. 209; TDV. II, p. 193; Worp, dl. II, p. 200.

[1762] Br. I, p. 182; Worp, dl. II, p. 312. Zie i.v.m. Uylenbroek hfdst. XVI, par. 3, noot 971

Harens treurspel *Agon, sultan van Bantam* (1769) 'hoge waarde' heeft, en dat – hoewel het onderwerp van zijn *Willem de Eerste, prins van Oranje* (1773) 'minder gelukkig (is) voor de vereischten des Tooneels' – ook deze tragedie verdiensten bezit. Bilderdijk zou zelfs niet aarzelen Van Harens tweede treurspel 'verre boven het gants niet verwerpelijke stuk van Kl. Bruin, van gelijken inhoud, te stellen.'[1763] In het *Eerste Boek* is al geconstateerd dat Bilderdijk zowel aan Claas Bruin als aan Van Haren heeft ontleend voor zijn eigen onvoltooid gebleven treurspel over Willem van Oranje.[1764] Het is intussen merkwaardig dat Bilderdijk, die Van Haren nog in 1829 'een groot genie' noemde, er anderzijds van overtuigd leek dat hij eigenlijk zijn vak als dichter niet verstond. In 1785 bezorgde hij, samen met Feith, een beschaafde en verbeterde uitgave van Onno Zwiers 'vaderlandsch Dichtstuk' *De Geuzen* en in 1810 gewaagde hij van 'eene nieuwe en betere beschaving ten aanzien der versmaat' die het treurspel *Agon* te danken heeft aan de letterkundige afdeling van het Koninklijk Instituut.[1765] Tevoren (1786) had P. van Schelle 'van het Leydse Toneelgezelschap' de *Agon* al onder handen gehad en in 1825 zou J. van 's-Gravenweert zich daar nogeens aan wagen.[1766] De waardering voor het anno 1770 al in het Frans vertaalde treurspel *Agon*, was een ingewikkelde zaak! Meer nog dan vaderlandslievende gevoelens, speelde daarbij een rol de bezorgdheid om de versmaat en het dichterlijk idioom, die Van Haren met onvoldoende handigheid hanteerde. Willem de Clercq vertolkte in 1822 waarschijnlijk de gevoelens van Bilderdijk en veel andere letterkundigen, toen hij schreef dat Onno Zwiers eerste treurspel 'een meesterstuk' zou zijn geweest: 'indien de *Agon* door Van Haren gedacht, en door Feitema berijmd ware geweest...'[1767]

Het dichtende echtpaar Van Winter-Van Merken heeft Bilderdijk als drieëntwintigjarige jongeling leren kennen door tussenkomst van mr. Daniël van Alphen. Hij duidde toen de 'begaafde Egade' van 'de beroemde' Van Winter aan als dichteres van het epos *Germanicus*. Dit heldendicht is hij blijven bewonderen. In 1805 heette Lucretia van Merken 'de onsterfelijke Dichteresse van den Germanicus' en in 1820 'de onvergetelijke Dichteresse van den Germanicus'[1768] Slechts terloops vindt men Mevrouw van Winter aangeduid als treurspelschrijfster in een voordracht van 1810. Bilderdijk stelde haar treurspel *Het beleg der stad Leyden* (1774), boven de op hetzelfde historisch motief geschreven stukken van Bontius en Westerman.[1769] Het is echter duidelijk dat Bilderdijk haar dramatisch werk lang niet zo hoog waardeerde als veel van zijn tijdgenoten deden. In

---

[1763] Bydragen, p. 185, 186.

[1764] *Eerste Boek*, hfdst. V, par. 7.

[1765] Bydragen, p. 185. Zie over de door Bilderdijk en Feith bezorgde uitgave van *De Geuzen*: De Jong, 'Thirsa' II, *De nieuwe taalgids* 1957, p. 205. Voor Bilderdijks waardering van O.Z. van Haren: zie ook Br. V, p. 315 en DW. XIV, p. 433.

[1766] Bydragen, p. 185; Worp, dl. II, p. 151, noot 2.

[1767] Zie de kritiek van de *Vaderlandsche letteroefeningen* in J. Hartog, 'Uit het leven van een tijdschrift', *De gids* 1877, dl. II, p. 497, dl. III, p. 83; Te Winkel, dl. III, p. 576, 633, 634; Knuvelder, dl. II, p. 439 citeert het (gunstige) oordeel van de acteur Marten Corver; De Clercq, p. 295.

[1768] Br. I, p. 3, 15; DW. II, p. 493; dl. XV, p. 179.

[1769] Bydragen, p. 83.

1820 heeft hij de beperkte waarde van Lucretia van Merken voor de dramaturgie benadrukt, toen hij zijn oordeel uitsprak over het treurspel *Monzongo, of de koninklyke slaaf* (1774) van haar echtgenoot N.S. van Winter. Hij schreef toen over het dichterlijk inzicht van 'den nooit op zijn prijs gestelden Van Winter, wiens Monzongo – alleen al de Treurspelen zijner Egâ tien-ja honderdmaal opweegt...'[1770] Van Limburg Brouwer zou enkele jaren later nog bladzijden lang uitweiden over de dramatische verdiensten van Lucretia van Merken en daarbij slechts als curiositeit vermelden dat N.S. van Winter 'het voetspoor zijner echtgenote' drukte: daarentegen bleek Willem de Clercq het volledig eens te zijn met de mening van zijn leermeester.[1771]

Nog in 1824 heeft Bilderdijk verklaard dat het een lierzang van J.C. de Lannoy is geweest, die hem zijn eigen dichterschap deed ontdekken. Hoezeer hij deze dichteres bewonderde, blijkt ook uit de retorische verzen die hij na haar overlijden in 1782 heeft voorgedragen in de algemene vergadering van het Haagse kunstgenootschap 'Kunstliefde spaart geen vlijt'. In een aan Lannoy gericht schrijven van 9 maart 1780 noemde de jonge Bilderdijk haar 'de onsterflijke Dichteresse van *Leo de Groote*' en hij waardeerde een monoloog uit dit treurspel hoger dan verscheidene koorzangen van Euripides.[1772] In 1808 schreef hij in zijn treurspelverhandeling: 'De *Leo de Groote* van Lannoy moet altijd voldoen op 't Tooneel, in wat smaak hy ook gespeeld worde. 't Is volkomen het nieuwe Fransche treurspel, en tevens, in zijne soort voortreflijk'. Interessant is in dit verband een onuitgegeven aantekening bij de Briefwisseling van Lessing, Mendelssohn en Nicolai. Na te hebben gewezen op de ontroerende plaats 'Soyons amis, Cinna' uit het beroemde treurspel van Corneille, citeerde Bilderdijk uit Lannoys *Leo de Groote*:

Leef, Aspar, 'k schenk u 't licht op voorspraak van uw zoon.

Deze eenvoudige regel wekt volgens Bilderdijk tranen van 'bewondering', 'om dat men daar onmiddellijk de werking ziet die de deugd des zoons op het hart van Leo doet'. Hij vervolgde: 'Die plaats verdiende omstandig ontwikkeld, en uit een gezet te worden, *ze is een der schoonste die 't Nieuwere Treurspel in Europa oplevert.*'[1773] Hoewel Bilderdijk in

[1770] DW. XV, p. 179.

[1771] Van Limburg Brouwer (1823), p. 60-62, 66; De Clercq (1826), p. 303; vgl. A.G. van Melle, 'De bronnen van Van Winter's "Monzongo" en "Menzikoff"', *De nieuwe taalgids* (1959), p. 27. Uitvoerig over 'De leerschool van Lucretia Wilhelmina' schrijft Wille in zijn *Literair-historische opstellen*, Zwolle 1963, p. 202-249.

[1772] DW. XII, p. 467; dl. X, p. 247; Br. I, p. 68.

[1773] Trsp., p. 208; collectie-Leeflang in het Letterkundig Museum te 's-Gravenhage, hschr. 583, adversaria 3. Ik cursiveer. (Volgens Van Eijnatten -1998-, p. 451, zou Bilderdijk in 1808 hebben vastgehouden aan 'het gekunstelde argument van de aristotelische "katharsis" ', terwijl hij in zijn aantekening bij de briefwisseling Mendelssohn-Lessing 'eerlijker' zou zijn geweest door 'een heel ander verhaal' te houden waarbij hij de in 1808 afgewezen 'bewondering' voor een personage wèl toelaat. Het gaat hier echter over twee verschillende zaken. Niet voor niets merkt Bilderdijk op dat deze passus verdient 'omstandig ontwikkeld en uiteengezet te worden'. Er is enerzijds de tot eerzucht en grove zinnelijkheid leidende bewondering voor een bepaalde soort *toneelpersonages*, die verwerpelijk is, en er is anderzijds de bewondering voor een goede en schone *daad*, zoals in het geval van *Cinna* en *Leo de Groote* de vergevingsgezinde grootmoedigheid als resultaat van een deugd,die wel degelijk bewondering verdient, vgl. hoofdstuk X, par. 2, noot 568. Zoals het al te vereenvoudigend is in verband met Bilderdijk te spreken over '*de*

1778 aan de dichteres zelf schreef dat haar treurspel *De belegering van Haarlem* (1770) hem tranen van naijver had doen storten, constateerde hij er in 1808 tot zijn leedwezen de nawerking in van Belloys 'Fransche koloriet van de *Siège de Calais*'.[1774] Deze opmerking treft te meer, omdat Jan Nomsz juist in De Lannoys *Leo de Groote* navolging van Belloy (én van Pierre Corneille én van Thomas Corneille én van F. Deschamp) had opgemerkt.[1775]

J. Fokke publiceerde in 1775 het treurspel *Margaretha van Henegouwen, gravin van Holland en Zeeland.* In het *Eerste Boek* is gebleken dat hij volgens Bilderdijk zijn onderwerp 'kwalijk heeft aangevat'. Bilderdijk zelf heeft het in 1808 beter proberen te doen in een onvoltooid gebleven treurspel over *Willem de Vijfde.*[1776] Een andere auteur die er bij Bilderdijk kort en slecht af kwam, was de toneelvertaler P.J. Lutkeman. Bilderdijk noemde hem in een brief van 1785 als de bewerker van twee Duitse treurspelen die 'jammerlijke miskramen' zijn, terwijl hij daarenboven duidelijk maakte dat hij nooit een 'admirateur van dien H(eer)' geweest is.[1777]

In zijn *Voorafspraak* van 1779 leverde Bilderdijk heftige kritiek op spektakelachtige toneelstukken met de 'wanschiklijkste vonden' en volslagen gebrek aan eenheid, die ten onrechte de naam treurspel voerden en zelfs zoveel succes hadden, dat zij 'ten tweedenmale ter perse gelegd worden; eeniglijk en alleen om den toestel, waar in zij verzinken'. Zijn tijdgenoten lazen daaruit terecht een kritiek op het treurspel *Robbert de Vries* van W. Haverkorn de Jonge, dat in 1777 was gedrukt en al een jaar later een herdruk beleefde. Wanneer we een brief van Bilderdijk aan J.C. de Lannoy geloven mogen, was Haverkorn na deze kritiek 'gantsch te neêr geslagen' en wenste hij wel. 'dat ongelukkige stuk niet gemaakt te hebben...' Desondanks werd het dertig jaar later nogeens opnieuw uitgegeven.[1778]

In 1789 verscheen het treurspel *Hassan, of de Algerijnen* van Jan Nomsz. Het jaar daarop schreef Bilderdijk een gedichtje over de onvermijdelijkheid van de liefde, waarvan de slotregel luidt:

> De min, wanneer hy sterft, speelt HASSAN van Jan Nomsz[1779]

Zoals in het *Eerste Boek* zijn korte ontwerp voor een treurspel over *Lodewijk de Zestiende* al liet vermoeden, heeft Bilderdijk veel belangstelling gehad voor het dramatisch werk van Nomsz. In de treurspelverhandeling van 1808 noemde hij *Maria van Lalain, of de*

---

verbeelding' zo is dat ook het geval met '*de* bewondering': vgl. hfdst. IV, par. 3, noot 201.)

[1774] Br. I, p. 46; Trsp., p. 158.

[1775] Van Schoonneveldt (1906), p. 74 e.v.; Te Winkel, dl. III, p. 578.

[1776] *Eerste Boek*, hfdst. V, par. 5; De Jong ('Nationale treurspelen', 1960), p. 564.

[1777] Br. I, p. 135; vgl. hfdst. XV, par. 2, noot 819.

[1778] DW. XV, p. 2 en p. 6 (vgl. bij de eerste plaats: Brief navolger , p. 12) *Nederduitsche dicht- en tooneelkundige bibliotheek* 1781, p. 31 e.v.; Br. I, p. 60; Worp, dl. II, p. 152.

[1779] 'Zelfbedrog': DW. X, p. 62.

verovering van Doornik (1778), samen met De Lannoy's *De belegering van Haarlem*, als een nationaal treurspel waarin helaas de Franse kleur van Belloy herkenbaar is. Schrijvend over het treurspel in de Franse smaak, stelde Bilderdijk ook de retorische vraag: 'En wie zal onzen ongelukkigen Nomsz geen recht doen ten aanzien van verscheidene zijner oorspronkelijke stukken?'[1780] Bilderdijk beschouwde Nomsz als een man van 'onmiskenbaar genie en verdienste'. In zijn aan koning Lodewijk gericht *Exposé* (1808) noemde hij hem met ere als degene die zich verzetten bleef tegen de nieuwe Duitse stroming waardoor de juiste toneelsmaak werd verwoest. Later, in 1821, deelde Bilderdijk nog over Nomsz mee dat hij als toneelschrijver weleens rekening hield met de capaciteiten van bepaalde acteurs of actrices. Bilderdijk meende dat dit tot goede resultaten kan leiden, maar achtte de methode toch alleen toelaatbaar voor gelegenheidsstukken en andere bijzondere gevallen.[1781]

Bilderdijks vriend Pieter Johannes Uylenbroek, publiceerde onder meer Nederlandse bewerkingen van Racine (*Fedra,* 1770), van Voltaire (*Mérope*, 1779) en van Chénier (*Fénelon*, 1796). Terwijl Bilderdijk de twee eerstgenoemde vertalingen waarderen kon, verbaasde het hem dat Uylenbroek het van zich had kunnen verkrijgen zo'n onchristelijk stuk te vertalen als dat van Chénier.[1782] Een andere 'veelgeliefde vriend' van Bilderdijk was, althans in 1779, Rhijnvis Feith. Maar een halve eeuw later sprak Bilderdijk in een brief aan Da Costa over 'den ouden sukkel, Feith', die inmiddels overleden was en aan wie 'belachlijke, zotte, laffe en domme' lijkredenen waren gewijd. Al rond 1784 heeft er een verwijdering tussen beide vrienden plaatsgevonden die samenhangt met de destijds bestaande politieke tegenstellingen en wellicht ook met de voorgeschiedenis van Feiths treurspel *Thirsa.*[1783] In het *Eerste Boek* is uiteengezet dat het ontwerp van dit treurspel voor een belangrijk deel kan worden beschouwd als werk van Bilderdijk. Misschien is Bilderdijk niet enthousiast geweest over het eindresultaat, omdat Feith op enkele plaatsen van het door hem opgestelde plan was afgeweken. Bilderdijks oordeel over Feiths andere treurspelen is mij niet bekend. In zijn leerdicht *Het tooneel* (1808) komt een passus voor waaruit teleurstelling blijkt omdat Feith zijn gaven heeft misbruikt door toe te geven aan Duitse invloeden, modeverschijnselen en dwaasheden.[1784] Blijkens de vierde paragraaf van ons vijfde hoofdstuk heeft Bilderdijk in de jaren 1779-1781 met Feith een breedvoerige briefwisseling gevoerd over de aard van de episode in het treurspel. Hoezeer de jonge literatoren zich destijds samen hebben verdiept in allerlei theoretische kwesties blijkt onder meer uit het gegeven dat Bilderdijk een aan zijn vriend gerichte brief kon gebruiken als bijlage in een literair-wijsgerige studie. Het is dan ook begrijpelijk dat de in de vorige hoofdstukken aangehaalde treurspelverhandeling van Rhijnvis Feith (1793) in nogal wat

[1780] *Eerste Boek*, hfdst. VI, par. 7; Trsp., p. 158, 208 (Nomsz stierf in 1803 in een armenhuis: Worp, dl. II, p. 149).

[1781] Fingal, dl. II, (1805), p. 190; Tyd. II, p. 308; TDV. II, p. 188. Vgl. Matthey (1980), p. 54-57.

[1782] Bosch (1955), p. 1, 68; Br., I, p. 213; vgl. hfdst. XVI, par. 3, noten 970-972 en *Eerste Boek*, hfdst. VI, par. 3.

[1783] *Eerste Boek*, hoofdstuk III, par. 2, noot 93.

[1784] DW. VII, p. 22.

opzichten overeenkomst vertoont met de opvattingen van Bilderdijk. We moeten echter vaststellen dat Feith, in tegenstelling tot Bilderdijk, rotsvast in de vooruitgang gelooft: hij was ervan overtuigd dat Corneille de antieke tragedie van de Grieken duidelijk heeft overtroffen.[1785]

De dichter en uitgever Adriaan Loosjes heeft zich in 1789 nogal moeite gegeven om Bilderdijk te winnen als correspondent voor zijn *Algemeene konst- en letterbode*. Mede daaraan dankte Bilderdijk het wellicht dat Loosjes hem een exemplaar zond van zijn treurspel *De watergeuzen* (1790). Bilderdijk heeft dit zeer waarschijnlijk een slecht stuk gevonden. Na de auteur voor zijn boekgeschenk te hebben bedankt, schreef hij: 'De letter (daar vraagt gij mij eerst naar) is voortreflijk. Maar hadt ge niet meer partij van uw *Reien* kunnen trekken? Met dit al is er veel schoons in.' Het komt mij voor dat Loosjes dit milde oordeel alleen te danken heeft aan Bilderdijks beleefde vriendelijkheid, die uit al zijn brieven aan deze dichter blijkt. Wanneer Bilderdijk werkelijk iets moois vond, placht hij daar op andere wijze onder woorden te brengen.[1786]

In een brief aan Jeronimo de Vries schreef Bilderdijk dat hij aan zijn *Floris de Vijfde* was begonnen, na zich te hebben geërgerd aan het treurspel *De dood van Albrecht Beiling* (1808), door Pieter Vreede. Hij gaf een verslag van deze gebeurtenis op rijm:

> Ik blaakte en kreeg een koorts, en door die koortse, dorst
> Naar- bloed en tranen, en vervloekte dien Hansworst
> Die in de hooge laars ten schouwburg op dorst stappen
> En 't purpren staatsiekleed onteerde met zijn lappen,
> De fiere Melpomeen in 't Trijnbrakkinnen kleed
> Naar 't Dolhuis joeg. – Ik stampte uit innig harteleed
> Wel driewerf op den grond, en – had mijn Treurspel vaardig,
> Eer ik of iemand 't wist.[1787]

Als een treurspel waaraan enige invloed mag worden toegeschreven op Bilderdijks eigen *Willem van Holland*, heb ik in het *Eerste Boek* Hendrik Tollens' *De Hoekschen en Kabeljauwschen* (1806) genoemd. Bilderdijks oordeel over dit en de andere toneelstukken van Tollens is mij onbekend. Wel heeft Bilderdijk herhaaldelijk tegenover Tollens zijn bewondering geuit voor diens schone, kiese, zuivere, gevoelige en stoute verzen, en voor de edele, rechtschapen en vaderlandslievende gevoelens die daarin worden 'uitgestort'.[1788] Het omgekeerde van al deze fraaie kwalificaties, heeft Bilderdijk waarschijnlijk toegedacht

1785 Verhandeling², p. 179 e.v.; vgl. Bosch (1955), p. 52 e.v.; Kalff (Onuitgegeven brieven, 1905), p. 57 e.v.; Feith (1793-1825), p. 12, 55 e.v.; zie hoofdstuk XVI, slot par. 2.

1786 Br. I, p. 237; M.H. de Haan, *Adriaan Loosjes*, Utrecht 1934, p. 34 e.v.

1787 Br. II, p. 179. Het gewraakte treurspel wordt door Tollens met name genoemd boven de kopie van dit gedicht in de collectie Klinkert, Koninklijke Academie te Amsterdam, nr. CIV, p. 67.

1788 *Eerste Boek*, hfdst. X, par. 3; J. Bosch, *Bilderdijk en Tollens*, jaarverslag van 'Het Bilderdijk-Museum', Amsterdam 1941, p. 11, 12; DW XI, p. 193.

aan het dramatisch werk van de destijds bekende acteur M. Westerman. Toen hij in zijn *Bydragen* van 1823 Reinier Bontius' 'gedrochtelijke stuk' over de belegering van de sleutelstad noemde, maakt hij meteen een minachtende toespeling op het melodrama *Het ontzet der stad Leiden* (1809) van Westerman, waarin door Spaanse soldaten wordt gedobbeld om Leidse hoofden...[1789]

Het eerste deel van Bilderdijks *Treurspelen* (1808) bevat zijn eigen *Willem van Holland* en het treurspel *Elfriede* van Katharina Wilelmina Schweickhardt, zijn tweede vrouw. Dat *Elfriede* voor een goed deel als het werk van Bilderdijk zelf mag worden beschouwd, is gebleken in het *Eerste Boek.*[1790] Onuitgegeven brieven bewijzen dat mevrouw Bilderdijk in 1808 nog aan een ander treurspel heeft gewerkt; het was in het voorjaar van 1809 voltooid en werd toen gecorrigeerd door haar echtgenoot.[1791] Zo'n correctie kreeg ook haar vertaling van Racines *Iphigénie*, die in 1809 tezamen met Bilderdijks *Cinna*-vertaling het derde en laatste deel van de *Treurspelen* vormde.[1792] Ik vermoed dat het treurspel waaraan Mevrouw Bilderdijk in 1808 heeft gewerkt het zelfde is als de tien jaar later verschenen *Dargo*. Dit stuk kreeg bij de uitgave een *Voorbericht* door Bilderdijk mee, waaraan een merkwaardige geschiedenis is verbonden. In 1817 had het Koninklijk Instituut een treurspelprijsvraag uitgeschreven, waarvoor een jury was benoemd die bestond uit Jeronimo de Vries, D.J. van Lennep, J.D. Meijer en S. Iperuszn. Wiselius. Met het jurylid Wiselius was Bilderdijk bevriend; hij benutte die omstandigheid door hem herhaaldelijk over de prijsvraag te schrijven. In een brief van 7 juni 1817 informeerde Bilderdijk of er al veel inzendingen waren. Naar aanleiding van een door Wiselius gegeven inlichting, stelde hij op 2 september vast dat er dus twee treurspelen waren binnengekomen: 'en naar ik moet opmaken, wezendlijke Treurspelen, en geen Historiestukken'. Bilderdijk vervolgde: 'Ik verwacht te vrij wat prullery; doch veellicht komt die nog na'. Op 27 december 1817 vroeg Bilderdijk aan Wiselius of er inderdaad geen treurspelen over *Hadewig, Adolf van Gelre* en *Medea* waren binnengekomen. Hij voegde daaraan toe: 'ook aan dezen geloof ik dat niet veel gemist wordt'. Over de vier of vijf stukken waarvan Bilderdijk 'om de Autheurs' wat verwachtte, schreef hij dat hem de titels onbekend waren 'maar alleen dat zij bij verschillende Natiën genomen waren'. Wiselius zal hieruit wel begrepen hebben, dat de handeling van de twee 'wezendlijke treurspelen' van september zich buiten de landsgrenzen afspeelde. In augustus 1818 schijnt Wiselius iets te hebben losgelaten over de komende beslissing. Bilderdijk schreef namelijk

[1789] Bydragen, p. 83.

[1790] *Eerste Boek*, hfdst. VI, par. 1.

[1791] Op 19 en 22 nov. 1808 schrijft Bilderdijk aan de uitgever J. Immerzeel dat zijn vrouw aan een oorspronkelijk treurspel is begonnen; op 10 jan. 1809 bericht hij dat het treurspel voltooid is. Aan zijn vrouw schrijft Bilderdijk op 29 mei 1809 dat hij ontevreden is over Immerzeel en daarmee rekening zal houden bij de uitgave van haar '*Ifigenia* [naar Racine] en *Dargo* en wat ik verder van Treurspelen nog zou mogen maken of uitgeven': tevoren, op 16 maart 1809, schreef hij haar: 'I resumed the whole *Dargo*, who is now corrected' (Portefeuilles Margadant, Bilderdijk Museum). In 1813 deed H.W. Tydeman vergeefse pogingen om voor het treurspel *Dargo* van Mevr. Bilderdijk een uitgever te vinden: Tyd. I, p. 398 en 407.

[1792] Onuitgegeven brief aan Immerzeel, waarschijnlijk van april 1809 (nr. 30 in Portef. Margadant).

de negende augustus aan Isaac da Costa: 'dat de groote Tragique keuze beslist is. Men meent dat het bokjen [van 300 gulden.] door U of mijne Ega gewonnen is.' Da Costa was de inzender van een treurspel *Alfonsus de Eerste* (van Portugal) en Mevrouw Bilderdijk had meegedongen met *Dargo* (over een gefingeerde Schotse koning) en *Ramiro* (een fantasie over een Moorse sultan in Spanje). Maar geen van deze stukken bleek uiteindelijk te worden bekroond. De jury had een prijs willen toekennen aan de *Alfonsus,* de *Dargo* en de *Antigone* (ingezonden door A. van Halmael), maar kreeg daarvoor evenmin toestemming van het Instituut als voor de verdeling van de prijs over deze drie inzendingen. Op 1 september 1818 werd daarom bekend gemaakt dat geen der ingezonden treurspelen voor bekroning in aanmerking kwam, maar dat als beste prestatie de *Alfonsus* mocht worden beschouwd. De *Dargo* volgde op de tweede, de *Antigone* op de derde, en de *Ramiro* op de vijfde plaats.

Teleurstelling en heftige woede van Bilderdijk! Hij besloot onmiddellijk de beide treurspelen van zijn vrouw uit te geven, met een hartig *Voorbericht* over het gedrag der 'laffe en domme honden', 'het Amsterdamsch geboefte' en 'de adders' uit die 'uilenkooi' van het 'helsche instituut...'! De hier weergegeven invectieven zijn ontleend aan Bilderdijks briefwisseling met Johan Valckenaer, die (op verzoek van Wiselius) bij Bilderdijk heeft aangedrongen op verzachting van zijn *Voorbericht*. Dit verscheen in 1818 en behelsde inderdaad een aanval op het Instituut, dat volgens Bilderdijk zowel de wellevendheid als zijn bevoegdheid te buiten was gegaan door de ingezonden treurspelen voor het oog van geheel Europa in het openbaar met een afkeurend oordeel te onteren. Toen Hendrik Tollens dit voorbericht gelezen had, meende hij dat niet het Instituut maar Bilderdijk zelf erdoor belachelijk werd gemaakt. Hij vond het oordeel van de jury zo vererend voor de inzenders 'dat alleen iemand zo zwartgallig als Bilderdijk zijn wrevel in dergelijke ongepaste termen deswegen kan uitspuwen en daardoor zoo deerlijk zijne gevoeligheid blootlegt over het missen van den verlangden prijs.' De door Mevrouw Bilderdijk ingezonden en uitgegeven treurspelen, vond hij 'wonderbaarlijk, romanesk en fabuleus, hoezeer vol heerelijke verzen en wegslepende tooneelen.' Volgens hem kon Bilderdijk niet oprecht zijn, toen hij deze stukken als kunst wilde 'uitventen': de man wilde volgens hem alleen maar 'wonderlijk zijn, anders is het niet te expliceeren...'[1793]

Intussen is in de tweede paragraaf van hoofdstuk V gebleken dat Bilderdijk de *Ramiro* beschouwde als een schoolvoorbeeld van het moderne treurspel volgens de Franse trant, waarin de daad geheel en al uit de handeling bestaat en waarin geen enkel (passief) onderdeel aanwezig is dat gemist zou kunnen worden. Deze beoordeling komt voor in een brief aan Wiselius van 24 september 1818, waarin Bilderdijk zijn verbazing en verontwaardiging uitspreekt over het besluit van de prijsvraagjury. Wiselius had hem

[1793] Voor deze kwestie raadpleegde ik onuitgegeven brieven in de Portef. Margadant over de jaren 1817-1818 en 1819, benevens Kollewijn, dl. II, p. 164 e.v.; Te Winkel, dl. IV, p. 116; J. Bosch (1941), p. 17, 18. Bilderdijks 'Voorbericht' is herdrukt in *De dichtwerken van Vrouwe Katharina Wilhelmina Bilderdijk*, derde deel, Haarlem 1860, p. 627, 628.

achttien dagen tevoren geschreven dat hij de *Dargo* beter vond dan de *Ramiro*. Bilderdijk was het daar niet mee eens, omdat de Dargo volgens hem maar twee goede (herkennings-) tonelen heeft. De *Ramiro* had hem en Da Costa daarentegen met verwondering en bewondering vervuld, toen zijn vrouw hun het stuk voorlas: Bilderdijk vond er de volmaakte toepassing van zijn treurspeltheorie in terug. Ook in het Voorbericht bij de uitgave van de twee omstreden toneelstukken, stelde Bilderdijk de *Ramiro* boven *Dargo*. Misschien was dit oordeel mede beïnvloed door Bilderdijks wens om de onbekwaamheid van de jury (die immers aan *Dargo* de voorkeur had gegeven!) in het openbaar aan zijn lezers duidelijk te maken. In een anno 1821 gepubliceerde verhandeling beweerde hij dat de *Elfriede* en de *Ramiro* van zijn vrouw bij de huidige toneelpraktijk in de schouwburg uitvoerbaar waren omdat ze geschreven werden in een geest die volgens de moderne speeltrant kon behagen. Maar ook Wiselius bleef op zijn standpunt staan. Op 2 januari 1819 schreef hij aan Valckenaer dat hij Bilderdijks oordeel over de *Ramiro* dwaas vond. Volgens hem was dit stuk 'een wezenlijke prul', terwijl de *Dargo* daarentegen 'een fraai stuk' mocht worden genoemd. Hij vermeldde bovendien nog een interessante bijzonderheid over de uitgave, namelijk: 'dat de *Ramiro* post festum veranderd is'...![1794]

Bilderdijks mening over het door Da Costa ingezonden treurspel *Alfonsus de Eerste* is ons niet overgeleverd. We weten alleen dat hij het onderwerp 'belangwekkend' vond en zelfs een vignet voor de titelpagina heeft getekend.[1795] Ook over het door de jury hoog gewaardeerde treurspel van A. van Halmael is geen oordeel van Bilderdijk bekend. Een feit is echter dat deze auteur zich bij herhaling diens 'leerling' noemt en dat zijn tragedie *Gerard van Velzen* (1817) min of meer aansluit op de *Floris de Vijfde* van Bilderdijk.[1796] Bij de ingezonden treurspelen voor 'de groote Tragique keuze', bevond zich ook een treurspel met de titel *Omar*. Vermoedelijk is dit het werk van A.L. Barbaz geweest dat in 1818 verscheen onder de titel *Omar, koning van Granada*. Bilderdijk ontving Barbaz' treurspel van Isaac da Costa en aan hem ook schreef hij op 12 januari 1819 dat het onderwerp van *Omar* het zelfde is al dat van Vrouwe Bilderdijks *Ramiro*. De kwaliteit van de *Omar* duidde Bilderdijk als volgt aan: 'jammerlijk, à tout égard'![1797] Dat Barbaz op zijn beurt weinig achting had voor de door de *Vaderlandsche Letteroefeningen* (1809) geroemde *Elfriede* van Mevrouw Bilderdijk, mag wellicht worden geconcludeerd uit het feit dat een aldus genoemd stuk voorkomt in zijn *Toneel-Parodieën of Hekelspelen* (1815, 1826), die hij schreef om 'kunstgebreken' en 'smaakloos werk' aan de kaak te stellen.[1798]

Het jurylid Samuel Iperuszn. Wiselius was zelf toneelschrijver. Hunningher noemt hem een aanhanger van Bilderdijks ideeën, die zich van zijn leermeester onderscheidde

[1794] Onuitgegeven brieven van 6 sept. en 24 sept. 1818 in de Portef. Margadant; TDV. II, p. 189, 190; *Treurspelen van vrouwe K.W. Bilderdijk*, Amsterdam 1818, p. X; Kollewijn, dl. II, p. 169, noot 2.

[1795] Br. IV, p. 10, 15.

[1796] Hunningher (1931), p. 22.

[1797] Onuitgegeven brief in de Portef. Margadant; vgl. Kollewijn, dl. II, p. 166.

[1798] P.H. Schröder, *Parodieën in de Nederlandsche letterkunde*, Haarlem 1932, p. 196, 198.

door zijn meerdere aandacht voor de behoeften van het publiek.[1799] In het *Eerste Boek* hebben we Wiselius leren kennen als de auteur van het treurspel *Polydorus* (1813), dat overeenkomst vertoont met een onuitgegeven ontwerp van Bilderdijk; we constateerden eveneens dat Wiselius zijn vriend Bilderdijk om inlichtingen vroeg voor zijn toneelstukken *Alcestis* en *De dood van Karel, kroonprins van Spanje*, die verschenen in 1819. Bij de *Alcestis* heeft Bilderdijk kennelijk nogal wat aantekeningen geleverd. Hij stelde het stuk beneden de *Polydorus* en meende ook dat het wordt overtroffen door Wiselius' *Adhel en Mathilde* (1815). Dit laatste treurspel had vrij wat succes. In 1817 en 1819 bleken herdrukken noodzakelijk.[1800]

Een waar evenement in de toenmalige toneelliteratuur was de publicatie van het treurspel *Montigni* (1821), door Hendrik Harmen Klijn. Ook dit stuk schijnt nog net niet in aanmerking te zijn gekomen om de kroon weg te dragen in een door het Koninklijk Instituut uitgeschreven (tweede) prijskamp. De vaderlandslievende gevoelens van zijn auteur en het toneelspel van de acteurs Andries Snoek en mevr. Grevelinck bezorgden het desondanks groot succes in de Amsterdamse schouwburg. Anderzijds bleek dat succes in 1822 weer geen beletsel voor T. Olivier Schilperoort om Klijns bestseller tweehonderd bladzijden lang kritisch te onderwerpen aan een *Proeve van beoordeelende Tooneeldichtkunde, op het treurspel Montigni toegepast*.[1801] Bilderdijk ontving dit geschrift van S.I. Wiselius en bedankte hem daarvoor in een onuitgegeven brief van 8 mei 1822. Hij schreef onder meer dat Schilperoorts kritiek hem zeer voldaan heeft en zeer versterkt in de bijzonder goede gedachten die hij voor Schilperoort had opgevat. Bilderdijk vervolgde: 'Kan men voor dezen zo lang vervolgden man, en die nu weder half Amsterdam tegen zich hebben zal, niets doen? Of moeten alleen de domme napraters en kabaalmakers alles inhebben en inhouden'. Dezelfde dag schreef hij aan Da Costa over Schilperoort: 'wien men met domme streken opgehuld, en blootgesteld heeft aan hetgeen het gevolg moest zijn van een treurspel, als *Montigny*'. Wiselius wist Bilderdijk te vertellen dat men het succesvolle treurspel van Klijn als 'antibilderdijksch' beschouwde. De oude dichter veronderstelde dat men deze wijsheid had opgemaakt uit het feit dat Schilperoort zich in zijn kritiek meermalen had beroepen op Bilderdijks treurspelverhandeling. En, zo vervolgde Bilderdijk: 'Het zal dus betekenen dat het [treurspel *Montigni*] met mijne Theorie niet instemt, en thands wil men mij als opgeworpen leeraar tegen alles wat smaak en gezag vindt doen voorkomen'.[1802] Ondanks zijn vriendschap voor Klijn, kon Bilderdijk inderdaad geen waardering opbrengen voor diens pathetische *Montigni*-product, waarbij Hunningher een eeuw later nog enigszins geïrriteerd zou opmerken: 'Waarom dit stel rijmende en in dialogen gerangschikte alexandrijnen 't epitheton 'treurspel' draagt, zal wel

1799 Hunningher (1931), p. 11, 12.

1800 *Eerste Boek*, hfdst. IV, par. 2; Portef. Margadant, 25-IX-1817; Br. III, p. 92; Worp, dl. II, p. 343.

1801 Te Winkel, dl. IV, p. 423, 424; Worp, dl. II, p. 344, 377; Hunningher (1931), p. 20, meende ten onrechte dat de *Montigni* in 1818 werd bekroond door het Koninklijk Instituut

1802 Portef. Margadant, 8 en 10 mei 1822.

ten eeuwigen dage des auteurs precieus geheim blijven...'[1803] Herinnerend aan het feit dat zijn vriend Klijn betrokken was bij de suikerindustrie, schreef Bilderdijk naar aanleiding van de *Montigni* het volgende (ongepubliceerd gebleven) rijmpje:

> Ja goede Klijn, gy meent het wel.
> Maar treurspel maken is geen spel.
> Blijf liever aan uw suikerkoken
> Dan helden, even voos als gy,
> Met bloed en brein van rijstebrij
> Op 't schouwtooneel te laten spoken.[1804]

Bilderdijk uitte zijn literair misnoegen wel meer op rijm, zonder dat hij daarbij de bedoeling had de betreffende kritiek aan de openbaarheid prijs te geven. In 1818 publiceerde J. Konijnenburg een omwerking van de vroegere *Constantinus* (1684) door Pieter Bernagie, onder de titel: *Konstantyn de Groote*. Bilderdijk schreef toen het volgende versje in zijn eigen exemplaar van het nieuwe treurspel:

> *Op den Konstantijn den Grooten,*
> *Door Konijnenburg jammerlijk bedorven*
>
> 'k Beklaag u, arme Konstantijn!
> Eens prijktet ge in den dosch van Vorstlijk hermelijn;
> En moet ge uw Rijksgewaad thans van Konijnen borgen,
> En laten u, in vriendschaps-schijn,
> Van zulk verachtelijk vee verworgen
> Dit doet den echten Dichter pijn.[1805]

De Haarlemse boekhandelaar, toneelschrijver en declamator Jan van Walré behoorde tot de vriendenkring van de oudere Bilderdijk, die hij als zijn 'meester' beschouwde. Een brief van 4 september 1818 bewijst dat hij Bilderdijk een schets van een toneelstuk ter inzage heeft gezonden. Bilderdijk schreef daarover: 'Wat uwe schets betreft. Zy is zeer goed en zelfs *brillant*: maar, mijn beste Vriend, zy is toch slechts een voorbygaand tooneelstuk; en zou er iets van te maken zijn, dat als Nationaal altijd genoegen doen kon, en dus blijvend zijn? Wat dunkt U?' Misschien is uit de schets in kwestie het latere treurspel *Diederijk en Willem van Holland* (1821) ontstaan. Naar aanleiding van dit stuk schreef Bilderdijk in een

[1803] Hunningher (1931), p. 21.

[1804] Kollewijn, dl. II, p. 157 (vgl. p. 27, 52); vriendschapsgedichten voor Klijn uit 1820 en 1825 in DW. XI, p. 233 en p. 422; zie ook Br. III, p. 317 e.v.

[1805] Afschrift in de collectie-Klinkert van de Koninlijke Akademie te Amsterdam, nr. XCIX; vgl. Worp, dl. II, p. 344.

onuitgegeven brief aan Wiselius dat Van Walré het toneel goed bestudeerd heeft, de theorie van zijn 'meester' in praktijk brengt, en zelf bovendien 'een groot acteur' is.[1806] Of Bilderdijk dit laatste wist omdat hij in Haarlem voorstellingen van het door Walré opgerichte amateurgezelschap 'Leerzaam Vermaak' had bijgewoond, valt te betwijfelen. Maar wellicht kende hij het handboek *De kunst van nabootsing door gebaarden* (1790), dat Jan van Walré en de hier al eerder genoemde J. Konijnenburg hadden vertaald uit het Duits van J.J. Engel.[1807] In ieder geval waardeerde Bilderdijk het door Van Walré bezorgde *Gedachtenis-offer* voor de beroemde acteur Ward Bingley. Van Walré had hem in 1818 tevergeefs een dichterlijke bijdrage voor deze uitgave gevraagd. Bilderdijk antwoordde dat hij wel steeds achting voor Bingley heeft gehad, maar zich, bij zijn tegenwoordige gebrek aan belangstelling en vuur voor 'dit kunstvak', niet meer in staat achtte aan Van Walrés verzoek te voldoen. Toen hij kort daarop het manuscript van het aan Bingley gewijde 'Dichtwerk' ter inzage had ontvangen, leverde hij het volgende commentaar: 'Het is zeer wel gedacht, en, boven al van wat men van het onderwerp zou hebben mogen verwachten ('t geen *con amore* alleen er aan geven kon) meesterlijk en met eene waardigheid die verheffend is, uitgevoerd. En ik schouw het vrij van al zulke *leemten* of *gebreken*, die (gelijk gy het uitdrukt) het zouden moeten te rug doen houden, of, verhelping vorderen. Uitdrukking, versificatie en taal zijn juist en kiesch, en het is den Dichter en zijn voorwerp alzins waardig.'[1808]

5. De schouwburg en zijn acteurs

Dat Bilderdijk als kleine jongen in zijn ouderlijk huis heeft meegewerkt aan het opvoeren van toneelstukjes, werd al vermeld in het *Eerste Boek*. We leerden daar ook 'krachtige' reciteerkunst van zijn vader kennen en Bilderdijks eigen uitstapjes naar de schouwburg in gezelschap van zijn jongere broertje Izaak, die hij dan 'overlaadde met lekkernijen'.[1809] In welke mate Bilderdijk op latere leeftijd toneelvoorstellingen heeft bijgewoond, valt moeilijk uit te maken. Zijn uitlatingen daarover zijn tegenstrijdig. Ik meen er uit te mogen opmaken dat de dichter tijdens zijn eerste verblijf in Amsterdam vrij geregeld de schouwburg heeft bezocht. Als Leids student (1780-1782) had hij contact met het kunstgenootschap *Veniam pro laude*, dat opvoeringen organiseerde in de sleutelstad.[1810] Zijn advocatenpraktijk in Den Haag (1782-1795) schijnt Bilderdijk niet veel vrije tijd te

1806 Br. III, p. 308; onuitgegeven brief van 26 nov. 1820 aan Wiselius in de Portef. Margadant; een vriendschapsgedicht voor Jan van Walré staat in DW. XI, p. 505.

1807 Johs Hilman (Ons tooneel, 1879), p. 339; Albach (1956), p. 62.

1808 Br. III, p. 310, 311; de uitgave verscheen pas drie jaar later als *Gedachtenisoffer aan Ward Bingley*, Amsterdam 1821.

1809 *Eerste Boek*, hfdst. II, par. 1.

1810 Dat de jonge Bilderdijk en Rhijnvis Feith betrekkingen onderhielden met *Veniam pro laude*, blijkt onder meer uit het plan tot een 'proefuitvoering' van het treurspel *Thirsa:* De Jong 'De eerste auteur van Feiths treurspel *Thirsa*' in *De nieuwe taalgids* 1957, p. 129, 130 (noot 1). Voor relaties van Bilderdijk met de bij *Veniam* betrokken auteurs C. van Hoogeveen jr. en J. le Francq van Berkhey, raadplege men de registers in de brievenuitgave van Bosch (1955), p. 312, 313; vgl. DW. VI, p. 459 en Korte aanmerkingen op Huydecopers..., p. 30. Vgl. *Eerste Boek*, hfdst. III, par. 2.

hebben gelaten, maar ook in die periode heeft hij nu en dan toneeluitvoeringen bijgewoond. In Londen (1795-1797) en Brunswijk (1797-1806) moet Bilderdijk eveneens het theater hebben bezocht en na zijn terugkeer in Nederland heeft hij enige tijd een vrije toegangskaart voor de Amsterdamse schouwburg gehad, waarvan hij echter maar enkele malen per seizoen gebruik schijnt te hebben gemaakt. Ik vermoed dat dit tussen 1808 en 1813 is gebeurd. Na die tijd, met name sedert zijn vestiging te Leiden (1817), is Bilderdijk waarschijnlijk zelden of nooit meer in de schouwburg geweest.[1811] We mogen zelfs aannemen dat hij noch de opvoeringen van Vrouwe Bilderdijks *Elfriede*, noch die van zijn eigen *Willem van Holland* (1814) en van zijn *Cinna*-vertaling (1814) heeft bijgewoond.[1812] Belangrijk lijkt me in dit verband zijn brief van 4 september 1818 aan Jan van Walré. Daarin bekent Bilderdijk, dat de acteerkunst in de schouwburg hem absoluut niet meer interesseert. Hij schrijft dat zijn hart 'geheel afgetrokken (is) van dit kunstvak', en dat 'de laatste vonk van die zucht die er (hem) in vroeger tijd voor ontvlamde', volstrekt is uitgedoofd.[1813]

Behalve enkele plaatsen in de verhandeling *Het treurspel* (1808), waaruit blijkt dat Bilderdijk vroeger weleens contacten met acteurs had, zijn het vooral zijn werkzaamheden voor de Tweede Klasse van het Koninklijk Instituut en een verslag voor Koning Lodewijk die zijn bemoeiingen met de praktijk van de schouwburg bewijzen.[1814] De toneelcommissies in de Tweede Klasse moesten een lijst van nog bruikbare toneelstukken opstellen, rapporten leveren over de toenmalige toestand van het treurspel en voorstellen doen tot verbetering van het toneel.[1815] Bilderdijks tot koning Lodewijk gerichte *Exposé*

[1811] In klaagbrieven over zijn armoedige levenswijze te Brunswijk (1805) en te Amsterdam (1816), schrijft Bilderdijk dat hij nooit de schouwburg bezoekt (Br. II, p. 28; Tyd. II, p. 183). Volgens mededelingen in DW. II, p. 484, 185 (1805) en Trsp., p. 155 (1808), woonde hij toneelvoorstellingen bij in Duitsland en Engeland. Dat Bilderdijk in Londen de schouwburg bezocht, zou kunnen blijken uit een brief van Katharina Wilhelmina Schweickhart van juli 1796 (Portef. Margadant, rode nummering, nr. A 60; Briefwisseling II, p. 184). Een brief van 1818 (Br. III, p. 306 e.v.) schijnt een zakelijk overzicht van Bilderdijks schouwburgbezoek te bevatten, maar de daarin voorkomende mededeling dat hij na 1778 'volstrekt niet' naar het toneel ging, wordt weer tegengesproken door een brief van 1780, waaruit blijkt dat hij toen nog vrij geregeld de schouwburg bezocht (Bosch (1955), p. 76). Dat Bilderdijk 'vroeger' toneelvoorstellingen bijwoonde, blijkt verder uit TDV. II, p. 197 (1821); vgl. ook Trsp., p. 191, 232 en het *Eerste Boek*, hfdst. VI, par. 2. Voor zijn door Ruitenbeek in Beekman (1999), p. 249, genoemde anonieme medewerking aan het tijdschrift *De Tooneelkijker* heb ik geen rechtstreeks bewijs gevonden. Vgl echter hfdst. XV, par. 3, noot 862, over een door Balk geciteerde kritiek in *De Tooneelkijker* van 1817 en hfdst. XV, par. 3, noot 859, over de kritiek op Lessings *Emilia Galotti*.

[1812] Zie over deze uitvoeringen het *Eerste Boek*, hfdst. XII, en Worp-Sterck, p. 230. Ik vond geen enkele schriftelijke uitlating die wijst op een bezoek van Bilderdijk aan de schouwburg bij de opvoering van zijn eigen stukken of van die van zijn vrouw. Dit lijkt me al voldoende om te kunnen aannemen dat hij zelf niet in de schouwburg aanwezig is geweest: een dergelijke gebeurtenis zou hij volgens mij – met commentaar! – vermeld hebben in zijn correspondentie. Ook ontbreekt iedere toespeling op deze uitvoeringen in Bilderdijks beschouwingen over de acteerkunst. Pas in 1821 deelde hij mede dat hij zich steeds 'zoo veel van my afhing' heeft verzet tegen de opvoering van zijn treurspelen.

[1813] Br. III, p. 307.

[1814] Trsp., p. 230, 240. Zie hfdst. XX, par. 2, derde alinea.

[1815] Gedenkzuil (1833), p. 64. Het Letterkundig Museum te 's-Gravenhage bewaart als hschr. B 583, adversaria 3, een door Bilderdijk opgestelde lijst van Nederlandse toneelstukken. Titels die verband kunnen houden met zijn eigen dramatisch werk zijn: Nederlandse vertalingen van Calderóns *La vida es sueño*; treurspelen over Floris V en Gerard van Velzen door S. Sixtinus (1628 en 1683), J.J. Colevelt (1628) en C. Droste (1711); treurspelen over de Maccabeeën van S. Feitama (1735) en anoniem (1697); treurspelen over Jacoba van Beieren door Th. Rodenburg

touchant l'état déplorable de notre théâtre en zijn in handschrift overgeleverde *Consideratien over de aanmoediging der tooneelpoëzy* vertonen niet alleen zuiver literaire belangstelling voor de dramatische kunst. Ook de uitvoering in de schouwburg interesseerde hem. Dat blijkt zowel uit zijn schetsen van spelende acteurs als uit zijn handschrift *Aphorismes pour servir de fondement à la Perspective de Théâtre* (omstreeks 1808) en het hoofdstukje 'Tooneelperspectief' in zijn handboek *Grondregelen der perspectief of doorzichtkunde,* van 1828. Bilderdijk bespreekt daarin de plaatsing van toneelschermen en formuleert als § 96 de voor zijn kunstbeschouwing kenmerkende eis: 'De Tooneelschermen moeten met elkander voor het oog des toeschouwers *één enig* tafereel maken, en hierin bestaat het doel van de kunst.'[1816]

We mogen bij dit alles opmerken dat zowel Bilderdijks toneelactiviteiten als die van het Koninklijk Instituut werden gestimuleerd door Lodewijk Napoleon. Nadat Bilderdijk in augustus 1808 de koning een exemplaar van zijn treurspel *Floris de Vijfde* had aangeboden, ontving hij op 13 november een brief van het hof waarin hem werd verzocht vertalingen van Corneille en Racine te leveren. Koning Lodewijk had in zijn schrijven belangstelling getoond voor de verbetering van het Nederlandse toneel; dit inspireerde Bilderdijk tot het uitvoerige *Exposé touchant l'état déplorable de notre théâtre*, dat hij aanbood op 16 november 1808.[1817] Hij gaf daarin een vluchtig historisch overzicht, waarover al werd gesproken in de eerste paragraaf van dit hoofdstuk. Vervolgens legde Bilderdijk, zoals hij zelf zegt: 'le doigt à la playe', door aandacht te vragen voor de bestuurswijze van de Amsterdamse schouwburg. Een brief aan Juliana Cornelia de Lannoy bewijst dat die bestuurswijze al in 1780 een bron van ergernis voor hem betekende.[1818] Aan de koning schreef Bilderdijk in 1808 dat de schouwburg in handen was van een dom en ijdel bestuur, terwijl in feite de acteurs over de keuze van de stukken beslisten en deze bekortten en veranderden naar hun eigen smaak. Zulke mishandelde teksten werden ook, buiten de schrijver om, opnieuw uitgegeven. Het is volgens Bilderdijk in die omstandigheden dat de waarachtige dichters zich van het toneel hadden afgekeerd. Ze voelden er immers niets voor vanwege de fouten van de acteurs te worden uitgefloten of hun dichterlijke reputatie te laten afhangen van wat Bilderdijk aanduidde als: 'Quelques censeurs du peuple, qui achètent le droit de suffrage en entrant...'. Bilderdijk achtte een totale verandering van de bestuurswijze van de schouwburg noodzakelijk maar liet het initiatief graag aan de koning. Zelf wees hij op vier factoren die, als oorzaak van het huidige verval, onmiddellijke bestrijding eisten:

Ten eerste moet de Duitse smaak op alle mogelijke wijzen worden bestreden en daartoe zou de koning zelf maatregelen moeten nemen. Bilderdijk is bereid hem

(1638), Korn. Zevents (1691) en C. Droste (1710).

1816 Zie de illustraties nr.16 en nr. 17, en de daarbij behorende onderschriften, alsmede hfdst. XVIII, nrs. 20 en 21, en Geerts (1994), nrs. 91-99, 127, 134.

1817 Onuitgegeven brief van 19 nov. 1808 aan J. Immerzeel in de Portef. Margadant; Tyd. II, p. 306.

1818 Bosch (1955), p. 64.

uitvoeriger in te lichten over de funeste Duitse invloed op alle gebieden van het culturele leven.

Ten tweede moet er een eind komen aan de onbekwaamheid van de acteurs. Enkele van de meest talentvolle spelers zouden in Parijs als voorbeelden moeten worden gevormd, na echter vooraf te zijn onderwezen in de grammatica en de prosodie van het Nederlands. Volgens Bilderdijk was een tekort aan theoretische kennis van de moedertaal er de oorzaak van dat zich een harde, geaffecteerde en choquerende uitspraak had ingeburgerd.

Ten derde moet de kennis van de grote Franse dramaturgen worden verbreid door middel van nieuwe vertalingen van Racine et Corneille. De eerzucht van begaafde jongelieden ['... de famille, mais qui se trouvent (maintenant) comme étouffé parmis le rebut du peuple'...!] zou tot dit werk moeten worden geprikkeld, doordat de koning zou toestaan dat deze vertalingen aan hem werden opgedragen.

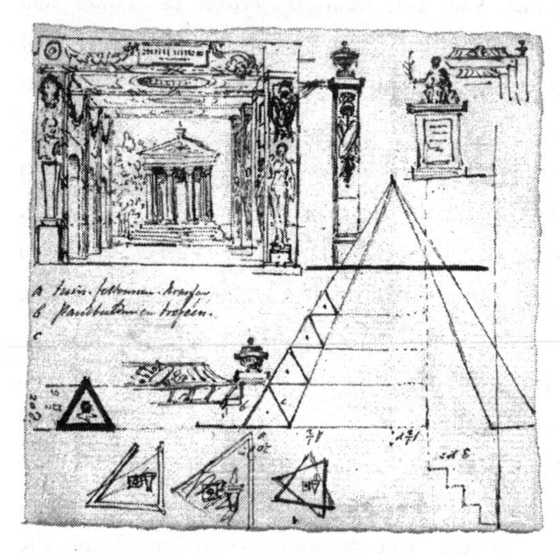

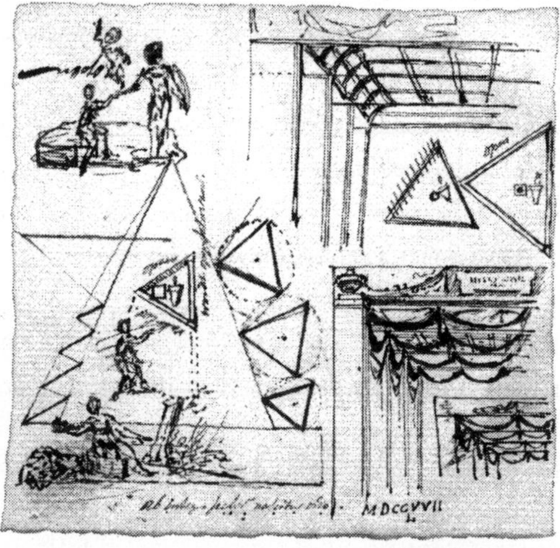

25. Schetsen van Bilderdijk voor toneeldecors.

Deze schetsen werden afgedrukt in *Het Bilderdijk-Museum*, 19 (2002), p. 26. De bovenste tekening staat ook in T. Geerts, *Het Bilderdijk-Museum. Catalogus van kunstvoorwerpen*, Leiden 1994, p. 84. Geerts dateerde ze op omstreeks 1800 en interpreteerde de driehoek op de onderste tekening als een beweegbare constructie, die wellicht verband houdt met toneeleffecten als suggestie van golven, storm of regen. Het jaartal 1772 zou verband kunnen houden met Bilderdijks bewering dat hij na de schouwburgbrand van dat jaar advies had uitgebracht inzake nieuwe decors.

Ten vierde moet er een eind komen aan het gebrek aan aanmoediging van waarachtige toneelschrijvers. Dit kan gebeuren door in de Tweede Klasse van het Koninklijk Instituut, een door de koning zelf toe te kennen jaarlijkse prijs voor de beste tragedie volgens de smaak van Corneille en Racine in te stellen.
Tenslotte vestigde Bilderdijk de aandacht van de koning op een vijfde punt, dat voor hem zelf zonder twijfel van het grootste belang was. Bilderdijk vroeg zich namelijk af, of het niet nuttig zou zijn een professoraat in de schone letteren te stichten aan de Tweede Klasse van het Koninklijk Instituut, of aan het Amsterdamse Athenaeum. Als de aan te stellen professor verplicht werd een aantal openbare colleges te geven, zou dat volgens Bilderdijk ten zeerste bijdragen tot verbetering van de literaire smaak: maar dit kan alleen, indien een zodanige hoogleraar zou worden benoemd: 'qui ne fut pas infantué lui même du faux goût et des faux principes d'aujourd'hui, et qui ne craignit pas de résister vigoureusement à la foule vulgaire (comme c'est malheureusement le cas ordinaire chez nos Hollandais tièdes et indolents) et duquel au reste le génie et le devoir fut reconnu universellement'. Aldus deze verkapte sollicitatie, die helaas voor Bilderdijk zonder gevolg is gebleven.[1819]

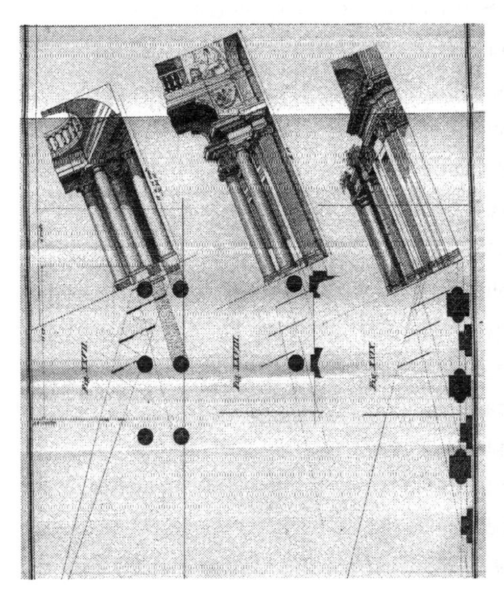

26. Tekeningen bij het hoofdstukje 'Tooneelperspectief' in W. Bilderdijk, *Grondregelen der perspectief of doorzichtkunde*, Dordrecht 1828.

Dat de koning zich wel voor de door Bilderdijk genoemde problemen interesseerde, blijkt uit een regeringsmissive van 5 december 1808 waarin de Tweede Klasse van het Instituut

[1819] Tyd. II, p. 313.

werd verzocht om een rapport over de maatregelen die tot verbetering van het nationaal toneel zouden kunnen leiden.[1820] Er werd een commissie van drie leden gevormd waartoe ook Bilderdijk behoorde. In een aangetekende brief aan J. Immerzeel van 27 december schreef de dichter dat hij ten behoeve van de koning een Franse vertaling van zijn treurspelverhandeling had laten vervaardigen en hij verzocht zijn uitgever hem zo spoedig mogelijk drie exemplaren (desnoods op proefvellen) van dit nog niet verschenen essay te zenden. Bilderdijk meende dat zijn eigen verhandeling zo niet door de commissie 'tot grond' gelegd, dan toch vooraf door haar zou moeten worden gelezen.[1821] Het antwoord van de Tweede Klasse aan de koning vertoont inderdaad invloed van Bilderdijk, zij het dan niet van diens treurspelverhandeling. Er wordt in gesteld dat verbetering te bereiken is door eerbewijzen (geen geldelijke beloningen) aan de auteurs, door de instelling van een deskundige commissie die over de opvoering in de schouwburg zou moeten beslissen en door een goede acteursopleiding.[1822] Voorzover deze adviezen niet overeenkomen met het al besproken *Exposé*, zijn ze te vinden in Bilderdijks *Consideratien over de aanmoediging der tooneelpoëzy*, die hier in de *Bijlage* voor het eerst worden gepubliceerd. De tekst van deze beschouwingen bewijst dat Bilderdijk hem heeft opgesteld voor de commissie die rapport moest uitbrengen aan de koning.[1823] Bilderdijk stelt voorop dat 'de prikkel des Dichters (de) Eerzucht is'. Hij vervolgt: 'Die op te wekken en een voorwerp aan te bieden is 't eenig *incitatief* dat hem, als Dichter, beweegt. Die te verdoven en te loor te stellen is hem te rug houden. Onze dichters hebben nooit ander *incitament* gehad, toen zij 't Treurspel met drift beoefenden: en 't verval van dat *incitament* heeft het verwaarlozen van dit vak na zich gesleept'. Ter beantwoording van de vraag hoe dit 'incitament' tot verval was gekomen, vestigde Bilderdijk de aandacht of vijf factoren:

Ten eerste mist de huidige schouwburgdirectie literair onderscheidingsvermogen en betekent het voor de dichters derhalve geen eer dat hun stuk ter opvoering wordt uitgekozen.

Ten tweede wordt het auteursrecht aangetast door acteurs die in de teksten knoeien en door regenten die deze verprutste teksten laten herdrukken.

Ten derde mist een treurspel tegenwoordig iedere werking op het publiek 'door de wijze van spelen zelf en de onbedrevenheid der acteurs'.

Ten vierde wordt de poëzie tegenwoordig opgeofferd aan 'de ingebeelde kunst van den acteur', die het publiek zelfs naar slechte stukken trekt en het goede treurspelen doet verwaarlozen als de toneelspeler daarin toevallig niet schitteren kan.

Ten vijfde is het toneel ontaard van zijn oorsprong en nationale aard, door van poëzie tot vertoning, en van deftige kunst tot vluchtig amusement te worden.

[1820] Kollewijn, dl. I, p. 451; Bosch (1959), p. 12.

[1821] Onuitgegeven brief van 27-XII-1808 aan J. Immerzeel in Portef. Margadant.

[1822] Zie in de vorige noot genoemde schrijven en vgl. Kollewijn, dl. I, p. 451.

[1823] Zie de laatste alinea voor de door Bilderdijk in de marge geplaatste aanvulling: 'Waarom men Z.M. wel diende voorteslaan…'.

Als het toneel hersteld moet worden, dienen deze hinderpalen volgens Bilderdijk allereerst uit de weg te worden geruimd. Nadien pas kan een heilzame uitwerking worden verwacht van eerzucht-strelende beloningen en bijkomstige financiële regelingen voor de toneeldichters. Het uit de weg ruimen van de hinderpalen vereist een reorganisatie van het schouwburgbestuur. Daarbij zou, naast de administratieve directie, een artistieke leiding moeten worden benoemd waaruit één commissie zich bezighoudt met het werk van de toneeldichters en een andere commissie met dat van de acteurs. Als eerzucht strelende beloningen voor de dramaturgen, noemt Bilderdijk onder meer het door de koning uitreiken van een medaille voor ieder aangenomen stuk en van een jaarlijkse koninklijke prijs voor het beste oorspronkelijke treurspel en de beste vertaling. Bovendien zou de dichter wiens stuk wordt gespeeld in de koets van de oudste schouwburgregent naar en van het theater kunnen worden gebracht, waar hij het recht zou hebben om in de koninklijke loge een compliment bij Zijne Majesteit te gaan maken. Verder stelt Bilderdijk voor dat de dichter bij het vertonen van zijn werk 'een gedistingueerde plaats' krijgt en dat de dramaturgen die zich onderscheiden zullen, het recht moeten hebben op een 'gedistingueerde balcon perpetueel'.[1824] Met betrekking tot de bijkomstige[1825] financiële voordelen bepleit Bilderdijk een regeling, waarbij de auteur eigenaar van zijn werk kan blijven. En tenslotte vestigt hij er de nadruk op, dat dit alles geen enkele uitwerking zal hebben als er niet tevens een gelegenheid wordt geschapen om onderricht in de poëzie en het toneelspel te ontvangen. Weshalve aan de koning zou moeten worden gevraagd te Amsterdam een professor in de letteren te benoemen...

Belangrijk voor de kennis van Bilderdijks opvattingen over de artistieke en pedagogische taak van het toneel zijn de opmerkingen over het repertoire die hij aan zijn *Consideratien* heeft toegevoegd. Ze impliceren beperkingen van de artistieke vrijheid en sluiten daardoor als het ware aan bij een traditie van controle en censuur die zowel in het protestantse Holland nu en dan de kop opstak als in het vroegere Franse koninkrijk, de revolutionaire republiek en het daarop aansluitende Franse keizerrijk. Bilderdijk noemde als afkeurenswaardige stukken:

> Ten eerste, wat als toneelstuk slecht is, ook al zijn de verzen goed.
> Ten tweede, wat in strekking of aard strijdig is met de goede zeden.
> Ten derde, wat de koninklijke regering 'hatelijk zou mogen maken'.

[1824] Welke grote eer voor Bilderdijk het vervoer in de koets van de oudste schouwburgregent betekent, wordt begrijpelijk uit zijn opstel over de uitdrukking 'Die zich een koets belooft, krijgt er nog wel eens een wiel van' (NTDV., II, p. 202). Het feit dat de toneelspeler Jan Punt († 1760) 'equipage' hield, werd beschouwd als een te buiten gaan van zijn stand: Albach (1946), p. 102.

[1825] Wie in de *Bijlage* kennisneemt van Bilderdijks aantekeningen met betrekking tot de financiële regelingen, zal moeten vaststellen dat hij in 1823 terecht in zijn *Bydragen* (p. 85) kon laten drukken: 'Onder Koning Lodewijk wilde men ook de Tooneelpoëzy door geldprijzen of deelhebbing in de opbrengst der vertooningen aanmoedigen. Ik was toen zoo gelukkig, de vrije en edele Dichtkunst, dat juk des goldduivels door mijne Tegenvertoogen, waarin my de Tweede Klasse des Instituuts als haren toenmaligen Voorzitter bystemde, van den hals te weeren'.

Ten vierde, wat de katholieke of enige andere godsdienst 'hatelijk zou mogen maken'.

Ten vijfde, wat de godsdienst direct of zijdelings aantast, of ergernis geeft.

Ten zesde, wat de oude binnenlandse politieke tegenstellingen aanwakkert.

Ten zevende, wat in de oude (d.i. niet de Franse) trant is geschreven.

Krachtens het tweede punt wilde Bilderdijk de *Emilia Galotti* van Lessing afkeuren en krachtens het vijfde punt onder meer: de *Fénelon* van M.J. de Chénier, de *Tartuffe* van Molière, en de *Palamedes* van Vondel: we kennen Bilderdijks bezwaren. Een moeilijkheid heeft nadien de interpretatie van de derde categorie 'verboden stukken' veroorzaakt. Toen Te Winkel het handschrift van de *Consideratien* gelezen had, concludeerde hij dat de dichter treurspelen wilde verbieden over de Nederlandse opstand tegen Filips de Tweede. Kollewijn kwam tot dezelfde conclusie, evenals later Kamphuis, die echter een excuus meende te vinden in de omstandigheid dat Bilderdijk zijn *Consideratien* slechts voor eigen gebruik had bestemd.[1826] Ik denk dat er een andere interpretatie mogelijk is, met als gevolg dat de toneelstukken over de opstand tegen Spanje volgens Bilderdijk juist *niet* moesten worden afgekeurd. Gezien de context en Bilderdijks waardering voor bepaalde specimens uit deze categorie geef ik aan deze andere interpretatie de voorkeur.[1827]

De vraag welke toneelstukken wél in de Amsterdamse schouwburg mochten worden toegelaten, heeft Bilderdijk eveneens in zijn *Consideratien* beantwoord. Hij vond dat men zich hoofdzakelijk zou moeten beperken tot treurspelen 'in den Franschen smaak',

---

[1826] Te Winkel, dl. IV, p. 319, 320; Kollewijn, dl. I, p. 451, 452; Kamphuis (Denkbeelden, 1947), p. 213, noot 3.

[1827] In de *Bijlage* bij dit *Tweede Boek* (op de bijgevoegde cd-rom) kan men zien, dat er in het handschrift staat: 'Af te keuren.../ Wat de Koninklijke regeering bij ons hatelijk zou mogen maken/ Dit te expliceeren:/ Te weten hier toe behooren:/ geen Romeinsche staatsstukken als *Brutus, Cato* Etc./ Geen Grieksche./ Ook geen Nederlandsche den opstand tegen Filips II rakende, als *Dood van Egmond en Hoorne* Etc.' Het lijkt me mogelijk het driemaal genoemde *geen* te interpreteren als: *niet* behorend tot de af te keuren rubriek. Deze interpretatie wordt te meer waarschijnlijk, als men let op de totaal andere wijze waarop Bilderdijk in een andere rubriek (nr. 5) de voorbeelden van af te keuren werken heeft aangeduid. Het feit dat er ook sprake is van Griekse stukken, maakt het trouwens al aannemelijk dat Bilderdijk juist uitzonderingen op zijn afkeuring bedoelt. Wat de Romeinse stukken over *Brutus* en *Cato* betreft, kan worden opgemerkt dat deze historische figuren voor de toenmalige dramaturgie inderdaad een vrijheidslievende, republikeinse symboolwaarde hadden. Zo de treurspelen over *Brutus* van Brawe, Bodmer, Conti en Alfieri; zo die over *Cato* van Deschamps, Feind, Gottsched en Addison. Maar we mogen ook constateren dat Bilderdijk verderop in zijn *Consideratien* de *Cato* van Joseph Addison juist aanduidt als het enige Engelse stuk dat voor opvoering in aanmerking komt! In de voorafgaande paragrafen is gebleken dat Bilderdijk met waardering heeft geschreven over stukken van Claas Bruin, Onno Zwier van Haren, Mevr. van Winter, J.C. de Lannoy en Jan Nomsz, die allemaal betrekking hebben op de opstand tegen Filips II, evenals trouwens Bilderdijks eigen onvoltooide treurspel over Willem van Oranje waaraan hij waarschijnlijk ook heeft gewerkt in de tijd van koning Lodewijk (*Eerste Boek*, hfdst. V, par. 7). Het door Bilderdijk in zijn *Consideratien* gegeven voorbeeld is het treurspel *De dood van de Graaven Egmond en Hoorne* (1685) door Thomas Asselijn, dat bij zijn verschijnen een ware literaire rel heeft ontketend en zelfs door de Amsterdamse magistraat werd verboden. Later verscheen dit spel opnieuw op het repertoire, waar het zich handhaafde tot in Bilderdijks tijd. Het verdient aandacht dat in het stuk van Asselijn de Spaanse dramatis personae schimpscheuten op de hervormde godsdienst leveren en dat de auteur koning Filips de Tweede van alle schuld vrijpleit: voor de dood van Egmond en Hoorne worden Alva en Granvelle verantwoordelijk gesteld. In Trsp., p. 190, vermeldt Bilderdijk *De dood der Graven van Egmond en Hoorne* als een toneelstuk met stomme vertoningen. Kamphuis (Denkbeelden, 1947), p. 218, deelt naar aanleiding daarvan mee dat hem geen treurspel met deze titel bekend is. De hier vermelde inlichtingen staan in Worp, dl. I, p. 332, en Te Winkel, dl. III, p. 96, 97. (Over de strenge censuur tijdens de 'liberté' van de Franse revolutie: Truchet (1972), dl. I, p. IV; tijdens het Napoleontische keizerrijk:Worp, dl. II, p. 417; Eggli (1927), die wordt geciteerd door Martine de Rougemont in Bauer e.a. (1990), p. 262; Didier (1976), p. 178.)

of 'tot goede vertalingen in dien smaak', Volgens hem konden dat alleen maar vertalingen uit het Frans zijn (met een uitzondering voor de Engelse *Cato* van Addison, die ook voor opvoering in aanmerking komt). Daarnaast zou hij 'als gedenkstukken van oudheid, en geschikt om den Nationalen geest te onderhouden', nog bijwijze van bijkomstigheid 'eenige weinige uitgekozen' treurspelen van Vondel en 'misschien' ook 'eenige enkele proeven' van de oude Grieken willen toelaten. Voor het blijspel en de klucht, wilde Bilderdijk de opvoering beperken tot stukken in de Franse smaak; voor het drama zou, bij gebrek aan originelen, alleen de categorie van het vertaalde 'ernstig Blijspel' in aanmerking komen. Met betrekking tot de opera en de dans, volstond Bilderdijk in zijn *Consideratien* met het plaatsen van een uitroepteken: wat waarschijnlijk duidt op een ongunstige mondelinge toelichting.

Bilderdijks *Consideratien* zijn zeer duidelijk Frans georiënteerd. Hij blijkt in de jaren 1808-1809 zelfs in staat de Franse smaak aan zijn landgenoten op te dringen. En hij blijkt nog tot veel meer in staat. De man die opkomt tegen acteurs en schouwburgregenten wie het ontbreekt aan eerbied voor de teksten van toneeldichters, verraadt in zijn eigen adviezen dat hij zelf geenszins terugschrikt voor soortgelijke praktijken. Hij meent allereerst dat bepaalde treurspelen in de Franse smaak pas tot het toneel kunnen worden toegelaten, nadat 'men ze beschaafd hebbe'. En ten aanzien van de 'eenige weinige uitgekozen stukken van Vondel', schrijft hij verder dat slechts enkele in hun oorspronkelijke vorm en met reien zouden mogen worden opgevoerd: de andere komen pas in aanmerking: 'met eenige verandering naar den regelmatiger smaak!'

Bilderdijk beschouwde de toneelkunst als een belangrijk artistiek fenomeen dat tegelijkertijd een educatief medium was op het gebied van literaire smaak, moraal en politiek.[1828] Hij en zijn Instituut-collega's onder Lodewijk Napoleon waren lang niet de enigen die om die reden begaan waren met wat Bilderdijk de 'deplorabele staat' van het Nederlands toneel noemde'. Na de Franse tijd, in 1817, deed Mathijs Siegenbeek in zijn verhandeling *Over de middelen ter vorming van een nationaal Nederlandsch tooneel* het al door Bilderdijks *Consideratien* achterhaald voorstel dat de tweede klasse van het Koninklijk Instituut een lijst zou moeten maken van verboden en van aanbevelenswaardige toneelstukken. Op bemoeiing van de regering inzake het toneel werd trouwens van verschillende zijden aangedrongen: al vóór Siegenbeek door het tijdschrift *De Tooneelkijker* (1815-1819) en waarschijnlijk al vóór Bilderdijks *Consideratien* door de acteur Johannes Jelgerhuis, die in 1808 een brochure publiceerde waarin verschillende overeenkomsten met de denkbeelden van Bilderdijk zijn aan te wijzen. Onder meer dacht

[1828] In zijn *Bydragen tot tooneelpoëzy* van 1823 schreef Bilderdijk met betrekking tot zijn *Consideratien* onder meer: 'Maar het tooneel te zuiveren, te verbeteren was eene andere zaak, en de toestand des tijds duldde niet, dan daar slechts meer onvolkomen middelen toe voor te slaan, en die nog vervielen'. (Bydragen, p. 85; de geciteerde zin sluit onmiddellijk aan op het citaat dat ik hiervoor overnam in noot 1214 over Bilderdijks verzet tegen financiële voordelen voor toneeldichters.)

Jelgerhuis aan de oprichting van een toneelacademie en hij sprak ook over lessen van een hoogleraar in de historie, letteren en andere wetenschappen met betrekking tot het toneel. Na Siegenbeek pleitte in 1823 ook P. van Limburg Brouwer voor een breed opgezette toneelschool, waarmee (althans ten aanzien van de declamatie) overigens al twee jaar tevoren begonnen was, op initiatief onder meer van de toneelschrijver Samuel Iperuszoon Wiselius. Deze vriend van Bilderdijk hield in 1821 en 1822 voorlezingen over de 'zedelijke strekking' van de 'beschaafde' toneelspeelkunst, die in 1826 werden gebundeld met een inleiding waarin de abjecte (en dus te verbeteren) smaak van 'den grooten hoop' werd gehekeld. Wiselius en Siegenbeek verwachtten, evenals Bilderdijk, goede resultaten van prijzen voor (nationale) treurspelen. In 1823 leidde de zeer Bilderdijkiaans georiënteerde Van Limburg Brouwer een desbetreffend voorstel in, met de uit Bilderdijks *Consideratien* al bekende overweging dat 'de eer de kunsten voedt', en dat de dichters aanmoediging nodig hebben ... Complimenten aan, en medailles van de koning, werden daarbij niet genoemd. Maar wél zou Van Limburg Brouwer wensen dat 'mannen van invloed het Gouvernement belangstelling in den bloei des tooneels wisten in te boezemen...'[1829]

Hoewel Bilderdijk zich het meest interesseerde voor het toneel als literair verschijnsel, heeft hij ook oordelen kenbaar gemaakt over de prestaties van verschillende acteurs en actrices. Uit zijn treurspelverhandeling van 1808 blijkt dat hij allesbehalve tevreden is over hun prestaties in het algemeen. Zijn al eerder besproken eisen voor een goede uitvoering in de schouwburg ziet hij geen van alle vervuld in de Nederlandse praktijk. Hoe ongunstig hij over onze toenmalige tonelisten dacht, bewijst zijn *Exposé* aan koning Lodewijk, waar gesproken wordt over 'Acteurs malhabiles', 'l'inhabilité de nos Acteurs', en over het daardoor ontstaande risico voor de dichter, die kan worden uitgefloten 'par la faute d'une troupe de Comédiens'.[1830] Dat Bilderdijk dit risico desondanks in 1808 graag zelf had willen lopen ten aanzien van zijn treurspelen *Floris de Vijfde* en *Willem van Holland*, lijkt mij afdoende bewezen in het *Eerste Boek*.[1831] Niettemin schreef hij in maart 1810 aan H.W. Tydeman dat alle maatregelen waren genomen om publieke opvoeringen van de treurspelen van hem en zijn vrouw tegen te gaan. Afgezien van het feit dat ieder goed stuk

[1829] Wiselius (1826); Jelgerhuis' brochure *Welke was de verleden staat van het Nederlandsch Tooneel; welke is de tegenwoordige, en welke zoude die behooren te zijn? 1 Januarij 1806* werd in 1877 herdrukt in de *Noord & Zuid Nederlandsche Tooneel Almanak*, p. 104-126. Van Limburg Brouwer (1823), p. 87; p. 81 e.v.; Worp, dl. II, p. 397; Te Winkel, dl. IV, p. 415, 416; Hunningher (1931), p. 46, 47; Albach (1956), p. 159 e.v.; De Leeuwe (1957), p. 27 e.v. De door H. Gras en Ph. Franses – 1998 – bijeen gebrachte statistische gegevens over het theaterbezoek in Rotterdam betreffen meer de sociologische kwantiteit dan de door Bilderdijk en de andere critici bedoelde artistieke kwaliteit (vgl.het slot van de eerste paragraaf in het onderhavige hoofdstuk). Het zelfde geldt voor de gegevens over de Amsterdamse Schouwburg van Ruitenbeek (2002), die zich richt op de 'normen' van 'het publiek zelf', m.a.w. 'van het publiek in de zaal' (p. 15). Citaten en commentaren m.b.t. het Nederlands toneel in de periode 1816-1830, de zelfoverschatting en de onderschatting van een figuur als Lessing staan in het vijfde hoofdstuk van Potgieters *Leven van R.C. Bakhuizen van den Brink* (derde druk, Haarlem 1904, p. 141-151).

[1830] Vgl. hfdst. VII, par. 2; Tyd. II, p. 311.

[1831] *Eerste Boek*, hfdst. X, par. 2, en par. 3. Men vgl. overigens Br. II, p. 115.

als regel wordt 'mishandeld' in de schouwburg vond Bilderdijk de eigentijdse speelwijze wel zo slecht, dat hij een eventueel succes alleen maar als 'schande' zou kunnen interpreteren. Met een plan tot opvoering van zijn eigen treurspelen zou hij volgens deze brief alleen maar kunnen instemmen, na een grondige wijziging in het bestuur van de schouwburg en in de wijze van spelen.[1832]

Dergelijke uitlatingen lijken me niet alleen te verklaren uit Bilderdijks teleurstelling als auteur van een geweigerd treurspel. Daarnaast is er het onomstotelijke feit dat hij overtuigd was van de onkunde van de toenmalige Nederlandse toneelspelers en dat de moderne acteerkunst hem met afschuw vervulde. In 1821 schreef Bilderdijk dat hij zich steeds ('zoo veel van my afhing'), tegen de opvoering van zijn eigen treurspelen heeft verzet omdat hij ze strijdig achtte met de moderne trant van spelen. De individualiteit van de erin optredende karakters 'die in ieder woord gevoeld en uitgedrukt worden moet', week volgens hem totaal af 'van alles wat de tegenwoordige wareld oplevert' en ook van 'den aangenomen Tooneelmanier'. Vooral omdat men absoluut geen idee meer had van de middeleeuwse zeden en gewoonten, konden Bilderdijks nationaal-historische treurspelen (in tegenstelling tot de *Elfriede* en de *Ramiro* van zijn vrouw) bij de toenmalige stand van de toneelpraktijk niet meer worden opgevoerd 'zonder koud te worden'. Al eerder bleek dat de treurspelen van Balthazar Huydecoper en Philip Zweerts volgens Bilderdijk een zelfde lot beschoren was.[1833]

Huydecoper en Zweerts leefden in de eerste helft van de achttiende eeuw. Dat is in de toneelgeschiedenis de tijd van de classicistische tragedie en de daarbij behorende reciteerkunst, die op geniale wijze moet zijn vertegenwoordigd door de acteur Jan Punt. Met de brand van de Amsterdamse schouwburg in 1772 scheen aan deze periode een einde te zijn gekomen en daarmee tevens aan de gouden tijd van Jan Punt. Er deed zich in de achttiende-eeuwse acteerkunst een wijziging voor die vergelijkbaar is met de overgang van de oude, vorstelijke tragedie naar het burgerlijk treurspel. Aan de ene kant idealistisch-heroïsche dichtkunst en 'Rollen van statigheid en waardigheid'; aan de andere kant een sterker wordend streven naar realistische natuurlijkheid, losheid en beweeglijkheid, waarbij zelfs de aloude poëzie door het proza kon worden verdrongen of in de voordracht daarmee enigszins in overeenstemming gebracht. Voor het buitenland kunnen bij deze (r)evolutie namen worden genoemd als Rémond de Sainte Albine, François Riccoboni, Diderot en Lessing; voor Nederland ligt dit complex van veranderingen besloten in de strijd tussen de aanhangers van de acteurs Jan Punt en Marten Corver.[1834]

[1832] Tyd. I, p. 214.

[1833] TDV. II, p. 189, 190; vgl. par. 3 van het onderhavige hoofdstuk. Zie ook het leerdicht *Het tooneel* (1808), DW. VII, p. 21.

[1834] François Riccoboni schreef *L'Art du théâtre* (1750), dat werd vertaald door Lessing; het meer moderne werk *Le comédien* (1747) van Rémond de Sainte Albine beïnvloedde Diderot in zijn *Lettre sur les sourds et muets* (1751): Robertson (1939), p. 473; voor Nederland: Von Hellwald (1874), p. 92 e.v., Albach (1946), p. 116 e.v.; voor de ideeën van Bilderdijk: hfdst. VI, par. 2.

In zijn treurspelverhandeling spreekt Bilderdijk over vroegere acteurs die 'tot het verval van den grooten Corver' toe, met 'eene aangename en buigzame stem, en een edel voorkomen' de geest van de dichter bij de voordracht van diens werk lieten herleven. Deze kunstenaars zochten door hun houding en gebaren niet zichzelf uit te beelden maar de held die zij moesten voorstellen. Zij beheersten nog de kunst der declamatie en de Nederlandse verzen klonken uit hun mond: 'betooverend... streelend... ontzettend'. Als voorbeelden van dergelijke toneelkunstenaars die hij zich uit zijn 'eerste kindschheid' herinnerde, noemde Bilderdijk in 1808: Izaak Duim, Jan Punt en J. Starrenburg.[1835] Drie jaar tevoren, in 1805, had hij Duim en Punt al geprezen om hun vermogen op dichterlijke wijze de ideale treurspelheld uit te beelden: een kunst die sinds de wederopbouw van de Amsterdamse schouwburg (1774) werd verwaarloosd omdat men toen de Franse smaak van het 'zoogenaamd Natuurlijk spelen' had ingevoerd.[1836] Opnieuw sprak Bilderdijk daarover in een aantekening van 1820. Hij schreef toen dat Jan Punt een grootmeester in het 'opsnijden' van verzen was en in deze kunst alleen werd overtroffen door de op weg naar Indië verdronken declamator en dichter A. Adriaansz. Aan het eind van zijn loopbaan was Punts stem echter door 'het snuiven' van (tabak) bedorven, en toen verviel ten onzent tevens 'alle denkbeeld van de versmelodie in acht te nemen.'[1837] Als enige toneelspeler die nadien nog iets van 'het oude Dichterlijke' in sommige rollen behield, beschouwde Bilderdijk Jacobus Hilverdink, die echter 'mismoedigd en nooit op zijn waarde geschat was.' In dezelfde aantekening van 1820, sprak Bilderdijk ook over Marten Corver. Hij waardeerde diens 'oneindige studie' van de acteerkunst, noemde hem buiten het gebied der declamatie een 'vrij grooter Tooneelkunstenaar dan Punt', maar constateerde ook dat Corver werd gehandicapt door 'zijne flauwer en minder buigzame stem'.[1838] In een brief van 1818, schreef Bilderdijk dat hij steeds veel achting voor Corver heeft gehad. Drie jaar later werd Corver in een gepubliceerde verhandeling vergeleken met de alom vereerde Engelse tonelist David Garrick: beide acteurs speelden niet wat in hen zelf leefde, maar gaven het karakter en de gevoelens weer van de held die ze krachtens de tekst van de dichter moesten uitbeelden.[1839] Zoals gezegd, gewaagde Bilderdijk in 1808 van 'het verval van den grooten Corver'. Als glorietijd van deze acteur kan Bilderdijk hooguit de periode

[1835] Trsp., p. 153-155.

[1836] DW. II, p. 484; over de invloed van Izaak Duim op de krachtige reciteerkunst van Bilderdijks vader: Kollewijn, dl. I, p. 17, 18. Volgens Simon Stijl had Duim een meer ingetogen wijze van voordragen dan Punt; zijn acteerkunst was te vergelijken met de schilderkunst van Rafaël, terwijl bij Punt de verbeelding en de emotie in de trant van Michelangelo en Rubens een grotere rol speelden: zie Jonker (1997), p. 161, 162, die erop wijst dat de beheerste en waardige klassieke speelwijze in de trant van de *Expression générale et particulière* (1698) van de Franse hofschilder Charles le Brun nog werd geprezen in de *Theoretische lessen over de gesticulatie en de mimiek* (1827) van de Nederlandse acteur-schilder Johannes Jelgerhuis, wiens afkeer van de 'vertoningen' in Vondels *Gijsbrecht* al ter sprake kwam in paragraaf 2 van het onderhavige hoofdstuk.

[1837] DW. XIV, p. 496; vgl. Albach (1946), p. 103, 107 en in Erenstein (1998), p. 340-347.

[1838] DW. XIV, p. 496; Johs Hilman (Ons tooneel 1879), p. 147, deelt mede dat Hilverdink een zeer goede acteur was, die later de manier van Corver heeft losgelaten. Van Kampen, 1826, dl. III, p. 354, schreef over Corver: 'Hij voerde voor het eerst eenen meer natuurlyken toon in de toneelkunst in, die den ouden [van zijn leermeester Jan Punt] verdrong.'

[1839] Br. III, p. 306; TDV. II, p. 184; over de achting voor Garrick op het continent: Robertson (1939), p. 486; blijkens Albach (1946), p. 114, noemde Betje Wolff de acteur Corver 'den Nederlandschen Garrick'.

tot 1772 hebben beschouwd. Daarop wijst zijn uitlating dat het verval van het toneel en het door hem verafschuwde 'natuurlijk spelen' zijn begonnen na de brand van de Amsterdamse schouwburg. In de aantekeningen bij Bilderdijks treurspelverhandeling van 1808 staat de verzuchting: 'Ach! dat slechts een van de tegenwoordige Acteurs Corver in zijn' besten tijd had gekend! Die had hem geleerd, wat het is, Hollandsche verzen uit te spreken gelijk het Tooneel het vereischt.'[1840] Marten Corver († 1794) had al in 1779, twee jaar na Jan Punt (†1779), afscheid van het toneel genomen. We zouden zelfs kunnen aannemen dat in de optiek van Bilderdijk de grote periode van Corver al rond 1762 op zijn einde is gelopen: sedertdien deed hij zich namelijk voor als de leider van de vernieuwende neiging naar het natuurlijke, die Bilderdijk verafschuwde. Als men nu bovendien weet dat Izaak Duim (†1782) in 1776 het toneel verliet en Starrenburg al in 1772 stierf, kan worden opgemerkt dat Bilderdijk zelf, die vanaf zijn geboorte (1756) tot 1780 in Amsterdam woonde, de door hem zo geprezen oude acteurs slechts korte tijd, en dan nog alleen (zoals hij trouwens zelf zegt) in zijn 'eerste kindscheid', kan hebben zien spelen: temeer omdat Punt na de schouwburgbrand van 1772 niet meer in Amsterdam optrad en Corver daar na 1763 alleen nog gastrollen heeft vervuld.[1841]

Aan de nieuwe generatie acteurs verweet Bilderdijk dat ze geen idee meer had van de accentverdelingen in het Nederlandse vers. Onder invloed van de Franse toneelspeler François-Joseph Talma was de mode ontstaan een vers zeer snel uit te spreken, om dan de laatste mannelijke lettergreep aan te houden en te laten doorklinken. Op deze manier sprak volgens Bilderdijk ook keizer Napoleon, die de Nederlandse dichter eens tijdens een plechtigheid vroeg:

Êtes vous connu dans la république des ... LETTRES?

Waarop Bilderdijk in dezelfde maat en toon zou hebben geantwoord:

Au moins j'ai fait ce que j'ai dû pour ... l'ÊTRE.[1842]

De man die voor een groot deel verantwoordelijk was voor het verval van de Nederlandse acteerkunst was naar Bilderdijks mening Carel Passé (†1791), een leerling van Corver, die

[1840] Trsp., p. 210, 153; vgl. Tyd. II, p. 307.

[1841] Hilman (1879), p. 96, 97; Worp-Sterck (1920), p. 219, 200, 202; Albach (1946), p. 122, 134, 135, 167, 172, 180; Boulangé en Koogje (1985), p. 8

[1842] DW. XIV, p. 496, 497. Napoleon was een vriend en bewonderaar van Talma (H.F. Collins, *Talma*, London 1964). Bilderdijks opvattingen over accentuering, zinsmelodie en versdeclamatie in het algemeen zijn besproken in hoofdstuk VI, par. 2. Zoals al opgemerkt in het *Eerste Boek*, gaf Bilderdijk in zijn eigen werk als toneeldichter soms rechtstreekse aanwijzingen met betrekking tot de voordracht. Uit getuigenissen van tijdgenoten en voorberichten in zijn bundels blijkt dat Bilderdijk bekend stond als declamator van zijn eigen verzen. Verschillende handschriftbladen voorzag hij van tekens om bij de voordracht een juiste accentuering te bereiken. (Vgl. in dit verband de inleiding, paragraaf 4, van de in 1995 verschenen uitgave van Bilderdijks *De kunst der poëzy* door Van den Berg en Kloek, p. 33-38.)

een 'afgrijslijk holle en lage stem' had en wiens uitspraak helaas als die van een 'Hoofdtooneelspeler van verdienste' werd nagebootst. Een fout van Passé 'wien het niet aan bekwaamheid ontbrak, maar geheel in zijnen trant', achtte Bilderdijk ook dat hij zich aan zijn ingebeeld gevoel overgaf en aldus, 'altijd Passé maar nooit den hem opgelegden Rol' speelde.[1843] Of A. van Halmaels wijsheid teruggaat op die van Bilderdijk, is mij niet helemaal bekend, maar een feit is dat Van Halmael in zijn *Bydragen tot de geschiedenis van het tooneel...* (1840) precies dezelfde bezwaren tegen Passé vermeldt.[1844]

Blijkens een brief van 4 september 1818 had Bilderdijk grote bewondering voor de door Jan van Walré postuum gehuldigde Ward Bingley (†1818), die hij echter weinig had zien spelen en voor wiens *Gedachtenisoffer* hij geen bijdrage heeft willen leveren. Over de beroemde actrice Johanna Cornelia Ziezenis-Wattier (1762-1827) schreef Bilderdijk in die zelfde brief, dat hij haar alleen maar omstreeks 1788 of 1789 had zien optreden in het Duitse drama *De vrouw naer de waereld*: 'waaruit ik haar zekerlijk niet kon leren kennen'. Jaren tevoren, in een brief van mei 1794 aan zijn uitgever P.J. Uylenbroek, was Bilderdijk al niet ingegaan op diens verzoek 'om een vers op Juffr. W.' te maken. Hij schreef dat 'eene uiterste afmatting van geest en hersenen' hem verhinderde iets behoorlijks op papier te krijgen en vervolgde: '– Ook heb ik hier die geroemde Actrice in vroeger tijd drie maal zien spelen, maar waarlijk, dat droeg geen 'roem. Haperde dit aan haar, aan mij, of aan iets anders? –'[1845] In Bilderdijks treurspelverhandeling staat een tirade tegen het door hem verafschuwde 'naturalisme' in de acteerkunst, die besluit als volgt: 'Moet een bevallige en bewonderde Actrice, eene Ziezenis, om aan den bedorven' smaak van een party Verengelschte woestaarts te voldoen, wanneer zy, by voorbeeld, de wroegende Fedra vertoont, haar gelaat (tot geheel iets anders gevormd) het afschuwelijkste der natuur, en dan afschrik van al wat leeft, inprenten?' Ik geloof niet dat deze passus in tegenspraak is met Bilderdijks brieven. Hij kan een en ander zuiver hypothetisch hebben bedoeld, of zich hebben gebaseerd op een toneelverslag of een ander critisch geschrift.[1846] Curiositeitshalve: *Phèdre* was het stuk waarin Wattier drie jaar later, in 1811, voor Napoleon heeft gespeeld. De keizer zou haar bij die gelegenheid de grootste actrice van Europa hebben genoemd...[1847]

[1843] TDV. II, p. 187, 188; Albach (1946), p. 52, 53, meent dat de door Talma geïntroduceerde manier van accentuering al bij Punt voorkwam. Maar er is misschien verschil tussen de fout die Bilderdijk bedoelde en de kritieken op Punt die Albach citeert. Blijkens deze kritieken, 'schreeuwde' Punt vooral wanneer hij het toneel verliet (zie ook Albach, 1946, p. 143). Vgl. Hilman (1879), p. 324.

[1844] A. van Halmael jr., *Bydragen tot de geschiedenis van het tooneel, de tooneelspeelkunst en de tooneelspelers in Nederland*, Leeuwarden 1840, p. 49 (Van Halmael verwijst in dit verband niet naar Bilderdijk; wel naar *De Tooneelspectator* [Jan Nomsz] en naar Adriaan Loosjes' *Kabinet van mode en smaak*: kennelijk ontleende hij daaraan echter andere gegevens); zie ook Von Hellwald (1874), p. 103 en Hilman (1879), p. 324; vgl. p. 181 e.v., 201 en Albach (1946), p. 171.

[1845] Br. III, p. 306, 307; Br. I, p. 194. Brandt Corstius (1953), p. 21, citeert een recensie uit *Le conservateur* van 1807, waarin eveneens bezwaar wordt gemaakt tegen het optreden van Ziezenis in een niet verheven geachte rol. Vgl. Hilman (1879), p. 261-271.

[1846] Trsp., p. 232; '... un objet à fuir' had Jean-Baptiste Du Bos de op zo'n manier gespeelde scène uit *Phèdre* al genoemd in zijn *Réflections critiques...* van 1719: citaat bij Kremer (2008), p. 34.

Wat treft in Bilderdijks beoordelingen van de verschillende toneelkunstenaars, is de duidelijke aansluiting bij zijn literaire 'ideaal-theorie'. Van Ziezenis-Wattier deelt hij mee, dat hij ze niet kon leren kennen uit een burgerlijk toneelspel. Inderdaad niet, want zij was indrukwekkender in het vorstelijke treurspel: 'De houding van edele majesteit, de altijd gracieuze natuurlijkheid van haar optreden, haar grootse gebaar en doordringende stem, haar klassieke gelaatstrekken – gaven een volmaakte expressie van de heldinrollen, die zij speelde', schreef later Ben Albach.[1848] Duidelijker nog ziet men het idealistisch-heroïsche element in het oordeel van Bilderdijk over Marten Corver en Jan Punt. De eerste had volgens hem zijn zwakker geluid tegen zich, terwijl hij Punt juist roemde om zijn krachtige en buigzame stem. Letten wij er ook op, dat het 'strelende' en 'ontzettende' van de oude school voor Bilderdijk samenhangt met het 'edel voorkomen' van de acteur: Corver was tenger gebouwd; Punt daarentegen had een rijzige gestalte en doordringende ogen en hij bewoog zich zelfs in het dagelijks leven met een fierheid die het heldenideaal benaderde. Bilderdijk had zich een idee gevormd van de imponerende 'lichaamsgedaante der Heldeneeuwen'. Welnu: Jan Punt had daar ook over nagedacht, en – ondanks zijn forse gestalte – speelde hij daarom heldenrollen met 'gemaakte buik en kuiten...'[1849]

[1847] Zie Albach (1956), hfdst. VII, p. 115 e.v. en illustratie nr. 11; Hunningher (1931), p. 47, schrijft dat het latere schouwburgpubliek geen belangstelling meer had voor de majestueuze acteerkunt van Ziezenis. Hij verwijst naar een rapport van G.H. Bok jr. uit 1866, waaruit blijkt dat Snoek op het laatst van zijn leven bijna voor een lege zaal speelde en dat velen hun entreegeld terug eisten toen bleek dat Ziezenis-Wattier de hoofdrol speelde in de *Elfriede* van 'Vrouwe Bilderdijk': men wilde 'dat ouwe wijf niet meer zien.' M. Hoff, *Johanna Cornelia Ziezenis-Wattier (1762-1827): 'de grootste actrice van Europa'*, Leiden 1996; H.H.J. de Leeuwe in Erenstein (1998), p. 366-372; over J. Kinkers bewondering voor deze actrice: J. Pieters en Ch. Madelein in *Feit en fictie. Tijdschrift voor de geschiedenis van de representatie* 6 (2005) 2, p. 35-56.

[1848] Albach (1956), p. 122.

[1849] Albach (1946), p. 102, 103, 107, 117; vgl. ons hfdst. VII, par. 1; over de door Bilderdijk geprezen Starrenburg, leest men bij Van Halmael (1840), p. 36, dat hij 'eene lange gestalte en eene forsche stem' had.

27. Jan Punt als *Achilles* in het gelijknamige treurspel van Bathazar Huydecoper (1719).

De gravure, door Punt zelf, dateert van 1770, berust in het Amsterdams Toneelmuseum en werd afgedrukt in Albach (1946).

DEEL IV

THEORIE EN PRAKTIJK

HOOFDSTUK XVIII

LIJST VAN THEORETISCHE GESCHRIFTEN OVER HET TONEEL

1. Voorafspraak[1850]

Voorafspraak over het Toneelspel der Ouden en Hedendaagschen, De dichtwerken van Bilderdijk, dl. XV, Haarlem 1859, p. 3 e.v.

1779; uitgegeven door de auteur in 1779.

- Dit stuk van 23 bladzijden druks bevat een beoordeling van de toenmalige staat der toneelpoëzie, een vergelijking van het klassiek Franse treurspel met het oude Griekse, en een beschouwing over de *Oedipus Rex* van Sofocles. Daarenboven maakt Bilderdijk allerlei opmerkingen over de dramaturgie in het algemeen en over een aantal tragediën en burgerlijke toneelspelen in het bijzonder. Hij bepleit navolging van het voorbeeld van de Grieken bij de dramatisering van onderwerpen uit de oude geschiedenis.

2. *Brief over het drama 'Bousard of de menschlievende Lootsman' van J. van Panders,* Mr. W. Bilderdijk's briefwisseling. Aanvullende uitgave. Eerste deel: 1772-1794, door Jan Bosch, Wageningen 1955, p. 23 e.v.

1779; verzonden aan de uitgever A. van der Kroe door de auteur in 1779. Uitgegeven door J.Bosch in 1955.

- Een op verzoek van de uitgever geschreven kritiek van 6 bladzijden druks op het toen nog niet gepubliceerde drama van J. van Panders, met voorstellen ter correctie en tot een nieuwe structuur in drie bedrijven.

3. *Brief over de episode in het treurspel,* Tijdschrift voor Nederlandsche taal- en letterkunde 1905, p. 57 e.v.

1779; verzonden aan Rhijnvis Feith door de auteur in 1779. Uitgegeven door G. Kalff in 1905.

- Een op verzoek van Rhijnvis Feith geschreven uiteenzetting van 7 bladzijden druks, waarin Bilderdijk – evenals in zijn *Voorafspraak* en in tegenstelling tot de *Theorie* van Hiëronymus van Alphen – tot de conclusie komt dat er een wezenlijk onderscheid bestaat tussen de Aristotelische opvatting van de episode en die van de latere Fransen.

4. *Brief over het drama 'De Vrijgeest' van J. van Panders*, J. Bosch, Mr. W. Bilderdijk's briefwisseling, Wageningen 1955, p. 44 e.v.

[1850] De boven sommige titels geplaatste aanduiding betreft de verkorte vorm waarmee in de voetnoten naar dit geschrift wordt verwezen.

1779; verzonden aan de uitgever A. van der Kroe door de auteur in 1779. Uitgegeven door J. Bosch in 1955.

- Een op verzoek van de uitgever geschreven kritiek van 7 bladzijden druks op het niet gepubliceerde drama van J. van Panders; met opmerkingen over de structuur, de kiesheid en de zedenleer in het toneelspel.

5. Verhandeling 1783 (1836)

Het Schouwtoneel en de catharsisleer van Aristoteles, Verhandeling over het verband van de dichtkunst en welsprekendheid met de wijsbegeerte, Leiden 1783 en Idem, Amsterdam 1836, p. 56 e.v. en p. 172 e.v.[1851]

1779-1781; de verhandeling in haar geheel werd in 1779 door de auteur ingezonden voor een prijsvraag van de Maatschappij der Nederlandsche letterkunde; na de bekroning in 1780 heeft hij de tekst verder uitgewerkt en van bijlagen voorzien. Uitgegeven in de *Werken* der Maatschappij, dl. VI, 1783 en door uitgeverij W. Messchert herdrukt in 1836.

–In het eerste fragment (4 bladzijden druks in de Verhandeling), schrijft Bilderdijk dat grondige kennis van zielkunde en zedenleer voor de toneeldichter noodzakelijk is om een goed en pedagogisch verantwoord kunstwerk te kunnen scheppen. In het tweede fragment (7 bladzijden druks in de zesde bijlage) bespreekt Bilderdijk de catharsisleer van Aristoteles in verband met de opvattingen van Mendelssohn en Lessing.

6. Brief navolger

Brief van den Navolger van Sofokles Edipus, Amsterdam 1780.

1780; uitgegeven door de auteur in 1780.

- Een naar aanleiding van een kritiek op zijn eerste Oedipusvertaling opgesteld geschrift van 23 bladzijden druks, waarin Bilderdijk onder meer zegt geen absolute tegenstander van het burgerlijk toneelspel te willen zijn en uitweidt over de vrijheid van de dichter tegenover de geschiedenis, alsmede over de eenheid van handeling die het Griekse treurspel vertoont in vergelijking met drama's van Mercier.[1852]

7. *Toelichting op de Brief over de episode in het treurspel*, De Navorscher 1897, p. 125 e.v., en Tijdschrift voor Nederlandsche taal- en letterkunde. 1905, p. 70 e.v.

1781; verzonden aan Rhijnvis Feith door de auteur in 1781. Uitgegeven door H. de Jager in 1897, en door G. Kalff in 1905.

[1851] Zie voor het ontstaan van deze verhandeling: Kollewijn, dl. I, p. 94 e.v. en Bosch (1955), p. 52, 53. Aangezien het tweede fragment behoort tot een der Bijlagen bij Bilderdijks Verhandeling, moet het zijn toegevoegd na 1780.

[1852] Over de voorgeschiedenis van dit geschrift: Kollewijn, dl. I, p. 88. Bilderdijk schrijft aan Feith en De Lannoy dat hij min of meer gedwongen werd zijn *Brief* uit te geven: I, Amsterdam 1836, p. 25, 59; Bosch (1955), p. 69, 70.

- Als reactie op een tot hem gericht 'hevig pleidooi' van Feith, verdedigt Bilderdijk in deze toelichtende brief van 5 bladzijden druks zijn stelling dat de episode zowel in het heldendicht als in het treurspel tot het wezen van het dichtstuk behoort.[1853]

8. *Voorrede bij 'De dood van Edipus'*, De dichtwerken van Bilderdijk, dl. XV, Haarlem 1859, p. 39 e.v. 1789; uitgegeven door de auteur in 1789.

- Een stuk van 8 bladzijden druks, waarin Bilderdijk de *Oedipus te Colonus* van Sofocles 'bedrijfsgewijze' bespreekt en tevoren uitweidt over de populariteit van deze tragedie bij de Grieken en over haar eenvoudige, heldere opbouw.

9. Het toneel

Het Tooneel, De dichtwerken van Bilderdijk, dl. VII, Haarlem, 1857, p. 18 e.v. 1808; uitgegeven door de auteur in 1808.

- Een rommelig rijm van 148 alexandrijnen, waarin Bilderdijk schrijft over het verval van de Nederlandse kunst onder Duitse invloed en zijn oordeel geeft over een aantal dramaturgen onder wie Shakespeare, Vondel, Racine en Schiller. Het gedicht bevat ook de (in haar woordkeus aan Andries Pels herinnerende) mededeling, dat Bilderdijk, die '(Z)ijne eeuw op 't Grieksche spoor kloekmoedig voorgegaan' is, nooit een toneelstuk zal schrijven, omdat hij succes in de schouwburg alleen mogelijk acht: 'Door de echte kunst, den smaak, 't gezond verstand, te tergen!'.[1854]

10. *Voorbericht bij 'Willem van Holland' en 'Elfriede'*, De dichtwerken van Bilderdijk, dl. XV, 1859, p. 140.

1808; uitgegeven door de auteur in 1808.

- Een stuk van 2 bladzijden druks, waarin Bilderdijk de verwarring in de opvattingen over het treurspel een gevolg noemt van het feit dat het verschil tussen de Griekse en de Franse tragedie wordt verwaarloosd. Hij acht de wetten van Aristoteles die van het gezond verstand, maar meent dat men in deze wetten het algemeen geldige moet onderscheiden van het typisch Griekse. In dit stuk staat tevens een prijzende passus over Vondel.

11. Trsp.

Het Treurspel.Verhandeling, Treurspelen, dl. II, 's-Gravenhage 1808, p. 105 e.v.

1808; uitgegeven door de auteur in 1808.

- Een essay van 57 bladzijden druks, waarin Bilderdijk eerst de ontwikkeling van het treurspel schetst. Los van de Griekse tragedie die een religieus dichtstuk was,

---

[1853] Bilderdijks gedachtewisseling met Feith over de episode, wordt besproken door Ten Bruggencate (1911), p. 62 e.v.

[1854] Al in Andries Pels' *Gebruik en misbruik des tooneels* (1681) treft men de uitdrukking 'der ouden Grieken spoor'.

ontstonden volgens hem de middeleeuwse mysteriespelen, waaruit zich het Spaans-Engelse historiespel ontwikkelde
dat de voorstelling van een gebeurtenis behelsde. Corneille schiep uit beide soorten de nieuwe Franse tragedie, die werd vervolmaakt door Racine, maar na hem – mede onder Duitse en Engelse invloed – ten onder ging. Bilderdijk verlangt nu voor zijn tijdgenoten een nieuwe tragedie, die een uit hun eigen hart genomen dichtstuk zijn zal, dat gekenmerkt wordt door verhevenheid in Eenheid.
Aan het essay zijn 73 in kleiner corps gedrukte bladzijden toegevoegd, met aantekeningen over allerlei dramaturgische problemen, toneelstukken en toneeldichters. Deze uitgave is Bilderdijks belangrijkste publicatie op het gebied van de toneeltheorie.[1855]

12. Exposé
Exposé touchant l'état déplorable de notre théâtre, Briefwisseling van Mr. W. Bilderdijk met de hoogleeraren en Mrs. M. en H.W. Tydeman, dl. II, Sneek 1867, p. 307 e.v.
1808; aangeboden aan koning Lodewijk Napoleon door de auteur in 1808. Uitgegeven door H.W. Tydeman in 1867.

- Een Franstalige beschouwing van 6 bladzijden druks, die Bilderdijk heeft opgesteld als antwoord op een tot hem gericht schrijven van Lodewijk Napoleon. Hij geeft eerst een vluchtig historisch overzicht van het Nederlands toneel sedert de gouden eeuw (zie hfdst. XVII, par. 1), en noemt vervolgens de oorzaken van het latere verval, alsmede de middelen ter bestrijding van dit verval (zie hfdst. XVII, par. 5).

In dit geschrift meent Bilderdijk dat de Nederlandse dramaturgie zich zou moeten inspireren op het voorbeeld van de Franse klassieken.

13. Consideratien
Consideratien over de Aanmoediging der Tooneelpoëzy, Handschrift in de bibliotheek der Koninklijke Nederlandse Akademie van Wetenschappen te Amsterdam, nr. XCVIII.
1808-1809; voor het eerst uitgegeven als Bijlage achterin dit *Tweede Boek.*

- Deze in handschrift bewaarde aantekeningen werden eind 1808 of begin 1809 door Bilderdijk opgesteld, met het oog op het werk van een commissie in het Koninklijk Instituut die aan Lodewijk Napoleon rapport moest uitbrengen over de middelen ter verbetering van het nationaal toneel.[1856] De aantekeningen bestaan uit twee delen. Ten eerste de eigenlijke *Consideratien over de Aanmoediging der Tooneelpoëzy* (3 1/4 bladzijden folio), met oorzaken van verval en middelen ter verbetering.Ten tweede de *Consideratien omtrent het repertoire* (1 bladzijde folio), waarin Bilderdijk aangeeft welke

[1855] Zie voor deze uitgave: de Inleiding tot het *Tweede Boek*, noot 6.

[1856] Vgl. voor de datering van deze Consideratien: W. Bilderdijk, *Bydragen tot de Tooneelpoëzy*, Leyden 1823, p. 85 en Kollewijn, dl. I, p. 451. Zeer waarschijnlijk zijn de Consideratien opgesteld in december 1808. Daarop wijst een onuitgegeven brief van Bilderdijk aan J. Immerzeel, gedateerd 27 december 1808 (Portef. Margadant, Bilderdijk-Museum te Amsterdam): zie hfdst. XVII, par. 5.

soorten stukken voor de schouwburg moeten worden afgekeurd, en welke men dient toe te laten.
Ook in dit geschrift verwacht Bilderdijk alle heil van de Frans-klassieke tragedie. Zie hfdst. XVII, par. 5.

14. *Voorbericht bij 'Cinna'*, De dichtwerken van Bilderdijk, dl. XV, Haarlem 1859, p. 143 e.v.
1809; uitgegeven door de auteur in 1809.
- In dit stuk van 8 bladzijden druks bespreekt Bilderdijk de *Cinna* als treurspel uit de eerste, nog onvolmaakte periode van de klassieke Franse tragedie; hij verdedigt de alleenspraken van Corneille tegenover Voltaire en spreekt verder over zijn eigen werkwijze als vertaler (zie Eerste Boek, hfdst. XI, par. 3).

15. Trsp. der ouden
Over het Treurspel der Ouden in de uitvoering, Taal- en dichtkundige verscheidenheden, dl. I, Rotterdam 1820, p. 167 e.v.
1810; voorgelezen in het Koninklijk Nederlandsch Instituut en uitgegeven door de auteur in 1820.[1857]
- In deze lezing van 15 bladzijden druks, herroept Bilderdijk zijn in geschrift nr. 1 voorkomende opvatting over de taak van de rei in het Griekse treurspel; hij meent nu dat de rei buiten de eigenlijke handeling stond en komt bovendien tot de conclusie dat er voor de rei geen plaats meer kan zijn in het treurspel van zijn tijdgenoten. Dit stuk bevat enkele belangrijke passages over Bilderdijks treurspelideaal en zijn mening over de invloed van veranderende cultuur op de dichtkunst.

16. Bydragen
Bydragen tot de Tooneelpoëzy, Leiden 1823.
1810, 1815-1816, 1815, 1817, 1823; gedeeltelijk voorgelezen in het Koninklijk Nederlandsch Instituut, gedeeltelijk gepubliceerd in 1817 en uitgegeven door de auteur in 1823.
- Deze uitgave opent met een recente *Voorafspraak* (10 pagina's), die een globaal overzicht geeft van de dramaturgie in Nederland en eindigt met de conclusie dat ons toneel nooit 'een eigen Nationaal karakter' heeft gehad (zie hfdst. XVII, par. 1). In de bundel zelf

[1857] Blijkens de Gedenkzuil van 1833, p. 63, heeft Bilderdijk in december 1810 een voorlezing gehouden in het Koninklijk Nederlandsch Instituut *Over de reijen in het Treurspel*. Zo de als nr. 15 vermelde verhandeling daarmee niet volkomen identiek is, moet ze een bewerking van de genoemde voorlezing zijn. Daarop wijst zowel haar inhoud als de aanduiding: 'Voorheen in een geleerd Gezelschap voorgelezen'. Bovendien duidt Bilderdijk op p. 173 zijn uitgave van de *Edipus* (1779) aan als een werk van 'voor dertig jaren'. Een aanwijzing is ook dat hij op 25 september 1817 aan Wiselius verzoekt om teruggave van zijn verhandeling over de reien in het treurspel, die al sedert ongeveer zes jaar bij het Instituut berust: dit verzoek vond dus plaats ongeveer drie jaar voor de uitgave van het eerste deel van de *Taal- en Dichtkundige Verscheidenheden* (de brief aan Wiselius bevindt zich in de Portef. Margadant, Bilderdijk-Museum).

zijn opgenomen: een opstel over de *Aran en Titus* van Jan Vos en diens Engelse voorbeeld (87 pagina's, recent, zie hfdst. XVII, par. 3); een lezing en een opstel over *Las mocedades del Cid* van Guillèn de Castro (57 pagina's, ± 1815 en ± 1817, zie hfdst. XIII, par. 2); een lezing over *Pietje en Agnietje* van O.Z. van Haren (10 pagina`s, ±1810, zie hfdst.XVII, par. 4); een lezing over het zinnespel *Tieranny van Eigenbaat* van het genootschap Nil Volentibus Arduum (12 pagina's, 1813-1816, zie hfdst. XVII, par. 3).

17. Over het trsp. in Nl.
Over het treurspel in Nederland, tot op Jan de Marre, Muzen-Album, dl. I, Amsterdam 1849.
1808-1816?; voorgelezen in het Koninklijk Nederlandsch Instituut en uitgegeven door H.W. Tydeman in 1849.[1858]

- Volgens de uitgever een 'Fragment uit den aanhef van een verslag aan de Tweede Klasse van het Kon. Nederl. Instituut'. In 14 bladzijden geeft Bilderdijk een overzicht van het Nederlandse treurspel tot 1736, waarbij hij vooropstelt dat de geschiedenis van de Nederlandse tragedie pas begint in het tijdperk van Vondel.

18. MF.
Brief over de Griekse tragici, Mengelingen en Fragmenten, nagelaten door Mr. W. Bilderdijk, Amsterdam 1834, p. 137 e.v.
1819; verzonden aan S.I. Wiselius door de auteur in 1819 en uitgegeven door J. Immerzeel in 1834.

- Een brieffragment van goed twee bladzijden druks, waarin Bilderdijk 'eens voor al' zijn oordeel geeft over de drie grote dramaturgen uit het oude Griekenland (zie hfdst. X, par. 6).

19. TDV. II
Over het natuurlijk spelen op het tooneel, Taal- en dichtkundige verscheidenheden, dl. II, Rotterdam 1821, p. 177 e.v.
1821?; uitgegeven door de auteur in 1821.[1859]

- Een essay van 24 bladzijden, waarin Bilderdijk uiteenzet dat de toneelspeler *zelf* niet affectief bij zijn spel betrokken mag zijn: de op het toneel uitgebeelde hartstochten en vervoeringen, mogen slechts imitaties of 'kunstvertoningen' zijn van hetgeen de acteur *als*

[1858] Een aantekening van Tydeman doet vermoeden dat dit stuk is geschreven na 1808. Aangezien Bilderdijk volgens de Gedenkzuil, p. 66, sedert 1816 voor het Koninklijk Instituut 'verloren' was, moet zijn verslag vóór dat jaar hebben plaatsgevonden. Natuurlijk is het mogelijk dat hij later zijn tekst heeft uitgebreid of omgewerkt.

[1859] Niets in de redactie van dit opstel bewijst dat het zou zijn ontstaan in een vroegere periode. Daarentegen zouden Bilderdijks verwijzingen naar vroeger verschenen werken, o.a. naar zijn verhandeling *Van het letterschrift* (1820), de veronderstelling kunnen rechtvaardigen dat dit stuk niet lang voor de publicatie in 1821 is geschreven, bewerkt of herschreven.

kunstenaar beschouwt in het uit de held veredelde ideaal, dat door de dichter is aangegeven (zie hfdst. VI, par. 2).

20. *Aphorismes pour servir de Fondement à la Perspective de Théâtre,* 1808-1809; handschrift door de auteur overgemaakt aan de Vierde Klasse van het Koninklijk Nederlandsch Instituut.

- Mooi verzorgd eind-manuscript van 21 bladzijden met tekeningen, als onderdeel van een, eveneens geïllustreerd, groter geheel (200 pagina's), getiteld *Système de Perspective.* Het manuscript in zijn geheel bestaat uit verschillende afdelingen en opent met een uiteenzetting over de bouw en de werking van het menselijk oog. Het werd, samen met een gedicht[1860], aangeboden 'Aan de Vierde Klasse des Koninklijken Instituuts van Wetenschappen, Letteren, en Kunsten. 'Evenals in de *Grondregelen* (nr. 21) is de tekst verdeeld in korte paragraafjes, die voor het totale manuscript zijn genummerd van 1 tot en met 1086. De afdeling *Aphorismes pour servir de Fondement à la Perspective de Théâtre* heeft de nummers 801 tot en met 921. Het stuk handelt voornamelijk over de plaatsing van de coulissen, waarbij Bilderdijk onderscheid maakt tussen het vroegere Italiaanse model ('les tableaux latéraux en position oblique') en het Franse ('transversalement').

21. *Tooneelperspectief, Grondregelen der Perspectief of Doorzichtkunde,* Dordrecht 1828, p. 37 e.v. 1827,1828; uitgegeven door de auteur in 1828.

- Een afdelinkje van 5 paragraafjes (nr. 94 tot en met 99 op een totaal van 100) over de plaatsing van toneelschermen in verband met het oogpunt van de toeschouwers, waarbij Bilderdijk enkele door hem zelf vervaardigde tekeningen heeft gevoegd (zie de vorige rubriek –nr. 20 – benevens hfdst. VI, par. 2 en nr. 17 van de illustraties.).

22. Adversaria

- Een groot aantal aantekeningen, commentaren en citaten betreffende de dramaturgie bevindt zich in verschillende handschriftencollecties (ik verwijs ernaar in voetnoten). Zie over deze adversaria: Van Eijnatten (1998), p. 22-23.

[1860] DW. XI, p. 75, met de volgende afwijkingen van het handschrift: r. 3. afgeloopen > *doorgehotste*; r. 4. met één >, *met één.* Men zou dit gedicht niet alleen kunnen lezen als brief van een tevreden thuis gekeerde balling, maar ook als afscheid van de 'exacte vakken':

> De zeeman, afgetobt in 't hobblen op de baren,
> Hangt de uitgediende riem in God Neptunus Choor;
> Hij dankt haar 't schamel brood der afgeloopen jaren,
> En zegt met één Vaarwel aan 't golvend waterspoor.
> Ik meê. Zie hier mijn rust. Gesold van strand tot stranden,
> Was Wis- en Teekenkunst mijn roeispaan door de Zee;
> Gij, Tempel van de Kunst, ontfang mijne offeranden!
> Mijn wenschen zijn verhoord, mijn vaartuig vond de ree.

HOOFDSTUK XIX

THEORIE EN PRAKTIJK GECONFRONTEERD

1. Bilderdijk en Voltaire

Hoe zeer Bilderdijk in zijn theorie aan de eenheid van het treurspel hechtte, is al meermalen gebleken. Die eenheid heeft verschillende aspecten. Allereerst is er de strikt toe te passen eenheid van handeling en daaruit vloeien dan weer de eenheden van tijd en plaats voort. In de treurspelverhandeling van 1808 staat dat het contemporaine treurspel vanwege de verschillende bedrijven 'eenige meerder ruimte' dan het Griekse heeft met betrekking tot de eenheid van tijd: 'het is echter blijkbaar, dat daar in geene dan een zeer beperkte vrijheid plaats kan hebben, die men (willekeurig) tot een etmaal of weinig meer heeft uitgestrekt, maar die eer te bekrimpen dan uit te zetten zou zijn'.[1861] De verdeling van het treurspel in bedrijven staat nog meer vrijheid toe met betrekking tot de plaats van de handeling: 'Mits naamlijk de plaats in het algemeen de zelfde blijve, wat weêrhoudt ons het eenmaal gesloten en dus voor ons ophoudend en niet meer bestaande Tooneel, by zijn heropenen voor een nieuw Tooneel, voor eene andere zaal, ander gedeelte van een zelfde paleis, waar ons weinige ongemerkte voetstappen naar toe konden brengen, te houden? In de daad zie ik daar niets stotende in ...'[1862]

Bilderdijk huldigde in zijn theorie een ruimere opvatting dan die waarnaar het Frans-klassieke treurspel zich regelde. Bij de bespreking van zijn praktijk als toneeldichter in het *Eerste Boek* is gebleken dat hij van de grotere vrijheid die zijn theorie hem toestond in ruime mate gebruik heeft gemaakt. En er bleek nog meer. Bilderdijk verwijderde zich in het 'practicale' soms veel verder van de Frans-klassieke regels dan zijn eigen theorie hem toestond. In zijn *Engelbrecht van Breda* verlaat hij de koninklijke vertrekken om bij nacht af te dalen in een onderaardse gevangenis. *Eric van Zweden* toont de toeschouwer verschillende kamers van het koningspaleis en eindigt (vermoedelijk de andere morgen) met een tafereel in het voorportaal van de slotkapel. Het treurspel *Reimond, koning van Trebisonde* speelt zich binnenshuis af, maar heeft als aanwijzing voor het vierde bedrijf: 'hofgallerij, uitzicht naar de haven. 't Is nacht'. Bilderdijks *Virginia* begint in een tempel en eindigt op een marktplein. De handeling in de tussenliggende bedrijven vindt afwisselend tegen een andere achtergrond plaats. Zelfs wordt de eenheid van het tweede bedrijf nog verstoord door een decorwisseling na het eerste toneel. Ook in de treurspelen over *Een gevangen genomen koning* en over *Cleonice* komen dergelijke veranderingen van plaats in een zelfde bedrijf voor. De nu genoemde stukken kwamen tot stand op verschillende tijdstippen tussen 1778 en 1801. Maar ook later heeft Bilderdijk de handeling

---

[1861] Trsp., p. 212.

[1862] Trsp., p. 213.

wel durven overbrengen naar een plaats die verder verwijderd was dan een 'ander gedeelte van een zelfde paleis waar ons weinige ongemerkte voetstappen naar toe konden brengen.' Het treurspel over *Hannibal* is na 1808 geschreven. Het begint met een nachtelijke scène in een tempel, maar eindigt 'in een vertrek van het paleis', terwijl het tweede en het vierde bedrijf 'in de troonzaal' plaatsvinden. In nagenoeg dezelfde periode ontstonden Bilderdijks uitgegeven treurspelen *Floris de Vijfde* en *Willem van Holland.* Spelen de vijf bedrijven van *Floris de Vijfde* zich af op even zoveel verschillende plaatsen in of bij het 'Bisschoplijk Burgslot' te Utrecht; van *Willem van Holland* moet gezegd worden dat het door verplaatsing van de handeling van het 'Graaflijk Hofverblijf' te Dordrecht (drie verschillende vertrekken) naar het Merweklooster buiten de stad, zonder meer in tegenspraak is met Bilderdijks treurspelverhandeling waarmee het bijna gelijktijdig werd gepubliceerd.

Belangrijker dan de eenheden van tijd en plaats was voor Bilderdijk de eenheid van *daad* of *handeling* waarvan hij, zoals we elders al opmerkten, in 1808 meende dat ze 'geene toegevendheid (lijdt)'. Merkwaardig is daarom dat Johan Smit niet geheel ten onrechte kon schrijven dat er in de uitgegeven vaderlandse treurspelen episoden voorkomen 'à côté de l'action principale', en dat hij daarenboven constateerde: 'De plus, la sobriété que Bilderdijk avait tant vantée chez les anciens, est totalement perdue: il y a un grand nombre d'acteurs et de figurants, et *l'action est si confuse qu'on a de la peine à s'y retrouver'.*[1863] Al kan ik de door mij gecursiveerde uitspraak evenmin beamen als Smits bewering: 'Quant à l'unité d'action elle n'est pas du tout observée', toegegeven moet worden dat de betreffende stukken geenszins een illustratie zijn van de zozeer door Bilderdijk geroemde deftige eenvoudigheid. Ook zijn onuitgegeven toneelwerk is meermalen in tegenspraak met de in theorie zo streng geformuleerde eenheid van handeling, die onder meer de uit het Franse treurspel bekende 'vertrouwden' overbodig moest maken. Zoals geconstateerd in hoofdstuk V, kan de dichter die de ware eenheid in zijn treurspel weet te handhaven volgens Bilderdijk: 'de vertrouwden, met de krukken die in een voorbijgaande lamheid gediend hebben, naar den zolder zenden.'[1864] Allemaal goed en wel, maar in Bilderdijks onvoltooide treurspelen *Jephta* (1774), *Eric van Zweden* (± 1783), *Alice van Engeland* (± 1789) en *Sofonisba* (na 1808) komen we de Franse 'confidentes' dan toch weer op een of andere manier tegen.[1865] In Bilderdijks nagelaten toneelteksten staan nog verschillende andere afwijkingen van de eenheid van handeling, die volgens zijn theorie juist geen enkele concessie zou toelaten. Ik wijs op de ontwerpen voor treurspelen over *Hannibal*, *Cleonice* en *Medea.* De *Hannibal* is geschreven naar het

[1863] Smit (1929), p. 31.

[1864] Trsp., p. 217, 218; vgl. p. 149.

[1865] *Eerste Boek*, hfdst. III, par. 1; hfdst. VI, par. 4; hfdst. VII, par. 6; hfdst. IV, par. 5; ook in de ontwerpen van treurspelen 'over een onbekende prinses' en 'over een verdreven koning' treden (vermomde) vertrouwden op (*Eerste Boek*, hfdst. VII, par. 2 en par. 5), maar steeds probeert Bilderdijk ze, door middel van een 'onthullende' rol, in de handeling te betrekken.

voorbeeld van een gelijknamig treurspel door Marivaux, waarvan volgens Lancaster de intrige uitmunt door 'simplicity'. Voor de theoreticus Bilderdijk dus een geschikt model... Desondanks moeten we vaststellen dat de afwijkingen in zijn ontwerp juist tot gevolg hebben dat de eenvoud van het Franse stuk verloren is gegaan.[1866] Het treurspel over *Cleonice* is een bewerking naar een stuk van Metastasio in drie bedrijven. Bilderdijks poging om hetzelfde gegeven in vijf bedrijven te behandelen is uitgelopen op een ontwerp waarvan de hoofddaad in het derde bedrijf is voltooid: de twee andere akten zijn niet meer dan opvulling met verwikkelingen die niet ter zake dienend zijn.[1867] In *Medea* heeft Bilderdijk een onderwerp gevonden dat al door Euripides was behandeld. Nu is het juist deze dichter die voor hem het minst de eenheid van het ideale Griekse treurspel vertegenwoordigt. Hij was 'niet zeer gelukkig in 't schikken zijner ontwerpen' en daarom treft men in zijn stukken weleens episoden aan die niet op dwingende wijze met de hoofddaad zijn verbonden, schreef Bilderdijk in een tot een verhandeling uitgegroeide brief van 1779 aan Rhijnvis Feith.[1868] Bijna dertig jaar later vond hij dat Euripides 'den stijl en innige verhevenheid van Sofokles verminderd' heeft en ook in 1819 beweerde Bilderdijk dat 'het Euripides (ontbrak) aan plan, stijl en gevoel'.[1869] Wat deed Bilderdijk nu om het 'plan' van de Griekse *Medea* zodanig te 'schikken' dat de deftige eenvoudigheid wél in al haar volkomenheid kon worden bereikt? Het antwoord kan kort zijn. Bilderdijk heeft daartoe totaal niets gedaan. Integendeel: zijn Medea-treurspel sluit aan bij de latere bewerkingen van Seneca en Corneille. Bilderdijk breidde het gegeven uit met allerlei uiterlijke verwikkelingen, bekommerde zich geen ogenblik om de verheven eenvoud en schreef een ontwerp voor een treurspel dat op verdachte wijze het zeventiende-eeuwse 'spektakelstuk' in de trant van Jan Vos nadert.[1870]

Gaan we eens na *op welke wijze* de eenheid van handeling door Bilderdijk werd verstoord. In zijn *Hannibal*-ontwerp blijkt hij van Marivaux af te wijken door de toevoeging van een geheim huwelijk en een gewapende overval waarbij de koning van Bythinië gevangen wordt genomen. De *Cleonice* verschilt van Metastasio's *Demetrio* door een burgeroorlog die tot gevolg heeft dat prinses Cleonice haar vrijheid verliest en vergif neemt. Haar minnaar doorsteekt een opstandeling en pleegt daarna zelfmoord op het lijk van Cleonice. De *Medea* vertoont een nachtelijk tafereel waarin aan de maan wordt geofferd en de 'schim' van een gestorvene verschijnt. Verder is er een zoon die de medeminnaar van zijn vader is en met zijn geliefde de gifbeker drinkt. Medea zelf speelt de rol van toverkol. Deze drie stukken werden respectievelijk geschreven na 1808, rond 1798 en na 1806. Tovertaferelen en schimmen van gestorvenen vindt men overigens niet alleen in de *Medea*; soortgelijke verschijnselen zijn aan te wijzen in de ontwerpen voor *Polydoor*

[1866] Zie *Eerste Boek*, hfdst. IV, par. 6.
[1867] Zie *Eerste Boek*, hfdst. VIII, par. 2.
[1868] Kalff (1905), p. 63.
[1869] Trsp., p. 195; MF., p. 137, 138
[1870] Zie *Eerste Boek*, hfdst. IV, par. 1.

en *Brutus*, die waarschijnlijk eveneens na Bilderdijks terugkeer uit zijn verbanning (1795-1806) zijn ontstaan.[1871]

Bepaald in tegenspraak met de hoog geprezen deftige eenvoudigheid zijn ook de gevechten, de volksoplopen en de nachtelijke tempel- of kerkscènes die men in Bilderdijks voltooide en onvoltooide toneelwerk aantreft. Zelfmoorden, gewone moorden, dubbele moorden en combinaties van deze vormen van doodslag zijn aan de orde van de dag. Zelfs schrok de dichter er niet voor terug om de toeschouwers van zijn *Eric van Zweden* te laten zien hoe de vermomde vijand van de koning in het voorportaal van de hofkapel een kind 'verpletterd' en hoe de vorst zelf een zwaard neemt en zich 'in een vlaag van woede' doorsteekt. Dit stuk schreef Bilderdijk rond 1783; meer dan een halve eeuw later achtte de dichter Warnsinck nog een uitvoerig excuus noodzakelijk voor het feit dat hij in zijn treurspel *De dood van Willem den Eersten* (1836) het vermoorden van de prins niet geheel aan het oog van de toeschouwers had kunnen onttrekken en hij gaf daarbij meteen de middelen aan waardoor 'veel van het anders aanstootelijke' zou kunnen worden weggenomen.[1872] Bilderdijk verontschuldigt zich niet. Als hij zich eenmaal aan de 'Dichtkunst' had overgeleverd, was zijn gevoel geheel en al 'den band ontsprongen', zoals hij het zelf in zijn *De kunst der poëzy* uitdrukte. In overeenstemming met het genoemde gedicht, wapende hij Melpomene dan zonder aarzelen 'met stijfbebloede dolk'. Aan kiesheid of beschaving dacht hij daarbij geen moment. Wij zagen dan ook dat de 'kieschheid' zich volgens Bilderdijk maar moeilijk 'met ware en enigszins volkomene Dichtkunst verenigen laat.' Ze verhindert de dichter immers in zijn verheffing waarin hij ''t menschdom hooger voert': een bezigheid waarbij hij de 'boei' van 'valsche stelsels' en dito 'Theoristen' volledig kan missen. Bovendien staat de kiesheid (die het gruwelijke verbiedt) de dichter in de weg bij de overdrijving en het schilderen met schrille effecten. En dit laatste is nu eenmaal iets wat volgens Bilderdijk door de bijzondere aard van het treurspel wordt vereist. De *Eenheid* van het treurspel, die (theoretisch) de verhevenheid uitmaakt en 'geene toegevendheid' duldt, liet Bilderdijk in zijn praktijk van toneeldichter zonder gewetensbezwaar varen om elementen te kunnen invoeren die rechtstreeks in tegenspraak zijn met de (eveneens in theorie) noodzakelijk geachte *kieschheid der beschaving*. Die tegenspraak is al aanwijsbaar in zijn *Oedipus Rex*-vertaling van 1779 en ze kwam al eerder ter sprake in hoofdstuk VII, over *Het probleem der verheffing*. Wie zich bewust is van deze breuk in Bilderdijks dramaturgie kan begrijpen dat dezelfde dichter die vol lof is voor de deftige eenvoudigheid van het Griekse treurspel, zich bij zijn bewerking van het Medea-motief een navolger toont van hen die dit Grieks-klassiek gegeven tot een spektakelstuk hebben gemaakt. 'Niet dan wat groot, wat breed, wat stout is, doet werking', schreef Bilderdijk. En in zijn praktijk van toneeldichter was hij zo van dit besef doordrongen, dat hij eenheid, kiesheid en beschaving tegelijk vergat. Hij bekommerde zich

[1871] Zie *Eerste Boek*, hfdst. IV, par. 2 en par. 7.

[1872] Hunningher (1931), p. 31.

al evenmin om de tegenspraak tussen de door hem geprezen treurspelen van Racine en de moorden, dubbele moorden, volksoplopen, decorwisselingen, geestverschijningen en tovertaferelen die hij zelf ten tonele wilde voeren.

'Fait remarquable l'unité d'action devant qui l'on s'incline unanimement en théorie est la plus audacieusement violée en pratique', schrijft Gaiffe over de Franse *drama*schrijvers.[1873] Lessing constateerde ongeveer hetzelfde voor de Franse *treurspel*dichters van zijn tijd.[1874] Begrijpelijk is daarom dat Bilderdijk, die zich in zijn theorie schoorvoetend maar in zijn praktijk bijna met reuzenschreden van Racine verwijderde, uiteindelijk toch weer bij het Franse treurspel terechtkomt. Nu echter niet bij dat uit de tijd van de zonnekoning maar bij de tragedie zoals die onder anderen wordt vertegenwoordigd door Voltaire, de dichter wiens werken hier al enkele malen met Bilderdijks dramatische proeven in verband zijn gebracht. De kenmerken van Voltaires tragedie? 'Garder les cinq actes, l'alexandrin et les unités, mais dans ce cadre introduire la mise en scène, l'intérêt historique, les coups de poignard, les spectres, c'est tout l'effort dramatique de Voltaire'... *et de Bilderdijk*, zo zou men deze uitspraak van Guyard kunnen aanvullen. Dezelfde comparatist weet ook te melden dat Voltaire zich in zijn theoretische geschriften van na 1760 hevig verzet tegen de 'barbarie anglaise' en slechts bewondering heeft voor: 'l'équilibre classique du grand siècle français.'[1875] De tegenspraak is duidelijk. We kunnen met Johan Smit zeggen dat Voltaire zich keert tegen de 'bassesses de Shakespeare pour vanter... la beauté régulière de la tragédie française', mits we steeds bedenken dat dit oordeel alleen maar steunt op de *Lettres à l'Académie* van 1766.[1876] Niet alleen de inconsequentie van de praktijk tegenover de theorie, – ook de innerlijke breuk in de theorie zelf, heeft Bilderdijk met Voltaire gemeen. Men leze slechts de afdeling *Théories contradictoires* in het proefschrift van Henri Lion, die begint met een overzicht van Voltaires dramatische theorieën, zo die zijn geformuleerd in de *Commentaires sur Corneille* (1761-1764). Er zijn in deze commentaren nogal wat elementen aanwijsbaar die we ook hebben ontmoet in Bilderdijks geschriften. Maar beperken we ons tot de uitspraken van Voltaire met betrekking tot de door Bilderdijk zo belangrijk geachte eenheid en eenvoudigheid. Voltaire dan schrijft: 'les pièces simples ont beaucoup plus d'art et de beauté que les pièces implexes...' en: 'il y a mille fois plus d'art dans cette *belle simplicité* que dans cette foule d'incidents dont on a chargé tant de tragédies.'[1877] We herkennen in de door mij gecursiveerde uitdrukking onmiddellijk Bilderdijks 'deftige eenvoudigheid'. Na behandeling van een aantal andere theoretische geschriften van Voltaire, concludeert Lion: 'Et en effet Voltaire ne semble plus se souvenir des règles au nom desquelles il a si

[1873] Gaiffe (1910), p. 463.

[1874] Lessing (1958), p. 183 e.v. (Stück 46).

[1875] Marius François Guyard, *La littérature comparée*, Paris 1951, p. 71.

[1876] Smit (1929), p. 7.

[1877] Lion (1895), p. 278.

souvent condamné Corneille. *Plus d'action, encore plus d'action*, telle pourrait être la devise.'[1878]

Overbodig te zeggen dat het nu gecursiveerde herinnert aan Bilderdijks 'vertooning', zijn 'wezendlijke handeling' en zijn 'breede massen, en zware treffende lichten en schaduwen'. De door Lion opgemerkte tegenspraak tussen de levendigheid van het schouwspel en de eenvoud van de klassieke regels in de geschriften van Voltaire, komt overeen met de door ons geconstateerde breuk in de theorie van Bilderdijk. Ook wat de praktijk betreft kunnen we op Bilderdijk toepassen wat Lion zich bij het dramatisch werk van Voltaire afvraagt: 'Que deviendraient ses propres tragédies, s'il les fallait juger d'après son propre code? Ne serions-nous forcés d'être encore plus sévères pour lui qu'il ne l'a été pour Corneille...' Dat ook Bilderdijk het een en ander op Corneille had aan te merken, zagen we al eerder. Lion vervolgt: 'En face de ses tragédies, c'est à dire en face de la pratique, les choses changent'... want dan blijkt Voltaire voor zichzelf de strenge regels te wijzigen 'au gré des circonstances et de son mobile génie.'[1879] Ook Bilderdijks genie blijkt erg beweeglijk als zijn muze 'den band ontsprongen' is en de theoristen en stelsels aan haar toneelbrozen lapt. Al uitte hij in 1779 en 1780 zijn afkeer van 'onnatuurlijke samenkoppelingen van klagten, verhalen, en gevechten, zonder eenheid van daad, tijd, of plaats [die] door hun daaglijks vermeerdrend aantal zich meester schijnen te willen maken van den deftigen schouwburg', – dit belet hem niet om vijf jaar later een spektakelstuk over *Willem van Holland* te ontwerpen met strijdende krijgslieden, een toverende en door de lucht zwevende heks, en ander kunst- en vliegwerk.[1880] De 'circonstances' van Voltaire konden ook voor hem veranderen. Zelfs heeft Bilderdijk, die het treurspel in zijn aard en wezen een dichtstuk noemde, op verschillende tijdstippen een tragedie in proza opgezet. Dat dit feit mede te verklaren is uit gewijzigde omstandigheden (een verandering van de toneelmode met name) kwam hier ook al eerder ter sprake, evenals de wijze waarop Voltaire en Bilderdijk 'classicistische' correcties wilden leveren op Shakespeares onregelmatige ('romantische') 'tragedy' *Julius Caesar*. Stellen we tenslotte nog vast dat Bilderdijk, wanneer hij zich eenmaal aan het schrijven had gezet, al evenzeer de in zijn theorie noodzakelijk geachte 'zielkunde' placht te vergeten. Behalve in zijn onvoltooide treurspel over *Brutus,* zijn Bilderdijks dramatis personae weinig meer dan onveranderlijke poppen in een reusachtig en dikwijls gecompliceerd marionettenspel, waarvan men tevoren weet dat het eindigt met moord en doodslag zodra de betrokkenen iets niet naar wens gaat. Ook deze 'eigenaardigheid' delen zijn treurspelen weer met die van Voltaire.[1881] 'Ein anderes ist, sich mit den Regeln abfinden, ein anderes, sie wirklich zu beobachten', schreef Lessing in zijn *Hamburgische Dramaturgie*.[1882]

[1878] Lion, p. 285.

[1879] Lion, p. 281 en 285. Voor Bilderdijks mening over Corneille, zie hoofdstuk XVI, par. 2.

[1880] DW. XV, p. 4; Brief navolger, p. 12. Vgl. *Eerste Boek*, hfdst. V, par. 3.

[1881] Lion, p. 450.

[1882] Lessing (1958), p. 183 (Stück 46).

2. Bilderdijk en het treurspel

Van de drie door Bilderdijk zelf gepubliceerde oorspronkelijke treurspelen zijn er twee, de *Floris de Vijfde* en de *Willem van Holland*, waarvan het gegeven is ontleend aan de vaderlandse geschiedenis. Van zijn 38 ongepubliceerd gebleven stukken blijken er niet minder dan twintig een historisch onderwerp te behandelen. Verder zijn er nog twee bijbelse treurspelen en twee stukken met een gegeven uit de Griekse mythologie. Dat Bilderdijk door dergelijke onderwerpen niet bepaald een uitzonderingspositie heeft in de toenmalige toneelliteratuur, is in de voorafgaande hoofdstukken gebleken. De geschiedenis was in die tijd een belangrijke bron voor de treurspeldichters. Bij de beoordeling van de historische treurspelen van Bilderdijk dient men rekening houden met een extra omstandigheid: met het feit namelijk dat de dichter zelf historicus was. In het *Eerste Boek* (hoofdstuk V) kwam het geschiedkundig werk van Bilderdijk onder meer ter sprake in verband met zijn bijna geheel voltooide treurspel *Willem de Vijfde*, over de strijd om de erfopvolging in het graafschap Holland in het midden van de veertiende eeuw: een strijd tussen gravin Margareta, wier aanhangers de 'Hoeken' werden genoemd, en haar zoon Willem de Vijfde of Willem Verbeider, wiens aanhangers de naam 'Kabeljauwen' kregen. Als geschiedkundige bron gebruikte Bilderdijk het destijds bekende standaardwerk *Vaderlandsche historie* door J. Wagenaar. Bij de uitgave van Bilderdijks treurspel in 1960 meen ik te hebben aangetoond dat de manier waarop Bilderdijks toneeltekst van deze historische bron afwijkt niet alleen te verklaren is uit literairtheoretische motieven en met name niet met een simpele verwijzing naar de regels betreffende de drie eenheden. De afwijkingen vloeiden ook voort uit Bilderdijks interpretatie van de geschiedenis. Om uit te maken hoe Bilderdijk als historicus tegenover zijn stof stond, staat ons niet alleen zijn briefwisseling ter beschikking, maar ook zijn latere college-aantekeningen die postuum zijn verschenen onder de titel *Geschiedenis des Vaderlands*.[1883]

In de bijna honderd bladzijden die Bilderdijk in zijn *Geschiedenis des Vaderlands* aan Willem de Vijfde en zijn moeder Margareta heeft gewijd, houdt hij zijn mening over hun controverse bepaald niet voor de lezer verborgen. Willem had 'een goed hart en beminlijk karakter'; zijn moeder was daarentegen een 'heersch-en gewinzuchtig wijf', een 'helsche teef', een 'hoogmoedig wijf', 'ontuig', een 'helsche furie' en 'het hatelijkste wijf dat de geschiedenis van ons Land aanwijst.'[1884] Van de invectieven die zijn te verzamelen uit de brieven van Bilderdijk, vermeld ik nog slechts dat ze variëren van 'wulps' over 'ontaard' en 'eerloos', tot 'hoerachtig.'[1885] Bilderdijk zelf merkt in zijn *Geschiedenis* op:

[1883] Dit werk werd na Bilderdijks dood uitgegeven door zijn vriend Prof. H.W. Tydeman (Amsterdam 1833-1853). Over Bilderdijk en de geschiedenis zie men onder anderen J. Moll, *Bilderdijk's 'Geschiedenis des Vaderlands'*, Assen 1918, en – onder dezelfde titel – K.H.E. de Jong, Leiden 1934. In zijn opstel *Een eeuw strijd om Bilderdijk* noemt P. Geyl verdere literatuur en laakt zelf Bilderdijks 'extreme, alle historische zin en nationale verbondenheid ondermijnende partijzucht.' (*De gids* 1956, herdrukt in *Van Bilderdijk tot Huizinga. Historische verkenningen*, Utrecht 1963, p. 53-54.)

[1884] GdV. III, p. 126-215.

[1885] Tyd. I, p. 186, 207, 208.

'Sommigen zullen mogelijk verwonderd zijn dat ik deze vrouw Margareet zoo zwart afschildere.' De verklaring die hij daarop laat volgen, doet de verwondering nog toenemen. Ze luidt: 'Ik bekommer mij weinig over 't oordeel van Schrijvers omtrent personen. Oude familien weten meer en beter hoe tijdgenoten dier personen daar over *gevoelden*.'[1886] Ik cursiveer het werkwoord *gevoelden*, omdat het weergeeft hoe Bilderdijk als historicus dacht: hij dacht met zijn hart, zou hij zelf gezegd hebben. Bilderdijk was een verwoed tegenstander van iedere vorm van vrouwenregering. Wie deze mening niet met hem deelde, moest het ontgelden. De verhandeling die J.C. de Jonge in 1817 over de Hoekse en Kabeljauwse twisten schreef, noemde hij: 'schandelijk, dom en kwaadaartig-Aristocratisch.'[1887] De Jonge had namelijk, evenals Wagenaar, de Hoekse partij verdedigd, terwijl Bilderdijk 'Kabeljaauwsch' was. Zo noemt hij zich tenminste in een brief aan M. Tydeman, waarin wordt uiteengezet dat Holland steeds een mannelijk leen is geweest en derhalve Margareta ongerechtigd er te regeren.[1888] Dezelfde 'kabeljauwse' overtuiging kon, eveneens in hoofdstuk V, worden geconstateerd toen Bilderdijk in zijn onvoltooid treurspel over *Willem van Arkel* te maken kreeg met gravin Jacoba van Beieren. Ook zij had, volgens Bilderdijks *Geschiedenis des Vaderlands*, het grootst mogelijke ongelijk in haar strijd tegen Willem van Arkel en ze was bovendien een doortrapte en wulpse feeks. In Bilderdijks treurspel is het niet anders.

Tot zover vrouwenfiguren die in Bilderdijks toneelpraktijk optreden als boosaardige dramatis personae met wie de lezer of toeschouwer zich zeker niet zou willen identificeren. Maar hoe is het gesteld met zijn als sympathieke heldinnen voorgestelde vrouwelijke personages? In het algemeen respecteren Bilderdijks heldinnen de beperkingen die Aristoteles hun had opgelegd in het vijftiende hoofdstuk van zijn *Poetica* en die La Mesnadière op zijn beurt heeft samengevat in zijn eigen *Poétique* (1639): 'Par la propriété des moeurs, le poète doit considérer qu'il ne faut jamais introduire sans nécessité absolue, ni une fille vaillante, ni une femme savante, ni un valet judicieux... Mettre au théâtre ces trois espèces de personnes avec ces nobles conditions, c'est choquer directement la vraisemblance ordinaire.'[1889] Afgezien van de laatste twee woorden, was

[1886] GdV. III, p. 156; vgl. p. 136. Naar aanleiding van Bilderdijks invectieven aan het adres van Jacoba van Beieren (zie *Eerste Boek*, hfdst. V, par. 6) schrijft Prof. H.W. Tydeman over het fenomeen 'overlevering' in GdV. VII, p. 303, noot 1: 'De Heer S[iegenbeek] neemt den toon te hoog, en toont te weinig achting voor de geschiedenis zoo als die leeft in de overlevering, wanneer hij B.' beschuldiging van Jacoba van 'wulpschheid van aard', *lastertaal* scheldt, waarvoor geen enkele historische grond was (bl. 153). Hij zie bij *Mieris Charterb*. LV D. bl. 991, Jacoba's gifte der Heerlijkheid 's Gravenpolder aan 'haren Meester Penthier, haren beminden *Willem de Bye*'; en vrage dezes mans nazaten-zelf, welke soort van 'menige diensten, haar te voren en nog dagelijks gedaan, en nog verder te doen', aldaar beloond worden.'

[1887] J.C. de Jonge, *Verhandeling over den oorsprong der Hoeksche en Kabeljaauwse twisten*, Leiden 1817. Het oordeel van Bilderdijk komt voor in een onuitgegeven brief van 2-9-1817, Portefeuilles Margadant, Bilderdijk-Museum, Amsterdam. Tydeman achtte het nodig 'eenige hatelijke uitdrukkingen tegen den verdienstelijken Heer De Jonge' bij de uitgave van Bilderdijks Geschiedenis achterwege te laten (GdV. III, p. 254). In de Koninklijke Bibliotheek te 's-Gravenhage bevindt zich een bundeltje aantekeningen die door Bilderdijk bij het werk van De Jonge werden gemaakt (hschr. 129D28).

[1888] Onuitgegeven brief van 24 maart 1808, hschr. in de K.B., 72 B 16. Vgl. GdV. III, p. 132, 137.

[1889] Aristoteles, hfdst. XV. Mattioli (p. 73) verwijst, evenals Van der Ben-Bremer (p. 122), naar *Politeia*. Citaat van La Mesnardière bij Bray (1927), p. 221.

Bilderdijk het ongetwijfeld eens met dit verdict – en ook met de streng calvinistische traditie ten aanzien van de positie van de vrouw.[1890] Maar dit neemt niet weg dat hij zijn Porcia-personage aan de mannelijke hoofdfiguur van zijn treurspel over *Brutus* door haar zelfmoord het voorbeeld liet geven hoe iemand 'held' wordt, dat hij de standsbewuste hoofdfiguur van zijn treurspel over *Sofonisba* tot een hooghartige, zichzelf opofferende 'heldin' maakte, en dat hij Machteld van Velzen in zijn treurspel *Floris de Vijfde* 'gewapend' en nota bene vermomd 'in mannengewaad' liet optreden aan het hoofd van een groep strijders. Ze overtreedt bovendien de classicistische 'bienséance' die D'Aubignac had geformuleerd in het voorschrift: 'Il ne faut jamais qu'une femme fasse entendre de sa propre bouche à un homme qu'elle a de l'amour pour lui.'[1891] 'Maar zonder Machteld ware er geen treurspel', meende Bilderdijk. Inderdaad. In overeenstemming met de Franse en in afwijking van de Griekse traditie, speelde de liefde een belangrijke rol in Bilderdijks treurspelen. Evenals Lessing was Bilderdijk van mening dat de vrouw was toegerust met kwaliteiten om liefde in plaats van geweld te bedrijven en om tederheid in plaats van schrik te verwekken.[1892] Dat blijkt uit zijn *Exposé touchant l'état déplorable de notre théâtre*, waarin hij koning Lodewijk meedeelde dat de 'barbarie' van het Duitse toneel 'zelfs' invloed had uitgeoefend op vrouwelijke auteurs.[1893]

Zoals al besproken in het zesde hoofdstuk, verlangde Bilderdijk in zijn treurspelverhandeling van 1808 dat historische toneelspelen ook 'staatslessen' zouden zijn. Hij knoopte aan deze eis een hele uiteenzetting vast over verkeerde geschiedbeschouwing, die culmineerde in de verwerping van de 'valsche natuur- en rechtsbegrippen van Jean Jacques Rousseau'.[1894] Wat Bilderdijk daartegenover stelde, waren uiteraard zijn eigen 'staatslessen' en de daaruit voortvloeiende interpretatie van geschiedkundige feiten. Bilderdijk nu was een man die zonder overdrijving van zichzelf zeggen kon wat hij in 1811 aan de Duc de Plaisance schreef: 'De tout temps j'ai été monarchiste'. De verhouding tussen koning en onderdaan zag hij bepaald door het goddelijk vorstengezag; onvergeeflijk vond hij daarom dat koning Willem I zich liet binden door een grondwet.[1895] Zijn verering voor het absolute gezag van de vorst ging zelfs zover dat hij in een lange ode *De Alleenheersching* bezong van de Deense koning Christiaan VII, wiens gedrag juist op

[1890] Vgl. de bewoordingen van de Decaloog volgens Exodus 20.17 in de Statenbijbel: 'Gij zult niet begeeren uws naasten huis; gij zult niet begeeren uws naasten vrouw, noch zijn dienstknecht, noch zijne dienstmaagd, noch zijn os, noch zijn ezel, noch iets, dat uws naasten is.'

[1891] *Eerste Boek*, hfdst. IV, par. 7 en par. 5; hfdst. X, par. 2; Scherer (1950), p. 396 (citaat uit *Pratique du théâtre* (1657) livre IV, ch. VI, p. 329). Wille (1963),p. 89 en p. 137, wijst erop dat Calvijn, 'op grond van Gods Woord' de verkleding van vrouw tot man en omgekeerd had verboden: een verbod dat was herhaald in de anno 1591 verschenen Nederlandse toelichting bij de Heidelbergse Catechismus.

[1892] Eerste Boek, hfdst. X, par. 2, noten 417, 418; Tweede Boek, hfdst. XII, par. 3, hfdst. XVI, par. 3, noot 984.

[1893] Hfdst. XVII, par. 1.

[1894] Trsp., p. 158 e.v.

[1895] Portef. Margadant 1811-1812; Kollewijn, dl. II, p. 158; Bavinck (1906), p. 182-185; Van Eijnatten (1998), p. 529-545. (De in hfdst. V, par. 3 besproken 'democratische' uitlatingen in Bilderdijks *Voorafspraak* van 1779 zijn meer argumenten ter verdediging van de rei in het Griekse treurspel dan aanvallen op de monarchie.)

overtuigende wijze het gevaar van een dergelijke absolutistisch monarchisme aantoonde.[1896] Maar de vorst heeft nu eenmaal altijd gelijk bij Bilderdijk. Dat verklaart de radicale omkeringen van sommige historische motieven in zijn toneelwerk. Een typisch voorbeeld is zijn in 1808 verschenen treurspel *Floris de Vijfde* dat, zoals aangetoond in het *Eerste Boek*, opzettelijk afwijkt van de, mede onder invloed van Hoofts *Historien* en diens treurspel *Geeraerdt van Velsen*, gangbaar geworden interpretatie van de gebeurtenissen rondom 1296. Duidelijk bleek Bilderdijks (literair-) historische eigenzinnigheid ook uit de wijze waarop zijn onvoltooid gebleven treurspel over *Virginia* afwijkt van alle andere treurspelen op dit herhaaldelijk gebruikte intertekstueel motief die er in de Europese toneelliteratuur zijn aan te wijzen.[1897] De dichter kiest zonder aarzelen partij voor degenen bij wie volgens hem het van God gegeven gezag berust. Een mooi voorbeeld is ook het treurspelontwerp *Eric XIV, koning van Zweden*, waarvan ik toevallig de enige historische bron kon achterhalen die Bilderdijk heeft gebruikt. Daarin wordt koning Eric voorgesteld als een despotische, gevaarlijke gek: maar Bilderdijk maakte hem tot een door minnesmart gekwelde vorst, wiens leven en gezag werden belaagd door een gewetenloze vijand.[1898]

Dergelijke radicale omkeringen vormden een belangrijke bedreiging voor Bilderdijks dramaturgie. Wie als toneeldichter rechtstreeks ingaat tegen de heersende (volgens Bilderdijk: valse!) geschiedkundige opvattingen komt ipso facto in conflict met het algemeen aanvaarde voorschrift dat het treurspel (en de poëzie in het algemeen) geen inbreuk mag maken op de historische concepties van de toeschouwers of lezers. Bilderdijk was het zelf met dit voorschrift eens. In een brief van 1809 schreef hij dat een heldendicht over Karel de Grote zeer moeilijk te realiseren zou zijn, omdat het korte tijdsbestek dat het epos als literair genre eist, *niet* met dit historisch onderwerp in overeenstemming is te brengen. Bij de bewerking van een zo bekend gegeven is de dichter te zeer door de geschiedenis gebonden 'om aan de gebeurtenissen die vereischte wending te [kunnen] geven, die tot een zodanig dichtstuk behoort...'[1899] Dat een soortgelijke gedachtegang de voltooiing van een door Bilderdijk begonnen treurspel over *Don Carlos* heeft verhinderd, schreef de dichter zelf in een brief van 1819 aan de dramaturg mr. S.Ipzn. Wiselius. Hij vertelt dat hij over dit historisch gegeven een andere opvatting heeft dan zijn tijdgenoten en de stof daarom had willen behandelen op een wijze die totaal afweek van de gangbare interpretatie. De brief vervolgt: ''t is dan het rechte gevoel voor het Tooneel niet, en de aanschouwer, te veel bekend met de historie zoo zy aangenomen is, zou natuurlijker wijze, den indruk te rug stoten en zeggen, *Quodcumque ostendis mihi sic, incredulus odi*. – Het geval-zelf behoort onder de mysteriën der geschiedenis; en die er party van wil trekken als

[1896] DW. VIII, p. 417; vgl. Bosch (1955), p. 247 en Is. Da Costa, *De mensch en de dichter Willem Bilderdijk*, Haarlem 1859, p. 412.

[1897] Zie *Eerste Boek*, hfdst. IV, par. 4.

[1898] Zie *Eerste Boek*, hfdst. VI, par. 4.

[1899] J.L. Kesteloot, 'Briefwisseling van Bilderdijk', *Kunst- en Letter-Blad*, 2 febr. 1840.

dichter, *famam sequatur necesse est* [1900] Hoewel Bilderdijk dus verlangt dat het historisch treurspel een leerschool zal zijn waarin de ('valsche') opvattingen van zijn tijd worden bestreden, beseft hij tevens dat de dichter zich aan diezelfde opvattingen zou moeten onderwerpen! Het is daarom niet verwonderlijk dat hij in 1817 aan Wiselius kon schrijven: 'De Historie met het Tooneel te willen vereenigen, is in de daad het bederf van beide.' [1901]

Tot Bilderdijks literaire nalatenschap behoren summiere ontwerpen voor treurspelen over Lodewijk XVI en over Napoleon.[1902] Klaarblijkelijk had hij minder bezwaren dan Racine om 'een tooneelstuk op te stellen, van eene daad onder onze oogen gebeurd, en waarvan de personaadjen ons dus te gemeenzaam bekend zijn, om er de ongemeenheid van te verdragen die men in tooneelstukken doorgaans zoekt'.[1903] Ook Jan Nomsz, aan wie het hier geciteerde werd ontleend, schreef ondanks de bedenkingen van de beroemde Fransman, een treurspel over *Lodewijk de Zestiende*, omdat diens geschiedenis zich volgens hem zo bijzonder goed voor een treurspelbewerking leende. Bilderdijk deed het zelfde, maar zijn 'excuus' was waarschijnlijk de overweging dat de lotgevallen van *Lodewijk de Zestiende* zo uitermate geschikt waren om de gevaren van de Jacobijns-republikeinse staatsleer aan te tonen.[1904] Zo zou zijn treurspel over *Napoleon* zonder twijfel hebben 'bewezen' dat het gezag van de wettige koning [Karel IV van Spanje] onvervreemdbaar was en van goddelijke oorsprong.[1905] Bilderdijks aandacht voor dergelijke eigentijdse onderwerpen staat niet alleen op gespannen voet met de toneeltraditie maar even goed met zijn eigen ideaal van distantie tegenover het actuele en alledaagse, dat hij kenmerkend achtte voor een dichterlijk verheven treurspel. Zijn polemische drang tot het verbeelden van staatslessen bleek in de dichterlijke praktijk soms sterker dan de trouw aan zijn ideaal-theorie.

Verklaren Bilderdijks staatkundige denkbeelden al veel geschiedkundige afwijkingen in zijn historische treurspelen, een belangrijk deel daarvan blijft alleen verklaarbaar uit de wijze waarop Bilderdijk de verhouding beleefde tussen historische wetenschap en verbeeldend dichterschap. Zoals hiervoor geconstateerd, gaf hij zelfs als historicus de voorkeur aan het voelen boven het rationeel oordelen, aan het hart boven het verstand. Het probleem in zijn historische treurspelen is minder de manier waarop de geschiedkundige feiten zijn dichterlijke verbeelding konden beïnvloeden, dan wel de mate waarin zijn gevoel de geschiedenis ondergeschikt maakte aan zijn scheppende verbeelding. Voorop staat, met andere woorden, steeds Bilderdijks overtuiging dat de treurspeldichter

[1900] Br. III, p. 95; zie *Eerste Boek*, hfdst. VI, par. 5. Vgl. hfdst. VI, slot par. 3 (Bilderdijk citeert Horatius).

[1901] Br. III, p. 129, 130.

[1902] Zie *Eerste Boek*, hfdst. VI, par. 6 en par. 7.

[1903] J. Nomsz, *Lodewijk de Zestiende, koning van Vrankrijk, treurspel. In twee bedrijven*, Amsterdam 1793 (voorwoord).

[1904] Vgl. *Eerste Boek*, hfdst. II, par. 4 en hfdst. VI, par. 7.

[1905] Zie *Eerste Boek*, hfdst. VI, par. 8.

gerechtigd is de geschiedenis geweld aan te doen: 'Geschicht- en Tijdrekenkunde' zijn 'een bijkomstige zaak ten opzichte der Dichtkunde'. De overeenkomst met de historische waarheid is voor het toneel van geen enkel belang: 'die is voor den Geschichtschrijver, voor den Geleerde; maar niet voor den Dichter.'[1906] Bilderdijk beroept zich bij deze uitspraak onder anderen op Lessing, wat de lezer van diens *Hamburgische Dramaturgie* zeker niet verwonderen zal. Bij herhaling heeft de Duitse schrijver met Aristoteles in de hand beweerd dat de dramatische dichter geen 'Geschichtschreiber' is: 'die historische Wahrheit ist nicht sein Zweck, sondern nur das Mittel zu seinem Zwecke; er will uns täuschen und durch die Täuschung rühren.'[1907] De ondergeschiktheid van de 'Geschicht- en Tijdrekenkunde' ten opzichte van de dichtkunst geldt niet alleen de inhoud van het historisch treurspel maar ook de structuur. De historische feiten mogen de dichter niet hinderen in zijn zorg voor de 'eenheid, het geheel... den samenhang ... de schikking der deelen ... de charakters (en de uitdrukking der) hartstochten'.[1908]

Dit literair of toneeltechnisch uitgangspunt veroorzaakt een concentratie van allerlei (historische) gebeurtenissen, die alleen 'verklaard' worden uit de persoonlijke gevoelens van (fictieve) treurspelhelden met historische namen en die zich afspelen op één dag en één plaats. Bij de behandeling van de afzonderlijke stukken in het *Eerste Boek* is dat meer dan eens gebleken; voor het treurspelontwerp *Eric XIV, koning van Zweden* werd het verschijnsel meer in het bijzonder aangetoond.[1909] Een uiterste consequentie van de dichterlijke vrijheid ten opzichte van de geschiedenis vertoont Bilderdijks 'opera' *Willem van Holland*, waarin van de historische waarheid zo goed als niets is overgebleven.[1910] De verklaring daarvan is zomin te zoeken in staatkundige lering als in dramaturgische voorschriften. Bilderdijk heeft zich bij het opstellen van dit spektakelstuk bijna uitsluitend laten leiden door wat zijn gevoel dicteerde aan zijn tot het romantisch-exotische en het romantisch-extravagante neigende verbeelding. En hij gebruikte daarbij ook motieven die 'uit een andre borst [z]ijn' boezem [waren] ingegoten'.[1911] Een inspirerende 'andre borst' was in dit geval onder meer de dichter van de *Gerusalemme liberata*. Op dezelfde wijze als Torquato Tasso in zijn beroemde epos heeft Bilderdijk in dit ontwerp de rechten van de geschiedenis zonder reserve opgeofferd aan de volkomen 'vrijheid van verbeelding'. Zonder zich te bekommeren om staatslessen of toneeltheorieën, gaf hij gehoor aan: 'de stemmen van het eigen ik'.[1912]

[1906] Brief navolger, p. 17, 18. Vgl. DW. I, p. 483; DW. XV, p. 114.

[1907] Lessing (1958), Stück 11, 19, 23, 24; p. 47, 77, 95, 96.

[1908] Brief navolger, p. 17.

[1909] *Eerste boek*, hfdst. VI, par. 4.

[1910] *Eerste Boek*, hfdst. V, par. 3.

[1911] Het door mij gebruikte citaat komt uit Bilderdijks 'Voorzang' bij zijn vertaling van Popes *Essay on man*: DW. XII, p. 109; vgl. DW. XV, p. 325 en 343.

[1912] De tussen aanhalingstekens geplaatste uitdrukkingen zijn vertaald uit het hoofdstuk over Tasso in: Plinio Carli-Augusto Sainati, *Storia della letteratura italiana*[9], Firenze 1953, p. 359, 360 ('libertà fantastica' en 'le voci del proprio io'); voor Bilderdijk en Tasso: De Jong (1973), p. 38-46.

Een eigenaardige tegenspraak tussen Bilderdijks ideaal-theorie en zijn praktijk als dramaturg zou men kunnen zien in het gegeven dat Bilderdijk weinig of geen 'geestelijk' of 'bijbels' toneel heeft nagelaten. Hij mag dan in zijn treurspelverhandeling en elders schrijven dat zijn hart 'versmelt' bij het denkbeeld van een verheven-godsdienstig, profetisch-dichterlijk treurspel waarin het wonderbaarlijke, als bovennatuurlijke 'machine', de verbinding van het aardse met het hemelse en goddelijke verbeeldt... in zijn eigen toneeldichterlijke praktijk is daar niet veel van te merken. Behalve een paar fragmenten over *Jephta* uit zijn tienerjeugd, valt alleen het door Feith uitgewerkte en gepubliceerde treurspel *Thirsa* aan te wijzen als bemoeienis met een gewijd treurspel waarin de mens, zoals Bilderdijk geëxalteerd schreef: 'in eene eenvoudige ontzachlijke daad' zou worden voorgesteld 'als een dorrend herfstblad door Gods adem gedreven.'[1913] Dat juist in de bijbel stof te vinden was voor zo'n verheven dramatisch 'Dichtstuk' (voor Bilderdijk was een waarachtig treurspel immers in de eerste plaats een dichtstuk) heeft hij zelf bewezen toen hij de vijf zangen van zijn onvoltooide epos *De ondergang der eerste wareld* schreef. Maar Bilderdijk heeft zich niet aan een soortgelijk treurspel gewaagd. Was het misschien de vooral tegen de verbeelding van bijbelse stoffen gerichte calvinistische toneelbestrijding die hem van zo'n gewijd treurspel afhield? De christelijke traditie heeft het nooit op zelfmoord gehad. Maar van die meer algemeen christelijke ethiek heeft Bilderdijk zich helemaal niets aangetrokken. In zijn dramatische proeven schudde hij, bij wijze van spreken, de zelfmoorden zonder ethische bekommernis uit zijn dichtersmouw. Als manifestatie van een heroïsch, Spaans-Corneilliaans geïnspireerd eergevoel, behoorde de zelfmoord voor hem kennelijk tot wat hij, naar aanleiding van zijn eigen treurspel *Floris de Vijfde*: 'de Ethica des Tooneels' noemde.[1914]

3. Bilderdijk en het blijspel

De vraag hoe Bilderdijk als theoreticus tegenover het *blijspel* stond kwam al ter sprake in hoofdstuk IX. Bilderdijk bleek een duidelijke afkeer te hebben van de praktijk van blijspeldichters die hun komische kracht zoeken in de bespotting van hun medemensen. Daarentegen vond hij, mét Lessing, dat het blijspel nuttig kan zijn door de toeschouwers attent te maken op het belachelijke en het zedelijk verwerpelijke. Evenals in het treurspel, kan dit gebeuren door (omgekeerde) idealisering: menselijke gebreken worden gechargeerd, 'tot een versterkt ideaal gebracht', waardoor de toeschouwer het 'beschamende' of 'belachelijke' beter leert opmerken.

Vergelijken wij nu deze theorie met de onuitgegeven blijspelen die in het *Eerste Boek* (hoofdstuk II) zijn besproken. In de waarschijnlijk op achttienjarige leeftijd geschreven bewerking van Holbergs *Det Arabiske pulver* is het 'beschamende' en 'belachelijke' dat Bilderdijk als blijspeldichter aan het licht moest brengen, zonder enige

[1913] Trsp., p. 145; hfdst. IV, par. 3, hfdst. VIII, par. 2, *Eerste Boek*, hfdst. II.

[1914] *Eerste Boek*, hfdst. X, par. 2 (Tyd. I, p. 213). Vgl. hfdst. V, par. 1 en hfdst. VIII, par. 2.

moeite aan te wijzen. Hoe Bilderdijk echter in zijn blijspel over *een verkeerde koffer* het door hem bedoelde zedelijk nut heeft willen realiseren, is moeilijker vast te stellen. Het valt immers niet te ontkennen dat dit stukje niet meer is dan de dramatische bewerking van een zeker niet originele anekdote, waarin een bedrieger ongestraft blijft en min of meer sympathiek wordt voorgesteld. Dat het laatste geheel in tegenspraak is met Bilderdijks theoretisch uitgangspunt, spreekt van zelf. In een van zijn kritieken heeft hij trouwens uitdrukkelijk gewezen op het zedelijk gevaar van een dergelijke voorstellingswijze.[1915] We kunnen slechts constateren dat de enige manier waarop Bilderdijk nog getracht heeft het kwaad te 'bezweren', is gelegen in de vrij onbenullige ontknoping van zijn blijspel. De bedrieger schrikt namelijk terug voor de consequentie van zijn onderneming, zegt dat 'de zaak nu al te ernstig' wordt en verklaart de aanwezigen (die zijn bedrog op dat moment al lang hebben doorzien) dat hij alleen maar een 'studentengrap' voorhad.

Veel interessanter dan dit stukje is een ander onvoltooid gebleven 'blijspel' van Bilderdijk: zijn parodie op de *Orestes* van Euripides. In hoofdstuk X is duidelijk geworden dat Bilderdijk wel het een en ander had aan te merken op de structuur en de stijl van Euripides' tragediën, die geenszins beantwoorden aan het ideaal van 'deftige eenvoudigheid' dat de treurspelen van Sofocles te zien geven. Volgens Bilderdijk was Euripides geen dichter maar redenaar: 'De dichter verheft alles tot zich; de redenaar raamt de hoogte waar zijn toehoorders op staan.'[1916] Die hoogte is de 'daaglijksche wareld' en het behoort nu juist tot het wezen van de kunst dat ze zich daaruit een *verheven ideaal* schept. Pas dan ontstaat schoonheid, het enige voorwerp van de kunst. Daarom kon Bilderdijk het onschone (dat in het werkelijke leven natuurlijk wél bestaat) niet dulden op het toneel, waar een wereld moet worden geschapen die een verheven illusie is. Hij ging te keer tegen ''t afschuwelijke der razernij of uitzinnigheid' in Engelse en Duitse treurspelen. Nog onlangs, zo schreef hij in 1808, werd mij een toneelstuk in de handen gestopt 'waar in de Heldin zelfs tot driemaal toe in een zelfde Bedrijf gek wierd.'[1917] Bilderdijk benadrukt dat 'Verengelschte woestaarts' zich hierbij niet kunnen beroepen op het voorbeeld van Euripides' *Orestes*: want bij Euripides wordt de razernij van de hoofdpersoon immers voorgesteld als 'toonbeeld der Godlijke vervolging'. Desondanks mag worden aangenomen dat Bilderdijk door dit element in het Griekse stuk werd gehinderd. We hebben gezien dat juist Euripides' tekort aan verhevenheid de reden was waarom hij hem beschouwde als de minste van de Attische treurspelschrijvers. Dat Bilderdijk juist zijn werk, en met name de *Orestes* parodieerde, wordt daarom het best verklaard door datgene wat hij zelf als het nut van de parodie beschouwde. Dat is: het 'beschamende' element (hier dus: het gebrek aan verhevenheid) aan de lezer of toeschouwer duidelijk maken, door dit element 'tot een versterkt ideaal' te brengen. Hoe Bilderdijk dit in zijn Orestes-parodie

---

[1915] Bosch (1955), p. 51.

[1916] Onuitgegeven brief aan Wiselius van 27 september 1819, Portef. Margadant, Bilderdijk-Museum.

[1917] Trsp., p. 233.

heeft trachten te verwezenlijken, heb ik uiteengezet in mijn inleiding bij de uitgave van het overgeleverde fragment.[1918] Ik heb er daarbij ook op gewezen dat het wellicht niet alleen nuttigheidsoverwegingen zijn geweest die Bilderdijk tot het schrijven van zijn parodie hebben gebracht. Zelf hield de dichter immers rekening met de onberekenbaarheid van zijn' Dichtluim', door te verklaren dat kluchten en parodieën: 'spelingen zijn van een dartel vernuft dat somtijds lust schept, beneden de ons voorkomende wareld af te dalen...'[1919]

Dat een dergelijke afdaling ook kon plaatsvinden vanuit een minder dartel dan wel polemisch vernuft en in de richting van de dagelijkse politieke realiteit, bewijst Bilderdijks onvoltooide blijspel over de knecht *Pasquin* en diens voor hemzelf noodlottige leuze 'Vive l'Egalité'. Het overgeleverde prozafragment doet vermoeden dat Bilderdijks praktijk deze keer een goede kans maakte om te slagen in wat zijn theorie als het doel van het blijspel beschouwde: de toeschouwer door overdrijving attent maken op wat in Bilderdijks ogen belachelijk en verwerpelijk was.[1920]

4. Bilderdijk en het drama of zedenspel

G. Kalff heeft in zijn '*Geschiedenis der Nederlandsche letterkunde* de dichter Bilderdijk ingedeeld bij degenen die bleven hechten aan het klassieke treurspel, toen veel anderen al sympathiseerden met het nieuwe 'Hermafrodisch geslacht' van de zg. *toneelspelen* of *drama's.*[1921] Zonder twijfel kwam de Leidse hoogleraar tot deze opvatting op grond van Bilderdijks eigen theoretische geschriften, en met name zijn anno 1808 verschenen verhandeling *Het treurspel.* Daarin noemde Bilderdijk het drama 'een middelding tusschen Blijspel en Treurspel' en, zo voegde hij daaraan toe, 'het is in den aart der Bastaardsoorten dat zij de Hoofdsoorten waar tusschen zij liggen, en de beteren allermeest, verwoesten.' Deze kritiek is al eerder geciteerd in hoofdstuk IX, waar tevens vermeld werd dat Bilderdijk in het jaar 1808 ook een *Exposé touchant l'état déplorable de notre théâtre* schreef, met een even vernietigend oordeel over 'ce genre mitoyen et vicieux' dat een nefaste invloed heeft gehad op beide traditionele hoofdsoorten.[1922] Het ligt voor de hand dat de lezer van dergelijke uitspraken geneigd is in Bilderdijk een volstrekte tegenstander te zien van het toneelgenre dat destijds in opkomst was. Maar Bilderdijks verborgen praktijk als dramatisch dichter blijkt met zijn kritisch-theoretische afwijzing in tegenspraak. In hoofdstuk IX van het *Eerste Boek* is aangetoond dat hij zowel rond 1783 als ongeveer een kwarteeuw later (na 1806) serieus heeft gewerkt aan toneelstukken die gerubriceerd kunnen worden in het genre 'drama', 'zedenspel' of 'toneelspel'. Beide teksten behoren tot de uitgebreidste fragmenten die ik in Bilderdijks dichterlijke nalatenschap heb

---

[1918] De Jong (Roeping, 1957) en *Eerste Boek*, hfdst. II, par. 5.

[1919] Hfdst. IX, par. 1 (DW. XV, p. 115 en Trsp., p. 198).

[1920] Zie *Eerste Boek*, hfdst. II, par. 4.

[1921] *Geschiedenis der Nederlandsche letterkunde*, dl. VI, Groningen 1910, p. 464

[1922] Hfdst. IX, par. 2 (Trsp., p. 136).

aangetroffen. Rond 1783 werkte Bilderdijk aan een bijna voltooid en ook bijna uitgegeven 'toneelspel' op het destijds geliefde Inkle- en Yaricomotief. Als enige 'dramatische robinsonade' in de Nederlandse literatuurgeschiedenis vertegenwoordigt deze tekst het preromantisch exotisme en de cultus van de 'bon sauvage'. Ook in zijn afwisseling van verschillende versvormen is Bilderdijks *Zelis en Inkle* typerend voor de vernieuwing in de toenmalige dramaturgie.

Het 'drama' over *Gerontes* waaraan hij na 1806 heeft gewerkt is een typisch burgerlijke toneeltekst, met alle eigenschappen van de 'comédie larmoyante'. Ook hier is de vormgeving 'modern', namelijk in proza: een vorm die Bilderdijk onder meer had voorzien voor zijn treurspel over *Alice, prinses van Engeland*. Evenals de larmoyante komedie over Gerontes vertoont dit treurspelfragment van omstreeks 1797 hetzelfde preromantisch jargon als de sentimentele romans van Rhijnvis Feith, terwijl er bovendien gebruik is gemaakt van het ondermeer uit Shakespeares blijspelen bekende motief van de 'bedtrick'.[1923] In hoofdstuk IX (Het blijspel en de andere toneelsoorten') is gebleken dat Bilderdijk de komedie en het drama vooral beschouwde als toneel voor 'den grooten onwetenden hoop' en dat hij – om onzekerheid in zedelijke beginselen uit te sluiten – voor deze genres de dichterlijke gerechtigheid ('justice poétique') een aanbevelenswaardig dramaturgisch procédé achtte. Zijn onvoltooide sentimentele komedie over *Gerontes* zou met dit principe naar alle waarschijnlijkheid niet in conflict zijn gekomen. Maar zijn 'dramatische robinsonade' *Zelis en Inkle* wel degelijk. Dit stuk zou immers moeten eindigen met de zelfmoord van de deugdzame, liefhebbende en zichzelf opofferende 'bon sauvage' Zelis als vrouwelijke hoofdpersoon.

De kloof tussen Bilderdijks gepubliceerde theorie en zijn verborgen praktijk als schrijver van sentimentele drama's herinnert ons opnieuw aan Voltaire, over wie Hazard en Bédier opmerkten: 'La comédie larmoyante et, bientôt après, le drame bourgeois le scandalisent... il est hostile au mélange des genres...'[1924] Inderdaad... in 1749 tenminste. Toen immers prees Voltaire de *Réflexions sur le comique larmoyant* door Chassiron, 'qui condamne, avec raison, tout ce qui aurait l'air d'une tragédie bourgeoise.'[1925] Lion schrijft: 'Ainsi il (= Voltaire) rejette nettement le genre intermédiaire inventé par La Chaussée et repris plus tard par Diderot: la comédie larmoyante, la tragédie bourgeoise n'est pas son fait.' Onmiddellijk daarop moet hij echter vaststellen: 'Toutefois tout en rejetant ce genre, il s'en servira ou plutôt fera semblant de s'en servir à l'occasion.'[1926] Per slot van rekening schreef Voltaire immers zelf in het voorwoord van zijn toneelspel *L'Enfant prodigue* (1737): On y voit un mélange de sérieux et de plaisanterie, de comique et de touchant...'[1927] Het verzet tegen de vermenging van de bekende hoofdsoorten is typisch

[1923] *Eerste Boek*, hfdst. VII, par. 6.

[1924] Joseph Bédier et Paul Hazard, *Littérature française*, tome second, Paris 1924, p. 76.

[1925] Voltaire in het voorwoord van *Nanine*. Citaat bij Gaiffe (1910), p. 448.

[1926] Lion (1895), p. 288; vgl. p. 331.

[1927] Gaiffe, p. 447; vgl. p. 31.

classicistisch. Maar wat te zeggen van een uit de kunstopvatting van het classicisme te verklaren theorie, als men ze (zoals bij Voltaire en Bilderdijk) gepaard ziet gaan met een dichterlijke praktijk die er soms bijna diametraal tegenover staat?

HOOFDSTUK XX

DE BEKNELDE DRAMATURG

1. Recapitulatie

Willem Bilderdijks bemoeienis met de dramaturgie strekt zich – ofschoon met enkele tussenpozen – praktisch uit over zijn hele loopbaan als letterkundige. In zijn werkzaamheid als toneeltheoreticus zijn twee hoogtepunten te onderscheiden: omstreeks 1780 en omstreeks 1808. Deze benaderende jaartallen duiden ook een paar veranderingen in zijn opvattingen aan; ze hebben zowel betrekking op zuiver theoretische kwesties, als op zijn mening aangaande de praktische mogelijkheden voor de dramaturgie in Nederland.

Bilderdijks houding tegenover sommige toneelschrijvers is in de loop der jaren veranderd of heeft tenminste enige wijziging ondergaan, doordat zijn aandacht zich op andere aspecten is gaan richten. Zo is zijn oordeel over het werk van Euripides en Voltaire na 1780 beslist minder gunstig en zelfs afwijzend geworden. Bilderdijk bewonderde Lessing als theoreticus, maar zijn latere interpretatie van de Aristotelische catharsis toont meer zelfstandigheid tegenover de bekende Duitse auteur dan aanvankelijk het geval was. Verder is er een zeer duidelijke verandering in Bilderdijks denkbeelden over de functie van de reien in de Griekse tragedie. Met betrekking tot de praktijk van de contemporaine dramaturgie constateren we onder meer dat Bilderdijk omstreeks 1780 niet beschouwd wilde worden als een principiële tegenstander van het zogenaamde burgerlijk of zedelijk drama. Deze houding ging samen met een democratisch en antiroyalistisch getinte kritiek op het Franse treurspel en een soortgelijke verdediging van de bruikbaarheid van de reien in het moderne treurspel. Bilderdijk dacht daarbij aan de staatsvorm in het oude Griekenland en aan de koren van de Attische tragedie, die volgens hem het commentariërende volk vertegenwoordigden. Aan de antieken dacht hij ook, toen hij in 1779 sprak over de eenvoud van daad in het treurspel en de beschouwende aard van de laatste acte (na de eigenlijke ontknoping). Omstreeks 1808 blijken zijn opvattingen over een en ander te zijn gewijzigd. Na in zijn leerdicht *Het tooneel* nog te hebben beweerd dat hij steeds '[Z]ijne eeuw op 't Grieksche spoor kloekmoedig [was] voorgegaan', is Bilderdijk kort nadien tot andere inzichten gekomen. Blijkens zijn (eveneens nog in 1808 geschreven en gepubliceerde) verhandeling *Het treurspel*, geloofde hij toen niet meer in de toekomstmogelijkheden van een op Grieks voorbeeld gebouwd treurspel met reien, waarvan hij dertig jaar tevoren (evenals Rhijnvis Feith ná hem) de bruikbaarheid had verdedigd voor de dramatisering van onderwerpen uit de oude geschiedenis. Zijn aan Lodewijk Napoleon en het Koninklijk Instituut gerichte verhandelingen bewijzen dat Bilderdijk omstreeks 1808 alle heil voor een opleving van het Nederlandse treurspel nog slechts verwachtte van een bewuste aansluiting bij de traditie van de Franse klassieken. Verder valt op dat Bilderdijk in 1808 een soepeler standpunt tegenover de eenheid van plaats innam dan vroeger, maar dat hij daarentegen van de toneelspelers kennelijk meer classicistische voornaamheid verlangde.

Tussen de 'Griekse' en 'Franse' periode van Bilderdijk, ligt zijn studie van de dramaturgie tijdens zijn verblijf in Engeland en Duitsland. Bilderdijk is toen (omstreeks 1798) even onder invloed gekomen van de moderne stroming die het proza wilde toelaten als treurspelstijl en in die zelfde tijd overwoog hij zelfs een vertaling van Shakespeare. Nadat hij omstreeks 1808 de al aangeduide Franse sympathieën had gekoesterd, schijnt Bilderdijks belangstelling voor de toneelpraktijk te zijn verminderd naarmate zijn twijfel aan de toekomstmogelijkheden van het treurspel toenam.

In deze 'ontwikkelingsgang' zijn een aantal constanten te onderkennen, die tezamen de dramaturgie van Bilderdijk vormen. De grondslag daarvan heb ik aangeduid als Bilderdijks 'ideaal-theorie'. Volgens deze theorie is het doel van de kunst een uit het dichterlijk gevoel ontsproten en de normale werkelijkheid overtreffende, ontzagwekkende Verhevenheid, waarin zedelijkheid, godsdienst en alle andere grootse vermogens worden ervaren in een alles overheersende schone Eenheid, die de mens bewust maakt van zijn bovennatuurlijke bestemming. De ideaal-theorie vertoont de invloed van het aan Longinus toegeschreven traktaat *Over het verhevene* en bevat elementen die zowel in de Aristotelische als de Neoplatoonse traditie kunnen worden geplaatst: een dergelijke theorie is in verschillende vormen aanwijsbaar bij andere auteurs in de achttiende en negentiende eeuw. Wanneer Bilderdijk over zijn eigen (religieus-artistiek gefundeerde) ideaal-theorie spreekt, noemt hij vooral de naam Longinus; daarnaast wijst hij één keer op het door zijn landgenoot De Perponcher vertaalde *Essai sur le beau* (1759) van J. André, op Leibnitz en op Goethe.

Mét Bilderdijks bewuste aansluiting bij de klassieke traditie (Frans en Grieks), verklaart zijn ideaal-theorie de voorschriften die hij met betrekking tot de dramaturgie van het treurspel heeft geformuleerd. Uit het beginsel der Eenheid volgen voor de structuur van het treurspel de eisen van eenvoud, vijf bedrijven, eenheden van daad, plaats, tijd, en belang, alsmede Bilderdijks latere mening dat er geen plaats kan zijn voor reien en vertrouwden. Uit het beginsel der schone Verhevenheid volgt de afwijzing van de illusie van echtheid, van gebondenheid aan historische feiten, van al te realistische uitbeeldingen en van de zogenaamde natuurlijke voordracht. De Verhevenheid veronderstelt in de tragedie een belangrijke daad, hoog geplaatste dramatis personae en een indrukwekkende, dichterlijke stijl.

Volgens Bilderdijks religieuze opvatting van de ideaal-theorie, zou het volmaakte treurspel een godsdienstige plechtigheid moeten zijn, zoals de Grieken die hebben gekend; de heidense idee van het fatum interpreteerde hij daarbij als de voorzienigheid Gods in streng calvinistische zin. Gegeven de verwording van zijn tijd, moest Bilderdijk zich echter tevreden stellen met het lagere en praktische ideaal van 'een onheilig stuk van verlustiging'. Dit wereldlijke treurspel moest, als dramatisch dichtstuk, de vrees en het medelijden die het opwekt en daardoor ook de andere hartstochten zuiveren, en de mens in zedelijk en godsdienstig opzicht verheffen, door hem de waarheid in te prenten dat zijn tot lijden bestemde leven is geregeld in het eeuwige raadsbesluit Gods.

Velerlei waren de moeilijkheden die Bilderdijk ontmoette bij de uitwerking van deze treurspelconceptie. Ze zijn het gevolg van een aantal uit zijn eigen theorie voortvloeiende vereisten, die hij zelf is blijven ervaren als evenzoveel tegenstellingen. Aan de ene kant staan de gegevens: eenvoud, beperkte omvang, kiese beschaving in voorstelling en uitdrukking, een door het gebruik gevormde maar tevens ontkrachte treurspelstijl, beperkte mogelijkheden van de acteurs, en algemeen aanvaarde (valse) opvattingen inzake geschiedenis en staatkunde bij het publiek. Aan de andere kant veronderstelt het treurspel: handeling, diepgaande karaktertekening, overdrijvende grootheid, een naar ongelimiteerde uiting strevend ontzettend gevoel van verhevenheid in de dichter, normale denkbeelden en vermogens overtreffende verheffing, en een opvoedende dichterlijke taak die zich uitstrekt tot geschiedenis en staatkunde. Bilderdijk beleefde in deze reeks tegenstellingen de onverzoenbaarheid van het profetisch dichterschap met zijn eigen tijd, die volgens hem van godsdienst, traditionele moraal en poëzie was vervreemd. De problematiek van het treurspel ondergaat hij als de problematiek van de ontmoeting tussen dichter en publiek. De spanning tussen kunst en volk vertoont voor Bilderdijk twee verschillende aspecten: zoals het dramatisch dichtstuk in zijn verhevenheid moet worden beschermd tegen de nivellerende invloed van het gewone volk, zo moet de grote massa in haar onwetendheid worden beschermd tegen de gevaren van een kunstwerk dat haar begrip te boven gaat en zich daardoor in zedelijk opzicht voordoet als een bedreiging.

Dit verklaart waarom Bilderdijk als dichter droomt van een treurspel dat slechts geschikt zal zijn voor de happy few die zich met hem verheffen kunnen, en voor het dierbaar nageslacht dat eens tot het juiste inzicht in het goede, het ware en het schone moet worden teruggebracht. Dit verklaart ook Bilderdijks verzet tegen een al te sterke illusie en tegen de bewondering die, als tragische aandoening, niet een duidelijke daad van deugdzaamheid geldt, maar hartstochten van dramatis personae waardoor de onwetende toeschouwers zouden kunnen worden verleid tot navolging. En dit verklaart tenslotte ook waarom Bilderdijk in 1808 kon voorstellen om, door censuur en andere overheidsbemoeiing, het publiek in zedelijk opzicht tegen het toneel te beschermen en het in literair opzicht ontvankelijk te maken voor de dichterlijke verheffing op basis van de Franse treurspeltraditie.

De latere literatuurhistoricus ervaart de tegenstelling in Bilderdijks treurspeltheorie als de onopgeloste spanning tussen de classicistische traditie en de romantische opvatting van het dichterschap als individuele gevoelsuiting. Het is volledig in overeenstemming met de geest van het classicisme dat Bilderdijk de werken van Vondel, Van Haren en anderen overeenkomstig 'den regelmatiger smaak' wil polijsten en dat hij de blijspelen van Bredero niet eens de moeite van het vermelden waard acht. Het zelfde kan worden opgemerkt bij zijn bewondering en lof voor de kiese beschaafdheid in het werk van Racine en Hooft. Maar als Bilderdijk deze beide auteurs, krachtens de verheven gevoelens van zijn ideaaltheorie, toch weer lager stelt dan Corneille en Vondel, staat hij op een ander standpunt: hij spreekt dan in naam van de romantiek. En vanuit dat standpunt spreekt Bilderdijk ook, wanneer hij de verstandelijke poëzie van Euripides en Seneca veroordeelt en de religieuze verhevenheid in Aeschylus en Sofocles bewondert. Sofocles wordt ook door Bilderdijk geprezen vanwege de 'classicistisch'-heldere eenvoud in de opbouw van zijn treurspelen. De tegenstellingen die wij, ingevolge een lange literairhistorische traditie, classicisme en romantiek noemen, gaan soms samen in Bilderdijks goedkeuring of afkeuring. Zo bij zijn oordeel over Voltaire en Schiller, wie zowel tekort aan waarachtig gevoel als gebrek aan kiesheid en goede smaak ten laste worden gelegd. Ten aanzien van Shakespeare en Goethe verhindert het gebrek aan kiesheid en smaak geenszins Bilderdijks bewondering voor hun dichterlijke psychologie; het vormt voor hem geen beletsel aan Shakespeare (en in zekere zin ook aan Goethe) een geheel eigen waarde toe te kennen, die buiten de afgebaande perken van de traditie ligt. We mogen het in Bilderdijk prijzen dat zijn (classicistische) bezwaren en (romantische) lofprijzingen bij het werk van Jan Vos hem niet hebben verleid tot een gelijkstelling van deze Nederlandse auteur met Shakespeare: in tegenstelling tot zijn landgenoot Hiëronymus van Alphen, besefte hij wel degelijk het niveau-verschil tussen beide dramaturgen.

De hier opgemerkte wisselingen van standpunt zijn ook merkbaar in Bilderdijks oordelen over theoretische kwesties in de dramaturgie. Dat de drie eenheden noodzakelijk zijn en de zogenaamde vertrouwden overbodig, vloeit zonder meer voort uit het principe der Eenheid volgens de ideaal-theorie. Nochtans verdedigde Bilderdijk zelf deze eisen met gebruikmaking van het classicistisch-rationalistisch waarschijnlijkheidsbeginsel. Maar een dergelijk beginsel werd weer door hem bestreden toen hij, namens de ideaal-theorie, protest aantekende tegen de illusie van echtheid op het toneel. Bilderdijk liet op het titelblad van zijn grote treurspelverhandeling de portretten van Sofocles, Racine en Shakespeare in één vignet afbeelden. Hij gaf daarmee niet alleen zijn bewondering te kennen voor hechte structuur, fijnheid van stijl, en sterke karaktertekening. Hij bekende daarmee tevens dat hij niet kiezen kon tussen de drie verschillende krachten die de treurspel-dramaturgie van zijn tijd bepaalden en ontwrichtten. Bilderdijk is er niet in geslaagd deze krachten te bundelen.

Bilderdijks bekommernis om het zedelijk welzijn van het publiek herinnert niet alleen aan de in Holland welbekende calvinistische afwijzing van het toneel als ijdele verstrooiing. Via de ideaal-theorie, die in de kunst een zekere afstand van de dagelijkse werkelijkheid vereist, vertoont die bekommernis ook overeenkomst met het standpunt van de Franse toneelbestrijders als Muralt en Rousseau. Deze auteurs vreesden een degradatie van de moraal tot theatraal genotmiddel, omdat de toneelwereld nu eenmaal onherroepelijk van het dagelijks leven gescheiden blijft. Men zou volgens Bilderdijks opvatting geenszins kunnen zeggen dat die omstandigheid niet geldt voor het blijspel. Bilderdijk is het eens met de stelling dat de komedie zich, in tegenstelling tot het verheven treurspel, op het niveau van de alledaagse werkelijkheid beweegt; anderzijds verlangt hij dat de blijspeldichter in zijn manier van voorstellen op zodanige idealistische wijze te werk gaat, dat ondeugden door overdrijving aan de kaak kunnen worden gesteld en aldus een zedelijk nut wordt bereikt. Kennelijk acht Bilderdijk de bescherming van de massa tegenover het blijspel des te noodzakelijker, omdat bij de komedie 'de zucht van verstrooiing' gemakkelijker een rol speelt en omdat veel bestaande blijspelen verderfelijk voor smaak en zeden moeten worden genoemd. Hier ligt ook de verklaring voor Bilderdijks afkeer van kijkspelen en danspartijen. Voor zijn in de calvinistische traditie passende afwijzing van de dans, kwam daar bovendien nog een Mesmeristisch argument bij dat hem tot veroordeling leidde op grond van de heiligheid van het huwelijk.

Een benadering van het niveau van de dagelijkse wereld doet zich ook voor in de nieuwe toneelsoort die als 'sentimenteel blijspel', 'burgerlijk toneelspel', 'zedenspel' of 'drama' kan worden aangeduid. Voorzover Bilderdijk zich in positieve zin over de (zedelijke) waarde van dit genre heeft uitgelaten (1779), blijkt dat hij daarin de eenvoudige toepassing van de zogenaamde 'dichterlijke gerechtigheid' noodzakelijk achtte. Dit geldt ook voor het blijspel, maar niet voor het treurspel: de laatste soort was immers niet op de onwetende massa afgestemd. Er moet overigens worden opgemerkt dat Bilderdijk in zijn treurspelverhandeling het drama niet als zelfstandig genre behandelde maar als een bastaardsoort die een bedreiging vormde voor de aloude hoofdsoorten tragedie en komedie.

Wat Bilderdijks oordeel over de dramaturgie in de afzonderlijke Europese landen betreft, kan allereerst worden opgemerkt dat hij een blijvende bewondering heeft gekoesterd voor de oude Griekse tragedie. In zijn eerste periode achtte hij een vruchtbare navolging in bepaalde gevallen nog mogelijk voor moderne treurspeldichters. Later, in zijn tweede periode, bepleitte Bilderdijk de toepassing van de Griekse zedenleer, maar dan volgens zijn streng calvinistisch christelijke interpretatie van het Fatum als Goddelijke Voorzienigheid. De auteurs die hij het meest bewonderde, zijn Aeschylus en Sofocles. Later heeft hij Euripides zeer duidelijk afgewezen, vanwege diens gebrek aan (religieuze) verheffing dat hem tot de retorische dichter van de massa maakte. We mogen aannemen dat Bilderdijk bij deze oordelen de invloed heeft ondergaan van de blijspeldichter Aristofanes. Door zijn bewondering voor Sofocles, sloot Bilderdijk aan bij de traditie van de Franse theoretici uit de zeventiende eeuw; door zijn waardering voor Aeschylus week hij daarvan af, en wel in gezelschap van Diderot en A.W. Schlegel, met wie hij zijn kritiek op Euripides deelde. Bilderdijk heeft ook deelgenomen aan de toenmalige discussies over de Aristotelische catharsisleer; hij onderging daarbij aanvankelijk vooral de invloed van Lessing.

Voor het toneel van de Romeinen heeft Bilderdijk alleen maar afkeuring getoond. Hij veroordeelde de (al door Grotius en Vondel bekritiseerde) treurspelen van Seneca om dezelfde redenen als die van Euripides en hij achtte het werk van Plautus op toneeltechnische en morele gronden verwerpelijk: zodoende de voetsporen drukkend van onder meer La Harpe en Mercier.

Met betrekking tot de destijds in Nederland bijna onbekende Italiaanse dramaturgie, herhaalde Bilderdijk een communis opinio over de ongeschiktheid van de Italiaanse volksaard voor de toneelkunst. Hij veroordeelde de blijspelen van Machiavelli en Bibiena in zedenkundig opzicht even fel als Voltaire en Bouterwek dit al voor hem hadden gedaan. Tasso, Guarini en andere vertegenwoordigers van het pastorale genre verwierven in hun kwaliteit van dichter de bewondering van Bilderdijk. Het zelfde geldt voor Pietro Metastasio, van wie Bilderdijk ook de toneeltheoretische geschriften met vrucht blijkt te hebben gelezen. Met verschillende andere theoretici deelde Bilderdijk zijn minachting voor de treurspelen van Dolce, Ruscellai en Trissino. Bilderdijk toonde minder uitbundige bewondering voor Vittorio Alfieri dan de overeenkomst tussen beider priestelijk-heroïsche opvatting van het dichterschap zou doen vermoeden. Op het werk van Scipione Maffei leverde hij enige kritiek, die zeer waarschijnlijk was geïnspireerd door Lessing.

Aan het Spaanse toneel kende Bilderdijk een grote literairhistorische betekenis toe vanwege de zogenaamde 'historiespelen' die zich volgens hem, volkomen los van de Griekse tragedie, door verwereldlijking hadden ontwikkeld uit de oude mysteriespelen. Het ook in Engeland voorkomende 'historiespel' heeft Corneille verbonden met de Griekse traditie, en zo ontstond het nieuwe, Frans-klassieke treurspel. Hoewel Bilderdijks kennis en waardering van de Spaanse letterkunde en dramaturgie gunstig afsteekt bij die van andere Nederlanders, treft men weinig Spaanse titels in zijn werk aan. Hij had waardering voor de karaktertekening van Guillén de Castro maar afwijzende kritiek op diens stijl en structuurvermogen. Verder uitte Bilderdijk zijn afkeuring voor het werk van Fernán Pérez de Oliva en deelde hij over Lope de Vega slechts mee dat Lope zich verzette tegen de kunstregels.

Evenals veel andere theoretici beschouwde Bilderdijk de Engelse dramaturgie als een uiting van wansmaak. Hij meende dat de Engelse kunst- en staatsopvattingen alom een verderfelijke invloed hadden uitgeoefend, die vooral in Duitsland van beslissende betekenis was geweest. Een gunstige uitzondering op het Engelse toneelrepertoire vormde voor hem (én onder meer voor Voltaire, Lessing en Feith) het classicistische treurspel *Cato*, van Addison. Bilderdijks belangstelling ging vooral uit naar Shakespeare, voor wiens werk hij zich ontvankelijker heeft getoond dan het merendeel van zijn landgenoten. Met hen en veel buitenlandse critici was hij overigens van mening dat Shakespeare een nog niet beschaafde smaak had, maar uitblonk in karaktertekening.

Wanneer Bilderdijk over de Duitse dramaturgie in het algemeen sprak, was zijn oordeel even afwijzend als met betrekking tot het Engelse toneel: hij deelde deze houding met veel Nederlandse auteurs en met het Franse *Journal de l'Empire*. Evenals een aantal andere dramaschrijvers, werd Von Kotzebue fel door Bilderdijk en andere gezaghebbende literatoren veroordeeld, maar dat verhinderde geenszins diens overweldigend succes in de Nederlandse schouwburgen. In tegenstelling tot Post, Feith en Kinker, liet Bilderdijk zich met minachting uit over Schiller: zedelijke en classicistisch-literaire bezwaren tegen diens eerste werken zijn daarvan de oorzaak, en wellicht ook het voorbeeld van Franse critici en van de gebroeders Schlegel. Voor Goethe heeft Bilderdijk meer begrip getoond dan veel van zijn tijdgenoten; zijn waardering is vergelijkbaar met die hij voor Shakespeare liet blijken. Het feit dat Bilderdijk de *Emilia Galotti* van Lessing op zedelijke gronden heeft veroordeeld, staat in het toenmalige Nederland niet op zichzelf en raakt slechts één aspect van zijn houding tegenover deze auteur. Behoudens een enkele kritische opmerking, liet Bilderdijk zich steeds lovend uit over Lessings kwaliteiten als theoreticus. Zijn naam komt herhaaldelijk voor in Bilderdijks geschriften en ook zonder de vermelding daarvan, merkt de aandachtige lezer meermalen de tegenwoordigheid van Lessing op de achtergrond.

Bilderdijk heeft steeds grote belangstelling getoond voor de Franse dramaturgie. Een vergelijking van het Griekse treurspel met het Franse valt anno 1779 uit in het voordeel van de Grieken, maar in 1808 is dat niet langer het geval: Bilderdijk wees zijn landgenoten toen vooral op het voorbeeld van Corneille en Racine. Toch gaf hij ook in 1808 niet duidelijk voorkeur aan de Franse dramaturgie boven de Griekse, zoals Rhijnvis Feith dat bijvoorbeeld wél deed. Bilderdijk onderscheidde het treurspel van Corneille en Racine uitdrukkelijk van dat van de Franse auteurs na Racine: dit laatste was volgens hem tot 'oratorie' en invuloefening gedegenereerd. In Corneille bewonderde Bilderdijk het vuur der verhevenheid en in Racine de kiesheid der beschaving: dat is een algemeen bekend onderscheid, waarbij de voorkeur naar twee kanten uit kan. Bilderdijk koos voor Corneille (zoals hij ook voor Sofocles tegenover Euripides koos) en hij stond daarbij op hetzelfde standpunt als Feith, Brumoy, Baretti, Mercier, Home en García de la Huerta, en tegenover Van Alphen, Voltaire, Diderot, La Harpe, Signorelli en Goethe. Volgens Bilderdijk (en onder anderen Mercier) lag in het treurspel van Racine de kiem die leiden zou tot de oratorische verzwakking van het Franse treurspel bij zijn navolgers. Die verzwakking begon bij de door Lessing verworpen, maar door het merendeel van Bilderdijks landgenoten geprezen Voltaire. Bilderdijk bleek Voltaire in 1779 nog te bewonderen; later is het tegengestelde het geval. Hij schreef in 1808 dat Voltaire zijn kracht in oratorie zocht en besmet werd door de Engelse wansmaak. Crébillon erkende volgens Bilderdijk de oratorie als oorzaak van de verzwakking en zocht (ook volgens Lessing en Mercier) een verkeerde remedie in het behandelen van verschrikkelijke onderwerpen. Bij zijn werk maakte Bilderdijk enkele kritische opmerkingen en dat deed hij ook bij dat van enkele minder bekende Franse tragici, van wie Guimond de la Touche nog enige lof verwierf. Het Franse burgerlijk drama van Diderot en Mercier werd door Bilderdijk afgewezen. Er is (wellicht door Lessing geïnspireerde) lof voor Diderots theorie en afkeer voor die van Mercier: desondanks werd Bilderdijk door Mercier beïnvloed. Voor de door Voltaire, Diderot en Goethe bewonderde maar door Rousseau, Sulzer en Curtius bestreden blijspelen van Molière heeft Bilderdijk geen waardering getoond; op grond van een lichtzinnige houding tegenover het huwelijk veroordeelde hij op felle wijze Molières *Tartuffe*: dat is een stuk waarvoor Mercier en C. van Engelen (als tegenstanders van Molière!) juist een gunstige uitzondering maakten.

Volgens Bilderdijk (en anderen) vertoont het Nederlands toneel geen eigen, nationaal karakter en verkeerde de toenmalige Nederlandse dramaturgie in een impasse. Hoewel hij onze middeleeuwse mysteriespelen uit toneeltechnische overwegingen verwierp, toonde Bilderdijk bewondering voor de verheven-religieuze wereldbeschouwing die eraan ten grondslag lag. De verhouding tussen de werken van Vondel en Hooft, zag hij ongeveer in hetzelfde perspectief als die tussen Aeschylus, Sofocles en Corneille aan de ene kant, en Euripides, Seneca en Racine aan de andere kant. Vondels *Lucifer* stelde hij boven de paradijsepen van Milton: dit stuk moet voor Bilderdijk de verwerkelijking hebben betekend van wat hem voorstond als het hoogste, religieus gefundeerde treurspel-ideaal. Tegenover de staatkundige ideeën van Vondel en Hooft stond Bilderdijk afwijzend: dat wil zeggen aan de zijde van het calvinistisch, oranjegezinde volksdeel en tegenover de humanistisch-libertijnse richting. Vergeleken met dat van zijn tijdgenoten, mogen we zijn oordeel over het werk van Vondel in het algemeen gunstig noemen. De theoretische beschouwingen van Nil Volentibus Arduum konden Bilderdijk niet bekoren, maar wel had hij waardering voor enkele praktische resultaten van dit bekende kunstgenootschap. Waardering – soms met enig voorbehoud – had Bilderdijk ook voor een of meerdere oorspronkelijke werken van Th. Rodenburgh, J. Vos, I. Vos, A. Alewijn, B. Huydecoper, L. Rotgans, Ph. Zweerts, C. Bruin, J. de Marre, O.Z. van Haren, J. van Panders (*Bousard...*), J.J. Vereul, O.C.F. Hoffman, L. van Merken, N. van Winter, J.C. de Lannoy, J. Nomsz, K.W. Bilderdijk, I. da Costa, S.I. Wiselius en J. van Walré. Afkeuring uitte hij voor oorspronkelijk werk van G.A. Bredero, J.H. Krul, R. Bontius, Y. Vincent, P. Langendijk, P.V. Haps, J.A. Schatz, J. van Panders (*De Vrijgeest*), J. Fokke, W. Haverkorn de Jonge, P. Vreede, M. Westerman, A.L. Barbaz, H.H. Klijn en J. Konijnenburg. In Bilderdijks oordeel over Jan Vos en Isaac Vos zien we dat de classicistische bezorgdheid om de goede smaak geen absolute zege kon behalen op zijn romantische bewondering voor gedurfde effecten. Aandacht verdienen tenslotte Bilderdijks voorstellen met betrekking tot het bestuur en repertoire van de Amsterdamse schouwburg tijdens de regering van koning Lodewijk Napoleon. Hij stelde dichterschap primair ten aanzien van de acteerkunst (zoals Diderot en Mercier), en wenste op basis van een weloverwogen program de schouwburg dienstbaar te maken aan de verbreiding van volgens hem heilzame zedelijke, staatkundige en literaire opvattingen. Voor de moderne acteerkunst had Bilderdijk geen waardering: hij beschouwde de door hoogdravendheid indrukwekkende reciteerkunst van de vroegere generatie als het hoogst bereikbare toneelspel volgens de verhevenheid van zijn ideaaltheorie.

Het aantal namen van andere theoretici die in verband met Bilderdijks dramaturgie werden genoemd, is vrij groot. En dit aantal is zonder veel moeite uit te breiden. Wat daarbij niet moet worden vergeten, is dat het zelfde óók voor die andere theoretici geldt en dat Bilderdijks oordelen ten opzichte van een en dezelfde voorganger zowel instemming als tegenspraak kunnen vertonen. De kwestie is, dat Bilderdijk niet alleen heeft ontleend wat hij goed gebruiken kon; hij heeft even zeer bestreden wat hem onjuist voorkwam. Een dergelijke 'eclectische' wijze van navolging ziet men ook in de toneeltheorie van een auteur aan wie Bilderdijk meer te danken heeft dan hij zelf in het openbaar heeft geschreven: Gotthold Ephraim Lessing. Wat J.G. Robertson na een onderzoek van Lessings *Hamburgische Dramaturgie* over diens gebrek aan originaliteit kon opmerken, is ook toepasselijk op Bilderdijk: 'His industrious reading brought him face to face with a considerable body of literature on the nature and the function of dramatic poetry, and he made it his business to pick and choose what was congenial to him.'[1928]

2. Classicisme en romantiek

De 'Lijst van achterhaalde toneelteksten' in hoofdstuk XIII van het *Eerste Boek* telt niet minder dan achtendertig titels van toneelstukken die onvoltooid zijn gebleven. Ze zijn ontstaan op verschillende tijdstippen en bewijzen enerzijds dat Bilderdijk zich voortdurend met het toneel heeft beziggehouden, terwijl ze anderzijds een eigenaardig probleem stellen. Hoe immers moet worden verklaard dat een bij uitstek productief en als het ware in alexandrijnen denkende dichter als Bilderdijk (300.000 versregels!) tot bijna veertig maal toe een al begonnen toneelstuk onvoltooid liet?

Ik meen dat in het voorafgaande hoofdstuk de eerste stap op de weg ter verklaring is gezet. De onmiskenbare tegenstelling tussen zijn toneeltheorie en zijn dichterlijke praktijk moet een rol hebben gespeeld. Bilderdijk heeft de impasse gevoeld waarin het treurspel als literair genre in zijn tijd verkeerde. In dezelfde verhandeling waarin hij anno

[1928] Robertson (1939), p. 334.

1808 zijn ideaal-theorie heeft ontwikkeld, constateerde hij dat het treurspel eigenlijk niet langer bestond. 'De geest aller Natien' was er ongevoelig voor geworden en wilde alleen nog 'het natuurlijke'. Maar het natuurlijke sluit het verheven ideaal uit waarnaar Bilderdijk streefde. De enige mogelijkheid die hij als voorstander van de classicistische theorie nog zag, was een treurspel dat genoten zou worden door de happy few: 'Schrijven wy voor onszelven, en die weinigen, die met ons gevoelen, zich met ons opheffen kunnen; en vooral voor dat dierbaar Nageslacht om het welke wy zijn, wiens geluk voor ons alles is en zijn moet...'[1929] Het klinkt allemaal idealistisch, maar het feit ligt er nu eenmaal dat Bilderdijk in zijn praktijk van toneeldichter soms meer rekening heeft gehouden met 'de geest aller Natien' dan met zijn eigen ideaal-theorie. Zijn classicistische toneeltheorie vertegenwoordigt maar een bepaald aspect van Bilderdijks verschijning in de literatuurgeschiedenis; zijn dichterlijke praktijk staat daarnaast en ook weleens daartegenover. Door deze breuk vertegenwoordigt hij een interessante periode van overgang. Toen de in ons eerste hoofdstuk geciteerde criticus in de *Vaderlandsche Letteroefeningen* van 1773 een uit het Frans vertaald drama beschreef als 'Een *gemengd* Tooneelstuk, dat [...] *dus* niet zeer geschikt is [...] om [...] *verstandige* Aenschouweren [te treffen]', stond hij op classicistisch standpunt.[1930] Maar het is de vraag of dit betekent dat de kunstopvatting van het classicisme in die tijd nog algemeen aanvaard was. Dat lijkt me niet het geval. Vast staat dat het grote publiek (de *on*verstandige Aenschouweren dus!) in de tweede helft van de achttiende eeuw de voorkeur gaf aan het 'drama' of 'toneelspel', boven het Frans-klassieke treurspel. Dit wordt bewezen door de grote verspreiding van de moderne drama's in de schouwburg of als leesstof en de daarmee gepaard gaande kritische houding van buitenlandse en binnenlandse literatoren tegenover de ouderwetse tragedie.[1931] In 1774, één jaar na de afwijzing van het genre door de *Vaderlandsche Letteroefeningen*, publiceerde Betje Wolff haar vertaling van Diderots burgerlijk drama *Le fils naturel* en het jaar daarop schreef Cornelius van Engelen een door Diderot, Mercier en Lessing geïnspireerd pleidooi voor het moderne toneel. Dat pleidooi diende als inleiding op een tientallen jaren lopende serie publicaties van voornamelijk burgerlijke drama's.[1932] In de *Hedendaagsche Vaderlandsche Bibliotheek* van 1809 staat een kritiek op Bilderdijks treurspelverhandeling door een recensent die, sprekend namens een 'meerderheid der

[1929] Trsp., p. 141-143.

[1930] Hfdst. I, slot par. 3. Ik cursiveer.

[1931] Zie de lijsten met vertalingen in Worp (1908), dl. II en de opmerkingen van Spoelstra (1931), p. 127, 132, 137 en vgl. hfdst. I, par. 3, hfdst. II, par. 3, 4, hfdst. III, par. 1, hfdst. VIII, par. 3 (noot 469), hfdst. XVII, par. 5, noot 1218. Ruitenbeek (2002), p. 509, concludeert enerzijds dat zowel 'classicistische' als 'romantische' stukken konden voorzien in een bij 'toeschouwers en recensenten' bestaande 'voorliefde voor onderhoudend toneel'; anderzijds vermeldt zij dat sommige recensenten van mening waren dat het 'algemeen' publiek vond dat er te weinig 'romantische' stukken werden vertoond. Waarbij zij opmerkt dat 'met dit "algemeen" publiek vermoedelijk niet de grote massa, maar een *deelgroep uit de hogere middenklasse* [is] beschouwd.' Desondanks hadden de schouwburgcommissarissen volgens Ruitenbeek 'hun onwelgevallige' toneelspelen van het repertoire geweerd, uit angst voor 'onrust en macht van het "*volk*".' (Ik cursiveer)

[1932] 'Eene Wysgeerige Verhandeling over den Schouwburg in 't Algemeen', *Spectatoriaale schouwburg, behelzende eene verzameling der beste zedelyke Tooneelstukken, byeen gebragt uit alle de verscheiden taalen van Europa,* dl. I, Amsterdam 1775. (Vgl. Wijngaards 1976-1977).

schouwburgbezoekers', meent dat men drama's in plaats van treurspelen moet spelen om het publiek te kunnen vermaken en beleren: 'Doch wij, die, uit hoofde der meerdere gelijkheid aan onze zeden, nog al meer leerzamen indruk, bij de tegenwoordige meerderheid der Schouwburggangers, van deze voorstellingen dan van die der oude Goden en Helden, bespeuren, vragen: waarom moeten wij Treurspelen, die *ons* niets leren, en eigenlijk oorspronkelijk tot eene soort van Godsdienstoefening bij de oude Grieken gestrekt hebben, de voorkeur geven boven Drama's, die, wel bewerkt zijnde, onze tegenwoordige Tijdgenooten kunnen roeren, leeren, beschaven, en in zeden verbeteren?' En, tegenover Bilderdijks opvatting van het treurspel als kunst van weinigen voor weinigen: 'Maar moet dan een Dichter, dichten, om de groote meerderheid zijner tijdgenooten te *vervelen*, teneinde door een ver nageslacht, dat welligt nog meer verbasterd zal zijn, of volstrekt niet verstaan, of mogelijk belagchen te worden!'[1933] Dat er ook critici waren die een soortgelijke mening hadden maar daar toendertijd minder openlijk voor uit durfden komen, bewijst een door Brandt Corstius aangehaald artikel na de dood van Kotzebue in *De bijenkorf of Tijdschrift voor den beschaafden stand* van 1821: 'Wij Hollanders hebben hem sints eenige jaren door hooge, halve en quasi geleerden, duchtig den mantel zien schuijeren, voornamelijk als tooneelspeldichter; van deze kant is hij uitgemaakt voor eenen knoeijer, voor eenen bederver der kunst... die behoorde te zwijgen, om er het ergste niet van te maken. – Nogtans, hebben wij, verscholen in een hoekje, zijne stukken ... van tijd tot tijd bezocht en voor ons zelven nut en vermaak bij de vertooning gevonden.'[1934]

Ook Nederlandse critici waren besmet geraakt door de nieuwe mode! De klassieke tragedie scheen zich te hebben overleefd. Zelfs Bilderdijk moet dit hebben beseft, maar hij heeft het daarom nog niet aanvaard. Door op te merken dat de 'geest aller Natien' geen behagen meer schiep in de geïdealiseerde vorstelijke treurspelwereld maar daarentegen het dagelijkse en natuurlijke wilde, bevestigde hij impliciet de ondergang van de klassieke tragedie. Bilderdijk heeft ingezien dat die ondergang onvermijdelijk was geworden omdat het klassieke treurspel de maatschappelijke binding van vroeger miste. Het 'plaire et toucher' van Racine was voor het oude treurspel niet langer bereikbaar om de eenvoudige reden dat Bilderdijks tijdgenoten – in tegenstelling tot het publiek van Corneille en Racine – volkomen vreemd en zelfs afwijzend stonden tegenover de door het absolute koningschap bepaalde conventionele wereld van mythisch beleefde eer, plicht en heldenliefde, waarin het klassieke treurspel was ontstaan en kon gedijen.[1935] Zijn tijdgenoten voelden zich in sociaal opzicht vooral verbonden met de lotgevallen van hun soortgenoten: de brave burgers uit het toneelspel of drama. De keuze van Bilderdijk voor

[1933] Deze recensie (p. 657-660) is in overdruk aanwezig in de bibliotheek van de Koninklijke Akademie te Amsterdam, nr. 445, p. 1505 e.v., rode nummering.

[1934] Brandt Corstius (Post, 1955), p. 25. Vgl. p. 21, 39, 40.

[1935] Vgl. L. Goldmann, *Le Dieu caché. Etude sur la vision tragique dans les Pensées de Pascal et dans le théâtre de Racine*, Paris 1954.

het treurspel tegenover het drama heeft als retrograde 'Sitz im Leben' zijn monarchistische denkbeelden, met andere woorden: deze denkbeelden vertegenwoordigen het sociaal-politiek en geschiedkundig aspect van zijn literaire keuze voor de Frans-classicistische tragedie. Toen Bilderdijk, kort na de publicatie van zijn eigen treurspelen en zijn treurspelverhandeling, lid werd van de toneelcommissie van het door Lodewijk Napoleon gestichte Koninklijk Instituut, zijn er in die commissie allerlei activiteiten ontplooid die moesten bijdragen tot de (her-)opleving van het Nederlands toneel. Ik ben ervan overtuigd dat Bilderdijk – wiens *Consideratien over de aanmoediging der tooneelpoëzy*, evenals een aantal later gepubliceerde toneelverhandelingen juist in die context zijn ontstaan – degene is geweest die de aard van deze activiteiten heeft bepaald en bestuurd.[1936] Voor Bilderdijk moest de opleving van het nationaal toneel een opleving zijn van het klassieke treurspel als weerspiegeling van een absolutistisch beleefde monarchie onder Lodewijk Napoleon, die hij beschouwde als vorstelijke beschermer en weldoener van kunst en kunstenaars. Bilderdijks voorkeur voor patriottisch-monarchistische treurspelen vond ook na de Napoleontische tijd weerklank en medestanders, toen de heroverde onafhankelijkheid onder Koning Willem I leidde tot een opleving van 'nationale' treurspelen waarin een oranje gekleurde vaderlandse geschiedenis moest stimuleren tot orangistische vaderlandsliefde in het jonge koninkrijk.[1937]

Ondertussen bleef waar wat er hiervoor werd gezegd over de onstuitbare opkomst van het drama als nieuwe, bij het burgerpubliek geliefde toneelsoort. Al rond de eeuwwisseling is men het verschil tussen het traditioneel treurspel en het moderne drama gaan benoemen met de later in de literatuurgeschiedenis algemeen gehanteerde dichotomie: classicistisch-romantisch, waarbij dan mag worden opgemerkt dat de term romantisch in de kritische praktijk geladen werd met verschillende bijbetekenissen die elkaar gingen aanvullen of verdringen.[1938]

Toen Bilderdijk in 1808 aan Lodewijk Napoleon schreef dat hij zijn dichterlijke vorming zowel aan de Grieks-Latijnse dichters als aan Corneille en Racine dankte, sprak hij zonder twijfel de waarheid.[1939] Maar hij meende even oprecht wat er staat over afkeer

---

[1936] J. de Vries in *Gedenkzuil voor W. Bilderdijk*, Amsterdam 1833, p. 61-68. Vgl. Van den Berg (1999), p. 137-165, die helaas niet ingaat op de activiteiten van de toneelcommissie. Bilderdijks *Consideratien* zijn opgenomen als *Bijlage* in dit *Tweede Boek* en werden besproken in hoofdstuk XVII, par. 5; de andere door mij bedoelde verhandelingen zijn vermeld in hoofdstuk XVIII, onder de nummers 13, 15, 16 en 17. Bilderdijk heeft een ontzagwekkende activiteit ontplooid in de afdeling van het Instituut de ('Tweede Klasse') waarvan hij lid was. I.v.m. zijn werkzaamheden op het gebied van de middelnederlandse letterkunde noemde C.C. de Bruin (1955), p. 41 hem 'de algemene ziel van de Tweede Klasse'; hij identificeerde deze klasse zelfs met de persoon Bilderdijk.

[1937] Vgl. mijn opmerking over het aankweken van het Oranjegevoel naar aanleiding van de opvoering van Bilderdijks toneelwerk in het *Eerste Boek*, hoofdstuk XII, alsmede Ruitenbeek in Erenstein (1998), p. 344-381.

[1938] E. Piñeyro, *El romanticismo en España*, Paris 1904; Deutschbein (1921); R. Ullmann und H. Gotthard, *Geschichte des Begriffes 'Romantisch' in Deutschland*, Berlin 1927; E. Eggli et P. Martino, *Le débat romantique en France 1813-1830. Pamphlets. Manifestes. Polémiques de Presse*, tome I (1813-1816), Paris 1933; E. Allison Peers, *Historia del movimiento romántico español*, Madrid 1954, 2 dln.; G. Díaz-Plaja, *Introducción al estudio del romanticismo español*[2], Madrid 1954; Wellek (1955), 2 dln. en Wellek (1963); Binni (1959); Bigi (1960); Strich[5] (1962); Behler (1972); Söter (1977), Voisine in Trousson (1980), p. 313-328. Het gebruik van de term 'romantisch' in Nederland van ongeveer 1780 tot 1840 werd in kaart gebracht door Van den Berg (1973).

[1939] Tyd. II, p. 306.

van theorieën en over rechtstreekse gevoelsuitstorting in zijn bekende gedicht *De kunst der poëzy* (1809). 'Elevé dans le respect des classiques, il leur est resté toujours fidèle, tout en nourrissant secrètement des aspirations vers un art nouveau', schreef Johan Smit en hij noemde Bilderdijk een preromanticus.[1940] Al in 1855 karakteriseerde H.J. Schimmel de toneeldichter Bilderdijk als iemand die 'schoon het pseudo-classicisme verwerpende, toch het romantisme niet begreep, dat in aantocht was'.[1941] Bilderdijk zelf moet voortdurend hebben ervaren wat Van Tieghem heeft genoemd: 'cette insupportable contradiction entre les sentiments passionnés, l'âme fougeuse des préromantiques et la tradition littéraire...'[1942] Hier ligt een belangrijke verklaring voor Bilderdijks onvoltooide carrière als dramatische dichter. Hij heeft als dramaturg nooit een beslissende keuze kunnen doen 'tusschen de zoogenaamde klassieke en romantische school', die zijn leerling Willem de Clercq al in 1823 scherp heeft onderscheiden. 'De laatste heeft de vrijheid gegeven de natuur in alle vormen na te bootsen, terwijl de eerste nog in hare conventionele wereld blijft.' Tussen deze beide ligt volgens De Clercq: 'onze tegenwoordige school'. En deze, 'onder het voorwendsel den Ouden getrouw te blijven, begint reeds naar het romantische over te hellen, dewijl iedere Dichter zich naar den geest zijner tijdgenoten, trots meer of minder tegenstand, eenigszins schikt'. Dat door deze aarzelende houding 'de kunst langzamerhand verloren gaat, is ontegenzeggelijk' meende Willem de Clercq, zonder overigens te spreken over de dramaturgie van zijn leermeester Bilderdijk, die hij vereerde als mens en dichter, en die hij vergeleek met Goethe.[1943] 'Ontegenzeggelijk' lijkt mij eveneens, dat Bilderdijks leerling door deze uitspraak een van de belangrijkste oorzaken heeft aangeduid waardoor zijn vereerde meester voor de dramatische kunst verloren is gegaan. Vergeten we niet dat Bilderdijk al in het geheim een 'gothic'-sentimentele *Alice, prinses van Engeland* in proza had geschreven, een dramatische robinsonade in afwisselende versvormen als *Zelis en Inkle*, een burgerlijk proza-drama als *Gerontes* en een spektakelstuk of opera over *Willem van Holland*, toen hij in zijn treurspelverhandeling van 1808 met afschuw constateerde dat zijn tijdgenoten meer beweging op het toneel wensten en een voorkeur voor het natuurlijke en alledaagse toonden. 'Wee den Dichter, die schrijft om zijne Eeuw te believen', roept hij dan uit en gaat vervolgens over tot de ontwikkeling van zijn classicistische geïnspireerde theorieën over het ideale treurspel, nadat en terwijl hij als toneeldichter toch weer concessies doet aan de contemporaine smaak, of is blijven steken in het fragment.

[1940] Smit (1929), p. 16, 27, 44, 45.

[1941] Schimmel (1855), dl. II, p. 7. Kamphuis (denkbeelden, 1947); Wesseling (1949), p. 27; vgl. Van der Horst (1952), p. 251.

[1942] Van Tieghem (1947), dl. III, p. 400. Vgl. de uitspraak van Da Costa (1859), p. 224: 'Het is of hy den kring, waarin de gewone Tooneelwetten hem beperkten, eerder eng en belemmerend voor zijne rijke verbeelding en behoefte aan naar evenredigheid rijke en uitvoerige bearbeiding vond.'

[1943] De Clercq (Verhandeling² 1826), p. 215 en *Gedenkzuil voor W. Bilderdijk*, A'dam 1833, p. 1-57. Vgl. M.H. Schenkeveld, *Willem de Clercq en de literatuur*, Groningen 1962, p. 217-219.

3. Ik en deze wereld

'Het leven is mij, van zoo lang mij heugt, pijnlijk, lastig en ledig gevallen. [...] Een oogenblik van tevredenheid met mijn gevoel, herinner ik mij niet en geloof ik ook niet ooit gehad te hebben [...] Ik heb altijd gevoeld in deze wareld niet t'huis te zijn.' Deze zinnen schreef Bilderdijk als zestigjarige.[1944] In de Europese literatuur zijn er weinig citaten die op meer directe wijze het levensgevoel uitdrukken dat als kenmerk van de romantiek wordt aangeduid met de Duitse term *Weltschmerz*.[1945] Zoals de simplifiërende verlichtingsoptimist (met Leibnitz) ervan overtuigd was dat hij het voorrecht had te leven in de 'meilleur des mondes possibles', zo betwijfelde de pessimistische romanticus (samen met Voltaires *Candide*) niet alleen of dat optimisme wel gerechtvaardigd was, maar hij voelde zich bovendien even weinig op zijn gemak in zijn eigen vel als in zijn eigen tijd. Bilderdijks lijden aan het bestaan leidde niet, zoals bij Goethes *Werther* tot verlamming van levenswil annex zelfmoord en al evenmin, zoals bij de Italiaanse romanticus Leopardi, tot het besef van 'l'infinita vanità del tutto'.[1946] Veeleer leidde het besef dat ons leven – door de beperkingen die eigen zijn aan de menselijke existentie – in feite een leven van lijden is, bij Bilderdijk tot een romantische *Sehnsucht* naar het oneindige hiernamaals en een literair gecultiveerd doodsverlangen. De door Fritz Strich als 'Grund und wahrer Grundbegriff der Romantik' gekarakteriseerde *Sehnsucht* verklaart ook de voor Bilderdijk en veel andere romantici kenmerkende evasie naar een geïdealiseerd verleden, naar idealisering en navolging van onbedorven (door geen classicistische voorschriften gefnuikte) volkspoëzie en naar een geëxalteerd beleefd nationalisme. Daarbij past een in alle toonaarden geuite romantische afkeer van het verstand ten voordele van het gevoel. Bilderdijk was verzamelaar en commentator van zeldzame middeleeuwse handschriften: 'ik leef en heb altijd geleefd in de 10, 11 en 12^{e} Eeuw, en kan daar niet uit', schreef hij op 21 mei 1809 aan zijn vriend Valckenaer. Hij was ook dichter van 'romances' en vertaler van de door zeer veel Europese romantici geprezen en bewerkte zangen van de pseudo-Gaelische dichter Ossian uit de derde eeuw.[1947] Het door zijn mede-romantici in de

---

[1944] GdV. XIII, p. 29, herdrukt in De Jong-Zaal (1960), p. 9.

[1945] W.A. Braun, *Types of Weltschmerz in German poetry*, New York 1905; W. Martens, *Bild und Motiv im Weltschmerz*, Köln-Graz 1957.

[1946] 'E l'infinita vanitá del tutto': slotregel van Leopardi's pessimistisch gedicht 'A se stesso' (1833), met regels als: '... Amaro e noia / La vita, altro mai nulla; e fango è il mondo.' (Leopardi kende Bilderdijks verhandeling *Van het letterschrift* via een Franse vertaling en noemde hem in zijn *Zibaldone* (uitg. Flora, II, p. 1185): 'poeta il piú reputato degli Olandesi, ed anche famoso erudito e scienziato'.)

[1947] Strich (1962), p. 75, vgl. p. 43, 77, 116, 119, 344, 345. Ik citeer de brief aan Valckenaer uit de Portefeuilles Margadant, Bilderdijk-Museum. Voor Bilderdijks kennis van - en liefde voor het middelnederlands zie De Buck (1936) en De Bruin (1955), alsmede Kollewijn II, p. 192, 193, 222, over Bilderdijks contacten met taalkundigen als Jacob Grimm, Jan Frans Willems en Hoffmann von Fallersleben: vgl. Ada Deprez, *Briefwisseling van Jan Frans Willems en Hoffmann von Fallersleben* (1836-1843), Gent 1963, p. 30 e.v. en p. 66. (Wellek -1955- II, p. 26, 62, 93, wijst op de voorkeur voor de middeleeuwen bij de' Schlegels en het gebruik van de term 'romantisch' bij Tieck: 'in the old sense of anything marvelous or medieval'.) Van Tieghem (1924), dl. I, p. 197-284. Vgl. de dwepende passus. 'Am 12. Oktober [1771]' in Goethes *Die Leiden des jungen Werther*, die begint met de zin: 'Ossian hat in meinem Herzen den Homer verdrängt.'; vgl. Chouillet (1982). Na Macpherson trad ook Bilderdijk als preromantische mystificator op, door te beweren dat hij Ossian had vertaald naar de (niet bestaande) originele gaelische handschriften: DW. XV, p. 59; vgl. J. Wesseling in *De nieuwe taalgids* 44 (1951), p. 308-310.

primitief-natuurlijke zangen van Ossian beleefde protest tegen de contemporaine tijdgeest en de gevestigde (literaire) orde kreeg bij Bilderdijk – evenals later bij de Franse romantici Lamartine en Victor Hugo – een weerspiegeling in de (sociaal-politieke) realiteit van het dagelijks leven, maar dan wel in omgekeerde richting. Hun romantiek was progressief; Bilderdijks romantiek was regressief. 'Mijn rok is en blijft nog de gekleede rok van *mijn* tijd, en mijn hoed is nog opgetoomd als toen ik in 1795 het land uitgezet werd', schreef hij in 1826 aan Jeronimo de Vries.[1948] Twee jaar later deelde hij mee dat hij al lang geen tijdschriften meer las: 'want immers ik behoore niet tot dezen tijd...'[1949] In de dagelijkse omgang deed hij zich met nadruk voor als iemand uit een voorbije periode en in zijn geschriften nam hij zonder omhaal of respect stelling tegenover meningen die overheersend waren.[1950] Voor zijn verbanning in 1795 werd Bilderdijk als prinsgezinde advocaat bespot door de patriotten.[1951] Na zijn terugkeer in Nederland beschimpten zijn vijanden hem als weerhaan. Hij ontving stapels brieven met dreigementen en zijn uitgever werd verrast met een satire waarin van het 'monster' Bilderdijk werd gezegd dat de 'streepen' in zijn smoel... nijd, verraad en logen' uitdrukten.[1952] Een professoraat in de Nederlandse letterkunde en geschiedenis, waarop hij zonder twijfel recht had, bleef hem door allerlei tegenwerking onthouden.[1953] In 1817 begon hij zijn 'privatissimum' in de vaderlandse geschiedenis te Leiden dat, volgens zijn leerling Da Costa een 'soort van alarm ... over heel het Noordelijke Nederland verspreidde.'[1954] Van welke aard de denkbeelden waren die Bilderdijk zijn leerlingen inprentte, blijkt onder meer uit de stille raad van Professor D.J. van Lennep om de dichter ergens te benoemen aan een inrichting van onderwijs in het Zuiden, opdat hij niet de jongelieden hier 'in paradoxale gevoelens van ultra-Royalismus of Nationalismus of Monarchismus van goddelijken oorsprong' zou kunnen 'opwiegen'. De alarmtoestand bereikte een hoogtepunt in 1823, toen Da Costa, door minister Falck betiteld als 'dien aap van den grimmigen Bilderdijk', zijn doemdenkende *Bezwaren tegen den geest der eeuw* in het licht gaf.[1955] Een

[1948] Br. II, p. 243.

[1949] Br. II, p. 279.

[1950] Kollewijn, dl. II, p. 386.

[1951] Vgl. de bespreking van het politieke blijspel over Pasquin in het *Eerste Boek*, hfdst. II, par. 4.

[1952] Zie Kollewijn, dl. I, p. 423, 424 en de daar genoemde bronnen.

[1953] Kollewijn, dl. II, p. 53 e.v. Van Eijnatten (1998), p. 706, meent dat Bilderdijk 'waarschijnlijk wel terecht zijn fel begeerde hoogleeraarsambt onthouden' werd. Daarentegen had Brom al een halve eeuw tevoren met feiten en teksten aangetoond hoe zeer Jonckbloet gelijk had toen hij over het niet-benoemen van Bilderdijk schreef: 'De eenige, die voor zijn tijd geldige wetenschappelijke titels kon aanwijzen, Bilderdijk, werd willens en wetens voorbijgegaan' (Brom, Geschiedschrijvers, p. 29) Het al dan niet benoemen van Bilderdijk als hoogleraar in de vaderlandse geschiedenis en letterkunde aan het Amsterdams *Athenaeum Illustre* is waarschijnlijk meer een politiek-ideologische dan een wetenschappelijk-didactische kwestie geweest. Over de vraag of Bilderdijk objectief-universitair gezien, al dan niet 'professorabel' was, staan ook in het Gedenkboek van 1906 tegengestelde meningen, nl. de negatieve van de filoloog Te Winkel (p. 131) en de positieve van de historicus Breen (p. 141).

[1954] Da Costa (1859), p. 328. Vgl. voor Bilderdijks geschiedbeschouwing het *Eerste Boek*, hfdst. V, par. 5 en hfdst. X, par. 2 en 3.

[1955] Zie o.m. W.H. de Beaufort, 'Da Costa's 'Bezwaren tegen den geest der eeuw', 1823', *De gids* 1877 en S. Vuyk in Van der Wall en Wessels (2007), p. 377-389. Jensen (2007) bespreekt een en ander i.v.m. de controversiële toneelpersonages Oldenbarnevelt en De Witt en wijst daarbij op een 'nieuwe geest van vrijzinnigheid' die o.m. werd

pamflettenoorlog was het gevolg. De redactie van de *Vaderlandsche Letteroefeningen* meende dat de leerlingen van Bilderdijk niet zouden rusten voor zij hun meester in dwaasheid hadden overtroffen en vond het een gelukkige omstandigheid 'dat het getal dier krankzinnigen zo gering' was. Bilderdijk zelf verdedigde zijn discipel tegen 'den aanbassenden honden', in zijn nog het zelfde jaar 1823 verschenen brochure *De bezwaren tegen den Geest der Eeuw van Mr. I. da Costa toegelicht.* Hij kreeg op zijn beurt te horen dat het 'bavianengegrijns' waarmee hij zijn 'kweekelinkjes ... accompagneerde' niet bij machte was om angst in te boezemen voor 'aterlingen' en 'ellendelingen' van zijn slag.[1956]

Wat behelsde Da Costa's brochure? In tien hoofdstukjes leverde hij heftig kritiek op alle aspecten van het toenmalige culturele leven, waar degenen die 'tolken van 't algemeen gevoelen' meenden te zijn zich durfden verheffen boven 'alles wat de vroegere tijden recht, waar en heilig achtten'. Daartoe behoorde 'de leer der vrije Genade en Onvoorwaardelijke Verkiezing Gods' volgens de Institutie van Calvijn en de Dordse synode, en daartoe behoorde ook het goddelijk recht van de koning om zijn eed op de constitutie te breken als hij dat nodig zou achten om zijn gezag als 'Christenkoning' te handhaven. Dat was leerstof uit de school van Bilderdijk en strijdig met wat spraakmakende opiniemakers van toen hun lezers en leerlingen te geloven voorhielden.[1957] Er is iets romantisch in de extatische, mystiekerig-metafysische wijze waarop Bilderdijk en Da Costa het orangistisch Nederlands verleden beleefden in verband met het bijbels verleden van Israël en hun eenzame, alleen door streng gereformeerde geloofsgenoten gedeelde stellingen verdedigden tegenover de gevestigde liberaal-burgerlijke orde rondom. In tegenstelling tot de revolutionaire romantiek van andere Europese romantici, zou men deze vorm van retrograde opstandigheid kunnen karakteriseren als reactionaire, contrarevolutionaire, of – overeenkomstig de Nederlandse politieke traditie:

---

geïnspireerd door de toenmalige vrijheidsoorlog van de Grieken tegen de Turken. In tegenstelling tot H.W. Tydeman kon Bilderdijk in de Griekse onafhankelijkheidsstrijd niets anders zien dan een 'vervloekten opstand' tegen het van God gegeven gezag. Dit leidde tot een jarenlange breuk tussen beide levenslange vrienden: zie De Jong-Zaal (1960), p. 149-152, en vgl. de min of meer bij Bilderdijk aansluitende mening over de Grieks-Turkse kwestie van Groen van Prinsterer: Van Essen (1984), p. 8.

[1956]Kollewijn, dl. II, p. 248 e.v. Vgl. Da Costa (1859), p. 335 e.v. Zoals bekend, zijn de dictaten van Bilderdijk voor de colleges aan zijn 'kweekelinkjes' later door Prof. Tydeman uitgegeven als de *Geschiedenis des Vaderlands.* (Vgl. voor deze uitgave Da Costa 1859, p. 326, 327.) In een onuitgegeven brief van Abraham de Vries (Koninklijke Bibliotheek te 's-Gravenhage, nr. 121B1-12) geeft deze zijn mening over die uitgave aan zijn broer Jeronimo. Hij schrijft: 'Bilderdijks Geschiedenis is in mijne oogen een vod, een schandpaal voor het kwade humeur en wraakzuchtige karakter van den anders warelijk bewonderenswaardigen man door hem zelven opgericht, dien de ware Vriendschap had moeten verstoppen en verbranden, niet schaamteloos voor het publiek ten toon stellen. Zulk een behandeling van de Geschiedenis is laag, is duivelsch. Zij is een afdoend bewijs, dat Bilderdijk enkel zijn genie en hartstogt volgde en omtrent waarheid en recht geheel onverschillig was'. Wanneer men nu bedenkt dat zowel Abraham als Jeronimo de Vries tot Bilderdijks vrienden behoorden en in 1828 zelfs de uitgave van zijn uit het Grieks vertaalde satirespel *De cykloop* bezorgden, wordt de houding begrijpelijk die de buitenwacht aannam tegenover de historische en staatkundige opvattingen van Bilderdijk. Voor Bilderdijks betrekkingen met de gebroeders De Vries zie: Br. II en DW. XV, p. 234; *Eerste Boek*, hfdst. XI, par. 2).

[1957] Zie de boeken over het protestantse Réveil van E. Gewin (1920), M. Elisabeth Kluit, Kluit (1936), p. 83 e.v. en Kluit (1970), p. 143 e.v., alsmede Zaal (1969), Bornewasser (1982), Cossee (1984) en Van der Zwaag (1991), p. 157 e.v. Vgl. ook: O.N. Oosterhof, *Isaäc da Costa als polemist*, Kampen 1913, p. 31-83; S. Vuyk, *Uitdovende verlichting. Remonstranten als deftige vaderlanders 1800-1860*, Amsterdam 1998, p. 120-126.

antirevolutionaire romantiek.[1958] Een zelfde karakteristiek kan gelden voor de manier waarop Da Costa in zijn vierde hoofdstukje schrijft over de kunsten en met name over de dichtkunst. Hij ziet de dichter als romantisch genie, maar dan wel als een genie dat spreekt als profeet van God. Om met de 'toelichting' van Bilderdijk te spreken: het 'hart' van de dichter verheft zich dan 'tot hooger wareld, zonder welk er slechts kruipen mooglijk, en het opspringen geen vliegen maar, om een Fransch woord te gebruiken *grimaceeren* is!' Als het dichterschap op deze, door Bilderdijk gewilde verheven wijze zou worden beschouwd en beleefd, kon de voortreffelijkste taal [= het Nederlands] roemen op 'de voortreffelijkste Poëzy [als] zang en schepping [en] was elk Dichter Christen in de hooge beteekenis des woords.'[1959]

In het vorige hoofdstuk is gebleken dat Bilderdijks historische toneelstukken dezelfde geest ademen als zijn *Geschiedenis des vaderlands,* die de historische basis vormt waarop Da Costa's *Bezwaren* en zijn eigen 'toelichting' steunen. Succes was voor deze stukken bij voorbaat uitgesloten. Bilderdijk moet dit herhaaldelijk zelf hebben aangevoeld. Toen hij als dramaturg stelling nam tegen de algemeen heersende opvatting van de geschiedenis en het 'Nationale Treurspel' gebruikt wilde zien als voertuig van zijn eigen overtuiging, wilde hij in feite iets dat nooit het vermogen kon hebben om het publiek van zijn tijd te 'behagen'. En per slot van rekening is het iedere classicistische dichter juist daarom te doen: 'Le secret est d'abord de plaire', had Bilderdijk met instemming bij Boileau gelezen.[1960] Typisch romantisch is daarentegen dat de intens verachte en bespotte dichter in zijn treurspelverhandeling, tegen de stroom in, de 'Heldenmoed' had om te beweren dat hij slechts schrijven wilde voor zichzelf en de weinigen die zich met hem

---

[1958] Ik kom hier nog op terug in de volgende paragraaf. Blijkens de context waarin ze worden gebruikt, zouden de termen 'contrarevolutionair' en 'antirevolutionair' moeten duiden op verschillende zaken, die kennelijk betrekking hebben op een progressieve verschuiving van verleden naar heden, maar blijkbaar moeilijk kunnen worden gedefinieerd. Zowel Da Costa als Groen zouden een ontwikkeling van contra- naar anti- hebben doorgemaakt (Oosterhof -1913-, p. 237, 255; Van Essen -1984-, citaat p. 10). Interessant is de mythische wijze waarop Bilderdijk en Da Costa de eenheid beleefden van het Oude - en het Nieuwe Testament, van Jodendom en Christendom en van Israël en Nederland. J. Meijer, *Isaac da Costa's weg naar het christendom. Bijdrage tot de geschiedenis der joodsche problematiek in Nederland*, Amsterdam 1946, p. 111, schrijft over Da Costa's *Bezwaren*: 'In haar ongeremd-hartstochtelijken toon manifesteert deze brochure de innerlijke onmacht van een gedoopten jood, die zijn gemis aan Christelijke traditie tracht aan te vullen door een onzuiver gestemde overtuiging.' Deze mening leidde tot polemiek met de gereformeerde Bilderdijkiaan W.J.H. Caron, hoogleraar aan de Vrije Universiteit te Amsterdam: J. Meijer, *Martelgang of cirkelgang. Isaac da Costa als joods romanticus*, Paramaribo 1954. Vgl. ook L. Engelfriet, *Bilderdijk en het jodendom. Bilderdijks waardering van het joodse denken in confrontatie met zijn tijd*, Zoetermeer 1995. Van Eijnatten (1998), p. 642, motiveert zijn mening dat Bilderdijk het joodse denken en de joodse traditie 'waarschijnlijk nooit echt begrepen heeft' met de opmerking: 'Een rabbijn als leermeester heeft hij nooit gehad, in een joodse gemeenschap heeft hij nooit geleefd'. Vgl. meer in het algemeen: Huisman (1983) en Van Eijnatten (1993).

[1959] 'Daar alleen bloeien de kunsten, waar de ingeboren genie het hart opwekt en het verstand verlicht, op Goddelijk niet op menschelijk bevel' (Da Costa, Bezwaren, p. 32); Bilderdijk (De bezwaren, 1823), p. 34. Vgl. ook het perspectief waarin Da Costa het dichterschap van Bilderdijk plaatst in zijn uitgave van diens onvoltooide epos: Da Costa (1847), p. VIII; 19-22; 27-29; 449; 457.

[1960] Zie voor deze eis van Boileau M. Prinsen (1934), p. 21 en Stein (1929), p. 17. Bilderdijks instemming met dit voorschrift blijkt uit Verhandeling[2] 1836, p. 3, 182, 187 en, tegen wil en dank, uit zijn brief van 20 juli 1819 naar aanleiding van Wiselius' treurspel over Don Carlos (Eerste Boek, hfdst. VI, par. 5). Bilderdijk schrijft daar dat de treurspeldichter de algemeen aanvaarde denkbeelden moet eerbiedigen, wil zijn stuk niet door historisch ingewijd publiek worden afgewezen (vgl. hfdst. VIII, par. 1). Een soortgelijke opmerking staat in Bilderdijks brief van 21 juli 1809 aan J.L. Kesteloot, gepubliceerd in *Kunst- en Letterblad*, nr. 3, van 2 februari 1840.

verheffen konden. Hier lijkt van toepassing wat Baudelaire een halve eeuw later zou schrijven in zijn gedicht over de bespotte en vijandig bejegende dichter-*Albatros*:

> Le Poète est semblable au prince des nuées
> Qui hante la tempête et se rit de l'archer;
> Exilé sur le sol au milieu des huées,
> Ses ailes de géant l'empêchent de marcher.

Een kwarteeuw na Baudelaires *Les fleurs du mal* presenteerde Willem Kloos de nagelaten poëzie van Jacques Perk. Hij sprak over de tot bloedens toe in het voorhoofd gedrukte doornen van wellustige smart, waaruit de enige kroon der onsterfelijkheid ontbloeit van de dichter die beseft dat de als godsdienst beleefde poëzie een gave van weinigen voor weinigen blijft. 'C'est la rareté des élus qui fait le paradis' schreef Baudelaire. En Claude Debussy: 'Une diffusion d'art trop généralisée n'amène qu'une plus grande médiocrité'. Bilderdijks aan een lijdend bestaan gepaard, verheffend 'zelfgevoel' preludeert op de zelfverheffing van romantisch-symbolistische kunstenaars aan het eind van de negentiende eeuw.[1961]

4. Aards en bovenaards

In 1957 verscheen van Jacob Smit, destijds titularis van de helaas verdwenen leerstoel Nederlandse letterkunde te Melbourne, het met instemming en bewondering ontvangen essay *De kosmische zelfvergroting van de dichter bij Bilderdijk, Perk en Marsman.* Smit scheen in de eerste plaats te willen betogen dat Perk en Marsman invloed van Bilderdijk hebben ondergaan. Maar wat zijn essay bovenal interessant maakte was het motief van de kosmische zelfvergroting als zodanig.[1962] Van Bilderdijk citeerde hij uit de ode *Napoleon* (1806) onder meer de gedurfde regels:

> Neen d'aardschen dampkring uitgeschoten,
> Het aardrijk met den voet te stooten,
> Zie daar, het geen den Dichter maakt!

En uit het lyrisch leerdicht *De kunst der poëzy* (1809) vroeg bij aandacht voor een lang fragment met regels als:

> Het [= mijn hart] was zich-zelv' gevoel en breidde in Hemelgloed
> Zich tot de polen uit, waar ijs en winter woedt;

[1961] Vgl. mijn bundel *Honderd jaar later. Essays over schrijvers en geschriften uit de Beweging van Tachtig*, Baarn 1985, p. 109, 110, 165 e.v. en *Maurice Gilliams. Een essay*, Amsterdam 1984, p. 250, 252.

[1962] Jacob Smit (1957); J. Greshoff, 'Had Bilderdijk invloed op Marsman?', *Het vaderland* 15 april 1961.

Omvademde Oost en West, en peilde zee en starren.
De Hemels daalde omlaag, en de Aarde ontschoot heur harren;
Een nieuw Heelal ontlook...

Toen breidde ik door 't Heelal mijn stoute vlerken uit...

Ik hoorde in zuivrer stroom der Heemlen maatgeschal,
De morgenstarren...

'k Zag leven, 'k zag gevoel; 'k zag geesten meer verheven,
Maar aan mijn' geest verwant, door de ijdle vlakten zweven
En 't al bevolken ...

Smit concludeerde: 'De verheffing in de ruimte en de trotse vlucht boven de aarde symboliseren bij hem [= Bilderdijk] inderdaad zijn romantische dichtertrots, zijn individualisme en zijn reiken naar het absolute.'[1963]

Negen jaar later, op 29 juni 1966, verdedigde Cornelis de Deugd aan de Rijksuniversiteit te Utrecht een proefschrift met de 'unzeitgemäszige' titel *Het metafysische grondpatroon van het romantische literaire denken.* Hij benadrukt dat de bij veel romantische dichters voorkomende '(religieus-) metafysisch gerichte levensbeschouwing' geen algemeen tijdsverschijnsel was maar veeleer een zuiver *literair* fenomeen, dat leidde tot een 'boven-menselijke, alle aardse banden en verbanden achter zich latende poëzie': poëzie als vrucht van een 'goddelijke en bovenaardse verbeelding', die werd gevoed door het met hemelse gevoelens vervulde hart van een goddelijke en profetische dichter'.[1964] De romantische correlatie van het eindige en oneindige, van het fysische en het meta-fysische, van het aardse en het hemelse is juist bij Bilderdijk

[1963] Smit (1957), p. 101

[1964] De Deugd (1966), p. 277, 278, 391. Uit *De kunst der poëzy* becommentarieert De Deugd (p. 396) de regels:

Van toen was Dichtkunst my geen spel meer der verbeelding.
Mijn hart ontschoot den slaap der zwijmzucht, der vereelding;
Het was zich-zelv' gevoel en breidde in Hemelgloed ...

Hij meent dat de nadruk in de eerste regel per se op het woord 'spel' zou moeten vallen om Bilderdijks bedoeling te verduidelijken. Dat lijkt me geenszins noodzakelijk. Het gaat erom dat Bilderdijk tot de overtuiging was gekomen dat niet het gebruik van elders aangetroffen verbeeldingsingrediënten zonder eigen gevoelens tot echte poëzie leidt, maar dat alleen het zelfgevoel van het ontwaakte eigen hart de ware verbeelding in werking kan stellen die tot verheven, kosmisch-metafysisch gerichte poëzie kan voeren. Zeer terecht wees Zijderveld (1915), p. 126, 127, op Bilderdijks brief van 14 juni 1794 aan Uylenbroek waarin hij, n.a.v. zijn eigen romance 'De Indiaansche Maagdenroover' (1794) schreef over 'dat *verwarde*, dat *fracas* [...] zonder 't welk *'t akelige* zich niet ondersteunen kan.' Onder verwijzing naar Bilderdijks duidelijk van een ander inzicht getuigende 'Voorrede' bij de *Treurzang van Ibn Doreid* (1795), constateerde Zijderveld n.a.v. de zojuist genoemde romance: 'De opstandigheid der elementen is niet een weerslag van den zielstoestand, maar omgekeerd: storm en donder en bliksem worden voor de verbeelding geroepen en moeten het angstige, 'akelige' gevoel wekken. Dan worden groote, holle woorden gebruikt. Dit is de dichttrant van verschillende poëten uit de 2e helft der 18e eeuw, en door vele 'dichtgenootschappers' aanbevolen, nl. om door middel der verhitte verbeelding een schilderij te tooveren om de gewenschte ontroering te wekken. De voorstelling, het beeld moet de stemming te weeg brengen in plaats dat, omgekeerd, het krachtige gevoel het beeld te voorschijn roept.' (Vgl. hfdst. IV, par. 3, noot 201.)

uitzonderlijk sterk.[1965] Voor hem is de poëzie een goddelijke gave die neerdaalt in de mens en vanuit de dichtende mens weer tot God terugkeert.[1966] Zo'n vergoddelijking van de poëzie lijkt wel verenigbaar met de zelf-vergoddelijking ('in het diepst van mijn gedachten') bij sommige 'Tachtigers' van driekwart eeuw later, maar niet met de Bijbel en de Institutie van Calvijn. Toch zijn er weinig dichters of prozaschrijvers die door tijdgenoten en nazaten met méér overtuiging als verdediger van Bijbel en Calvinisme werden vereerd of veracht, dan juist Bilderdijk. Cornelis de Deugd heeft deze tegenstelling uiteraard opgemerkt en spreekt daarom van Bilderdijks 'typisch-romantische gespletenheid.'[1967] Ik herinner aan de confrontatie van Bilderdijks theorie als dramaturg met zijn praktijk als dramatisch dichter in het vorige hoofdstuk. Aan het slot mocht worden geconstateerd dat Bilderdijk wél treurspelen schreef of wilde schrijven die beantwoordden aan zijn reputatie als reactionair historicus en absolutistisch monarchist, maar dat er geen enkele toneeltekst valt aan te wijzen waaruit blijkt dat hij heeft getracht een verheven-religieus, aarde- en hemelverbindend treurspel te schrijven waarover hij zo hartversmeltend fantaseerde in zijn toneeltheorie. In de praktijk van Bilderdijks dramaturgie wint de polemist het van de idealist. Bilderdijks hartversmeltende natuur- en bovennatuur omvattende religieuze treurspel lijkt me even romantisch-mythisch als het nooit voltooide en altijd onbereikbaar gebleven en te blijven meesterwerk dat in de literatuurgeschiedenis bekend staat als 'Le Livre' van Mallarmé.

In de *Contemplations* (1856) van Victor Hugo staat het gedicht Ibo ('Ik zal gaan') met strofen als:

[1965] Vgl. onder meer Van Eijnatten (1998), p. 185-190 en Oosterholt (1998), p. 96 e.v., 190. Verwaarlozing van Bilderdijks in en door het (zelf)gevoel tot stand komende beleving van de fundamentele verbondenheid van natuur en bovennatuur en van een uit dit gevoel voortvloeiende werking der dichterlijke verbeelding kan leiden tot een uitspraak als: 'Hij blijft de verbeelding immers zien als een instantie die gebonden is aan de zintuiglijke werkelijkheid; als zodanig is zij voor hem meer dan ooit een vertegenwoordigster van de aardse schijn, en zelfs een tegenstreefster van het gevoel.' (Johannes -1992-, p. 189). Rechtstreeks in tegenspraak met de opvatting als zou voor Bilderdijk 'de' verbeelding gebonden zijn aan 'de zintuiglijke werkelijkheid' en als zodanig 'een tegenstreefster van het gevoel', staat een passus in Trsp., p. 197, waar Bilderdijk de ideale schoonheid het enige voorwerp van de kunsten noemt en o.m. schrijft: 'Dat, met één woord, het natuurlijk voorwerp Dichter en Schilder slechts roert, om hun gevoel in beweging te brengen; maar dat dit gevoel, naar den aart des gevoels, en de innige zielsgesteltenis van hun-beide (vatbaarheid voor, brandende drift tot, en warme omhelzing van 't schoone) dien indruk ontfangende, niet wat buiten hen is, maar wat in hun gevoel en de door dat gevoel opgewekte en het te hulpkomende verbeelding is, hertelen moet. En dat, zoo of Dicht- of Schilderkunst anders doen, zy niet slechts ophouden *Fraaie kunsten* te zijn, maar ook dadelijk ophouden belang te wekken.' (vgl. De Jong-Zaal -1960-, p. 33, 34.) Zie ook het volgende citaat uit Bilderdijks *Verhandelingen, ziel-, zede-, en rechtsleer betreffende* (1821), p. 131, 132: 'Het verstand is 't vermogen van twee denkbeelden te samen te vergelijken en het gelijke of onderscheidene tusschen die op te merken; waarop alles neêrkomt wat wy oordeelen noemen. Maar die denkbeelden-zelve die wy vergelijken, behooren tot het verstand niet. Zy behooren tot de verbeelding, en hebben zelve hun grond in de vatbaarheid van 't gevoel. Dat dit gevoel tweederlei is, zintuiglijk (of lichaamlijk, gelijk wy het noemen), en geestelijk (of *mentaal*), behoeft hier nauwlijks opgemerkt. Genoeg, dat beide zintuiglijke en mentale gewaarwording op de verbeelding (die nimmer rusten kan) werken, haar in werking brengen, en daar eene (het eene min, het andere meer,) *analogue* aandoening in verwekken, waar het aanschouwend verstand zich dan mede bezig houdt.' (Vgl. hfdst. IV, par. 3, noten 200 en 201.) Driekwarteeuw nadien zou Kloos de literatuur definiëren als: 'de haarfijn-precieze weergave van wat er omgaat in 'skunstenaars binnenste wezen, hetzij dat werd geboren in de psychische diepte zelve, hetzij het onmiddellijk uit de buitenwereld erbinnenvalt.' (Inleiding *Veertien jaar literatuurgeschiedenis)*.

[1966] De Deugd (1966), p. 339, 340; 131, 132; 407

[1967] De Deugd (1966), p. 397 e.v.

J'ai des ailes. J'aspire au faîte;
Mon vol est sûr,
J'ai des ailes pour la tempête
Et pour l'azur.
[...]

Vous savez bien que l'âme est forte
Et ne craint rien
Quand le souffle de Dieu l'emporte!
Vous savez bien

Que j'irai jusqu'aux bleus pilastres
Et que mon pas
Sur l'échelle qui monte aux astres
Ne tremble pas ![1968]

Behalve aan de al eerder geciteerde fragmenten uit *De kunst der poëzy* en de ode *Napoleon*, herinnert Hugo's als typisch romantisch geboekstaafde tekst aan het slot van de vijfde zang in Bilderdijks onvoltooide epos *De ondergang der eerste wareld*. De tot de ware godsdienst bekeerde krijgsheld Segol wordt opgevoerd ten hemel en verandert daarbij ook zelf in een bovenaards wezen. Een kosmisch visioen dat herinnert aan de transfiguratie van Christus op de berg Tabor:

Hy zwijgt. Een zachte koelte omstroomt zijn moede leden.
Een nevelachtig licht omwemelt hem in 't treden,
Als of een wolk van damp zijn stappen onderving.
Zijn statig voorhoofd bloost, omschenen met een kring
Van stralen, die hun glans om 't rijzig lichaam spreiden,
Dat, vonklende als een vuur, zich thands schijnt uit te breiden,
En 't purper bleeken doet, dat om zijn schouders drijft,
En slingrende in de lucht een golvend wolf beschrijft
Zijn voeten raken thands geen grond, maar opgeheven
Van de aarde, schijnt hy als een hemelgeest te zweven,
Zijn leger siddert, valt op 't aanzicht, en verwacht
Stilzwijgend d'uitslag van een aanblik, zoo vol pracht.
Nu hief een wervelwind hem hooger dan de wolken.
Hy zag de drijvende aard en waterblaauwe kolken

[1968] Victor Hugo, *Oeuvres poétiques* II (Pléiade), p. 723, 724; 1604. (Ook bij Hugo wordt de poëzie in één adem genoemd met de religie. Bij hem gebeurt dat expliciet in tegenspraak tot Voltaire: Trousson (1985), p. 100.)

Zich wentlen in de verte, en 't scheemrend licht der maan
Bescheen hem van omlaag. Een siddring greep hem aan
Wen een onzichtbare hand zich in de zijne kleefde,
Hem opvoerde, en met hem den ethersfeer doorzweefde,
En, Segol, Segol riep! ...

In zijn uitgave van Bilderdijks epos herkent Isaac da Costa in de Segol-figuur 'de grondtrekken van des Dichters zelven' met zijn 'verheven gemoedsrichting [en] heldhaftige en krijgskundige geaartheid'. [1969] Da Costa schreef een bekend geworden gedicht waarvan de naam wel een preciserende herhaling lijkt van Bilderdijks door Horatius' *Ars poetica* geïnspireerde titel *De kunst der poëzy*. Da Costa's titel *De gaaf der poezy* benadrukt het romantisch genie-begrip en begint met een soort definitie: 'Gevoel, Verbeelding, Heldenmoed [...] zie daar de gaaf der poëzy'. Het *Gevoel* ontstaat onder 'indruk uit den hoogen' en ontwikkelt 'hemelwellust'. *Verbeelding* verbindt 'het Heelal tot één, een enkel denkbeeld' en verenigt zowel 'Toekomst en Verleden' als 'de hemelen en de aard'. *Heldenmoed* doet de Dichter zonder vrees de strijd aanbinden met de overmacht van 'Ongodisten' die de aan 'Gods gezalfden' toekomende 'hulde' durven 'betwisten'. Ook hier heeft Da Costa zonder enige twijfel het dichterschap herkend of beter: bedoeld van zijn leermeester Bilderdijk, die hem en zijn joodse medestudent en neef Abraham Capadose tot het ware, Christelijk geloof en het als evangelie beleefd monarchistisch absolutisme had gebracht. Zo'n verheven dichterschap is profetisch van aard, veroorzaakt 'Englenwellust' en is, ten aanzien van de aardse, 'ongewijde cithertonen', te vergelijken met de vlucht 'des Aadlaars, die de zon ontmoet.'[1970]

Bilderdijk zelf schreef teksten waarin de dichter niet alleen wordt voorgesteld als een heroïsche hogepriester die zijn lezer nader brengt tot het kosmisch Opperwezen, maar die zelf bovendien diens oorspronkelijke, noemende scheppingsdaad in zijn poëzie herhaalt. In Bilderdijks leerdicht *De ziekte der geleerden* (1806) worden de dichters aangespoord de schepping van ruimte en tijd verbeterd over te doen:

Wat is, verdwijnt! wat was, herstelt zich! 't ongeboren
Springt, op uw wenken, als een watersprong, te voren!
't Heelal bezielt zich door uw' adem; voelt met u;
En de eindelooze Eeuwigheid smelt in 't ondeelbre NU.

[1969] Da Costa (1847), p. 457.

[1970] Da Costa (Hasebroek, 1870), p. 276-279. Dat men in Nederland meer houdt van zwermen spreeuwen dan van eenzame adelaars, besefte Allard Pierson toen hij in zijn *Oudere tijdgenoten* (1888) schreef dat men persoonlijkheden die, tegen het groepsdenken in, een eigen mening volgen pleegt te zien 'onder het licht van feestverstoorders'. (Vgl. ook de paragraafjes over het onvolprezen vaderlands 'eenvoudige' als tegenpool van 'hooghartig exclusivisme' in G.J. Johannes, *De lof der aalbessen* (Den Haag 1997) die, op p. 93, 94, constateert dat de naar verhevenheid strevende en daardoor 'in uitersten' vervallende Bilderdijk te veel gelijkenis met buitenlandse romantici vertoonde om blijvend aanspraak op waardering te kunnen maken.)

Van 1808 dateert Bilderdijks gedicht 'De lierzang', waarin de 'Almacht' van de poëzie wordt bezongen als scheppende oorzaak van het 'ruischen' der sterren in de kosmos. In dat zelfde jaar schreef Bilderdijk een gedicht met de veelzeggende titel 'De onsterfelijkheid der Dichtkunst' met regels als:

> De Dichter schikt van de eeuwigheid,
> En wijst, met Godenmajesteit,
> Der deugd hare eerplaats by de starren.[1971]

Gedurfder uitingen van romantische hybris zijn zeldzaam in de Europese letterkunde. In mijn anno 1965 verschenen opstel 'Baudelaire, Van Eyck en Nijhoff' heb ik terloops gewezen op de overeenkomst van Bilderdijks 'ideaal-theorie' en Baudelaires 'Art romantique'. Het poëtisch ideaal van Bilderdijk, Baudelaire en Van Eyck, was het gedicht dat 'de ziel kan doen opstorten naar 't verloren paradijs ... naar de oneindigheid'. Tegelijk met 'een monumentaler begrip' van Baudelaire daagde bij Van Eyck het inzicht dat het de taak van de kunst en de onmisbare functie van de poëzie was: 'natuur en mensen tot God te louteren en in God te vergeestelijken.'[1972] In Baudelaires kritische geschriften komt men met betrekking tot de kunst herhaaldelijk uitdrukkingen tegen die verwijzen naar het ideale, vergeestelijkte en bovennatuurlijke, als resultaat van een opvlucht uit de abominabele beperking van de aardse natuur. Een paar regels uit het gedicht 'Elévation' ter illustratie van wat Baudelaire zelf romantische 'aspiration vers l'infini' noemde:

> Heureux celui qui peut d'une aile vigoureuse
> S'élancer vers les champs lumineux et sereins...

Baudelaire toonde zich even bekommerd om de gevolgen van de erfzonde als Bilderdijk en hij verzette zich even intens tegen 'La mythologie du Progrès' bij zijn eigen tijdgenoten. Hij werd daarbij beïnvloed door 'l'impeccable de Maistre', die hem, samen met Edgar Poe, rationeel had leren redeneren en die de meest reactionaire contrarevolutionair van zijn tijd was... maar dan Bilderdijk niet meegerekend.[1973] Joris van Eijnatten schrijft in zijn belangrijke en omvangrijke studie *Hogere sferen* (1998) dat de elders in zijn boek als 'onze kamergeleerde' en 'pantoffelheld' aangeduide Bilderdijk 'geen werkelijk contrarevolutionaire denker' was en dat hij, als hij iets over het thema 'revolutie' zei, meestal Joseph de Maistre napraatte.[1974] Zo'n oordeel en zulke kwalificaties passen, om het

[1971] DW. VI, p. 408; DW. VIII, p. 135; DW. VIII, p. 130. Deze en soortgelijke citaten bij De Deugd (1966), p. 394, 395.

[1972] Citaten uit P.N. van Eyck, Verzameld werk, dl. 3 en dl. 4: *Verslagen en Mededelingen Koninklijke Vlaamse Academie voor Taal- en Letterkunde* 1965, afl. 1-4, p. 42, 43.

[1973] *Curiosités* esthétiques / *L'Art romantique/ et autres oeuvres critiques* (uitg. Henri Lemaitre), Paris 1962, p. 490, 624, 829.

[1974] Van Eijnatten (1998), p. 711. De kwalificaties 'onze kamergeleerde' en 'pantoffelheld' gebruikt Van Eijnatten in een andere context: p. 278, 279, namelijk waar hij Bilderdijks opvatting bespreekt van het begrip 'moed', dat voor hem,

in hedendaags Nederlands te zeggen, in de 'trend' tot 'debunking' die kenmerkend is voor de vernieuwde Bilderdijk-studie aan de Vrije Universiteit, waar Van Eijnatten in 1993 promoveerde op *God, Nederland en Oranje* en waar hij sinds 2007 hoogleraar is in de cultuurgeschiedenis. Zoals al eerder opgemerkt, is er, na anderhalve eeuw omzwachteling, een erkenning van bezwarende feiten in Bilderdijks biografie opgetreden.[1975] Die erkenning gaat gepaard met de (her-)ontdekking dat Bilderdijk [dan ook] geen echte calvinist was en bovendien ten onrechte werd en wordt beschouwd als 'vader' van het negentiende-eeuwse protestantse Réveil en haar latere staatkundig gereformeerde vertakkingen.[1976] De laatste overtuiging impliceert dat een hele serie studies over het Réveil even stilzwijgend van tafel wordt geveegd als studies over Bilderdijk van befaamde gereformeerde hoogleraren-politici als Abraham Kuyper (A.R.P.), Herman Bavinck (A.R.P.) en Carel Gerretson alias Geerten Gossaert (C.H.U.).[1977] Ik heb die overtuiging nog niet in het reine zien komen met de fundamentele overeenkomsten tussen Bilderdijk en de antirevolutionaire grondlegger-voorman Groen van Prinsterer. Met name denk ik aan Groens ideeën over 'het goddelijk recht der Overheid' en de verdediging van 'de christelijke waarheid' tegen de 'afgoden der eeuw', zoals geformuleerd in een schriftuurlijk geïnspireerd geschrift als *Ongeloof en Revolutie*. Ook Groens ideaal van 'vereniging van Kerk en Staat' is terug te vinden bij zijn leermeester Bilderdijk, die hij 'een der zeldzaamste genieën van alle landen en van alle tijden' noemde.[1978] In 1961 publiceerde de latere hoogleraar aan de Vrije Universiteit dr. J. Bosch zijn studie 'Willem Bilderdijk als wijsgerig historievormer' in *Perspectief*, feestbundel van jongeren ter gelegenheid van het vijfentwintigjarig bestaan van de Vereniging voor Calvinistische Wijsbegeerte. In deze studie wordt Bilderdijk gekarakteriseerd als: 'ijsbreker van het Réveil..., handhaver van de Dordtse leer ...boetprofeet der orthodoxie... dichter-denker die uitschreef wat het hoofdthema zou zijn van Groen van Prinsterers *Ongeloof en Revolutie* en... het gelaat der natie voor komende geslachten veranderde.' Wat de door Van Eijnatten als napraterij gekwalificeerde overeenkomst tussen de contra-revolutionaire denkbeelden van De Maistre en Bilderdijk betreft, zou ik willen opmerken dat Bilderdijks staatkundige ideeën al lang bestonden voor

in tegenstelling tot aan te leren soldateske 'dapperheid', een aangeboren (dichterlijke) onafhankelijkheid veronderstelt, die alleen door de wil versterkt kan worden.

[1975] Zie hfdst. XVI, noot 1016.

[1976] Zo door Van Eijnatten, wiens promotor G.J. Schutte zich al had ingespannen om Bilderdijk voor te stellen als '*verlicht* conservatief'; Schutte (1991) en Schutte (1994). De Wilde en Smeenk namen daarentegen in het eerste hoofdstuk van hun 'Geschiedenis van de A.R.-partij' (1949) zonder onderschrift, maar wel veelzeggend, een groot portret van Bilderdijk op. (Overigens wordt Bilderdijk in de Inleiding van Van Eijnattens boek, p. 19, getypeerd als 'christen conservatief' (i.t.t. 'romanticus') en als 'orthodoxe christen'.) I.v.m. de door mij gebruikte term 'herontdekking' verwijs ik naar Nauta (1949) en Geyl (1963), p. 77.

[1977] Zie noot 1346 met verwijzing naar studies over het Réveil n.a.v. Da Costa's *Bezwaren*... in het onderhavige hoofdstuk, par. 3 en Kuyper (1906), Bavinck (1906) en Gossaert (Helmond, z.j.)

[1978] Groen van Prinsterer (1976), p. 40-52. Het staatkundig verschil met Bilderdijk zit vooral in het feit dat voor Groen het van God gegeven gezag niet de absolute monarchie hoefde te zijn. Waar Groen zijn verschillen met Bilderdijk benadrukt, mag niet worden vergeten dat hij meteen zijn eigen 'autonomie' t.o.v. een beroemde leermeester en voorganger verdedigt. Verwonderlijk is veeleer dat de verschillen tussen de in overvloed opgegroeide en alom geachte miljonair Groen en de in verbanning, verachting en armoede levende Bilderdijk niet veel groter waren. (Zie voor Groen ook: Schutte -1977- en Van Essen -1984 -.)

hij het werk van rooms-katholieke De Maistre leerde kennen en dat hun verwantschap niets afdeed aan Bilderdijks heftige afwijzing van de door De Maistre aangehangen onfeilbaarheid van de paus.[1979] Die afwijzing is ook kenmerkend voor Bilderdijks door orthodoxe gereformeerden met instemming ontvangen strijdbare brochures als *Een protestant aan zijne medeprotestanten* (1816) en *Aan de Roomsch-katholieken dezer dagen* (1823).

De gereformeerde theoloog en dogmaticus Herman Bavinck situeerde Bilderdijk temidden van de grote Duitse romantici die, tegen de Verlichting in, 'de nieuwe tijd' aankondigde en hij plaatste hem zelfs boven hen omdat Bilderdijk dit deed 'op den grondslag der Gereformeerde belijdenis.'[1980] Bilderdijk kwam en komt inderdaad op zijn lezers over als een calvinistische romanticus. En het is ook als zodanig dat hij mislukte als dramaturg. Hij geloofde even vast in de predestinatie ('vrije uitverkiezing'of 'bloote, onvoorwaardelijke genade') als Johannes Calvijn toen die hoofdstuk 21 tot en met 24 van het Derde Boek in zijn *Institutio* schreef. Als het om de bestrijding van zijn tegenstanders ging, deinsde Bilderdijk ook even weinig terug voor scheldwoorden als de grote hervormer, die sprak over 'giftige honden' en 'vuil geknor der zwijnen'.[1981] Het lijdt voor mij geen twijfel, of Bilderdijk was ervan overtuigd dat hij tot de uitverkozenen behoorde. Daarom had hij als treurspel-dramaturg moeite met het Fatum of noodlot, dat uiteindelijk het tragische bepaalt. 'Der Scheitelpunkt der Tragik ist dort erreicht, wo der Mensch leidet, ohne einen Ausweg zu wissen, und ohne die Möglichkeit, das Leiden geistig zu erhellen', schrijft Horst Baden in zijn studie over de Griekse tragedie.[1982] Bilderdijk zag als

[1979] Van Eijnatten (1998), p. 536, 652, 653, wijst er terecht op dat Bilderdijk het werk van De Maistre pas laat, namelijk in de jaren 1820, heeft leren kennen. (Vgl. Bilderdijk, Opstellen, p. 88 e.v.) In zijn belangrijk essay over De Maistre (1924, herschreven in 1961) schrijft Anton van Duinkerken: 'Vertrouwen op het geleidelijk voortschrijden van de openbaring lijkt in tegenspraak met afkeer van de vorderingen, die wetenschap en techniek ondergaan. Absolutisme in de politiek verwacht geen zelfstandige ontwikkeling van godsdienstige inzichten naast zich. Voor een deel is de tegenstelling herleidbaar tot een botsing tussen klassicisme en romantiek, want bij een monarchistische denktucht bezat Joseph de Maistre een rusteloos temperament. Zo reactionair hij zich uitliet, was hij zijns ondanks een overgangsfiguur, beïnvloed door de meningen, die hij bestreed. (*Verzamelde geschriften II. Debat en polemiek*, Utrecht 1962, p. 567.) Vgl. voor Bilderdijk en Maistre ook Smit (1929),p. 178-180.

[1980] Bavinck (1906), p. 498, 511, 512. Er is herhaaldelijk gewezen op het feit dat Bilderdijk geen belijdenis heeft gedaan en nooit heeft deelgenomen aan het avondmaal. Toch bewijzen zijn geschriften en zijn briefwisseling (niet alleen met intellectuelen als Da Costa, Capadose en Wiselius maar ook met heel eenvoudige kerkleden) dat hij zich wel degelijk beschouwde als lidmaat van de hervormde kerkgemeenschap. Een citaat uit zijn verdediging van de predestinatie in zijn postume *Opstellen* (1883), p. 78: 'Zy, die der Hervormde Kerk van het aannemen eener tyrannieke grilligheid in het Goddelijk Wezen beschuldigen, wanneer *wy* [ik cursiveer] ons een geheel vrije roeping en verkiezing zonder te rug zicht op den mensch en zijn werk of geloof voorstellen; zy, daar zy den dank dier verkiezing Gode, of geheel of ten deele onttrekken, zich-zelven tot werkers hunner zaligheid makende, en de Goddelijke vrijkeur aan zich toeeigenende; zy stellen in God de allerredeloosste willekeurigheid.' Bilderdijks brieven aan Da Costa (Br. IV) zijn doortrokken van eerbied voor belijdenis en religieuze gemeenschap. Pertinent lijkt me de uitspraak van Van der Zwaag (1991), p. 205: 'De sleutel tot het verstaan van deze ingrijpende zaak [= het niet aangenomen zijn van Bilderdijk als lid van de kerk] is waarschijnlijk gelegen in het onwettig karakter van Bilderdijks tweede huwelijk, dat voor zijn kerkelijk lidmaatschap een belemmerende factor is geweest. Bilderdijk zelf heeft altijd geschroomd hier openlijk zijn (schuld)gevoelens uit te spreken. De publieke opinie werd, althans aanvankelijk, in dit opzicht door hem enigszins hautain getrotseerd.' Ook citeert Van der Zwaag een dagboekaantekening van Willem de Clercq waarin staat dat Bilderdijk zijn niet toetreden tot de kerkgemeenschap verklaarde door de bewering 'dat hij een te groot zondaar daartoe was.'

[1981] J. Calvijn (vertaling Sizoo), *Institutie of Onderwijzing in de Christelijke godsdienst*, Delft 1985, Derde Boek, p. 498, 512.

[1982] Baden (1948), p. 35.

uitverkorene een uitweg in de zekerheid van de goddelijke uitverkiezing. Hij geloofde in wat H.J. Heering anderhalve eeuw later het 'meta-tragische fatum' zou noemen in zijn studie over de *Tragiek van Aeschylus tot Sartre:* het lijden wordt verklarend verlicht door het licht van de 'ontzaglijke liefde' van Gods 'onverdiende genade'.[1983]

5. Eerzucht, dramaturgie en dichterschap

Zoals vermeld bij de bespreking van zijn *Consideratien over de Aanmoediging der Tooneelpoëzy*, was Bilderdijk van mening dat het herstel van het nationaal toneel vooral kon worden bewerkt door de eerzucht van de dichters te prikkelen. Ten overvloede heeft Bilderdijk in dit stuk ook aangeduid hoe die eerzucht geprikkeld kan worden. Hij sprak daarbij over een eremedaille die de koning ter beschikking zou moeten stellen en meende dat de auteur wiens stuk wordt opgevoerd zijn opwachting moest maken in de koninklijke loge, nadat hij in het rijtuig van de oudste regent naar de schouwburg was gebracht. Verder vroeg hij 'Een gedistingeerd balcon perpetueel voor de Dichters, die van nu aan zich onderscheiden zullen.'

Kamphuis meende dat deze zonderlinge voorstellen voortvloeiden uit Bilderdijks hoge opvatting van het dichterschap. Dat lijkt me zeer waarschijnlijk.[1984] Het gaat erom vast te stellen wat Bilderdijk onder eerzucht en onder dichterschap verstond. In een artikel over het bijbelse treurspel *Thirsa* heb ik in 1957 de aandacht gevestigd op Bilderdijks herhaaldelijke waarschuwingen aan zijn toenmalige vriend Rhijnvis Feith, met betrekking tot diens 'rampzalige lofzucht'. Bilderdijk bracht Feiths op burgerlijke en politieke erkenning gerichte eerzucht in verband met diens door vals gevoel en 'geestdrijverij' gevoede 'verbeelding', die volgens hem met 'wezendlijk gevoel' en daaruit voortvloeiende echte poëtische verbeelding niets te maken had. Daarom stond Feiths 'rampzalige lofzucht' helemaal los van de uit deugd voortkomende, tot vaderlandslievende heldendaden en tot waarachtige 'Poëzy' leidende romantische Eerzucht waarover Bilderdijk spreekt in zijn *Consideratien*.[1985] Het lijkt me intussen duidelijk dat Bilderdijk heeft gehoopt zeer spoedig te behoren tot de toneeldichters, 'die *van nu aan* zich onderscheiden zullen'. Op het moment dat hij zijn *Consideratien* schreef, waren nog maar nauwelijks de enige oorspronkelijke treurspelen gereed gekomen die hij ooit heeft voltooid. Hij liet er speciale

---

[1983] Heering (1961), p. 231 e.v.

[1984] Te meer, omdat ze gepaard gingen met Bilderdijks verzet tegen de door medeleden van het Koninklijk Instituut geopperde mogelijkheid van geldelijke beloningen: vgl. hfdst. XVI, par. 5. Waarbij kan worden opgemerkt dat Bilderdijk nota bene voortdurend kampte met geldgebrek en zonder meer in armoede leefde. Kamphuis (denkbeelden, 1947), p. 224; Kollewijn, dl. I, p. 451, 452.

[1985] De Jong (*Thirsa* II, 1957), p. 206. Dat Bilderdijk zijn eigen poëtische eerzucht bewust wenste te zien en te waarderen zoals in zijn *Consideratien*, lijkt me aan geen twijfel onderhevig. Of hij ook onbewust laboreerde aan de soort 'rampzalige lofzucht' die hij Feith verweet, is een andere vraag: zie ook de bespreking van Bilderdijks onvoltooide treurspel over Brutus in het *Eerste Boek*, hfdst. IV, par. 7. (Vgl. Van Eijnatten -1998- p. 43 e.v.) Zoals er voor Bilderdijk twee soorten 'verbeelding' (hfdst. IV, par. 3) en twee soorten 'bewondering' bestonden (hfdst. VI, slot par. 1, noot 287, hfdst. X, slot par. 2, hfdst. XVII, par. 4, noot 1162, n.a.v. J.C. de Lannoy), zo kende hij ook twee soorten 'eerzucht': hfdst. VII, par. 1 en hfdst. XVII, par. 5.

exemplaren in rood marokijn van vervaardigen om ze de koning aan te bieden.[1986] Want de koning was immers degene wiens goddelijke taak en roeping in die treurspelen tot heil van het vaderland poëtisch werd verbeeld en geëerd.

Bilderdijk zelf schijnt de relatie tussen het dramatisch dichterschap en de eerzucht op de eerste plaats te hebben beseft. Men moet zich dan ook niet laten misleiden door latere uitlatingen als in een brief aan H.W. Tydeman van 9 maart 1810, waar de dichter beweert dat hij 'alle mooglijke maatregelen heeft genomen' om de opvoering van zijn treurspelen tegen te gaan, uit vrees dat de acteurs zijn werk verknoeien zullen.[1987] Toen Bilderdijk dit schreef, was de kans dat zijn stukken spoedig zouden worden opgevoerd al verkeken. Ik ben er van overtuigd dat hij – althans aanvankelijk – wel degelijk een opvoering van zijn stukken heeft gewenst. Hij schreef dat trouwens zelf in het voorwoord bij zijn *Floris de Vijfde* en verborg daarbij geenszins zijn teleurstelling over het feit dat de Amsterdamse schouwburg zijn treurspel onder een doorzichtig voorwendsel had afgewimpeld.[1988] Alle twijfel in dezen wordt weggenomen door zijn onuitgegeven brief van 9 augustus 1808 aan J. Immerzeel, die toen de uitgave van zijn treurspelen gereedmaakte. Bilderdijk liet zijn uitgever weten: 'De koning schrijft mij dat hij *WELHAAST mijn Floris hoopt te zien spelen*. Ik feliciteer UE met dit goed voorteken voor den *Wm. Van Holland*, die, denk ik, vooral niet minder op 't Tooneel voldoen moet.'[1989]

Niets is er van deze mooie verwachtingen uitgekomen. Pas in 1814 werd Bilderdijks *Willem van Holland* zonder succes in Amsterdam opgevoerd, evenals zijn vertaling van Corneilles *Cinna*.[1990] Geen woord treft men over die opvoeringen aan in Bilderdijks brieven. 'Le poète s'en était déjà détaché probablement, car il n'en parle pas dans sa correspondance', veronderstelde Johan Smit.[1991] Ik geloof dat Bilderdijk er wèl over geschreven zou hebben als zijn werk beter door het schouwburgpubliek was ontvangen. Dat zijn belangstelling voor het toneel in 1814 nog niet helemaal verdwenen was, blijkt uit zijn geschriften.[1992] Dat ze aanzienlijk minder was geworden, is eveneens een feit. En dit feit wordt voor een belangrijk gedeelte verklaard uit Bilderdijks teleurstelling. De dichter heeft roem willen oogsten met zijn treurspelen op grond van de daarin verbeelde heldhaftige vaderlandsliefde en de verheven staatsleer van goddelijke herkomst: maar dit van God vervallen en door 'den geest der eeuw' besmette geslacht heeft hem niet willen begrijpen. 'Geen ondankbarer arbeid' dan het schrijven van treurspelen, meende hij

[1986] Onuitgegeven brieven aan J. Immerzeel van 12 okt. en 17 dec. 1808, Portefeuilles Margadant, Bilderdijk-Museum, Amsterdam.

[1987] Zie hfdst. XVII, par. 5; Tyd. I, p. 214; vgl. TDV. II, p. 189.

[1988] DW. XV, p. 139. Zie over deze kwestie J.H. Rössing in het gedenkboek *Mr. Willem Bilderdijk* (1906), p. 350.

[1989] Onuitgegeven brief in de Portef. Margadant. Enige dagen tevoren (6 aug.) had Bilderdijk van de 'Intendant Général de la Maison du Roi' een briefje ontvangen waarin deze hem namens de koning bedankte voor: 'la tragédie que vous lui avez dediée et qu'Elle espère voir représenter bientôt.'

[1990] Voor de opvoering van Bilderdijks toneelwerk verwijs ik naar het *Eerste Boek*, hfdst. XII.

[1991] Smit (1929), p. 128, 129.

[1992] Zie hfdst. XVIII en *Eerste Boek*, hfdst. XIII.

al bij voorbaat in 1806.[1993] Het experiment van twee jaar later gaf hem de proef op de som. De eerzucht, ''t eenig incitatif' dat de dichter beweegt, 'te verdoven en te loor te stellen is hem te rug houden', had hij terecht in zijn *Consideratien* geschreven.[1994]

Er is nog een laatste en veel belangrijkere oorzaak van Bilderdijks mislukking als dramatisch dichter. Een oorzaak die gevonden wordt in het antwoord op de vraag of hij de gesteldheid bezat die sommige schrijvers op dwingende wijze hun bestemming als dramaticus schijnt aan te wijzen. Had Bilderdijk 'roeping' als dramaturg? Geeft hij er met andere woorden, duidelijk blijk van dat hij de capaciteiten bezat om toneelschrijver te zijn en voelde hij zich ook een dramatisch dichter?

Stellen we, ter beantwoording van de eerste vraag, eens vast hoe het staat met Bilderdijks karaktertekening en zijn compositievermogen. Ik denk niet dat er veel lezers van zijn voltooide en door hem zelf gepubliceerde treurspelen zijn, die er bezwaren tegen kunnen hebben als ik hier opnieuw verwijs naar een oordeel van Henri Lion over het dramatisch werk van Voltaire: 'Hélas, il n'a pas le loisir ou la force de fouiller ses personnages et de les présenter avec un puissant relief. Ce sont trop, en général, ou de simples marionnettes dans la main exercée de l'auteur, ou des fantômes d'hommes et de femmes aux traits émoussés, à la physionomie peu distincte'.[1995] 'Karakters teekenen kon hij niet', zei Kollewijn van Bilderdijk en weinigen zullen hem tegenspreken.[1996] Dat ook de structuur van Bilderdijks gepubliceerde treurspelen, met name van *Floris de Vijfde* en *Willem van Holland* niet bepaald sterk is, werd al vaker beweerd.[1997] Nu wij bovendien zijn onuitgegeven ontwerpen hebben leren kennen, kunnen we zonder bezwaar de parallel met Voltaire doortrekken: 'Mais le tort, le grand tort de Voltaire [Bilderdijk] ça a été, dans sa hâte précipitée à composer, de revenir maintes fois et sans s'en douter à des sujets analogues... Son théâtre manque, en ce sens, de variété et, par suite, d'invention'.[1998]

En Bilderdijk zelf? In de voorafgaande pagina's heb ik een serie tegenstrijdige uitspraken over zijn eigen toneelwerkzaamheden en zijn interesse voor het treurspel vermeld. Hun aantal is zonder moeite te vermeerderen. 'Pour la tragédie, je l'aime au dessus de toutes choses', beweerde hij in 1798, maar in zijn treurspelverhandeling van

[1993] Br. II, p. 115.

[1994] Toepasselijk op Bilderdijk lijkt me wat Guillermo Díaz-Plaja (1954), p. 60, schrijft in zijn paragraaf over 'Voluntad de Gloria' van de romantische dichter: 'El escritor es interesante en tanto que sufre; y uno de sus sufrimiento característicos es debido a la diferencia que hay entre su voluntad de gloria y la gloria que realmente le otorga la sociedad en que vive.'

[1995] Lion (1895), p. 450.

[1996] Kollewijn, dl. II, p. 451, dl. I, p. 455 e.v. Vgl. Kamphuis (Denkbeelden, 1947), p. 222; Rössing (Gedenkboek 1906), p. 351); Chr. Stapelkamp in de Inleiding bij *Mr. Willem Bilderdijk. Floris de Vijfde*, Zutphen z.j., p. 26 e.v.

[1997] Zie Kollewijn, dl. II, p. 459, Kamphuis a.w., p. 222 en Smit (1929), p. 31.

[1998] Lion, p. 431. Dat Voltaire en Bilderdijk niet de enigen waren bij wie een oorspronkelijke opzet van het treurspel ontbreekt, lijkt me aangetoond in het *Eerste Boek*. Ook in hun zwakke karaktertekening staan ze niet alleen. In de tweede helft van de achttiende eeuw leek het classicistische treurspel soms wel een soort marionettentheater. Toen de jonge Marmontel aan Voltaire vertelde dat hij geen blijspel zou kunnen schrijven omdat hij te weinig mensenkennis had, adviseerde zijn beroemde landgenoot hem de tragedie te beoefenen: wat Marmontel dan ook met succes is gaan doen! (Worp, dl. II, p. 163, 164).

1808 heette het: 'Ik heb zelf met dit soort van Dichtkunst niet zoo veel op, als veellicht de meesten mijner Lezeren.'[1999] Bilderdijks houding tegenover het toneel is ambivalent geweest; hij heeft er zich te dikwijls machteloos bij gevoeld en hij heeft soms getwijfeld aan zijn eigen talent, aan zijn mogelijkheden om in dit genre iets te bereiken. Als eenenzestigjarige meende de dichter dat hij misschien te weinig belangstelling voor het treurspel had 'om het op zijn waren prijs te stellen, of om er recht juist over te oordeelen'. En toen schreef hij ook rechtstreeks: '*mijn gestel is niet dramatiek*'.[2000] Inderdaad. Al heeft Bilderdijk zich verbeeld dat hij in zijn jeugd het vermogen had om zijn 'ziel voor andren (te laten) denken en dat hij slag (had) van treurspelen te ontwerpen': uit zijn werk blijkt zelden dat hij in dezen ook maar iets boven het middelmatige uitkomt.[2001] Hij was in feite een lyrisch dichter en als zodanig een man van het ogenblik, die zich liet meeslepen door zijn poëtische drift en tevoren met geen mogelijkheid wist waarheen die drift hem voeren zou. Het feit dat er sommige door en door bewerkte en herwerkte poëziemanuscripten van hem bestaan die bewijzen dat ook voor hem de poëzie volgehouden 'arbeid' kon zijn, doet daar weinig aan af.[2002] In al zijn grotere gedichten mankeert het aan een weloverwogen structuur. Het is niet toevallig dat zijn enige epos, *De ondergang der eerste wareld*, onvoltooid is gebleven. Zelf schreef hij bij de uitgave van de ons overgeleverde fragmenten dat degene die 'in de gave en zuivere uitstorting van zijn gevoel, door de moeilijkheden van dit zekerlijk oneindig vak van studie te rug wordt gehouden, ... zich nimmer (moet) aanmatigen, de hand aan Melpomenes dolk of Calliopes Heldentrompet te slaan. Het is in deze vakken niet dat men zich *vormt*; men moet ze, om ze in te stappen, reeds meester zijn.'[2003] Bij zijn uitgave van Bilderdijks onvoltooide epos vestigde Isaac da Costa de aandacht op het bestaan van niet minder dan vierentachtig onuitgewerkte historische en bijbelse treurspelontwerpen van de grote epische dichter John Milton. Hij had eraan toe kunnen voegen dat zelfs het wereldberoemde epos *Paradise Lost* aanvankelijk was bedoeld als treurspel. Miltons 'gestel' was, om met Bilderdijk te spreken, niet 'dramatiek'. Dat was wél het geval met Vondel, van wie juist bekend is dat hij tevergeefs heeft geprobeerd een epos te schrijven.[2004] Wellicht heeft hij sommige motieven uit dat mislukte werk wel kunnen gebruiken in zijn latere treurspelen: 'Het is in deze vakken niet dat men zich *vormt*'. Bilderdijk was geen geboren dramaturg maar een lierdichter en leerdichter, die soms werd geleid en misleid door zijn verbeelding en niet in

---

1999 Onuitgegeven brief van 18 juni 1798 aan J. Kinker, Portefeuilles Margadant, Briefwisseling III, p. 105; Trsp., p. 158.

2000 Br. III, p. 92. Ik cursiveer.

2001 DW. VII, p. 21; Br. I, p. 234.

2002 Vgl. Kollewijn, dl. I, p. 395, dl. II, p. 452. Wille (1963), p. 250, citeert (evenals Van Hattum in *Het Bilderdijk-Museum* 24 -2007-, p. 21) een brief uit 1805 waarin Bilderdijk gewaagt van een toestand van 'delirium' en 'paroxysmen' die hem 'den gantschen nacht' verzen deed dicteren. Maar tevens vestigt Wille de aandacht op een 'doorwerkt gedicht' uit hetzelfde jaar. (Bij het hanteren van citaten uit Bilderdijks gedichten als bewijsmateriaal inzake filosofie, geloof, zeden enz. lijkt het gewenst rekening te houden met de mogelijkheid dat zijn woordkeus mede werd bepaald door de eisen en mogelijkheden van de prosodie.)

2003 DW. XV, p. 182. Ik cursiveer.

2004 Da Costa (1847), p. 38; Smit (1956), dl. I, p. 154-157; 176, 177.

het minst door zijn staatkundige en theologische overtuigingen. Hij heeft zich willen *vormen* als dramatisch dichter. Niet alleen naar het voorbeeld van de Grieken, Corneille en Racine, zoals hij zelf heeft medegedeeld, maar al evenzeer naar dat van Voltaire en andere classicistisch gevormde preromantische nieuw(ver)lichters.[2005] Het is daarom, dat de 'moeilijkheden' van het treurspel hem verhinderden 'in de gave en zuivere uitstorting van zijn gevoel'...

In de vierde van zijn Luikse lessen over *Chateaubriand et son cercle littéraire* (1848-1849) sprak Sainte-Beuve over de later nooit meer te evenaren inspirerende invloed van eerste natuurindrukken op het werk van schrijvers: 'Il semble que le fond d'une âme d'artiste (même de celles qui ont, en apparence, le don de se renouveler plus d'une fois) soit avide d'un certain idéal inconnu, d'une certaine impression première: comme ces murailles préparées pour la fresque, elle boit aussitôt la première couleur, les premières images que la nature, ce grand peintre, y jette en courant. Plus tard on peut ajouter à ce fond; mais il domine, il persiste, on ne l'efface plus; et aucune couche nouvelle, si riche qu'elle soit, ne saurait le remplacer ni le recouvrir.'[2006] Bilderdijks eerste indrukken van de natuur en van de mensen berustten op lectuur. Terwijl andere pubers in alle seizoenen spelend de buitenwereld en elkaars gezelschap verkenden en beleefden, vertoefde Bilderdijk van zijn zesde tot zijn zestiende jaar wegens ziekte binnenskamers, waar hij les kreeg van zijn vader en de klassieke werken in diens welvoorziene bibliotheek las.[2007]

'We hebben het feit te aanvaarden, dat ons land sterker is in lyriek dan in dramatiek, wat wel eens wordt verklaard uit gebrek aan groot gemeenschapsleven, waardoor de Nederlander zich in de binnenkamer terugtrok', meende Gerard Brom.[2008] Indien die mening ooit opgaat, dan is het voor Bilderdijk, de dichter die zijn jeugd aan het studeervertrek was gekluisterd en die als volwassene min of meer 'onwennig' tussen zijn medemensen stond.[2009] Bilderdijk was een leergierige classicist en veelweter, een gereformeerde moralist, een eerzuchtig treurspeldichter en een fanatiek propagandist voor het absolute vorstengezag. Hij was tegelijkertijd en vooral een wereldvreemde, romantische lierdichter.[2010]

[2005] Tyd. II, p. 306.

[2006] C.-A. Sainte-Beuve, *Chateaubriand et son groupe littéraire sous l'empire*², Paris 1889, vol. 1, p. 134.

[2007] Kollewijn, dl. I, p. 45, die het gedicht 'Herdenking' (1817) citeert waarin Bilderdijk schreef dat de 'leesdisch' waaraan hij in zijn jeugd 'geboeid' was voor hem de natuurervaringen verving.

[2008] Gerard Brom, *Schilderkunst en litteratuur in de 16ᵉ en 17ᵉ eeuw*, Utrecht-Antwerpen 1957, p. 225. Brom verwijst naar: Just Havelaar, *Het leven en de kunst*, 1923, p. 50.

[2009] Kollewijn, dl. I, p. 32 e.v., dl. II, p. 386. Vgl. Gossaert (*Essays*), p. 81 e.v.

[2010] Léon Wencélius meent 'que l'esthétique calvinienne ... pourrait être l'ancêtre de l'esthétique classique' en schrijft: 'Il y a quelque chose de calvinien dans l'idéal des Lettres du siècle de Louis XIV. Nous retrouvons cette même recherche de l'essentiel, ce même goût pour la réalité homogène qui aboutit à la séparation des genres dans la littérature dramatique, ce même souci d'exprimer le plus par le moins, cette recherche d'un style sobre, mais clair'. Daarentegen zou de romantiek juist een katholieke kunst zijn (Wencélius, p. 419 e.v.) Na te hebben vastgesteld dat ik niet graag verschillende uitspraken uit Wencélius' 'conclusion générale' voor mijn rekening zou willen nemen, wijs ik er even op dat Bilderdijk zich niet alleen een geremde romanticus toont, maar soms ook de indruk wekt een 'geremde katholiek' te zijn. Rupke (1988), p. 206, 207, brengt Bilderdijks 'philo-Catholicism' in verband met 'The Romantic predilection for what is historical, original and pure'. Zie ook De Jong (Roeping 1956).

REGISTER

Het boek is doorzoekbaar via de PDF-bestanden op de bijgeleverde cd-rom.

Stop daarvoor de cd in de cd-speler van uw computer. De cd start vanzelf op. Volg vervolgens de richtlijnen op het openingsscherm.